통합과학

1266제

완자 기출 PICK 차례

I 물질과 규칙성

II 시스템과 상호 작용

Ⅲ 변화와 다양성

1 화학 변화

2 생물 다양성과 유지

Ⅳ 환경과 에너지

1 생태계와 환경

2 발전과 신재생 에너지

완자 기출 PICK 구성 - 기출 문제를 분석하여 핵심을 빠짐 없이 담았다!

PICK 1 핵심 정리

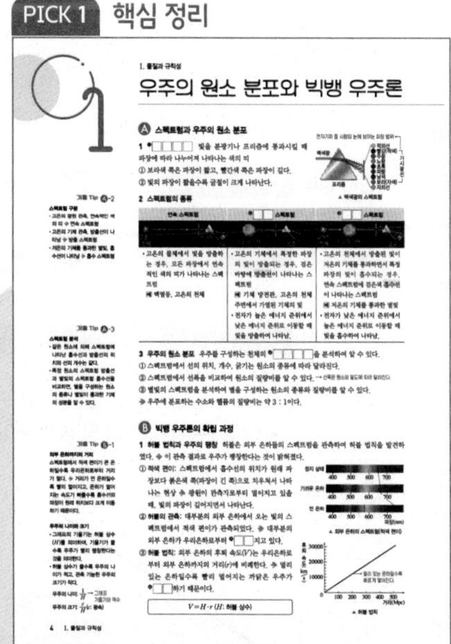

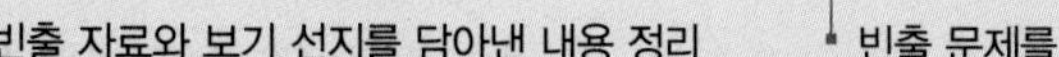

빈출 자료와 보기 선지를 담아낸 내용 정리

PICK 2 필수 기출

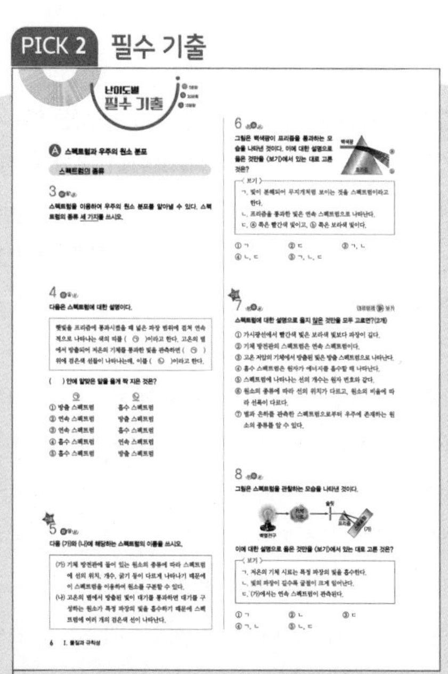

빈출 문제를 주제별, 난이도별로 구성

PICK 3 도전 기출

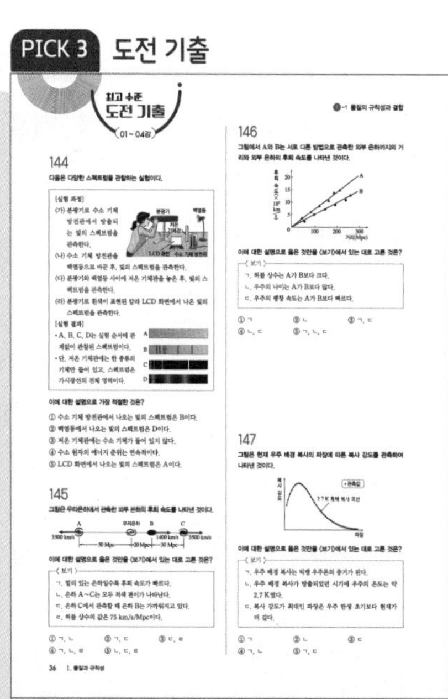

1등급 달성을 위해 꼭 풀어봐야 하는 도전 문제

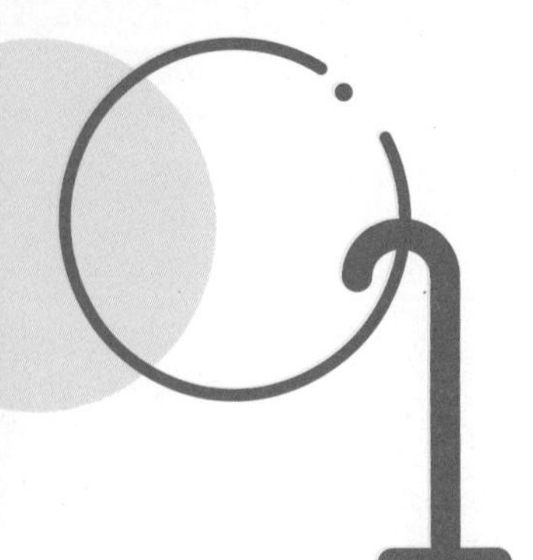

우주의 원소 분포와 빅뱅 우주론

Ⓐ 스펙트럼과 우주의 원소 분포

1 ❶□□□□ 빛을 분광기나 프리즘에 통과시킬 때 파장에 따라 나누어져 나타나는 색의 띠

① 보라색 쪽은 파장이 짧고, 빨간색 쪽은 파장이 길다.

② 빛의 파장이 짧을수록 굴절이 크게 나타난다.

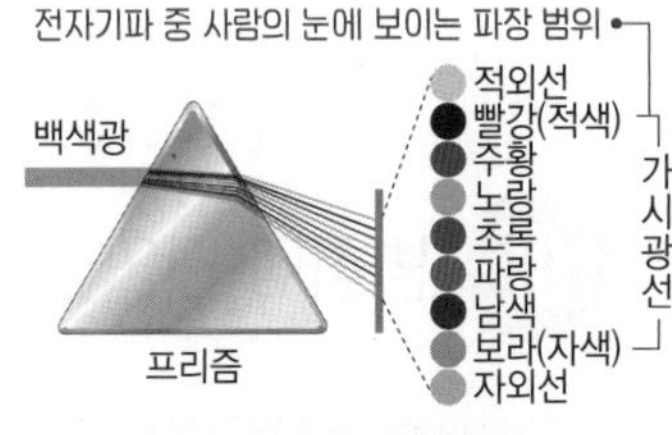

▲ 백색광의 스펙트럼

기출 Tip Ⓐ-2

스펙트럼 구분

- 고온의 광원 관측, 연속적인 색의 띠 ➔ 연속 스펙트럼
- 고온의 기체 관측, 방출선이 나타남 ➔ 방출 스펙트럼
- 저온의 기체를 통과한 별빛, 흡수선이 나타남 ➔ 흡수 스펙트럼

2 스펙트럼의 종류

연속 스펙트럼	❷□□ 스펙트럼	❸□□ 스펙트럼
고온의 천체 / 프리즘 / 연속	고온의 기체 / 방출	고온의 천체 / 저온의 기체 / 흡수
• 고온의 물체에서 빛을 방출하는 경우, 모든 파장에서 연속적인 색의 띠가 나타나는 스펙트럼 예 백열등, 고온의 천체	• 고온의 기체에서 특정한 파장의 빛이 방출되는 경우, 검은 바탕에 방출선이 나타나는 스펙트럼 예 기체 방전관, 고온의 천체 주변에서 가열된 기체의 빛 • 전자가 높은 에너지 준위에서 낮은 에너지 준위로 이동할 때 빛을 방출하여 나타남.	• 고온의 천체에서 방출된 빛이 저온의 기체를 통과하면서 특정 파장의 빛이 흡수되는 경우, 연속 스펙트럼에 검은색 흡수선이 나타나는 스펙트럼 예 저온의 기체를 통과한 별빛 • 전자가 낮은 에너지 준위에서 높은 에너지 준위로 이동할 때 빛을 흡수하여 나타남.

기출 Tip Ⓐ-3

스펙트럼 분석

- 같은 원소에 의해 스펙트럼에 나타난 흡수선과 방출선의 위치와 선의 개수는 같다.
- 특정 원소의 스펙트럼 방출선과 별빛의 스펙트럼 흡수선을 비교하면, 별을 구성하는 원소의 종류나 별빛이 통과한 기체의 성분을 알 수 있다.

3 우주의 원소 분포 우주를 구성하는 천체의 ❹□□□□을 분석하여 알 수 있다.

① 스펙트럼에서 선의 위치, 개수, 굵기는 원소의 종류에 따라 달라진다.

② 스펙트럼에서 선폭을 비교하여 원소의 질량비를 알 수 있다. → 선폭은 원소의 밀도에 따라 달라진다.

③ 별빛의 스펙트럼을 분석하여 별을 구성하는 원소의 종류와 질량비를 알 수 있다.

➔ 우주에 분포하는 수소와 헬륨의 질량비는 약 3 : 1이다.

Ⓑ 빅뱅 우주론의 확립 과정

기출 Tip Ⓑ-1

외부 은하까지의 거리

스펙트럼에서 적색 편이가 큰 은하일수록 우리은하로부터 거리가 멀다. ➔ 거리가 먼 은하일수록 빨리 멀어지고, 은하가 멀어지는 속도가 빠를수록 흡수선의 파장이 원래 위치보다 크게 이동하기 때문이다.

우주의 나이와 크기

- 그래프의 기울기는 허블 상수(H)를 의미하며, 기울기가 클수록 우주가 빨리 팽창한다는 것을 의미한다.
- 허블 상수가 클수록 우주의 나이가 적고, 관측 가능한 우주의 크기가 작다.

우주의 나이: $\frac{1}{H}$ → 그래프 기울기의 역수

우주의 크기: $\frac{c}{H}$ (c: 광속)

1 허블 법칙과 우주의 팽창 허블은 외부 은하들의 스펙트럼을 관측하여 허블 법칙을 발견하였다. ➔ 이 관측 결과로 우주가 팽창한다는 것이 밝혀졌다.

① **적색 편이**: 스펙트럼에서 흡수선의 위치가 원래 파장보다 붉은색 쪽(파장이 긴 쪽)으로 치우쳐서 나타나는 현상 ➔ 광원이 관측자로부터 멀어지고 있을 때, 빛의 파장이 길어지면서 나타난다.

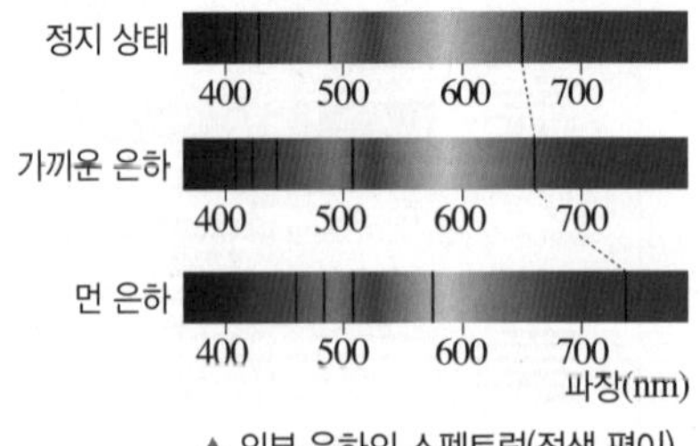

▲ 외부 은하의 스펙트럼(적색 편이)

② **허블의 관측**: 대부분의 외부 은하에서 오는 빛의 스펙트럼에서 적색 편이가 관측되었다. ➔ 대부분의 외부 은하가 우리은하로부터 ❺□□지고 있다.

③ **허블 법칙**: 외부 은하의 후퇴 속도(V)는 우리은하로부터 외부 은하까지의 거리(r)에 비례한다. ➔ 멀리 있는 은하일수록 빨리 멀어지는 까닭은 우주가 ❻□□하기 때문이다.

$$V = H \cdot r \ (H\text{: 허블 상수})$$

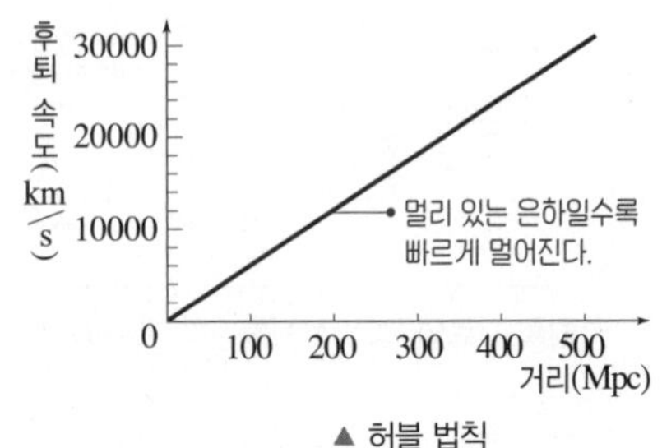

▲ 허블 법칙

2 빅뱅 우주론(대폭발 우주론)과 정상 우주론

① ❼ ☐☐ 우주론: 우주의 모든 물질과 에너지가 초고온, 초고밀도의 한 점에 모여 있다가 빅뱅(대폭발)이 일어난 후 급격히 팽창하여 현재와 같은 저온, 저밀도의 우주가 되었다는 이론

② ❽ ☐☐ 우주론: 우주가 팽창하면서 빈 공간에 새로운 물질이 생성되어 시간이 지나도 우주의 상태(밀도와 온도가 같은 상태)가 유지된다는 이론

구분		빅뱅 우주론	정상 우주론
주장한 과학자		가모프	호일
모형			
공통점	우주의 크기	팽창	팽창
차이점	우주의 질량	일정	증가
	우주의 밀도	❾ ☐☐	❿ ☐☐
	우주의 온도	⓫ ☐☐	⓬ ☐☐

3 빅뱅 우주론의 확립

빅뱅 우주론의 증거가 관측되면서 지지를 받게 되었다.

정적인 우주론과 동적인 우주론의 대립 → 우주 팽창의 증거 발견(허블의 외부 은하 관측) → 빅뱅 우주론과 정상 우주론의 대립 → 빅뱅 우주론의 증거 발견(우주 배경 복사, 수소와 헬륨의 질량비 약 3 : 1)

(우주 배경 복사: 펜지어스와 윌슨의 관측)

기출 Tip B-2

시간이 지남에 따른 빅뱅 우주론과 정상 우주론의 밀도 변화

- 빅뱅 우주론
  $\frac{\text{질량 일정}}{\text{부피 증가}}$ → 밀도 감소 → 온도 감소
- 정상 우주론
  $\frac{\text{질량 증가}}{\text{부피 증가}}$ → 밀도 일정 → 온도 일정

답 ❶ 스펙트럼 ❷ 방출 ❸ 흡수 ❹ 스펙트럼 ❺ 멀어 ❻ 팽창 ❼ 빅뱅 ❽ 정상 ❾ 감소 ❿ 일정 ⓫ 감소 ⓬ 일정

빈출 자료 보기

정답과 해설 2쪽

1 그림 (가)~(다)는 서로 다른 스펙트럼을 나타낸 것이다.

(가)

(나)

(다)

이에 대한 설명으로 옳은 것은 ○, 옳지 않은 것은 ×로 표시하시오.

(1) (가)는 방출 스펙트럼이고, (나)는 흡수 스펙트럼이다. ( )

(2) 고온의 광원에서 나온 빛을 관측하면 (다)와 같이 나타난다. ( )

(3) 분광기로 백열등을 관측하면 (가)와 같이 나타난다. ( )

(4) 원소의 기체 방전관을 관측하면 (나)와 같이 나타난다. ( )

(5) 별빛이 저온의 기체를 통과하면 (다)와 같은 스펙트럼이 관측된다. ( )

(6) (가)에서 선의 폭은 원소의 밀도에 따라 달라진다. ( )

(7) (가)에서 선의 위치는 원소의 종류에 따라 달라진다. ( )

(8) (나)에서 선의 개수는 원소의 원자 번호와 동일하다. ( )

(9) 선의 위치와 선폭을 분석하면 별을 구성하는 원소의 종류와 질량비를 알 수 있다. ( )

2 그림 (가)와 (나)는 가모프와 호일이 주장한 우주론에서 시간이 지남에 따라 나타나는 우주의 모습을 순서 없이 나타낸 것이다.

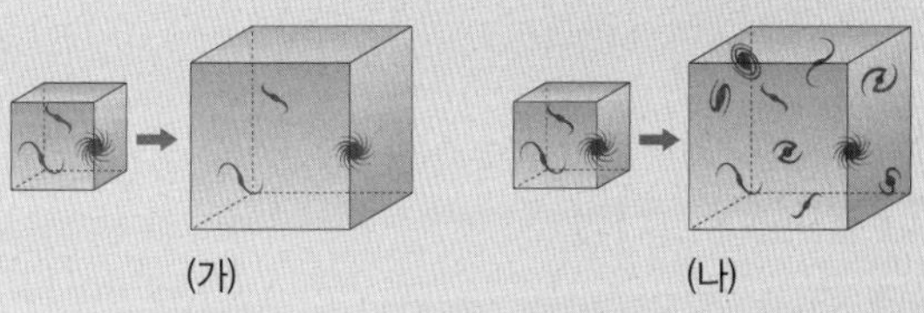

(가) (나)

이에 대한 설명으로 옳은 것은 ○, 옳지 않은 것은 ×로 표시하시오.

(1) (가)는 정상 우주론이다. ( )

(2) (나)는 호일이 주장한 우주론이다. ( )

(3) (가)와 (나)에서 우주의 크기는 모두 팽창한다. ( )

(4) (가)에서 시간이 지나도 우주의 질량은 일정하다. ( )

(5) (나)에서 시간이 지나도 우주의 밀도는 일정하다. ( )

(6) (나)에서 시간이 지남에 따라 우주의 총 질량은 증가한다. ( )

(7) (나)에서 우주의 밀도는 일정하여 과거와 현재는 동일한 상태를 유지한다. ( )

(8) (가)에서 시간이 지날수록 우주의 온도는 낮아지고, (나)에서 시간이 지날수록 우주의 온도는 높아진다. ( )

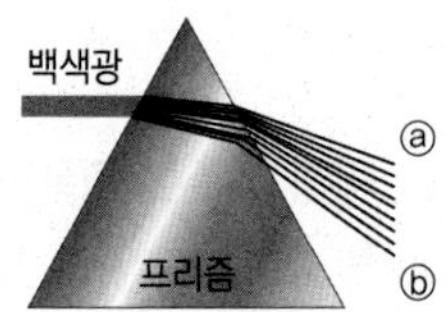

A 스펙트럼과 우주의 원소 분포

스펙트럼의 종류

3 하 중 상

스펙트럼을 이용하여 우주의 원소 분포를 알아낼 수 있다. 스펙트럼의 종류 세 가지를 쓰시오.

4 하 중 상

다음은 스펙트럼에 대한 설명이다.

> 햇빛을 프리즘에 통과시켰을 때 넓은 파장 범위에 걸쳐 연속적으로 나타나는 색의 띠를 (㉠)이라고 한다. 고온의 별에서 방출되어 저온의 기체를 통과한 빛을 관측하면 (㉠) 위에 검은색 선들이 나타나는데, 이를 (㉡)이라고 한다.

( ) 안에 알맞은 말을 옳게 짝 지은 것은?

	㉠	㉡
①	방출 스펙트럼	흡수 스펙트럼
②	연속 스펙트럼	방출 스펙트럼
③	연속 스펙트럼	흡수 스펙트럼
④	흡수 스펙트럼	연속 스펙트럼
⑤	흡수 스펙트럼	방출 스펙트럼

5 하 중 상

다음 (가)와 (나)에 해당하는 스펙트럼의 이름을 쓰시오.

> (가) 기체 방전관에 들어 있는 원소의 종류에 따라 스펙트럼에 선의 위치, 개수, 굵기 등이 다르게 나타나기 때문에 이 스펙트럼을 이용하여 원소를 구분할 수 있다.
> (나) 고온의 별에서 방출된 빛이 대기를 통과하면 대기를 구성하는 원소가 특정 파장의 빛을 흡수하기 때문에 스펙트럼에 여러 개의 검은색 선이 나타난다.

6 하 중 상

그림은 백색광이 프리즘을 통과하는 모습을 나타낸 것이다. 이에 대한 설명으로 옳은 것만을 〈보기〉에서 있는 대로 고른 것은?

백색광 / 프리즘 / ⓐ / ⓑ

〈 보기 〉
ㄱ. 빛이 분해되어 무지개처럼 보이는 것을 스펙트럼이라고 한다.
ㄴ. 프리즘을 통과한 빛은 연속 스펙트럼으로 나타난다.
ㄷ. ⓐ 쪽은 빨간색 빛이고, ⓑ 쪽은 보라색 빛이다.

① ㄱ　② ㄷ　③ ㄱ, ㄴ
④ ㄴ, ㄷ　⑤ ㄱ, ㄴ, ㄷ

7 하 중 상　대표문제 多 보기

스펙트럼에 대한 설명으로 옳지 않은 것만을 모두 고르면?(2개)

① 가시광선에서 빨간색 빛은 보라색 빛보다 파장이 길다.
② 기체 방전관의 스펙트럼은 연속 스펙트럼이다.
③ 고온 저압의 기체에서 방출된 빛은 방출 스펙트럼으로 나타난다.
④ 흡수 스펙트럼은 원자가 에너지를 흡수할 때 나타난다.
⑤ 스펙트럼에 나타나는 선의 개수는 원자 번호와 같다.
⑥ 원소의 종류에 따라 선의 위치가 다르고, 원소의 비율에 따라 선폭이 다르다.
⑦ 별과 은하를 관측한 스펙트럼으로부터 우주에 존재하는 원소의 종류를 알 수 있다.

8 하 중 상

그림은 스펙트럼을 관찰하는 모습을 나타낸 것이다.

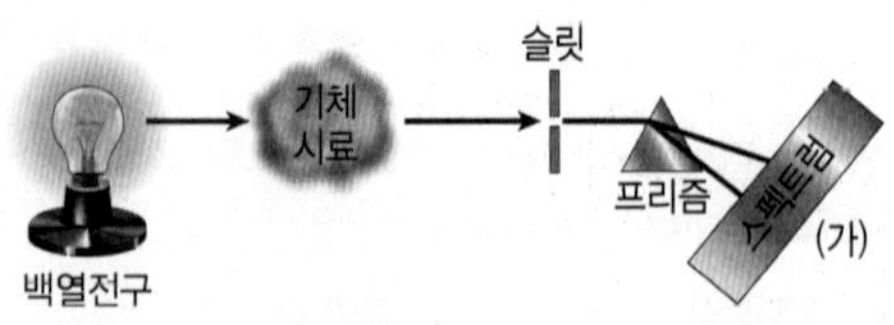

이에 대한 설명으로 옳은 것만을 〈보기〉에서 있는 대로 고른 것은?

〈 보기 〉
ㄱ. 저온의 기체 시료는 특정 파장의 빛을 흡수한다.
ㄴ. 빛의 파장이 길수록 굴절이 크게 일어난다.
ㄷ. (가)에서는 연속 스펙트럼이 관측된다.

① ㄱ　② ㄴ　③ ㄷ
④ ㄱ, ㄴ　⑤ ㄴ, ㄷ

9 (하 중 상)

그림은 고온의 별 A의 빛이 저온의 기체를 통과한 후 관측자 B에 도달하는 모습을 나타낸 것이다.

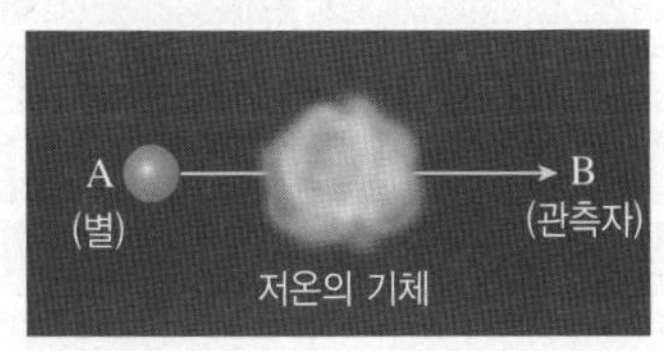

관측자 B가 관측한 별 A의 스펙트럼에 대한 설명으로 옳은 것만을 〈보기〉에서 있는 대로 고른 것은?

〈 보기 〉
ㄱ. 방출 스펙트럼이 나타난다.
ㄴ. 스펙트럼에 여러 개의 검은 선이 나타난다.
ㄷ. 스펙트럼 관측으로 저온의 기체 성분을 알 수 있다.

① ㄱ ② ㄴ ③ ㄱ, ㄷ
④ ㄴ, ㄷ ⑤ ㄱ, ㄴ, ㄷ

10 (하 중 상)

••서술형

별빛이 저온의 기체를 통과하여 지구에 도달할 때 관찰되는 스펙트럼의 종류를 쓰고, 스펙트럼이 나타나는 과정을 서술하시오.

빈출

11 (하 중 상)

그림 (가)~(다)는 서로 다른 종류의 스펙트럼을 나타낸 것이다.

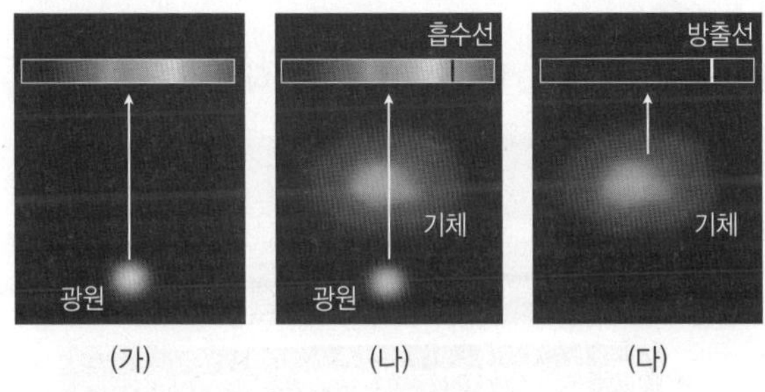

이에 대한 설명으로 옳은 것만을 〈보기〉에서 있는 대로 고른 것은?

〈 보기 〉
ㄱ. (가)에서는 모든 파장에서 연속적인 색이 나타난다.
ㄴ. (나)의 기체는 저온의 기체일 것이다.
ㄷ. (다)는 백열전구에서 관찰되는 스펙트럼과 같다.
ㄹ. 고온의 별 주변에서 가열된 기체가 방출하는 빛의 스펙트럼은 (나)와 같이 나타난다.

① ㄱ, ㄴ ② ㄱ, ㄹ ③ ㄴ, ㄷ
④ ㄴ, ㄹ ⑤ ㄷ, ㄹ

12 (하 중 상)

그림은 우주에 가장 많이 분포하는 원소의 스펙트럼이다.

이에 대한 설명으로 옳은 것만을 〈보기〉에서 있는 대로 고른 것은?

〈 보기 〉
ㄱ. 수소의 흡수 스펙트럼이다.
ㄴ. ㉡은 ㉠보다 파장이 길다.
ㄷ. 다른 원소의 스펙트럼과 선의 위치가 같다.

① ㄴ ② ㄷ ③ ㄱ, ㄴ
④ ㄱ, ㄷ ⑤ ㄱ, ㄴ, ㄷ

13 (하 중 상)

대표문제 多 보기

그림 (가)와 (나)는 서로 다른 종류의 스펙트럼을 나타낸 것이다.

이에 대한 설명으로 옳은 것만을 〈보기〉에서 있는 대로 고른 것은?

〈 보기 〉
ㄱ. (가)의 선은 기체가 흡수하는 특정한 파장의 빛이다.
ㄴ. (가)와 (나)는 서로 같은 원소를 관측한 것이다.
ㄷ. 전자가 높은 에너지 준위로 이동할 때 (나)가 나타난다.

① ㄱ ② ㄷ ③ ㄱ, ㄴ
④ ㄴ, ㄷ ⑤ ㄱ, ㄴ, ㄷ

14 (하 중 상)

그림 (가)~(다)는 서로 다른 종류의 스펙트럼을 나타낸 것이다.

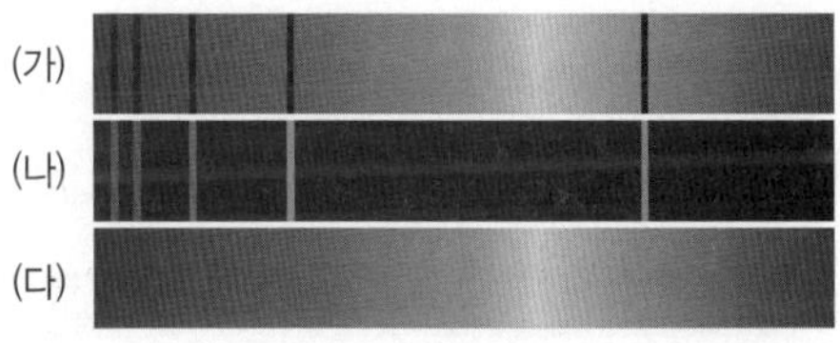

이에 대한 설명으로 옳은 것만을 〈보기〉에서 있는 대로 고른 것은?

〈 보기 〉
ㄱ. (가)의 선은 고온의 기체가 방출하는 빛이다.
ㄴ. (가)와 (나)는 서로 같은 원소에 의해 나타난 것이다.
ㄷ. (나)는 (다)의 스펙트럼이 나타나는 빛이 저온의 기체를 통과할 때 나타난다.

① ㄱ ② ㄴ ③ ㄱ, ㄷ
④ ㄴ, ㄷ ⑤ ㄱ, ㄴ, ㄷ

15 하 중 상

그림 (가)와 (나)는 수소에 의해 형성된 스펙트럼을, (다)는 헬륨에 의해 형성된 스펙트럼을 나타낸 것이다.

이에 대한 설명으로 옳은 것만을 〈보기〉에서 있는 대로 고른 것은?

〈 보기 〉
ㄱ. 원소마다 스펙트럼의 모양이 다르다.
ㄴ. (가)에서 수소는 광원에서 나온 빛의 일부를 흡수한다.
ㄷ. 기체의 온도가 높을수록 (나)에서 선의 개수가 많아진다.
ㄹ. (다)의 스펙트럼은 (나)보다 고온에서 볼 수 있다.

① ㄱ, ㄴ ② ㄱ, ㄹ ③ ㄷ, ㄹ
④ ㄱ, ㄴ, ㄷ ⑤ ㄴ, ㄷ, ㄹ

별빛의 스펙트럼 분석

16 하 중 상

별빛의 스펙트럼을 관측하여 알 수 있는 것만을 〈보기〉에서 있는 대로 고른 것은?

〈 보기 〉
ㄱ. 별의 핵융합 반응 속도 ㄴ. 별의 구성 원소의 종류
ㄷ. 별의 구성 원소의 질량비 ㄹ. 별 주위를 공전하는 행성 수

① ㄱ, ㄴ ② ㄱ, ㄹ ③ ㄴ, ㄷ
④ ㄴ, ㄹ ⑤ ㄷ, ㄹ

17 하 중 상

그림은 미지의 별과 어떤 원소 A~E의 스펙트럼을 나타낸 것이다.

A~E 중 이 별을 구성하는 원소만을 있는 대로 고른 것은?

① A, C ② A, D ③ B, C
④ A, C, E ⑤ B, D, E

18 하 중 상

••서술형

그림은 여러 원소와 어떤 별 X의 스펙트럼을 나타낸 것이다.

별 X에 존재하는 원소의 종류를 모두 쓰고, 그 까닭을 서술하시오.

19 하 중 상

대표문제 多 보기

그림은 원소 A~D와 어느 별빛의 스펙트럼을 나타낸 것이다.

이에 대한 설명으로 옳은 것만을 〈보기〉에서 있는 대로 고른 것은?

〈 보기 〉
ㄱ. A~D는 모두 기체 방전관에서 볼 수 있는 스펙트럼이다.
ㄴ. A~D는 모두 서로 다른 원소이다.
ㄷ. A~D는 모두 이 별의 대기에 포함되어 있는 원소이다.

① ㄱ ② ㄷ ③ ㄱ, ㄴ
④ ㄴ, ㄷ ⑤ ㄱ, ㄴ, ㄷ

20 하 중 상

그림은 태양과 원소 A, B의 스펙트럼을 나타낸 것이다.

이에 대한 설명으로 옳은 것만을 〈보기〉에서 있는 대로 고른 것은?

〈 보기 〉
ㄱ. 관측된 태양의 스펙트럼은 흡수 스펙트럼이다.
ㄴ. 태양의 대기 성분에는 B가 포함되어 있다.
ㄷ. 태양의 스펙트럼에서 선폭을 분석하면 태양을 구성하는 원소의 질량비를 알 수 있다.

① ㄱ ② ㄴ ③ ㄱ, ㄷ
④ ㄴ, ㄷ ⑤ ㄱ, ㄴ, ㄷ

B 빅뱅 우주론의 확립 과정

허블 법칙과 우주의 팽창

21 하 중 상 　　　　대표문제 多 보기

허블의 외부 은하 관측이 갖는 의미로 옳은 것은?

① 우주가 작아진다.
② 우주는 팽창한다.
③ 우주는 변하지 않는다.
④ 우리은하와 외부 은하 사이의 거리는 일정하다.
⑤ 우주의 에너지와 물질은 한 점에 모여 있었다.

22 하 중 상

허블은 우주가 팽창한다는 것을 밝혀내었다. 이 사실의 직접적인 근거로 옳은 것은?

① 안드로메다성운은 외부 은하이다.
② 우리은하 밖에 다른 은하가 존재한다.
③ 멀리 있는 은하일수록 더 빨리 멀어지고 있다.
④ 외부 은하의 스펙트럼에서 청색 편이가 발견되었다.
⑤ 대부분의 외부 은하가 우리은하에 가까워지고 있다.

23 하 중 상

그림은 은하 A, B의 스펙트럼을 정지 상태의 스펙트럼과 비교하여 나타낸 것이다.

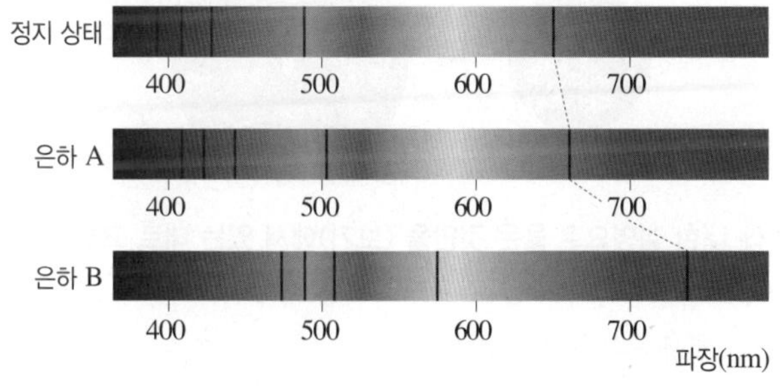

이에 대한 설명으로 옳지 <u>않은</u> 것은?

① 은하 A의 스펙트럼에서 적색 편이가 나타난다.
② 은하 B는 우리은하에서 멀어지고 있다.
③ 은하 A의 후퇴 속도는 B의 후퇴 속도보다 크다.
④ 은하 B는 은하 A보다 우리은하로부터 먼 거리에 있다.
⑤ 이와 같은 관측 결과로 허블은 우주의 팽창을 밝혀냈다.

24 하 중 상 　　　　••서술형

그림은 거리에 따른 외부 은하의 후퇴 속도를 나타낸 것이다. 이 그래프가 나타내는 법칙을 쓰고, 그래프에서 우주의 나이를 의미하는 것을 서술하시오.

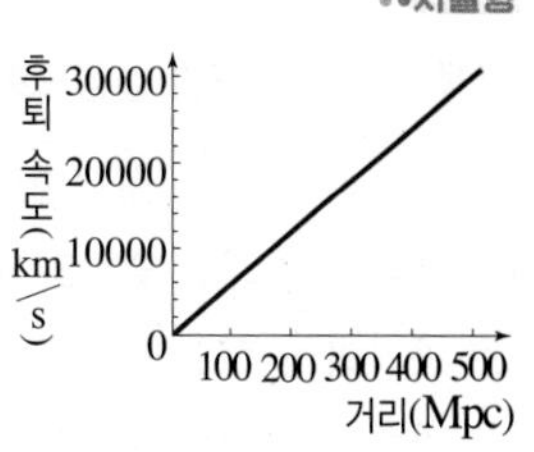

빅뱅 우주론과 정상 우주론

25 하 중 상

빅뱅으로 시작한 우주가 팽창함에 따라 우주의 온도와 밀도 변화는 어떻게 나타나는지 옳게 짝 지은 것은?

	온도	밀도		온도	밀도
①	증가	감소	②	증가	증가
③	일정	일정	④	감소	감소
⑤	감소	증가			

26 하 중 상

빅뱅 우주론과 정상 우주론에서 시간이 지남에 따른 우주의 변화를 옳게 비교한 것은?

	빅뱅 우주론	정상 우주론
① 주장한 과학자	호일	가모프
② 우주의 크기	팽창	일정
③ 우주의 질량	감소	증가
④ 우주의 밀도	감소	일정
⑤ 우주의 온도	감소	감소

27 하 중 상 　　　　••서술형

그림은 우주의 탄생과 진화를 설명하는 어느 우주론의 모형을 나타낸 것이다.

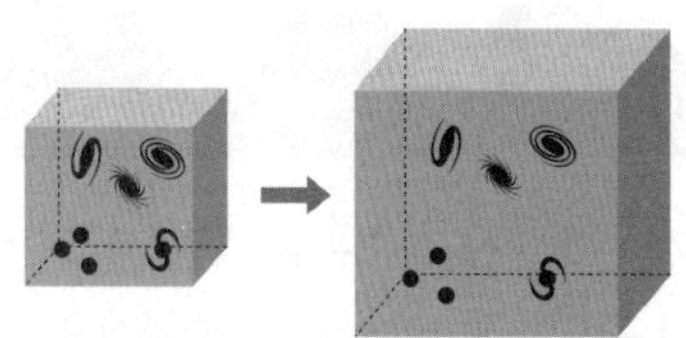

이에 해당하는 우주론의 이름을 쓰고, 시간이 지남에 따라 우주의 질량, 밀도, 온도가 어떻게 변하는지 서술하시오.

I

28 하중상

대표문제 多 보기

빅뱅 우주론에 대한 설명으로 옳은 것만을 모두 고르면?(3개)

① 우주는 초고온, 초고밀도의 한 점에서 시작되었다.
② 우주의 부피와 질량은 계속 증가하였다.
③ 과거의 우주 크기는 현재보다 클 것이다.
④ 빅뱅 이후 우주의 온도는 계속 높아지고 있다.
⑤ 우주가 팽창하면서 생기는 빈 공간에 물질들이 계속 생성되어 밀도가 일정하게 유지되었다.
⑥ 펜지어스와 윌슨은 이 우주론을 지지하는 결정적인 증거를 관측하였다.
⑦ 수소와 헬륨의 질량비 약 3 : 1은 이 우주론의 증거이다.

29 하중상

표는 정상 우주론과 빅뱅 우주론의 시간에 따른 주요 물리량의 변화를 비교한 것이다.

물리량	(가)	(나)
우주의 질량	일정	증가
우주의 밀도	감소	㉠
우주의 온도	㉡	㉢

이에 대한 설명으로 옳은 것만을 〈보기〉에서 있는 대로 고른 것은?

〈 보기 〉
ㄱ. (가)는 빅뱅 우주론, (나)는 정상 우주론이다.
ㄴ. 우주의 크기가 팽창하므로 ㉠은 '감소'이다.
ㄷ. ㉡과 ㉢은 모두 '감소'이다.

① ㄱ ② ㄴ ③ ㄱ, ㄷ
④ ㄴ, ㄷ ⑤ ㄱ, ㄴ, ㄷ

30 하중상

••서술형

그림은 우주의 기원에 대한 대화 내용이다.

(1) 두 과학자가 주장하는 우주론을 각각 쓰고, 시간이 지남에 따른 우주의 온도와 밀도 변화를 서술하시오.

(2) 가모프가 주장한 우주론의 관측적 증거 <u>두 가지</u>를 쓰시오.

31 하중상

그림은 서로 다른 두 우주론에 대한 대화 내용이다.

이에 대한 설명으로 옳은 것만을 〈보기〉에서 있는 대로 고른 것은?

〈 보기 〉
ㄱ. 가모프가 주장하는 우주론에서 우주의 질량은 증가한다.
ㄴ. 호일이 주장하는 우주론에서 우주의 밀도는 일정하다.
ㄷ. ㉠ 중 헬륨이 가장 큰 질량비를 차지한다.
ㄹ. 우주 배경 복사는 가모프가 주장한 우주론의 증거이다.

① ㄱ, ㄴ ② ㄱ, ㄷ ③ ㄴ, ㄹ
④ ㄱ, ㄷ, ㄹ ⑤ ㄴ, ㄷ, ㄹ

32 하중상

그림은 어떤 우주론의 모형을 나타낸 것이다.

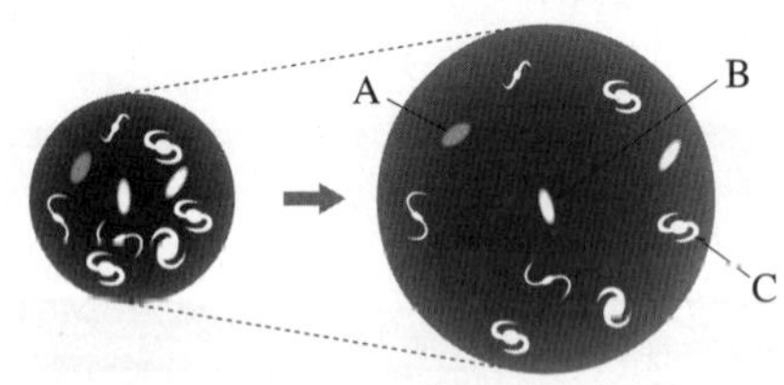

이에 대한 설명으로 옳은 것만을 〈보기〉에서 있는 대로 고른 것은?

〈 보기 〉
ㄱ. 정상 우주론의 모형이다.
ㄴ. 우주의 평균 밀도는 점차 감소하고 있다.
ㄷ. 은하 A~C는 점점 서로 멀어진다.
ㄹ. 우주는 모든 물질과 에너지가 모여 있는 한 점에서 시작되었다.

① ㄱ, ㄴ ② ㄱ, ㄹ ③ ㄷ, ㄹ
④ ㄱ, ㄴ, ㄷ ⑤ ㄴ, ㄷ, ㄹ

빈출

33 하중상

대표문제 多 보기

그림 (가)와 (나)는 서로 다른 두 우주론을 모식적으로 나타낸 것이다.

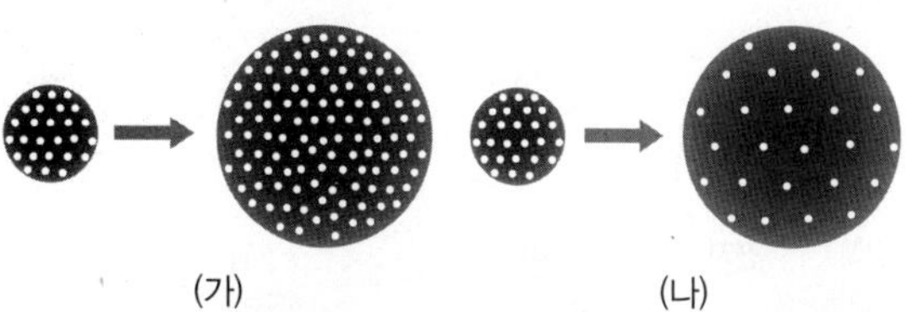

이에 대한 설명으로 옳은 것만을 〈보기〉에서 있는 대로 고른 것은?

〈 보기 〉
ㄱ. (가)는 빅뱅 우주론의 모형이다.
ㄴ. (나)에서는 빈 공간에 새로운 물질들이 생성된다.
ㄷ. 우주 배경 복사는 (나)를 지지하는 증거이다.

① ㄱ ② ㄷ ③ ㄱ, ㄴ
④ ㄴ, ㄷ ⑤ ㄱ, ㄴ, ㄷ

34 하중상

그림 (가)와 (나)는 서로 다른 두 우주론의 모형을 나타낸 것이다.

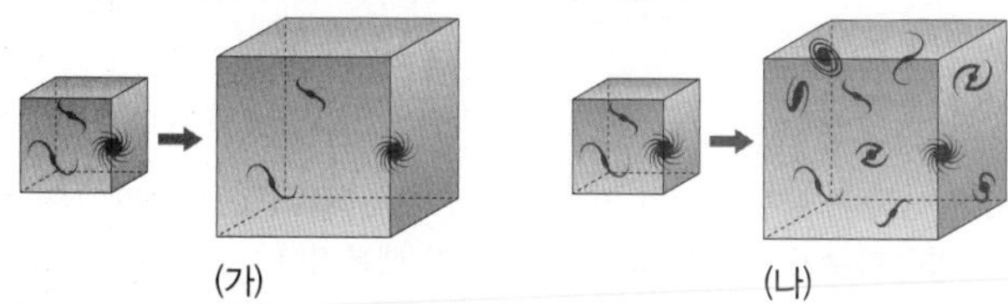

시간이 지남에 따라 두 우주론에서 비슷한 변화를 나타내는 값만을 〈보기〉에서 있는 대로 고른 것은?

〈 보기 〉
ㄱ. 우주의 질량 ㄴ. 우주의 밀도 ㄷ. 우주의 크기

① ㄱ ② ㄴ ③ ㄷ
④ ㄱ, ㄴ ⑤ ㄴ, ㄷ

35 하중상

••서술형

그림은 서로 다른 두 우주론의 모형을 나타낸 것이다.

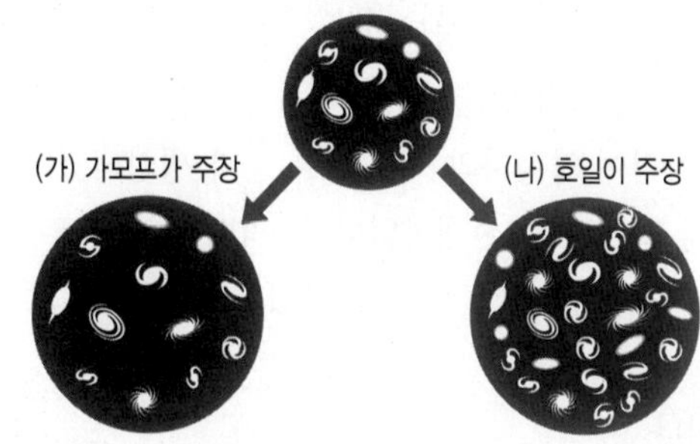

두 우주론의 공통점과 차이점을 각각 한 가지씩 서술하시오.

36 하중상

그림 (가)와 (나)는 허블 법칙에 따라 팽창하는 어느 빅뱅 우주를 풍선 모형으로 나타낸 것이다. 풍선 표면에 고정시킨 단추 A, B, C는 은하에, 물결 무늬(~)는 우주 배경 복사에 해당한다.

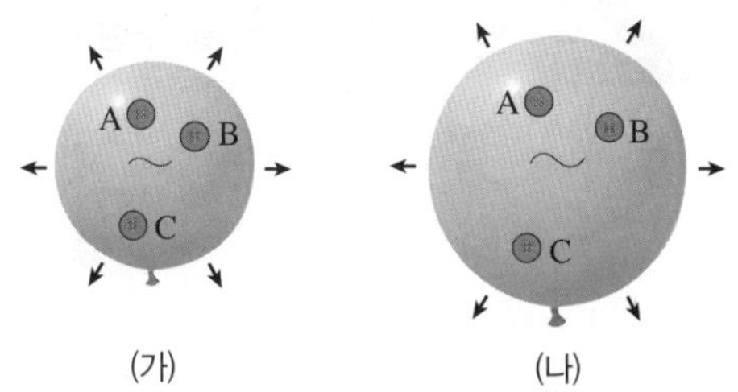

이에 대한 설명으로 옳은 것만을 〈보기〉에서 있는 대로 고른 것은?

〈 보기 〉
ㄱ. A로부터 멀어지는 속도는 B가 C보다 크다.
ㄴ. 우주의 밀도는 (가)에 해당하는 우주가 (나)보다 크다.
ㄷ. 우주 배경 복사의 온도는 (나)에 해당하는 우주가 (가)보다 높다.

① ㄱ ② ㄴ ③ ㄱ, ㄷ
④ ㄴ, ㄷ ⑤ ㄱ, ㄴ, ㄷ

37 하중상

그림은 우주의 기원을 설명하는 두 이론을 나타낸 것이다. (단, 점선 안의 부피는 동일하다.)

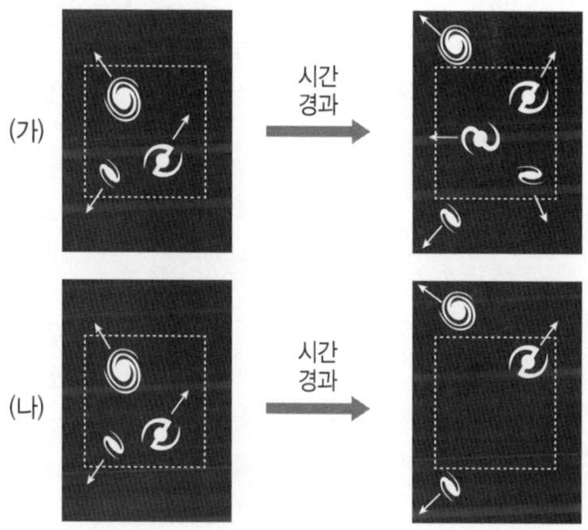

이에 대한 설명으로 옳은 것만을 〈보기〉에서 있는 대로 고른 것은?

〈 보기 〉
ㄱ. 시간이 지남에 따라 (가)는 우주의 크기가 수축하였고, (나)는 우주의 크기가 팽창하였다.
ㄴ. (가)에서 우주 전체의 질량은 증가한다.
ㄷ. (나)의 우주에서 수소와 헬륨의 질량비는 약 3 : 1이다.
ㄹ. (나)는 먼 은하의 스펙트럼에 나타나는 적색 편이를 설명할 수 있다.

① ㄱ, ㄴ ② ㄱ, ㄷ ③ ㄴ, ㄷ
④ ㄱ, ㄴ, ㄹ ⑤ ㄴ, ㄷ, ㄹ

빅뱅과 원소의 생성

Ⓐ 빅뱅과 원소의 생성

1 물질을 구성하는 입자

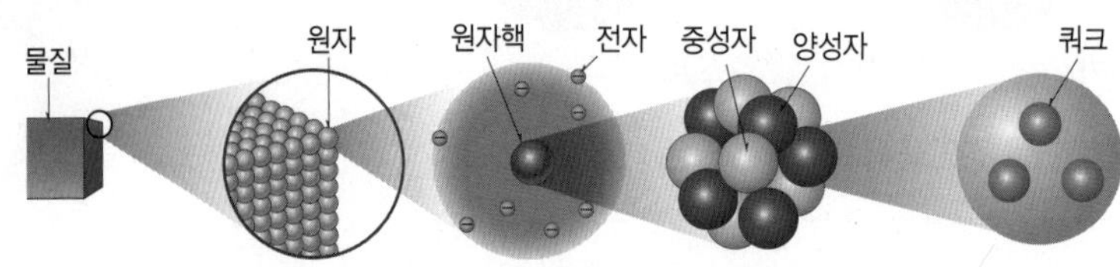

기출 Tip Ⓐ-1

입자들의 전기적 성질
- 전자는 음(−)전하를 띤다.
- 양성자는 양(+)전하를 띤다.
- 중성자는 전하를 띠지 않는다.
- 원자핵은 양(+)전하를 띤다.
- 원자는 전기적으로 중성이다.

동위 원소
- 양성자수는 같지만 중성자수가 서로 다른 원소
- 동위 원소는 질량수(=양성자수+중성자수)가 서로 다르다.

기본 입자	• 물질을 구성하는 더 이상 분해되지 않는 기본 입자로, 쿼크, 전자 등이 있다. → 가장 작은 단위의 입자 • 전자: 질량이 매우 작은 가벼운 입자로, (−)전하를 띤다. • ❶ [ ][ ]: 업 쿼크(u), 다운 쿼크(d) 등이 있다. ➔ 전자의 전하량을 −1이라고 할 때, 업 쿼크(u)의 전하량은 $+\frac{2}{3}$, 다운 쿼크(d)의 전하량은 $-\frac{1}{3}$이다.
양성자, 중성자	• 쿼크 ❷ [ ]개가 결합한 입자로, 쿼크의 조합에 따라 양성자나 중성자가 된다. • 양성자와 중성자의 질량은 비슷하다. ❸ [ ][ ][ ]: 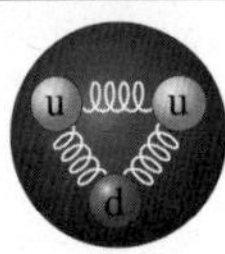 • 업 쿼크 2개+다운 쿼크 1개 • 전하량: +1 ➔ (+)전하를 띤다. $\left(+\frac{2}{3}\right)+\left(+\frac{2}{3}\right)+\left(-\frac{1}{3}\right)=+1$ ❹ [ ][ ][ ]: 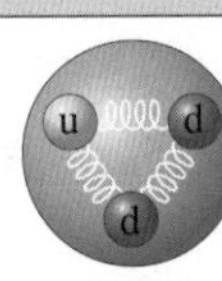 • 업 쿼크 1개+다운 쿼크 2개 • 전하량: 0 ➔ 전하를 띠지 않는다. $\left(+\frac{2}{3}\right)+\left(-\frac{1}{3}\right)+\left(-\frac{1}{3}\right)=0$
원자핵	• 양성자와 중성자로 이루어져 있어 (+)전하를 띠는 입자 → 양성자는 양전하를 띠고, 중성자는 전하를 띠지 않기 때문 • 양성자수는 원소마다 다르며, 양성자수에 따라 원자 번호가 정해진다. ➔ 양성자수가 1이면 원자 번호가 1인 수소이고, 양성자수가 2이면 원자 번호가 2인 헬륨이다. • 수소와 헬륨은 중성자수에 따라 동위 원소가 존재한다.  양성자 1개, 양성자 ▲ 수소 원자핵 (질량수 1) [동위 원소] 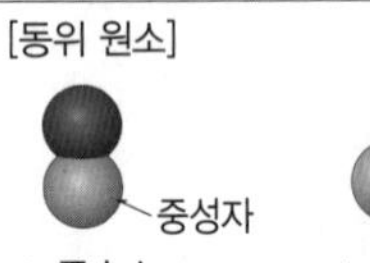 중성자 ▲ 중수소 (질량수 2) ▲ 삼중수소 (질량수 3) 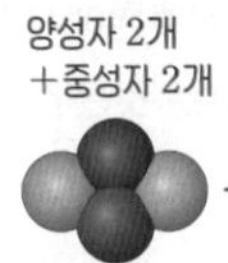 양성자 2개+중성자 2개 ▲ 헬륨 원자핵 (질량수 4) [동위 원소] 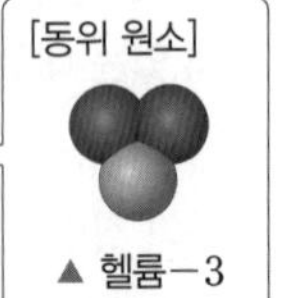 ▲ 헬륨−3 (질량수 3)
원자	• 원자핵과 ❺ [ ][ ]로 이루어져 있는 입자 • 원자핵을 이루는 양성자수와 전자 수가 같다. ➔ 원자는 전기적으로 중성을 띤다. • 원자 질량의 대부분은 원자핵의 질량이다. 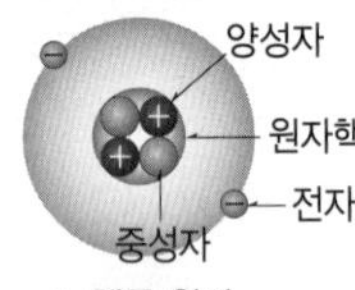 원자핵, 전자, 양성자 ▲ 수소 원자 / 양성자, 원자핵, 전자, 중성자 ▲ 헬륨 원자

기출 Tip Ⓐ-2

빅뱅 우주에서 입자의 생성 순서
기본 입자 → 중성자, 양성자 → 원자핵 → 원자

2 빅뱅과 원소의 생성 빅뱅 우주론에 따르면, 빅뱅 후 우주가 팽창하여 우주의 온도와 밀도가 낮아지면서 가벼운 입자부터 무거운 입자 순서로 입자가 생성되었다.

❶ 빅뱅이 일어난 후 최초로 쿼크, 전자 등의 기본 입자가 생성되었다.

❷ 우주의 온도가 낮아지면서 쿼크 3개가 결합하여 양성자와 ❻ [ ][ ][ ]가 생성되었다.
➔ 양성자와 중성자가 생성 초기에는 거의 같은 수로 존재하였다가, 빅뱅 약 3분 후 헬륨 원자핵이 생성되기 직전에는 양성자의 수가 중성자의 약 7배 더 많아졌다. (양성자 : 중성자= 약 1 : 1 → 약 7 : 1)
➔ 양성자 1개는 그 자체로 수소 원자핵이다.

❸ 빅뱅 약 ❼ [ ]분 후, 양성자와 중성자가 결합하여 헬륨 원자핵이 생성되었다.
➔ 수소 원자핵과 헬륨 원자핵의 질량비는 약 3 : 1이 되었다.

❹ 빅뱅 약 38만 년 후, 우주의 온도가 약 ❽ □□□□ K으로 낮아지면서 수소 원자와 헬륨 원자가 생성되었다. ➡ 전자가 원자핵과 결합하면서 빛이 자유롭게 퍼져 나갈 수 있게 되었고, 이때 우주로 퍼져 나간 빛을 ❾ □□ □□ □□라고 한다.
└ 우주는 투명해졌다.

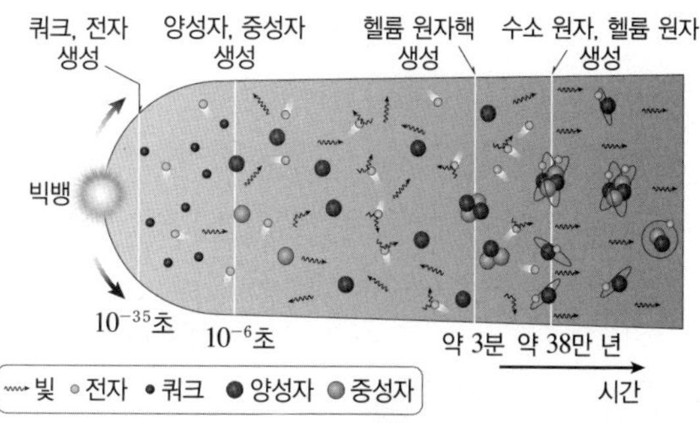

▲ 빅뱅과 입자의 생성

B 빅뱅 우주론의 증거 → 빅뱅 우주론에서 예측한 것이 실제로 관측되어 증거가 되었다.

1 수소와 헬륨의 질량비 약 3 : 1 빅뱅 우주론의 계산에 따르면 우주에 존재하는 수소와 헬륨의 질량비는 약 ❿ □ : □이다. 별빛의 스펙트럼을 관측하여 분석한 결과, 우주에 존재하는 원소들 중 수소가 약 74 %, 헬륨이 약 24 %를 차지한다는 것이 밝혀졌다.
└ 약 3 : 1

(수소와 헬륨의 질량비)

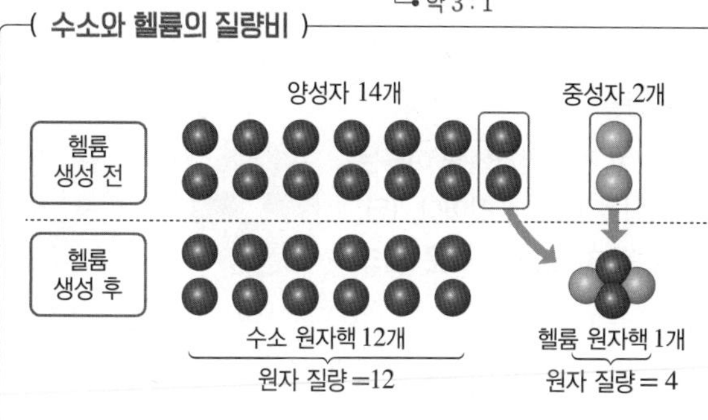

- 헬륨 원자핵이 생성되기 직전, 양성자와 중성자의 개수비는 약 7 : 1이다.
- 양성자 2개와 중성자 2개가 결합하여 헬륨 원자핵이 생성된 후, 수소 원자핵과 헬륨 원자핵의 개수비는 약 12 : 1, 질량비는 약 3 : 1이 되었다.
  └ 헬륨 원자핵 1개의 질량은 수소 원자핵 1개 질량의 약 4배

2 우주 배경 복사 가모프는 빅뱅 후 약 38만 년이 지났을 때 우주로 퍼져 나간 빛이 우주가 팽창함에 따라 현재는 파장이 ⓫ □□져서 관측될 것이라고 예측하였고, 펜지어스와 윌슨이 모든 방향에서 동일한 세기로 관측되는 우주 배경 복사를 처음 발견하였다.

① 우주 배경 복사는 현재 약 2.7 K의 마이크로파로 모든 방향의 하늘에서 고르게 관측된다.

② 인공위성(WMAP 위성, PLANK 위성) 관측 결과, 방향에 따라 우주 배경 복사에 미세한 온도의 불균일이 있다. ➡ 초기 우주의 밀도가 불균일했을 것으로 추정할 수 있으며, 밀도가 높은 곳에서 중력에 의해 물질이 모여 은하가 형성되었을 것으로 추정된다.

기출 Tip A-2

빅뱅 이후 시간에 따라 일어난 사건의 순서

❶ 빅뱅 → ❷ 쿼크, 전자 생성 → ❸ 양성자(수소 원자핵), 중성자 생성 → ❹ 헬륨 원자핵 생성(빅뱅 후 약 3분) → ❺ 수소 원자, 헬륨 원자 생성, 우주 배경 복사 생성, 우주가 투명해짐(빅뱅 후 약 38만 년, 우주 온도 약 3000 K)

원소의 생성

초기 우주의 빅뱅 과정에서 수소와 헬륨이 생성되었고, 이보다 무거운 원소들은 별이 탄생한 이후 별의 진화 과정에서 생성되었다.

기출 Tip B-1

수소 원자핵 : 헬륨 원자핵

- 개수비=약 12 : 1
- 질량비=약 3 : 1

기출 Tip B-2

우주 배경 복사

우주 온도가 약 3000 K일 때 우주로 퍼져 나갔고, 현재 파장이 길어지고 온도가 낮아져 약 2.7 K 복사로 관측된다.

답 ❶ 쿼크 ❷ 3 ❸ 양성자 ❹ 중성자 ❺ 전자 ❻ 중성자 ❼ 3 ❽ 3000 ❾ 우주 배경 복사 ❿ 3, 1 ⓫ 길어

빈출 자료 보기

정답과 해설 4쪽

38 그림은 빅뱅 이후 우주에서 입자의 생성 과정을 나타낸 것이다.

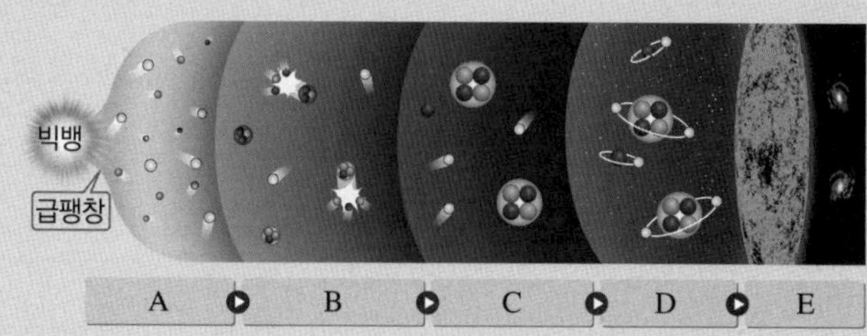

이에 대한 설명으로 옳은 것은 ○, 옳지 않은 것은 ×로 표시하시오.

(1) A에서 E로 시간이 흐를수록 우주의 온도는 높아진다. ( )

(2) A에서 최초로 만들어진 입자는 중성자이다. ( )

(3) 빅뱅 후 약 3분이 되었을 때 B에서 쿼크가 결합하여 양성자와 중성자가 만들어지기 시작하였다. ( )

(4) C에서 우주의 온도가 약 3000 K으로 낮아져 헬륨 원자핵이 만들어졌다. ( )

(5) D에서 원자가 형성되면서 우주가 투명해졌다. ( )

(6) 빅뱅으로 수소와 헬륨이 만들어졌다. ( )

A 빅뱅과 원소의 생성

물질을 구성하는 입자

39 하중상

그림은 물질을 구성하는 입자를 모식적으로 나타낸 것이다.

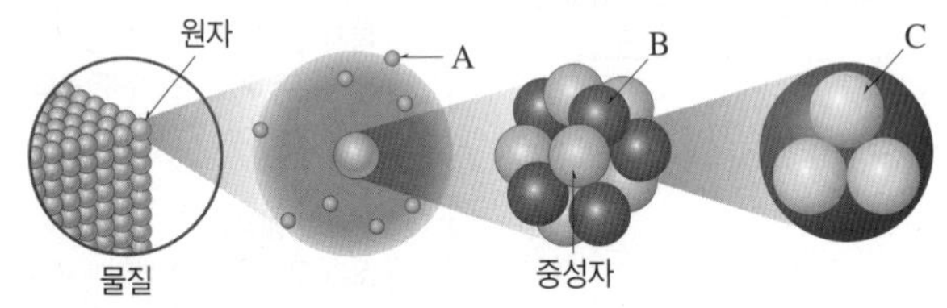

A~C에 해당하는 입자의 이름을 각각 쓰시오.

40 하중상 대표문제 多 보기

물질을 구성하는 입자에 대한 설명으로 옳지 않은 것만을 모두 고르면?(2개)

① 전자와 쿼크는 우주 초기에 만들어진 기본 입자이다.
② 원자는 원자핵과 전자로 이루어진다.
③ 쿼크는 3개의 전자가 결합하여 만들어진다.
④ 중성자는 업 쿼크 1개와 다운 쿼크 2개로 만들어진다.
⑤ 양성자는 양전하를 띠고, 중성자는 전하를 띠지 않는다.
⑥ 양성자는 그 자체로 헬륨 원자핵이 된다.
⑦ 양성자수에 따라 원자 번호가 정해진다.

41 하중상 대표문제 多 보기

그림은 원자를 구성하는 입자를 나타낸 것이다.

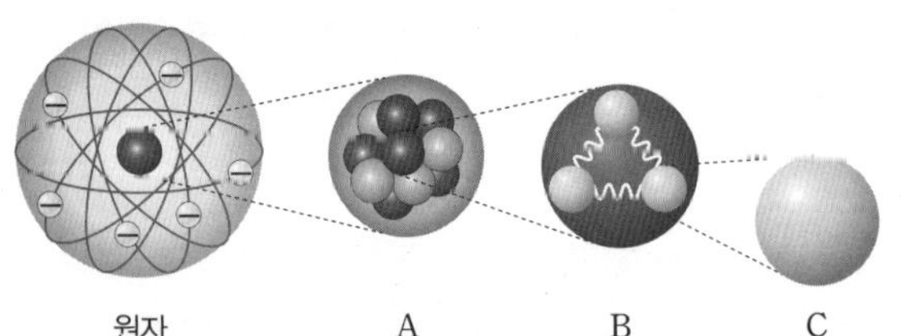

이에 대한 설명으로 옳은 것만을 〈보기〉에서 있는 대로 고른 것은?

〈 보기 〉
ㄱ. 원자는 전기적으로 중성이다.
ㄴ. 원자의 대부분의 질량은 A에 의해 결정된다.
ㄷ. A를 구성하는 B는 양성자 또는 중성자이다.
ㄹ. C는 기본 입자인 전자이다.

① ㄱ, ㄴ ② ㄱ, ㄹ ③ ㄷ, ㄹ
④ ㄱ, ㄴ, ㄷ ⑤ ㄴ, ㄷ, ㄹ

빈출

42 하중상

그림은 원자를 이루는 입자를 나타낸 모습이다.

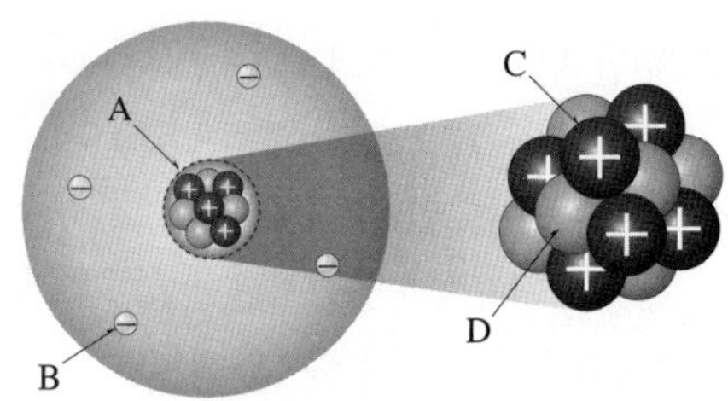

이에 대한 설명으로 옳은 것만을 〈보기〉에서 있는 대로 고른 것은?

〈 보기 〉
ㄱ. A는 (+)전하를 띠고, B는 (−)전하를 띤다.
ㄴ. C는 중성자, D는 양성자이다.
ㄷ. B, C, D는 모두 쿼크로 이루어져 있다.

① ㄱ ② ㄷ ③ ㄱ, ㄴ
④ ㄱ, ㄷ ⑤ ㄱ, ㄴ, ㄷ

43 하중상 ••서술형

그림 (가)와 (나)는 원자핵을 이루는 입자의 모형을 나타낸 것이다. (단, u는 업 쿼크, d는 다운 쿼크이다.)

(가) (나)

(1) (가)와 (나) 입자의 이름을 각각 쓰시오.

(2) 업 쿼크와 다운 쿼크의 전하량을 각각 쓰시오. (단, 전자의 전하량이 −1이라고 할 때의 상대 전하량이다.)

44 하중상

그림은 3개의 쿼크가 결합하여 원자핵을 이루는 어떤 입자를 형성한 모습이다.

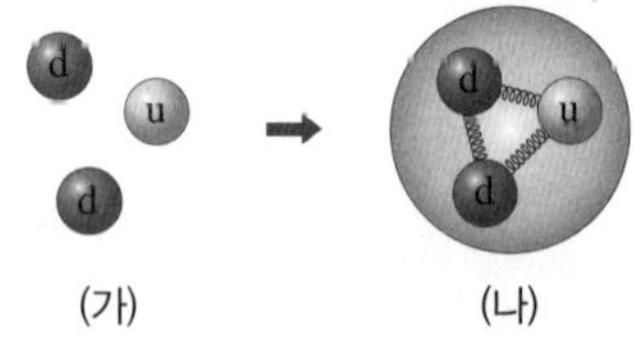

이에 대한 설명으로 옳은 것만을 〈보기〉에서 있는 대로 고른 것은?

〈 보기 〉
ㄱ. (가)는 우주 초기에 만들어진 기본 입자이다.
ㄴ. (나)는 중성자이다.
ㄷ. 수소 원자핵은 (나) 입자 1개로 이루어져 있다.

① ㄱ ② ㄴ ③ ㄷ
④ ㄱ, ㄴ ⑤ ㄴ, ㄷ

45 (하 중 상)

그림 (가)와 (나)는 서로 다른 원자의 모형을 나타낸 것이다.

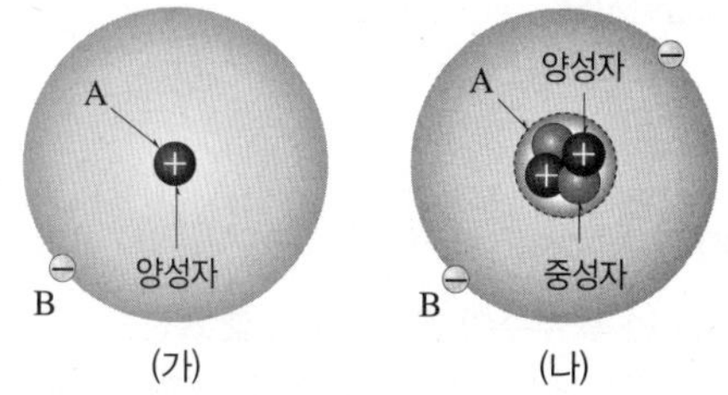

이에 대한 설명으로 옳은 것만을 〈보기〉에서 있는 대로 고른 것은?

〈 보기 〉
ㄱ. 우주에서 가장 많은 비율을 차지하는 원소는 (가)이다.
ㄴ. (가)와 (나) 모두 A는 양전하를 띠고, B는 음전하를 띤다.
ㄷ. A의 질량은 (나)가 (가)의 약 4배이다.

① ㄱ ② ㄴ ③ ㄱ, ㄷ
④ ㄴ, ㄷ ⑤ ㄱ, ㄴ, ㄷ

46 (하 중 상)

그림은 원자를 구성하는 입자를 분류한 것이다.

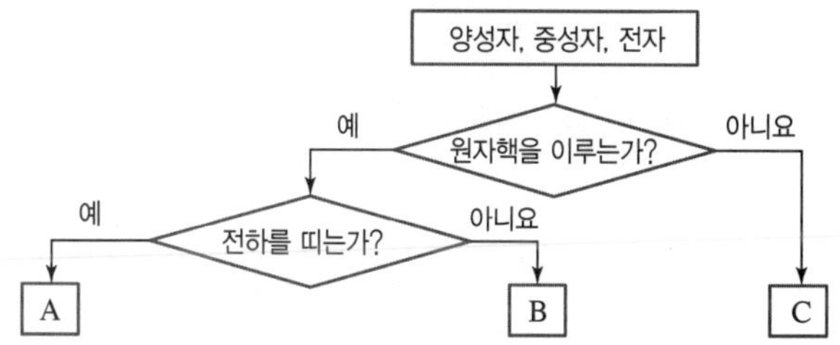

A~C에 해당하는 입자를 각각 쓰시오.

47 (하 중 상)

그림은 원자의 구조와 원자를 이루는 입자의 일부를 확대하여 모식적으로 나타낸 것이다.

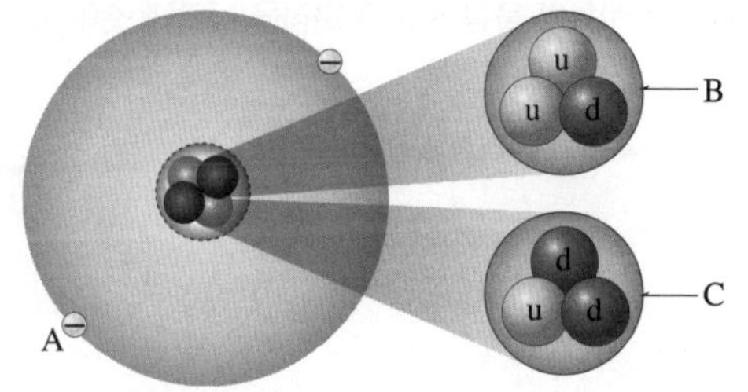

이에 대한 설명으로 옳은 것만을 〈보기〉에서 있는 대로 고른 것은?

〈 보기 〉
ㄱ. A는 전자, B는 중성자이다.
ㄴ. 원자는 A와 B의 수가 같아서 전기적으로 중성이다.
ㄷ. B와 C는 모두 +1의 전하량을 갖는다.

① ㄱ ② ㄴ ③ ㄱ, ㄷ
④ ㄴ, ㄷ ⑤ ㄱ, ㄴ, ㄷ

48 (하 중 상)

그림은 원자를 구성하는 입자를 모식적으로 나타낸 것이다.

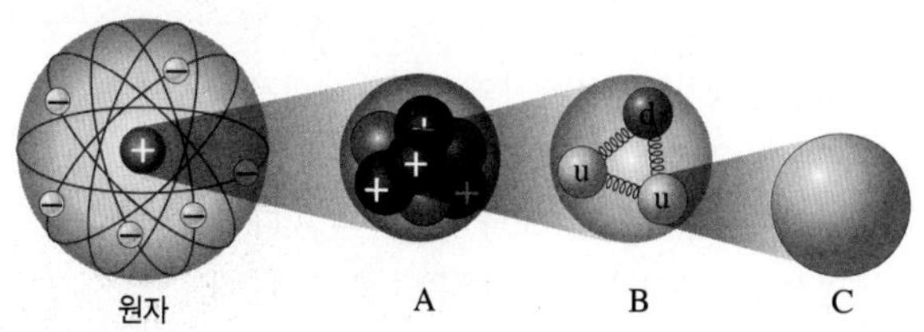

이에 대한 설명으로 옳지 않은 것은?

① A는 모든 원자에서 (+)전하를 띤다.
② B는 양성자를 나타낸다.
③ C의 전하량은 $+\frac{2}{3}$이다.
④ B가 1개인 원자는 헬륨 원자이다.
⑤ 빅뱅 우주에서 B는 C보다 나중에 생성되었다.

빅뱅과 원소의 생성

49 (하 중 상) 빈출

다음은 초기 우주의 진화 과정에서 일어난 사건들을 나타낸 것이다.

(가) 빅뱅(대폭발)
(나) 쿼크와 전자의 생성
(다) 헬륨 원자핵의 생성
(라) 양성자와 중성자의 생성
(마) 수소 원자와 헬륨 원자의 생성

오래된 사건부터 순서대로 옳게 나열한 것은?

① (가) → (나) → (다) → (라) → (마)
② (가) → (나) → (라) → (다) → (마)
③ (가) → (라) → (나) → (마) → (다)
④ (나) → (가) → (라) → (다) → (마)
⑤ (나) → (가) → (라) → (마) → (다)

50 (하 중 상)

그림 (가)~(다)는 서로 다른 입자의 모형을 나타낸 것으로, ●은 중성자, ●은 양성자, ⊖은 전자이다.

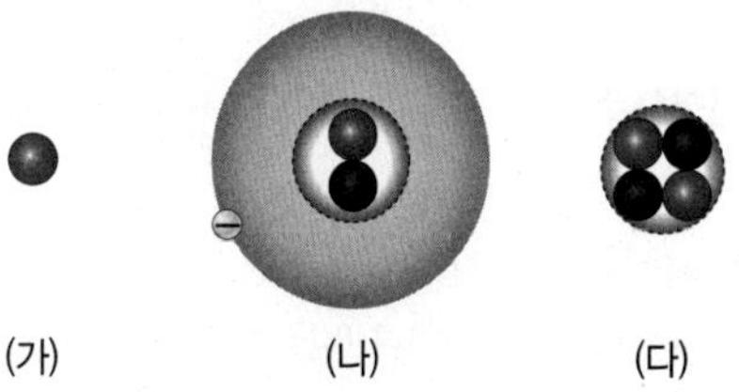

(가)~(다)를 초기 우주에서 생성된 순서대로 옳게 나열한 것은?

① (가) → (나) → (다) ② (가) → (다) → (나)
③ (나) → (가) → (다) ④ (나) → (다) → (가)
⑤ (다) → (가) → (나)

51 (하 중 상)

〈보기〉는 빅뱅 초기 우주의 진화 과정을 순서 없이 나타낸 것이다.

〈 보기 〉
ㄱ. 우주가 팽창하면서 전자와 쿼크가 생성된다.
ㄴ. 우주의 온도가 3000 K까지 낮아진다.
ㄷ. 양성자수가 중성자수보다 약 7배 더 많다.
ㄹ. 양성자와 중성자가 거의 같은 수로 존재한다.
ㅁ. 양성자와 중성자가 결합하여 헬륨 원자핵을 생성한다.

먼저 일어난 사건부터 순서대로 옳게 나열한 것은?

① ㄱ → ㄴ → ㄷ → ㄹ → ㅁ ② ㄱ → ㄹ → ㄴ → ㅁ → ㄷ
③ ㄱ → ㄹ → ㄷ → ㅁ → ㄴ ④ ㄴ → ㄱ → ㄹ → ㄷ → ㅁ
⑤ ㄴ → ㄱ → ㄹ → ㅁ → ㄷ

52 (하 중 상) 대표문제 多 보기

빈출

빅뱅 우주론에서 우주의 생성 과정에 대한 설명으로 옳은 것만을 모두 고르면?(2개)

① 빅뱅 당시 우주의 온도, 압력은 현재와 같았다.
② 빅뱅과 동시에 우주 배경 복사가 우주 전체로 퍼져 나갔다.
③ 기본 입자인 쿼크가 가장 먼저 생성되었다.
④ 빅뱅 직후 우주의 온도는 아주 높아서 양성자와 중성자를 결합시킬 수 있었다.
⑤ 양성자와 중성자는 원자핵의 분열로 생성되었다.
⑥ 빅뱅 후 약 3분이 되었을 때 헬륨 원자핵과 수소 원자핵의 질량비는 약 3 : 1이 되었다.
⑦ 빅뱅 후 약 38만 년에 헬륨 원자가 생성되었다.

53 (하 중 상)

빈출

그림은 우주 초기에 물질이 생성되는 과정을 나타낸 것이다.

이에 대한 설명으로 옳은 것만을 〈보기〉에서 있는 대로 고른 것은?

〈 보기 〉
ㄱ. (가)는 모든 물질과 에너지가 모인 한 점에서 시작된다.
ㄴ. 우주의 온도는 (나) 시기가 (다) 시기보다 높았다.
ㄷ. 우주 배경 복사는 (라) 시기에 만들어졌다.
ㄹ. (마)는 빅뱅 후 약 3분이 지났을 때이다.

① ㄱ, ㄴ ② ㄱ, ㄷ ③ ㄷ, ㄹ
④ ㄱ, ㄴ, ㄹ ⑤ ㄴ, ㄷ, ㄹ

54 (하 중 상) 서술형

빅뱅 약 3분 후, 입자의 생성과 관련하여 우주에서 어떤 변화가 일어났는지 서술하시오.

55 (하 중 상) 서술형

빅뱅 약 38만 년 후 우주의 평균 온도는 몇 K인지 쓰고, 입자의 생성과 관련하여 우주에서 발생한 현상을 두 가지만 서술하시오.

56 (하 중 상) 대표문제 多 보기

빈출

그림은 빅뱅 우주론에서 물질의 생성 과정을 나타낸 것이다.

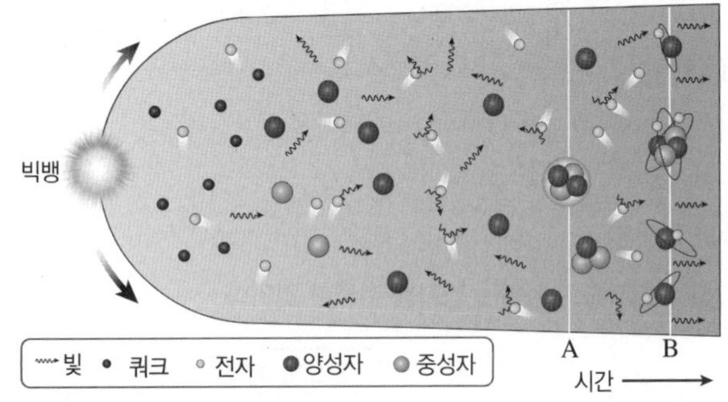

이에 대한 설명으로 옳은 것은?

① 우주의 밀도는 B 시기가 A 시기보다 컸다.
② A 시기 직전에 양성자와 중성자의 입자 수는 비슷하였다.
③ A 시기에 원자핵이 전자와 결합하여 원자가 만들어졌다.
④ A 시기는 빅뱅 후 약 38만 년이 지났을 때이다.
⑤ B 시기에 빛과 물질이 분리되어 우주가 투명해졌다.

57 (하 중 상)

빈출

그림은 우주의 진화와 물질의 생성 과정을 나타낸 것이다.

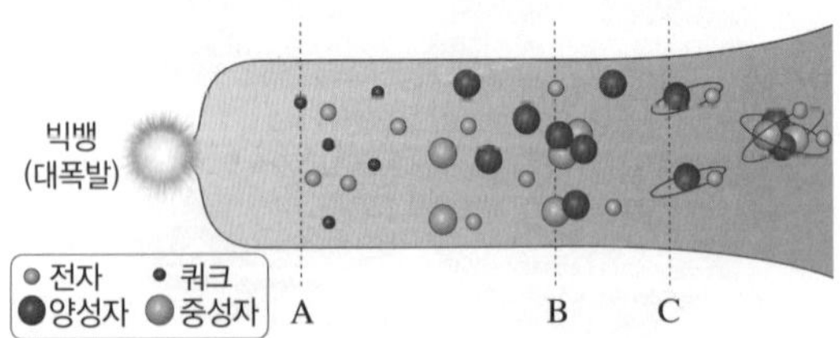

이에 대한 설명으로 옳은 것만을 〈보기〉에서 있는 대로 고른 것은?

〈 보기 〉
ㄱ. A 시기에는 물질을 이루는 기본 입자만 존재하였다.
ㄴ. B 시기에 우주 배경 복사가 우주 전역으로 퍼져 나갔다.
ㄷ. C 시기에 우주의 온도는 약 10억 K이었다.

① ㄱ ② ㄴ ③ ㄱ, ㄷ
④ ㄴ, ㄷ ⑤ ㄱ, ㄴ, ㄷ

58 하 중 상

그림은 빅뱅 이후 A와 B 시기를 나타낸 것이다.

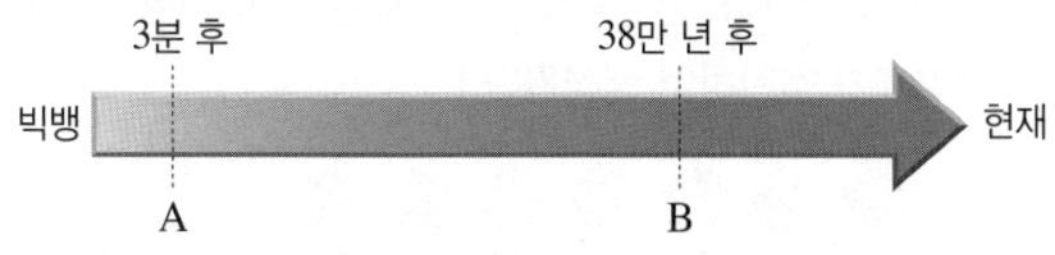

이에 대한 설명으로 옳지 않은 것은?

① 우주의 크기는 A 시기가 B 시기보다 작았다.
② A 시기에 양성자 1개와 중성자가 결합하여 헬륨 원자핵을 생성하였다.
③ A 시기에 수소 원자핵과 헬륨 원자핵의 질량비는 약 3 : 1이었다.
④ B 시기에 우주의 온도는 약 3000 K이었다.
⑤ 현재 관측되는 우주 배경 복사는 B 시기보다 파장이 길어졌다.

59 하 중 상

빅뱅 이후 약 38만 년이 지났을 때 원자의 생성에 대한 설명으로 옳은 것만을 〈보기〉에서 있는 대로 고른 것은?

〈 보기 〉
ㄱ. 전자가 원자핵과 결합해 원자가 만들어지면서 빛이 방해 없이 움직이게 되었다.
ㄴ. 헬륨 원자핵이 전자 1개와 결합하여 헬륨 원자가 만들어졌다.
ㄷ. 헬륨 원자와 탄소 원자가 만들어졌다.

① ㄱ ② ㄷ ③ ㄱ, ㄴ
④ ㄴ, ㄷ ⑤ ㄱ, ㄴ, ㄷ

60 하 중 상

그림은 빅뱅 후 약 38만 년 전후의 우주를 순서 없이 나타낸 것이다.

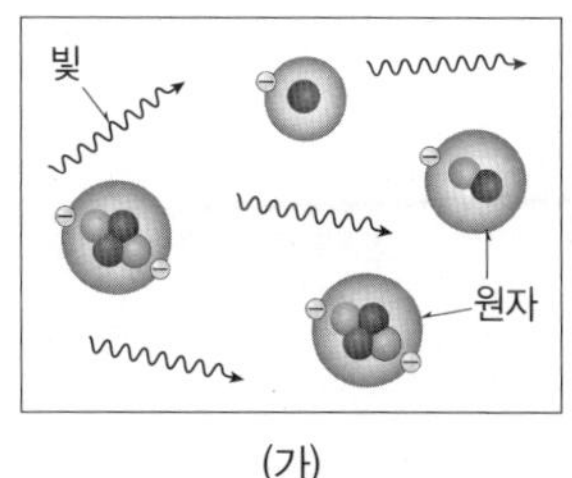

(가)

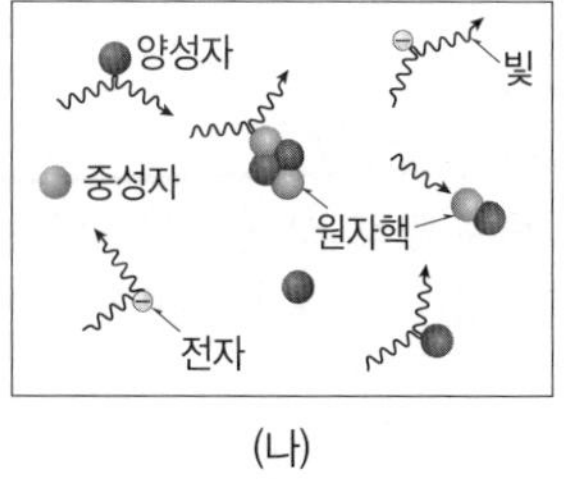

(나)

이에 대한 설명으로 옳은 것만을 〈보기〉에서 있는 대로 고른 것은?

〈 보기 〉
ㄱ. (가)는 빅뱅 후 약 38만 년이 되기 전이다.
ㄴ. (나)에서 빛은 우주의 모든 방향에서 관측된다.
ㄷ. 우주의 온도는 (나)가 (가)보다 높다.

① ㄱ ② ㄷ ③ ㄱ, ㄴ
④ ㄴ, ㄷ ⑤ ㄱ, ㄴ, ㄷ

61 하 중 상

그림은 물질의 구성 입자와 빅뱅 후 (가)와 (나) 시기를 나타낸 것이다.

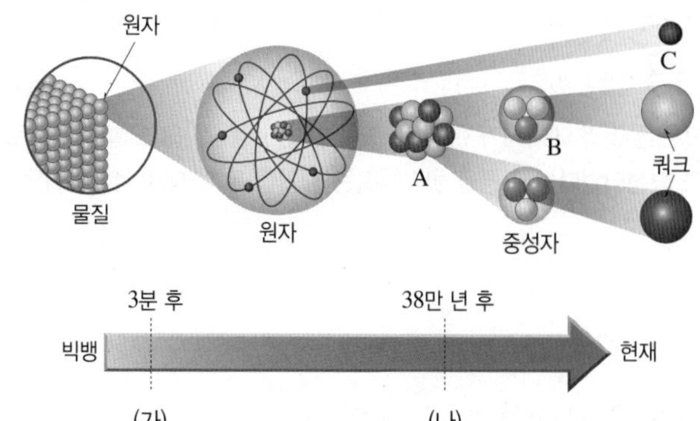

이에 대한 설명으로 옳은 것만을 〈보기〉에서 있는 대로 고른 것은?

〈 보기 〉
ㄱ. A와 B는 양전하를 띠고, C는 음전하를 띤다.
ㄴ. C는 (가) 시기에 생성되었다.
ㄷ. (나) 시기에 우주로 퍼져 나간 빛은 현재는 사라졌다.
ㄹ. (가)에서 (나)로 갈수록 우주의 밀도는 감소하였다.

① ㄱ, ㄷ ② ㄱ, ㄹ ③ ㄴ, ㄹ
④ ㄱ, ㄴ, ㄷ ⑤ ㄴ, ㄷ, ㄹ

62 하 중 상

그림은 빅뱅 우주에서 헬륨 원자핵이 형성되는 과정이다.

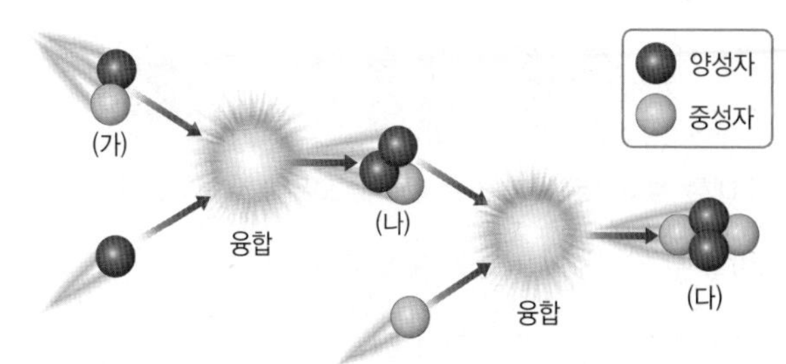

이에 대한 설명으로 옳은 것은?

① 빅뱅 직후에 일어나는 반응이다.
② (가)와 (나)는 동위 원소 관계이다.
③ (다)의 전하량은 (나)의 2배이다.
④ 양성자의 수 : 중성자의 수가 7 : 1일 때 일어난 반응이다.
⑤ 이 시기에 우주 전역으로 최초의 빛이 퍼져 나갔다.

B 빅뱅 우주론의 증거

수소와 헬륨의 질량비

빈출

63 하 중 상 ••서술형

모든 물질과 에너지가 한 점에 모여 있다가 팽창하여 오늘날의 우주가 형성되었다는 이론을 뒷받침하는 증거를 두 가지만 서술하시오.

64 하 중 상

우주에 분포하는 수소와 헬륨의 질량비를 알아내는 방법에 대한 설명으로 옳은 것만을 〈보기〉에서 있는 대로 고른 것은?

〈 보기 〉

ㄱ. 별빛의 스펙트럼을 관찰하여 분석한다.

ㄴ. 수소와 헬륨의 선 스펙트럼과 비교하여 수소와 헬륨을 구별한다.

ㄷ. 우주에 분포하는 수소와 헬륨의 질량비는 약 7 : 1이다.

① ㄱ ② ㄷ ③ ㄱ, ㄴ
④ ㄴ, ㄷ ⑤ ㄱ, ㄴ, ㄷ

65 하 중 상 대표문제 多 보기

그림 (가)와 (나)는 빅뱅 초기 우주에서 헬륨 원자핵이 생성되는 과정을 나타낸 것이다.

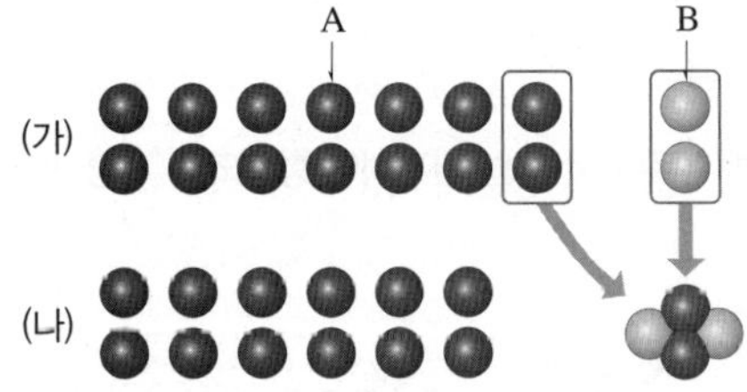

이에 대한 설명으로 옳지 않은 것만을 모두 고르면?(2개)

① 빅뱅 후 약 3분이 지났을 때 일어난 일이다.
② 이 시기에 우주의 온도는 약 3000 K이다.
③ A는 양성자, B는 중성자이다.
④ A는 업 쿼크 2개, 다운 쿼크 1개로 구성된다.
⑤ (가) 이전 우주 초기에는 A와 B의 수가 비슷하였다.
⑥ (가)에서 양성자와 중성자의 개수비는 7 : 1이다.
⑦ (나)에서 수소 원자핵과 헬륨 원자핵의 개수비는 3 : 1이다.
⑧ 헬륨 원자핵 1개의 질량은 수소 원자핵 1개의 약 4배이다.
⑨ (나)에서 수소 원자핵과 헬륨 원자핵의 질량비는 약 3 : 1이다.

66 하 중 상 ••서술형

그림은 빅뱅 후 우주에서 헬륨 원자핵이 생성되기 직전 양성자와 중성자의 개수비를 나타낸 것이다. (단, 헬륨 원자핵은 양성자 2개와 중성자 2개가 결합하여 생성된다.)

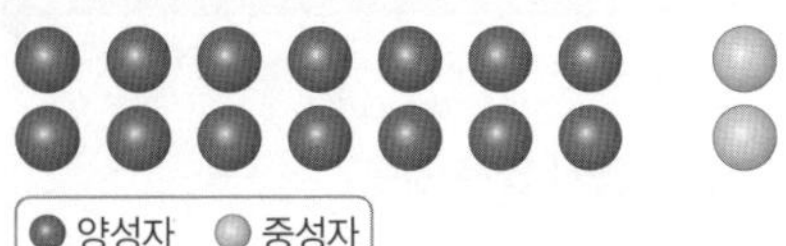

(1) 양성자와 중성자의 개수비를 쓰시오.

(2) 헬륨 원자핵이 생성된 후, 수소 원자핵과 헬륨 원자핵의 개수비를 쓰시오.

(3) 헬륨 원자핵이 생성된 후, 수소 원자핵과 헬륨 원자핵의 질량비를 구하고, 풀이 과정을 서술하시오.

(4) 우주에 분포하는 수소와 헬륨의 질량비는 어떻게 알아낼 수 있는지 서술하시오.

67 하 중 상 ••서술형

우주 전역에서 오는 스펙트럼을 분석하여 알아낸 수소와 헬륨의 질량비를 쓰고, 이 결과가 빅뱅 우주론의 증거가 되는 까닭을 서술하시오.

68 하 중 상

그림은 양성자와 중성자의 개수비가 7 : 1일 때 헬륨 원자핵이 만들어지는 과정을 나타낸 것이다.

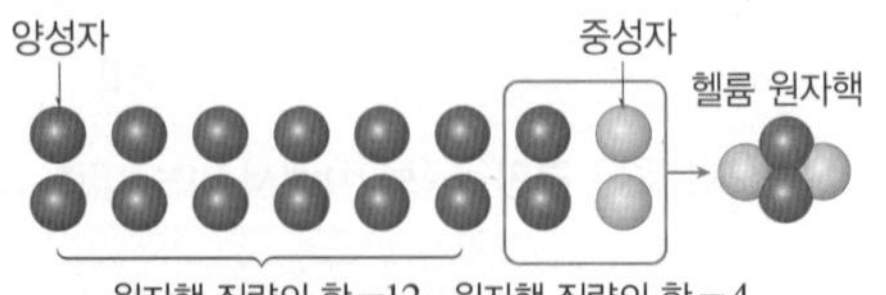

이와 같은 과정으로 양성자와 중성자의 개수비가 9 : 1일 때 헬륨 원자핵이 생성된다면, 수소 원자핵과 헬륨 원자핵의 질량비는 얼마인가?

① 약 1 : 1 ② 약 3 : 1 ③ 약 4 : 1
④ 약 7 : 1 ⑤ 약 12 : 1

우주 배경 복사

빈출 **69** 하 중 상

펜지어스와 윌슨이 발견한 빅뱅 우주론의 증거는?

① 스펙트럼
② 허블 법칙
③ 우주 배경 복사
④ 외부 은하의 존재
⑤ 기본 입자의 생성

빈출 **70** 하 중 상 대표문제 多 보기

우주 배경 복사에 대한 설명으로 옳은 것만을 모두 고르면?(2개)

① 헬륨 원자핵이 생성될 때, 우주 공간으로 퍼져 나간 빛이다.
② 우주 공간의 일부 특정한 방향에서만 관측되는 빛이다.
③ 시간이 지날수록 우주 배경 복사의 파장이 짧아졌다.
④ 우주의 온도가 약 2.7 K일 때 우주로 퍼져 나간 빛이다.
⑤ 과거의 우주 배경 복사 온도는 현재보다 높았다.
⑥ 현재 우주 배경 복사의 온도는 약 3000 K 정도이다.
⑦ 스펙트럼 분석으로 처음 우주 배경 복사를 확인하였다.
⑧ 우주 배경 복사의 발견은 빅뱅 우주론의 중요한 증거이다.

71 하 중 상

다음은 빅뱅 우주론의 진화 과정에서 나타나는 어떤 현상에 대한 설명이다.

> 빅뱅이 일어나고 원자가 생성된 이후부터 빛이 자유롭게 우주 공간으로 퍼져 나갈 수 있게 되었다. 가모프는 이 빛이 (㉠)(으)로 관측될 것이라고 예상하였다.
> 1964년 미국 벨 연구소에서 일하고 있던 펜지어스와 윌슨은 지상에 설치한 안테나로 통신 실험을 하던 중 일정한 세기의 잡음을 발견하였다. 이 잡음이 바로 (㉠)임이 밝혀졌다.

이에 대한 설명으로 옳은 것만을 <보기>에서 있는 대로 고른 것은?

〈 보기 〉
ㄱ. ㉠은 우주 배경 복사이다.
ㄴ. ㉠의 잡음은 전파 형태로 관측된다.
ㄷ. ㉠은 은하수가 있는 방향에서 가장 세게 관측된다.

① ㄱ ② ㄷ ③ ㄱ, ㄴ
④ ㄴ, ㄷ ⑤ ㄱ, ㄴ, ㄷ

빈출 **72** 하 중 상

그림은 PLANK 위성이 관측한 우주 배경 복사 지도를 나타낸 것이다. 이에 대한 설명으로 옳은 것은?

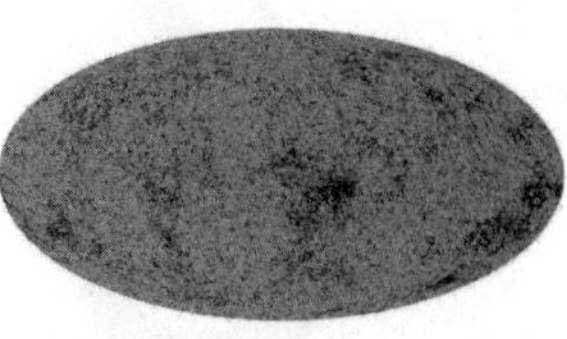

① 빅뱅으로 우주가 탄생하면서 동시에 퍼져 나간 빛이다.
② 빅뱅 후 약 38만 년일 때 생성된 빛의 흔적이다.
③ 초기 우주의 밀도 분포가 완전히 균일하다는 것을 알 수 있다.
④ 펜지어스와 윌슨이 처음 인공위성을 띄워 관측하였다.
⑤ 우주가 항상 같은 상태로 존재한다는 우주론을 뒷받침하는 결정적인 증거이다.

73 하 중 상 ••서술형

다음은 우주 배경 복사에 대한 설명이다.

> (㉠) 우주론에 따르면 과거 우주의 모습은 (㉡)을(를) 관측하여 간접적으로 추정할 수 있다. 관측 결과, 우주의 온도 분포는 대체로 고르지만 미세한 온도 편차가 나타난다.

(1) ㉠과 ㉡에 알맞은 말을 쓰시오.

(2) 온도가 높게 나타나는 곳에서는 과거에 밀도와 중력이 어떻게 나타났을지 서술하시오.

(3) 우주 나이 약 38만 년 이전의 우주의 모습은 ㉡ 관측으로 추정하지 못하는데, 그 까닭을 서술하시오.

74 하 중 상

그림은 시간의 흐름에 따른 우주 배경 복사의 파장 변화를 나타낸 것이다.

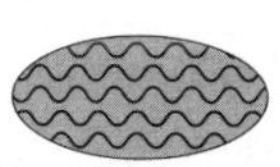
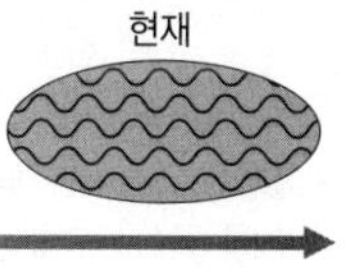

이에 대한 설명으로 옳은 것만을 <보기>에서 있는 대로 고른 것은?

〈 보기 〉
ㄱ. 시간이 지남에 따라 우주 배경 복사의 파장이 길어졌다.
ㄴ. 시간이 지남에 따라 우주가 팽창해도 밀도는 일정하다.
ㄷ. 현재 우주 배경 복사는 2.7 K의 흑체 복사에 해당한다.

① ㄱ ② ㄴ ③ ㄱ, ㄷ
④ ㄴ, ㄷ ⑤ ㄱ, ㄴ, ㄷ

별의 진화와 원소의 생성

기출 Tip Ⓐ-1, 2

별의 탄생 과정

가스 구름 형성 → 성운 형성 → 원시별 형성 → 원시별의 중력 수축 → 온도 상승 → 수소 핵융합 반응을 하는 별(주계열성)의 탄생

주요 에너지원

- 원시별: 중력 수축 에너지
- 주계열성: 수소 핵융합 반응

기출 Tip Ⓐ-2

주계열성의 크기

별의 중력과 내부 압력이 평형을 이룬다. ➜ 크기가 일정하게 유지되어 안정하다.

별의 크기

- 내부 압력>중력 ➜ 팽창
- 내부 압력<중력 ➜ 수축
- 내부 압력=중력 ➜ 유지

Ⓐ 별의 탄생

1 별의 탄생 과정

❶ 가스 구름 형성: 주로 수소와 헬륨 기체로 이루어진 성간 물질이 가스 구름을 이룬다.

❷ 성운 형성: 가스 구름에서 밀도가 높은 곳의 중력에 의해 주변 물질이 끌려와 성운을 형성한다. (중력에 의해 회전, 수축하여 원반 모양이 된다.)

❸ 원시별 형성: 성운 내부의 밀도가 ❶☐고, 온도가 ❷☐은 곳에서 중력에 의해 수축이 계속 일어나 고밀도의 기체 덩어리인 원시별이 형성된다.

❹ 별의 탄생: 원시별이 중력에 의해 계속 수축하면서 온도와 압력이 ❸☐아지고, 중심부의 온도가 ❹☐☐☐☐☐ K 이상이 되면 수소 핵융합 반응이 일어나 스스로 빛을 내는 별(주계열성)이 된다. (→ 원시별에서는 수소 핵융합 반응이 일어나지 않는다.)

2 주계열성

별은 일생의 대부분을 주계열성으로 보낸다. (수소는 별에서 가장 풍부한 원소이므로 수소 핵융합 반응이 가장 긴 시간 동안 일어나기 때문이다.)

에너지 생성	중심에서 수소 핵융합 반응으로 ❺☐☐과 에너지를 생성한다. ➜ 수소 원자핵 4개가 결합하여 헬륨 원자핵 1개를 만들며, 핵융합 과정에서 감소한 질량이 에너지로 방출된다.
크기	중력에 의해 수축하려는 힘과 핵융합 반응으로 방출된 에너지에 의해 기체 물질을 밖으로 밀어내려는 힘인 내부 압력이 평형을 이루어 별의 크기가 일정하게 유지된다.
수명	별의 질량이 클수록 핵융합 반응이 빨리 일어나므로 주계열성의 수명이 ❻☐다.

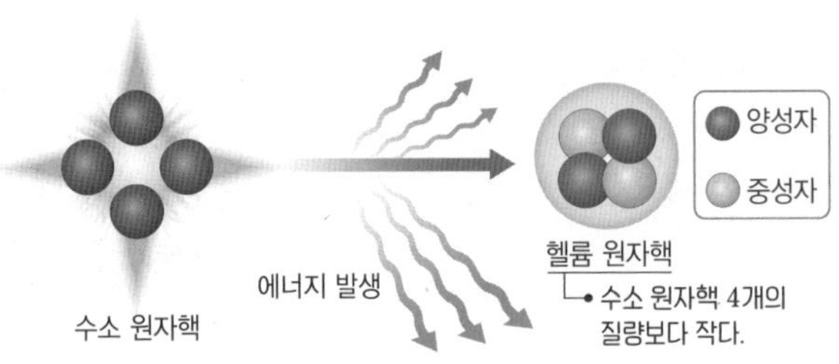

▲ 수소 핵융합 반응

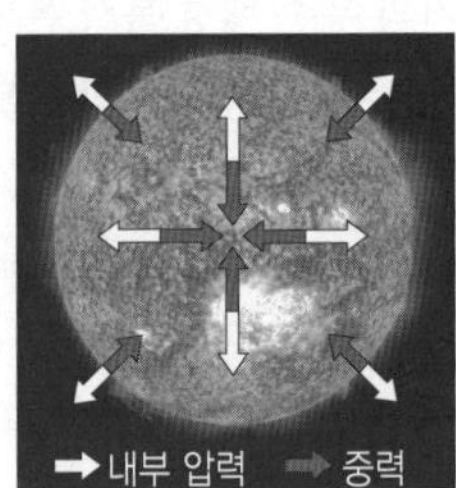

▲ 주계열성에 작용하는 힘

기출 Tip Ⓑ-1

우주에 존재하는 원소의 생성

원소	생성 과정
수소, 헬륨, 소량의 리튬	우주 초기의 빅뱅 핵합성
철보다 가벼운 원소(헬륨, 탄소, 산소, 네온, 규소, 등), 철	별 내부의 핵융합 반응
철보다 무거운 원소(구리, 금, 납, 우라늄 등)	초신성 폭발

Ⓑ 별의 진화와 원소의 생성

1 핵융합 반응

별 내부에서 일어나는 핵융합 반응의 종류는 별의 질량에 따라 달라진다. 별의 질량이 ❼☐수록 별의 중심부가 도달할 수 있는 온도가 높아지고, 중심 온도가 높을수록 점점 더 무거운 원소를 생성하는 핵융합 반응이 일어난다.

① 헬륨 등 철보다 가벼운 원소, 철: 별의 내부에서 핵융합 반응으로 생성된다.

온도	핵융합 반응 원소	생성 원소
1000만 K	수소(H)	헬륨(He)
1억~2억 K	헬륨(He)	탄소(C), 산소(O)
8억 K	탄소(C)	네온(Ne), 마그네슘(Mg)
20억 K	산소(O)	규소(Si), 황(S)
30억 K	규소(Si)	철(Fe) (별 내부에서 핵융합 반응으로 생성되는 가장 무거운 원소)

② 철보다 무거운 원소: 질량이 큰 별이 초신성 폭발을 하는 과정에서 발생하는 엄청난 에너지에 의해 무거운 원소를 합성하는 핵융합 반응이 일어난다. 예 구리, 금, 납, 우라늄 등

③ 별 내부의 핵융합 반응으로 철까지만 생성되는 까닭: 철 원자핵이 매우 안정하기 때문이다.
(→ 철보다 무거운 원소는 불안정하므로 합성하려면 핵융합 과정에서 에너지를 흡수해야 한다.)

2 질량이 태양과 비슷한 별 주계열성 → 적색 거성 → 행성상 성운, 백색 왜성

(태양은 현재 주계열성이다.)

적색 거성과 탄소의 생성		적색 거성 이후의 진화와 원소의 방출
주계열성에서 수소 핵융합 반응이 멈추면, 헬륨핵이 중력에 의해 수축하여 중심부의 온도를 높인다. 핵을 둘러싸고 있는 껍질층이 가열되어 수소 핵융합 반응이 일어나면 별의 바깥층이 팽창하여 크기가 커지고 표면 온도가 낮아지면서 표면이 붉게 보이는 ❽□□ □□이 된다. ➜ 적색 거성 중심에서 헬륨핵의 온도가 1억 K에 도달하면 ❾□□ 핵융합 반응이 일어나 탄소가 생성된다. (산소가 생성되기도 한다.)	▶	적색 거성 중심에서 헬륨 핵융합 반응이 끝나면 바깥층의 물질들은 우주 공간으로 방출되어 행성상 성운이 만들어지고, 탄소핵은 수축하여 ❿□□ □□이 된다.

3 질량이 태양의 약 10배 이상인 별 주계열성 → 초거성 → 초신성 → 중성자별 또는 블랙홀

초거성과 무거운 원소의 생성		초거성 이후의 진화와 원소의 방출
주계열성 이후 헬륨핵의 수축과 핵 주변 껍질층의 수소 핵융합 반응을 거치며 크기가 매우 커져 초거성이 된다. ➜ 초거성 중심에서는 온도가 높아짐에 따라 헬륨, 탄소, 산소, 규소 등이 차례대로 핵융합 반응을 일으켜 ⓫□까지 생성된다.	▶	초거성 중심에서 핵융합 반응이 멈추면, 중심부가 계속 수축하다가 초신성 폭발이 일어난다. 별의 바깥 부분은 우주로 방출되고, 중심부는 압축되어 밀도가 매우 큰 중성자별이나 블랙홀이 된다. ➜ 초신성 폭발 과정에서 구리, 금, 납, 우라늄 등 ⓬□보다 무거운 원소들이 만들어진다.

4 별의 내부 구조

주계열성에서 적색 거성으로 진화할 때	핵융합 반응이 끝난 별의 내부 구조	
	질량이 태양과 비슷한 별	질량이 태양의 약 10배 이상인 별
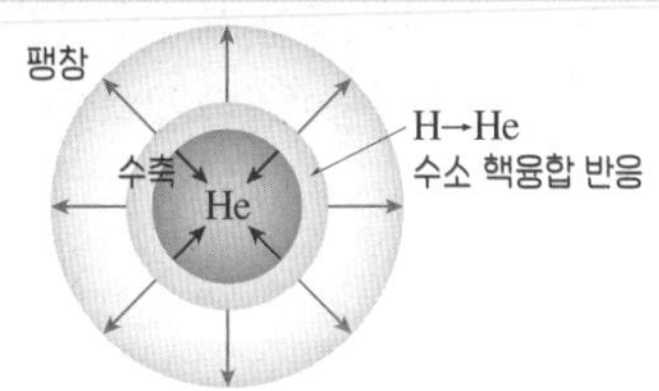	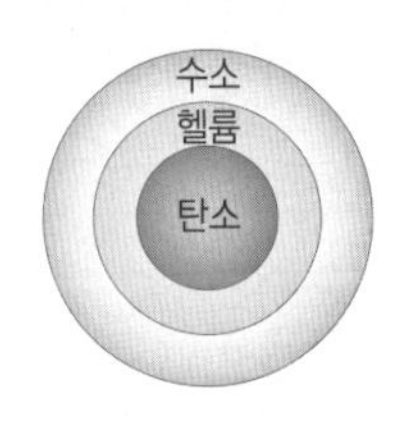	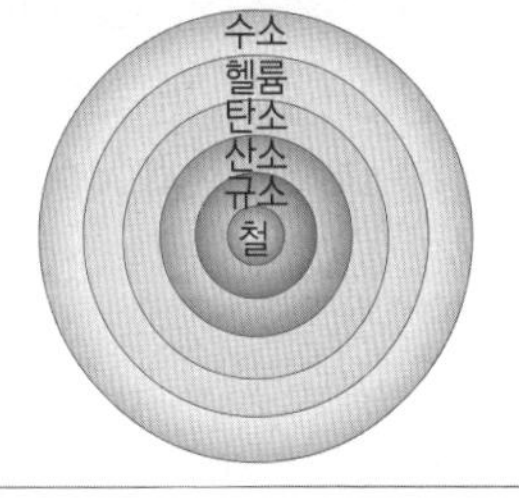
• 주계열성에서 핵융합 반응이 끝나면 중력이 내부 압력보다 커져서 헬륨핵이 수축한다. • 껍질층에서 수소 핵융합 반응이 일어나면 내부 압력이 커져서 바깥층이 팽창한다.	• 별 중심으로 갈수록 무거운 원소가 분포한다. • 별의 질량이 클수록 ⓭□□□ 원소가 생성된다.	

기출 Tip B-2, 3

별에서 생성된 원소의 방출
- 행성상 성운: 수소, 주계열성과 적색 거성 내부에서 핵융합 반응으로 생성한 원소(헬륨, 탄소, 산소) 방출
- 초신성: 수소, 주계열성과 초거성 내부에서 핵융합 반응으로 생성한 원소(헬륨~철), 초신성 폭발 과정에서 생성한 원소(철보다 무거운 원소) 방출

➜ 행성상 성운보다 초신성 잔해에 무거운 원소가 더 많이 분포한다.

기출 Tip B-4

주계열성에서 적색 거성으로 진화
- 중심핵: 내부 압력<중력 ➜ 수축
- 바깥층: 내부 압력>중력 ➜ 팽창

별의 내부 구조와 별의 질량

별의 중심부에 분포하는 원소의 원자 번호가 더 큰 별이 질량이 더 큰 별이다. 예 탄소(6)<철(26)

답 ❶ 높 ❷ 낮 ❸ 높 ❹ 1000만 ❺ 헬륨 ❻ 짧 ❼ 클 ❽ 적색 거성 ❾ 헬륨 ❿ 백색 왜성 ⓫ 철 ⓬ 철 ⓭ 무거운

빈출 자료 보기

정답과 해설 7쪽

75 그림은 질량에 따른 별의 진화 과정을 나타낸 것이다.

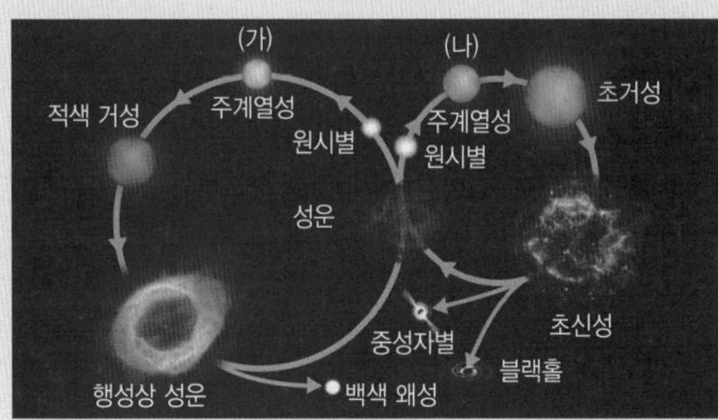

이에 대한 설명으로 옳은 것은 ○, 옳지 않은 것은 ×로 표시하시오.

(1) (가)와 (나)에서는 핵융합 반응으로 수소가 생성된다. ( )

(2) (가)는 (나)보다 질량이 크고 수명이 짧은 주계열성이다. ( )

(3) (가)가 적색 거성으로 진화하면 표면 온도가 높아진다. ( )

(4) (나)가 진화한 초거성 내부에서는 탄소가 생성될 수 없다. ( )

(5) 철보다 무거운 원소는 (나)가 진화하여 초신성 폭발이 일어날 때 만들어진다. ( )

(6) 행성상 성운 단계에서 헬륨과 탄소 일부가 우주로 방출된다. ( )

(7) 행성상 성운보다 초신성에 무거운 원소가 많이 분포한다. ( )

A 별의 탄생

76 하 중 상

다음은 별의 탄생 과정을 순서 없이 나타낸 것이다.

(가) 원시별이 형성되었다.
(나) 별이 수소 핵융합 반응을 하여 빛을 방출한다.
(다) 수소와 헬륨 등이 모여 가스 구름이 생성되었다.
(라) 원시별이 수축하면서 온도와 압력이 상승하였다.

순서대로 옳게 나열한 것은?

① (가) → (다) → (나) → (라)
② (가) → (라) → (다) → (나)
③ (다) → (가) → (나) → (라)
④ (다) → (가) → (라) → (나)
⑤ (다) → (나) → (가) → (라)

77 하 중 상

••서술형

별의 일생 중 주계열 단계에 있는 별의 중심에서 일어나는 핵융합 반응을 쓰고, 어떤 원소가 반응하여 어떤 원소로 바뀌는지 서술하시오.

빈출

78 하 중 상

대표문제 多 보기

별의 탄생에 대한 설명으로 옳지 않은 것만을 모두 고르면?(2개)

① 성운을 이루는 기체의 주요 성분은 수소와 헬륨이다.
② 가스 구름이 팽창하여 성운을 형성한다.
③ 성운이 중력에 의해 뭉쳐지면 밀도가 점점 높아져 원시별이 형성된다.
④ 성운은 중력에 의해 수축하여 원반 모양을 형성한다.
⑤ 원시별은 초신성 폭발을 통해 에너지를 얻어 내부 온도가 상승한다.
⑥ 원시별의 중심 온도가 1000만 K에 이르면 수소 핵융합 반응이 일어나는 별이 된다.
⑦ 별은 핵융합 반응으로 에너지를 생성하여 스스로 빛을 내는 천체를 말한다.

79 하 중 상

그림은 별의 탄생 과정의 일부를 나타낸 것이다.

(가) 성운 → (나) 원시별 → (다) 주계열성

이에 대한 설명으로 옳은 것만을 〈보기〉에서 있는 대로 고른 것은?

〈 보기 〉
ㄱ. (가)의 밀도가 높은 곳이 수축하여 (나)가 탄생한다.
ㄴ. (나)의 에너지원은 중력 수축 에너지이다.
ㄷ. (나)가 수축하여 온도가 높아지다가 1000 K 이상이 되면 핵융합 반응이 일어나면서 (다)가 된다.
ㄹ. (다)는 핵융합 반응으로 생성된 에너지를 빛의 형태로 방출한다.

① ㄱ, ㄴ　② ㄱ, ㄷ　③ ㄷ, ㄹ
④ ㄱ, ㄴ, ㄹ　⑤ ㄴ, ㄷ, ㄹ

80 하 중 상

주계열성에 대한 설명으로 옳은 것은?

① 질량이 클수록 수명이 길다.
② 중심에서 수소 핵융합 반응이 일어난다.
③ 별의 일생에서 가장 짧은 시간을 차지한다.
④ 중심에서 핵융합 반응이 일어나는 동안 크기가 커진다.
⑤ 중력과 내부 압력이 달라 내부가 불안정한 상태이다.

81 하 중 상

대표문제 多 보기

그림은 별의 내부에서 일어나는 핵융합 반응을 나타낸 것이다.

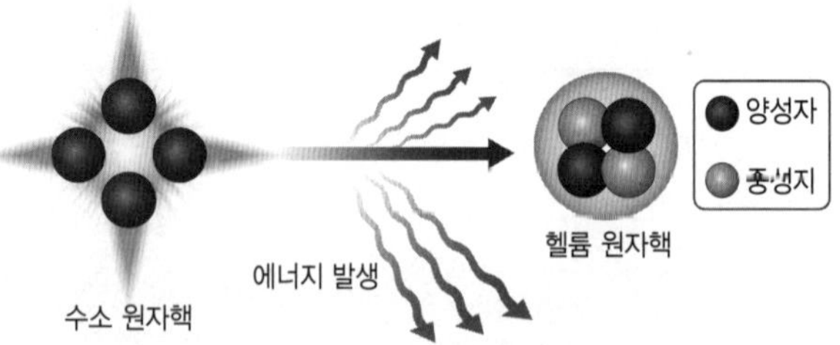

이에 대한 설명으로 옳은 것만을 〈보기〉에서 있는 대로 고른 것은?

〈 보기 〉
ㄱ. 주계열성의 중심부에서 일어나는 반응이다.
ㄴ. 중심부의 온도가 1억 K 이상일 때만 일어난다.
ㄷ. 핵융합 반응이 일어날 때 감소한 질량이 에너지로 전환된다.

① ㄱ　② ㄴ　③ ㄱ, ㄷ
④ ㄴ, ㄷ　⑤ ㄱ, ㄴ, ㄷ

82 하 중 상

그림은 별의 중심부에서 일어나는 핵융합 반응을 나타낸 것이다.

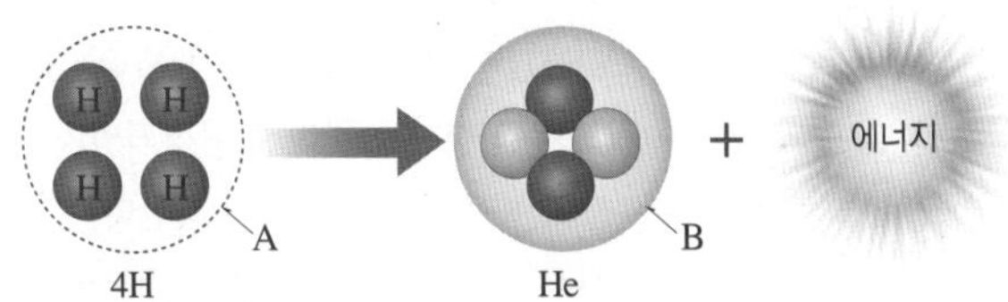

이에 대한 설명으로 옳은 것만을 〈보기〉에서 있는 대로 고른 것은?

〈 보기 〉
ㄱ. 별의 중심부 온도가 1000만 K 이상일 때 일어난다.
ㄴ. 질량은 A가 B보다 크다.
ㄷ. 질량이 태양과 비슷한 별에서만 일어난다.
ㄹ. 별의 중심에서 수소가 모두 헬륨으로 변하면 별은 수명이 다해 블랙홀이 된다.

① ㄱ, ㄴ ② ㄱ, ㄹ ③ ㄷ, ㄹ
④ ㄱ, ㄴ, ㄷ ⑤ ㄴ, ㄷ, ㄹ

83 하 중 상

그림은 주계열성의 내부에서 작용하는 힘을 나타낸 것이다. 이에 대한 설명으로 옳은 것은?

① 별의 중심 온도는 약 1만 K이다.
② A는 중력이다.
③ B의 원인은 수소 핵융합 반응이다.
④ A와 B는 평형을 이루고 있다.
⑤ 수소 핵융합 반응이 멈추면 A가 B보다 커질 것이다.

84 하 중 상

••서술형

그림은 중심부에서 수소 핵융합 반응이 일어나는 별의 내부에서 작용하는 힘을 나타낸 것이다.

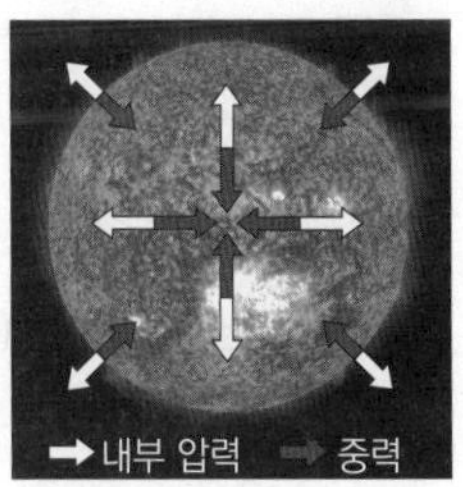

(1) 이 별은 어떤 단계의 별인지 쓰고, 별의 크기가 일정하게 유지되는 까닭을 그림에 있는 힘을 포함하여 서술하시오.

(2) 이 별의 중심에서 수소가 모두 헬륨으로 바뀐 후 별의 내부에서 작용하는 두 힘의 크기를 부등호로 비교하고, 이에 따라 별의 중심부에서는 어떤 변화가 일어나는지 서술하시오.

B 별의 진화와 원소의 생성

별의 진화와 원소의 생성

빈출 85 하 중 상

별의 내부에서 일어나는 핵융합 반응으로 생성되는 원소만을 〈보기〉에서 있는 대로 고른 것은?

〈 보기 〉
ㄱ. 금(Au) ㄴ. 납(Pb) ㄷ. 규소(Si)
ㄹ. 탄소(C) ㅁ. 수소(H) ㅂ. 우라늄(U)

① ㄱ, ㄴ ② ㄷ, ㄹ ③ ㄱ, ㄴ, ㄹ
④ ㄴ, ㄷ, ㅂ ⑤ ㄷ, ㄹ, ㅁ

86 하 중 상

다음은 우주를 이루는 원소의 생성 과정을 나타낸 것이다.

(가) 우주 초기에 일어난 빅뱅 핵합성
(나) 별의 중심부에서 일어나는 핵융합 반응
(다) 초신성 폭발

(가)~(다)에서 주로 생성되는 원소를 옳게 짝 지은 것은?

	(가)	(나)	(다)
①	철	헬륨	납
②	헬륨	탄소	금
③	헬륨	수소	우라늄
④	산소	금	철
⑤	산소	마그네슘	구리

87 하 중 상

다음은 별의 진화와 원소의 생성에 대한 설명이다.

태양과 질량이 비슷한 별은 중심부에서 핵융합 반응으로 (㉠)까지 생성한다. 태양보다 질량이 매우 큰 별은 중심부의 온도가 더 높아져 더 무거운 원소를 생성하는 핵융합 반응이 일어나 (㉡)까지 생성한다. (㉡)보다 무거운 원소는 핵융합 반응이 멈춘 후 초신성 폭발 때 생성된다.

㉠과 ㉡에 들어갈 원소를 옳게 짝 지은 것은?

	㉠	㉡		㉠	㉡
①	헬륨	철	②	헬륨	탄소
③	탄소	철	④	탄소	헬륨
⑤	철	탄소			

88 하중상 ••서술형

별에서 철보다 무거운 원소는 어떤 과정으로 생성되는지 서술하시오.

89 하중상 대표문제 多 보기

별의 진화와 원소의 생성에 대한 설명으로 옳지 않은 것만을 모두 고르면?(3개)

① 주계열성에서는 핵융합 반응으로 헬륨이 생성된다.
② 별 중심부의 온도가 높을수록 더 무거운 원소의 핵융합 반응이 일어난다.
③ 별의 질량이 클수록 가벼운 원소가 생성된다.
④ 별의 내부에서 만들 수 있는 가장 무거운 원소는 철이다.
⑤ 철보다 무거운 원소는 초신성 폭발 과정에서 만들어진다.
⑥ 태양과 질량이 비슷한 별의 중심부에서는 철까지 만들어진다.
⑦ 태양과 질량이 비슷한 별은 초신성으로 폭발할 때 우주 공간으로 많은 원소를 방출한다.
⑧ 태양 질량의 10배 이상인 별에서는 탄소가 만들어질 수 있다.

90 하중상 ••서술형

우주의 진화 과정에서 헬륨보다 무겁고 철보다 가벼운 원소들은 어떤 과정으로 생성된 것인지 서술하고, 별의 내부에서 철까지만 생성되는 까닭을 서술하시오.

91 하중상

표는 별 내부에서 일어나는 핵융합 반응을 나타낸 것이다.

핵융합 반응	핵융합 반응 원소	생성 원소
(가)	수소(H)	헬륨(He)
(나)	헬륨(He)	탄소(C), 산소(O)
(다)	규소(Si)	철(Fe)

이에 대한 설명으로 옳은 것만을 〈보기〉에서 있는 대로 고른 것은?

〈 보기 〉

ㄱ. (가)는 질량이 태양 정도인 별과 질량이 매우 큰 별에서 모두 일어난다.
ㄴ. 질량이 태양 정도인 별에서는 (나) 반응까지 일어난다.
ㄷ. 가장 높은 온도에서 일어나는 반응은 (다)이다.

① ㄱ ② ㄴ ③ ㄱ, ㄷ
④ ㄴ, ㄷ ⑤ ㄱ, ㄴ, ㄷ

92 하중상

다음은 우주에서 원소의 생성에 대한 설명이다.

(가) 우주에 존재하는 수소(H) 원자는 대부분 빅뱅 후 약 38만 년이 되었을 때 양성자에 전자가 끌려가 형성되었다.
(나) 모든 별의 진화는 수소의 핵융합 반응으로 시작한다.
(다) 우주에 존재하는 대부분의 헬륨(He)은 별의 내부에서 일어나는 수소 핵융합 반응으로 만들어졌다.
(라) 질량이 태양의 10배 이상인 별은 질량이 태양 정도인 별보다 상대적으로 느리게 수소 핵융합 반응이 끝난다.
(마) 별의 중심부에서는 철이 만들어진 이후 더 이상 핵융합 반응이 일어나지 않는다.

(가)~(마) 중에서 옳게 설명한 것은 모두 몇 개인가?

① 1개 ② 2개 ③ 3개 ④ 4개 ⑤ 5개

질량에 따른 별의 진화

93 하중상

다음은 별이 진화하는 과정에서 형성되는 천체들을 순서 없이 나타낸 것이다.

원시별, 블랙홀, 초거성, 주계열성,
중성자별, 적색 거성, 행성상 성운과 백색 왜성

태양과 질량이 비슷한 별의 진화 과정과 관련된 천체를 골라 순서대로 나열하시오.

94 하중상 대표문제 多 보기

그림은 어느 별의 진화 과정을 나타낸 것이다.

별(주계열성) → 적색 거성 → 행성상 성운, 백색 왜성

이에 대한 설명으로 옳은 것만을 〈보기〉에서 있는 대로 고른 것은?

〈 보기 〉

ㄱ. 태양보다 질량이 10배 이상 큰 별의 진화 과정이다.
ㄴ. 진화 과정 중 주계열성 단계에 가장 오래 머무른다.
ㄷ. 이 별에서 핵융합 반응을 통해 최종적으로 생성할 수 있는 가장 무거운 원소는 철이다.
ㄹ. 적색 거성의 중심에서 핵융합 반응이 끝나면 핵이 수축하여 백색 왜성이 된다.

① ㄱ, ㄷ ② ㄱ, ㄹ ③ ㄴ, ㄷ
④ ㄴ, ㄹ ⑤ ㄷ, ㄹ

95 (하 중 상)

그림은 어느 별의 진화 과정을 나타낸 것이다.

주계열성 → A → B → 백색 왜성

이에 대한 설명으로 옳은 것만을 〈보기〉에서 있는 대로 고른 것은?

〈 보기 〉

ㄱ. 이 별의 질량은 태양과 비슷하다.

ㄴ. 주계열성이 A가 되는 과정에서 별의 주변부가 팽창하여 별의 표면 온도는 높아진다.

ㄷ. A → B 과정에서 별 내부에서 생성된 원소가 우주 공간으로 방출된다.

① ㄱ ② ㄴ ③ ㄱ, ㄷ
④ ㄴ, ㄷ ⑤ ㄱ, ㄴ, ㄷ

96 (하 중 상) ••서술형

그림은 어느 별의 진화 경로를 나타낸 것이다.

(1) 원시별에서 주계열성으로 진화하는 동안 별의 내부 온도 변화를 그 까닭과 함께 서술하시오.

(2) 주계열성에서 적색 거성으로 진화할 때, 별의 크기와 표면 온도가 어떻게 변화하는지 서술하시오.

97 (하 중 상)

그림은 어느 별의 진화 과정을 나타낸 것이다.

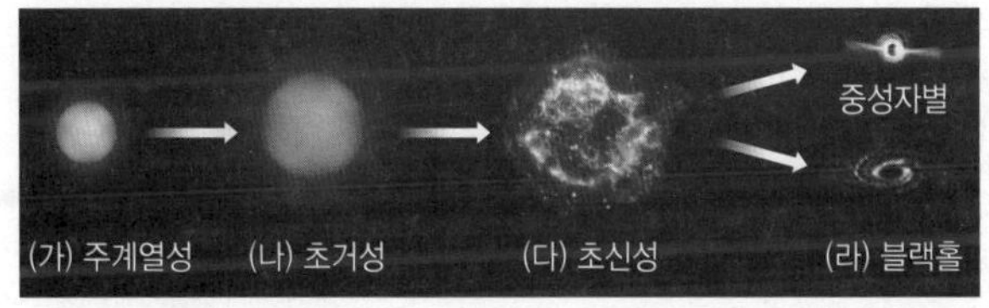

이에 대한 설명으로 옳은 것만을 〈보기〉에서 있는 대로 고른 것은?

〈 보기 〉

ㄱ. 질량이 태양과 비슷한 별의 진화 과정이다.

ㄴ. (나)의 중심에서 철보다 무거운 원소가 생성된다.

ㄷ. (다)에서 방출된 원소의 일부는 생명체를 구성하는 물질이 된다.

ㄹ. (라)는 별의 진화 과정 중 밀도가 가장 큰 단계이다.

① ㄱ, ㄴ ② ㄱ, ㄹ ③ ㄷ, ㄹ
④ ㄱ, ㄴ, ㄷ ⑤ ㄴ, ㄷ, ㄹ

98 (하 중 상)

그림은 어느 별의 진화 과정의 일부를 나타낸 것이다.

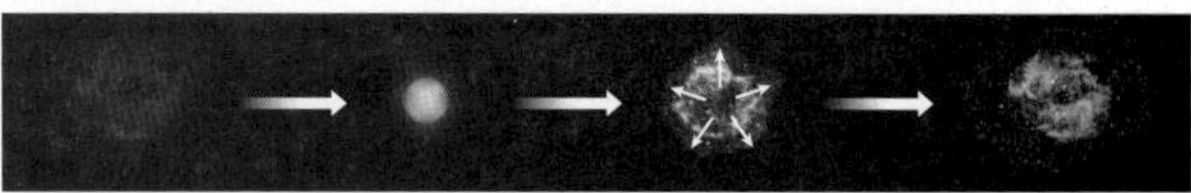

(가) 성운 (나) 주계열성 (다) 초신성 폭발 (라) 새로운 성운

이에 대한 설명으로 옳은 것만을 〈보기〉에서 있는 대로 고른 것은?

〈 보기 〉

ㄱ. 별은 (가)의 온도가 높은 영역에서 생성된다.

ㄴ. (가) → (나) 과정에서 중심부의 온도가 높아진다.

ㄷ. 금, 우라늄과 같은 원소는 (다) 과정에서 생성된다.

ㄹ. (가) → (라) 과정이 반복되면서 우주에 존재하는 수소 원자의 양은 증가한다.

① ㄱ, ㄴ ② ㄱ, ㄹ ③ ㄴ, ㄷ
④ ㄱ, ㄷ, ㄹ ⑤ ㄴ, ㄷ, ㄹ

99 (하 중 상) ••서술형

다음은 조선왕조실록에 기록된 천문 기록으로, 7개월에 걸쳐 평소에 없던 밝은 별이 갑자기 나타났다 사라지는 과정을 나타낸다.

> 초경(저녁 7시~9시 사이)에 객성(客星)이 나타났는데 ……
> 크기는 금성(金星)만 하였고, 광망(光芒)이 매우 성하였으며
> 황적색이었는데 동요하였다.

(1) 객성은 별의 진화 과정 중 무엇을 나타낸 것인지 쓰시오.

(2) 이 현상으로 만들어질 수 있는 철보다 무거운 원소를 한 가지만 쓰고, 원소가 만들어지는 과정을 서술하시오.

100 (하 중 상)

그림은 질량이 다른 두 별의 진화 경로를 나타낸 것이다.

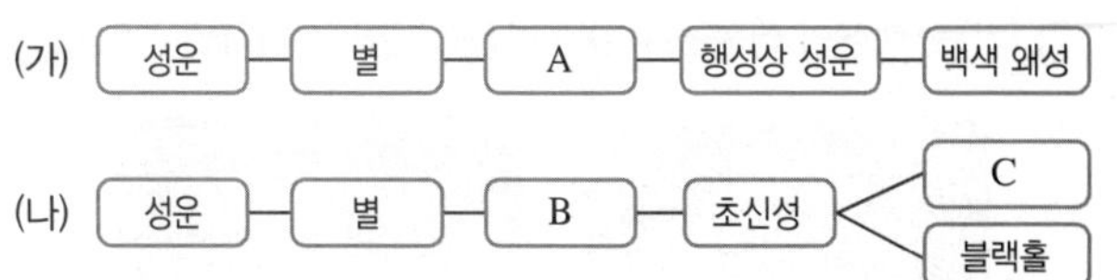

이에 대한 설명으로 옳은 것만을 〈보기〉에서 있는 대로 고른 것은?

〈 보기 〉

ㄱ. (가)는 (나)보다 질량이 큰 별의 진화 경로이다.

ㄴ. A 중심에서는 수소 핵융합 반응이 일어난다.

ㄷ. B 중심에서는 탄소 핵융합 반응이 일어날 수 있다.

ㄹ. C는 중성자로 이루어진 별이다.

① ㄱ, ㄴ ② ㄴ, ㄹ ③ ㄷ, ㄹ
④ ㄱ, ㄴ, ㄷ ⑤ ㄱ, ㄷ, ㄹ

101 하중상

그림은 별 (가)와 (나)의 진화 경로를 나타낸 것이다.

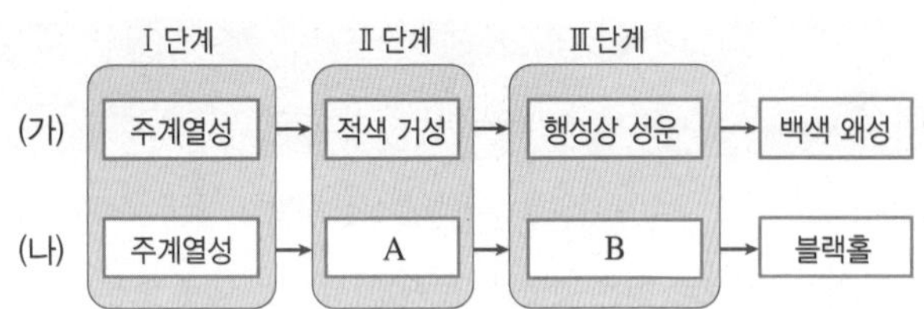

이에 대한 설명으로 옳은 것만을 〈보기〉에서 있는 대로 고른 것은?

〈 보기 〉
ㄱ. 질량이 태양 정도인 별은 (가) 과정으로 진화한다.
ㄴ. Ⅰ단계 별의 중심에서는 수소 핵융합 반응이 일어난다.
ㄷ. A 중심에서는 철이 생성되고, B에서는 철보다 무거운 원소가 생성된다.

① ㄱ ② ㄷ ③ ㄱ, ㄴ
④ ㄴ, ㄷ ⑤ ㄱ, ㄴ, ㄷ

102 하중상

그림은 태양과 질량이 비슷한 별의 진화 과정 중 어느 단계를 나타낸 것이다. 이에 대한 설명으로 옳은 것만을 〈보기〉에서 있는 대로 고른 것은?

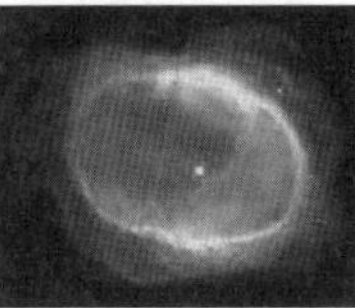

〈 보기 〉
ㄱ. 초신성 폭발의 잔해이다.
ㄴ. 중심부에 있는 것은 백색 왜성이다.
ㄷ. 우주 공간으로 철보다 무거운 원소가 방출된다.

① ㄴ ② ㄷ ③ ㄱ, ㄴ
④ ㄱ, ㄷ ⑤ ㄴ, ㄷ

103 하중상

그림 (가)는 행성상 성운을, (나)는 초신성 잔해를 나타낸 것이다.

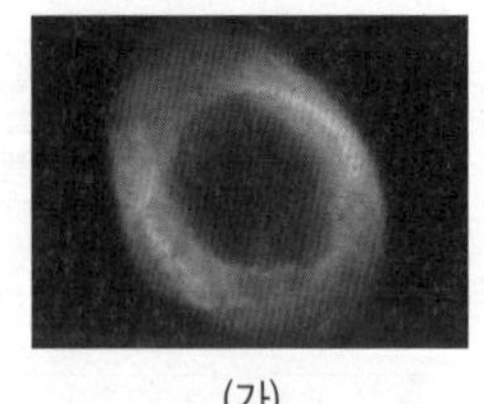
(가)

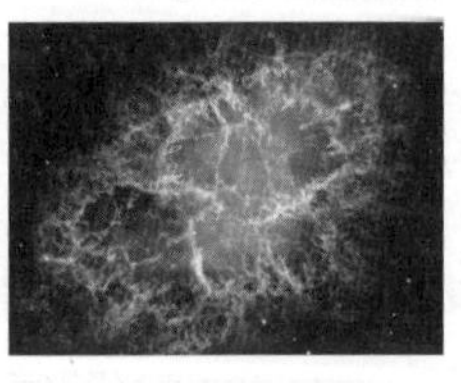
(나)

이에 대한 설명으로 옳지 <u>않은</u> 것은?

① 주계열성일 때의 질량은 (가)가 (나)보다 작았다.
② (가)는 주계열성이 적색 거성 단계를 거쳐 형성된 것이다.
③ 태양의 진화 과정의 마지막 단계는 (나)이다.
④ 철보다 무거운 원소는 (나) 과정에서 만들어진다.
⑤ (나)의 중심에서는 중성자별이나 블랙홀이 만들어진다.

104 하중상

그림은 질량이 다른 별 A와 B의 진화 과정을 나타낸 것이다.

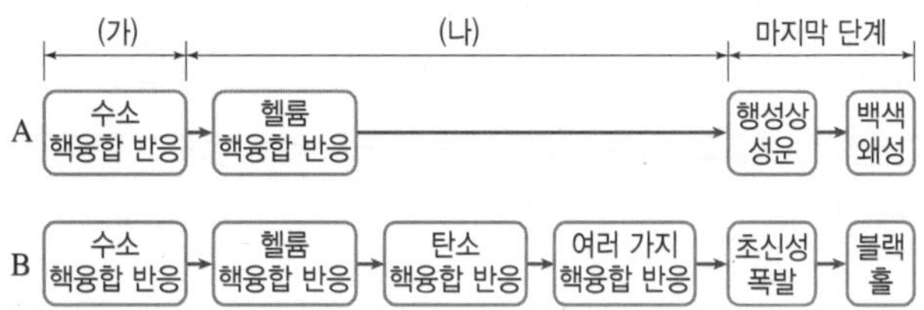

이에 대한 설명으로 옳은 것만을 〈보기〉에서 있는 대로 고른 것은?

〈 보기 〉
ㄱ. 별의 질량은 A가 B보다 크다.
ㄴ. 별의 일생에서 (가) 단계는 (나) 단계보다 짧다.
ㄷ. B는 (나) 단계에서 철을 생성한다.
ㄹ. A는 B보다 (가)와 (나) 단계에 머무는 기간이 길다.

① ㄱ, ㄷ ② ㄱ, ㄹ ③ ㄴ, ㄷ
④ ㄴ, ㄹ ⑤ ㄷ, ㄹ

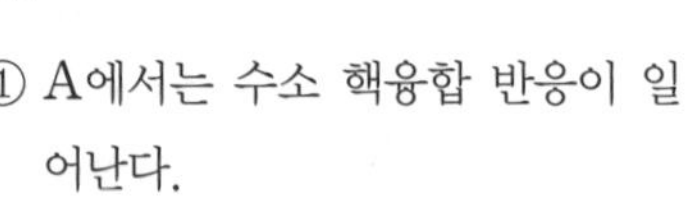

별의 내부 구조

105 하중상

그림은 태양의 내부 구조를 나타낸 것이다. 이에 대한 설명으로 옳지 <u>않은</u> 것은?

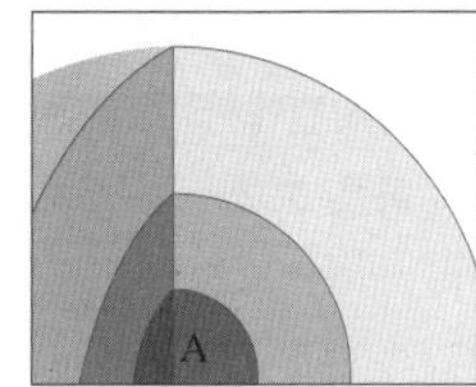

① A에서는 수소 핵융합 반응이 일어난다.
② 중심부의 온도는 약 5800 K이다.
③ 시간이 지남에 따라 헬륨의 양은 증가하다가 감소한다.
④ A에서 핵융합 반응이 멈추면 기체가 별 내부에서 밖으로 밀어내는 힘이 줄어든다.
⑤ A에서 핵융합 반응이 멈춘 후, 헬륨핵이 중력에 의해 수축하여 온도가 상승하면 헬륨 핵융합 반응이 시작될 것이다.

빈출

106 하중상

••서술형

그림은 질량이 태양의 약 10배 이상인 별의 내부 구조를 나타낸 것이다.

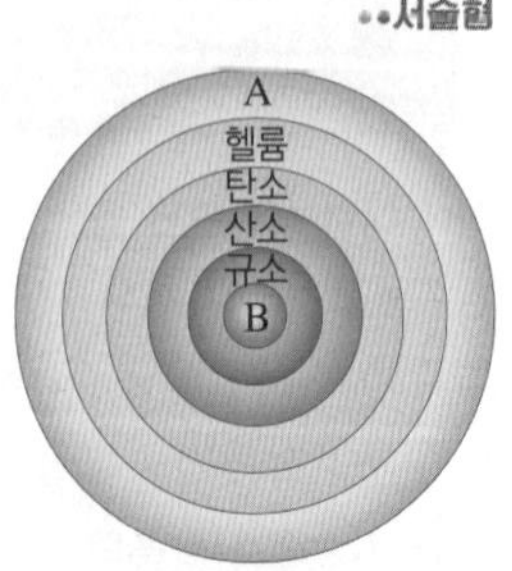

(1) A와 B의 원소를 쓰시오.

(2) 별의 중심부에서 B가 만들어지면 더 이상 핵융합 반응을 하지 않는 까닭을 서술하시오.

(3) 이 별에서 생성된 원소는 어떻게 우주로 방출되는지 서술하시오.

빈출

107 하/중/상

대표문제 多 보기

그림은 원소의 생성 과정을 모두 마친 두 별 (가)와 (나)의 중심부 구조를 나타낸 것이다.

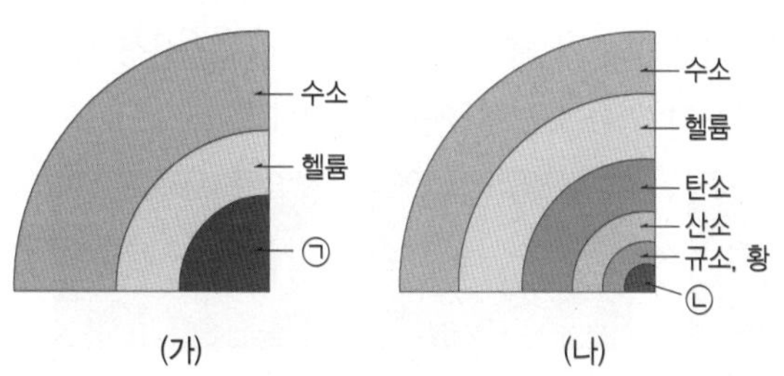

이에 대한 설명으로 옳은 것만을 모두 고르면?(2개)

① ㉠은 철, ㉡은 탄소이다.
② 별의 질량은 (가)가 (나)보다 크다.
③ 별 중심부의 온도는 (가)가 (나)보다 높다.
④ 태양은 점차 (나)와 같은 구조로 진화한다.
⑤ (나)에서 ㉡이 만들어지면 더는 에너지가 발생하지 않아 수축하기 시작한다.
⑥ (나)에서는 초신성 폭발이 일어날 때 ㉡보다 무거운 원소가 생성된다.
⑦ 별은 일생의 대부분을 (가), (나)와 같은 단계로 보낸다.

108 하/중/상

그림은 주계열성 중심부에서 핵융합 반응이 끝난 후에 별의 내부 구조를 나타낸 것이다.

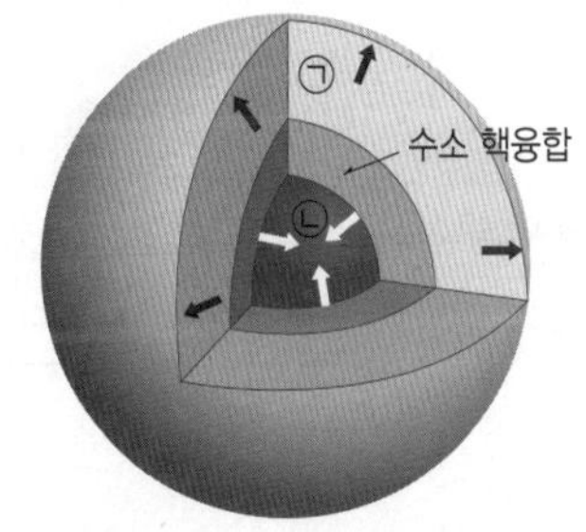

이에 대한 설명으로 옳은 것만을 〈보기〉에서 있는 대로 고른 것은?

〈 보기 〉
ㄱ. ㉠의 주요 성분은 수소, ㉡의 주요 성분은 탄소이다.
ㄴ. ㉠이 팽창하면서 표면 온도가 낮아져 표면이 붉게 보인다.
ㄷ. ㉡이 중력에 의해 수축하여 중심부의 온도가 높아진다.

① ㄴ　② ㄷ　③ ㄱ, ㄴ　④ ㄱ, ㄷ　⑤ ㄴ, ㄷ

109 하/중/상

그림 (가)는 질량이 다른 별의 진화 과정을, (나)는 어느 별의 내부 구조를 나타낸 것이다.

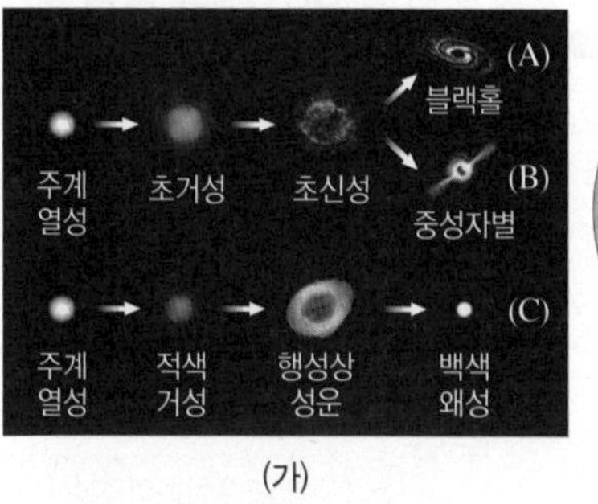

(가)

(나)

이에 대한 설명으로 옳은 것만을 〈보기〉에서 있는 대로 고른 것은?

〈 보기 〉
ㄱ. (가)에서 질량이 태양과 비슷한 별은 B의 경로로 진화한다.
ㄴ. (나)의 별이 태양 질량의 약 30배 이상이라면 별의 진화 과정에서 우라늄이 만들어질 수 있다.
ㄷ. (나)는 C 경로의 적색 거성 단계에서 볼 수 있는 별이다.

① ㄱ　② ㄴ　③ ㄱ, ㄷ　④ ㄴ, ㄷ　⑤ ㄱ, ㄴ, ㄷ

110 하/중/상

그림 (가)와 (나)는 질량이 태양 정도인 별의 현재와 적색 거성이 된 후에 중심으로부터의 거리에 따른 구성 원소의 비율을 나타낸 것이다.

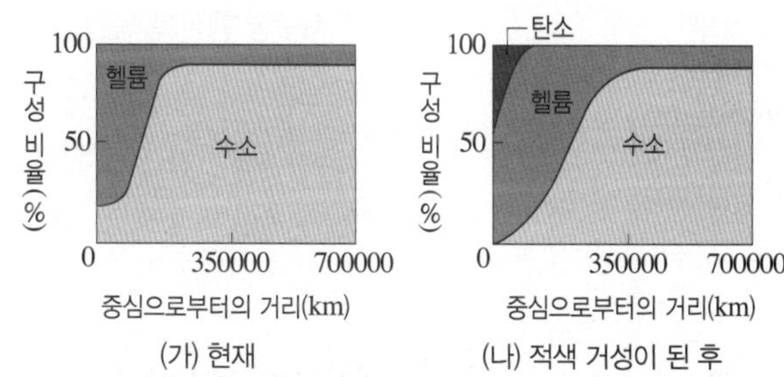

이에 대한 설명으로 옳은 것만을 〈보기〉에서 있는 대로 고른 것은?

〈 보기 〉
ㄱ. (가)는 (나)보다 별의 표면 온도가 높다.
ㄴ. (가)에서 별에 있는 수소는 모두 핵융합 반응에 사용된다.
ㄷ. (나)에서 별의 중심에서는 탄소 핵융합 반응이 일어난다.

① ㄱ　② ㄷ　③ ㄱ, ㄴ　④ ㄱ, ㄷ　⑤ ㄴ, ㄷ

태양계와 지구의 형성

A 태양계의 형성

1 태양계의 형성 과정 약 50억 년 전, 우리은하의 지금의 태양계 부근에서 초신성 폭발이 일어나 태양계 성운이 형성되었고, 태양계 성운이 수축하여 태양계를 형성하였다.

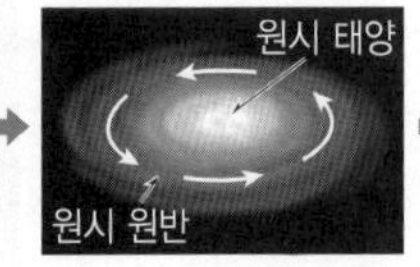

태양계 성운의 형성
초신성 폭발로 성운의 밀도가 불균일해지고 밀도가 높은 부분이 수축하여 태양계 성운 형성

➔ **태양계 성운의 수축 및 회전**
태양계 성운이 중력에 의해 수축하여 밀도 상승, 중심부의 온도 ❶ ☐☐

➔ **원시 원반과 원시 태양 형성**
성운의 회전에 의해 원시 원반 형성, 대부분의 질량이 중심에 모여 원시 태양 형성

미행성체의 형성
원시 원반에서 여러 개의 고리가 생기고 고리에 있던 여러 물질이 뭉쳐 수많은 미행성체 형성

➔ **원시 행성과 태양계 형성**
- 원시 태양은 계속 수축하여 중심부의 온도와 압력 상승, 중심부 온도가 1000만 K 이상이 되었을 때, 수소 핵융합 반응이 시작되어 스스로 빛을 내는 태양으로 성장 → 주계열성
- 원시 원반에서 미행성체들이 서로 충돌하여 원시 행성을 형성하고, 원시 행성이 미행성체를 끌어들여 행성으로 성장함.
  → 원시 행성 형성 후 남은 가스와 먼지는 태양풍에 의해 태양계 바깥쪽으로 보내졌다.

기출 Tip A-1
태양계 성운의 수축과 회전
- 모양: 태양계 성운이 수축하면서 회전할 때 회전 속도는 점점 빨라지고, 중심은 볼록하고 주변부는 납작한 원반 모양이 된다.
- 밀도와 압력: 증가한다.
- 온도: 중력 수축에 의해 에너지가 발생하여 중심부의 온도는 상승한다.

2 지구형 행성과 목성형 행성

① 지구형 행성과 목성형 행성의 형성

구분	지구형 행성(수성, 금성, 지구, 화성)	목성형 행성(목성, 토성, 천왕성, 해왕성)
온도	태양으로부터 가까워 온도가 높은 곳에서 형성	태양으로부터 멀어 온도가 낮은 곳에서 형성
구성 물질의 녹는점	녹는점이 ❷ ☐고 무거운 물질들이 남아 행성 형성 ➔ 메테인과 같이 가벼운 물질은 증발하고, 철, 니켈, 규산염 광물 등의 무거운 물질이 모여 암석 성분의 행성을 이루었다.	녹는점이 ❸ ☐고 가벼운 물질들이 행성 형성 ➔ 물, 메테인, 암모니아의 얼음 등이 응축되고, 수소, 헬륨 등의 가벼운 기체를 끌어들여 기체 성분의 행성을 이루었다.

→ 무거운 물질은 태양계 안에 매우 적은 양만 존재하여 지구형 행성은 크게 성장하지 못하였다.
→ 태양풍에 의해 가장자리로 밀려 나온 수소, 헬륨 같은 가벼운 기체들을 중력으로 끌어당겨 크게 성장하였다.

② 지구형 행성과 목성형 행성의 특징 비교

구분	반지름	질량	평균 밀도	위성 수	표면 상태	자전 속도	자전 주기	공전 주기
지구형 행성	작다.	작다.	❹ ☐☐.	적거나 없다.	암석 성분	느리다.	길다.	짧다.
목성형 행성	크다.	크다.	❺ ☐☐.	많다.	기체 성분	빠르다.	짧다.	길다.

기출 Tip A-2
태양계 행성의 특징
- 미행성체들의 공전 방향은 원시 태양의 자전 방향과 같다.
  ➔ 행성의 공전 방향은 태양의 자전 방향과 같다.
- 태양계 행성은 거의 같은 시기에 형성되었기 때문에 나이가 비슷하다.

지구형 행성이 목성형 행성보다 큰 값
- 형성된 온도
- 구성 물질의 녹는점
- 평균 밀도
- 자전 주기

B 지구의 형성

1 원시 지구의 진화 과정

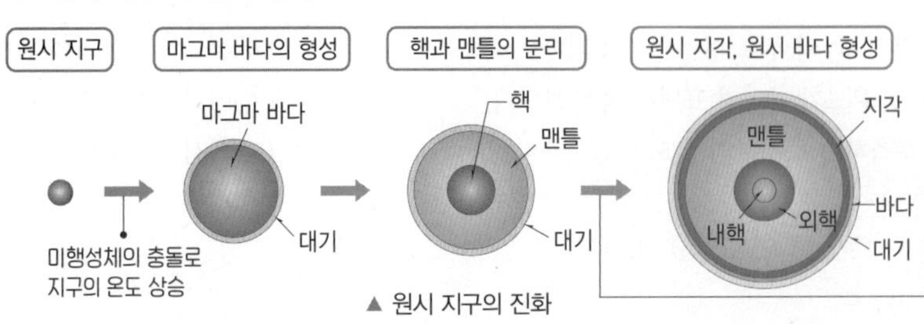

▲ 원시 지구의 진화

❶ 미행성체의 충돌: 미행성체의 충돌로 원시 지구가 형성되었고, 이후에도 미행성체의 충돌이 계속되어 원시 지구의 크기와 질량이 점점 증가하였다.

❷ ⑥☐☐☐ ☐☐의 형성: 미행성체의 충돌로 열이 발생하여 지구의 온도가 높아져 지구 전체가 녹아 형성되었다.

❸ 핵과 맨틀의 분리: 마그마 바다에서 철, 니켈 등 무거운 물질은 중심 쪽으로 가라앉아 ⑦☐이 되었고, 규산염 물질 등 상대적으로 가벼운 물질은 위로 떠올라 ⑧☐☐이 되었다.

❹ 원시 지각의 형성: 미행성체의 충돌 횟수가 줄어들면서 지구 표면의 온도가 ⑨☐☐졌고, 표면이 냉각되어 원시 지각이 형성되었다.

❺ 원시 바다의 형성: 지구 표면의 온도가 낮아지면서 대기 중의 수증기가 응결하여 비로 내렸고, 빗물이 지각의 낮은 곳에 모여 원시 바다를 형성하였다.

❻ 생명체의 탄생: 자외선이 차단되는 ⑩☐☐에서 최초의 생명체가 탄생하였다.

2 지구 대기의 조성 변화 → 수소와 같이 가벼운 기체는 지구 탄생 초기에 우주로 날아갔다.

이산화 탄소	과거 대기에 많은 양이 있었지만, 원시 바다에 녹아(→ 해수에 용해) 석회암을 형성하면서 대기 중의 양이 감소하였다.
산소	바다에서 광합성 생물이 등장한 이후 바다에 축적되기 시작하였고, 대기로 방출되어 대기 중의 양이 점점 증가하였다.
질소	현재 지구 대기에서 가장 많은 비율을 차지한다.

Ⓒ 우주, 지구, 사람의 구성 원소(질량비)

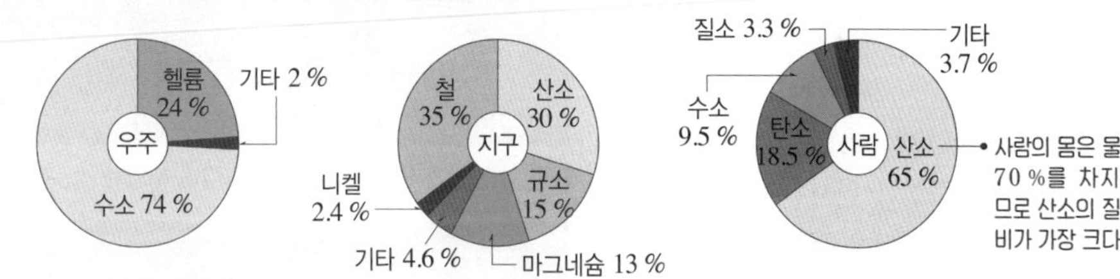

	주요 구성 원소	주요 구성 원소의 기원	
우주	수소 > ⑪☐☐ > ⋯	수소, 헬륨	우주 초기 빅뱅
지구	⑫☐ > 산소 > 규소 > 마그네슘 > 니켈 > ⋯	헬륨 등 철보다 가벼운 원소, 철	별 내부의 핵융합 반응
사람	⑬☐☐ > 탄소 > 수소 > 질소 > ⋯	철보다 무거운 원소	초신성 폭발

기출 Tip Ⓑ-1

우주 탄생부터 지구 탄생까지

❶ 빅뱅(기본 입자 → 양성자, 중성자 → 원자핵 → 원자 생성)(수소, 헬륨) → ❷ 은하와 별의 탄생(헬륨, 철보다 가벼운 원소, 철) → ❸ 초신성 폭발(철보다 무거운 원소) → ❹ 태양계 성운 → ❺ 태양계 형성 → ❻ 원시 지구 형성(미행성체 충돌 → 마그마 바다의 형성 → 핵과 맨틀의 분리 → 원시 지각 형성 → 원시 바다 형성 → 생명체 탄생)

지구 중심부의 밀도 변화

핵과 맨틀의 분리 전 < 핵과 맨틀의 분리 후

기출 Tip Ⓑ-2

생명체의 출현과 대기 조성 변화

원시 바다의 형성 → 자외선이 차단되는 바다에서 생명체 출현 → 광합성 생물 출현 → 바다의 산소 농도 증가 → 대기의 산소 농도 증가 → 오존층 형성 → 육지에 생명체 출현

답 ❶ 상승 ❷ 높 ❸ 낮 ❹ 크다 ❺ 작다 ❻ 마그마 바다 ❼ 핵 ❽ 맨틀 ❾ 낮아 ❿ 바다 ⓫ 헬륨 ⓬ 철 ⓭ 산소

빈출 자료 보기

정답과 해설 10쪽

111 그림은 원시 지구의 진화 과정을 나타낸 것이다.

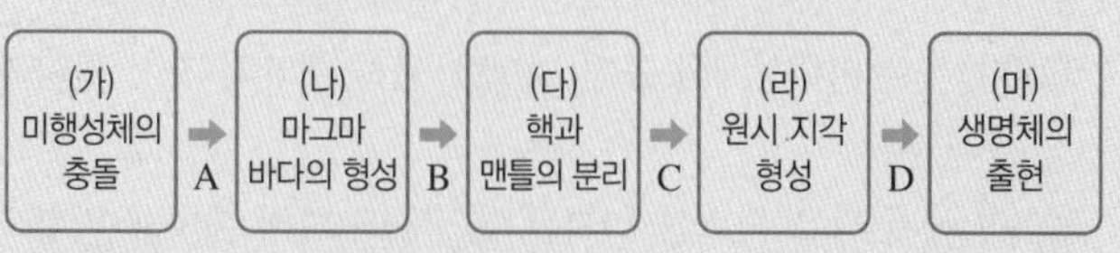

이에 대한 설명으로 옳은 것은 ○, 옳지 않은 것은 ×로 표시하시오.

(1) (가)에서 지구의 크기와 질량은 증가하였다. ( )

(2) A에서 지구의 온도가 높아졌다. ( )

(3) (나)에서 지구 전체는 용융 상태가 되었다. ( )

(4) B에서 지구의 질량은 감소하였다. ( )

(5) (다)에서 밀도가 큰 물질은 가라앉아 핵을 이루었다. ( )

(6) (다)에서 규산염 물질은 떠올라 맨틀을 이루었다. ( )

(7) C에서 지구 표면의 온도가 높아졌다. ( )

(8) (라)에서 지구 표면이 식어 원시 지각이 형성되었다. ( )

(9) D에서 원시 바다가 형성되었다. ( )

(10) (마)에서 최초의 생명체가 육지에서 출현하였다. ( )

상 5문항
중 22문항
하 5문항

A 태양계의 형성

태양계의 형성 과정

112 하중상

다음은 태양계의 형성 과정을 순서 없이 나타낸 것이다.

> (가) 원시 행성 형성
> (나) 태양계 성운의 형성
> (다) 고리와 미행성체 형성
> (라) 원시 태양과 원시 원반의 형성
> (마) 태양계 성운의 수축 및 회전

시간 순서대로 옳게 나열한 것은?

① (가) → (나) → (마) → (다) → (라)
② (나) → (라) → (다) → (마) → (가)
③ (나) → (마) → (라) → (다) → (가)
④ (다) → (가) → (나) → (마) → (라)
⑤ (다) → (라) → (나) → (마) → (가)

113 하중상

다음은 태양계가 형성된 과정에 대한 설명이다.

> 우리은하에 있던 (㉠) 폭발로 만들어진 태양계 성운이 수축하면서 회전하기 시작하였다. 성운이 회전하면서 원시 원반을 이루고, 대부분의 질량이 중심에 모여 원시 태양을 형성하였다. 원시 원반을 이루는 물질들이 뭉쳐 (㉡)를 형성하였고, (㉡)가 서로 충돌하여 (㉢)을 형성하였다. 태양과 가까운 곳에서는 (㉣) 행성이, 먼 곳에서는 (㉤) 행성이 형성되었다.

㉠~㉤에 들어갈 알맞은 말을 쓰시오.

빈출
114 하중상

태양계의 형성 과정에 대한 설명으로 옳지 않은 것은?

① 태양계 성운이 수축 및 회전하면서 납작한 원반을 형성하였다.
② 성운이 수축함에 따라 회전 속도가 점차 느려졌다.
③ 미행성체들의 충돌로 원시 행성이 형성되었다.
④ 성운의 중심부에서 원시 태양이 형성되고, 원시 태양이 성장하여 수소 핵융합 반응으로 빛을 방출하는 태양이 되었다.
⑤ 태양에 가까운 행성은 녹는점이 높은 물질로 구성되었다.

115 하중상

그림은 태양계의 형성 과정을 나타낸 것이다.

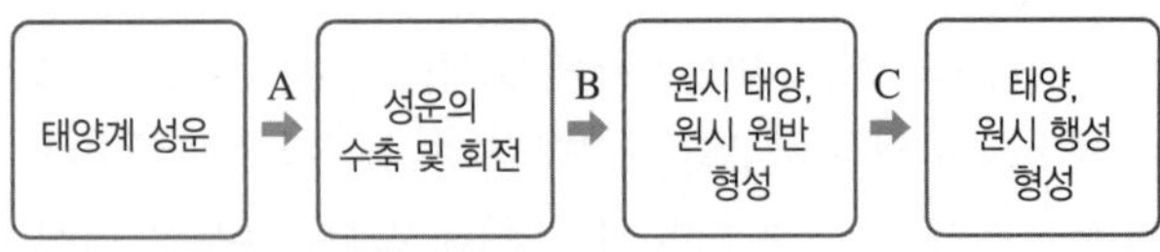

이에 대한 설명으로 옳은 것만을 〈보기〉에서 있는 대로 고른 것은?

> 〈보기〉
> ㄱ. A는 초신성 폭발의 영향을 받았다.
> ㄴ. B에서 미행성체가 충돌하여 원시 태양을 형성한다.
> ㄷ. C에서 태양에 가까울수록 가벼운 원소가 포함된 행성이 만들어진다.
> ㄹ. A → B → C에서 태양계 중심부의 밀도는 증가한다.

① ㄱ, ㄴ ② ㄱ, ㄹ ③ ㄴ, ㄷ
④ ㄴ, ㄹ ⑤ ㄷ, ㄹ

하중상 대표문제 多 보기

그림은 태양계의 형성 과정을 순서 없이 나타낸 것이다.

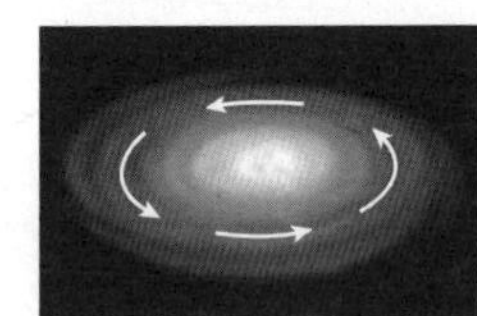
(가) 원시 원반과 원시 태양 형성

(나) 태양계 성운의 수축

(다) 미행성체 형성

(라) 원시 행성 형성

이에 대한 설명으로 옳은 것만을 모두 고르면?(2개)

① 태양계는 (가) → (나) → (다) → (라) 순으로 형성되었다.
② (가)에서 성운이 회전하면서 성운의 중심부는 팽창하여 온도와 압력이 낮아졌다.
③ (나)의 성운을 구성하는 원소는 수소와 헬륨뿐이다.
④ (나)에서 성운은 밀도가 낮은 부분을 중심으로 수축한다.
⑤ (다)에서 미행성체의 공전 방향은 원시 태양의 자전 방향과 같다.
⑥ (라)에서 남은 가스와 먼지는 태양풍에 의해 태양계 바깥으로 보내졌다.
⑦ (라)에서 태양으로부터 먼 곳에서는 암석으로 이루어진 목성형 행성이 형성되었다.

지구형 행성과 목성형 행성

빈출

117 하중상

지구형 행성과 목성형 행성에 대한 설명으로 옳은 것만을 〈보기〉에서 있는 대로 고른 것은?

〈 보기 〉
ㄱ. 지구형 행성은 목성형 행성보다 질량과 평균 밀도가 크다.
ㄴ. 지구형 행성은 철과 규소의 함량이 높고, 목성형 행성은 수소와 헬륨의 함량이 높다.
ㄷ. 목성형 행성은 지구형 행성보다 녹는점이 높고 무거운 물질로 이루어져 있다.
ㄹ. 지구형 행성과 목성형 행성의 구성 성분의 차이는 태양으로부터의 거리 차에 의해 발생하였다.

① ㄱ, ㄴ ② ㄱ, ㄷ ③ ㄴ, ㄷ
④ ㄴ, ㄹ ⑤ ㄷ, ㄹ

118 하중상

목성형 행성보다 지구형 행성에서 값이 더 큰 것만을 〈보기〉에서 있는 대로 고른 것은?

〈 보기 〉

ㄱ. 반지름	ㄴ. 평균 밀도	ㄷ. 위성 수
ㄹ. 자전 주기	ㅁ. 편평도	ㅂ. 공전 주기
ㅅ. 형성 온도	ㅇ. 구성 물질의 녹는점	

① ㄱ, ㄷ, ㅂ ② ㄴ, ㅁ, ㅅ ③ ㄹ, ㅁ, ㅂ
④ ㄱ, ㄴ, ㄹ, ㅇ ⑤ ㄴ, ㄹ, ㅅ, ㅇ

119 하중상

그림은 태양계 행성을 A, B 두 집단으로 분류한 것이다.

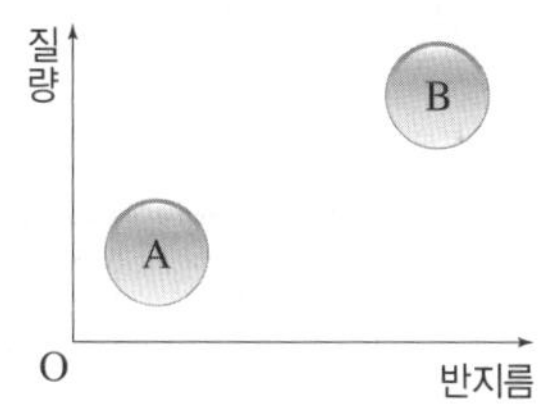

이에 대한 설명으로 옳은 것만을 〈보기〉에서 있는 대로 고른 것은?

〈 보기 〉
ㄱ. A는 B보다 구성 물질의 녹는점이 낮다.
ㄴ. A는 B보다 온도가 높은 환경에서 형성되었다.
ㄷ. B는 가벼운 기체들을 중력으로 끌어당겨 크게 성장할 수 있었다.

① ㄱ ② ㄴ ③ ㄷ
④ ㄱ, ㄴ ⑤ ㄴ, ㄷ

120 하중상

그림은 원시 태양으로부터의 거리와 물리적 특성에 따라 원시 행성의 궤도를 A와 B로 구분하여 나타낸 것이다.

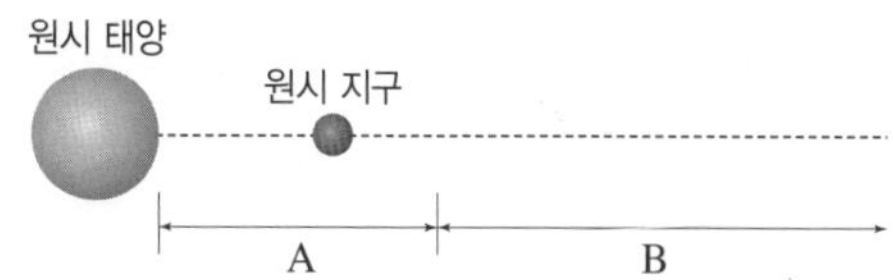

이에 대한 설명으로 옳은 것만을 〈보기〉에서 있는 대로 고른 것은?

〈 보기 〉
ㄱ. A에서 지구형 행성이, B에서 목성형 행성이 형성되었다.
ㄴ. A에서는 무거운 원소가 남아 원시 행성을 이루었으며, 무거운 원소는 태양계에 소량 존재하여 행성이 크게 성장할 수 없었다.
ㄷ. 구성 물질의 녹는점은 A보다 B에서 낮았다.

① ㄱ ② ㄴ ③ ㄱ, ㄷ
④ ㄴ, ㄷ ⑤ ㄱ, ㄴ, ㄷ

[121~122] 그림은 태양계 성운에서 형성된 원시 원반에서 원시 태양으로부터의 거리에 따른 물질 분포와 온도를 나타낸 것이다.

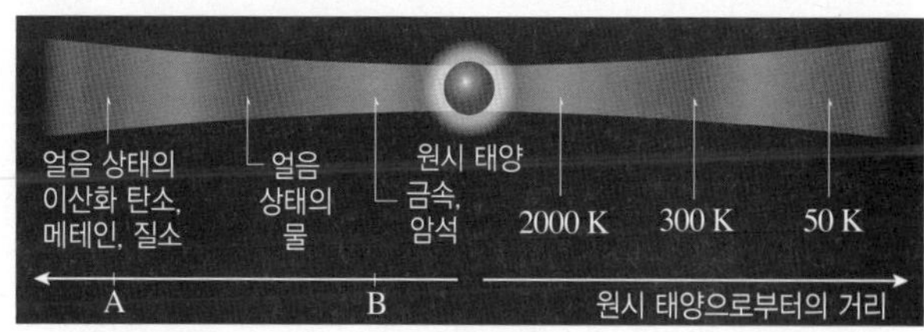

121 하중상

A와 B 위치에서 만들어지는 행성에 대한 설명으로 옳은 것만을 〈보기〉에서 있는 대로 고른 것은?

〈 보기 〉
ㄱ. A에서는 얼음이나 메테인이 응축된 미행성체가 수소, 헬륨 등을 끌어들여 크게 성장하였다.
ㄴ. B에 분포하는 물질은 A에 분포하는 물질에 비해 녹는점이 낮다.
ㄷ. 지구형 행성은 A에서 만들어진다.

① ㄱ ② ㄴ ③ ㄱ, ㄷ
④ ㄴ, ㄷ ⑤ ㄱ, ㄴ, ㄷ

122 하중상

••서술형

A와 B 위치에서 물질의 분포가 그림에서와 같이 나타나는 까닭을 서술하시오.

123 하 중 상

그림은 태양계 행성을 행성의 물리량 X, 물리량 Y에 따라 목성형 행성과 지구형 행성으로 분류한 것이다.

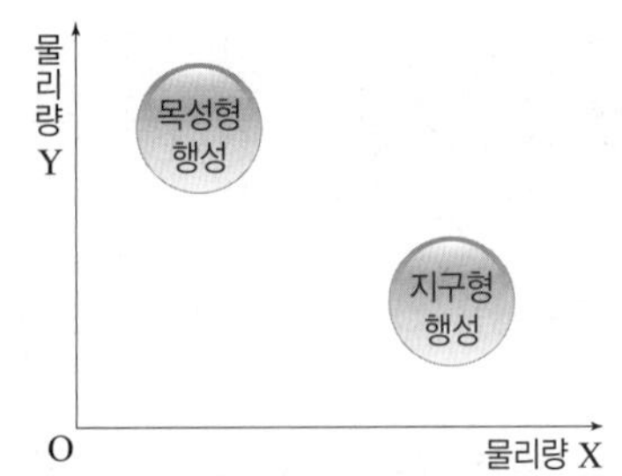

이에 대한 설명으로 옳은 것만을 〈보기〉에서 있는 대로 고른 것은?

〈 보기 〉

ㄱ. 태양으로부터의 거리는 물리량 X에 해당한다.
ㄴ. 질량은 물리량 Y에 해당한다.
ㄷ. 지구형 행성은 목성형 행성보다 평균 밀도가 크다.
ㄹ. 태양계 행성 중 화성과 토성은 지구형 행성에 속한다.

① ㄱ, ㄷ ② ㄱ, ㄹ ③ ㄴ, ㄷ
④ ㄱ, ㄴ, ㄹ ⑤ ㄴ, ㄷ, ㄹ

124 하 중 상

표는 태양계 행성 중 일부의 반지름과 평균 밀도를 나타낸 것이다.

구분	지구	목성	(가)	(나)
반지름 (km)	6378	71492	60268	3396
평균 밀도 (g/cm^3)	5.51	1.33	0.69	3.93

이에 대한 설명으로 옳은 것만을 〈보기〉에서 있는 대로 고른 것은?

〈 보기 〉

ㄱ. (가)는 (나)보다 무거운 물질들로 이루어져 있다.
ㄴ. (가)는 (나)보다 주요 구성 물질의 녹는점이 높다.
ㄷ. (가)와 (나)는 나이가 비슷하다.

① ㄱ ② ㄴ ③ ㄷ
④ ㄱ, ㄴ ⑤ ㄴ, ㄷ

125 하 중 상 ••서술형

그림 (가)는 원시 태양으로부터 거리에 따라 존재하는 행성들을, (나)는 지구를 구성하는 원소의 질량비를 나타낸 것이다.

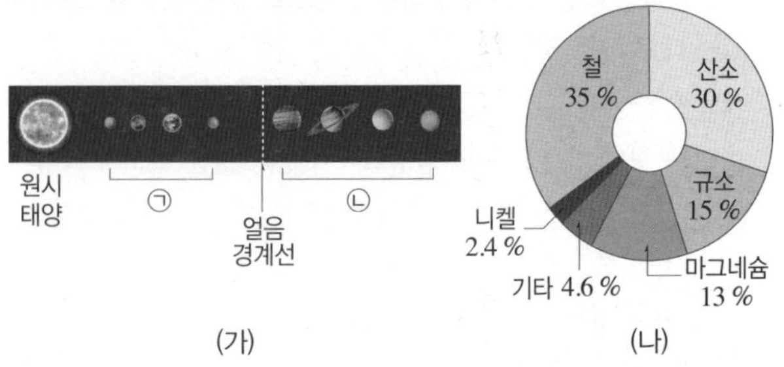

지구는 (가)에서 ㉠과 ㉡ 중 어느 집단에 속하는지 쓰고, 지구가 (나)와 같은 원소의 질량비를 갖게 된 까닭을 다음 용어를 모두 포함하여 서술하시오.

원시 태양으로부터의 거리, 온도, 녹는점

B 지구의 형성

126 하 중 상

다음은 원시 지구의 진화 과정을 순서 없이 나타낸 것이다.

(가) 미행성체의 충돌	(나) 원시 바다의 형성
(다) 원시 지각의 형성	(라) 핵과 맨틀의 분리
(마) 마그마 바다의 형성	(바) 최초의 생명체 출현

먼저 일어난 것부터 순서대로 옳게 나열한 것은?

① (가) → (나) → (바) → (다) → (마) → (라)
② (가) → (마) → (다) → (라) → (나) → (바)
③ (가) → (마) → (라) → (다) → (나) → (바)
④ (다) → (가) → (마) → (라) → (나) → (바)
⑤ (다) → (나) → (바) → (가) → (마) → (라)

127 하 중 상 ••서술형

다음 용어를 모두 포함하여 원시 지구의 진화 과정을 서술하시오.

원시 바다, 원시 지각, 마그마 바다,
미행성체의 충돌, 핵과 맨틀의 분리

128 (하 중 상)

원시 지구의 형성 과정에 대한 설명으로 옳지 않은 것은?

① 미행성체의 충돌로 지구의 온도가 상승하여 마그마 바다가 형성되었다.
② 원시 지각이 형성된 후에 지구 내부가 핵과 맨틀로 분리되었다.
③ 지구가 용융 상태일 때 규소와 같이 상대적으로 가벼운 원소들이 떠올라 맨틀을 형성하였다.
④ 지구 표면의 온도가 하강하여 수증기의 응결로 비가 내리고, 빗물이 지각의 낮은 곳에 모여 원시 바다가 만들어졌다.
⑤ 태양으로부터 오는 자외선이 강하여 원시 바다가 형성된 이후에 생명체가 출현하였다.

129 (하 중 상)

태양계와 지구의 형성에 대한 설명으로 옳지 않은 것은?

① 빅뱅으로 우주에서 생성된 원소들과 별에서 방출된 원소들이 태양계를 만드는 재료가 되었다.
② 태양계 성운이 수축하여 중심에서 원시 태양이 형성되었다.
③ 태양은 현재 수소 핵융합 반응이 일어나고 있는 주계열성에 속한다.
④ 원시 지구는 원시 행성들이 형성되는 과정에서 함께 형성되었다.
⑤ 미행성체의 충돌이 줄어들면서 지구 표면의 온도가 높아져 원시 지각이 형성되었고, 육지에서 최초의 생명체가 탄생하였다.

빈출

130 (하 중 상)

그림은 지구가 형성되는 과정의 일부를 나타낸 것이다.

이에 대한 설명으로 옳은 것만을 <보기>에서 있는 대로 고른 것은?

< 보기 >
ㄱ. A 시기에 미행성체 충돌이 활발하였다.
ㄴ. B 과정에서 밀도 차에 의한 물질의 이동이 일어났다.
ㄷ. C 과정에서 지구 표면의 온도는 상승하였다.

① ㄱ ② ㄷ ③ ㄱ, ㄴ
④ ㄴ, ㄷ ⑤ ㄱ, ㄴ, ㄷ

빈출

131 (하 중 상)

대표문제 多 보기

그림은 원시 지구의 진화 과정을 나타낸 것이다.

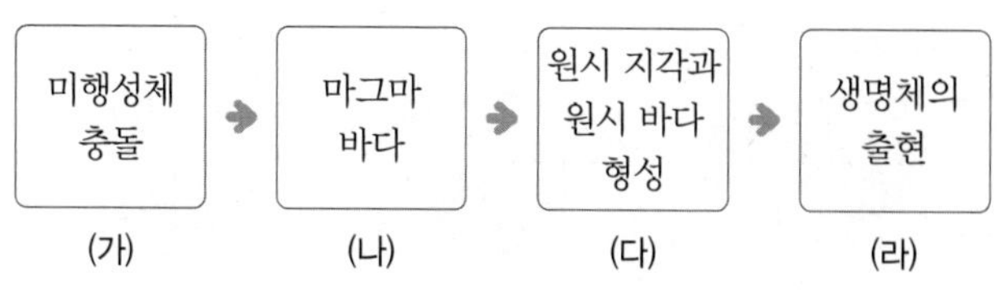

이에 대한 설명으로 옳지 않은 것만을 모두 고르면?(2개)

① (가)에서 지구의 온도와 질량은 증가하였다.
② (나)에서 지구 전체는 용융된 상태이다.
③ (나)에서 핵과 맨틀의 분리가 일어났다.
④ (나)에서 철, 니켈 등 밀도가 큰 물질들은 지구 중심 쪽으로 이동하였다.
⑤ (다)는 (나)보다 지구의 표면 온도가 낮았다.
⑥ (다)에서 원시 바다가 형성된 후에 지각이 형성되었다.
⑦ (다)와 (라) 사이에 오존층이 형성되어 자외선이 차단되었다.

132 (하 중 상)

그림은 원시 지구의 진화 과정을 단계별로 나타낸 것이다.

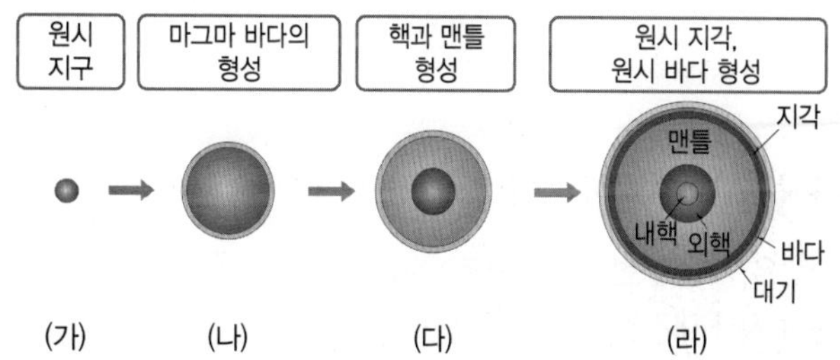

이에 대한 설명으로 옳은 것만을 <보기>에서 있는 대로 고른 것은?

< 보기 >
ㄱ. (가) → (라) 과정에서 지구 표면의 온도는 계속 상승하였다.
ㄴ. (나) → (다) 과정에서 지구의 질량은 증가하였다.
ㄷ. (다)는 (나)보다 지구 중심부의 밀도가 작다.

① ㄱ ② ㄴ ③ ㄱ, ㄷ
④ ㄴ, ㄷ ⑤ ㄱ, ㄴ, ㄷ

133 하중상

••서술형

그림은 원시 지구의 진화 과정을 순서 없이 나타낸 것이다.

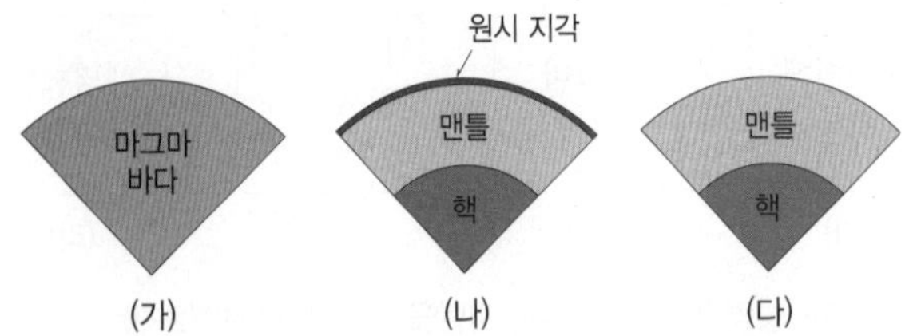

(가)~(다)를 지권의 층상 구조가 형성된 순서대로 나열하고, (다)에서 핵과 맨틀의 층상 구조가 형성되는 과정을 서술하시오.

134 하중상

그림은 지구 탄생 이후 대기의 조성 변화를 나타낸 것이다.

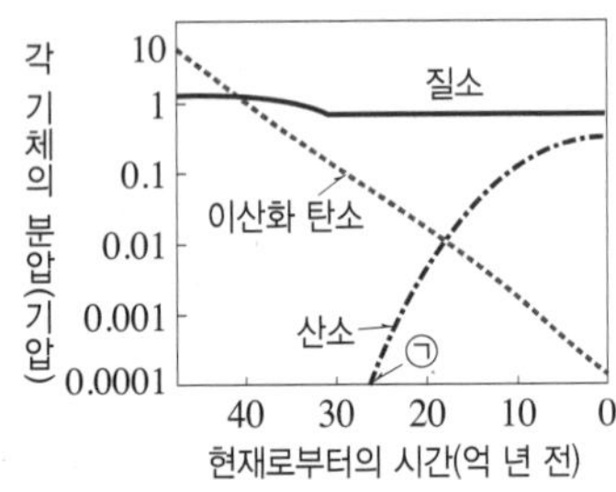

이에 대한 설명으로 옳은 것만을 〈보기〉에서 있는 대로 고른 것은?

〈 보기 〉

ㄱ. 원시 지구 대기의 조성은 현재와 다르다.

ㄴ. 대기 중의 이산화 탄소가 감소한 주요 원인은 식물의 광합성 때문이다.

ㄷ. 성층권의 오존은 ㉠ 시기부터 자외선을 차단하여 지상의 생물체를 보호하였다.

① ㄱ ② ㄴ ③ ㄱ, ㄷ
④ ㄴ, ㄷ ⑤ ㄱ, ㄴ, ㄷ

135 하중상

••서술형

그림은 지구가 형성된 이후로부터 지구 대기의 조성 변화를 나타낸 것이다.

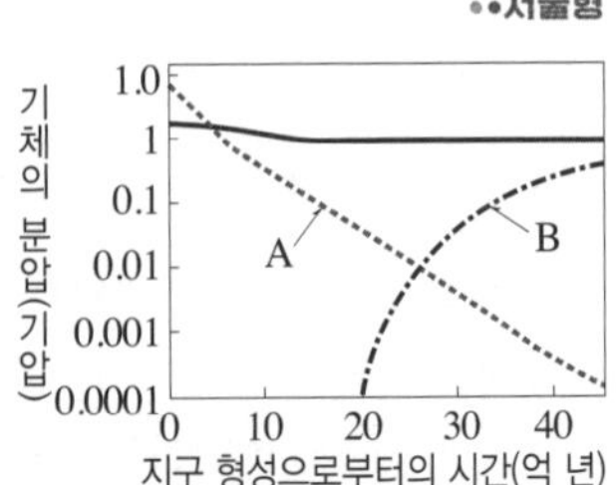

(1) A와 B에 해당하는 대기 성분을 각각 쓰시오.

(2) 시간이 지남에 따라 A가 감소한 까닭을 서술하시오.

(3) 시간이 지남에 따라 B가 증가한 까닭을 서술하시오.

136 하중상

다음은 지구와 생명의 역사를 순서 없이 나타낸 것이다.

(가) 육지에 생물이 등장하였다.
(나) 광합성 생물이 등장하였다.
(다) 대기에 오존층이 생성되었다.
(라) 광합성을 통해 산소가 생성되었다.

변화 과정을 순서대로 옳게 나열한 것은?

① (가) → (나) → (라) → (다)
② (가) → (다) → (나) → (라)
③ (나) → (다) → (라) → (가)
④ (나) → (라) → (다) → (가)
⑤ (다) → (가) → (나) → (라)

137 하중상

다음은 빅뱅 이후 지구에 생명체가 탄생할 때까지 일어난 사건을 순서 없이 나타낸 것이다.

㉠ 수소의 생성
㉡ 탄소의 생성
㉢ 초신성 폭발
㉣ 최초의 별 탄생
㉤ 태양계 성운의 형성
㉥ 태양계와 원시 지구 형성
㉦ 지구에 원시 바다의 형성
㉧ 지구에 마그마 바다 형성

㉠~㉧을 사건이 일어난 순서대로 옳게 나열하시오.

C 우주, 지구, 사람의 구성 원소(질량비)

138 하중상

우주, 지구, 사람을 구성하는 원소 중 가장 많은 질량을 차지하는 것을 옳게 짝 지은 것은?

	우주	지구	사람
①	철	수소	탄소
②	헬륨	산소	수소
③	헬륨	철	탄소
④	수소	철	산소
⑤	수소	산소	철

139 하중상

그림은 우주와 지구를 구성하는 원소의 질량비를 나타낸 것이다.

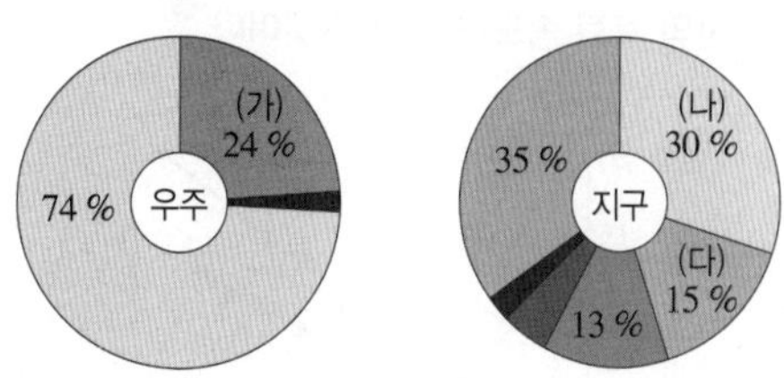

(가)~(다)에 해당하는 원소를 옳게 짝 지은 것은?

	(가)	(나)	(다)
①	수소	철	산소
②	수소	산소	규소
③	헬륨	규소	산소
④	헬륨	산소	규소
⑤	탄소	산소	철

140 하중상

우주, 지구, 사람을 구성하는 원소에 대한 설명으로 옳은 것만을 〈보기〉에서 있는 대로 고른 것은?

〈 보기 〉

ㄱ. 수소와 헬륨은 우주에 약 3 : 1의 질량비로 분포한다.
ㄴ. 지구를 구성하는 원소의 질량비는 철>산소>규소>마그네슘>기타 순이다.
ㄷ. 사람의 몸에서 물이 약 70 %를 차지하므로 사람의 몸을 구성하는 원소 중 수소가 가장 많은 질량비를 차지한다.

① ㄱ ② ㄷ ③ ㄱ, ㄴ
④ ㄴ, ㄷ ⑤ ㄱ, ㄴ, ㄷ

141 하중상

그림은 우주와 지구를 구성하는 원소의 질량비를 나타낸 것이다.

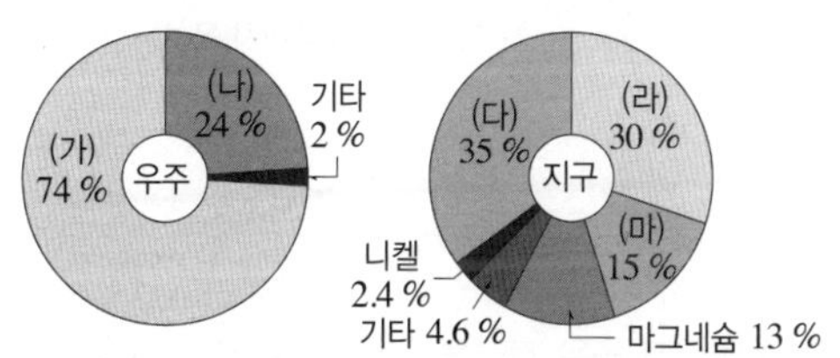

이에 대한 설명으로 옳은 것만을 〈보기〉에서 있는 대로 고른 것은?

〈 보기 〉

ㄱ. 사람의 몸에 가장 많은 원소는 (가)이다.
ㄴ. (가)와 (나)가 결합하여 지구에 바다가 형성되었다.
ㄷ. (다)는 질량이 태양보다 큰 별의 내부에서 만들어진다.
ㄹ. (라)와 (마)는 지각에서 규산염 광물의 형태로 존재한다.

① ㄱ, ㄴ ② ㄱ, ㄷ ③ ㄴ, ㄷ
④ ㄴ, ㄹ ⑤ ㄷ, ㄹ

142 하중상

그림 (가)는 사람의 몸을, (나)는 지구를 구성하는 주요 원소의 질량비를 나타낸 것이다.

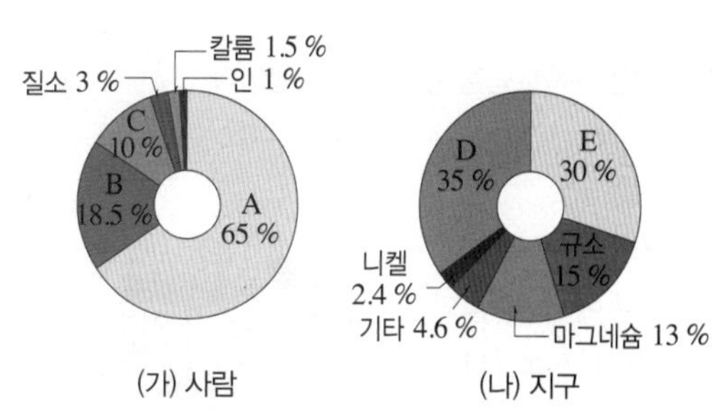

이에 대한 설명으로 옳은 것만을 〈보기〉에서 있는 대로 고른 것은?

〈 보기 〉

ㄱ. A와 D는 동일한 원소이다.
ㄴ. B에 해당하는 원소는 탄소이다.
ㄷ. C와 D는 지구 대기에도 높은 비율로 존재한다.

① ㄱ ② ㄴ ③ ㄱ, ㄷ
④ ㄴ, ㄷ ⑤ ㄱ, ㄴ, ㄷ

빈출

143 하중상

대표문제 多 보기

그림은 우주, 지구, 사람을 구성하는 원소의 질량비를 나타낸 것이다.

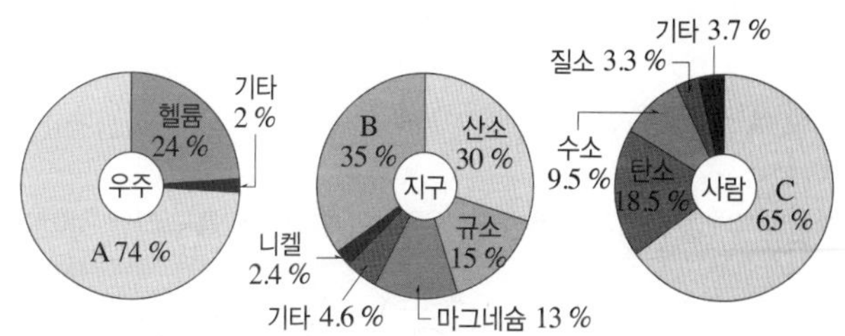

이에 대한 설명으로 옳지 않은 것만을 모두 고르면?(3개)

① A는 우주 생성 초기의 진화 과정에서 만들어졌다.
② A는 핵융합을 통해 헬륨으로 변할 수 있다.
③ 태양의 내부에서 B가 만들어질 수 있다.
④ B는 적색 거성 단계에서 헬륨 핵융합 반응으로 생성된다.
⑤ B보다 무거운 원소는 초신성 폭발이 일어날 때 생성된다.
⑥ B와 C는 지구의 핵을 구성하는 금속 원소이다.
⑦ 지구는 우주보다 무거운 원소의 비율이 높다.
⑧ 지구와 사람을 구성하는 주요 원소는 별의 진화 과정에서 생성되었다.

144

다음은 다양한 스펙트럼을 관찰하는 실험이다.

[실험 과정]

(가) 분광기로 수소 기체 방전관에서 방출되는 빛의 스펙트럼을 관측한다.

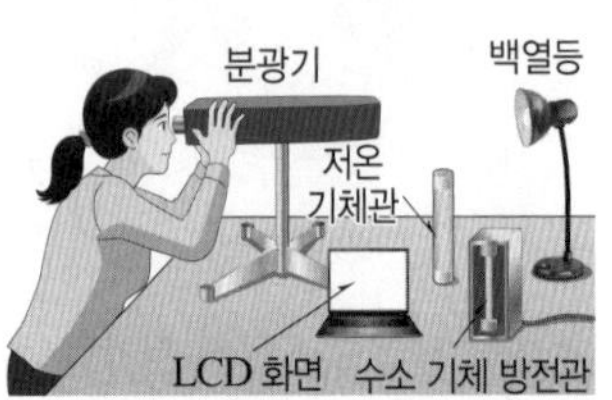

(나) 수소 기체 방전관을 백열등으로 바꾼 후, 빛의 스펙트럼을 관측한다.

(다) 분광기와 백열등 사이에 저온 기체관을 놓은 후, 빛의 스펙트럼을 관측한다.

(라) 분광기로 흰색이 표현된 칼라 LCD 화면에서 나온 빛의 스펙트럼을 관측한다.

[실험 결과]

- A, B, C, D는 실험 순서에 관계없이 관찰된 스펙트럼이다.
- 단, 저온 기체관에는 한 종류의 기체만 들어 있고, 스펙트럼은 가시광선의 전체 영역이다.

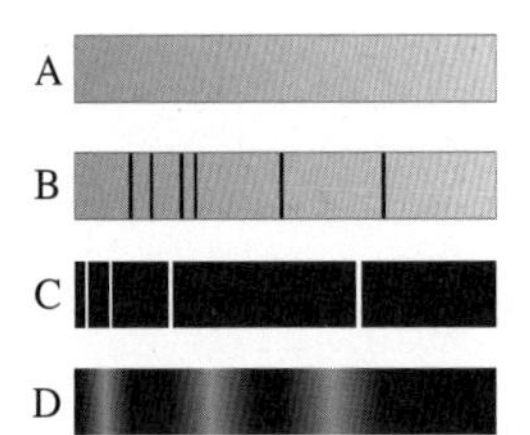

이에 대한 설명으로 가장 적절한 것은?

① 수소 기체 방전관에서 나오는 빛의 스펙트럼은 B이다.
② 백열등에서 나오는 빛의 스펙트럼은 D이다.
③ 저온 기체관에는 수소 기체가 들어 있지 않다.
④ 수소 원자의 에너지 준위는 연속적이다.
⑤ LCD 화면에서 나오는 빛의 스펙트럼은 A이다.

145

그림은 우리은하에서 관측한 외부 은하의 후퇴 속도를 나타낸 것이다.

이에 대한 설명으로 옳은 것만을 〈보기〉에서 있는 대로 고른 것은?

〈 보기 〉

ㄱ. 멀리 있는 은하일수록 후퇴 속도가 빠르다.
ㄴ. 은하 A~C는 모두 적색 편이가 나타난다.
ㄷ. 은하 C에서 관측할 때 은하 B는 가까워지고 있다.
ㄹ. 허블 상수의 값은 75 km/s/Mpc이다.

① ㄱ, ㄴ ② ㄱ, ㄷ ③ ㄷ, ㄹ
④ ㄱ, ㄴ, ㄹ ⑤ ㄴ, ㄷ, ㄹ

146

그림에서 A와 B는 서로 다른 방법으로 관측한 외부 은하까지의 거리와 외부 은하의 후퇴 속도를 나타낸 것이다.

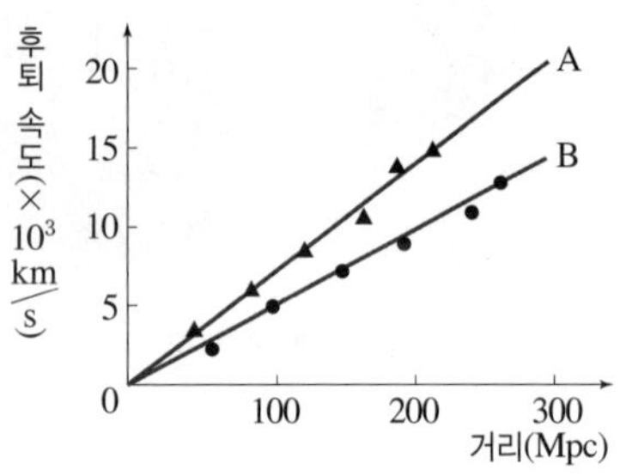

이에 대한 설명으로 옳은 것만을 〈보기〉에서 있는 대로 고른 것은?

〈 보기 〉

ㄱ. 허블 상수는 A가 B보다 크다.
ㄴ. 우주의 나이는 A가 B보다 많다.
ㄷ. 우주의 팽창 속도는 A가 B보다 빠르다.

① ㄱ ② ㄴ ③ ㄱ, ㄷ
④ ㄴ, ㄷ ⑤ ㄱ, ㄴ, ㄷ

147

그림은 현재 우주 배경 복사의 파장에 따른 복사 강도를 관측하여 나타낸 것이다.

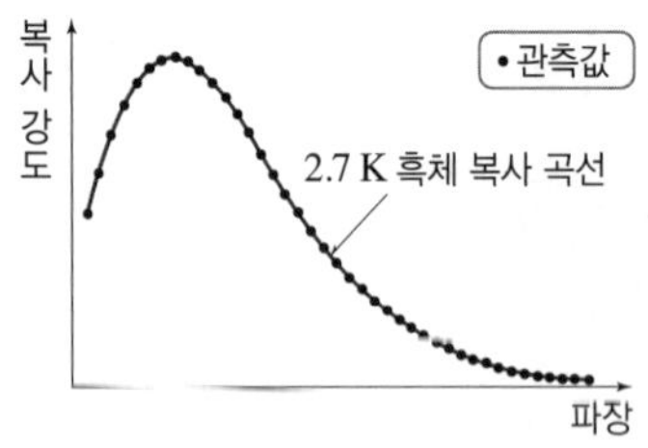

이에 대한 설명으로 옳은 것만을 〈보기〉에서 있는 대로 고른 것은?

〈 보기 〉

ㄱ. 우주 배경 복사는 빅뱅 우주론의 증거가 된다.
ㄴ. 우주 배경 복사가 방출되었던 시기에 우주의 온도는 약 2.7 K였다.
ㄷ. 복사 강도가 최대인 파장은 우주 탄생 초기보다 현재가 더 길다.

① ㄱ ② ㄴ ③ ㄷ
④ ㄱ, ㄴ ⑤ ㄱ, ㄷ

정답과 해설 13쪽

148

그림은 원자 (가)와 (나)를 모형으로 나타낸 것으로, ●, ●, ⊖은 원자를 구성하는 입자이다.

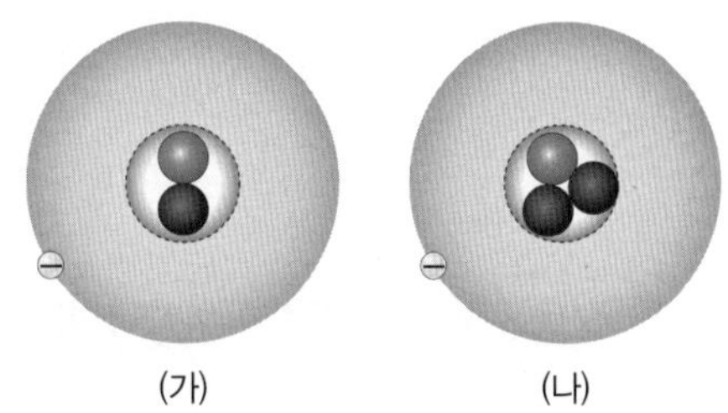

(가) (나)

이에 대한 설명으로 옳지 않은 것은?

① (가)는 수소, (나)는 헬륨이다.
② 원자에서 ●의 개수는 원자 번호와 같다.
③ (가)와 (나)는 동위 원소이다.
④ ● 입자는 전하를 띠지 않는다.
⑤ 빅뱅 우주 초기에 ⊖는 ●보다 먼저 생성되었다.

149

••서술형

표는 우주를 구성하는 원소의 질량비를 나타낸 것이다.

원소	수소	헬륨	기타
질량비	73.9 %	24.0 %	2.1 %

입자 간 변화가 없다고 가정할 때, 우주에서 수소와 헬륨 원자를 구성하는 다음 입자들의 비율을 구하고 풀이 과정을 함께 서술하시오. (단, 수소 원자핵은 양성자 1개이고, 헬륨 원자핵은 중성자 2개와 양성자 2개가 결합한 것으로 계산한다.)

(1) 수소 원자핵과 헬륨 원자핵의 개수비

(2) 양성자와 중성자의 개수비

(3) 업 쿼크와 다운 쿼크의 개수비

150

현재 주계열성인 태양이 적색 거성으로 진화할 때 감소하는 물리량만을 〈보기〉에서 있는 대로 고른 것은?

〈 보기 〉

ㄱ. 크기　　ㄴ. 표면 온도
ㄷ. 밝기　　ㄹ. 수소의 함량

① ㄱ, ㄴ　② ㄱ, ㄷ　③ ㄴ, ㄹ
④ ㄱ, ㄷ, ㄹ　⑤ ㄴ, ㄷ, ㄹ

151

그림 (가)는 천체가 중력 수축하는 모습을, (나)는 핵융합 반응으로 에너지가 생성되는 과정을 나타낸 것이다.

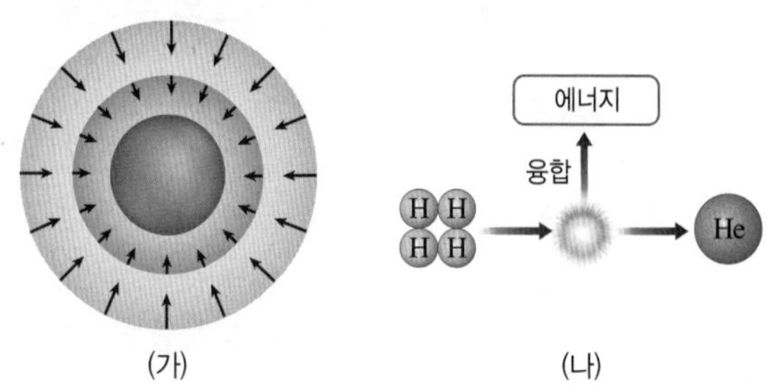

(가) (나)

이에 대한 설명으로 옳지 않은 것은?

① 원시별의 주요 에너지원은 (가)이다.
② (가) 반응으로 별 중심부의 온도는 상승한다.
③ 태양은 현재 주로 (나)와 같은 과정으로 에너지를 생성한다.
④ 별의 내부에서는 (가)와 같은 방법으로 에너지를 생성하지 않는다.
⑤ 별의 질량이 클수록 (나)와 같은 방식으로 에너지를 생성하는 기간이 짧아진다.

152

그림 (가)는 어떤 별의 진화 과정을, (나)는 (가)의 A～D 단계 중 하나에 해당하는 별의 내부 구조를 나타낸 것이다.

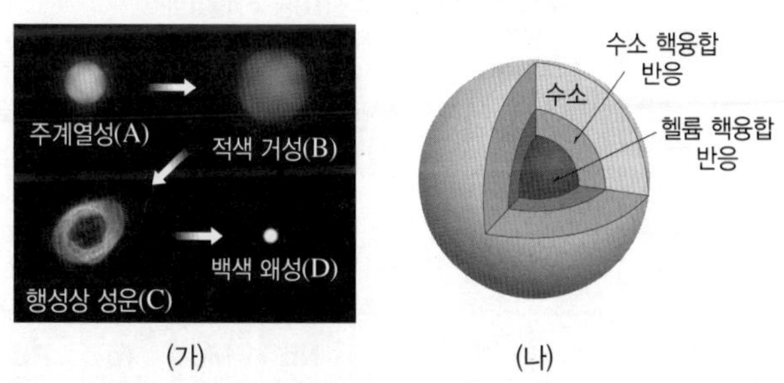

(가) (나)

이에 대한 설명으로 옳은 것은?

① A → B 과정에서 별 중심부의 온도는 낮아진다.
② D는 B보다 별의 평균 밀도가 작다.
③ C의 과정에서 철보다 무거운 원소가 생성된다.
④ (나)는 중심에서 헬륨 원자핵 2개가 핵융합하여 탄소 원자핵 1개를 생성한다.
⑤ (나)는 (가)의 진화 과정에서 B 단계에 해당한다.

원소와 주기율표

Ⓐ 원소와 주기율의 발견

1 원소 물질을 이루는 기본 성분

① 더 이상 다른 물질로 ❶ □□되지 않는다.

② 현재까지 알려진 원소는 약 110종류이다.

③ 한 종류의 원소만으로 이루어진 물질도 있지만, 두 종류 이상의 원소가 화학 결합을 하여 이루어진 물질도 있다. ➡ 원소의 종류는 물질의 종류에 비해 매우 적다.

기출 Tip Ⓐ-1

원소와 원자
원소는 물질을 이루는 기본 성분이고, 원자는 물질을 이루는 기본 입자이다.

2 주기율의 발견

① 주기율: 성질이 비슷한 원소가 주기적으로 나타나는 현상

② 주기율표: 성질이 비슷한 원소가 주기적으로 나타나도록 원소들을 배열한 표

③ 주기율의 발견 과정

되베라이너 (1817년)	화학적 성질이 비슷한 세 쌍 원소들의 원자량 사이에 일정한 관계가 있음을 알아내었다. ➡ 세 쌍 원소설
멘델레예프 (1869년)	• 당시까지 발견된 63종의 원소들을 ❷ □□□(상대적 질량) 순으로 배열하면 성질이 비슷한 원소가 주기적으로 나타나는 것을 발견하여 최초의 주기율표를 만들었다. • 몇몇 원소들의 성질이 주기성을 벗어나는 문제점이 있었다. • 발견되지 않은 원소의 자리는 비워 두고, 그 자리에 들어갈 원소의 성질을 예측하였다.
모즐리 (1913년)	원소들의 주기적 성질이 원자량이 아니라 원자를 이루는 양성자수, 즉 ❸ □□ □□와 관계가 있음을 알아내었다.

• 멘델레예프가 원소들을 원자량 순으로 배열하였을 때 Ar과 K 등 몇 가지 원소의 주기성이 일치하지 않았다. 모즐리는 원소의 주기적 성질이 양성자수(원자 번호)와 관련이 있다는 것을 발견하였고, 원소들을 원자 번호 순으로 배열하여 주기성이 일치하게 만들었다.

기출 Tip Ⓐ-2

주기율의 발견과 관련된 과학자
라부아지에 → 되베라이너 → 뉴랜즈 → 멘델레예프 → 모즐리

라부아지에
당시까지 발견된 33종의 물질들을 성질에 따라 네 가지로 분류하였다.

뉴랜즈
원소들을 원자량 순으로 나열했을 때 여덟 번째마다 성질이 비슷한 원소가 나타남을 발견하였다. ➡ 옥타브설

Ⓑ 주기율표

1 현대의 주기율표 원소들을 ❹ □□ □□ 순으로 나열하다가 화학적 성질이 비슷한 원소가 같은 세로줄에 오도록 배열하였다.

① 족: 주기율표의 세로줄, 1~18족으로 구성된다. → 같은 족 원소들은 화학적 성질이 비슷하다.(단, 수소는 예외)

② 주기: 주기율표의 가로줄, 1~7주기로 구성된다.

기출 Tip Ⓑ

멘델레예프의 주기율표와 현대 주기율표의 차이
• 멘델레예프: 원자량 순으로 배열
• 현대: 원자 번호 순으로 배열

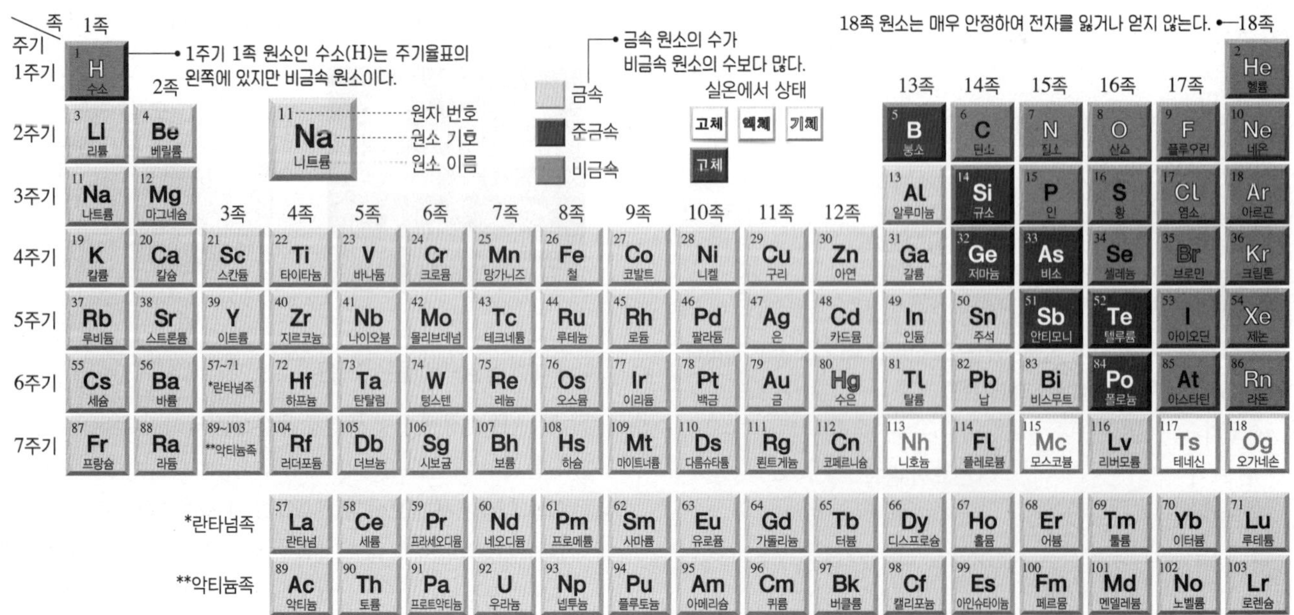

▲ 현대의 주기율표 원자 번호가 113, 115, 117, 118인 원소는 아직 원소의 성질이 많이 밝혀지지 않아 금속인지 비금속인지 알지 못한다.

2 원소의 분류 원소는 성질에 따라 크게 금속 원소와 비금속 원소로 분류할 수 있다.

구분	❺ □□ 원소	❻ □□□ 원소
주기율표에서의 위치	왼쪽과 가운데	오른쪽(단, 수소는 왼쪽)
실온에서의 상태	고체(단, 수은은 액체)	기체 또는 고체(단, 브로민은 액체)
이온의 형성	전자를 잃고 ❼ □ 이온이 되기 쉽다.	전자를 얻어 ❽ □ 이온이 되기 쉽다. (단, 18족은 예외)
특징	• 대부분 광택이 있다. • 열과 전기가 잘 통한다. • 외부에서 힘을 가하면 부서지지 않고 길게 늘어나거나 얇게 펴진다. └• 길게 늘어나는 성질을 뽑힘성, 얇게 펴지는 성질을 펴짐성이라고 한다.	• 광택이 없다. • 열과 전기가 잘 통하지 않는다. (단, 흑연은 예외) └• 흑연은 비금속 원소인 탄소로 이루어져 있지만, 자유롭게 움직일 수 있는 전자가 있어 전기 전도성이 있다.
이용의 예	• 알루미늄(Al): 알루미늄박 • 구리(Cu): 전선 • 철(Fe): 각종 자재	• 질소(N): 식품 포장용 충전 기체 • 산소(O): 생명체의 호흡 • 인(P): 성냥

기출 Tip Ⓑ-2

준금속 원소

준금속 원소는 금속 원소와 비금속 원소의 중간 성질이 있거나, 금속 원소와 비금속 원소의 성질이 모두 있는 원소이다.

예 붕소(B), 규소(Si) 등

답 ❶ 분해 ❷ 원자량 ❸ 원자 번호 ❹ 원자 번호 ❺ 금속 ❻ 비금속 ❼ 양 ❽ 음

빈출 자료 보기

정답과 해설 15쪽

153 다음은 주기율표의 발견 과정을 나타낸 것이다.

(가)	(나)	(다)
화학적 성질이 비슷한 세 쌍의 원소가 존재함을 발견하였다.	원소들을 원자량 순으로 배열한 주기율표를 만들었다.	원소들의 주기적 성질과 원자 번호 사이의 관계를 발견하였다.

이에 대한 설명으로 옳은 것은 ○, 옳지 않은 것은 ×로 표시하시오.

(1) (가)는 원자량을 기준으로 원소를 배열하였다. ( )

(2) (나)에서 만든 주기율표는 몇몇 원소들의 성질이 주기성을 벗어나는 문제점이 있었다. ( )

(3) (다)는 멘델레예프의 업적을 나타낸 것이다. ( )

(4) 주기율표의 발견 과정은 (다)-(나)-(가) 순이다. ( )

154 그림은 현대의 주기율표 일부를 나타낸 것이다. 이에 대한 설명으로 옳은 것은 ○, 옳지 않은 것은 ×로 표시하시오.

	1	2
1	H 수소	
2	Li 리튬	Be 베릴륨
3	Na 나트륨	Mg 마그네슘

(1) 가로줄을 주기라 하고, 1~17주기가 있다. ( )

(2) 세로줄을 족이라 하고, 1~7족이 있다. ( )

(3) H, Li, Na은 화학적 성질이 비슷하다. ( )

(4) Li과 Be은 같은 주기 원소이고, Be과 Mg은 같은 족 원소이다. ( )

155 그림은 주기율표의 원소들을 (가)~(다)의 세 영역으로 분류한 것이다.

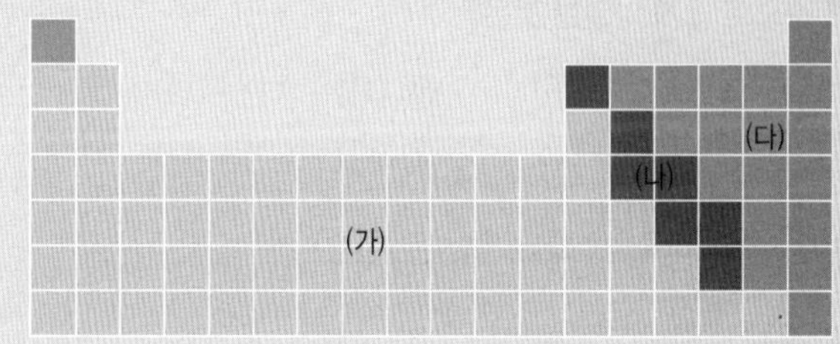

이에 대한 설명으로 옳은 것은 ○, 옳지 않은 것은 ×로 표시하시오.

(1) (가) 영역에 속하는 원소들은 전자를 잃기 쉽다. ( )

(2) (가) 영역에 속하는 원소들은 실온에서 대부분 고체 상태로 존재한다. ( )

(3) (나) 영역에 속하는 원소들은 (가)와 (다) 영역에 속하는 원소의 성질이 모두 있거나 (가)와 (다) 영역에 속하는 원소의 중간 성질이 있다. ( )

(4) (다) 영역에 속하는 원소들은 양이온이 되기 쉽다. ( )

(5) H, He, C는 (다) 영역에 속하는 원소이다. ( )

(6) (가) 영역에 속하는 원소들은 (다) 영역에 속하는 원소들에 비해 열과 전기가 잘 통하지 않는다. ( )

(7) 외부에서 힘을 가하면 (가)와 (다) 영역에 속하는 원소들은 모두 쉽게 부서진다. ( )

(8) (가) 영역에 속하는 원소들은 대부분 광택이 있고, (다) 영역에 속하는 원소들은 광택이 없다. ( )

A 원소와 주기율의 발견

빈출

156 하/중/상

대표문제 多 보기

원소에 대한 설명으로 옳지 않은 것만을 모두 고르면?(2개)

① 물질을 이루는 기본 입자이다.
② 더 이상 다른 물질로 분해되지 않는다.
③ 현재까지 알려진 원소는 약 110종류이다.
④ 원소의 종류는 물질의 종류에 비해 매우 적다.
⑤ 모든 물질은 두 가지 이상의 원소로 이루어져 있다.
⑥ 원소는 성질에 따라 크게 금속 원소와 비금속 원소로 분류할 수 있다.

157 하/중/상

다음은 주기율의 발견과 관련된 과학자들을 나타낸 것이다.

(가) 멘델레예프	(나) 모즐리	(다) 되베라이너

시대 순으로 옳게 나열한 것은?

① (가) – (나) – (다)　② (가) – (다) – (나)
③ (나) – (다) – (가)　④ (다) – (가) – (나)
⑤ (다) – (나) – (가)

빈출

158 하/중/상

주기율의 발견과 관련된 과학자에 대한 설명으로 옳은 것만을 〈보기〉에서 있는 대로 고른 것은?

〈 보기 〉
ㄱ. 되베라이너는 세 쌍 원소설을 제안하였다.
ㄴ. 멘델레예프는 원소들을 원자 번호 순으로 배열하여 주기율표를 만들었다.
ㄷ. 모즐리는 최초의 주기율표를 만들었다.

① ㄱ　② ㄴ　③ ㄷ
④ ㄱ, ㄴ　⑤ ㄴ, ㄷ

159 하/중/상

••서술형

멘델레예프에 의해 제안된 주기율표와 모즐리에 의해 제안된 주기율표의 차이점을 서술하시오.

160 하/중/상

주기율표가 만들어지는 과정에서 과학자의 활동에 대한 설명으로 옳은 것은?

① 라부아지에: 원소들의 주기적 성질이 원자 번호에 의한 것임을 발견하였다.
② 뉴랜즈: 화학적 성질이 비슷한 세 쌍 원소들의 원자량 사이에 일정한 규칙이 있음을 발견하였다.
③ 되베라이너: 더 이상 분해되지 않는 물질들을 원소로 정의하고, 33종의 원소들을 성질에 따라 네 가지로 분류하였다.
④ 모즐리: 원소들을 원자량 순으로 나열했을 때 여덟 번째마다 성질이 비슷한 원소가 나타남을 발견하였다.
⑤ 멘델레예프: 원소들을 상대적 질량에 따라 순서대로 나열하였다.

B 주기율표

현대의 주기율표

161 하/중/상

현대의 주기율표에서 원소들을 배열한 기준으로 옳은 것은?

① 원자량　② 원자 번호　③ 중성자수
④ 발견된 순서　⑤ 원자의 크기

162 하중상

다음은 주기율표에 대해 설명한 것이다.

> 현대의 주기율표는 (㉠)가 만든 것으로, 양성자수를 기준으로 원소들을 나열하면서 원소의 화학적 성질이 주기적으로 나타나도록 배열한 원소의 분류표이다. 주기율표의 각 가로줄을 (㉡), 세로줄을 (㉢)(이)라고 한다.

㉠~㉢에 알맞은 내용을 옳게 짝 지은 것은?

	㉠	㉡	㉢
①	모즐리	주기	족
②	모즐리	족	주기
③	멘델레예프	주기	족
④	멘델레예프	족	주기
⑤	되베라이너	주기	족

163 하중상

대표문제 多 보기

현대의 주기율표에 대한 설명으로 옳지 않은 것은?

① 원소들을 원자 번호 순서대로 나열하였다.
② 7개의 주기와 18개의 족으로 구성되어 있다.
③ 같은 족에 속한 원소들은 화학적 성질이 비슷하다.
④ 주기율표의 왼쪽과 가운데에는 주로 비금속 원소가 위치한다.
⑤ 탄소는 2주기 14족 원소이다.
⑥ 마그네슘과 염소는 같은 주기 원소이다.

164 하중상

플루오린(F)과 화학적 성질이 비슷한 원소들을 옳게 짝 지은 것은?

① 수소, 리튬　② 탄소, 질소
③ 염소, 브로민　④ 나트륨, 칼륨
⑤ 칼륨, 아이오딘

165 하중상

그림은 주기율표의 일부를 나타낸 것이다.

㉡＼㉠	1	2	13	14	15	16	17	18
1	A							
2							B	
3							C	

이에 대한 설명으로 옳은 것만을 〈보기〉에서 있는 대로 고른 것은? (단, A~C는 임의의 원소 기호이다.)

〈 보기 〉
ㄱ. ㉠은 주기, ㉡은 족을 의미한다.
ㄴ. A는 금속 원소이다.
ㄷ. B와 C는 화학적 성질이 비슷하다.

① ㄱ　② ㄴ　③ ㄷ
④ ㄱ, ㄴ　⑤ ㄴ, ㄷ

금속 원소와 비금속 원소

166 하중상

다음 설명에 해당하는 원소는?

> • 광택이 있다.
> • 열이 잘 전달된다.
> • 전기 전도성이 있다.

① 헬륨　② 질소　③ 염소
④ 나트륨　⑤ 플루오린

167 하중상

다음은 몇 가지 원소를 나열한 것이다.

H, Li, O, Mg, K, S

이 원소들을 금속 원소와 비금속 원소로 옳게 분류한 것은?

	금속 원소	비금속 원소
①	H, Li, K	O, Mg, S
②	H, K, S	Li, O, Mg
③	H, O, S	Li, Mg, K
④	Li, O, Mg	H, K, S
⑤	Li, Mg, K	H, O, S

168 하중상 ••서술형

금속 원소의 공통적인 성질을 세 가지만 서술하시오.

빈출

169 하중상 대표문제 多 보기

금속 원소와 비금속 원소에 대한 설명으로 옳은 것만을 모두 고르면?(2개)

① 금속 원소의 수는 비금속 원소의 수보다 적다.
② 금속 원소는 비금속 원소보다 전기가 잘 통한다.
③ 비금속 원소는 금속 원소보다 열을 잘 전달한다.
④ 금속 원소는 전자를 잃고 음이온이 되기 쉽다.
⑤ 비금속 원소는 실온에서 고체 상태로만 존재한다.
⑥ 금속 원소에 힘을 가하면 부서지지 않고 얇게 펴진다.
⑦ 수은과 브로민은 실온에서 액체 상태로 존재하는 금속 원소이다.

170 하중상

그림은 주기율표의 원소를 두 영역으로 분류한 것이다.

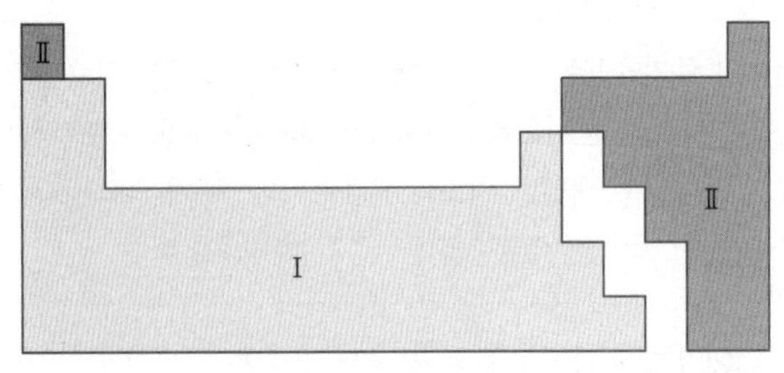

이에 대한 설명으로 옳은 것만을 〈보기〉에서 있는 대로 고른 것은?

〈 보기 〉
ㄱ. 수소는 영역 Ⅰ에 속한다.
ㄴ. 영역 Ⅰ에 속하는 원소들은 실온에서 대부분 고체 상태이다.
ㄷ. 영역 Ⅱ에 속하는 원소들은 열 전도성과 전기 전도성이 있다.

① ㄱ ② ㄴ ③ ㄷ
④ ㄱ, ㄴ ⑤ ㄴ, ㄷ

171 하중상

그림은 세 가지 원소를 어떤 기준에 따라 분류하는 과정을 나타낸 것이다.

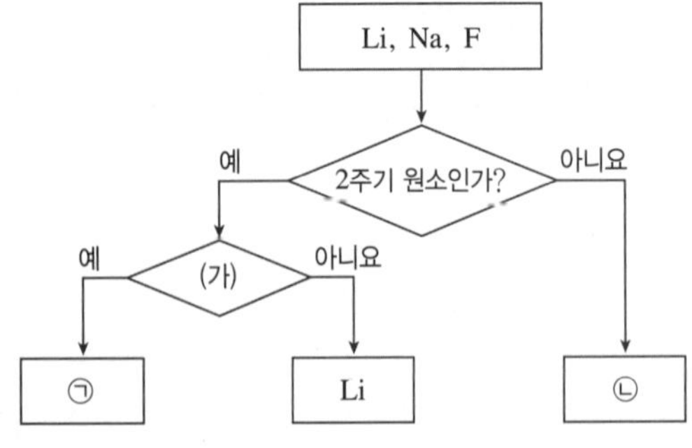

이에 대한 설명으로 옳은 것만을 〈보기〉에서 있는 대로 고른 것은?

〈 보기 〉
ㄱ. (가)는 '비금속 원소인가?'를 적용할 수 있다.
ㄴ. ㉠은 Li과 같은 족 원소이다.
ㄷ. ㉡은 양이온이 되기 쉽다.

① ㄱ ② ㄷ ③ ㄱ, ㄴ
④ ㄱ, ㄷ ⑤ ㄴ, ㄷ

172 하중상

그림은 주기율표의 일부 원소를, 표는 주기율표의 일부 원소를 (가)와 (나)로 분류한 것이다.

주기＼족	1	2	13	14	15	16	17	18
1								A
2	B					C	D	E
3	F		G					

(가)	(나)
B, F, G	A, C, D, E

이 원소들의 분류 기준으로 옳은 것만을 〈보기〉에서 있는 대로 고른 것은? (단, A~G는 임의의 원소 기호이다.)

〈 보기 〉

ㄱ. 물에 녹는지의 여부

ㄴ. 광택이 있는지의 유무

ㄷ. 열과 전기가 잘 통하는지의 여부

① ㄱ ② ㄴ ③ ㄷ

④ ㄱ, ㄴ ⑤ ㄴ, ㄷ

173 하중상

그림은 주기율표의 일부를 나타낸 것이다.

주기＼족	1	2	13	14	15	16	17	18
1								
2								
3	(가)	(나)					(다)	(라)
4								

이에 대한 설명으로 옳은 것만을 〈보기〉에서 있는 대로 고른 것은?

〈 보기 〉

ㄱ. (가)와 (나)의 원소들은 실온에서 모두 고체 상태이다.

ㄴ. (다)에는 실온에서 액체 상태인 원소가 있다.

ㄷ. (가)와 (나)는 양이온이 되기 쉽고, (다)와 (라)는 음이온이 되기 쉽다.

① ㄱ ② ㄷ ③ ㄱ, ㄴ

④ ㄴ, ㄷ ⑤ ㄱ, ㄴ, ㄷ

174 하중상

그림은 주기율표의 일부를 나타낸 것이다.

주기＼족	1	2	13	14	15	16	17	18
2					A	B		
3			C		D			
4		E						

원소 A~E를 이용하는 예로 옳지 않은 것은? (단, A~E는 임의의 원소 기호이다.)

① A: 공기의 성분이며, 과자 봉지의 충전 기체로 이용된다.

② B: 공기의 성분이며, 생명체의 호흡에 이용된다.

③ C: 외부에서 힘을 가하면 얇게 펴지므로 알루미늄박을 만드는 데 이용된다.

④ D: 비금속 원소이며, 성냥 제조에 이용된다.

⑤ E: 전기가 잘 통하므로 전선에 이용된다.

175 하중상

다음은 원소 A~D에 대한 자료를 나타낸 것이다.

• A~D는 다음 주기율표의 빗금 친 부분 중 한 곳에 위치한다.

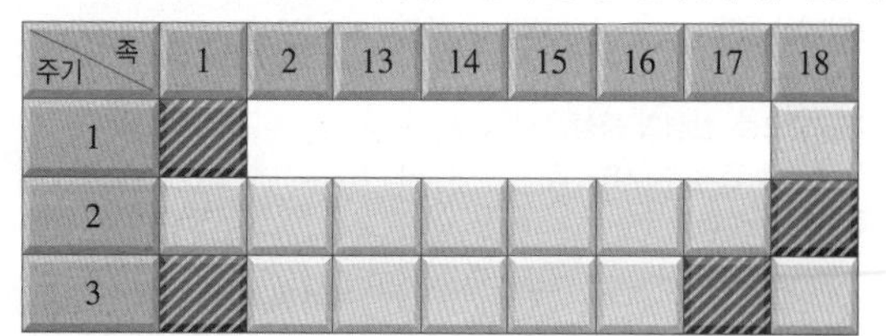

• A와 B는 같은 족 원소이다.

• B와 C는 같은 주기 원소이다.

이에 대한 설명으로 옳은 것만을 〈보기〉에서 있는 대로 고른 것은? (단, A~D는 임의의 원소 기호이다.)

〈 보기 〉

ㄱ. 금속 원소는 한 가지이다.

ㄴ. A~D 중 원자 번호가 가장 큰 원소는 D이다.

ㄷ. A는 수소, B는 나트륨, C는 염소, D는 네온이다.

① ㄷ ② ㄱ, ㄴ ③ ㄱ, ㄷ

④ ㄴ, ㄷ ⑤ ㄱ, ㄴ, ㄷ

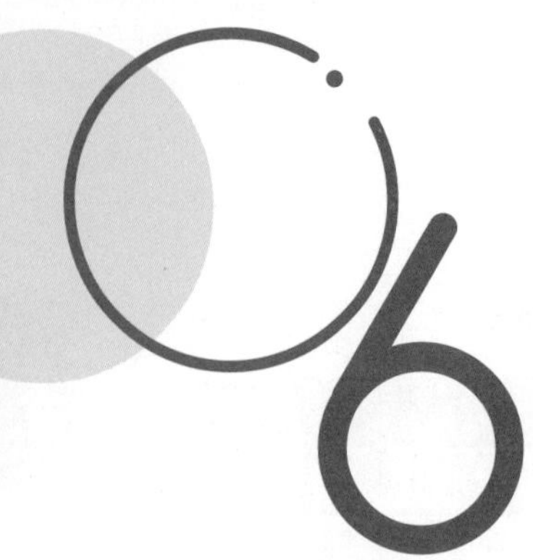

I. 물질과 규칙성

알칼리 금속과 할로젠

Ⓐ 알칼리 금속

기출 Tip Ⓐ-1

1족 원소와 알칼리 금속
수소는 1족에 속하는 원소이지만 비금속 원소이므로 알칼리 금속과 화학적 성질이 다르다.

알칼리 금속의 불꽃 반응 색
• 리튬: 빨간색
• 나트륨: 노란색
• 칼륨: 보라색

1 알칼리 금속 주기율표의 ❶ ☐ 족에서 수소를 제외한 금속 원소

예 리튬(Li), 나트륨(Na), 칼륨(K) 등

Li / Na / K / Rb / Cs / Fr — 1족

2 알칼리 금속의 성질

① 실온에서❷ ☐☐ 상태로 존재하며, 은백색 광택을 띤다.

② 전자 1개를 잃고 양이온이 되기 쉽다.

③ 다른 금속에 비해 밀도가 ❸ ☐☐, 칼로 쉽게 잘릴 정도로 무르다.

④ 반응성이 매우 커서 산소, 물과 빠르게 반응한다.

• 공기 중에 두면 산소와 반응하여 광택을 잃는다. → 화학 반응식: $4M + O_2 \longrightarrow 2M_2O$(M: Li, Na, K 등)

• 물과 격렬하게 반응하여 수소 기체가 발생하고, 이때 생성된 수용액은 염기성을 띤다.
└ 화학 반응식: $2M + 2H_2O \longrightarrow 2MOH + H_2$(M: Li, Na, K 등)

• 반응성: 원자 번호가 ❹ ☐ 수록 반응성이 크다. ➔ Li < Na < K

(알칼리 금속의 성질)

(가) 알칼리 금속을 칼로 자르는 경우

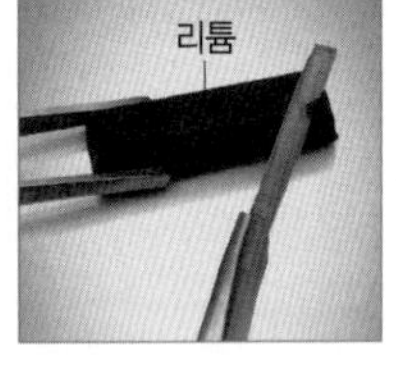

물기 없는 유리판 위에 리튬, 나트륨, 칼륨을 각각 올려놓고 칼로 자르면서 단단한 정도와 단면의 변화를 관찰한다.

(나) 알칼리 금속을 물과 반응시키는 경우

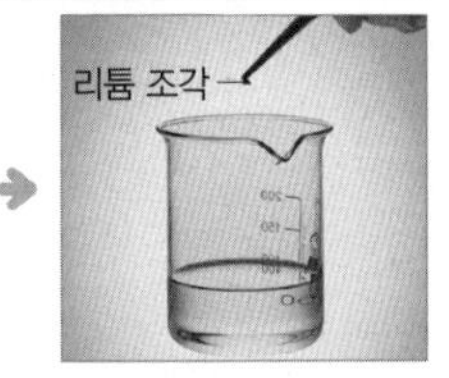

좁쌀 크기로 자른 리튬, 나트륨, 칼륨 조각을 페놀프탈레인 용액 1~2방울을 떨어뜨린 물에 각각 넣고 반응하는 모습을 관찰한다.

기출 Tip Ⓐ-2

페놀프탈레인 용액
용액의 액성을 구별하는 데 사용하는 지시약으로, 산성과 중성에서는 무색이고 염기성에서는 붉은색을 띤다.

(가)		구분	(나)	
단단한 정도	단면의 변화		물과의 반응	수용액의 색 변화
쉽게 잘린다.	광택이 서서히 사라진다.	리튬 (Li)	잘 반응하여 기체가 발생한다.	무색 → 붉은색
	광택이 금방 사라진다.	나트륨 (Na)	격렬하게 반응하여 기체가 발생한다.	
	광택이 빠르게 사라진다.	칼륨 (K)	매우 격렬하게 반응하여 기체가 발생한다.	
알칼리 금속은 무른 금속이고, 공기 중의 산소와 반응하여 광택을 잃는다.		해석	알칼리 금속은 물과 반응하여 수소 기체를 발생하고, 수용액은 ❺ ☐☐☐을 띤다.	

⑤ 알칼리 금속은 공기 중의 산소, 물과 잘 반응하기 때문에 석유나 벤젠, 액체 파라핀 속에 넣어 보관한다.
└ 산소, 물과의 접촉을 차단한다.

3 알칼리 금속의 이용

알칼리 금속	리튬	나트륨	칼륨
이용	휴대 전화의 배터리	도로와 터널의 조명	비료

B 할로젠

1 할로젠 주기율표의 ⑥☐족에 속하는 비금속 원소

예 플루오린(F), 염소(Cl), 브로민(Br), 아이오딘(I) 등

17족: F, Cl, Br, I, At

2 할로젠의 성질

① 실온에서 원자 2개가 결합한 분자로 존재하며, 특유의 색을 띤다. (→ 이원자 분자) (→ 플루오린: 연한 노란색, 염소: 노란색, 브로민: 적갈색, 아이오딘: 보라색)

② 전자 1개를 얻어 음이온이 되기 쉽다.

③ 반응성이 매우 커서 금속, 수소와 잘 반응한다.

- 나트륨과 반응하여 화합물을 생성한다. → 화학 반응식: $2Na + X_2 \longrightarrow 2NaX$(X: F, Cl, Br, I 등)
- 수소와 반응하여 할로젠화 수소(HF, HCl, HBr 등)를 생성하고, 할로젠화 수소를 물에 녹이면 ⑦☐☐을 띤다. → 화학 반응식: $X_2 + H_2 \longrightarrow 2HX$(X: F, Cl, Br, I 등)
- 반응성: 원자 번호가 ⑧☐☐수록 반응성이 크다. ➔ $F_2 > Cl_2 > Br_2 > I_2$

구분	실온에서의 상태	나트륨과의 반응	수소와의 반응
플루오린(F_2)	기체	매우 격렬하게 반응한다.	매우 빠르게 반응한다.
염소(Cl_2)	기체	격렬하게 반응한다.	빠르게 반응한다.
브로민(Br_2)	액체	잘 반응한다.	잘 반응한다.
아이오딘(I_2)	고체	반응한다.	반응한다.

3 할로젠의 이용

할로젠	플루오린	염소	아이오딘
이용	충치 예방용 치약	수영장 물의 소독	상처 소독약

기출 Tip A B

원자가 전자
원자의 전자 배치에서 가장 바깥 전자 껍질에 들어 있는 전자로, 알칼리 금속의 원자가 전자 수는 1, 할로젠의 원자가 전자 수는 7이다. (단, 18족 예외)

알칼리 금속과 할로젠의 반응성
알칼리 금속은 주기율표의 세로줄(족) 아래쪽으로 갈수록, 할로젠은 세로줄 위쪽으로 갈수록 반응성이 커진다.

답 ❶ 1 ❷ 고체 ❸ 작고 ❹ 클 ❺ 염기성 ❻ 17 ❼ 산성 ❽ 작을

빈출 자료 보기

정답과 해설 16쪽

176 그림은 알칼리 금속의 성질을 알아보는 실험을 나타낸 것이다.

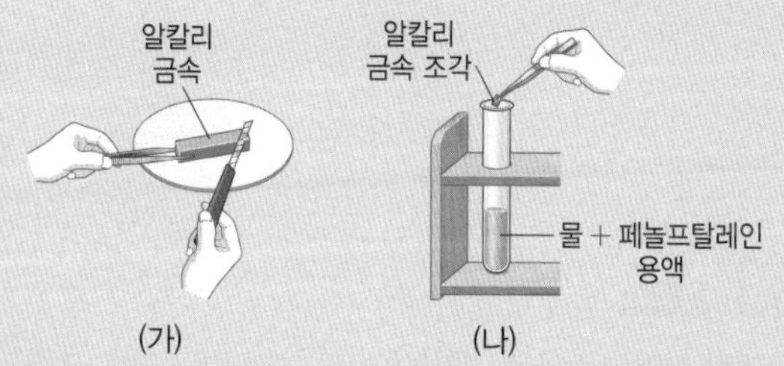

이에 대한 설명으로 옳은 것은 ○, 옳지 않은 것은 ×로 표시하시오.

(1) (가)에서 칼로 자른 리튬, 나트륨, 칼륨의 단면은 모두 공기 중의 산소와 반응한다. ( )

(2) (나)에서 리튬, 나트륨, 칼륨 조각을 시험관에 각각 넣었을 때 시험관 속 용액은 모두 붉은색으로 변한다. ( )

(3) (나)에서 물과의 반응성은 칼륨＜나트륨＜리튬 순이다. ( )

(4) (나)에서는 수소 기체가 발생한다. ( )

(5) 리튬, 나트륨, 칼륨은 화학적 성질이 비슷하다. ( )

177 그림은 주기율표의 일부를 나타낸 것이다.

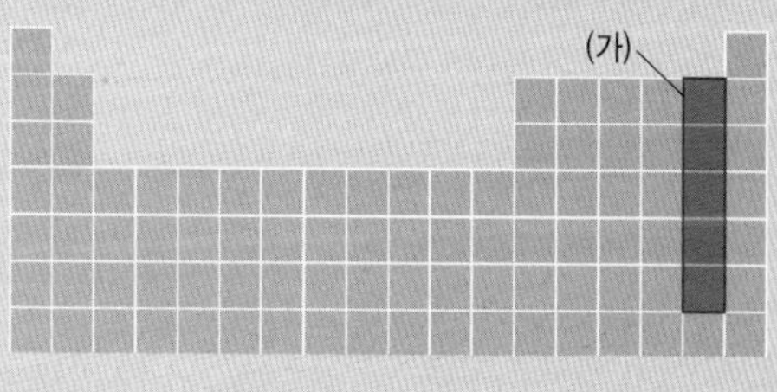

(가) 영역에 속하는 원소들에 대한 설명으로 옳은 것은 ○, 옳지 않은 것은 ×로 표시하시오.

(1) 전기가 잘 통한다. ( )

(2) 특유의 색을 띤다. ( )

(3) 실온에서 분자로 존재한다. ( )

(4) 원자 번호가 클수록 반응성이 크다. ( )

(5) 반응성이 매우 커서 금속, 수소와 반응하여 화합물을 생성한다. ( )

(6) 원자가 전자 수가 7이다. ( )

A 알칼리 금속

빈출
178 하 중 상

알칼리 금속에 대한 설명으로 옳지 않은 것은?

① 수소를 제외한 1족 원소이다.
② 다른 금속에 비해 밀도가 작다.
③ 물과 반응하여 기체가 발생한다.
④ 반응성이 작아 공기 중에 보관한다.
⑤ 원자 번호가 증가할수록 반응성이 커진다.

179 하 중 상

그림은 주기율표의 일부를 나타낸 것이다.

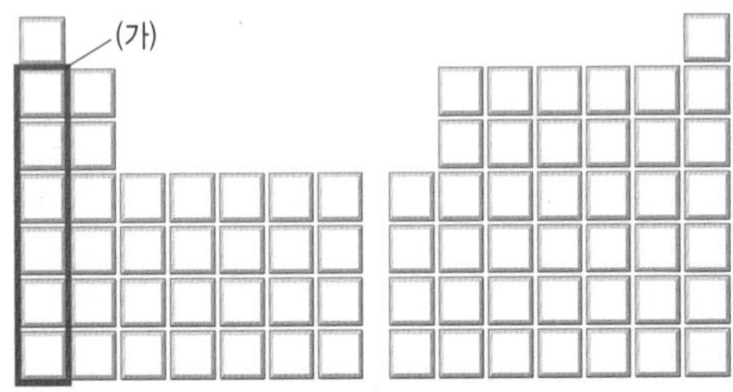

(가)에 속하는 원소들의 공통점으로 옳은 것만을 〈보기〉에서 있는 대로 고른 것은?

〈 보기 〉
ㄱ. 실온에서 고체 상태이다.
ㄴ. 전자를 얻어 양이온이 되기 쉽다.
ㄷ. 공기 중에서 쉽게 표면의 광택을 잃는다.

① ㄱ ② ㄷ ③ ㄱ, ㄴ
④ ㄱ, ㄷ ⑤ ㄱ, ㄴ, ㄷ

180 하 중 상

그림은 물기 없는 유리판 위에 리튬(Li)을 올려놓고 칼로 잘랐을 때 단면의 색이 변하는 모습을 나타낸 것이다. 이에 대한 설명으로 옳은 것만을 〈보기〉에서 있는 대로 고른 것은?

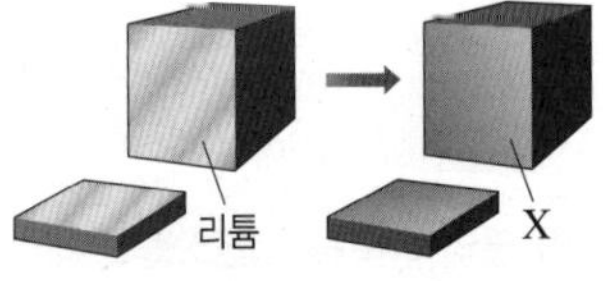

〈 보기 〉
ㄱ. X는 리튬과 산소가 반응하여 생성된 물질이다.
ㄴ. 리튬의 반응성이 큰 것을 확인할 수 있다.
ㄷ. 리튬의 밀도가 다른 금속보다 작은 것을 확인할 수 있다.

① ㄴ ② ㄱ, ㄴ ③ ㄱ, ㄷ
④ ㄴ, ㄷ ⑤ ㄱ, ㄴ, ㄷ

181 하 중 상 ••서술형

알칼리 금속은 석유나 액체 파라핀 등에 담가 보관한다. 그 까닭을 알칼리 금속의 성질과 관련하여 서술하시오.

[182~183] 다음은 2～4주기 알칼리 금속의 성질을 알아보기 위한 실험 과정과 결과를 나타낸 것이다. (단, A～C는 임의의 원소 기호이다.)

[실험 과정]
(가) 3개의 시험관에 물을 각각 $\frac{1}{3}$씩 넣고 페놀프탈레인 용액을 1～2방울씩 떨어뜨린다.
(나) 알칼리 금속 A, B, C를 과정 (가)의 시험관에 각각 넣은 후 변화를 관찰한다.

[실험 결과]

알칼리 금속	A	B	C
물과의 반응	잘 반응함	격렬하게 반응함	매우 격렬하게 반응함
수용액의 색 변화	㉠	㉡	㉢

182 하 중 상 ••서술형

실험 결과에서 ㉠의 색 변화를 예상하고, 그 까닭을 서술하시오.

빈출
183 하 중 상

이에 대한 설명으로 옳은 것만을 〈보기〉에서 있는 대로 고른 것은?

〈 보기 〉
ㄱ. 알칼리 금속의 반응성은 A<B<C이다.
ㄴ. ㉠, ㉡, ㉢ 모두 같은 색으로 변한다.
ㄷ. 알칼리 금속 B가 들어 있는 수용액의 불꽃 반응 색은 보라색이다.

① ㄷ ② ㄱ, ㄴ ③ ㄱ, ㄷ
④ ㄴ, ㄷ ⑤ ㄱ, ㄴ, ㄷ

빈출

184 하중상

대표문제 多 보기

다음은 나트륨(Na) 원소의 성질을 알아보기 위한 실험 과정과 결과를 나타낸 것이다.

[실험 과정]

(가) 물기 없는 유리판 위에 나트륨을 올려놓고 칼로 자르면서 단단한 정도와 단면의 색 변화를 관찰한다.

(나) 물이 담긴 시험관에 페놀프탈레인 용액을 1~2방울 떨어뜨린 후 좁쌀 크기의 나트륨 조각을 시험관에 넣고 나트륨이 물과 반응하는 모습과 용액의 색 변화를 관찰한다.

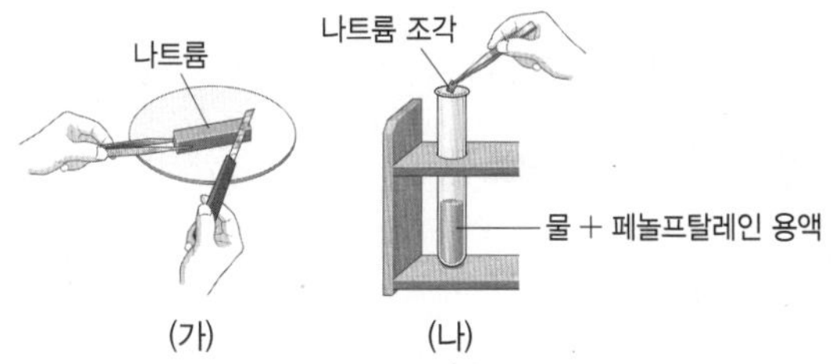

[실험 결과]

- (가)에서 나트륨은 칼로 쉽게 잘리며, 단면이 공기 중에 노출되면 은백색 광택이 사라진다.
- (나)에서 나트륨은 물 위에 떠서 빠르게 반응하며, 용액의 색은 무색에서 붉은색으로 변한다.

이에 대한 설명으로 옳지 않은 것만을 모두 고르면?(2개)

① 나트륨은 칼로 쉽게 잘릴 정도로 무른 금속이다.
② 나트륨이 공기 중에서 광택을 잃는 것은 수소와 반응하기 때문이다.
③ 나트륨은 물보다 밀도가 작다.
④ 나트륨과 물이 반응하면 염기성 물질이 생성된다.
⑤ (나)에서 나트륨 대신 칼륨을 사용하면 나트륨보다 천천히 반응한다.

185 하중상

서술형

다음은 알칼리 금속의 성질을 알아보기 위한 실험 과정과 결과를 나타낸 것이다.

(가) 물이 담긴 페트리 접시에 페놀프탈레인 용액을 떨어뜨린 후 칼륨 조각을 넣으면 물과 격렬하게 반응하고, 수용액이 붉은색으로 변한다.

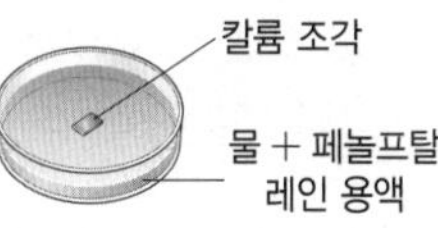

(나) 리튬과 나트륨으로 실험해도 같은 결과가 나타난다.

이 실험과 같이 알칼리 금속이 공통적인 성질을 나타내는 까닭을 서술하시오.

186 하중상

표는 알칼리 금속의 성질을 나타낸 것이다.

구분	리튬(Li)	나트륨(Na)	칼륨(K)
단단한 정도	칼로 쉽게 잘림	칼로 쉽게 잘림	칼로 쉽게 잘림
단면의 변화	광택이 서서히 사라짐	광택이 금방 사라짐	광택이 빠르게 사라짐
물과의 반응	기체 발생	격렬하게 기체 발생	매우 격렬하게 기체 발생

이에 대한 설명으로 옳은 것은?

① 세 금속은 같은 주기 원소이다.
② 세 금속은 화학적 성질이 비슷하다.
③ 세 금속 중 리튬의 반응성이 가장 크다.
④ 세 금속과 물이 반응하면 산소 기체가 발생한다.
⑤ 알칼리 금속을 안전하게 보관하기 위해서는 물에 담가 두어야 한다.

B 할로젠

187 하중상

할로젠에 대한 설명으로 옳은 것만을 〈보기〉에서 있는 대로 고른 것은?

〈 보기 〉
ㄱ. 17족에 속하는 비금속 원소이다.
ㄴ. 실온에서 모두 기체 상태로 존재한다.
ㄷ. 안정하여 다른 원소와 잘 반응하지 않는다.

① ㄱ ② ㄴ ③ ㄷ
④ ㄱ, ㄴ ⑤ ㄴ, ㄷ

빈출

188 하중상

다음 원소들의 공통점으로 옳지 않은 것은?

플루오린, 염소, 브로민, 아이오딘

① 특유의 색을 나타낸다.
② 전자를 얻어 음이온이 되기 쉽다.
③ 실온에서 이원자 분자로 존재한다.
④ 원자 번호가 클수록 반응성이 크다.
⑤ 각 원소의 수소 화합물은 물에 녹아 산성을 띤다.

189 하중상

대표문제 多 보기

표는 2~4주기 할로젠의 성질을 나타낸 것이다.

구분	녹는점 (°C)	끓는점 (°C)	나트륨과의 반응	수소와의 반응
A_2	−220	−188	매우 격렬하게 반응함	매우 빠르게 반응함
B_2	−101	−35	격렬하게 반응함	빠르게 반응함
C_2	−7	59	잘 반응함	잘 반응함

A~C에 대한 설명으로 옳지 않은 것만을 모두 고르면? (단, A~C는 임의의 원소 기호이다.)(2개)

① 같은 족 원소이다.
② 원자 번호는 C<B<A이다.
③ 열과 전기가 잘 통하지 않는다.
④ 실온에서 A_2와 B_2는 기체 상태, C_2는 액체 상태이다.
⑤ 나트륨이나 수소와 반응하여 화합물을 생성한다.
⑥ A~C로 이루어진 할로젠화 수소가 물에 녹으면 페놀프탈레인 용액을 붉은색으로 변화시킨다.

190 하중상

다음은 할로젠이 이용되는 예를 나타낸 것이다.

> (가) 상처 소독약에 이용된다.
> (나) 수영장 물을 소독하는 데 이용된다.
> (다) 충치 예방을 위한 치약에 이용된다.

이에 대한 설명으로 옳은 것은?

① 모두 금속 원소이다.
② 모두 2주기 원소이다.
③ 끓는점은 (가)가 가장 낮다.
④ 실온에서 (나)는 적갈색을 띠는 액체이다.
⑤ 반응성은 (다)가 가장 크다.

191 하중상

다음은 어떤 원소에 대해 설명한 것이다.

> • 원소 이름은 보라색을 뜻하는 'iodes'에서 유래하였다.
> • 녹는점은 113.7 °C, 끓는점은 184.3 °C이다.
> • 수소와 잘 반응하며, 수소와 결합한 물질은 물에 녹아 산성을 띤다.

실온에서 수소 기체와 이 원소의 반응을 화학 반응식으로 나타내시오. (단, 상태는 나타내지 않는다.)

C 알칼리 금속과 할로젠

192 하중상

그림은 주기율표의 일부를 나타낸 것이다.

주기 \ 족	1	2	13	14	15	16	17	18
1	A							
2							B	
3	C						D	

이에 대한 설명으로 옳은 것만을 〈보기〉에서 있는 대로 고른 것은? (단, A~D는 임의의 원소 기호이다.)

〈 보기 〉
ㄱ. A와 C를 물에 넣으면 격렬하게 반응한다.
ㄴ. B와 D는 C와 잘 반응한다.
ㄷ. B는 D보다 수소와 더 빠르게 반응한다.

① ㄱ　② ㄴ　③ ㄷ
④ ㄱ, ㄴ　⑤ ㄴ, ㄷ

빈출

193 하중상

그림은 주기율표의 일부를 나타낸 것이다.

주기 \ 족	1	2	13	14	15	16	17	18
2	A						B	C
3	D						E	

이에 대한 설명으로 옳은 것은? (단, A~E는 임의의 원소 기호이다.)

① 물과의 반응성은 A가 D보다 작다.
② B는 반응성이 작고 안정하여 원자 상태로 존재한다.
③ C는 충치 예방용 치약에 이용된다.
④ D는 물과 반응하여 산소 기체를 발생한다.
⑤ E는 칼로 쉽게 자를 수 있을 정도로 무르다.

194 하 중 상

표는 2주기 알칼리 금속과 할로젠의 성질을 순서 없이 나타낸 것이다.

구분	A	B
실온에서의 상태	고체	기체
A와 물의 반응 후 액성	㉠	—
B의 수소 화합물과 물의 반응 후 액성	—	㉡

이에 대한 설명으로 옳은 것만을 <보기>에서 있는 대로 고른 것은?

〈 보기 〉

ㄱ. A는 금속 원소이다.

ㄴ. B는 실온에서 원자 2개가 결합한 분자로 존재한다.

ㄷ. ㉠은 산성이고, ㉡은 염기성이다.

① ㄱ ② ㄴ ③ ㄷ ④ ㄱ, ㄴ ⑤ ㄴ, ㄷ

195 하 중 상

표는 리튬(Li), 플루오린(F), 나트륨(Na), 염소(Cl), 아르곤(Ar)을 기준에 따라 분류한 것이다.

분류 기준	예	아니요
(가)	F, Cl, Ar	Li, Na
3주기 원소인가?	㉠	㉡
(나)	F, Cl	Li, Na, Ar

이에 대한 설명으로 옳은 것만을 <보기>에서 있는 대로 고른 것은?

〈 보기 〉

ㄱ. (가)에 '비금속 원소인가?'를 적용할 수 있다.

ㄴ. ㉠은 Na, Cl, ㉡은 Li, F, Ar이다.

ㄷ. (나)에 '7족 원소인가?'를 적용할 수 있다.

① ㄱ ② ㄴ ③ ㄷ ④ ㄱ, ㄴ ⑤ ㄴ, ㄷ

빈출

196 하 중 상

대표문제 多 보기

표는 알칼리 금속과 할로젠이 일상생활에서 이용되는 예를 나타낸 것이다.

원소	A	B	C
이용 예	휴대 전화의 배터리	수영장 물의 소독	터널 안의 조명

이에 대한 설명으로 옳은 것은? (단, A~C는 임의의 원소 기호이다.)

① A는 음이온이 되기 쉽다.

② B는 1족 원소인 알칼리 금속이다.

③ 원자 번호는 C가 가장 크다.

④ A와 B는 같은 족 원소이다.

⑤ A는 C보다 반응성이 크다.

⑥ B는 C와 반응하여 화합물을 생성한다.

⑦ A, B, C는 실온에서 같은 상태로 존재한다.

197 하 중 상

표는 알칼리 금속 또는 할로젠인 원소 A~D에 대한 자료이다.

구분	A	B	C	D
전기 전도성	있음	( )	없음	( )
원자가 전자 수	x	1	y	7

이에 대한 설명으로 옳지 않은 것은? (단, A~D는 임의의 원소 기호이다.)

① B는 전기 전도성이 있고, D는 전기 전도성이 없다.

② $x+y=8$이다.

③ B가 산소와 반응하여 생성된 화합물의 화학식은 B_2O이다.

④ D가 나트륨과 반응할 때의 화학 반응식은 $2Na+D_2 \longrightarrow 2NaD$이다.

⑤ A와 B, C와 D는 각각 같은 주기 원소이다.

Ⅰ. 물질과 규칙성

원자의 전자 배치

기출 Tip Ⓐ-1

원자의 구조

- 양성자와 전자는 전하량의 크기가 같고 부호가 반대이다.
- 원자핵은 원자 질량의 대부분을 차지한다. ➡ 전자는 양성자나 중성자에 비해 질량이 매우 작기 때문이다.

기출 Tip Ⓐ-2

원자의 특성

같은 원자인 경우 양성자수는 전자 수와 같다. 하지만 양성자수와 중성자수는 같을 수도 있고, 다를 수도 있다.

Ⓐ 원자의 구조

1 원자의 구조

원자는 원자핵과 전자로, 원자핵은 양성자와 중성자로 이루어져 있다.

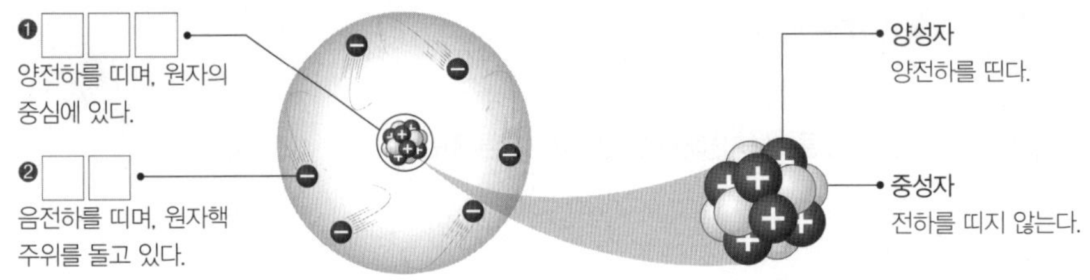

❶ ☐☐☐
양전하를 띠며, 원자의 중심에 있다.
❷ ☐☐
음전하를 띠며, 원자핵 주위를 돌고 있다.
양성자
양전하를 띤다.
중성자
전하를 띠지 않는다.

▲ 원자의 구조

2 원자의 특성

① 한 원자를 구성하는 양성자수와 전자 수는 같다.(전하량의 합이 0이다.) ➡ 원자는 전기적으로 ❸☐☐이다.

② 양성자수는 원자마다 다르다. ➡ 양성자수로 ❹☐☐ ☐☐를 정한다.

원자 번호＝원자의 양성자수＝전자 수

(양성자수: 양성자수가 원자의 종류를 결정한다.)

예 위 그림에서 양성자수가 6이므로 원자 번호 6인 탄소이다.

Ⓑ 원자의 전자 배치

1 에너지 준위와 전자 껍질

① 에너지 준위: 원자핵 주위를 돌고 있는 전자가 갖는 특정한 에너지 값

② 전자 껍질: 원자핵 주위의 전자가 돌고 있는 특정한 에너지 준위의 궤도

(수소 원자의 전자 배치와 에너지 준위)

수소의 원자핵

에너지

전자 껍질 사이에는 전자가 존재하지 않는다.

- 전자 껍질의 에너지 준위는 원자핵과 가까울수록 낮고, 원자핵에서 멀수록 높다.
- 각 전자 껍질은 일정한 에너지 준위를 갖는다.
  - 전자는 에너지 준위가 다른 전자 껍질로 이동할 수 있다. 전자가 낮은 에너지 준위에서 높은 에너지 준위로 이동할 때는 그 차이만큼 에너지를 흡수하고, 높은 에너지 준위에서 낮은 에너지 준위로 이동할 때는 그 차이만큼 에너지를 빛의 형태로 방출한다.

2 전자 배치의 원리

① 전자는 원자핵에 가까운 전자 껍질부터 차례로 배치된다. → 가장 안정한 전자 배치이다.

② 각 전자 껍질에 최대로 배치될 수 있는 전자 수는 정해져 있다. ➡ 첫 번째 전자 껍질에는 최대 ❺☐개, 두 번째 전자 껍질에는 최대 ❻☐개가 배치된다.

(산소 원자의 전자 껍질과 전자 배치)

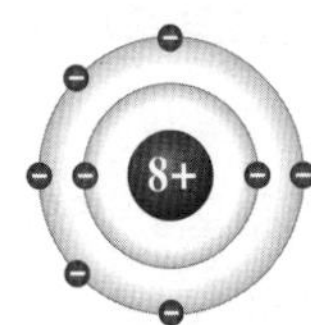

8+

- 첫 번째 전자 껍질: 에너지 준위가 낮아 전자 2개가 먼저 채워진다.
- 두 번째 전자 껍질: 첫 번째 전자 껍질을 채우고 남은 전자 6개가 들어 있다.
- 전자 수가 8이므로 양성자수도 8이다. ➡ 원자 번호는 8이다.

3 원자가 전자

원자의 전자 배치에서 가장 ❼☐☐ 전자 껍질에 들어 있는 전자

① 화학 반응에 참여하므로 원소의 화학적 성질을 결정한다.

② 원자가 전자 수가 같은 원소들은 화학적 성질이 비슷하다.

4 전자 배치에 따른 원소의 주기성

같은 주기 원소	전자가 들어 있는 ❽ □□ □□ □가 같다. ➜ 전자가 들어 있는 전자 껍질 수는 주기 번호와 같다.
같은 족 원소 (동족 원소)	• ❾ □□□ □□ □가 같다. • 같은 족 원소들은 화학적 성질이 비슷하다.(단, 수소 및 3~12족 원소는 예외) • 원자가 전자 수는 원소가 속한 족 번호의 끝자리 수와 같다. • 18족 원소는 화학 반응에 참여하는 전자가 없으므로 원자가 전자 수가 0이다.

주기 \ 족	1	2	13	14	15	16	17	18
1	1+ H	전자 껍질—1+—전자						2+ He
2	3+ Li	4+ Be	5+ B	6+ C	7+ N	8+ O	9+ F	10+ Ne
3	11+ Na	12+ Mg	13+ Al	14+ Si	15+ P	16+ S	17+ Cl	18+ Ar
원자가 전자 수	1	2	3	4	5	6	7	0

▲ 원자 번호 1~18까지 원자의 전자 배치

5 원소의 주기성이 나타나는 까닭 원자 번호가 증가함에 따라 원소의 화학적 성질을 결정하는 원자가 전자 수가 주기적으로 변하기 때문이다.

기출 Tip Ⓑ-4

주기율표의 주기와 족

• 주기가 같으면 전자가 들어 있는 전자 껍질 수가 같다.

• 족이 같으면 원자가 전자 수가 같다.

답 ❶ 원자핵 ❷ 전자 ❸ 중성 ❹ 원자 번호 ❺ 2 ❻ 8 ❼ 바깥 ❽ 전자 껍질 수 ❾ 원자가 전자 수

빈출 자료 보기

정답과 해설 18쪽

198 그림은 원자의 구조를 모형으로 나타낸 것이다.

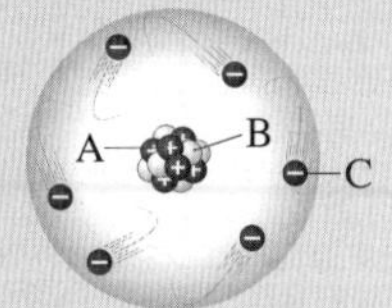

이에 대한 설명으로 옳은 것은 ○, 옳지 않은 것은 ×로 표시하시오.

(1) A는 양성자, B는 중성자, C는 전자이다. ( )

(2) 원자의 중심에는 원자핵이 있다. ( )

(3) 원자핵은 A와 B로 이루어져 있다. ( )

(4) 원자 번호는 A의 수+B의 수와 같다. ( )

(5) C는 양전하를 띠며, 원자핵 주위에 분포한다. ( )

(6) C는 특정한 에너지 준위의 궤도를 따라 운동한다. ( )

(7) 원자는 전기적으로 중성이므로 원자를 구성하는 A의 수와 C의 수는 같다. ( )

(8) 원자의 종류마다 A의 수가 다르다. ( )

199 그림은 두 가지 원자의 전자 배치를 모형으로 나타낸 것이다.

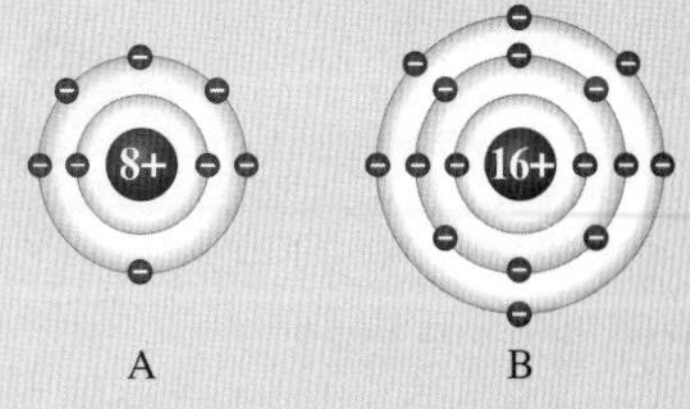

이에 대한 설명으로 옳은 것은 ○, 옳지 않은 것은 ×로 표시하시오.

(1) A와 B는 전자가 들어 있는 전자 껍질 수가 같다. ( )

(2) A와 B는 원자가 전자 수가 같다. ( )

(3) A의 원자 번호는 8이다. ( )

(4) B는 3주기 6족 원소이다. ( )

(5) A와 B는 화학적 성질이 비슷하다. ( )

(6) 양성자수는 A보다 B가 크다. ( )

(7) A는 산소 원자의 전자 배치이고, B는 황 원자의 전자 배치이다. ( )

A 원자의 구조

200 하 중 상

원자의 구조에 대한 설명으로 옳은 것만을 〈보기〉에서 있는 대로 고른 것은?

〈 보기 〉
ㄱ. 원자핵은 양성자와 전자로 이루어져 있다.
ㄴ. 중성자는 전하를 띠지 않는다.
ㄷ. 원자를 구성하는 양성자수와 전자 수는 같다.

① ㄷ ② ㄱ, ㄴ ③ ㄱ, ㄷ
④ ㄴ, ㄷ ⑤ ㄱ, ㄴ, ㄷ

빈출

201 하 중 상

대표문제 多 보기

그림은 어떤 원자의 구조를 모형으로 나타낸 것이다.

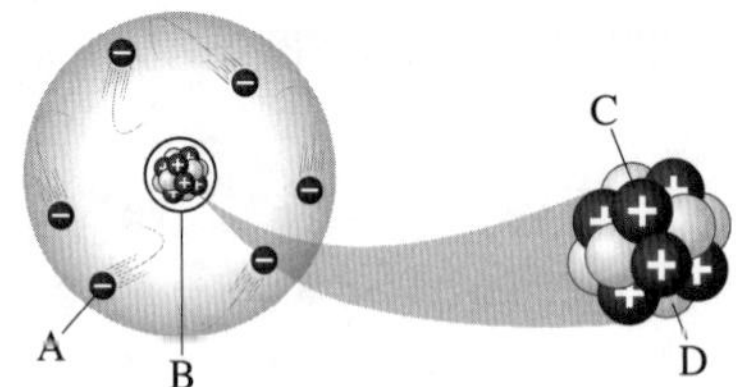

이에 대한 설명으로 옳지 않은 것은?

① 원자는 A와 B로 이루어져 있다.
② A는 B 주위를 돌고 있다.
③ B는 원자 질량의 대부분을 차지한다.
④ 원자 번호는 C의 수에 의해 결정된다.
⑤ B가 양전하를 띠는 까닭은 C 때문이다.
⑥ A와 C는 전하량의 크기가 같지만 부호는 서로 반대이다.
⑦ C와 D의 수가 같기 때문에 원자는 전기적으로 중성이다.
⑧ 원자는 원자 번호와 같은 수의 A를 가진다.
⑨ 이 원자는 원자 번호가 6이다.

202 하 중 상

그림은 원자의 구조를, 표는 원자를 구성하는 입자 A~C의 상대적 전하량을 나타낸 것이다.

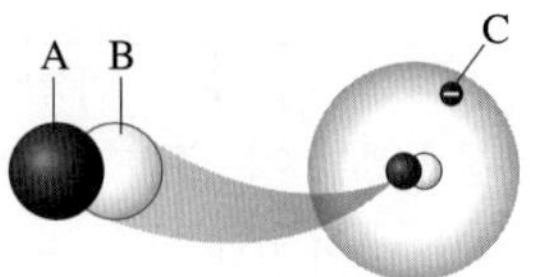

입자	상대적 전하량
A	+1
B	
C	

이에 대한 설명으로 옳은 것만을 〈보기〉에서 있는 대로 고른 것은?

〈 보기 〉
ㄱ. A는 양성자이다.
ㄴ. B의 수로 원자 번호를 정한다.
ㄷ. 원자에서 A, B, C가 가진 전하량의 합은 0이다.

① ㄷ ② ㄱ, ㄴ ③ ㄱ, ㄷ
④ ㄴ, ㄷ ⑤ ㄱ, ㄴ, ㄷ

203 하 중 상

표는 원자 A~C를 구성하는 입자 수를 나타낸 것이다.

원자	입자 수		
	(가)	(나)	(다)
A	6	7	6
B	6	8	x
C	y	8	7

이에 대한 설명으로 옳은 것만을 〈보기〉에서 있는 대로 고른 것은? (단, (가)~(다)는 양성자, 중성자, 전자 중 하나이고, (가)는 원자핵을 구성하며, A~C는 임의의 원소 기호이다.)

〈 보기 〉
ㄱ. $x+y=13$이다.
ㄴ. (나)는 전자이고, (다)는 중성자이다.
ㄷ. B와 C는 같은 족 원소이다.

① ㄱ ② ㄴ ③ ㄱ, ㄴ
④ ㄱ, ㄷ ⑤ ㄴ, ㄷ

204 하중상

그림은 2, 3주기 원자 또는 이온 A~D의 전자 수와 $\frac{\text{양성자수}}{\text{전자 수}}$를 나타낸 것이다. 이에 대한 설명으로 옳은 것만을 〈보기〉에서 있는 대로 고른 것은?

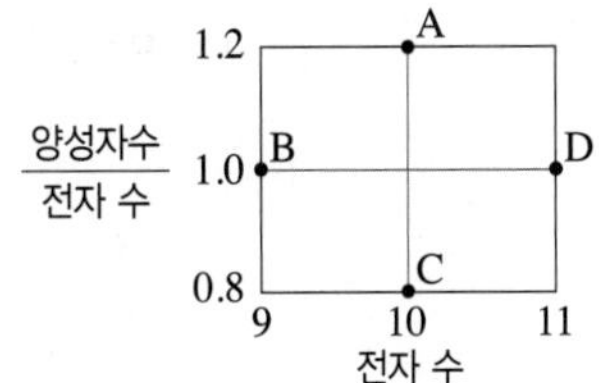

〈 보기 〉
ㄱ. 양성자수는 A가 가장 크다.
ㄴ. B와 D는 화학적 성질이 비슷하다.
ㄷ. C는 원자가 전자 2개를 얻어 형성된 음이온이다.

① ㄱ ② ㄴ ③ ㄷ
④ ㄱ, ㄷ ⑤ ㄴ, ㄷ

B 원자의 전자 배치

205 하중상

그림은 어떤 원자의 전자 배치를 모형으로 나타낸 것이다. 이에 대한 설명으로 옳은 것만을 〈보기〉에서 있는 대로 고른 것은?

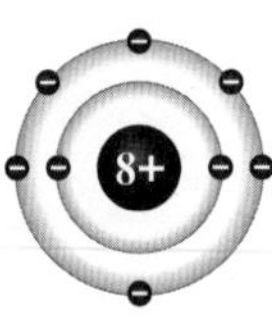

〈 보기 〉
ㄱ. 산소 원자이다.
ㄴ. 2주기 16족 원소이다.
ㄷ. 가장 바깥 전자 껍질에 들어 있는 전자 수는 6이다.

① ㄷ ② ㄱ, ㄴ ③ ㄱ, ㄷ
④ ㄴ, ㄷ ⑤ ㄱ, ㄴ, ㄷ

206 하중상

원자의 전자 배치에 대한 설명으로 옳은 것은?

① 같은 주기 원소들은 원자가 전자 수가 같다.
② 같은 족 원소들은 전자가 들어 있는 전자 껍질 수가 같다.
③ 전자는 에너지 준위가 낮은 전자 껍질부터 채워진다.
④ 원자핵에서 가까운 전자 껍질일수록 에너지 준위가 높다.
⑤ 각 전자 껍질에 배치될 수 있는 최대 전자 수는 항상 8이다.

207 하중상

그림은 나트륨(Na)의 원자핵과 전자가 들어 있는 전자 껍질을 모형으로 나타낸 것이다. 이에 대한 설명으로 옳지 않은 것은?

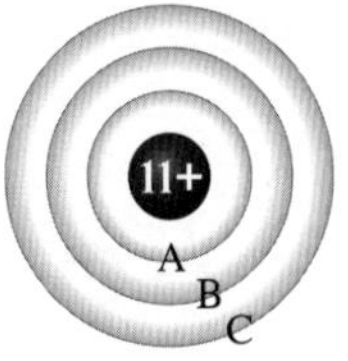

① 나트륨은 3주기 원소이다.
② 나트륨 원자의 원자가 전자 수는 1이다.
③ 전자 껍질의 에너지 준위는 A<B<C이다.
④ 전자들은 원자핵에서 먼 전자 껍질부터 채워진다.
⑤ 전자 껍질 A~C에 들어 있는 총 전자 수는 11이다.

빈출 208 하중상

대표문제 多 보기

그림은 원자 A와 B의 전자 배치를 모형으로 나타낸 것이다.

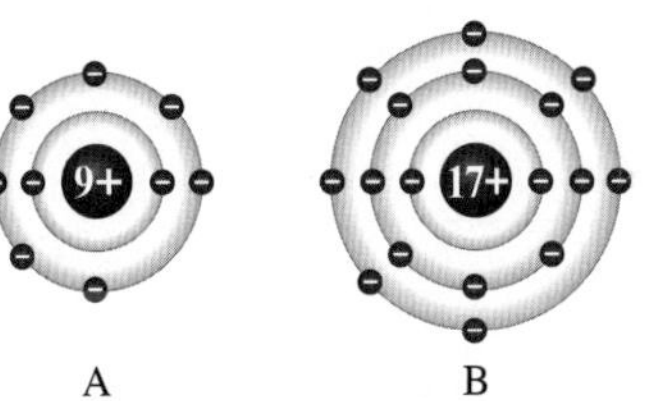

이에 대한 설명으로 옳지 않은 것은? (단, A, B는 임의의 원소 기호이다.)

① A는 2주기 원소이고, B는 3주기 원소이다.
② A와 B는 주기율표의 같은 가로줄에 위치한다.
③ A와 B는 모두 음이온이 되기 쉽다.
④ 실온에서 A_2, B_2는 모두 기체 상태이다.
⑤ A_2, B_2는 반응성이 커서 수소, 금속과 쉽게 반응한다.
⑥ 반응성의 크기는 B_2<A_2이다.
⑦ A는 충치 예방용 치약, B는 수영장 물의 소독에 이용된다.

209 하중상

서술형

질소(N) 원자와 마그네슘(Mg) 원자의 가장 안정한 전자 배치를 모형으로 나타내시오.

질소(N)	마그네슘(Mg)

210 하중상

그림은 원자 A~C의 전자 배치를 모형으로 나타낸 것이다.

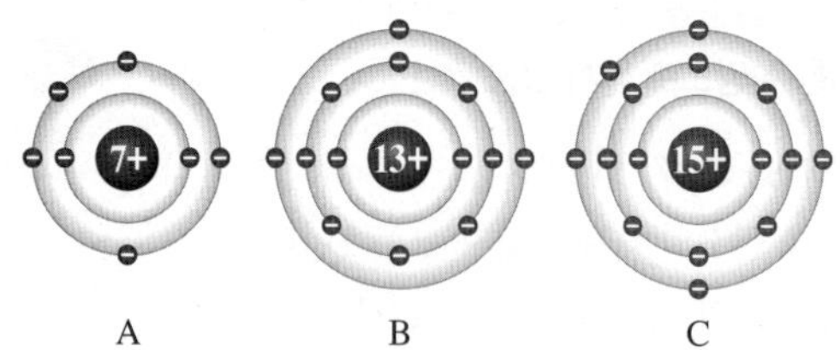

이에 대한 설명으로 옳은 것만을 〈보기〉에서 있는 대로 고른 것은? (단, A~C는 임의의 원소 기호이다.)

〈 보기 〉

ㄱ. A와 C는 화학적 성질이 비슷하다.
ㄴ. B와 C는 같은 족 원소이다.
ㄷ. 원자가 전자 수가 가장 큰 것은 B이다.
ㄹ. A와 C는 비금속 원소이고, B는 금속 원소이다.

① ㄱ, ㄴ ② ㄱ, ㄹ ③ ㄴ, ㄷ
④ ㄴ, ㄹ ⑤ ㄷ, ㄹ

211 하중상 ••서술형

표는 몇 가지 원소의 원자 번호와 원소 기호를 나타낸 것이다.

원자 번호	2	3	11	13
원소 기호	He	Li	Na	Al

화학적 성질이 비슷한 원소의 원소 기호를 모두 쓰고, 그 까닭을 서술하시오.

212 하중상

그림은 주기율표의 일부를 나타낸 것이다.

주기 \ 족	1	2	13	14	15	16	17	18
1	A							
2	B							
3	C						D	E

이에 대한 설명으로 옳은 것만을 〈보기〉에서 있는 대로 고른 것은? (단, A~E는 임의의 원소 기호이다.)

〈 보기 〉

ㄱ. A, B, C는 화학적 성질이 비슷하다.
ㄴ. C, D, E는 전자가 들어 있는 전자 껍질 수가 같다.
ㄷ. 원자가 전자 수가 가장 큰 원소는 E이다.

① ㄱ ② ㄴ ③ ㄷ
④ ㄱ, ㄴ ⑤ ㄴ, ㄷ

213 하중상

그림은 주기율표의 일부를 나타낸 것이다.

주기 \ 족	1	2	13	14	15	16	17	18
2		Be					F	
3	Na					S		Ar

이에 대한 설명으로 옳은 것만을 모두 고르면?(2개)

① Be과 F은 원자가 전자 수가 같다.
② 원자 번호가 가장 큰 원소는 Ar이다.
③ 전자가 들어 있는 전자 껍질 수가 2인 원소는 세 가지이다.
④ Be과 Na은 열과 전기가 잘 통한다.
⑤ F, S, Ar은 비금속 원소로 음이온이 되기 쉽다.

빈출

214 하중상 ••서술형

그림은 주기율표의 일부를 나타낸 것이다.

주기 \ 족	1	2	13	14	15	16	17	18
1								
2		A					B	

원자 A, B의 전자 배치에서 공통점과 차이점을 각각 서술하시오. (단, A, B는 임의의 원소 기호이다.)

215 하중상

다음은 원자 A~E에 대한 자료를 나타낸 것이다.

- A~E는 각각 주기율표의 빗금 친 부분 중 한 곳에 위치한다.

주기 \ 족	1	2	13	14	15	16	17	18
2								▨
3	▨		▨				▨	
4		▨						

- A, B, C는 금속 원소이다.
- B의 원자가 전자 수는 1이다.
- A와 D에서 전자가 들어 있는 전자 껍질 수의 합은 7이다.

A, D, E의 원자가 전자 수를 더한 값을 구하시오. (단, A~E는 임의의 원소 기호이다.)

216 하중상

다음은 원자 A~D에 대한 자료를 나타낸 것이다.

• A~D는 각각 주기율표의 빗금 친 부분 중 한 곳에 위치한다.

주기＼족	1	2	13	14	15	16	17	18
2	▨						▨	
3			▨				▨	

• A와 B는 같은 족 원소이다.
• 원자 번호는 D가 C보다 크다.
• B와 D는 전자가 들어 있는 전자 껍질 수가 다르다.

이에 대한 설명으로 옳은 것만을 〈보기〉에서 있는 대로 고른 것은? (단, A~D는 임의의 원소 기호이다.)

〈 보기 〉
ㄱ. 원자 번호는 A가 가장 크다.
ㄴ. B와 C는 같은 주기 원소이다.
ㄷ. A와 D는 전자가 들어 있는 전자 껍질 수가 같다.

① ㄷ ② ㄱ, ㄴ ③ ㄱ, ㄷ
④ ㄴ, ㄷ ⑤ ㄱ, ㄴ, ㄷ

217 하중상

그림은 원자 A~D의 원자가 전자 수와 전자가 들어 있는 전자 껍질 수를 나타낸 것이다.

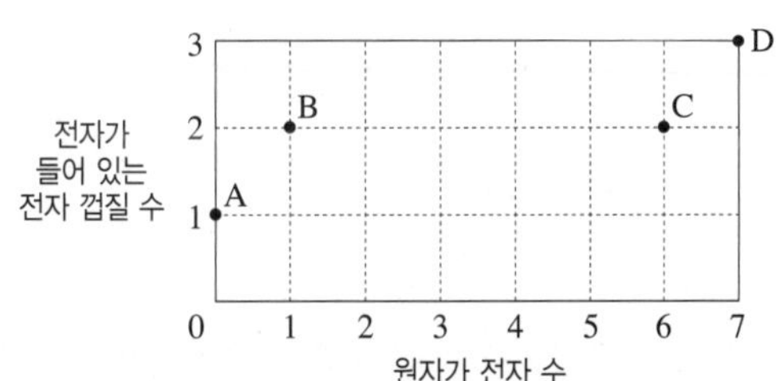

이에 대한 설명으로 옳은 것은? (단, A~D는 임의의 원소 기호이다.)

① A의 양성자수는 2이다.
② A와 B는 금속 원소이다.
③ B와 C는 화학적 성질이 비슷하다.
④ C와 D의 양성자수의 비는 4 : 7이다.
⑤ D의 수소 화합물을 물에 녹이면 염기성을 띤다.

218 하중상

표는 원자 번호 20번 이하인 원자 A~C에 대한 자료를 나타낸 것이다.

원자	A	B	C
$\frac{\text{원자가 전자 수}}{\text{전자가 들어 있는 전자 껍질 수}}$	$\frac{1}{2}$	2	$\frac{3}{2}$
주기율표의 족 번호	2	16	㉠

이에 대한 설명으로 옳은 것만을 〈보기〉에서 있는 대로 고른 것은? (단, A~C는 임의의 원소 기호이다.)

〈 보기 〉
ㄱ. 양성자수는 C<A이다.
ㄴ. B는 2주기 원소이다.
ㄷ. ㉠은 3이다.

① ㄱ ② ㄴ ③ ㄷ
④ ㄱ, ㄴ ⑤ ㄴ, ㄷ

219 하중상

그림은 같은 원자에서 일어나는 전자의 이동을 나타낸 것이다.

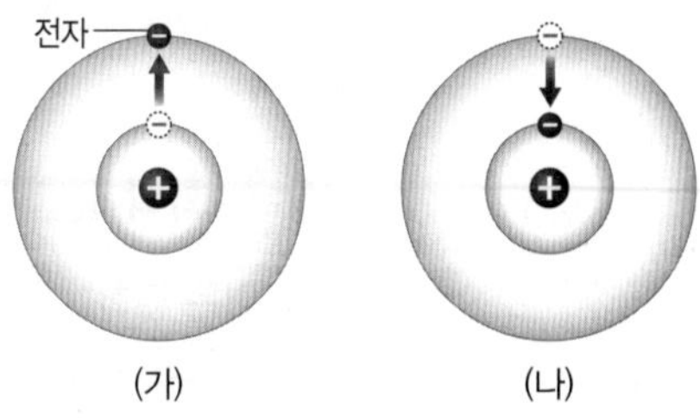

이에 대한 설명으로 옳은 것만을 〈보기〉에서 있는 대로 고른 것은?

〈 보기 〉
ㄱ. (가)에서 이동한 전자는 이동 전보다 에너지가 높아진다.
ㄴ. (나)에서 방출 스펙트럼이 나타난다.
ㄷ. 전자는 (가)보다 (나)에서 더 안정하다.

① ㄴ ② ㄷ ③ ㄱ, ㄴ
④ ㄱ, ㄷ ⑤ ㄱ, ㄴ, ㄷ

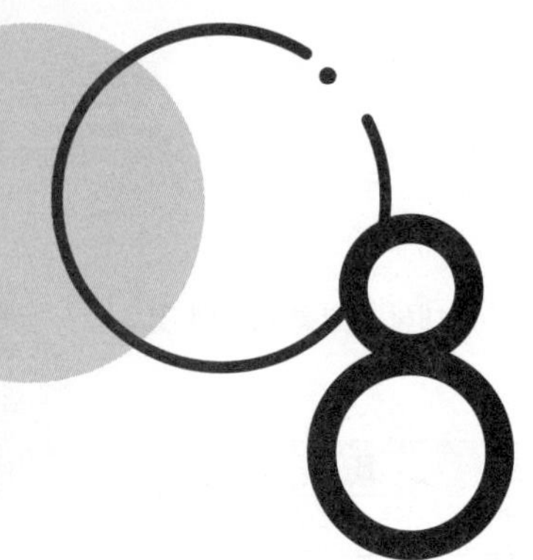

화학 결합의 원리와 종류

기출 Tip Ⓐ-1
비활성 기체의 이용
- 헬륨: 광고용 풍선
- 네온: 광고판
- 아르곤: 형광등의 충전 기체

Ⓐ 화학 결합의 원리

1 비활성 기체 주기율표의 18족에 속하는 원소

예 헬륨(He), 네온(Ne), 아르곤(Ar), 크립톤(Kr) 등

① 반응성이 매우 작고 화학적으로 안정하다.

② 다른 원소와 화학 결합을 형성하지 않고 원자 상태로 존재한다.

③ 원자가 전자 수가 0이다.

(비활성 기체의 전자 배치)

헬륨(He) 네온(Ne) 아르곤(Ar)

- 가장 바깥 전자 껍질에 헬륨은 전자 ❶ □개, 네온과 아르곤은 각각 전자 ❷ □개가 채워진다.
- 가장 바깥 전자 껍질에 전자가 모두 채워져 안정한 전자 배치를 이룬다.

2 화학 결합의 형성

① **옥텟 규칙:** 원소들이 전자를 잃거나 얻어서 비활성 기체와 같이 가장 바깥 전자 껍질에 전자 8개를 채워 안정해지려는 경향

② **화학 결합이 형성되는 까닭:** 원자들은 화학 결합을 형성하여 ❸ □□□ □□와 같은 안정한 전자 배치를 이루려고 하기 때문이다.

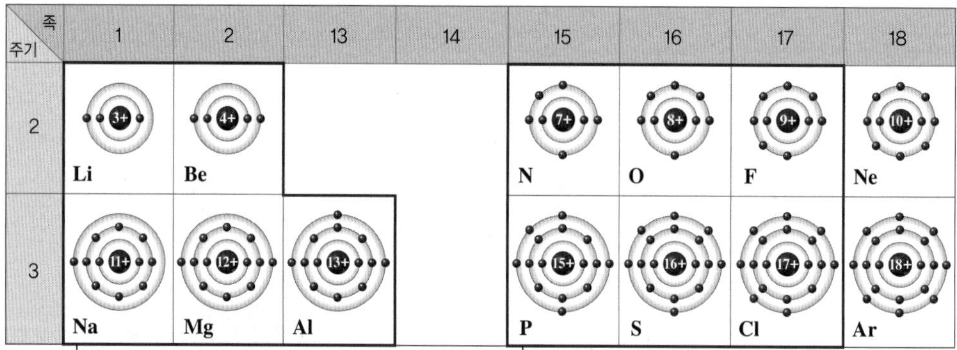

- 1족 원소는 원자가 전자 1개를, 2족 원소는 원자가 전자 2개를, 13족 원소인 알루미늄은 원자가 전자 3개를 잃어 안정한 전자 배치를 이룬다.
- 15족 원소는 전자 3개를, 16족 원소는 전자 2개를, 17족 원소는 전자 1개를 얻거나 다른 원자와 공유하여 안정한 전자 배치를 이룬다.

Ⓑ 화학 결합의 종류

기출 Tip Ⓑ-1
양이온과 음이온이 되기 쉬운 원소
- 원자가 전자가 1~3개인 금속 원소는 양이온이 되기 쉽다.
- 원자가 전자가 5~7개인 비금속 원소는 음이온이 되기 쉽다.

1 이온 결합 양이온과 음이온 사이의 정전기적 인력으로 형성되는 결합
(정전기적 인력: 서로 다른 전하를 띤 입자 사이에 끌어당기는 힘)

① 이온의 형성

구분	❹ □ 이온	❺ □ 이온
이온의 형성	금속 원소는 가장 바깥 전자 껍질의 전자(원자가 전자)를 잃고 이온을 형성한다.	비금속 원소는 가장 바깥 전자 껍질에 전자를 얻어 이온을 형성한다.
모형	마그네슘 원자 → 전자 2개를 잃는다. → 마그네슘 이온 $[\ ]^{2+}$	산소 원자 → 전자 2개를 얻는다. → 산화 이온 $[\ ]^{2-}$

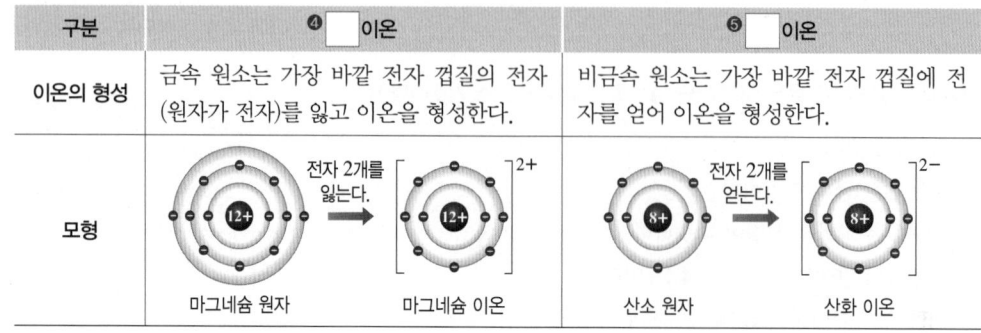

② 이온 결합의 형성: 금속 원소의 원자와 비금속 원소의 원자가 서로 전자를 주고받아 양이온과 음이온을 형성하고, 이때 형성된 이온 사이의 정전기적 인력에 의해 결합한다.

(염화 나트륨의 이온 결합 모형)

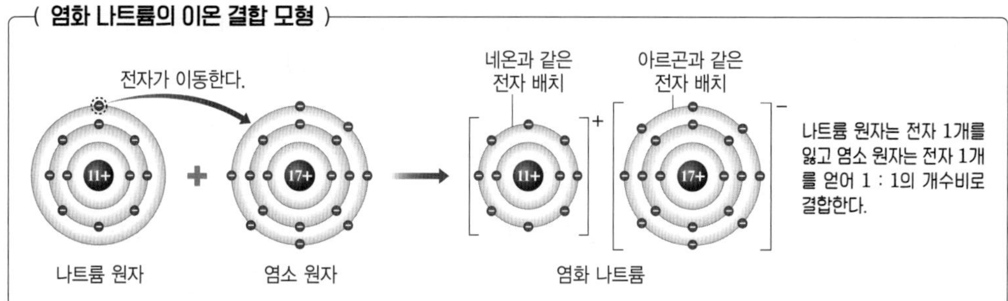

2 공유 결합 비금속 원소의 원자들이 전자쌍을 ❻ ☐☐하여 형성되는 결합

① 공유 전자쌍: 두 원자에 서로 공유되어 결합에 참여하는 전자쌍

② 공유 결합의 형성: 비금속 원소의 원자들이 서로 전자를 내놓아 전자쌍을 만들고, 이 전자쌍을 공유하여 결합한다.

(물의 공유 결합 모형)

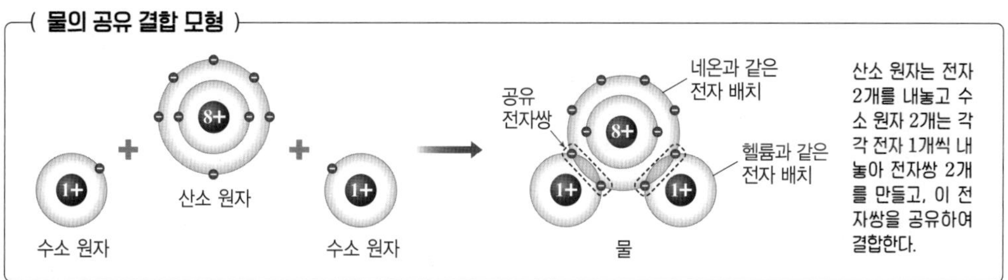

③ 공유 결합의 종류

구분	단일 결합	2중 결합	3중 결합
정의	전자쌍 1개를 공유하는 결합	전자쌍 2개를 공유하는 결합	전자쌍 3개를 공유하는 결합
모형	9+ 9+ 플루오린 분자(F_2)	8+ 8+ 산소 분자(O_2)	7+ 7+ 질소 분자(N_2)

기출 Tip B

이온 결합과 공유 결합 비교

- 이온 결합: 금속 원소의 원자가 비금속 원소의 원자에게 전자를 준다.
  예 NaCl, MgO, LiF 등
- 공유 결합: 비금속 원소의 원자들이 전자쌍을 공유한다.
  예 H_2O, CO_2, F_2, N_2, O_2 등

답 ❶ 2 ❷ 8 ❸ 비활성 기체 ❹ 양 ❺ 음 ❻ 공유

빈출 자료 보기

정답과 해설 21쪽

220 그림 (가)는 원소 A와 C로 이루어진 화합물의 결합 모형을, (나)는 원소 B와 C로 이루어진 화합물의 결합 모형을 나타낸 것이다. (단, A～C는 임의의 원소 기호이다.)

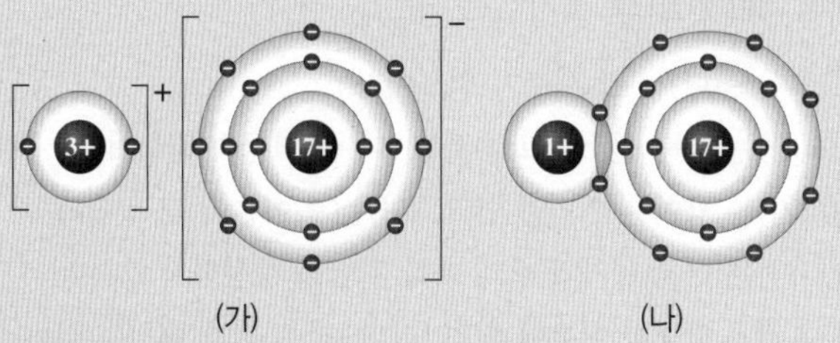

이에 대한 설명으로 옳은 것은 ○, 옳지 않은 것은 ×로 표시하시오.

(1) A와 B는 같은 족 원소이다. ( )

(2) (가)에서 A는 양이온이 되기 쉬운 비금속 원소이다. ( )

(3) (가)는 양이온과 음이온 사이의 정전기적 인력으로 결합한 물질이다. ( )

(4) (나)를 이루는 B와 C는 모두 비금속 원소이다. ( )

(5) (나)는 원소들이 전자쌍을 공유하여 결합한 물질이다. ( )

(6) (가)와 (나)에서 A와 B는 헬륨과 같은 전자 배치를 이룬다. ( )

(7) 물(H_2O), 이산화 탄소(CO_2)는 (가)와 같은 결합을 형성한다. ( )

(8) 나트륨(Na)과 플루오린(F)으로 이루어진 물질은 (나)와 같은 결합을 형성한다. ( )

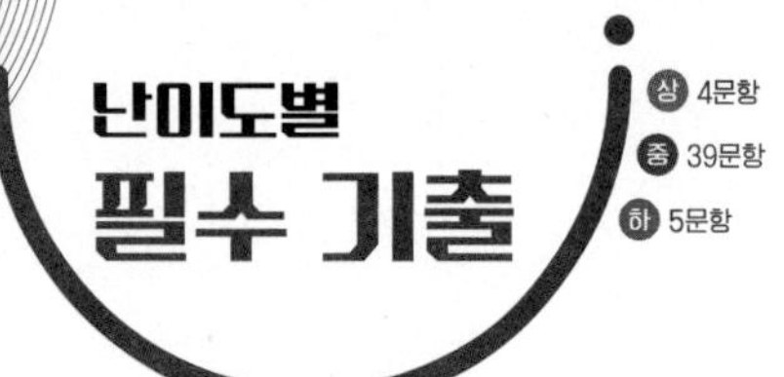

A 화학 결합의 원리

221 

비활성 기체에 대한 설명으로 옳은 것만을 〈보기〉에서 있는 대로 고른 것은?

〈 보기 〉
ㄱ. 주기율표의 18족 원소이다.
ㄴ. 안정한 전자 배치를 이룬다.
ㄷ. 반응성이 커서 빛을 내거나 쉽게 연소된다.

① ㄷ ② ㄱ, ㄴ ③ ㄱ, ㄷ
④ ㄴ, ㄷ ⑤ ㄱ, ㄴ, ㄷ

빈출 222 하중상

대표문제 多 보기

다음은 몇 가지 원소들을 나타낸 것이다.

헬륨(He), 네온(Ne), 아르곤(Ar)

이에 대한 설명으로 옳지 않은 것만을 모두 고르면?(2개)

① 비활성 기체이다.
② 주기율표에서 같은 족에 속한다.
③ 비금속 원소이므로 음이온이 되기 쉽다.
④ 가장 바깥 전자 껍질에 모두 전자 8개가 채워진다.
⑤ 반응성이 매우 작아 다른 원소와 잘 반응하지 않는다.
⑥ 헬륨은 광고용 풍선 기구에 이용된다.
⑦ 네온은 광고판에 이용된다.
⑧ 아르곤은 형광등의 충전 기체로 사용된다.

223 하중상

그림은 네온(Ne)의 전자 배치를 모형으로 나타낸 것이다. 이에 대한 설명으로 옳은 것만을 〈보기〉에서 있는 대로 고른 것은?

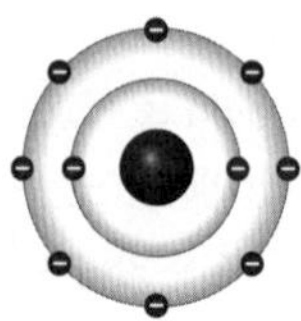

〈 보기 〉
ㄱ. 양성자수는 10이다.
ㄴ. 원자가 전자 수는 0이다.
ㄷ. 안정한 전자 배치를 가지므로 원자 상태로 존재한다.

① ㄷ ② ㄱ, ㄴ ③ ㄱ, ㄷ
④ ㄴ, ㄷ ⑤ ㄱ, ㄴ, ㄷ

224 하중상

표는 원자 또는 이온의 전자 수를 나타낸 것이다.

원자 또는 이온	A^{2+}	B^{-}	C	D^{2+}
총 전자 수	10	10	10	18

이에 대한 설명으로 옳은 것만을 〈보기〉에서 있는 대로 고른 것은? (단, A～D는 임의의 원소 기호이다.)

〈 보기 〉
ㄱ. A와 B는 양성자수가 같다.
ㄴ. A와 D는 화학적 성질이 비슷하다.
ㄷ. B는 전자 1개를 얻어 C와 같은 전자 배치를 갖는다.
ㄹ. C는 실온에서 이원자 분자로 존재한다.

① ㄱ, ㄷ ② ㄱ, ㄹ ③ ㄴ, ㄷ
④ ㄴ, ㄹ ⑤ ㄷ, ㄹ

빈출 225 

대표문제 多 보기

그림은 원자 (가)～(다)의 전자 배치를 모형으로 나타낸 것이다.

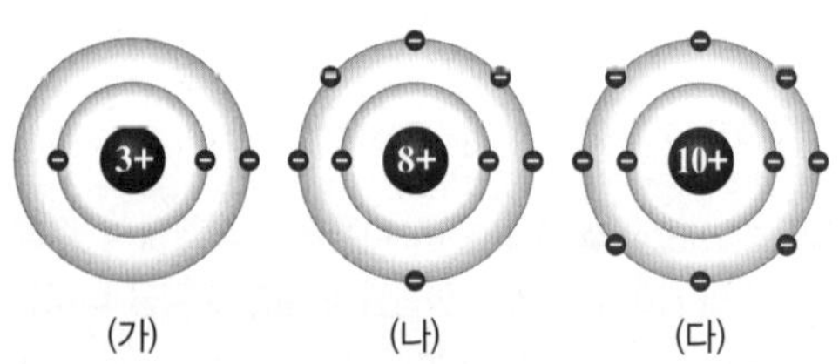

이에 대한 설명으로 옳지 않은 것은?

① (가)～(다)는 같은 주기 원소이다.
② (가)는 금속 원소이고, (나)와 (다)는 비금속 원소이다.
③ (가)는 양이온이 되기 쉽고, (나)는 음이온이 되기 쉽다.
④ (다)는 다른 원자와 쉽게 화학 결합을 형성하지 않는다.
⑤ (나)가 안정한 이온이 되면 (다)와 같은 전자 배치를 갖는다.
⑥ 원자가 전자 수는 (다)가 가장 크다.

빈출

226 하중상

그림은 주기율표의 일부를 나타낸 것이다.

주기＼족	1	2	13	14	15	16	17	18
1								A
2	B					C		D
3			E					

이에 대한 설명으로 옳은 것만을 〈보기〉에서 있는 대로 고른 것은? (단, A～E는 임의의 원소 기호이다.)

〈 보기 〉

ㄱ. A와 B^+의 총 전자 수는 같다.
ㄴ. A와 D는 원자가 전자 수가 같다.
ㄷ. C와 E의 안정한 이온의 전자 배치는 D와 같다.

① ㄱ ② ㄷ ③ ㄱ, ㄴ
④ ㄴ, ㄷ ⑤ ㄱ, ㄴ, ㄷ

227 하중상

다음은 원자 A～D에 대한 자료를 나타낸 것이다.

• A～D는 각각 주기율표의 빗금 친 부분 중 한 곳에 위치한다.

주기＼족	1	2	13	14	15	16	17	18
2						▨		
3		▨					▨	
4		▨						

• A와 D는 같은 주기 원소이다.
• C와 D는 전자를 잃기 쉽다.

이에 대한 설명으로 옳은 것만을 〈보기〉에서 있는 대로 고른 것은? (단, A～D는 임의의 원소 기호이다.)

〈 보기 〉

ㄱ. A와 B는 화학적 성질이 비슷하다.
ㄴ. 전자가 들어 있는 전자 껍질 수가 가장 큰 원자는 C이다.
ㄷ. B와 D의 안정한 이온의 총 전자 수는 같다.

① ㄱ ② ㄴ ③ ㄷ
④ ㄱ, ㄷ ⑤ ㄴ, ㄷ

228 하중상

그림은 주기율표의 일부를, 표는 원자 A～E를 주어진 기준에 따라 분류한 결과를 나타낸 것이다.

주기＼족	1	2	13	14	15	16	17	18
2	A					B	C	
3			D				E	

분류 기준	예	아니요
(가)	A, D	B, C, E
(나)	C, E	A, B, D
전자가 들어 있는 전자 껍질 수가 2인가?	㉠	㉡

이에 대한 설명으로 옳은 것만을 〈보기〉에서 있는 대로 고른 것은? (단, A～E는 임의의 원소 기호이다.)

〈 보기 〉

ㄱ. (가)에 '전자를 잃고 양이온이 되기 쉬운가?'를 적용할 수 있다.
ㄴ. (나)에 '원자가 전자 수가 7인가?'를 적용할 수 있다.
ㄷ. ㉠에 해당하는 원자의 수는 ㉡에 해당하는 원자의 수보다 작다.

① ㄱ ② ㄴ ③ ㄷ
④ ㄱ, ㄴ ⑤ ㄴ, ㄷ

229 하중상 ••서술형

비활성 기체를 제외한 원자들이 화학 결합을 형성하는 까닭을 전자 배치와 관련하여 서술하시오.

B 화학 결합의 종류

이온 결합

230 하중상

다음 (   ) 안에 알맞은 말을 각각 쓰시오.

칼슘(Ca)은 원자가 전자 수가 (㉠)(으)로 전자 (㉠)개를 잃으면 안정한 이온의 전자 배치가 된다. 반면 산소(O)는 원자가 전자 수가 (㉡)(으)로, 외부에서 전자 (㉠)개를 얻으면 안정한 이온의 전자 배치가 된다. 이와 같이 양이온과 음이온 사이에서 형성되는 화학 결합을 (㉢) 결합이라고 한다.

231 하중상

이온 결합 물질로 옳은 것만을 〈보기〉에서 있는 대로 고른 것은?

〈 보기 〉

ㄱ. KI　　ㄴ. LiF　　ㄷ. $Ca(OH)_2$

ㄹ. CO_2　　ㅁ. NaCl　　ㅂ. CH_3OH

① ㄱ, ㄴ, ㅁ　　② ㄷ, ㄹ, ㅂ

③ ㄱ, ㄴ, ㄷ, ㅁ　　④ ㄴ, ㄷ, ㄹ, ㅁ

⑤ ㄷ, ㄹ, ㅁ, ㅂ

232 하중상

그림은 원자 A～C의 전자 배치를 모형으로 나타낸 것이다.

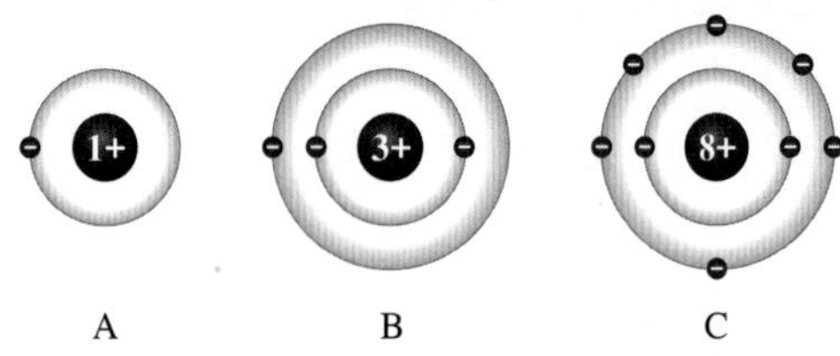

이에 대한 설명으로 옳은 것만을 〈보기〉에서 있는 대로 고른 것은? (단, A～C는 임의의 원소 기호이다.)

〈 보기 〉

ㄱ. 금속 원소는 두 가지이다.

ㄴ. B의 원자가 전자 수는 3이다.

ㄷ. B와 C는 이온 결합으로 화합물을 생성한다.

① ㄱ　　② ㄴ　　③ ㄷ

④ ㄱ, ㄷ　　⑤ ㄴ, ㄷ

233 하중상

••서술형

그림은 마그네슘(Mg) 원자와 염소(Cl) 원자의 전자 배치를 모형으로 나타낸 것이다.

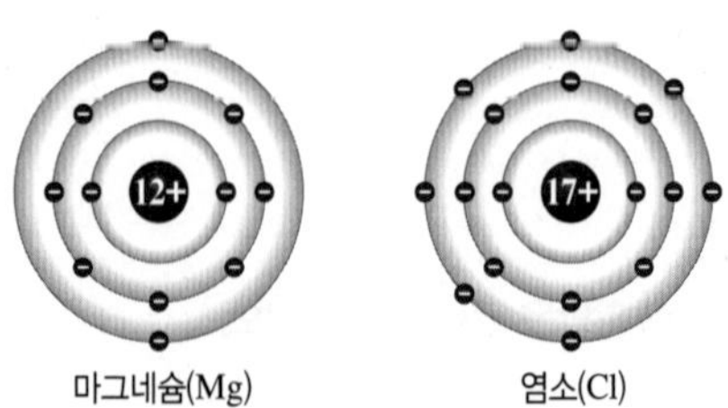

(1) 마그네슘 원자와 염소 원자가 결합하여 이루어진 화합물의 화학식을 쓰시오.

(2) 마그네슘 원자와 염소 원자가 화학 결합을 형성하는 과정을 전자의 이동, 이온의 종류, 결합하는 힘과 관련하여 서술하시오.

빈출

234 하중상

그림은 원자 A～C의 원자 또는 이온의 전자 배치를 모형으로 나타낸 것이다.

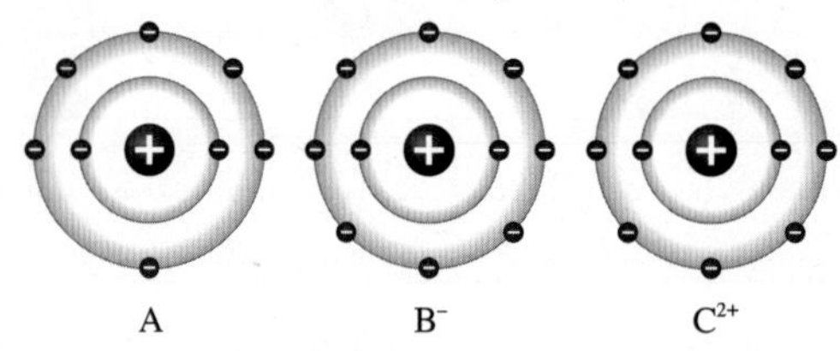

이에 대한 설명으로 옳은 것만을 〈보기〉에서 있는 대로 고른 것은? (단, A～C는 임의의 원소 기호이다.)

〈 보기 〉

ㄱ. A～C는 모두 2주기 원소이다.

ㄴ. A의 안정한 수소 화합물은 H_2A이다.

ㄷ. B^-과 C^{2+}으로 이루어진 안정한 화합물의 화학식은 CB_2이다.

① ㄱ　　② ㄴ　　③ ㄷ

④ ㄱ, ㄴ　　⑤ ㄴ, ㄷ

235 하중상

••서술형

나트륨(Na)이 주로 나트륨 이온(Na^+)의 형태로 존재하는 까닭을 전자 배치와 관련하여 서술하시오.

빈출

236 하중상

대표문제 多 보기

그림은 원자 A, B가 반응하여 화합물 AB를 생성하는 화학 결합 모형을 나타낸 것이다.

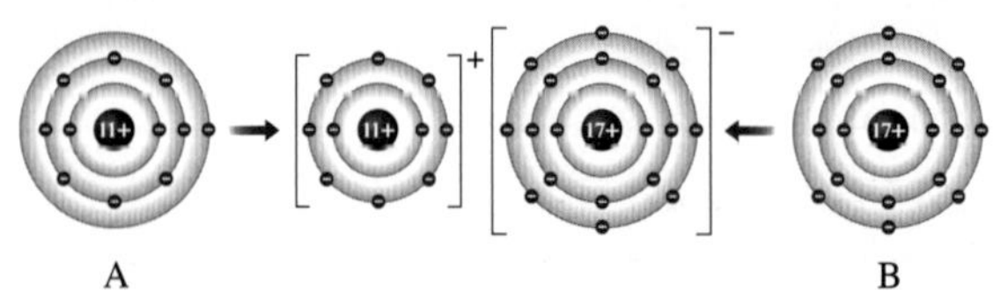

이에 대한 설명으로 옳은 것은? (단, A, B는 임의의 원소 기호이다.)

① A는 2주기 원소이고, B는 3주기 원소이다.

② A는 비금속 원소이고, B는 금속 원소이다.

③ A는 전자를 얻고, B는 전자를 잃는다.

④ A^+과 B^-은 모두 네온과 같은 전자 배치를 갖는다.

⑤ A와 B가 이온이 될 때는 모두 전자가 들어 있는 전자 껍질 수가 달라진다.

⑥ 화합물 AB는 정전기적 인력에 의해 결합이 형성된다.

237 (하 중 상)

그림은 화합물 MX를 이루는 이온의 전자 배치를 모형으로 나타낸 것이다.

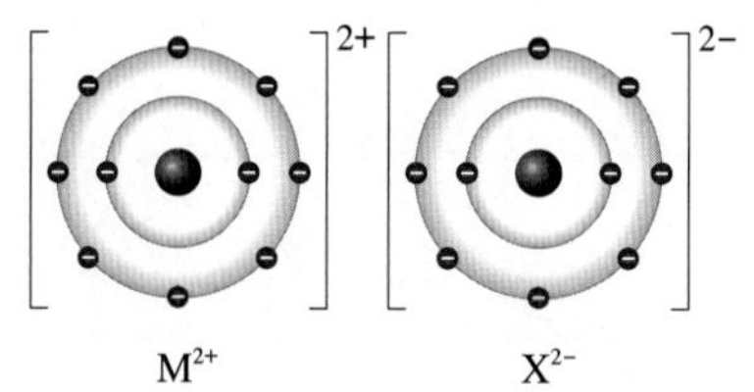

이에 대한 설명으로 옳은 것만을 〈보기〉에서 있는 대로 고른 것은? (단, M, X는 임의의 원소 기호이다.)

〈 보기 〉

ㄱ. M은 X보다 원자 번호가 크다.
ㄴ. 원자가 전자 수는 M이 X보다 크다.
ㄷ. M에서 X로 전자 2개가 이동하여 이온이 형성된다.

① ㄱ　② ㄴ　③ ㄷ　④ ㄱ, ㄷ　⑤ ㄴ, ㄷ

238 (하 중 상)

그림은 화합물 AB_2의 전자 배치를 모형으로 나타낸 것이다.

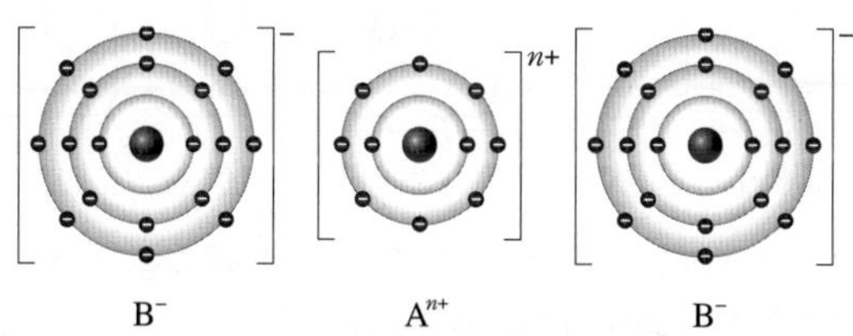

이에 대한 설명으로 옳지 않은 것은? (단, A, B는 임의의 원소 기호이다.)

① $n=2$이다.
② A와 B는 같은 주기 원소이다.
③ AB_2는 공유 결합 물질이다.
④ AB_2는 전기적으로 중성이다.
⑤ AB_2를 이루는 이온들은 모두 옥텟 규칙을 만족한다.

239 (하 중 상)

다음은 같은 주기 원자인 X와 Y의 반응을 화학 반응식으로 나타낸 것이다.

$$2X^+ + Y^{2-} \longrightarrow \text{화합물}$$

이에 대한 설명으로 옳은 것만을 〈보기〉에서 있는 대로 고른 것은? (단, X, Y는 임의의 원소 기호이다.)

〈 보기 〉

ㄱ. 화합물의 화학식은 X_2Y이다.
ㄴ. X는 1족 원소이고, Y는 16족 원소이다.
ㄷ. X^+과 Y^{2-}에서 전자가 들어 있는 전자 껍질 수는 같다.

① ㄷ　② ㄱ, ㄴ　③ ㄱ, ㄷ　④ ㄴ, ㄷ　⑤ ㄱ, ㄴ, ㄷ

240 (하 중 상)

다음은 알칼리 금속 M과 산소의 반응을 화학 반응식으로 나타낸 것이다.

$$aM + bO_2 \longrightarrow c\,\boxed{㉠} \quad (a\sim c\text{는 반응 계수})$$

이에 대한 설명으로 옳은 것만을 〈보기〉에서 있는 대로 고른 것은?

〈 보기 〉

ㄱ. $a+b+c=7$이다.
ㄴ. ㉠에 알맞은 화학식은 MO이다.
ㄷ. 알칼리 금속과 산소의 반응에 의해 생성된 화합물은 이온 결합 물질이다.

① ㄷ　② ㄱ, ㄴ　③ ㄱ, ㄷ　④ ㄴ, ㄷ　⑤ ㄱ, ㄴ, ㄷ

빈출

241 (하 중 상)

그림은 주기율표의 일부를 나타낸 것이다.

주기＼족	1	2	13	14	15	16	17	18
1								
2								A
3	B						C	D

이에 대한 설명으로 옳은 것만을 〈보기〉에서 있는 대로 고른 것은? (단, A~D는 임의의 원소 기호이다.)

〈 보기 〉
- ㄱ. A의 원자가 전자 수는 8이다.
- ㄴ. B와 C로 이루어진 물질은 이온 결합을 형성한다.
- ㄷ. C는 화학 결합을 형성하여 D와 같은 전자 배치를 이룬다.

① ㄱ　② ㄴ　③ ㄷ　④ ㄱ, ㄴ　⑤ ㄴ, ㄷ

242 (하 중 상)

그림은 주기율표의 일부를 나타낸 것이고, 표는 화학 결합 물질 (가)~(마)의 구성 원소를 나타낸 것이다.

주기＼족	1	2	13	14	15	16	17	18
1	A							
2				B		C		
3	D	E					F	

화학 결합 물질	(가)	(나)	(다)	(라)	(마)
구성 원소	A, C	D, F	C, E	A, B	E, F

이에 대한 설명으로 옳은 것만을 〈보기〉에서 있는 대로 고른 것은? (단, A~F는 임의의 원소 기호이다.)

〈 보기 〉
- ㄱ. (가)~(마) 중 이온 결합 물질은 세 가지이다.
- ㄴ. 화학식을 구성하는 원자 수는 (나)가 (마)보다 크다.
- ㄷ. C, D, E 원자가 각각 옥텟 규칙을 만족하는 이온이 될 때 전자가 채워진 전자 껍질 수는 모두 2이다.

① ㄷ　② ㄱ, ㄴ　③ ㄱ, ㄷ　④ ㄴ, ㄷ　⑤ ㄱ, ㄴ, ㄷ

243 (하 중 상)

다음은 원자 A~D에 대한 자료를 나타낸 것이다.

- A~D는 각각 주기율표의 빗금 친 부분 중 한 곳에 위치한다.

- A와 C는 같은 족 원소이다.
- B와 C는 안정한 이온의 전자 배치가 같다.
- D는 B보다 원자 번호가 크다.

이에 대한 설명으로 옳은 것만을 〈보기〉에서 있는 대로 고른 것은? (단, A~D는 임의의 원소 기호이다.)

〈 보기 〉
- ㄱ. A는 B보다 원자 번호가 크다.
- ㄴ. B와 C로 이루어진 화합물은 이온 결합 물질이다.
- ㄷ. D와 C는 2 : 1의 개수비로 결합하여 화합물 D_2C를 생성한다.

① ㄷ　② ㄱ, ㄴ　③ ㄱ, ㄷ　④ ㄴ, ㄷ　⑤ ㄱ, ㄴ, ㄷ

244 (하 중 상)

표는 몇 가지 원소 카드의 종류와 개수를 나타낸 것이다.

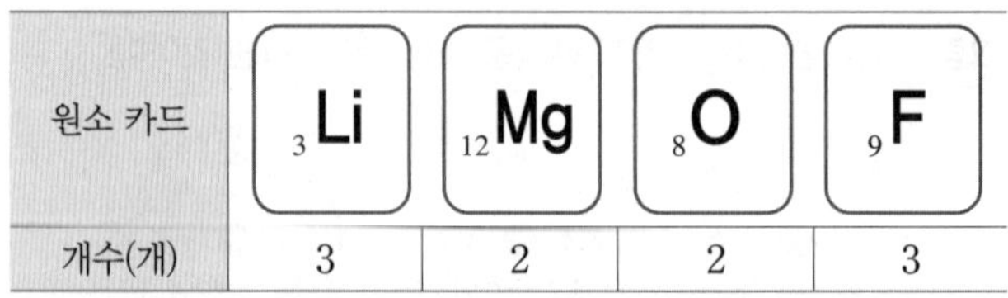

원소 카드	$_{3}Li$	$_{12}Mg$	$_{8}O$	$_{9}F$
개수(개)	3	2	2	3

주어진 원소 카드를 이용하여 화합물을 만들 때 다음 조건을 만족하는 화합물의 화학식 네 가지를 쓰시오.

[조건]
- 전기적으로 중성이다.
- 두 가지 원소로 이루어져 있다.
- 이온 결합을 형성하여 안정한 전자 배치를 가진다.
- 한 개의 화합물을 만들 때 주어진 카드의 개수 내에서 활용할 수 있다.

245 하 중 상 ••서술형

다음은 2, 3주기 원자 A~D에 대한 자료를 나타낸 것이다. (단, A~D는 임의의 원소 기호이다.)

• 전자가 들어 있는 전자 껍질 수: A<B, C<D

• 원자 번호와 원자가 전자 수의 비

원자	A	B	C	D
$\frac{\text{원자 번호}}{\text{원자가 전자 수}}$	$\frac{4}{3}$	6	3	3

(1) A~D의 원자가 전자 수의 합을 구하시오.

(2) A와 B가 결합한 화합물의 전자 배치를 모형으로 나타내시오.

246 하 중 상

그림은 어떤 물질의 화학 결합 모형을 나타낸 것이다.

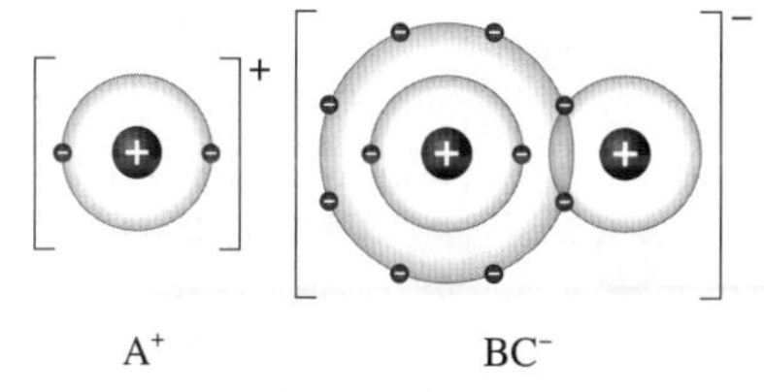

이에 대한 설명으로 옳은 것만을 〈보기〉에서 있는 대로 고른 것은? (단, A~C는 임의의 원소 기호이고, 총 전자 수는 C<B이다.)

〈 보기 〉

ㄱ. A와 물이 반응하면 C로 이루어진 기체가 발생한다.

ㄴ. 원자 A, B, C의 가장 바깥 껍질의 전자 수를 모두 더하면 9이다.

ㄷ. A와 B가 결합한 물질의 화학식은 A_2B이다.

① ㄷ ② ㄱ, ㄴ ③ ㄱ, ㄷ
④ ㄴ, ㄷ ⑤ ㄱ, ㄴ, ㄷ

공유 결합

247 하 중 상

공유 결합에 대한 설명으로 옳은 것만을 〈보기〉에서 있는 대로 고른 것은?

〈 보기 〉

ㄱ. 비금속 원소의 원자들 사이에서 형성되는 화학 결합이다.

ㄴ. 단일 결합은 두 원자 사이에 전자쌍 1개를 공유하는 결합이다.

ㄷ. 헬륨은 대표적인 공유 결합 물질이다.

① ㄱ ② ㄴ ③ ㄷ
④ ㄱ, ㄴ ⑤ ㄴ, ㄷ

248 하 중 상

공유 결합 물질을 옳게 짝 지은 것은?

① NaCl, H_2O ② HCl, K_2O ③ LiF, SO_2
④ KCl, LiBr ⑤ CO_2, NH_3

249 하 중 상

그림은 원자 A와 B의 전자 배치를 모형으로 나타낸 것이다.

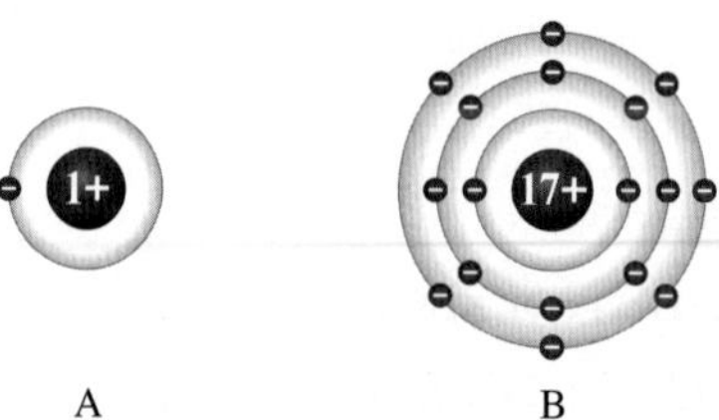

이에 대한 설명으로 옳은 것만을 〈보기〉에서 있는 대로 고른 것은? (단, A, B는 임의의 원소 기호이다.)

〈 보기 〉

ㄱ. A는 금속 원소이다.

ㄴ. A와 B는 공유 결합을 형성한다.

ㄷ. B가 네온과 같은 전자 배치를 가지면 안정해진다.

① ㄱ ② ㄴ ③ ㄷ
④ ㄱ, ㄴ ⑤ ㄴ, ㄷ

250 (하 중 상)

그림은 X^{2-}의 전자 배치를 모형으로 나타낸 것이다. X에 대한 설명으로 옳은 것만을 〈보기〉에서 있는 대로 고른 것은? (단, X는 임의의 원소 기호이다.)

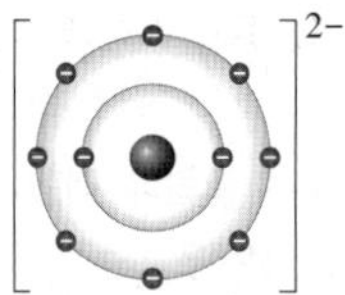

〈 보기 〉

ㄱ. 할로젠이다.
ㄴ. 3주기 원소이다.
ㄷ. X_2는 공유 결합 물질이다.

① ㄱ ② ㄴ ③ ㄷ
④ ㄱ, ㄴ ⑤ ㄴ, ㄷ

251 (하 중 상) 빈출

그림은 원자 A와 B의 전자 배치를 모형으로 나타낸 것이다. 원자 A와 B가 결합하여 생성된 화합물 BA_3에 대한 설명으로 옳은 것만을 〈보기〉에서 있는 대로 고른 것은? (단, A, B는 임의의 원소 기호이다.)

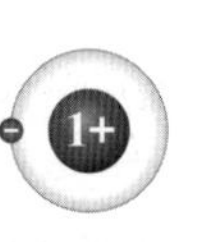

A

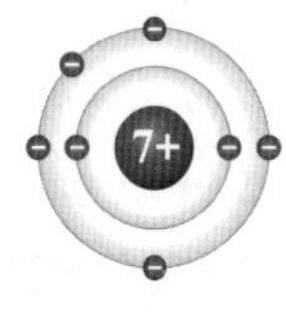

B

〈 보기 〉

ㄱ. 분자 상태로 존재한다.
ㄴ. 단일 결합으로만 이루어져 있다.
ㄷ. A는 전자 1개를 잃고 양이온이 된다.

① ㄷ ② ㄱ, ㄴ ③ ㄱ, ㄷ
④ ㄴ, ㄷ ⑤ ㄱ, ㄴ, ㄷ

252 (하 중 상) 서술형

그림은 수소(H) 원자와 탄소(C) 원자의 전자 배치를 모형으로 나타낸 것이다. 탄소 원자 1개는 수소 원자와 결합하여 안정한 중성의 화합물 X를 생성한다.

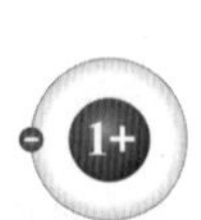

수소(H)

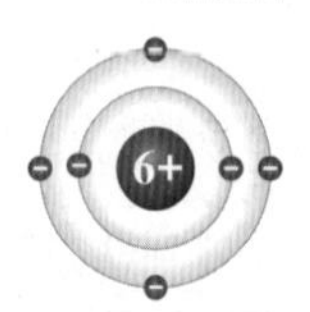

탄소(C)

(1) 화합물 X를 이루는 원자 간 화학 결합의 종류를 쓰고, 그 까닭을 서술하시오.

(2) 화합물 X에서 탄소 원자 1개와 결합하는 수소 원자의 개수를 쓰고, 그 까닭을 원자가 전자와 관련하여 서술하시오.

253 (하 중 상) 빈출 대표문제 多 보기

그림은 물(H_2O) 분자의 생성 과정을 모형으로 나타낸 것이다.

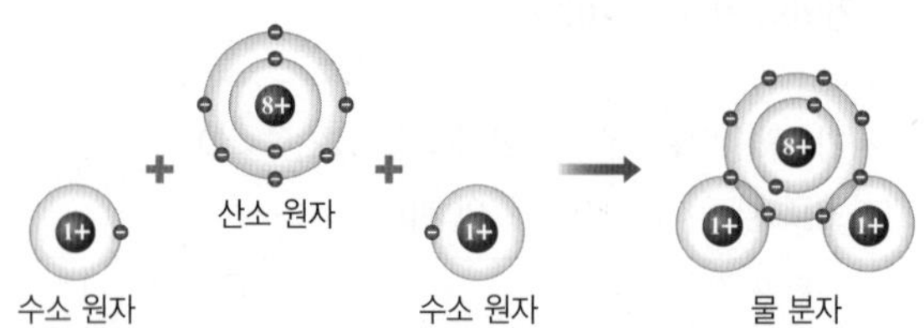

이에 대한 설명으로 옳지 않은 것은?

① 수소 원자와 산소 원자는 공유 결합을 형성한다.
② 물 분자에서 산소 원자는 옥텟 규칙을 만족한다.
③ 물 분자에서 수소 원자는 헬륨과 같은 전자 배치를 이룬다.
④ 물 분자에서 산소 원자는 네온과 같은 전자 배치를 이룬다.
⑤ 물 분자의 공유 전자쌍 수는 4이다.
⑥ 물 분자에서 수소 원자와 산소 원자는 단일 결합을 형성한다.

254 (하 중 상)

그림은 원자 A, B, C가 결합하여 생성된 분자 ABC의 전자 배치를 모형으로 나타낸 것이다.

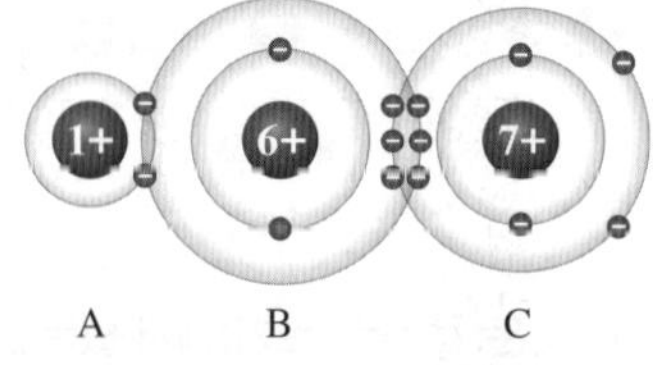

이에 대한 설명으로 옳은 것만을 〈보기〉에서 있는 대로 고른 것은? (단, A~C는 임의의 원소 기호이다.)

〈 보기 〉

ㄱ. B의 원자가 전자는 모두 공유 결합에 참여한다.
ㄴ. A, B, C는 모두 비금속 원소이다.
ㄷ. 분자 ABC에는 3중 결합만 존재한다.

① ㄱ ② ㄴ ③ ㄱ, ㄴ
④ ㄴ, ㄷ ⑤ ㄱ, ㄴ, ㄷ

빈출

255 하 중 상

그림은 물(H_2O)과 메테인(CH_4)의 화학 결합을 모형으로 나타낸 것이다.

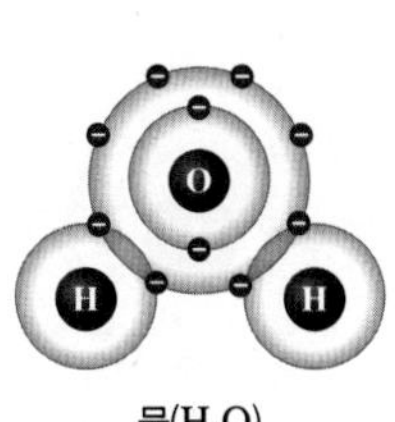

물(H_2O)

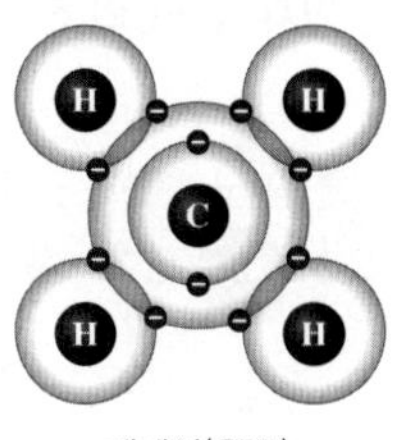

메테인(CH_4)

이에 대한 설명으로 옳은 것만을 〈보기〉에서 있는 대로 고른 것은?

〈 보기 〉
ㄱ. 물과 메테인은 공유 결합 물질이다.
ㄴ. 수소의 원자가 전자 수는 2이다.
ㄷ. 메테인의 공유 전자쌍 수는 물의 공유 전자쌍 수의 2배이다.

① ㄷ ② ㄱ, ㄴ ③ ㄱ, ㄷ
④ ㄴ, ㄷ ⑤ ㄱ, ㄴ, ㄷ

256 하 중 상

그림은 분자 (가)~(다)의 전자 배치를 모형으로 나타낸 것이다.

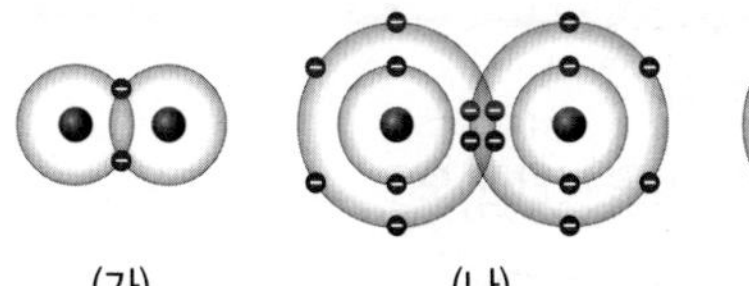
(가) (나)

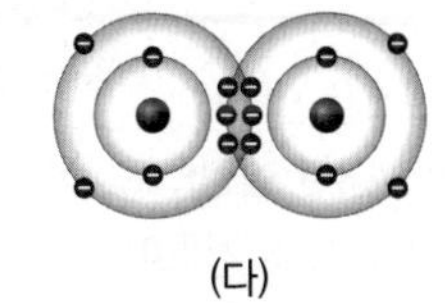
(다)

이에 대한 설명으로 옳은 것만을 〈보기〉에서 있는 대로 고른 것은?

〈 보기 〉
ㄱ. 공유 결합에 참여한 전자쌍 수가 가장 큰 것은 (가)이다.
ㄴ. 원자 번호는 (나)의 구성 원자가 가장 크다.
ㄷ. (다)에서 각 원자의 원자가 전자 수는 4이다.

① ㄱ ② ㄴ ③ ㄷ
④ ㄱ, ㄴ ⑤ ㄴ, ㄷ

257 하 중 상

••서술형

표는 어떤 분자에 대한 자료를 나타낸 것이다.

구성 원소	구성 원자 수
산소(O), 플루오린(F)	3

(1) 이 분자의 공유 전자쌍 수를 쓰시오.

(2) 이 분자의 화학 결합을 전자 배치, 공유 전자쌍을 포함하여 모형으로 나타내시오.

258 하 중 상

그림 (가)와 (나)는 산소 분자(O_2)와 물 분자(H_2O)를 모형으로 나타낸 것이다.

(가) (나)

이에 대한 설명으로 옳은 것만을 〈보기〉에서 있는 대로 고른 것은?

〈 보기 〉
ㄱ. (가)와 (나)에서 공유 전자쌍 수는 같다.
ㄴ. (가)와 (나)는 각각 두 종류의 원소로 이루어져 있다.
ㄷ. 구성 원자의 개수는 (나)가 (가)보다 많다.

① ㄱ ② ㄴ ③ ㄷ
④ ㄱ, ㄷ ⑤ ㄴ, ㄷ

259 하 중 상

표는 임의의 원자 A~E의 (가) 원자가 전자 수와 (나) 전자가 들어 있는 전자 껍질 수를 나타낸 것이다.

원자	(가)	(나)
A	1	1
B	1	2
C	2	3
D	3	3
E	7	3

공유 결합에 의해 형성된 물질을 모두 고르면?(2개)

① AE ② BE ③ CE_2
④ DE_3 ⑤ E_2

260 하 중 상

표는 분자 (가)와 (나)에 대한 자료를 나타낸 것이다.

분자	구성 원자 수		
	탄소(C)	산소(O)	염소(Cl)
(가)	1	0	( )
(나)	1	2	0

이에 대한 설명으로 옳은 것만을 〈보기〉에서 있는 대로 고른 것은? (단, (가)와 (나)를 이루는 원자의 전자 배치는 18족 원소와 같다.)

〈 보기 〉
ㄱ. (가)를 이루는 염소 원자 수는 4이다.
ㄴ. 공유 전자쌍 수는 (가)와 (나)가 같다.
ㄷ. (가)와 (나)를 이루는 원자의 전자 배치는 모두 네온과 같다.

① ㄷ ② ㄱ, ㄴ ③ ㄱ, ㄷ
④ ㄴ, ㄷ ⑤ ㄱ, ㄴ, ㄷ

261 하 중 상

그림은 질소(N_2), 플루오린화 칼륨(KF), 암모니아(NH_3), 물(H_2O)을 이루는 원소의 종류 수, 구성 원자 수를 나타낸 것이다. ㉠~㉣ 중 공유 결합으로 이루어진 물질만을 있는 대로 고른 것은?

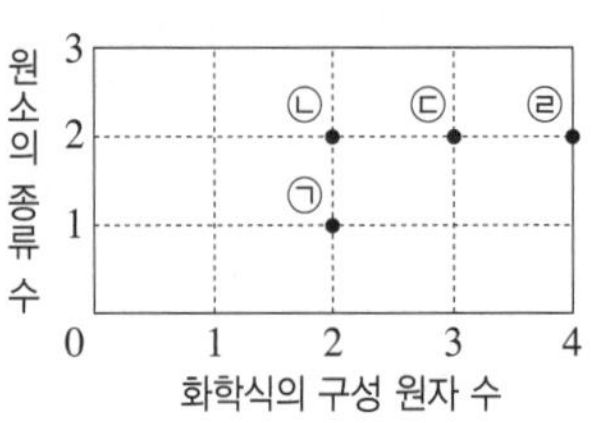

① ㉠, ㉡ ② ㉡, ㉢ ③ ㉠, ㉢, ㉣
④ ㉡, ㉢, ㉣ ⑤ ㉠, ㉡, ㉢, ㉣

262 하 중 상

그림은 2주기 원자 A~C의 원자가 전자 수를 점으로 나타낸 것이다.

이에 대한 설명으로 옳은 것만을 〈보기〉에서 있는 대로 고른 것은? (단, A~C는 임의의 원소 기호이다.)

〈 보기 〉
ㄱ. 비금속 원소는 한 가지이다.
ㄴ. C_2에서 공유 전자쌍 수는 1이다.
ㄷ. A와 C로 이루어진 화합물은 공유 결합 물질이다.

① ㄱ ② ㄴ ③ ㄱ, ㄷ
④ ㄴ, ㄷ ⑤ ㄱ, ㄴ, ㄷ

이온 결합과 공유 결합

263 하 중 상

그림은 원자 A~C의 전자 배치를 모형으로 나타낸 것이다.

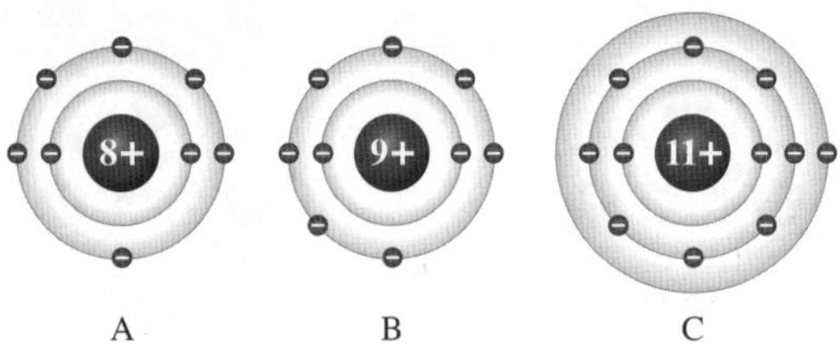

이에 대한 설명으로 옳은 것만을 〈보기〉에서 있는 대로 고른 것은? (단, A~C는 임의의 원소 기호이다.)

〈 보기 〉
ㄱ. A_2를 이루는 두 원자 사이의 공유 전자쌍 수는 2이다.
ㄴ. C가 옥텟 규칙을 만족하기 위해서는 전자 1개를 잃어야 한다.
ㄷ. A와 B는 공유 결합을 형성하고, A와 C는 이온 결합을 형성한다.

① ㄷ ② ㄱ, ㄴ ③ ㄱ, ㄷ
④ ㄴ, ㄷ ⑤ ㄱ, ㄴ, ㄷ

빈출
264 하 중 상

대표문제 多 보기

그림은 화합물 AB와 BC_2의 화학 결합을 모형으로 나타낸 것이다.

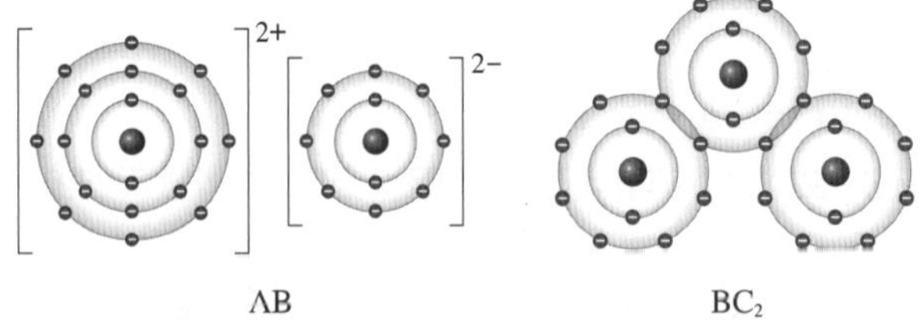

이에 대한 설명으로 옳지 않은 것만을 모두 고르면? (단, A~C는 임의의 원소 기호이다.)(2개)

① AB는 이온 결합 물질이다.
② BC_2는 전자쌍을 공유하여 생성된 화합물이다.
③ 원자 번호의 크기는 B<C<A이다.
④ 원자가 전자 수는 B가 C보다 작다.
⑤ A는 알칼리 금속이고, C는 할로젠이다.
⑥ A와 C가 결합하여 생성된 화합물의 화학식은 AC_2이다.
⑦ B_2와 C_2가 생성될 때 두 물질은 모두 단일 결합으로 이루어진다.

265 하 중 상

그림은 주기율표의 일부를 나타낸 것이다.

주기＼족	1	2	13	14	15	16	17	18
1	A							
2	B				C	D	E	

이에 대한 설명으로 옳은 것만을 〈보기〉에서 있는 대로 고른 것은? (단, A～E는 임의의 원소 기호이다.)

〈 보기 〉

ㄱ. A 원자와 D 원자는 공유 결합을 형성한다.
ㄴ. C 원자 1개에 A 원자 4개가 결합할 때 안정한 분자가 된다.
ㄷ. 화합물 B_2D에서 B 이온과 D 이온의 전자 배치는 같다.
ㄹ. 화합물 CDE에는 2중 결합이 존재한다.

① ㄱ, ㄷ ② ㄱ, ㄹ ③ ㄴ, ㄷ
④ ㄴ, ㄹ ⑤ ㄷ, ㄹ

266 하 중 상

표는 원소 A～D가 안정한 이온이 되었을 때의 양성자수와 전자 수를 나타낸 것이다.

원소	A	B	C	D
양성자수	1	8	11	17
전자 수	0	10	10	18

이에 대한 설명으로 옳은 것만을 〈보기〉에서 있는 대로 고른 것은? (단, A～D는 임의의 원소 기호이다.)

〈 보기 〉

ㄱ. A와 B가 2 : 1의 개수비로 결합하여 화합물을 생성할 때 공유하는 전자쌍 수는 2이다.
ㄴ. B와 C가 형성하는 안정한 화합물의 화학식은 C_2B이다.
ㄷ. AD와 CD는 화학 결합의 종류가 같다.

① ㄷ ② ㄱ, ㄴ ③ ㄱ, ㄷ
④ ㄴ, ㄷ ⑤ ㄱ, ㄴ, ㄷ

267 하 중 상

그림은 원자 A～D에서 전자가 들어 있는 전자 껍질 수와 원자가 전자 수를 나타낸 것이다.

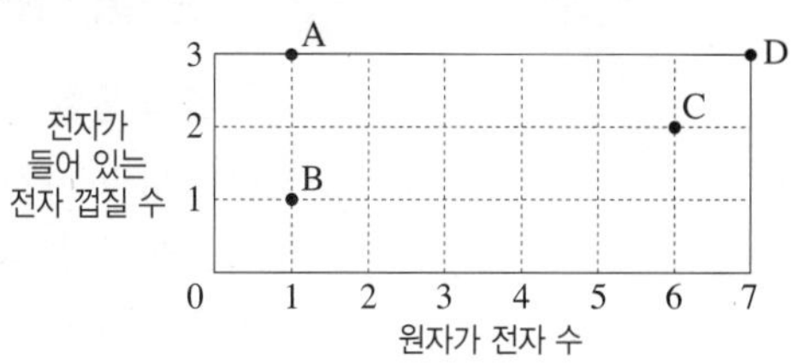

이에 대한 설명으로 옳은 것만을 〈보기〉에서 있는 대로 고른 것은? (단, A～D는 임의의 원소 기호이다.)

〈 보기 〉

ㄱ. A와 B는 모두 금속 원소이다.
ㄴ. A와 C, A와 D로 이루어진 화합물은 모두 이온 결합 물질이다.
ㄷ. C_2와 D_2에서 공유하는 전자쌍 수의 합은 3이다.

① ㄷ ② ㄱ, ㄴ ③ ㄱ, ㄷ
④ ㄴ, ㄷ ⑤ ㄱ, ㄴ, ㄷ

268 하 중 상

다음은 2, 3주기 원자 A～D에 대한 자료이다.

- A～D는 1족, 2족, 16족, 17족 원소 중 하나이다.
- 원자 번호는 D<C<B<A이다.
- 원자가 전자 수는 C<B<D<A이다.

이에 대한 설명으로 옳은 것만을 〈보기〉에서 있는 대로 고른 것은? (단, A～D는 임의의 원소 기호이다.)

〈 보기 〉

ㄱ. 3주기 원소는 두 가지이다.
ㄴ. A 원자 2개는 공유 결합을 통해 아르곤과 같은 전자 배치를 이룬다.
ㄷ. A와 B로 이루어진 화합물의 화학식은 AB_2이다.
ㄹ. C와 D로 이루어진 화합물은 이온 결합 물질이다.

① ㄱ, ㄷ ② ㄱ, ㄹ ③ ㄴ, ㄷ
④ ㄴ, ㄹ ⑤ ㄷ, ㄹ

우리 주변의 다양한 물질

Ⓐ 이온 결합 물질과 공유 결합 물질

1 이온 결합 물질 이온 결합으로 생성된 물질

① 수많은 양이온과 음이온이 연속적으로 결합하여 결정을 이룬다.

② 양이온의 양전하의 합과 음이온의 음전하의 합이 같아 전기적으로 ❶ □□이다.

➜ 이온의 종류에 따라 결합하는 이온의 개수비가 달라진다.

③ 이온 결합 물질의 성질

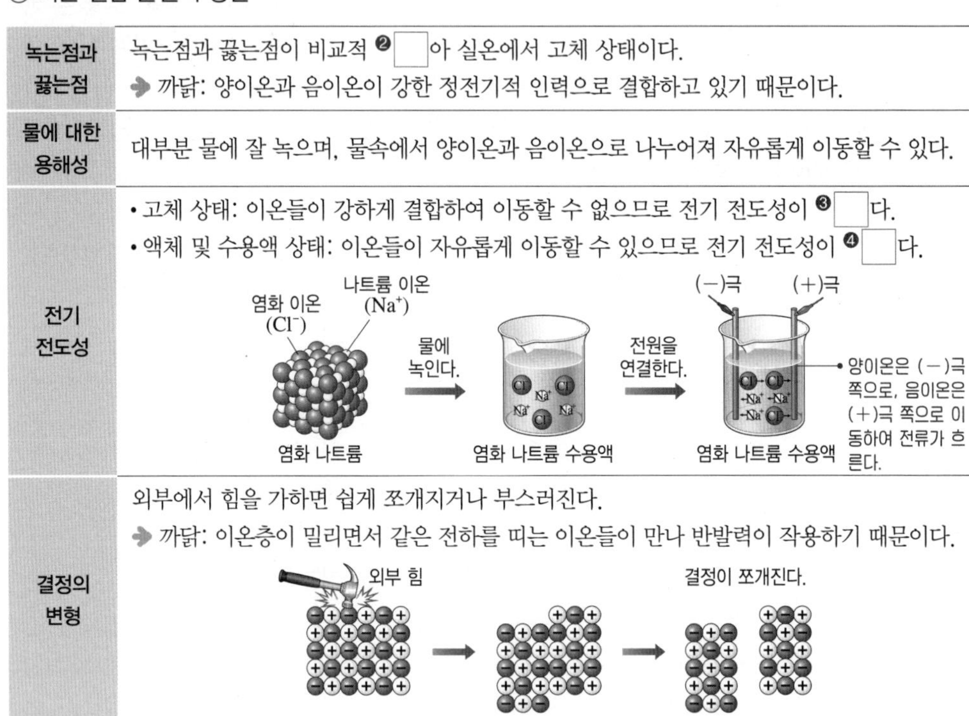

녹는점과 끓는점	녹는점과 끓는점이 비교적 ❷ □아 실온에서 고체 상태이다. ➜ 까닭: 양이온과 음이온이 강한 정전기적 인력으로 결합하고 있기 때문이다.
물에 대한 용해성	대부분 물에 잘 녹으며, 물속에서 양이온과 음이온으로 나누어져 자유롭게 이동할 수 있다.
전기 전도성	• 고체 상태: 이온들이 강하게 결합하여 이동할 수 없으므로 전기 전도성이 ❸ □다. • 액체 및 수용액 상태: 이온들이 자유롭게 이동할 수 있으므로 전기 전도성이 ❹ □다.
결정의 변형	외부에서 힘을 가하면 쉽게 쪼개지거나 부스러진다. ➜ 까닭: 이온층이 밀리면서 같은 전하를 띠는 이온들이 만나 반발력이 작용하기 때문이다.

④ 이온 결합 물질의 이용

물질	염화 나트륨(NaCl)	염화 칼슘($CaCl_2$)	수산화 나트륨(NaOH)
이용	소금의 주성분	제설제, 습기 제거제	비누의 제조
물질	수산화 마그네슘($Mg(OH)_2$)	탄산 칼슘($CaCO_3$)	탄산수소 나트륨($NaHCO_3$)
이용	제산제의 주성분	달걀 껍데기의 주성분	베이킹파우더의 주성분

기출 Tip Ⓐ-1

제설제로 사용되는 염화 칼슘

염화 칼슘($CaCl_2$)은 눈을 녹이고, 녹은 물과 섞여 물의 어는점을 0 °C 이하로 낮게 하여 도로가 얼지 않게 한다. 하지만 염화 칼슘은 눈에 녹아 자동차와 도로를 부식시키고, 가로수에 피해를 입히거나 하천을 오염시키는 등의 환경 문제를 일으키기도 한다.

2 공유 결합 물질 공유 결합으로 생성된 물질

① 일반적으로 일정한 수의 원자들이 전자쌍을 공유하여 ❺ □□를 이룬다.

② 공유 결합 물질의 성질

녹는점과 끓는점	녹는점과 끓는점이 비교적 ❻ □아 실온에서 대부분 액체나 기체 상태이다. ➜ 까닭: 분자 사이의 인력이 약하기 때문이다.
물에 대한 용해성	• 대부분 물에 잘 녹지 않는다. • 설탕, 염화 수소, 암모니아 등과 같은 물질은 물에 잘 녹는다.
전기 전도성	고체 상태, 액체 및 수용액 상태에서 대부분 전기 전도성이 ❼ □다. ➜ 까닭: 대부분 전하를 띠는 입자가 존재하지 않고, 물에 녹아도 분자로 존재하기 때문이다. (−)극 (+)극 설탕 수용액 전자를 띠는 입자인 이온이 생성되지 않으므로 전류가 흐르지 않는다.

기출 Tip Ⓐ-2

전기 전도성이 있는 공유 결합 물질

• 흑연은 고체 상태에서 자유롭게 이동할 수 있는 전자가 있어 전기 전도성이 있다.

• 염화 수소, 암모니아 등과 같이 물에 녹아 이온을 생성하는 물질은 수용액 상태에서 전기 전도성이 있다.

③ 공유 결합 물질의 이용

물질	에탄올(C_2H_6O)	뷰테인(C_4H_{10})	설탕($C_{12}H_{22}O_{11}$)	아스피린($C_9H_8O_4$)
이용	소독용 알코올, 술	휴대용 버너의 연료	음식의 조미료	의약품

(결합의 종류에 따른 물질의 전기 전도성)

소금, 설탕, 포도당, 염화 구리(Ⅱ)의 전기 전도성을 고체 상태와 수용액 상태에서 각각 확인하고, 이 물질들을 이온 결합 물질과 공유 결합 물질로 구별한다.

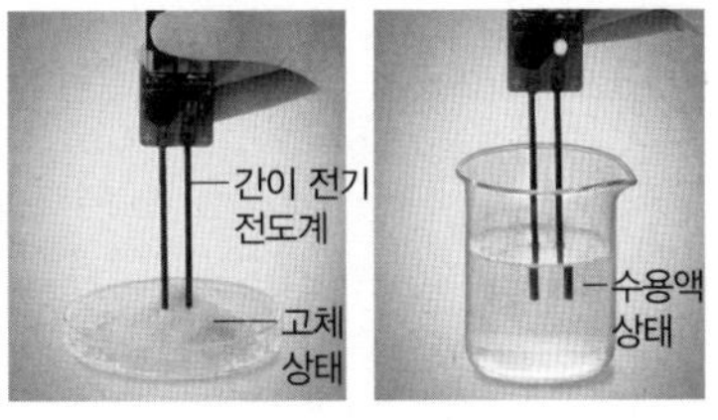

• 각 물질의 전기 전도성

구분		소금	설탕	포도당	염화 구리(Ⅱ)
전기 전도성	고체	없음	없음	없음	없음
	수용액	있음	없음	없음	있음

• 이온 결합 물질: 소금, 염화 구리(Ⅱ) ➔ 고체 상태에서는 전기 전도성이 없지만, 수용액 상태에서는 전기 전도성이 있기 때문이다.
• 공유 결합 물질: 설탕, 포도당 ➔ 고체 상태와 수용액 상태에서 모두 전기 전도성이 없기 때문이다.

기출 Tip A

이온 결합 물질과 공유 결합 물질의 상태에 따른 전기 전도성

상태	고체	액체 및 수용액
이온 결합 물질	없음	있음
공유 결합 물질	없음	없음

➔ 액체나 수용액 상태의 전기 전도성으로 이온 결합 물질과 공유 결합 물질을 구별할 수 있다.

B 지구 시스템과 생명 시스템을 구성하는 물질

규산염 광물	• 규산 이온(SiO_4^{4-})이 양이온과 결합하거나 다른 규산 이온과 산소를 공유하여 결합한 물질 • 지각을 구성한다.
질소(N_2)	• 대기의 약 78 %를 구성한다.
❽ □□(□)	• 대기의 약 21 %를 구성한다. • 광합성으로 생성되고, 생명체의 호흡에 이용된다.
물(H_2O)	• 사람 몸의 약 70 %를 구성한다. • 생명체에서 다양한 화학 반응이 일어나도록 돕는 역할을 한다.
이산화 탄소(CO_2)	• 생명체의 호흡으로 생성되고, 광합성에 이용된다.

• 지구 대기의 약 99 %는 공유 결합 물질로 이루어져 있다.

답 ❶ 중성 ❷ 높 ❸ 없 ❹ 있 ❺ 분자 ❻ 낮 ❼ 없 ❽ 산소, O_2

빈출 자료 보기

정답과 해설 25쪽

269 표는 물질 A와 B의 전기 전도성을 확인한 결과를 나타낸 것이다. A, B는 각각 소금과 설탕 중 하나이다.

구분	전기 전도성	
	고체	수용액
A	없음	없음
B	없음	있음

이에 대한 설명으로 옳은 것은 ○, 옳지 않은 것은 ×로 표시하시오.

(1) A는 비금속 원소의 원자들이 전자쌍을 공유하여 형성된 물질이다. ( )
(2) B는 수용액에서 이온으로 존재한다. ( )
(3) 일반적으로 A와 같은 화학 결합으로 이루어진 물질은 B와 같은 화학 결합으로 이루어진 물질보다 녹는점이 높다. ( )
(4) 에탄올, 뷰테인 등은 A와 같은 결합을 형성하고, 염화 칼슘, 수산화 나트륨 등은 B와 같은 결합을 형성한다. ( )
(5) 이 실험으로는 물질 A와 B의 화학 결합 종류를 구별할 수 없다. ( )

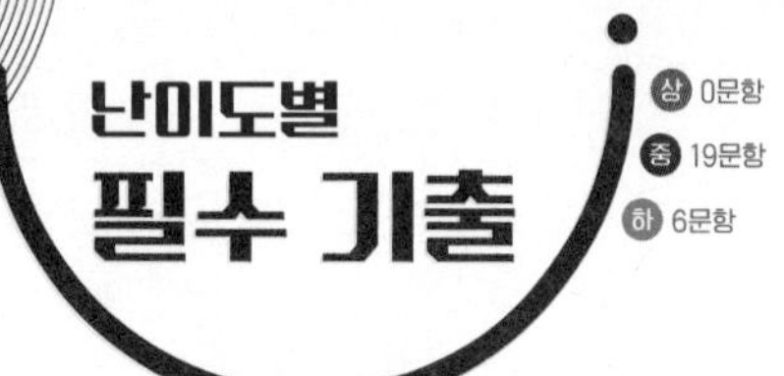

A 이온 결합 물질과 공유 결합 물질

이온 결합 물질

270 하 중 상

이온 결합 물질에 대한 설명으로 옳지 않은 것만을 모두 고르면? (2개)

① 전기적으로 중성이다.
② 고체 상태에서 전류가 흐른다.
③ 끓는점과 녹는점이 비교적 높다.
④ 외부에서 힘을 가하면 얇게 펴진다.
⑤ 염화 칼슘, 수산화 나트륨은 이온 결합 물질이다.

271 하 중 상

그림은 어떤 물질의 구조를 모형으로 나타낸 것이다. 이에 대한 설명으로 옳은 것만을 〈보기〉에서 있는 대로 고른 것은?

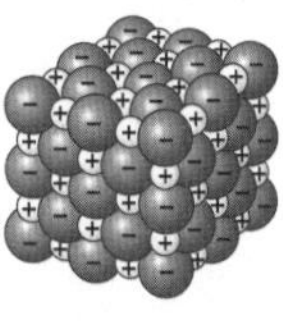

〈 보기 〉
ㄱ. 이온 결합 물질이다.
ㄴ. 실온에서 대부분 고체 상태이다.
ㄷ. 물에 녹으면 양이온과 음이온으로 나누어진다.

① ㄷ ② ㄱ, ㄴ ③ ㄱ, ㄷ
④ ㄴ, ㄷ ⑤ ㄱ, ㄴ, ㄷ

272 하 중 상 ••서술형

그림은 고체 상태의 이온 결합 물질에 외부 힘을 가했을 때 쪼개지는 과정을 나타낸 것이다.

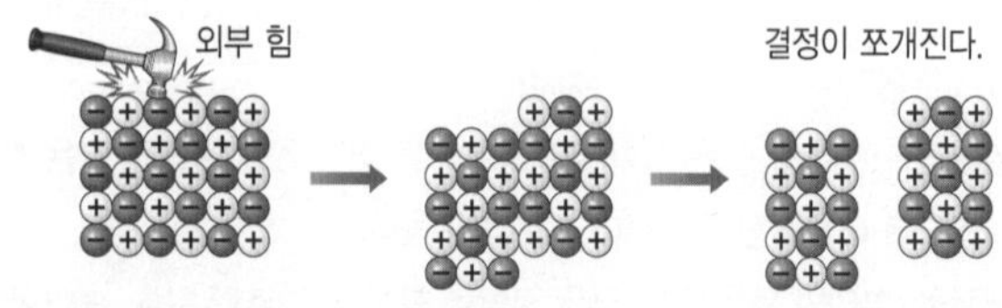

이와 같이 외부 힘을 가했을 때 이온 결합 물질이 쉽게 쪼개지는 까닭을 서술하시오.

빈출 **273** 하 중 상

그림 (가)는 고체 상태의 염화 나트륨(NaCl)을, (나)는 염화 나트륨을 물에 녹인 수용액을 모형으로 나타낸 것이다.

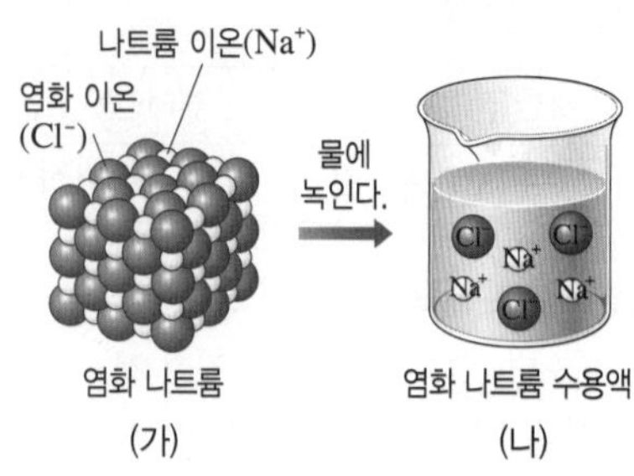

이에 대한 설명으로 옳은 것만을 〈보기〉에서 있는 대로 고른 것은?

〈 보기 〉
ㄱ. (가)에서 나트륨 이온(Na^+)과 염화 이온(Cl^-)은 정전기적 인력으로 결합하고 있다.
ㄴ. (가)는 일정한 수의 이온이 결합하여 독립적인 분자를 이룬다.
ㄷ. (나)는 전기 전도성이 있다.

① ㄷ ② ㄱ, ㄴ ③ ㄱ, ㄷ
④ ㄴ, ㄷ ⑤ ㄱ, ㄴ, ㄷ

274 하 중 상

그림은 고체 화합물 X의 온도에 따른 전기 전도도를 나타낸 것이다.

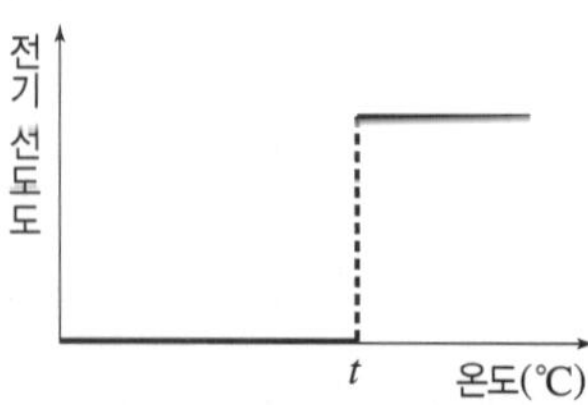

이에 대한 설명으로 옳은 것만을 〈보기〉에서 있는 대로 고른 것은?

〈 보기 〉
ㄱ. t ℃는 녹는점이다.
ㄴ. 수용액에서 이온 상태로 존재한다.
ㄷ. X에 해당하는 예로는 설탕($C_{12}H_{22}O_{11}$)이 있다.

① ㄷ ② ㄱ, ㄴ ③ ㄱ, ㄷ
④ ㄴ, ㄷ ⑤ ㄱ, ㄴ, ㄷ

275 하 중 상

대표문제 多 보기

그림은 A^{2+}과 B^-이 결합하여 생성된 화합물의 전자 배치를 모형으로 나타낸 것이다.

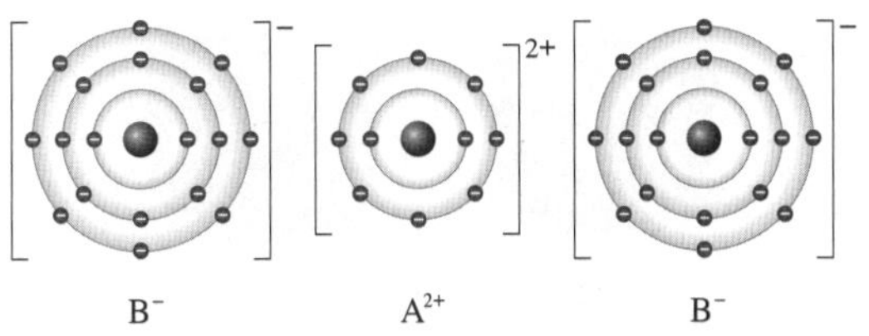

이에 대한 설명으로 옳지 않은 것은? (단, A, B는 임의의 원소 기호이다.)

① 원자 번호는 B가 A보다 크다.
② 원자가 전자 수는 B가 A보다 크다.
③ A는 금속 원소이고, B는 비금속 원소이다.
④ 화합물의 화학식은 AB_2이다.
⑤ 수많은 A^{2+}과 B^-이 연속적으로 결합하여 결정을 이룬다.
⑥ 이 화합물은 고체나 액체 상태에서 전기 전도성이 있다.

276 하 중 상

그림은 주기율표의 일부를 나타낸 것이다.

주기＼족	1	2	13	14	15	16	17	18
1	A							
2								B
3	C						D	

이에 대한 설명으로 옳은 것만을 〈보기〉에서 있는 대로 고른 것은? (단, A~D는 임의의 원소 기호이다.)

〈 보기 〉

ㄱ. A~D의 원자가 전자 수의 합은 17이다.
ㄴ. B와 C는 격렬하게 반응하여 화합물을 생성한다.
ㄷ. C와 D로 이루어진 물질은 수용액 상태에서 전류가 흐른다.

① ㄱ ② ㄴ ③ ㄷ
④ ㄱ, ㄷ ⑤ ㄴ, ㄷ

277 하 중 상

겨울철 도로의 눈을 제거하기 위해 사용하는 제설제인 염화 칼슘($CaCl_2$)에 대한 설명으로 옳지 않은 것은?

① 이온 결합 물질이다.
② 자동차와 도로를 부식시킨다.
③ 주변의 수분을 흡수하여 스스로 녹는 성질이 있다.
④ 제설제를 녹인 물은 어는점이 0 ℃보다 낮아진다.
⑤ 제설 속도는 느리지만 환경에 피해를 주지 않는다.

공유 결합 물질

278 하 중 상

다음 물질들의 공통점으로 옳은 것만을 〈보기〉에서 있는 대로 고른 것은?

설탕, 에탄올, 아스피린

〈 보기 〉

ㄱ. 공유 결합 물질이다.
ㄴ. 수용액 상태에서 전류가 흐른다.
ㄷ. 분자를 구성하는 원자의 종류가 같다.

① ㄷ ② ㄱ, ㄴ ③ ㄱ, ㄷ
④ ㄴ, ㄷ ⑤ ㄱ, ㄴ, ㄷ

279 하 중 상

••서술형

그림은 포도당($C_6H_{12}O_6$)이 수용액 상태에서 전류가 흐르는지 알아보기 위한 실험을 나타낸 것이다.

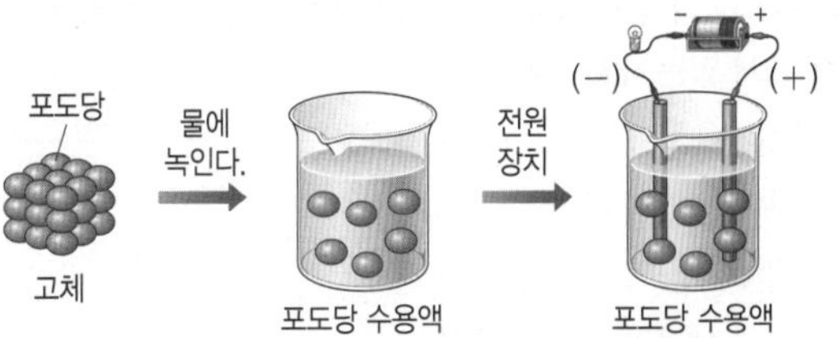

실험 결과 포도당 수용액에 전류가 흐르는지 흐르지 않는지 그 까닭과 함께 서술하시오.

280 하중상

그림은 원자 A와 B 사이의 화학 결합을 모형으로 나타낸 것이다.

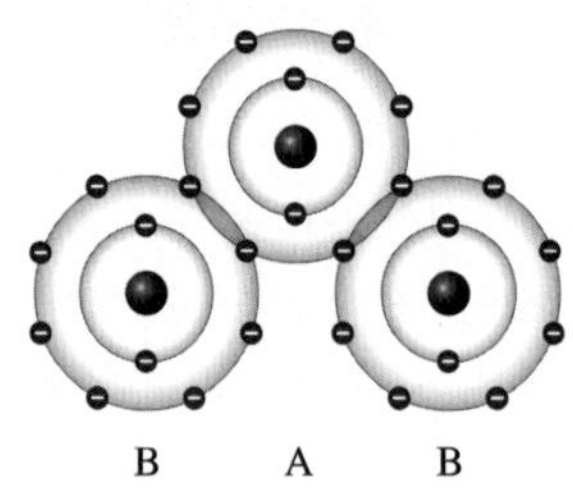

이에 대한 설명으로 옳은 것만을 〈보기〉에서 있는 대로 고른 것은? (단, A, B는 임의의 원소 기호이다.)

〈 보기 〉

ㄱ. A와 B는 같은 주기 원소이다.
ㄴ. A와 B는 공유 결합을 통해 아르곤과 같은 전자 배치를 이룬다.
ㄷ. 이 화합물의 화학식은 AB_2이다.
ㄹ. 이 화합물은 액체 상태에서 전기 전도성이 있다.

① ㄱ, ㄴ ② ㄱ, ㄷ ③ ㄴ, ㄷ
④ ㄴ, ㄹ ⑤ ㄷ, ㄹ

이온 결합 물질과 공유 결합 물질

281 하중상

다음 물질들을 이온 결합 물질과 공유 결합 물질로 분류하시오.

(가) 메테인(CH_4)	(나) 탄산 칼슘($CaCO_3$)
(다) 에탄올(C_2H_6O)	(라) 수산화 나트륨(NaOH)
(마) 포도당($C_6H_{12}O_6$)	(바) 탄산수소 나트륨($NaHCO_3$)

282 하중상

증류수(H_2O)와 염화 칼슘($CaCl_2$)의 공통적인 성질로 옳은 것만을 〈보기〉에서 있는 대로 고른 것은?

〈 보기 〉

ㄱ. 화학 결합의 종류
ㄴ. 액체 상태의 전기 전도성
ㄷ. 고체 상태의 전기 전도성

① ㄱ ② ㄴ ③ ㄷ
④ ㄱ, ㄷ ⑤ ㄴ, ㄷ

283 하중상

그림 (가)는 염화 나트륨(NaCl)을, (나)는 설탕($C_{12}H_{22}O_{11}$)을 모형으로 나타낸 것이다.

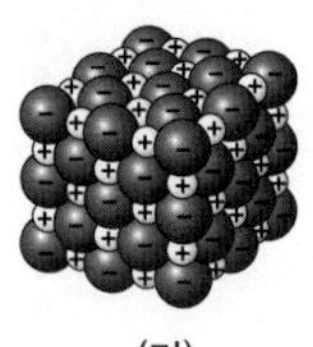
(가)

(나)

이에 대한 설명으로 옳은 것만을 〈보기〉에서 있는 대로 고른 것은?

〈 보기 〉

ㄱ. (가)는 고체 상태에서 전류가 흐른다.
ㄴ. (가)는 금속 원소와 비금속 원소의 결합으로 형성된다.
ㄷ. (나)는 수용액에서 이온으로 나누어진다.

① ㄱ ② ㄴ ③ ㄷ
④ ㄱ, ㄴ ⑤ ㄴ, ㄷ

284 하중상

표는 물질 A~C의 몇 가지 성질을 나타낸 것이다.

물질	녹는점(°C)	끓는점(°C)	전기 전도성	
			고체	액체
A	−182	−162	없음	없음
B	801	1413	없음	있음
C	−78	−33	없음	없음

이에 대한 설명으로 옳지 않은 것은? (단, A~C는 이온 결합 물질, 공유 결합 물질 중 하나이다.)

① A는 비금속 원소들로 이루어져 있다.
② B에 힘을 가하면 쉽게 부스러진다.
③ C는 양이온과 음이온의 정전기적 인력에 의해 형성된다.
④ B를 이루는 입자 사이의 인력은 C를 이루는 입자 사이의 인력보다 강하다.
⑤ 실온에서 A와 C는 기체 상태이고, B는 고체 상태이다.

285 하중상

그림은 물질 AB와 C_2의 전자 배치를 모형으로 나타낸 것이다.

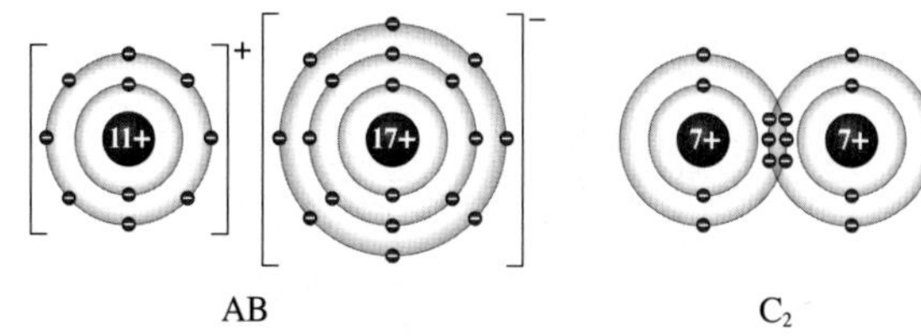

이에 대한 설명으로 옳은 것만을 〈보기〉에서 있는 대로 고른 것은? (단, A~C는 임의의 원소 기호이다.)

〈 보기 〉
ㄱ. A와 B는 서로 다른 주기의 원소이다.
ㄴ. AB는 수용액 상태에서 전기가 통한다.
ㄷ. C_2는 공유 결합 물질이다.

① ㄴ ② ㄱ, ㄴ ③ ㄱ, ㄷ
④ ㄴ, ㄷ ⑤ ㄱ, ㄴ, ㄷ

286 하중상

그림은 주기율표의 일부를 나타낸 것이고, 표는 화합물 (가)~(다)의 화학식을 나타낸 것이다.

주기 \ 족	1	2	13	14	15	16	17	18
1	A							
2				B		C	D	
3			E					

화합물	(가)	(나)	(다)
화학식	AD	BC_2	E_xC_y

이에 대한 설명으로 옳은 것만을 〈보기〉에서 있는 대로 고른 것은? (단, A~E는 임의의 원소 기호이다.)

〈 보기 〉
ㄱ. (가)와 (나)는 공유 결합 물질이다.
ㄴ. (나)는 (다)보다 끓는점이 높다.
ㄷ. (다)에서 x는 2, y는 3이다.

① ㄷ ② ㄱ, ㄴ ③ ㄱ, ㄷ
④ ㄴ, ㄷ ⑤ ㄱ, ㄴ, ㄷ

빈출 287 하중상

대표문제 多 보기

다음은 물질 A와 B의 전기 전도성을 알아보기 위한 실험 과정과 결과를 나타낸 것이다. A, B는 각각 염화 구리(Ⅱ)($CuCl_2$), 포도당($C_6H_{12}O_6$) 중 하나이다.

[실험 과정]
(가) 고체 상태의 A, B에 각각 간이 전기 전도계를 사용하여 전류가 흐르는지 확인한다.
(나) 고체 상태의 A, B를 각각 증류수에 녹인 후 간이 전기 전도계를 사용하여 전류가 흐르는지 확인한다.

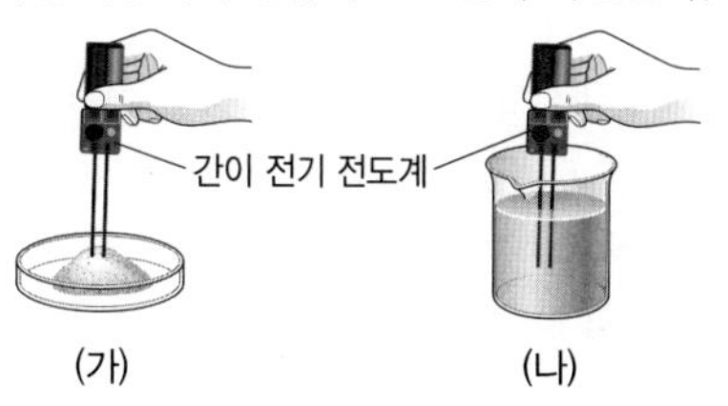

[실험 결과]

과정	전기 전도성	
	A	B
(가)	없음	없음
(나)	없음	있음

이에 대한 설명으로 옳지 않은 것은?

① A는 공유 결합 물질이다.
② B는 금속 원소를 포함한다.
③ A는 수용액 상태에서 분자로 존재한다.
④ B에 힘을 가하면 쉽게 쪼개진다.
⑤ B 수용액에는 전하를 띠는 입자가 존재한다.
⑥ B 수용액에서 전류가 흐르는 까닭은 이온들이 이동하기 때문이다.
⑦ 질산 칼륨은 A와 같은 실험 결과를 나타내는 화합물이다.
⑧ 고체 상태와 수용액 상태의 전기 전도성으로 이온 결합 물질과 공유 결합 물질을 구별할 수 있다.

288 하 중 상

다음은 몇 가지 물질을 이용한 실험 과정과 결과를 나타낸 것이다.

[실험 과정]

(가) 간이 전기 전도계를 이용하여 고체 상태의 수산화 나트륨, 설탕, 염화 구리(Ⅱ), 녹말에 전류가 흐르는지 확인한다.

(나) 과정 (가)의 고체 물질을 모두 물에 녹인 다음 간이 전기 전도계를 이용하여 각 수용액에서 전류가 흐르는지 확인한다.

[실험 결과]

물질		수산화 나트륨	설탕	염화 구리(Ⅱ)	녹말
전기 전도성	고체	㉠			
	수용액	있음	없음	있음	없음

이에 대한 설명으로 옳은 것만을 〈보기〉에서 있는 대로 고른 것은?

〈 보기 〉

ㄱ. ㉠에서 수산화 나트륨과 염화 구리(Ⅱ)는 '있음', 설탕과 녹말은 '없음'이 적절하다.

ㄴ. 설탕 수용액과 녹말 수용액에는 전하를 띠는 입자가 존재하지 않는다.

ㄷ. 염화 구리(Ⅱ) 수용액에 전원 장치를 연결하면 염화 이온은 (+)극 쪽으로, 구리 이온은 (−)극 쪽으로 이동한다.

① ㄷ ② ㄱ, ㄴ ③ ㄱ, ㄷ
④ ㄴ, ㄷ ⑤ ㄱ, ㄴ, ㄷ

289 하 중 상

그림은 고체 A와 B를 각각 물에 녹였을 때 생성되는 입자를 모형으로 나타낸 것이다. A, B는 염화 나트륨(NaCl)과 설탕($C_{12}H_{22}O_{11}$) 중 하나이다.

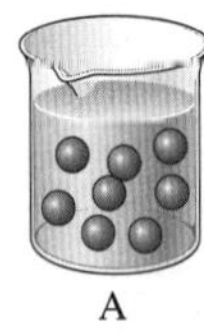
A

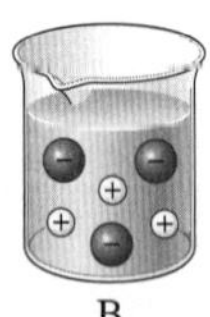
B

이에 대한 설명으로 옳은 것만을 〈보기〉에서 있는 대로 고른 것은?

〈 보기 〉

ㄱ. A는 비금속 원소의 원자 사이에서 결합이 형성된 물질이다.

ㄴ. B는 고체 상태에서 전기 전도성이 있다.

ㄷ. A와 B 수용액에 전원을 연결하면 모두 전류가 흐른다.

① ㄱ ② ㄴ ③ ㄷ
④ ㄱ, ㄴ ⑤ ㄴ, ㄷ

290 하 중 상

그림은 세 가지 물질을 주어진 기준에 따라 분류한 것이다.

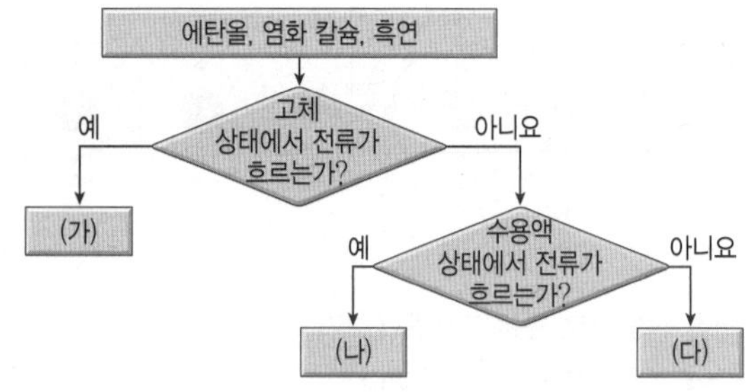

이에 대한 설명으로 옳은 것만을 〈보기〉에서 있는 대로 고른 것은?

〈 보기 〉

ㄱ. (가)와 (다)는 같은 종류의 화학 결합을 형성한다.

ㄴ. (나)는 이온 결합 물질이다.

ㄷ. (다)는 소독용 알코올의 주성분이다.

① ㄷ ② ㄱ, ㄴ ③ ㄱ, ㄷ
④ ㄴ, ㄷ ⑤ ㄱ, ㄴ, ㄷ

291 하 중 상

표는 실생활에서 사용하는 용품의 주성분 물질을 나타낸 것이다.

구분	용품	주성분 물질
(가)	제설제	$CaCl_2$
(나)	휴대용 버너의 연료	C_4H_{10}
(나)	제산제	$Mg(OH)_2$
(라)	아스피린	$C_9H_8O_4$

이에 대한 설명으로 옳은 것만을 〈보기〉에서 있는 대로 고른 것은?

〈 보기 〉

ㄱ. 양이온과 음이온이 연속적으로 결합하여 규칙적으로 배열되어 있는 물질은 세 가지이다.

ㄴ. 독립적인 분자 상태로 존재하는 물질은 두 가지이다.

ㄷ. (가)와 (다)의 수용액은 전기 전도성이 있다.

① ㄷ ② ㄱ, ㄴ ③ ㄱ, ㄷ
④ ㄴ, ㄷ ⑤ ㄱ, ㄴ, ㄷ

B 지구 시스템과 생명 시스템을 구성하는 물질

292 하중상

지구 시스템과 생명 시스템을 구성하는 물질에 대한 설명으로 옳은 것만을 〈보기〉에서 있는 대로 고른 것은?

〈 보기 〉

ㄱ. 규산염 광물은 지각을 구성한다.
ㄴ. 이산화 탄소는 생명체의 호흡으로 생성되고, 광합성에 이용된다.
ㄷ. 사람 몸의 약 70 %는 이온 결합 물질로 이루어져 있다.
ㄹ. 지구 대기의 약 99 %는 공유 결합 물질로 이루어져 있다.

① ㄱ, ㄴ ② ㄴ, ㄷ ③ ㄷ, ㄹ
④ ㄱ, ㄴ, ㄹ ⑤ ㄴ, ㄷ, ㄹ

293 하중상

그림은 지구 시스템과 생명 시스템을 구성하는 두 가지 물질의 전자 배치를 모형으로 나타낸 것이다.

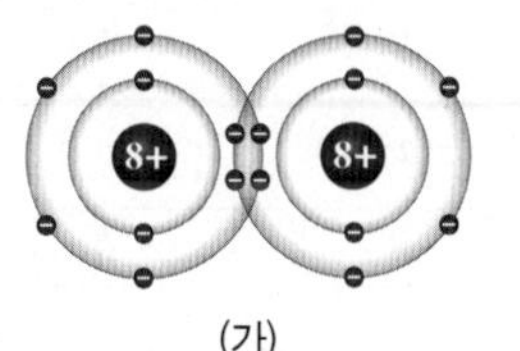

(가)

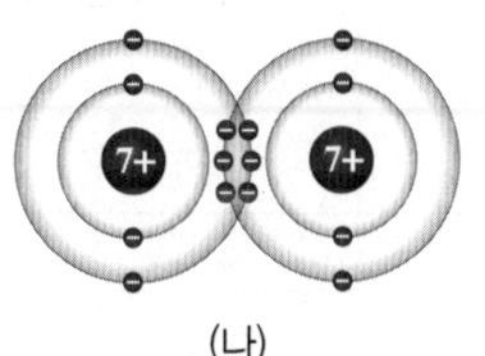

(나)

이에 대한 설명으로 옳은 것만을 〈보기〉에서 있는 대로 고른 것은?

〈 보기 〉

ㄱ. (가)는 생명체의 호흡에 이용된다.
ㄴ. (나)는 대기의 약 78 %를 차지한다.
ㄷ. 공유 전자쌍 수는 (가)가 (나)보다 크다.

① ㄷ ② ㄱ, ㄴ ③ ㄱ, ㄷ
④ ㄴ, ㄷ ⑤ ㄱ, ㄴ, ㄷ

294 하중상

다음은 원자 X에 대하여 설명한 것이다.

- X_2는 물질이 연소할 때 반드시 필요하다.
- X_2는 광합성으로 생성되고, 공유 결합 물질이다.
- 주기율표에서 2주기 16족에 위치한다.

X가 갖는 다음 물리량에 대해 크기가 큰 것부터 순서대로 옳게 나열한 것은? (단, X는 임의의 원소 기호이다.)

(가) 원자 번호
(나) 원자가 전자 수
(다) 안정한 이온이 될 때 얻거나 잃는 전자 수

① (가) – (나) – (다) ② (가) – (다) – (나)
③ (나) – (가) – (다) ④ (나) – (다) – (가)
⑤ (다) – (나) – (가)

295

다음은 주기율의 발견과 관련된 과학자들을 나타낸 것이다.

(가) 되베라이너	(나) 뉴랜즈
(다) 모즐리	(라) 멘델레예프

주기율의 발견 과정에 대한 설명으로 옳지 않은 것은?

① 학자들을 시대 순으로 나열하면 (나) – (가) – (라) – (다)이다.
② 되베라이너는 세 쌍 원소를 발견하였고, 뉴랜즈는 옥타브설을 주장하였다.
③ 모즐리는 원소들의 주기적인 성질이 양성자수와 관계가 있음을 알아내었다.
④ 멘델레예프는 발견되지 않은 원소에 대한 존재 가능성을 열어 두었다.
⑤ 1~20번까지의 원소 중 모즐리와 멘델레예프의 주기율표에서 순서가 바뀌는 원소는 Ar과 K이다.

296

그림은 가장 안정한 상태의 네 가지 원소를 어떤 기준에 따라 분류하는 과정을 나타낸 것이다.

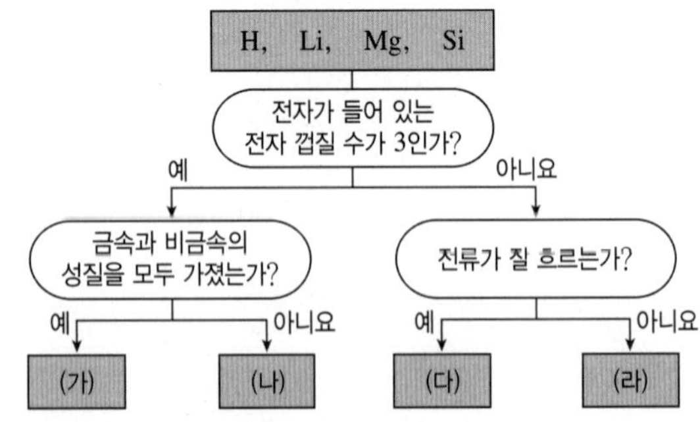

(가)~(라)에 해당하는 원소를 옳게 짝 지은 것은?

	(가)	(나)	(다)	(라)
①	H	Si	Mg	Li
②	Mg	H	Li	Si
③	Mg	Si	Li	H
④	Si	Mg	H	Li
⑤	Si	Mg	Li	H

297

그림은 어떤 원자를 모형으로 나타낸 것이다.

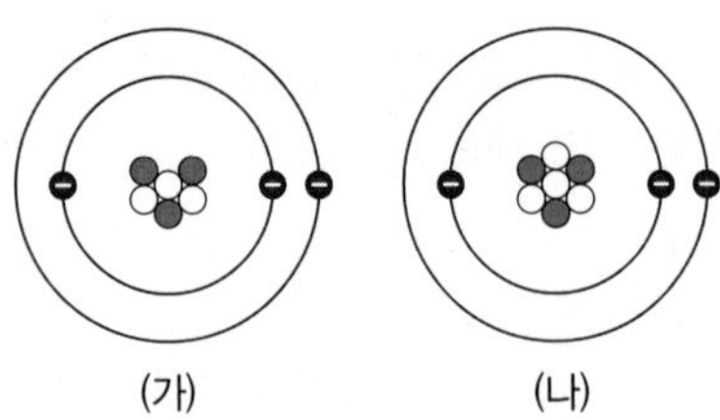

이에 대한 설명으로 옳은 것만을 〈보기〉에서 있는 대로 고른 것은?

〈 보기 〉
ㄱ. ○은 중성자이다.
ㄴ. 원자 번호는 ●에 의해 결정된다.
ㄷ. (가)와 (나)는 동위 원소 관계이다.

① ㄱ ② ㄴ ③ ㄱ, ㄷ
④ ㄴ, ㄷ ⑤ ㄱ, ㄴ, ㄷ

298

표는 원자 X, Y와 안정한 이온인 Z^-에 대한 자료를 나타낸 것이다. X~Z는 2주기 원소이고, (가)~(다)는 양성자수, 중성자수, 전자 수 중 하나이다.

구분	X	Y	Z^-
(가)	a	7	$b+1$
(나)	5	$\frac{1}{2}(a+b)$	b
(다)	$a+1$	8	$b+1$

이에 대한 설명으로 옳은 것만을 〈보기〉에서 있는 대로 고른 것은? (단, X~Z는 임의의 원소 기호이다.)

〈 보기 〉
ㄱ. (가)는 전자 수이다.
ㄴ. X~Z에서 중성자수는 Y가 가장 크다.
ㄷ. X의 양성자수와 중성자수를 더한 값은 11이다.

① ㄱ ② ㄴ ③ ㄱ, ㄷ
④ ㄴ, ㄷ ⑤ ㄱ, ㄴ, ㄷ

299

다음은 가장 안정한 상태의 3주기 원자 A와 B에 대한 자료이다.

- A의 경우 $2<\dfrac{\text{두 번째 전자 껍질의 전자 수}}{\text{세 번째 전자 껍질의 전자 수}}<4$이다.
- B의 $\dfrac{\text{원자가 전자 수}}{\text{전체 전자 수}}$는 리튬과 같다.

A와 B의 원자가 전자 수를 더한 값은? (단, A, B는 임의의 원소 기호이다.)

① 4　　② 6　　③ 7
④ 8　　⑤ 10

300

그림은 탄소(C), 수소(H), 산소(O) 원자 사이의 결합을 나타낸 것이다.

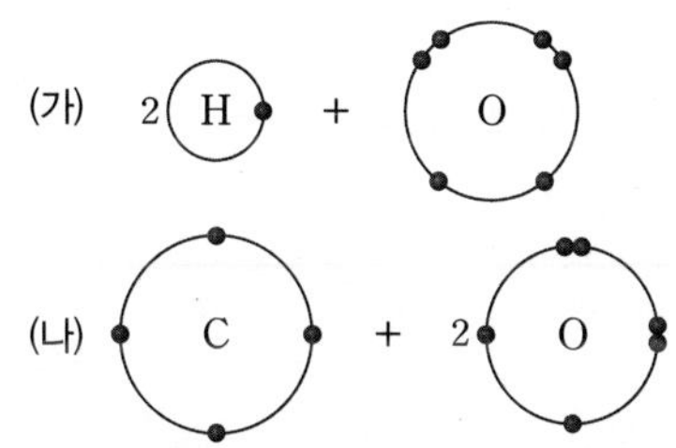

이 결합으로 형성되는 (가), (나)의 화합물에 대한 설명으로 옳은 것만을 〈보기〉에서 있는 대로 고른 것은?

〈 보기 〉
ㄱ. (가)와 (나)는 공유 전자쌍 수가 같다.
ㄴ. (나)에는 비공유 전자쌍이 없다.
ㄷ. (가)에는 단일 결합, (나)에는 2중 결합이 있다.

① ㄱ　　② ㄷ　　③ ㄱ, ㄴ
④ ㄴ, ㄷ　　⑤ ㄱ, ㄴ, ㄷ

301

표는 원자 A~D로 구성된 안정한 화합물 (가)~(라)에 대한 자료이다. A~D는 각각 산소(O), 플루오린(F), 나트륨(Na), 마그네슘(Mg) 중 하나이다.

화합물	(가)	(나)	(다)	(라)
화학식의 구성 원자 수	2	3	3	3
원자 수비	B A	C A	C B	D A

이에 대한 설명으로 옳은 것만을 〈보기〉에서 있는 대로 고른 것은?

〈 보기 〉
ㄱ. B는 산소이다.
ㄴ. (가)~(라) 중 이온 결합 물질은 세 가지이다.
ㄷ. C와 D는 1 : 1의 원자 수비로 결합하여 안정한 화합물을 형성한다.

① ㄱ　　② ㄴ　　③ ㄱ, ㄴ
④ ㄱ, ㄷ　　⑤ ㄴ, ㄷ

302

그림은 우주와 지구를 구성하는 원소의 질량비를 나타낸 것이다.

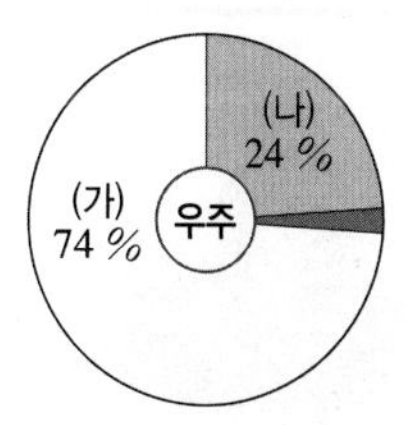

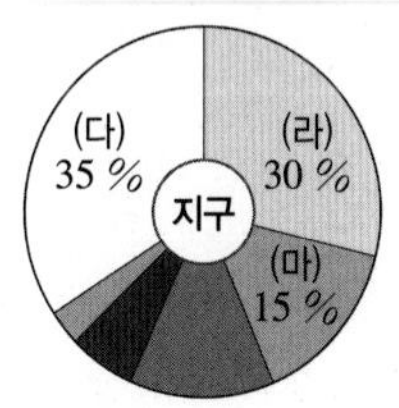

이에 대한 설명으로 옳은 것은?

① (가)는 비활성 기체이다.
② (나)는 1주기 1족 원소이다.
③ (다)는 비금속 원소이다.
④ (라)는 지구 대기 성분 중 가장 많은 비율을 차지한다.
⑤ (마)는 원자가 전자 수가 4이다.

지각과 생명체 구성 물질의 결합 규칙성

Ⓐ 지각과 생명체의 구성 물질

생명체의 구성 물질: 물 > 단백질 > 지질 > 핵산 > 탄수화물 등 (단백질~탄수화물: 탄소 화합물)

구분	지각	생명체
주요 구성 물질	• 지각은 암석으로, 암석은 광물로, 광물은 원소의 화학 결합으로 이루어져 있다. • 광물의 약 92 %는 ❶ □□□ □□ 이다.	• 생명체는 물과 소량의 무기물을 제외하면 유기물로 구성된다. • 유기물은 탄소를 기본 골격으로 하는 ❷ □□□□□ 이다.
주요 구성 원소	질량비: 산소 > ❸ □□ > 기타	질량비: 산소 > ❹ □□ > 기타
	지각과 생명체를 구성하는 원소 중 산소가 가장 많은 까닭: 산소는 반응성이 커서 다른 원소와 쉽게 결합하기 때문	

기출 Tip Ⓐ

지각과 생명체의 구성 물질 비교

구분	지각	생명체
주요 구성 물질	규산염 광물	탄소 화합물
가장 많은 양의 원소	산소	산소

지각과 생명체의 구성 원소의 기원

• 수소와 헬륨은 대부분 빅뱅 우주 탄생 초기에 만들어졌고, 산소는 빅뱅 직후가 아닌 수소와 헬륨이 만들어진 후에 생성되었다.
• 헬륨~철은 별 내부의 핵융합 반응으로 만들어진다.

우주와 지구의 주요 구성 원소

• 우주: 수소 > 헬륨 > 기타
• 지구: 철 > 산소 > 규소 > 마그네슘 > 니켈 > 기타
– 지각: 산소 > 규소 > 알루미늄 > 철 등
– 생명체(사람): 산소 > 탄소 > 수소 > 질소 등
– 해양: 산소 > 수소 > 염소 등
– 대기: 질소 > 산소 > 아르곤 등

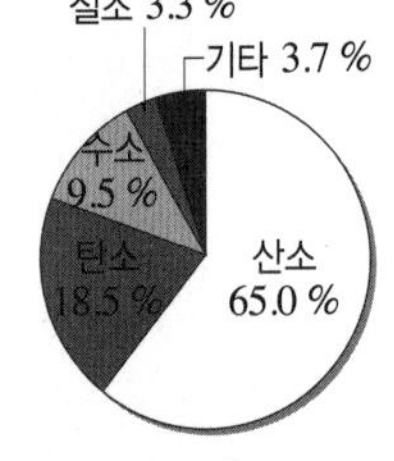

▲ 지각 ▲ 사람

지구에 철의 함량이 많으나 지각에 철의 함량이 적은 까닭은 마그마 바다 시기에 철과 같은 무거운 원소는 지구 중심 쪽으로 가라앉았기 때문이다.

지각의 8대 구성 원소: 산소, 규소, 알루미늄, 철, 칼슘, 나트륨, 칼륨, 마그네슘

Ⓑ 지각과 생명체 구성 물질의 결합 규칙성

기출 Tip Ⓑ-1

석영과 장석
• 석영: 규산염 사면체의 모든 산소를 공유하여 산소와 규소로만 이루어져 있다.
• 장석: 규산염 사면체의 규소 일부를 대신하여 알루미늄 등의 양이온이 결합하여 이루어져 있다.

1 규산염 광물 규소와 산소로 이루어진 규산염 사면체를 기본 구조로 하여 여러 원소들이 화학적으로 결합하여 만들어진 광물

① 규소(Si): 원자가 전자가 ❺ □개로, 최대 4개의 원자와 결합이 가능하다. → 원자 번호 14, 3주기 14족 원소

② 규산염(Si－O) 사면체: 규소(Si) 1개와 산소(O) 4개가 ❻ □□ 결합하여 사면체를 이루고, 전기적으로 음전하를 띤다. → SiO_4^{4-}

③ 결합 구조: 규산염 사면체가 양이온과 결합하거나 다른 규산염 사면체와 산소를 공유하여 결합하며 다양한 구조를 이룬다.

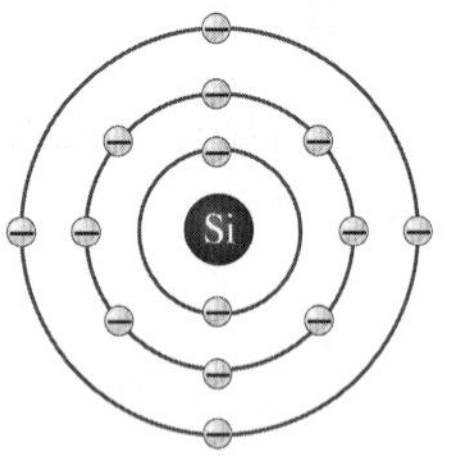

▲ 규소의 전자 배치

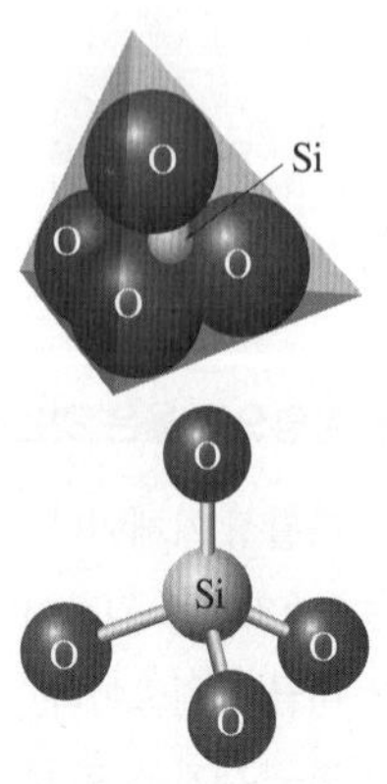

▲ 규산염 사면체의 모형

결합 구조	독립형	단사슬	복사슬	❼ □□	망상
모습	· Si 원자 ◎ O 원자				규산염 사면체가 산소 4개를 모두 공유
특징	독립적	단일 사슬	단사슬 2개	평면 구조	입체 구조
예	감람석	휘석	각섬석	흑운모	석영, 장석
사면체에서 공유 산소	0개	2개	2~3개	3개	4개
Si : O	1 : 4	1 : 3	4 : 11	2 : 5	1 : 2

▲ 규산염 광물의 결합 구조

공유하는 산소가 많아질수록 복잡한 구조를 이루고 풍화에 강하다. 따라서 공유하는 산소 원자 수가 많을수록 결합을 끊는 데 필요한 에너지가 크다.

④ 대표적인 규산염 광물의 특성

규산염 사면체 사이의 결합이 복잡해질수록 풍화에 강하다.

구분	감람석	휘석	각섬석	흑운모	석영	장석
결합 구조	독립형	단사슬	복사슬	판상	❽ □□	
풍화(안정도)	풍화에 약하다.(낮다.) ◀				▶ 풍화에 강하다.(높다.)	
쪼개짐, 깨짐	깨짐	쪼개짐(2방향)	쪼개짐(2방향)	쪼개짐(1방향)	깨짐	쪼개짐(2방향)
결정형	짧은 기둥	짧은 기둥	긴 기둥	얇은 판	육각기둥	두꺼운 판

2 탄소 화합물 탄소로 이루어진 기본 골격에 수소, 산소, 질소, 황, 인 등 여러 원소가 결합하여 이루어진 물질로, 생명체를 구성하고, 에너지원으로도 사용된다. 예 탄수화물, 단백질, 지질, 핵산 등

① 탄소: 원자가 전자가 ❾ □개로, 최대 4개의 원자와 공유 결합이 가능하다. → 원자 번호 6, 2주기 14족 원소

예 메테인(CH_4): 탄소 1개와 수소 4개가 공유 결합하여 이루어진 탄소 화합물

② 탄소가 생명체에서 중요한 역할을 하는 까닭: 탄소는 탄소끼리 연속적으로 결합할 수 있고, 탄소 결합 사이로 다른 종류의 원자를 받아들일 수 있어서 생명체를 구성하는 복잡한 분자를 만드는 데 유리하기 때문이다.

③ 탄소 화합물의 결합 방식: 탄소끼리 ❿ □□ 결합하여 다양한 모양의 구조를 이루며, 단일 결합, 2중 결합, 3중 결합이 가능하다. → 탄소의 원자가 전자 수는 결합 방식이 변해도 변함없다.

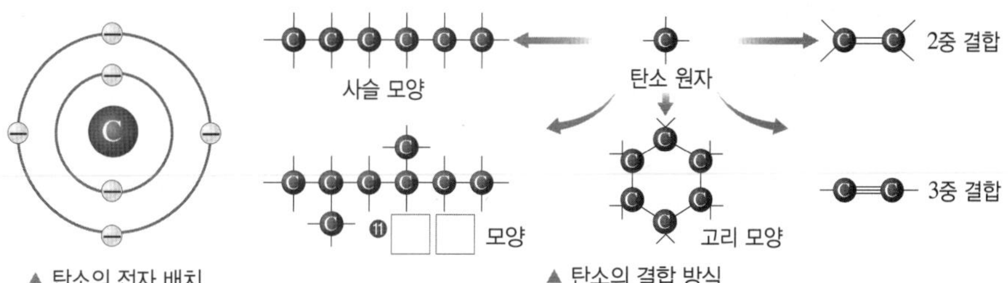

▲ 탄소의 전자 배치

▲ 탄소의 결합 방식

기출 Tip Ⓑ-2

규소와 탄소의 화학적 구조와 성질의 공통점

- 원자가 전자 수가 4이다.
- 최대 4개의 다른 원자와 결합할 수 있다.
- 같은 족 원소이다.

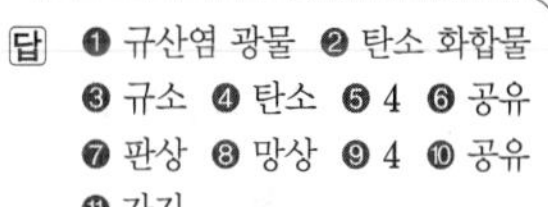
답 ❶ 규산염 광물 ❷ 탄소 화합물 ❸ 규소 ❹ 탄소 ❺ 4 ❻ 공유 ❼ 판상 ❽ 망상 ❾ 4 ❿ 공유 ⓫ 가지

빈출 자료 보기

정답과 해설 29쪽

303 그림은 지각과 사람을 구성하는 원소의 질량비를 나타낸 것이다.

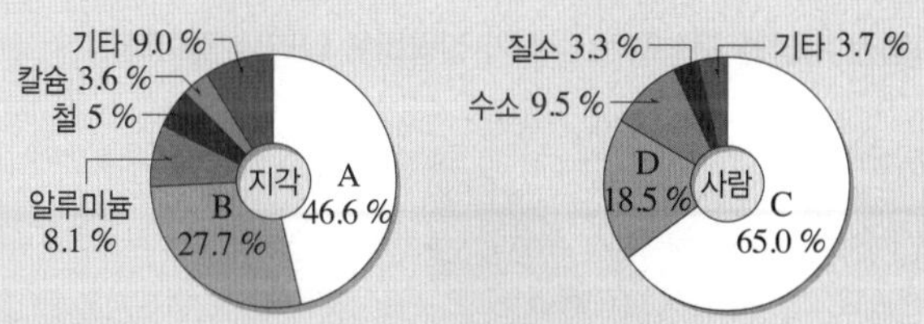

이에 대한 설명으로 옳은 것은 ○, 옳지 않은 것은 ×로 표시하시오.

(1) A는 산소, B는 질소이다. ( )

(2) C는 산소, D는 탄소이다. ( )

(3) A는 다른 원소와 쉽게 결합하는 성질이 있다. ( )

(4) B는 원자가 전자 수가 4이다. ( )

(5) C는 우주에 가장 많이 분포하는 원소이다. ( )

(6) D는 연속적으로 결합하여 복잡한 탄소 화합물을 만든다. ( )

(7) D는 질량이 태양 정도인 별의 내부에서 만들어질 수 있다. ( )

(8) B는 질량이 태양보다 10배 이상 큰 별의 내부에서 만들어질 수 있다. ( )

304 그림 (가)~(마)는 규산염 광물의 결합 구조를 나타낸 것이다.

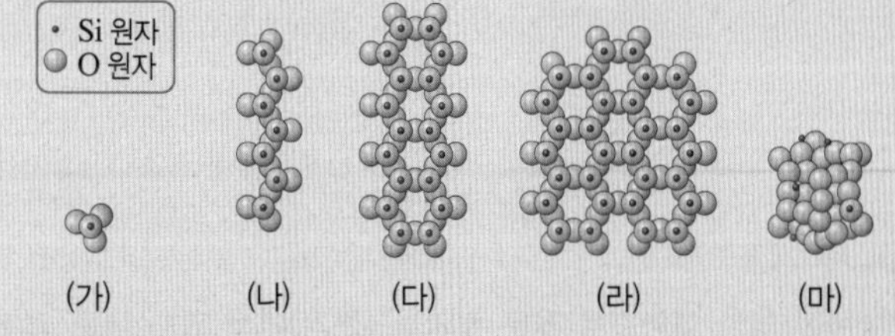

이에 대한 설명으로 옳은 것은 ○, 옳지 않은 것은 ×로 표시하시오.

(1) (가)는 단사슬 구조이다. ( )

(2) (나)는 감람석에서 볼 수 있는 결합 구조이다. ( )

(3) (다)는 (라)보다 풍화에 강하다. ( )

(4) (라)는 (마)보다 규산염 사면체 간에 공유하는 산소의 수가 많다. ( )

(5) (마)에서 규소와 산소의 개수비는 1 : 4이다. ( )

(6) (라)의 광물에 힘을 가하면 얇게 판상으로 쪼개진다. ( )

(7) 석영은 (마)의 결합 구조이며, 힘을 가하면 깨지는 성질이 있다. ( )

A 지각과 생명체의 구성 물질

305 하중상

지각과 생명체를 구성하는 원소를 질량비가 큰 것부터 옳게 나열한 것은?

	지각	생명체
①	산소>규소>철>알루미늄	산소>탄소>수소>질소
②	산소>규소>알루미늄>철	수소>산소>탄소>질소
③	산소>규소>알루미늄>철	산소>탄소>수소>질소
④	규소>산소>철>알루미늄	수소>산소>탄소>질소
⑤	규소>산소>철>알루미늄	산소>탄소>질소>수소

306 하중상

지각에 대한 설명으로 옳은 것만을 〈보기〉에서 있는 대로 고른 것은?

〈 보기 〉
ㄱ. 지각은 암석으로 이루어져 있다.
ㄴ. 지각을 구성하는 광물의 약 92 %는 비규산염 광물이다.
ㄷ. 규산염 광물은 산소와 규소를 주성분으로 한다.
ㄹ. 지각에 철의 함량이 적은 까닭은 자원 개발 때문이다.

① ㄱ, ㄴ ② ㄱ, ㄷ ③ ㄴ, ㄹ
④ ㄱ, ㄷ, ㄹ ⑤ ㄴ, ㄷ, ㄹ

307 하중상

생명체에 대한 설명으로 옳은 것만을 〈보기〉에서 있는 대로 고른 것은?

〈 보기 〉
ㄱ. 생명체는 물과 소량의 무기물을 제외하면 유기물로 구성된다.
ㄴ. 유기물은 탄소를 기본 골격으로 한다.
ㄷ. 생명체를 구성하는 원소 중 탄소가 가장 많은 양을 차지한다.

① ㄱ ② ㄷ ③ ㄱ, ㄴ
④ ㄴ, ㄷ ⑤ ㄱ, ㄴ, ㄷ

빈출

308 하중상

대표문제 多 보기

그림은 지각을 구성하는 원소의 질량비를 나타낸 것이다.

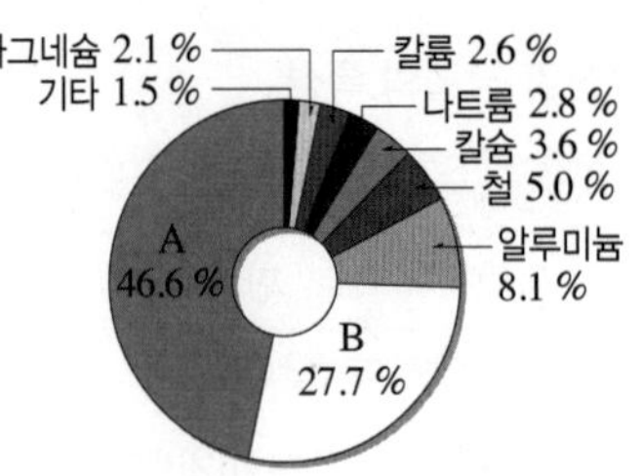

이에 대한 설명으로 옳은 것만을 모두 고르면?(3개)

① A의 원자가 전자 수는 4이다.
② A는 다른 원소들과 쉽게 결합하는 특성이 있다.
③ B는 탄소로, 4개의 원자가 전자를 갖는다.
④ B는 최대 4개의 원자와 공유 결합을 형성할 수 있으며, 반도체의 주원료로 사용된다.
⑤ B는 산소와 공유 결합을 하여 규산염 사면체를 이룬다.
⑥ 지각은 빅뱅으로 만들어진 수소와 헬륨, 별의 중심부에서 만들어진 원소로만 이루어져 있다.
⑦ 지구 전체를 구성하는 원소의 질량비는 지각을 구성하는 원소의 질량비와 같다.

309 하중상

그림은 사람을 구성하는 원소의 질량비를 나타낸 것이다.

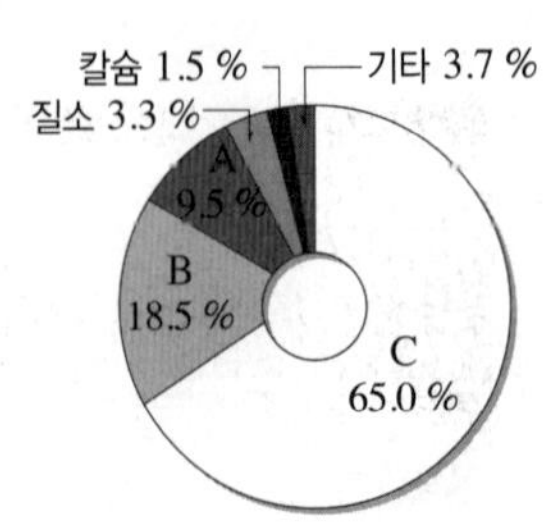

이에 대한 설명으로 옳은 것만을 〈보기〉에서 있는 대로 고른 것은?

〈 보기 〉
ㄱ. A는 B보다 다양한 방법으로 결합한다.
ㄴ. C는 지각에서 규소와 결합하여 규산염 광물을 이룬다.
ㄷ. A, B, C는 탄수화물을 구성하는 물질이다.

① ㄱ ② ㄴ ③ ㄱ, ㄷ
④ ㄴ, ㄷ ⑤ ㄱ, ㄴ, ㄷ

빈출

310 하 중 상

지각과 생명체를 구성하는 물질에 대한 설명으로 옳은 것은?

① 지각을 구성하는 원소는 탄소가 가장 많고, 생명체를 구성하는 원소는 규소가 가장 많다.
② 산소는 다른 원소들과 쉽게 결합할 수 있으므로 지각과 생명체에 공통적으로 많이 들어 있다.
③ 지각은 탄소 화합물이 대부분을 차지한다.
④ 탄소는 원자가 전자 수가 3으로 다양한 원소와 결합할 수 있다.
⑤ 우리 몸에서 가장 많은 비율을 차지하는 물질은 단백질이다.

빈출

311 하 중 상

••서술형

그림은 지각과 사람을 구성하는 원소의 질량비를 나타낸 것이다.

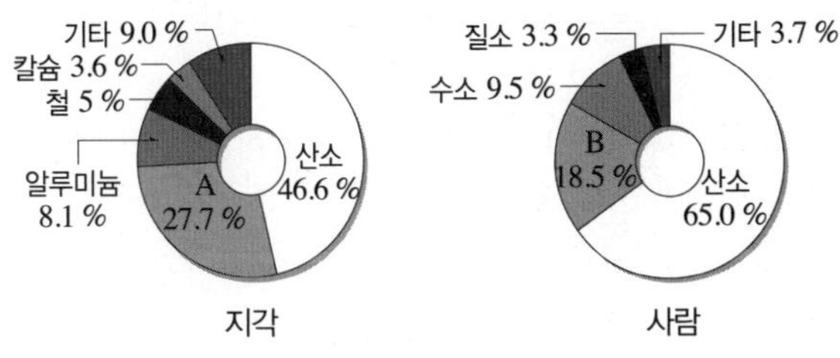

(1) A와 B에 해당하는 원소의 이름을 각각 쓰시오.

(2) 지각과 사람을 구성하는 원소 중 산소가 가장 높은 비율을 차지하는 까닭을 서술하시오.

빈출

312 하 중 상

대표문제 多 보기

그림 (가)와 (나)는 지각과 사람을 구성하는 원소의 질량비를 순서 없이 나타낸 것이다.

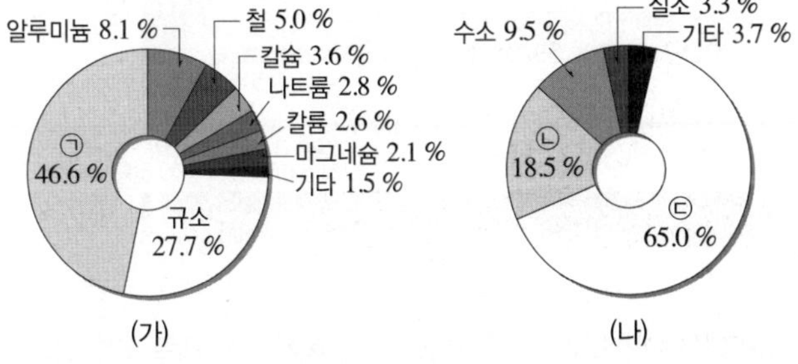

이에 대한 설명으로 옳은 것만을 <보기>에서 있는 대로 고른 것은?

〈 보기 〉
ㄱ. (가)는 지각, (나)는 사람의 주요 구성 원소이다.
ㄴ. ㉠과 ㉢은 동일한 원소이다.
ㄷ. ㉡은 수소와 이온 결합을 하여 고분자 물질을 형성한다.

① ㄱ ② ㄷ ③ ㄱ, ㄴ
④ ㄱ, ㄷ ⑤ ㄴ, ㄷ

313 하 중 상

그림 (가)와 (나)는 각각 사람과 지각을 구성하는 원소 중 질량비가 높은 세 가지 원소만을 나타낸 것이다.

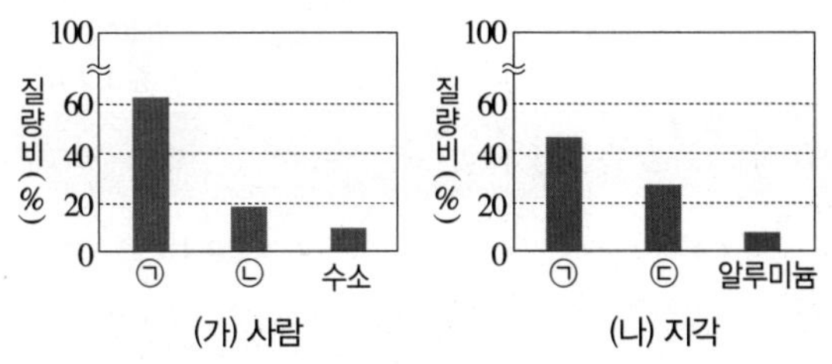

이에 대한 설명으로 옳은 것만을 <보기>에서 있는 대로 고른 것은?

〈 보기 〉
ㄱ. ㉠은 대기에도 가장 많은 원소이다.
ㄴ. ㉠은 대부분 빅뱅 직후에 만들어졌다.
ㄷ. ㉡과 ㉢은 모두 최대 4개의 원자와 공유 결합이 가능하다.

① ㄱ ② ㄷ ③ ㄱ, ㄴ
④ ㄴ, ㄷ ⑤ ㄱ, ㄴ, ㄷ

314 하 중 상

그림 (가)와 (나)는 각각 우주와 지각을 구성하는 원소의 질량비를 나타낸 것이다.

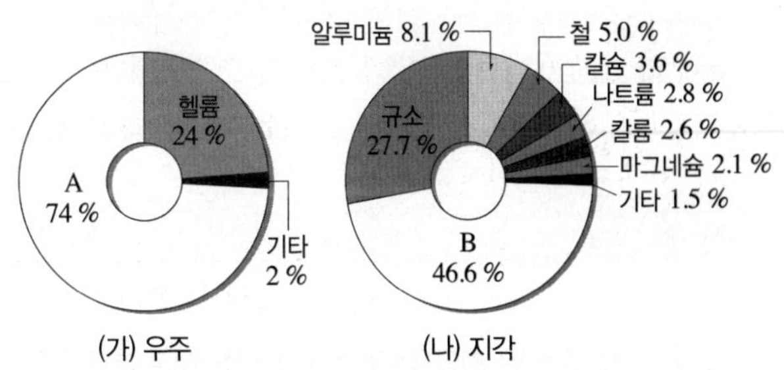

이에 대한 설명으로 옳은 것만을 <보기>에서 있는 대로 고른 것은?

〈 보기 〉
ㄱ. A는 수소이다.
ㄴ. B는 지구 전체에서 가장 높은 비율을 차지하는 원소이다.
ㄷ. A와 B는 빅뱅 우주 탄생 초기에 만들어졌다.

① ㄱ ② ㄷ ③ ㄱ, ㄴ
④ ㄴ, ㄷ ⑤ ㄱ, ㄴ, ㄷ

315 하 중 상

그림 (가)와 (나)는 각각 지구와 지각을 구성하는 주요 원소의 질량비를 나타낸 것이다.

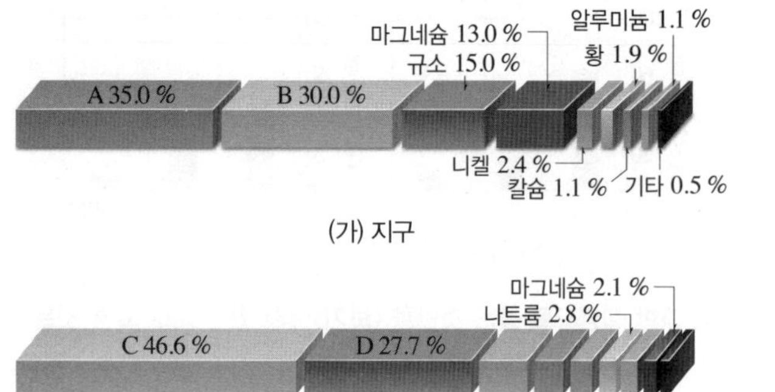

이에 대한 설명으로 옳은 것은?

① A와 B는 금속 원소이다.
② A와 C는 같은 원소이다.
③ A는 지구 중심에 많이 존재한다.
④ D는 질량이 태양 정도인 별의 내부에서 생성된다.
⑤ 지구와 지각을 구성하는 원소의 비율이 다른 까닭은 지구 중심에서 핵융합 반응이 일어났기 때문이다.

316 하 중 상

그림 (가)와 (나)는 대기와 사람을 구성하는 원소의 질량비를 순서 없이 나타낸 것이다. A~C는 각각 산소, 질소, 탄소 중 하나이다.

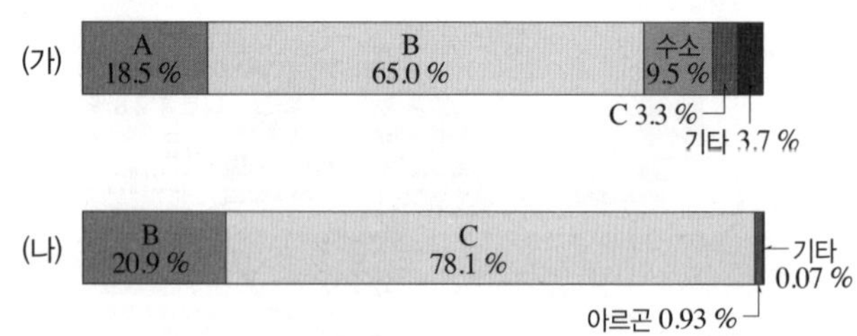

이에 대한 설명으로 옳은 것만을 〈보기〉에서 있는 대로 고른 것은?

〈 보기 〉
ㄱ. (가)는 대기를 구성하는 원소의 질량비이다.
ㄴ. A는 탄소이다.
ㄷ. B는 지각을 구성하는 원소 중 가장 높은 비율을 차지한다.
ㄹ. C는 우주에서 수소 다음으로 많이 발견되는 원소이다.

① ㄱ, ㄴ ② ㄱ, ㄷ ③ ㄴ, ㄷ
④ ㄴ, ㄹ ⑤ ㄷ, ㄹ

317 하 중 상

표 (가)와 (나)는 지각과 사람을 구성하는 원소의 질량비를 순서 없이 나타낸 것이다.

(가)

원소	질량비(%)
㉠	46.6
철	5.0
알루미늄	8.1
㉢	27.7
칼슘	3.6
나트륨	2.8
칼륨	2.6
마그네슘	2.1
기타	1.5

(나)

원소	질량비(%)
수소	9.5
㉡	65.0
㉣	18.5
질소	3.3
칼슘	1.5
인	1.0
칼륨	0.4
황	0.3
기타	0.5

이에 대한 설명으로 옳은 것만을 〈보기〉에서 있는 대로 고른 것은?

〈 보기 〉
ㄱ. ㉠은 규소, ㉡은 탄소이다.
ㄴ. ㉠은 ㉢과 결합하여 규산염 사면체를 이룬다.
ㄷ. ㉢과 ㉣은 같은 주기의 원소이다.
ㄹ. ㉠~㉣은 모두 별의 내부에서 핵융합 반응으로 생성된다.

① ㄱ, ㄷ ② ㄱ, ㄹ ③ ㄴ, ㄹ
④ ㄱ, ㄴ, ㄷ ⑤ ㄴ, ㄷ, ㄹ

318 하 중 상

그림 (가)~(다)는 지각, 해양, 사람을 구성하는 원소의 질량비를 순서 없이 나타낸 것이다.

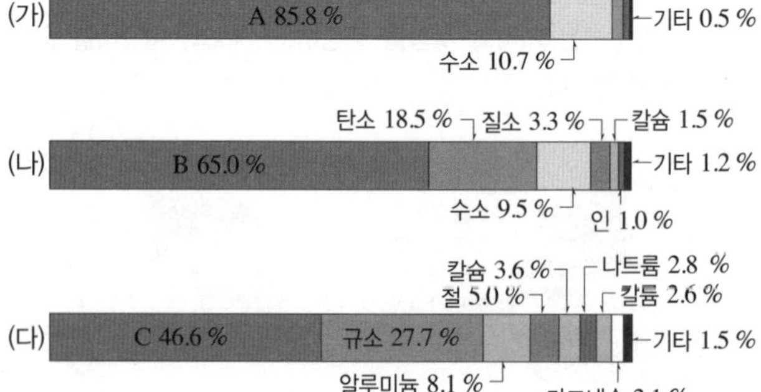

이에 대한 설명으로 옳은 것만을 〈보기〉에서 있는 대로 고른 것은?

〈 보기 〉
ㄱ. (가)는 해양을 구성하는 원소의 질량비이다.
ㄴ. A, B, C는 모두 산소이다.
ㄷ. 탄소 화합물은 (나)의 약 70 %를 구성한다.
ㄹ. (다)에서 C는 규소와 결합하여 화합물로 존재한다.

① ㄱ, ㄷ ② ㄱ, ㄹ ③ ㄴ, ㄷ
④ ㄱ, ㄴ, ㄹ ⑤ ㄴ, ㄷ, ㄹ

B 지각과 생명체 구성 물질의 결합 규칙성

규산염 광물

319 하 중 상

규산염 광물에 대한 설명으로 옳지 않은 것은?

① 지각을 이루는 광물의 대부분을 차지한다.
② Si-O 사면체를 기본 골격으로 하여 구조를 이룬다.
③ Si-O 사면체는 4개의 규소와 1개의 산소로 이루어져 있다.
④ Si-O 사면체에서 규소는 산소와 공유 결합으로 연결되어 있다.
⑤ Si-O 사면체끼리는 산소 원자를 공유하는 형태로 결합한다.

320 하 중 상 　　대표문제 多 보기

그림은 규산염 사면체 구조를 나타낸 것이다.

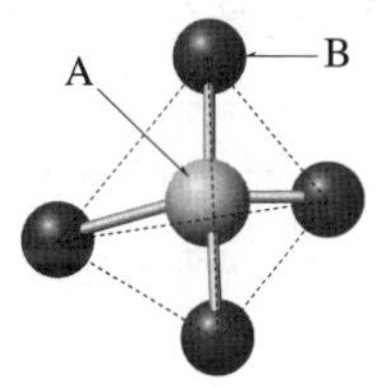

이에 대한 설명으로 옳은 것만을 모두 고르면?(2개)

① A는 산소이다.
② A는 원자가 전자 수가 4이다.
③ A와 B는 이온 결합하고 있다.
④ A는 지각에 가장 많은 원소이다.
⑤ 규산염 사면체 간에 B가 공유되어 다양한 규산염 광물이 만들어진다.
⑥ 규산염 사면체는 전기적으로 양전하를 띠므로 인접해 있는 음이온과 결합할 수 있다.

321 하 중 상

그림은 지각을 구성하는 어떤 원자의 전자 배치를 나타낸 것이다. 이에 대한 설명으로 옳은 것만을 〈보기〉에서 있는 대로 고른 것은?

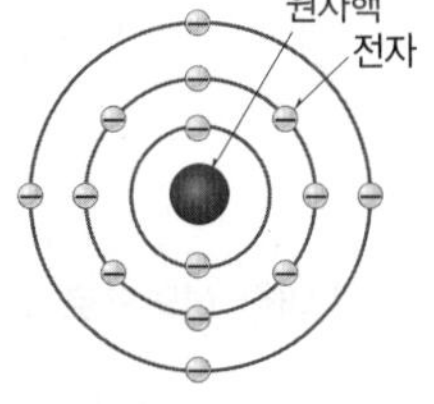

〈 보기 〉
ㄱ. 원자 번호는 14이다.
ㄴ. 지각을 이루는 원소 중 가장 많은 질량비를 차지한다.
ㄷ. 원자가 전자 수는 14이다.

① ㄱ 　② ㄷ 　③ ㄱ, ㄴ
④ ㄴ, ㄷ 　⑤ ㄱ, ㄴ, ㄷ

322 하 중 상

그림 (가)는 규산염 사면체 구조를, (나)는 A와 B 중 어떤 한 원자의 전자 배치를 모형으로 나타낸 것이다.

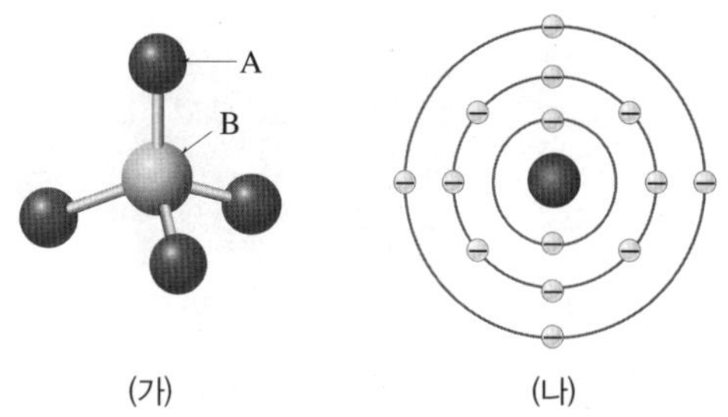

(가) 　(나)

이에 대한 설명으로 옳은 것만을 〈보기〉에서 있는 대로 고른 것은?

〈 보기 〉
ㄱ. A와 B의 원자가 전자 수는 같다.
ㄴ. (나)는 B의 전자 배치이다.
ㄷ. (나)는 생명체를 구성하는 유기 화합물의 구성 성분이다.

① ㄱ 　② ㄴ 　③ ㄱ, ㄷ
④ ㄴ, ㄷ 　⑤ ㄱ, ㄴ, ㄷ

323 하 중 상 　　••서술형

규산염 광물의 기본 구조를 구성하는 두 원소의 종류, 개수, 결합의 종류를 포함하여 구체적으로 서술하시오.

규산염 광물의 결합 규칙성

324 하 중 상

그림 (가)~(다)는 서로 다른 규산염 광물의 결합 구조를 나타낸 것이다.

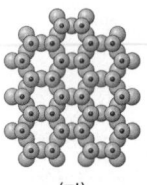

(가)

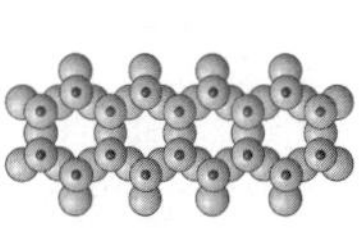
(나)

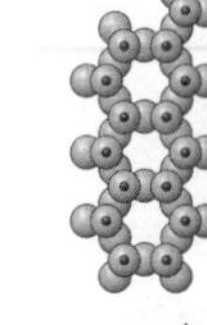
(다)

(가)~(다)의 명칭을 옳게 짝 지은 것은?

	(가)	(나)	(다)
①	독립형 구조	단사슬 구조	복사슬 구조
②	독립형 구조	복사슬 구조	판상 구조
③	독립형 구조	판상 구조	망상 구조
④	단사슬 구조	복사슬 구조	판상 구조
⑤	단사슬 구조	판상 구조	망상 구조

325 하중상 ••서술형

그림 (가)~(마)는 서로 다른 규산염 광물의 결합 구조를 나타낸 것이다.

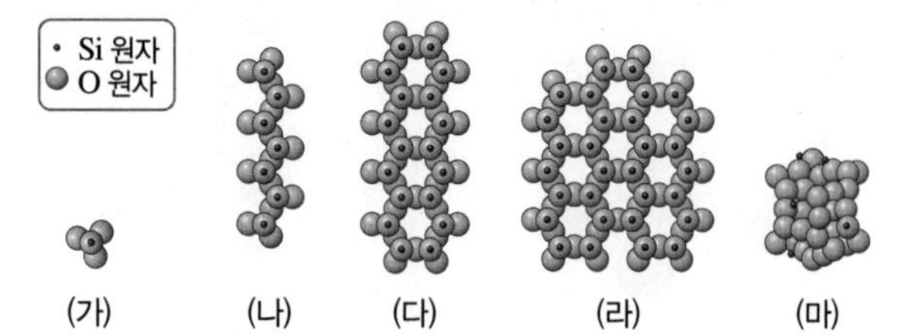

(가)~(마) 중 결합을 끊는 데 필요한 에너지가 가장 큰 결합 구조를 고르고, 그 까닭을 서술하시오.

326 하중상

주요 규산염 광물과 결합 구조를 옳게 짝 지은 것만을 모두 고르면? (2개)

① 휘석 – 복사슬 구조
② 석영 – 망상 구조
③ 각섬석 – 판상 구조
④ 흑운모 – 단사슬 구조
⑤ 감람석 – 독립형 구조

327 하중상

다음과 같은 특징을 나타내는 규산염 광물은 무엇인가?

• 규산염 사면체가 산소 3개를 공유하여 얇은 판 모양으로 결합한다.
• 얇게 1방향으로 쪼개지는 성질이 있다.

① 석영 ② 휘석 ③ 감람석
④ 각섬석 ⑤ 흑운모

328 하중상 ••서술형

다음은 석영과 장석에 대한 설명이다.

석영과 장석은 모두 규산염 사면체가 (㉠)로 결합하여 풍화에 강하다. 그러나 석영과 장석은 외형적인 특징이나 성질이 다르다. 그 까닭은 석영은 산소와 규소만으로 이루어져 있지만, 장석은 (㉡).

㉠에 들어갈 결합 구조를 쓰고, ㉡에 알맞은 내용을 서술하시오.

[329~330] 그림 (가)~(다)는 서로 다른 규산염 광물의 결합 구조를 나타낸 것이다.

• Si 원자
O 원자

(가)

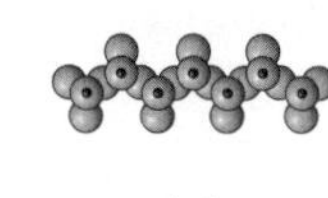
(나)

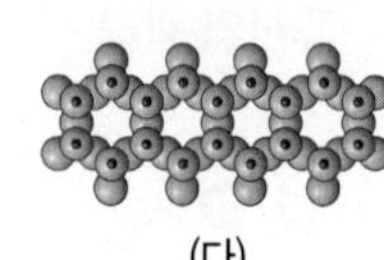
(다)

329 하중상

(가)~(다)에 해당하는 광물을 옳게 짝 지은 것은?

① (가) – 석영 ② (가) – 감람석
③ (나) – 각섬석 ④ (다) – 휘석
⑤ (다) – 흑운모

빈출 330 하중상

이에 대한 설명으로 옳은 것만을 <보기>에서 있는 대로 고른 것은?

〈 보기 〉
ㄱ. (가)는 단위체 하나가 독립적으로 양이온과 결합한다.
ㄴ. (나)는 단사슬 구조로, 이에 해당하는 광물은 2방향의 쪼개짐이 나타난다.
ㄷ. (나)는 (다)보다 사면체 사이에 공유하는 산소의 수가 많다.

① ㄱ ② ㄷ ③ ㄱ, ㄴ
④ ㄴ, ㄷ ⑤ ㄱ, ㄴ, ㄷ

빈출 331 하중상 대표문제 多 보기

그림 (가)~(다)는 Si 원자가 O 원자와 결합하여 만들어진 광물의 구조를 나타낸 것이다.

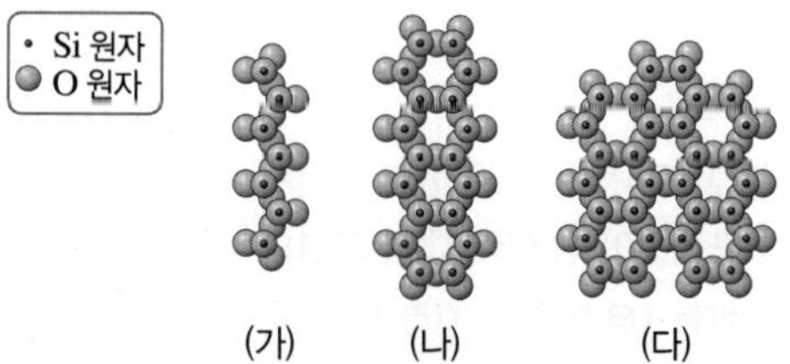

이에 대한 설명으로 옳은 것만을 모두 고르면?(2개)

① (가)는 규산염 광물의 가장 간단한 결합 구조이다.
② (나)는 Si : O의 결합 비율이 1 : 3이다.
③ (다) 구조를 나타내는 광물은 1방향으로 쪼개진다.
④ (나)는 (다)보다 풍화 작용에 강하다.
⑤ (가)~(다) 모두 Si-O 사면체를 단위체로 한다.
⑥ (다)에서 단위체는 산소 4개를 모두 공유하여 3차원의 그물 모양을 이룬다.

332 하중상 ••서술형

그림 (가)와 (나)는 서로 다른 규산염 광물의 구조를 나타낸 것이다.

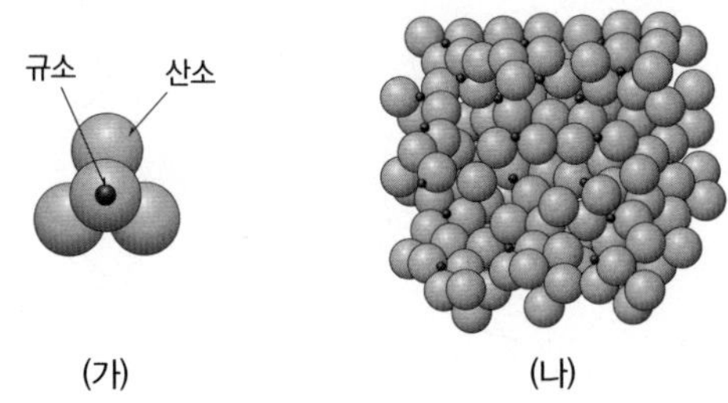

(가) (나)

(1) (가)와 (나) 각각의 결합 구조에 해당하는 광물의 이름을 한 가지씩 쓰시오.

(2) (가)와 (나) 결합 구조에 해당하는 광물의 풍화 안정도를 비교하고, 그 까닭을 서술하시오.

빈출

333 하중상 대표문제 多 보기

여러 가지 규산염 광물에 대한 설명으로 옳지 않은 것은?

① 석영과 장석은 망상 구조로 이루어져 있다.
② 감람석은 기둥 모양의 결정 형태를 가지고, 깨지는 성질이 있다.
③ 공유하는 산소의 수는 흑운모가 휘석보다 많다.
④ 흑운모를 구성하는 규산염 사면체는 음이온과의 결합으로만 전기적 중성이 된다.
⑤ 장석은 규소 주변의 모든 산소가 3차원적으로 결합하여 풍화에 강하다.

334 하중상

다음은 규산염 광물의 대표적인 예이다.

감람석, 휘석, 각섬석, 흑운모, 석영

이에 대한 설명으로 옳은 것만을 〈보기〉에서 있는 대로 고른 것은?

〈 보기 〉
ㄱ. 규소 원자 1개당 결합한 산소 원자의 수가 가장 많은 것은 감람석이다.
ㄴ. 규산염 사면체의 결합에서 공유된 산소 원자의 수가 가장 많은 것은 석영이다.
ㄷ. 감람석과 휘석은 풍화에 강하여 해안 모래의 주성분을 이룬다.

① ㄱ ② ㄷ ③ ㄱ, ㄴ
④ ㄴ, ㄷ ⑤ ㄱ, ㄴ, ㄷ

335 하중상 ••서술형

그림은 지각을 이루는 주요 광물인 흑운모와 석영의 결정형을 나타낸 것이다. 두 규산염 광물 결합 구조의 공통점과 차이점을 각각 서술하시오.

흑운모

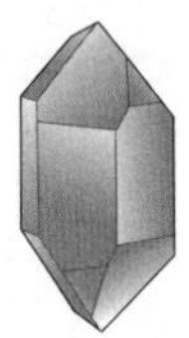
석영

336 하중상

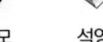

그림은 서로 다른 규산염 광물의 결합 구조를 나타낸 것이다.

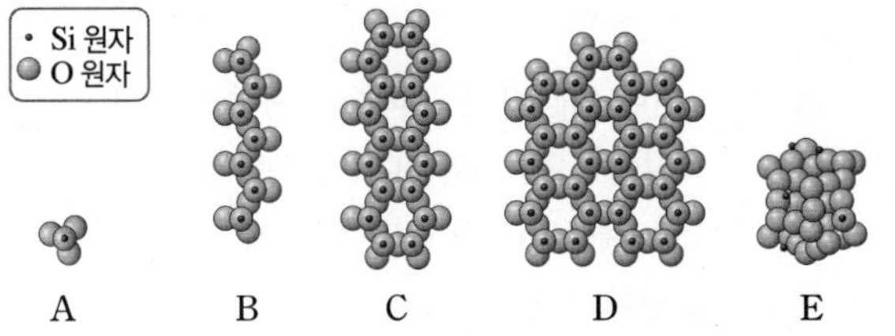

이에 대한 설명으로 옳은 것만을 〈보기〉에서 있는 대로 고른 것은?

〈 보기 〉
ㄱ. A는 규소와 산소만으로 광물을 이룬다.
ㄴ. A는 깨지는 성질이 있고, B~D는 쪼개지는 성질이 있다.
ㄷ. $\frac{\text{Si 원자의 수}}{\text{O 원자의 수}}$는 A에서 E로 갈수록 크다.
ㄹ. A에서 E로 갈수록 풍화에 대한 안정도가 높다.

① ㄱ, ㄴ ② ㄱ, ㄹ ③ ㄴ, ㄹ
④ ㄱ, ㄴ, ㄷ ⑤ ㄴ, ㄷ, ㄹ

337 하중상

그림 (가)는 규산염 광물의 기본 구조를, (나)는 규산염 광물의 결합 구조를 나타낸 것이다.

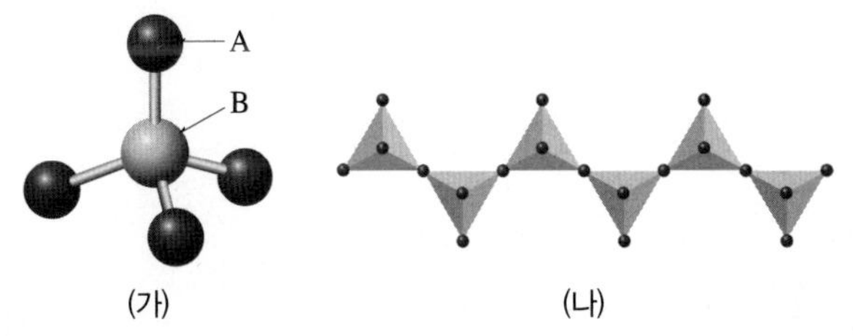

(가) (나)

이에 대한 설명으로 옳은 것은?

① (가)에서 A는 규소, B는 산소이다.
② (가)는 4개의 A와 1개의 B가 결합한 육면체 구조이다.
③ (가)는 전기적으로 양전하를 띤다.
④ (나)는 (가)가 A를 공유하며 결합한 단사슬 구조이다.
⑤ (나)는 Si : O의 결합 비율이 4 : 11이다.

탄소 화합물

338 하중상

생명체의 구성 물질 중 탄소 화합물이 아닌 것은?

① 물 ② 녹말 ③ 핵산
④ 단백질 ⑤ 인지질

빈출

339 하중상

대표문제 多 보기

탄소 화합물에 대한 설명으로 옳지 않은 것만을 모두 고르면?(2개)

① 산소를 기본 골격으로 수소, 탄소 등 여러 원소가 결합한 화합물이다.
② 탄소 1개당 최대 4개의 다른 원자와 공유 결합을 할 수 있다.
③ 탄소와 탄소 사이에 2중 결합이나 3중 결합을 만들기도 한다.
④ 탄소는 결합을 계속 이어가며 단백질, 지질 등 복잡하고 다양한 분자를 만들 수 있다.
⑤ 탄소는 결합 사이로 다른 원자를 받아들일 수 없다.
⑥ 생명체를 이루고 있는 유기물의 대부분을 차지한다.
⑦ 생명체를 구성할 뿐만 아니라 에너지원으로도 사용된다.

340 하중상

그림은 생명체를 구성하는 어느 원자의 전자 배치를 모형으로 나타낸 것이다. 이에 대한 설명으로 옳은 것만을 〈보기〉에서 있는 대로 고른 것은?

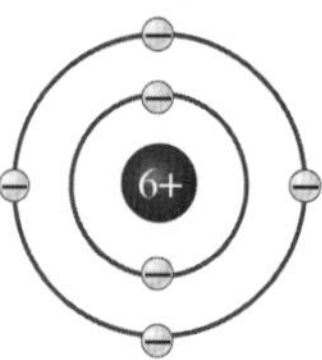

〈 보기 〉
ㄱ. 원자가 전자 수는 6이다.
ㄴ. 최대 4개의 다른 원소와 결합할 수 있다.
ㄷ. 질소, 산소보다 많은 원자와 공유 결합할 수 있다.
ㄹ. 같은 원자끼리 결합하여 사슬 모양의 골격을 만들 수 있다.

① ㄱ, ㄴ ② ㄱ, ㄹ ③ ㄴ, ㄹ
④ ㄱ, ㄴ, ㄷ ⑤ ㄴ, ㄷ, ㄹ

빈출

341 하중상

••서술형

생명체는 녹말, 단백질, 지질과 같은 탄소 화합물로 이루어져 있다. 탄소가 이처럼 복잡하고 다양한 화합물을 만드는 데 유리한 까닭을 다음 요소를 모두 포함하여 서술하시오.

원자가 전자 수, 최대 결합 수, 결합 방식

342 하중상

••서술형

그림은 규소(Si)와 탄소(C)의 전자 배치를 나타낸 것이다.

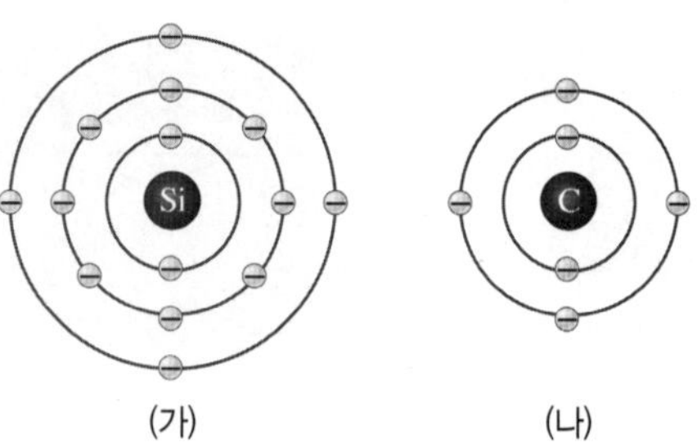

(1) 규소와 탄소의 화학적 구조와 성질에 대한 공통점을 두 가지 이상 서술하시오.

(2) 생명체에 규소가 아닌 탄소의 비율이 높은 까닭을 규소와 탄소의 결합의 특징을 비교하여 서술하시오.

탄소 화합물의 결합 규칙성

343 하중상

탄소는 다양한 결합 방식으로 복잡한 화합물을 만들어 생명체를 구성한다. 탄소 화합물의 골격으로 가능하지 않은 것은?

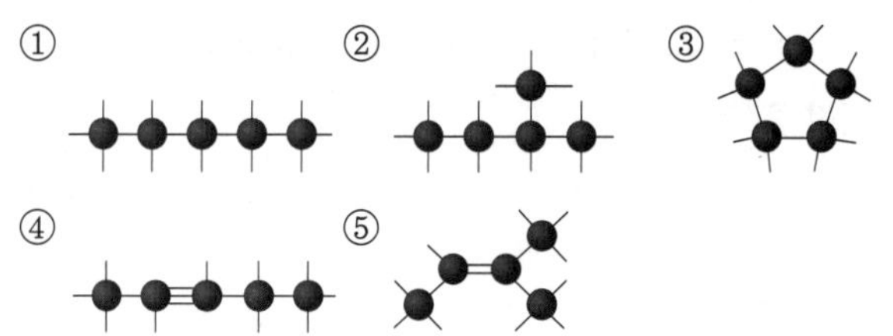

빈출

344 하중상

그림 (가)~(다)는 탄소 화합물의 여러 가지 결합 방식을 나타낸 것이다.

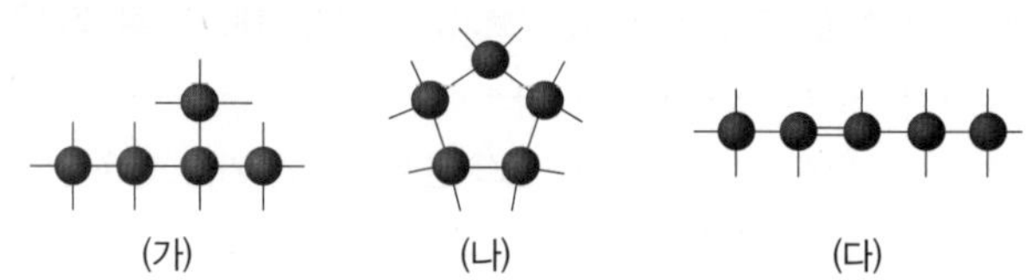

이에 대한 설명으로 옳은 것은?

① (가)는 사슬 모양, (나)는 고리 모양이다.
② 탄소 원자는 3개의 원자가 전자를 가지고 있다.
③ 탄소의 원자가 전자 수는 결합 방식에 따라 달라진다.
④ 탄소는 다른 탄소와 연속적으로 결합할 수 있다.
⑤ (다)에서 탄소는 4중 결합을 한다.

빈출

345 하 중 상

대표문제 多 보기

그림은 탄소 원자의 결합 방식을 나타낸 것이다.

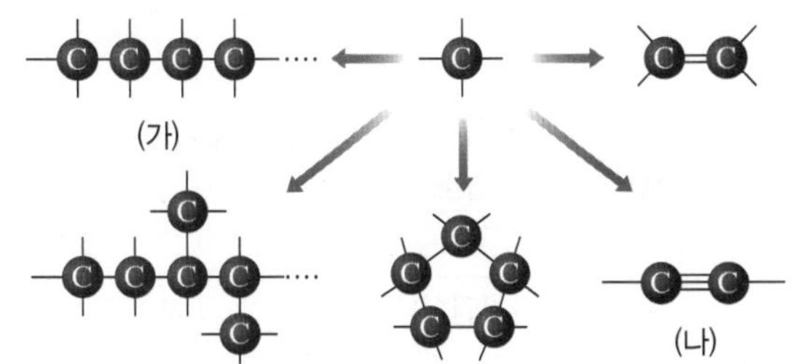

이에 대한 설명으로 옳은 것만을 〈보기〉에서 있는 대로 고른 것은?

〈 보기 〉

ㄱ. (가)는 탄소 원자 사이에 공유 결합을 한다.

ㄴ. 탄소 원자 1개가 최대로 결합할 수 있는 원자 수는 5개 이다.

ㄷ. 사슬 모양뿐만 아니라 고리 모양으로도 결합할 수 있다.

ㄹ. (나)에서는 탄소 원자 사이에 단일 결합을 형성하고 있다.

① ㄱ, ㄴ ② ㄱ, ㄷ ③ ㄴ, ㄷ ④ ㄴ, ㄹ ⑤ ㄷ, ㄹ

346 하 중 상

그림 (가)는 메테인의 결합 구조를, (나)는 여러 가지 탄소 골격을 나타낸 것이다.

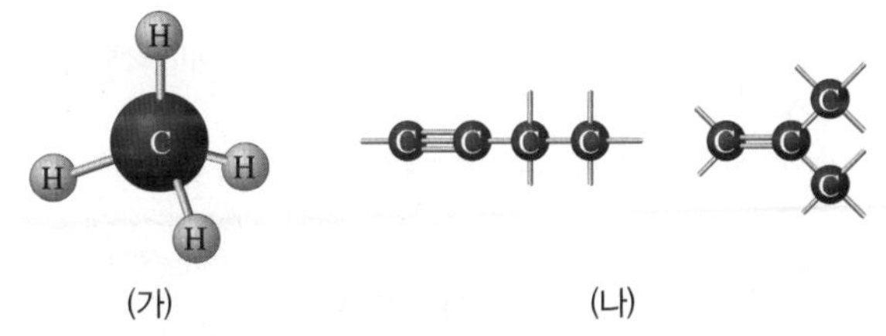

(가) (나)

이에 대한 설명으로 옳은 것만을 〈보기〉에서 있는 대로 고른 것은?

〈 보기 〉

ㄱ. 탄소는 원자가 전자 수가 8이므로 수소 원자 4개와 결합할 수 있다.

ㄴ. 탄소와 탄소 사이에 2중 결합과 3중 결합이 가능하다.

ㄷ. 탄소는 연속적으로 결합할 수 없어서 복잡한 유기물을 만들 수 없다.

① ㄱ ② ㄴ ③ ㄱ, ㄷ ④ ㄴ, ㄷ ⑤ ㄱ, ㄴ, ㄷ

347 하 중 상

그림 (가)는 포도당, (나)는 단백질의 일부를 나타낸 것이다.

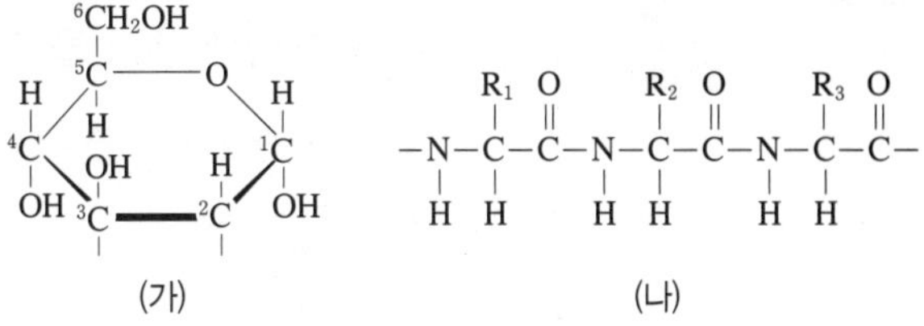

이에 대한 설명으로 옳은 것만을 〈보기〉에서 있는 대로 고른 것은?

〈 보기 〉

ㄱ. 포도당과 단백질은 모두 탄소 화합물이다.

ㄴ. (가)와 (나)에서 탄소는 사슬 모양의 골격을 이룬다.

ㄷ. 탄소는 수소, 산소, 질소 등과 결합하여 다양한 유기물을 만든다.

① ㄱ ② ㄴ ③ ㄱ, ㄷ ④ ㄴ, ㄷ ⑤ ㄱ, ㄴ, ㄷ

348 하 중 상

그림은 화학식이 C_2H_4인 탄소 화합물의 구조를 나타낸 것이다. 이에 대한 설명으로 옳은 것만을 〈보기〉에서 있는 대로 고른 것은?

〈 보기 〉

ㄱ. 메테인 분자이다.

ㄴ. 2중 결합 물질이다.

ㄷ. 이 분자는 총 6개의 공유 전자쌍을 갖는다.

① ㄱ ② ㄷ ③ ㄱ, ㄴ ④ ㄴ, ㄷ ⑤ ㄱ, ㄴ, ㄷ

349 하 중 상

표는 탄소 원자 3개가 사슬 모양으로 결합하여 탄소와 수소만으로 이루어진 화합물 (가)와 (나)의 탄소와 수소의 개수비를 나타낸 것이다. 이에 대한 설명으로 옳은 것만을 〈보기〉에서 있는 대로 고른 것은?

구분	탄소 : 수소
(가)	3 : 8
(나)	1 : 2

〈 보기 〉

ㄱ. 물질을 이루는 원자의 개수는 (가)가 (나)보다 많다.

ㄴ. (가)는 단일 결합 물질이고, (나)는 3중 결합 물질이다.

ㄷ. (가)와 (나)는 화학적 성질이 같다.

① ㄱ ② ㄷ ③ ㄱ, ㄴ ④ ㄴ, ㄷ ⑤ ㄱ, ㄴ, ㄷ

01 생명체 구성 물질의 형성

A 생명체 구성 물질

1 탄소 화합물 생명체를 구성하는 물질 중 탄수화물, 단백질, 지질, 핵산은 탄소 화합물이다.

(단위체 → 탄소 화합물은 단위체의 결합으로 이루어진다.)

구분	구성 원소	단위체	기능	종류
탄수화물	탄소(C), 수소(H), 산소(O)	❶□□□	• 주요 에너지원이다. • 단위체의 개수에 따라 단당류, 이당류, 다당류로 구분한다.	포도당, 녹말, 글리코젠, 셀룰로스 등
❷□□□	탄소(C), 수소(H), 산소(O), 질소(N)	아미노산	• 에너지원이다. • 효소, 호르몬, 항체의 주성분이다. • 머리카락, 근육, 뼈 등을 구성한다.	헤모글로빈, 콜라젠, 케라틴 등
지질	탄소(C), 수소(H), 산소(O)	글리세롤, 지방산	• 에너지원이다. • 세포막의 주성분이다.	중성 지방, 인지질, 스테로이드
❸□□	탄소(C), 수소(H), 산소(O), 질소(N), 인(P)	뉴클레오타이드	유전 정보를 저장하거나 전달한다.	DNA, RNA

기출 Tip A-2

사람을 구성하는 물질의 비율
사람을 구성하는 물질 중 가장 많은 양을 차지하는 것은 물이고, 탄소 화합물 중에서 가장 많은 양을 차지하는 것은 단백질이다.
• 구성 비율: 물 > 단백질 > 지질 > 핵산

2 비탄소 화합물

❹	• 생명체를 구성하는 물질 중 가장 많은 양을 차지한다. • 기능: 비열이 커서 체온을 유지하는 데 도움을 준다.
무기염류	• 기능: 다양한 생리 작용을 조절하는 데 관여한다. • 종류: 인(P), 칼륨(K), 칼슘(Ca), 나트륨(Na) 등

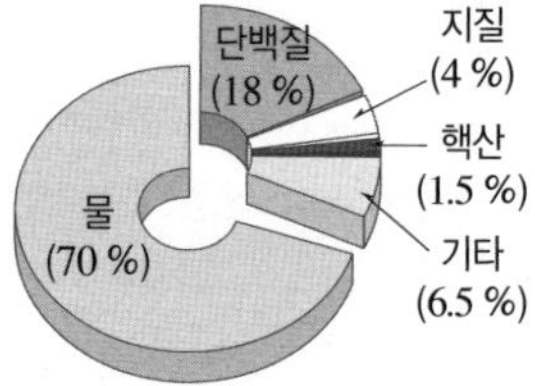

▲ 사람을 구성하는 물질

B 단백질

1 단백질의 단위체 ❺□□□□ → 곁사슬(R)의 종류에 따라 아미노산의 종류가 달라지며, 생명체에는 ❻□ 종류의 아미노산이 있다.

아미노산은 탄소를 중심으로 아미노기, 카복실기, 수소 원자, 곁사슬(R)이 결합되어 있다.

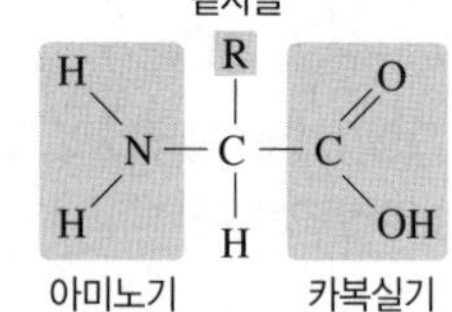

▲ 아미노산의 구조

기출 Tip B-2

펩타이드 결합
• 펩타이드 결합이 일어날 때 물 분자 1개가 빠져나온다.
• 여러 개의 아미노산이 펩타이드 결합으로 연결되어 폴리펩타이드를 형성한다. → 10개의 아미노산으로 구성된 폴리펩타이드는 9개의 펩타이드 결합이 있다.

2 펩타이드 결합 2개의 아미노산이 결합할 때 두 아미노산 사이에서 ❼□ 분자 1개가 빠져나오면서 일어나는 결합이다.

3 단백질의 형성 여러 개의 아미노산이 펩타이드 결합으로 연결되어 ❽□□□□□□를 형성하고, 폴리펩타이드가 입체 구조를 형성하여 단백질이 된다.

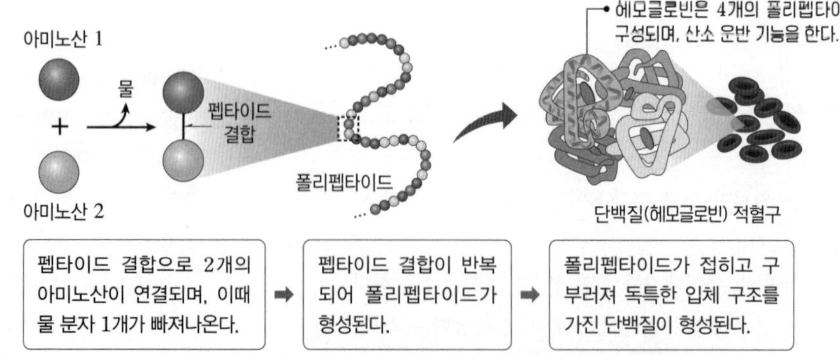

펩타이드 결합으로 2개의 아미노산이 연결되며, 이때 물 분자 1개가 빠져나온다. → 펩타이드 결합이 반복되어 폴리펩타이드가 형성된다. → 폴리펩타이드가 접히고 구부러져 독특한 입체 구조를 가진 단백질이 형성된다.

4 단백질의 종류 적혈구 속 헤모글로빈, 피부 속 콜라젠, 공작 깃털의 케라틴 등이 있으며, 단백질은 종류에 따라 구조와 기능이 서로 다르다. → 아미노산의 종류와 개수, 배열 순서에 따라 단백질의 입체 구조가 달라지며, 단백질의 입체 구조에 따라 단백질의 기능이 결정되기 때문

(→ 단백질이 열과 산 등에 의해 입체 구조가 바뀌면 단백질 고유의 기능을 잃게 된다.)

Ⓒ 핵산

1 핵산의 단위체 ❾ □□□□□□□ ➔ 인산, 당, 염기가 ❿ □ : □ : □로 결합되어 있으며, 염기에는 아데닌(A), 구아닌(G), 사이토신(C), 타이민(T), 유라실(U)이 있다.

2 핵산의 형성 한 뉴클레오타이드의 인산이 다른 뉴클레오타이드의 당과 공유 결합으로 연결되며, 이러한 결합이 반복되어 폴리뉴클레오타이드를 형성한다.

- DNA와 유전 정보: 아데닌(A), 구아닌(G), 사이토신(C), 타이민(T)의 염기를 가진 4종류의 뉴클레오타이드가 결합하는 순서에 따라 다양한 염기 서열을 가진 DNA가 만들어지며, DNA의 염기 서열에 따라 다양한 유전 정보가 저장된다.

인산 당 염기 / 결합 / 인산 당 염기 / 뉴클레오타이드 ➔ 공유 결합 A G T C / 폴리뉴클레오타이드

▲ 폴리뉴클레오타이드의 형성

3 핵산의 종류 DNA와 RNA가 있다.

DNA	구분	RNA
폴리뉴클레오타이드 두 가닥이 꼬여 있는 이중 나선 구조	분자 구조	폴리뉴클레오타이드 한 가닥으로 된 단일 가닥 구조
디옥시리보스	당	⓫ □□□
아데닌(A), 구아닌(G), 사이토신(C), 타이민(T) ➔ 4종류의 뉴클레오타이드	염기	아데닌(A), 구아닌(G), 사이토신(C), 유라실(U) ➔ 4종류의 뉴클레오타이드
유전 정보 ⓬ □□	기능	유전 정보 전달, 단백질 합성 관여

4 DNA 염기의 상보결합 하나의 DNA를 구성하는 두 가닥의 폴리뉴클레오타이드는 염기의 상보결합으로 연결된다.

① 아데닌(A)은 항상 타이민(T)과 결합하고, 구아닌(G)은 항상 사이토신(C)과 결합한다.

② 아데닌(A)과 타이민(T)의 양이 같고(A=T), 구아닌(G)과 사이토신(C)의 양이 같다(G=C).

예 어떤 DNA에서 아데닌(A)의 비율이 30 %이면, 타이민(T)의 비율도 30 %이다.

- A=T, G=C - A+G=T+C - $\frac{A+G}{T+C}=1$

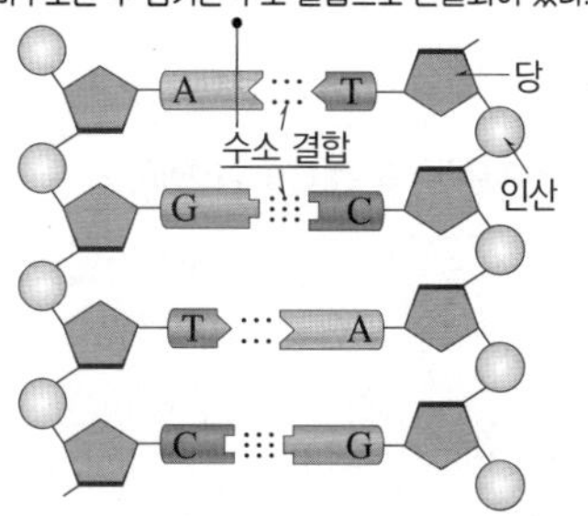

▲ DNA 염기의 결합

기출 Tip Ⓒ-1

단위체의 구분
- 탄수화물: 포도당(한 종류)
- 단백질: 아미노산(20종류)
- 핵산: 뉴클레오타이드(DNA 4종류, RNA 4종류)

DNA와 RNA를 구성하는 뉴클레오타이드는 당의 종류가 다르므로 공통적으로 염기 A, G, C을 가지더라도 모두 다른 종류이다. 따라서 핵산을 구성하는 뉴클레오타이드는 총 8종류이다.

기출 Tip Ⓒ-3

DNA와 RNA의 구분
염기 중 타이민(T)이 있으면 DNA이고, 유라실(U)이 있으면 RNA이다.

기출 Tip Ⓒ-4

물질 결합의 구분
- 아미노산의 결합: 펩타이드 결합
- 뉴클레오타이드의 당-인산 결합: 공유 결합
- 염기의 결합: 수소 결합

답 ❶ 포도당 ❷ 단백질 ❸ 핵산 ❹ 물 ❺ 아미노산 ❻ 20 ❼ 물 ❽ 폴리펩타이드 ❾ 뉴클레오타이드 ❿ 1 : 1 : 1 ⓫ 리보스 ⓬ 저장

빈출 자료 보기

정답과 해설 32쪽

350 그림은 핵산의 종류 중 하나의 일부를 나타낸 것이다.

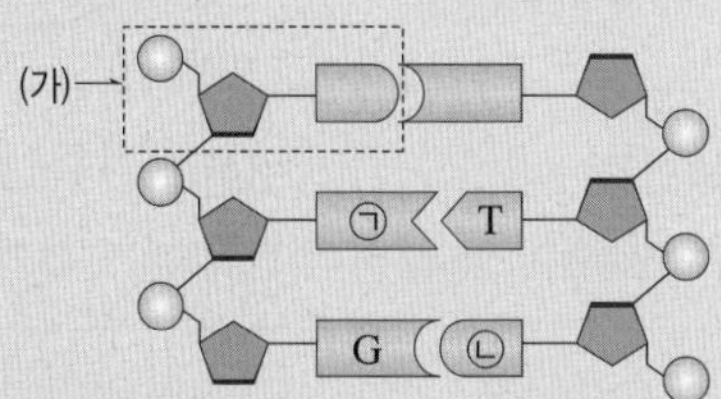

이에 대한 설명으로 옳은 것은 ○, 옳지 않은 것은 ×로 표시하시오.

(1) 이 핵산의 종류는 DNA이다. ( )
(2) (가)는 아미노산이다. ( )
(3) (가)의 당은 리보스이다. ( )
(4) (가)는 인산, 당, 염기가 1 : 1 : 2의 비율로 결합되어 있다. ( )
(5) ㉠은 아데닌(A), ㉡은 사이토신(C)이다. ( )
(6) ㉠과 T 사이의 결합은 공유 결합이다. ( )
(7) 이 핵산을 구성하는 단위체는 4종류이다. ( )
(8) 이 핵산은 유전 정보를 저장하는 역할을 한다. ( )

A 생명체 구성 물질

생명체 구성 물질의 특징

351 하 중 상

생명체를 구성하는 탄소 화합물만을 〈보기〉에서 있는 대로 고른 것은?

〈 보기 〉
ㄱ. 물　ㄴ. 지질　ㄷ. 핵산
ㄹ. 단백질　ㅁ. 탄수화물　ㅂ. 무기염류

① ㄱ, ㅁ　② ㄱ, ㄹ, ㅂ　③ ㄷ, ㄹ, ㅂ
④ ㄴ, ㄷ, ㄹ, ㅁ　⑤ ㄴ, ㄷ, ㅁ, ㅂ

352 하 중 상

생명체를 구성하는 물질에 대한 설명으로 옳은 것은?

① 핵산은 주요 에너지원으로 사용된다.
② 지질에는 글리코젠, 셀룰로스가 있다.
③ 탄수화물의 구성 원소는 탄소, 수소, 산소, 질소이다.
④ 물은 탄소 화합물로 생명체에서 가장 많은 양을 차지한다.
⑤ 무기염류는 생명체에서 다양한 생리 작용을 조절하는 데 관여한다.

빈출
353 하 중 상　대표문제 多 보기

단백질에 대한 설명으로 옳지 않은 것만을 모두 고르면?(2개)

① 효소, 호르몬, 항체의 주성분이다.
② 기본 단위체는 뉴클레오타이드이다.
③ 아미노산의 펩타이드 결합으로 형성된다.
④ 생명체에 존재하는 아미노산은 4종류이다.
⑤ 동물의 헤모글로빈이나 머리카락을 구성한다.
⑥ 아미노산의 수와 배열 순서에 따라 단백질의 종류가 달라진다.
⑦ 생명체를 구성하는 탄소 화합물 중 가장 많은 양을 차지한다.

빈출
354 하 중 상

핵산에 대한 설명으로 옳지 않은 것은?

① 탄소를 기본 골격으로 하는 탄소 화합물이다.
② 유전 정보를 저장하거나 전달하는 기능을 한다.
③ DNA는 이중 나선 구조, RNA는 단일 가닥 구조이다.
④ DNA와 RNA를 구성하는 염기의 종류는 같지 않다.
⑤ 기본 단위체는 인산, 당, 염기가 1 : 1 : 2로 결합한 물질이다.

355 하 중 상

표는 생명체를 구성하는 물질 A~C의 특징을 나타낸 것이다. A~C는 각각 물, 단백질, DNA 중 하나이다.

물질	특징
A	유전 정보를 저장한다.
B	효소, 항체의 주성분이다.
C	인체를 구성하는 물질 중 비율이 가장 높다.

이에 대한 설명으로 옳은 것만을 〈보기〉에서 있는 대로 고른 것은?

〈 보기 〉
ㄱ. A의 단위체는 뉴클레오타이드이다.
ㄴ. B는 단위체의 배열 순서에 따라 구조와 기능이 달라진다.
ㄷ. C는 생명체의 주요 에너지원이다.

① ㄱ　② ㄷ　③ ㄱ, ㄴ　④ ㄴ, ㄷ　⑤ ㄱ, ㄴ, ㄷ

빈출
356 하 중 상　대표문제 多 보기

그림은 사람의 몸을 구성하는 물질의 비율을 나타낸 것이다. A~C는 각각 물, 지질, 단백질 중 하나이다. 이에 대한 설명으로 옳은 것만을 〈보기〉에서 있는 대로 고른 것은?

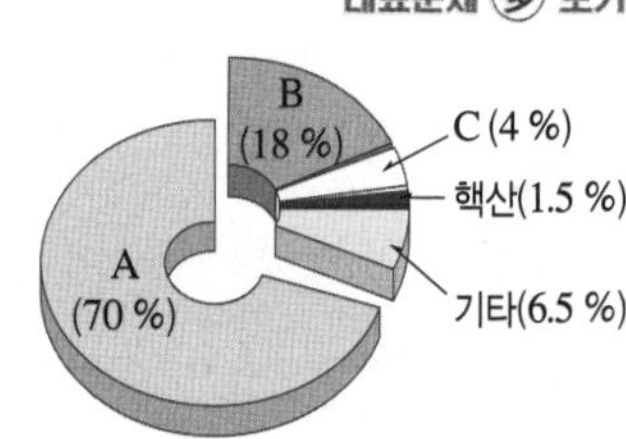

〈 보기 〉
ㄱ. A는 비열이 커서 체온을 일정하게 유지하는 데 도움을 준다.
ㄴ. B는 지질로, 물질대사를 조절하는 효소의 주성분이다.
ㄷ. C는 세포막의 주성분이며, 에너지원으로도 사용된다.

① ㄱ　② ㄴ　③ ㄱ, ㄴ　④ ㄱ, ㄷ　⑤ ㄴ, ㄷ

생명체 구성 물질의 비교

357 하 중 상

그림은 생명체를 구성하는 물질인 단백질과 핵산의 공통점과 차이점을 나타낸 것이다. A에 해당하는 특징을 〈보기〉에서 있는 대로 고른 것은?

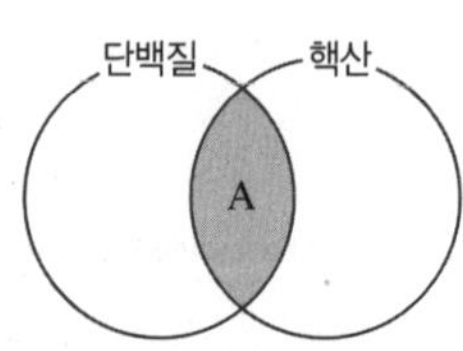

〈 보기 〉
ㄱ. 탄소 화합물이다.　ㄴ. 단위체가 아미노산이다.
ㄷ. 펩타이드 결합이 있다.　ㄹ. 단위체의 결합으로 형성된다.

① ㄱ, ㄴ　② ㄱ, ㄹ　③ ㄴ, ㄷ
④ ㄴ, ㄹ　⑤ ㄷ, ㄹ

빈출

358 하 중 상

그림은 생명체를 구성하는 세 가지 물질을 구분하는 과정을 나타낸 것이다.

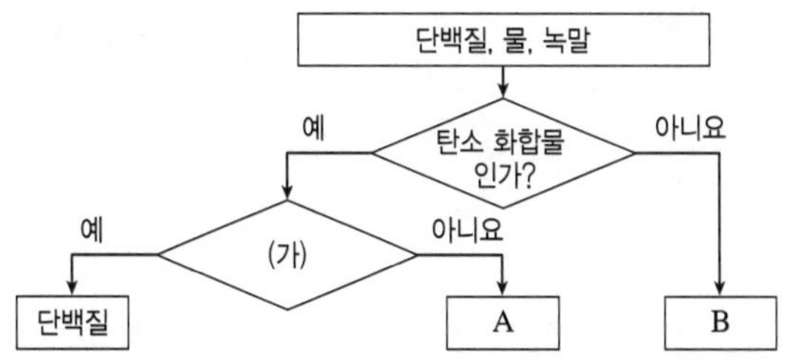

이에 대한 설명으로 옳은 것만을 〈보기〉에서 있는 대로 고른 것은?

〈 보기 〉
ㄱ. A의 구성 원소에 산소가 포함되어 있다.
ㄴ. B는 물이다.
ㄷ. '효소의 주성분인가?'는 (가)에 해당한다.

① ㄱ ② ㄷ ③ ㄱ, ㄴ ④ ㄴ, ㄷ ⑤ ㄱ, ㄴ, ㄷ

359 하 중 상

표 (가)는 생명체의 구성 물질 A~C에서 특징 ㉠~㉢의 유무를, (나)는 특징 ㉠~㉢을 순서 없이 나타낸 것이다. A~C는 각각 탄수화물, 단백질, 핵산 중 하나이다.

물질 \ 특징	㉠	㉡	㉢
A	○	×	○
B	○	○	○
C	×	×	○

(○: 있음, ×: 없음)

(가)

특징(㉠, ㉡, ㉢)
• 펩타이드 결합이 있다. • 에너지원으로 사용된다. • 탄소를 포함한다.

(나)

이에 대한 설명으로 옳은 것만을 〈보기〉에서 있는 대로 고른 것은?

〈 보기 〉
ㄱ. A는 헤모글로빈의 구성 성분이다.
ㄴ. B의 구성 원소에 인(P)이 있다.
ㄷ. C는 염색체의 구성 성분이다.

① ㄱ ② ㄷ ③ ㄱ, ㄴ ④ ㄴ, ㄷ ⑤ ㄱ, ㄴ, ㄷ

[360~361] 그림은 생명체를 구성하는 물질을 나타낸 것이다. (가)와 (나)는 각각 단백질과 DNA 중 하나이다.

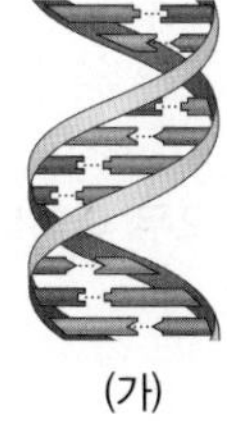
(가)

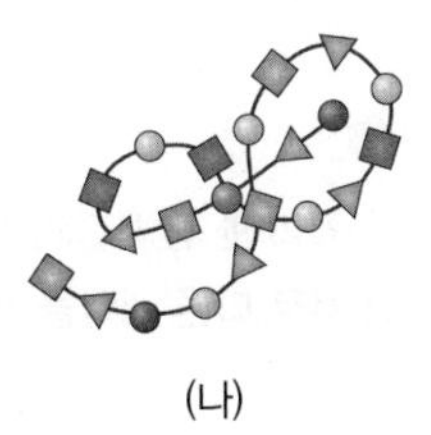
(나)

360 하 중 상

물질 (가)와 (나)를 이루는 단위체의 이름과 각 단위체는 몇 종류인지 각각 쓰시오.

361 하 중 상

이에 대한 설명으로 옳은 것만을 〈보기〉에서 있는 대로 고른 것은?

〈 보기 〉
ㄱ. (가)는 에너지원이며, 효소의 주성분이다.
ㄴ. (나)는 단위체 여러 개가 결합하여 폴리뉴클레오타이드를 형성한다.
ㄷ. 사람의 몸을 구성하는 비율은 (나)가 (가)보다 높다.

① ㄱ ② ㄴ ③ ㄷ ④ ㄱ, ㄴ ⑤ ㄴ, ㄷ

B 단백질

362 하 중 상

그림은 아미노산의 구조를 나타낸 것이다. 이에 대한 설명으로 옳은 것만을 〈보기〉에서 있는 대로 고른 것은?

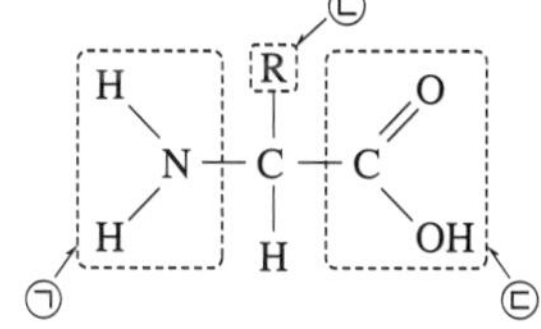

〈 보기 〉
ㄱ. ㉠은 아미노기이다.
ㄴ. ㉡에 따라 아미노산의 종류가 결정된다.
ㄷ. 아미노산은 ㉢이 다른 20종류가 있다.

① ㄱ ② ㄷ ③ ㄱ, ㄴ ④ ㄴ, ㄷ ⑤ ㄱ, ㄴ, ㄷ

빈출

363 하 중 상

그림은 2개의 아미노산이 결합하는 과정을 나타낸 것이다.

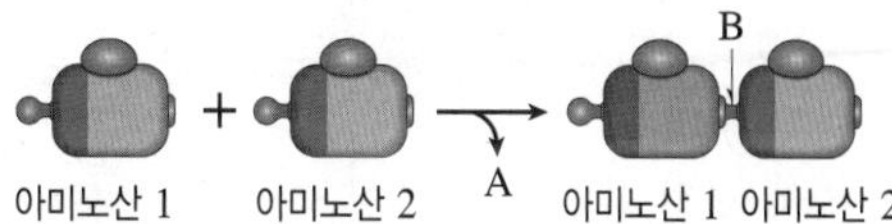

이에 대한 설명으로 옳은 것만을 〈보기〉에서 있는 대로 고른 것은?

〈 보기 〉
ㄱ. A는 한 분자의 물이다.
ㄴ. B는 펩타이드 결합이다.
ㄷ. 10개의 아미노산이 결합할 경우 B는 10개이다.
ㄹ. 아미노산의 결합 순서와 개수에 따라 단백질의 종류가 달라진다.

① ㄱ, ㄴ ② ㄴ, ㄷ ③ ㄷ, ㄹ
④ ㄱ, ㄴ, ㄹ ⑤ ㄴ, ㄷ, ㄹ

364 하중상

그림은 단백질 합성 과정의 일부를 나타낸 것이다. ㉠은 단백질의 기본 단위체이다.

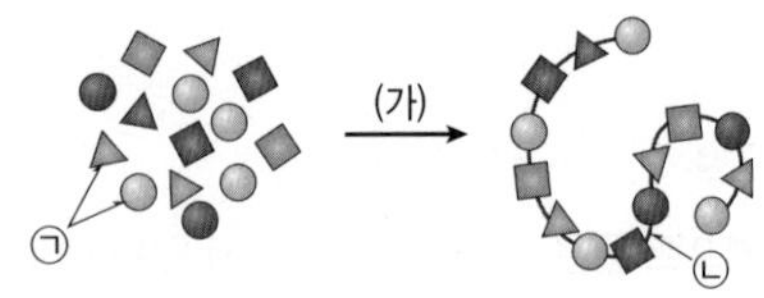

이에 대한 설명으로 옳은 것만을 〈보기〉에서 있는 대로 고른 것은?

〈 보기 〉
ㄱ. ㉠은 뉴클레오타이드이다.
ㄴ. ㉡은 수소 결합이다.
ㄷ. ㉡이 형성될 때 물 한 분자가 빠져나온다.
ㄹ. (가) 과정에서 아미노산 사이에 펩타이드 결합이 형성된다.

① ㄱ, ㄴ ② ㄱ, ㄷ ③ ㄴ, ㄷ
④ ㄴ, ㄹ ⑤ ㄷ, ㄹ

365 하중상

그림은 단백질의 형성을 모식적으로 나타낸 것이다.

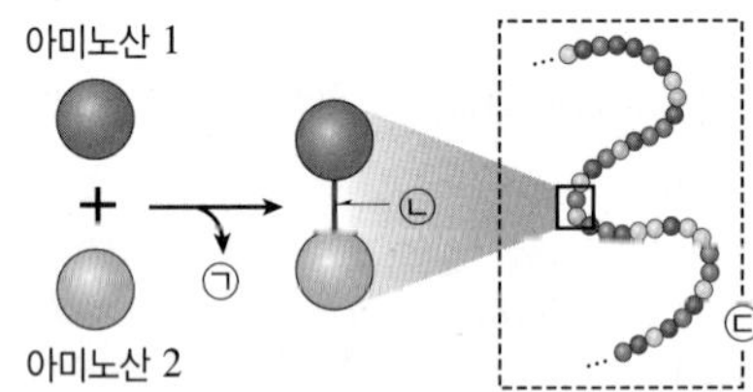

이에 대한 설명으로 옳은 것만을 〈보기〉에서 있는 대로 고른 것은?

〈 보기 〉
ㄱ. ㉠은 분자의 개수가 2이다.
ㄴ. ㉡은 아미노산을 연결하는 펩타이드 결합이다.
ㄷ. 소화 효소의 종류에 따라 아미노산의 서열이 다르다.
ㄹ. 120개의 아미노산으로 구성된 ㉢은 펩타이드 결합이 121개 있다.

① ㄱ, ㄴ ② ㄱ, ㄷ ③ ㄴ, ㄷ
④ ㄴ, ㄹ ⑤ ㄷ, ㄹ

366 하중상

대표문제 多 보기

그림은 단백질의 형성 과정을 나타낸 것이다.

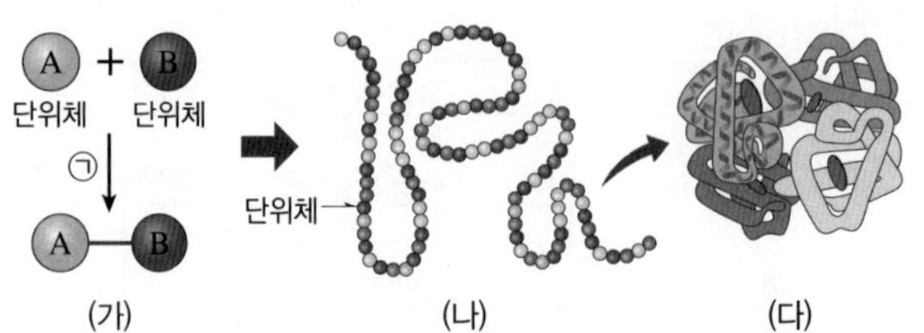

이에 대한 설명으로 옳은 것만을 〈보기〉에서 있는 대로 고른 것은?

〈 보기 〉
ㄱ. ㉠ 과정에서 결합이 형성될 때 물 분자가 들어간다.
ㄴ. (나)는 (가)의 결합으로 형성된 폴리뉴클레오타이드이다.
ㄷ. (나)를 이루는 단위체의 종류와 개수, 배열 순서에 따라 (다)의 입체 구조와 기능이 달라진다.

① ㄱ ② ㄷ ③ ㄱ, ㄴ
④ ㄴ, ㄷ ⑤ ㄱ, ㄴ, ㄷ

[367~368] 그림은 사람의 적혈구 속 헤모글로빈과 피부 속 콜라젠을 나타낸 것이다.

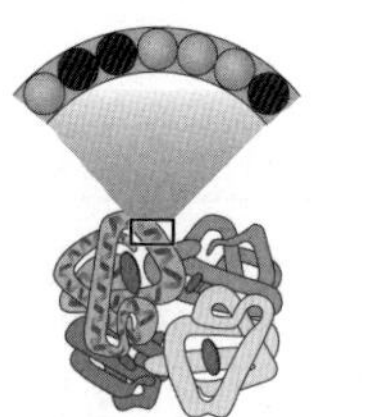
적혈구 속 헤모글로빈

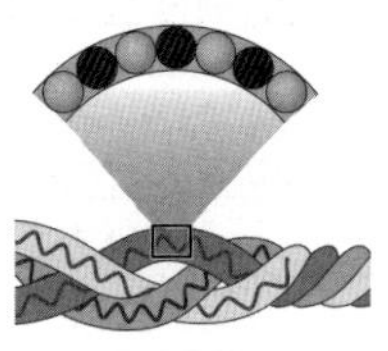
피부 속 콜라젠

367 하중상

이에 대한 설명으로 옳은 것만을 〈보기〉에서 있는 대로 고른 것은?

〈 보기 〉
ㄱ. 헤모글로빈과 콜라젠은 모두 탄소 화합물이다.
ㄴ. 헤모글로빈과 콜라젠은 모두 고유의 입체 구조를 가진다.
ㄷ. 헤모글로빈과 콜라젠을 구성하는 아미노산의 개수와 종류는 동일하다.

① ㄱ ② ㄷ ③ ㄱ, ㄴ
④ ㄴ, ㄷ ⑤ ㄱ, ㄴ, ㄷ

368 하중상

••서술형

헤모글로빈과 콜라젠 단백질의 단위체는 모두 아미노산이지만, 구조와 기능이 서로 다른 까닭을 서술하시오.

369 하 중 상

그림은 생명체를 구성하는 물질 중 하나인 X의 형성 과정 중 일부를 나타낸 것이다.

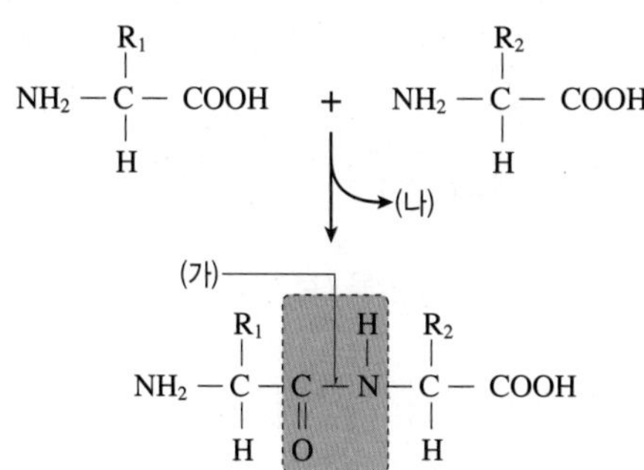

이에 대한 설명으로 옳은 것은?

① (가)는 펩타이드 결합이다.
② (나)는 생명체에서 가장 많은 양을 차지하는 에너지원이다.
③ X는 유전 정보를 전달하는 역할을 한다.
④ 5개의 아미노산이 결합할 경우 (가)가 5개 있다.
⑤ X의 (가)는 왼쪽 아미노산의 아미노기와 오른쪽 아미노산의 카복실기가 관여하여 형성된다.

370 하 중 상

그림은 복잡한 유기물 X가 만들어지는 과정을 나타낸 것이다.

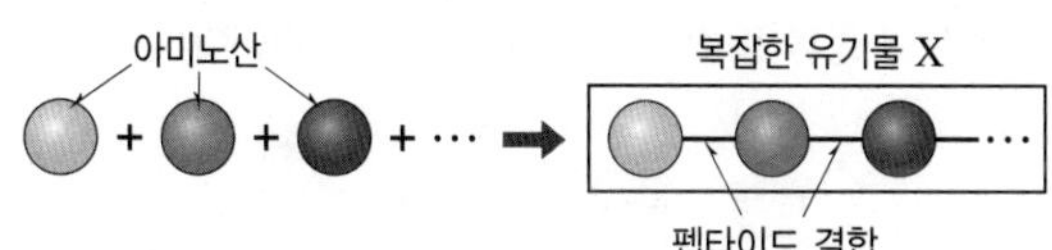

이에 대한 설명으로 옳은 것만을 〈보기〉에서 있는 대로 고른 것은?

〈 보기 〉
ㄱ. 복잡한 유기물 X의 구조와 기능은 아미노산의 배열 순서에 따라 결정된다.
ㄴ. 20개의 아미노산이 연결되어 복잡한 유기물 X가 만들어지는 동안 물 20분자가 빠져나온다.
ㄷ. 복잡한 유기물 X는 머리카락을 구성하기도 한다.
ㄹ. 복잡한 유기물 X는 사람을 구성하는 물질 중 가장 많은 양을 차지한다.

① ㄱ, ㄴ　② ㄱ, ㄷ　③ ㄷ, ㄹ
④ ㄱ, ㄴ, ㄷ　⑤ ㄴ, ㄷ, ㄹ

C 핵산

핵산의 단위체

371 하 중 상

그림은 핵산의 기본 단위체를 나타낸 것이다. 이에 대한 설명으로 옳지 않은 것은?

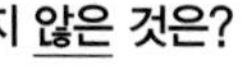

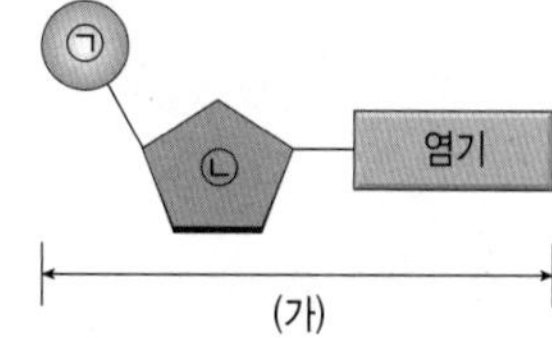

① (가)는 뉴클레오타이드이다.
② ㉠은 인산, ㉡은 당이다.
③ ㉠과 ㉡은 1 : 1로 결합되어 있다.
④ DNA에서 염기의 종류는 4가지이다.
⑤ DNA와 RNA에는 동일한 종류의 ㉡이 포함되어 있다.

372 하 중 상

그림은 어떤 핵산에 포함된 뉴클레오타이드를 나타낸 것이다. 이에 대한 설명으로 옳은 것만을 〈보기〉에서 있는 대로 고른 것은?

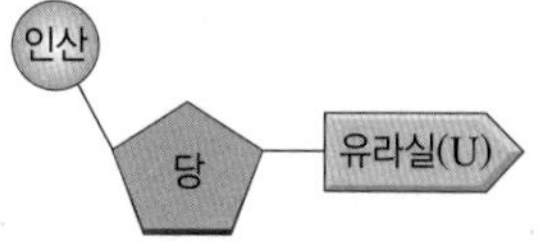

〈 보기 〉
ㄱ. RNA를 구성하는 단위체이다.
ㄴ. 당은 디옥시리보스이다.
ㄷ. 이 핵산은 두 가닥의 폴리뉴클레오타이드가 이중 나선으로 꼬여 있다.

① ㄱ　② ㄷ　③ ㄱ, ㄴ
④ ㄴ, ㄷ　⑤ ㄱ, ㄴ, ㄷ

373 하 중 상

그림 (가)와 (나)는 단백질과 DNA를 구성하는 단위체를 순서 없이 나타낸 것이다.

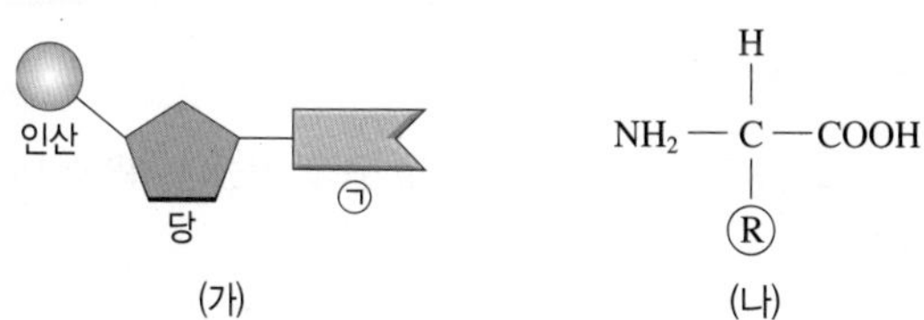

이에 대한 설명으로 옳지 않은 것은?

① (가)는 뉴클레오타이드이다.
② (가)와 (나)는 탄소 화합물이다.
③ (나)의 반복적인 결합으로 단백질이 만들어진다.
④ (가)에서 ㉠의 종류는 4가지이며, 타이민을 가진다.
⑤ (나)에서 R의 종류는 5가지이며, R의 종류에 따라 (나)의 종류가 결정된다.

374 하중상

그림 (가)는 핵산의 한 종류를, (나)는 (가)를 구성하는 단위체를 나타낸 것이다.

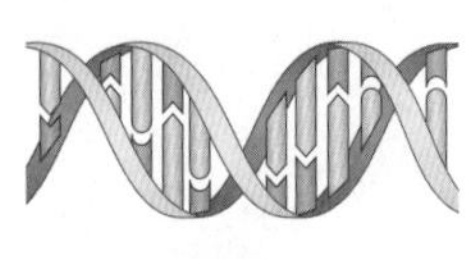
(가)

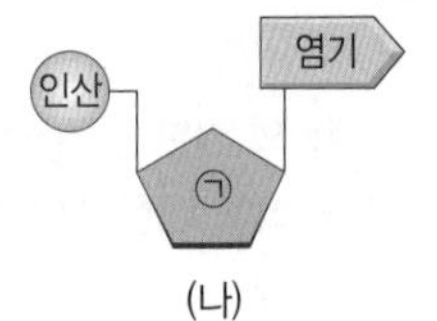

(나)

이에 대한 설명으로 옳은 것만을 〈보기〉에서 있는 대로 고른 것은?

〈 보기 〉
ㄱ. (가)는 유전 정보를 저장한다.
ㄴ. ㉠은 디옥시리보스이다.
ㄷ. (나)의 염기에 유라실(U)이 포함된다.
ㄹ. 위 핵산을 구성하는 단위체의 종류는 4가지이다.

① ㄱ, ㄴ ② ㄴ, ㄷ ③ ㄷ, ㄹ
④ ㄱ, ㄴ, ㄹ ⑤ ㄴ, ㄷ, ㄹ

핵산의 종류

375 하중상

표는 DNA와 RNA를 비교한 것이다.

구분	DNA	RNA
당	㉠	리보스
염기	A, G, C, T	㉡
구조	㉢	단일 가닥
기능	㉣	유전 정보 전달

㉠~㉣에 들어갈 알맞은 말을 각각 쓰시오.

376 하중상

••서술형

DNA와 RNA의 차이점을 당, 염기, 구조, 기능의 측면에서 각각 서술하시오.

(1) 당의 종류

(2) 염기의 종류

(3) 구조

(4) 기능

빈출

377 하중상

그림은 DNA의 일부를 나타낸 것이다.

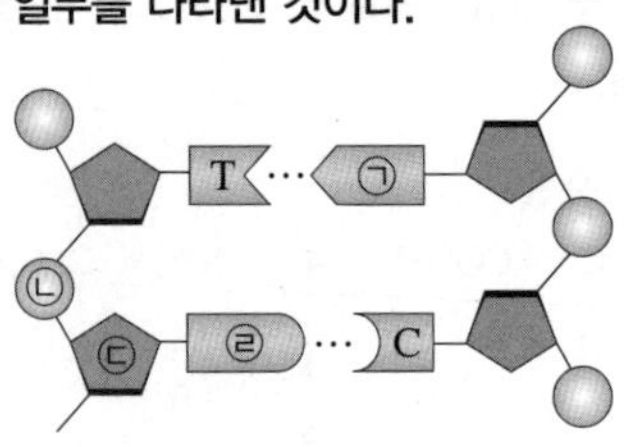

이에 대한 설명으로 옳은 것만을 〈보기〉에서 있는 대로 고른 것은?

〈 보기 〉
ㄱ. ㉠은 구아닌(G), ㉣은 아데닌(A)이다.
ㄴ. ㉡+㉢+㉣은 뉴클레오타이드이다.
ㄷ. ㉡, ㉢, ㉣은 1 : 1 : 1의 비율로 결합되어 있다.

① ㄱ ② ㄴ ③ ㄷ ④ ㄱ, ㄴ ⑤ ㄴ, ㄷ

378 하중상

그림은 DNA나 RNA의 일부를 나타낸 것이다. 이에 대한 설명으로 옳은 것만을 〈보기〉에서 있는 대로 고른 것은?

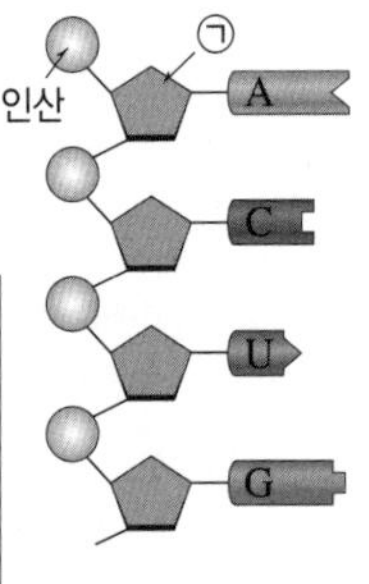

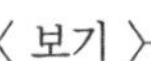
〈 보기 〉
ㄱ. ㉠은 리보스이다.
ㄴ. ㉠과 인산은 공유 결합으로 연결된다.
ㄷ. 유전 정보를 전달하고 단백질을 합성하는 과정에 관여한다.

① ㄱ ② ㄷ ③ ㄱ, ㄴ ④ ㄴ, ㄷ ⑤ ㄱ, ㄴ, ㄷ

379 하중상

그림은 핵산의 종류 중 하나의 일부를 나타낸 것이다.

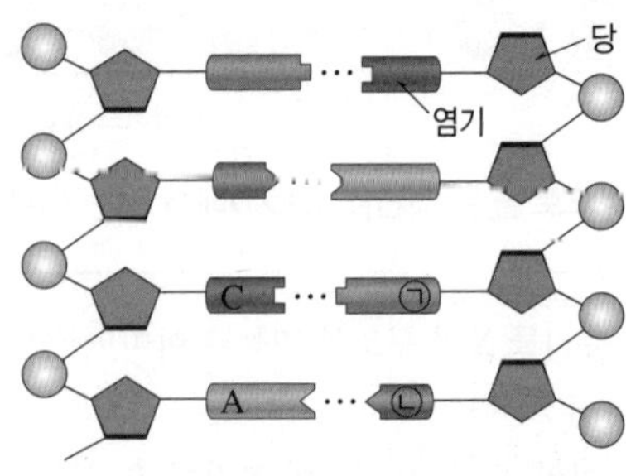

이에 대한 설명으로 옳은 것만을 〈보기〉에서 있는 대로 고른 것은?

〈 보기 〉
ㄱ. ㉠은 구아닌(G)이고, ㉡은 유라실(U)이다.
ㄴ. C과 ㉠, A과 ㉡ 사이의 결합은 수소 결합이다.
ㄷ. 이 구조를 통해 다양한 유전 정보가 저장된다.

① ㄱ ② ㄷ ③ ㄱ, ㄴ ④ ㄴ, ㄷ ⑤ ㄱ, ㄴ, ㄷ

380 하중상

그림은 핵산의 구조 중 일부를 나타낸 것이다. (가)와 (나)는 각각 **DNA**와 **RNA** 중 하나이다.

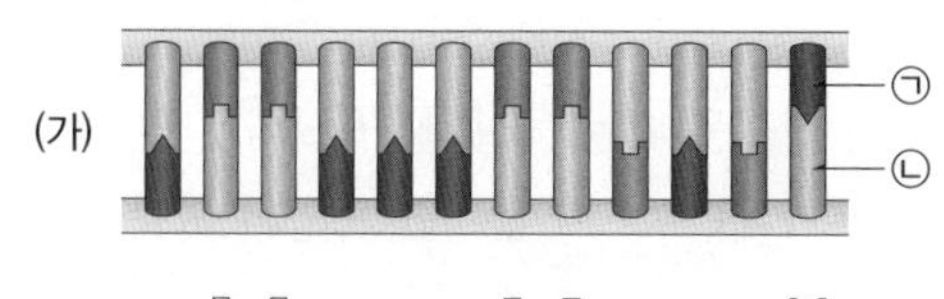

이에 대한 설명으로 옳은 것만을 <보기>에서 있는 대로 고른 것은?

<보기>

ㄱ. (가)는 DNA, (나)는 RNA이다.
ㄴ. ㉠이 타이민(T)이면, ㉡은 사이토신(C)이다.
ㄷ. (가)는 유전 정보를 저장하고, (나)는 단백질 합성에 관여한다.

① ㄱ ② ㄴ ③ ㄷ
④ ㄱ, ㄷ ⑤ ㄴ, ㄷ

382 하중상

그림 (가)와 (나)는 두 종류의 핵산 **DNA**와 **RNA**를 순서 없이 나타낸 것이다.

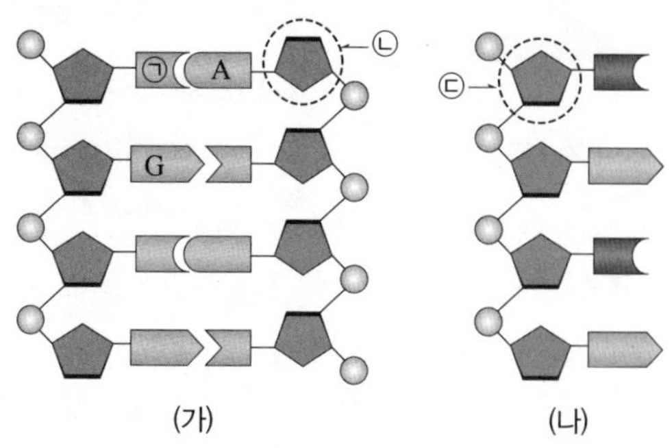

이에 대한 설명으로 옳은 것만을 <보기>에서 있는 대로 고른 것은?

<보기>

ㄱ. ㉠은 타이민(T)이다.
ㄴ. ㉡은 리보스, ㉢은 디옥시리보스이다.
ㄷ. (가)와 (나)에서 사이토신(C)과 타이민(T)이 공통으로 발견된다.

① ㄱ ② ㄷ ③ ㄱ, ㄴ
④ ㄴ, ㄷ ⑤ ㄱ, ㄴ, ㄷ

빈출 381 하중상

대표문제 多 보기

그림은 두 종류의 핵산 (가)와 (나)의 구조를 나타낸 것이다.

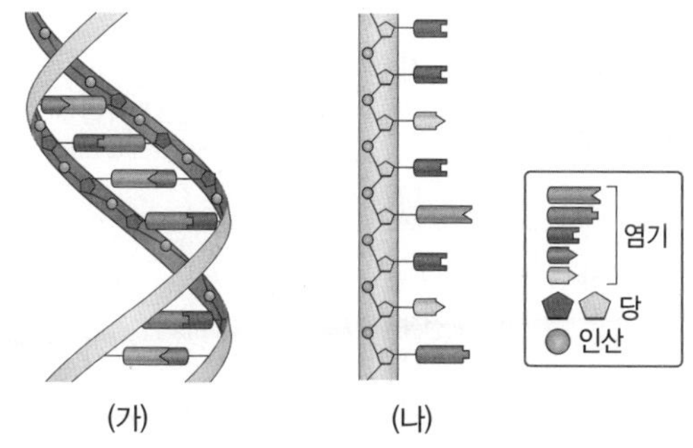

이에 대한 설명으로 옳은 것만을 모두 고르면?(3개)

① (가)를 구성하는 당의 종류는 2가지이다.
② (가)를 구성하는 염기 중에 유라실(U)이 있다.
③ (나)를 구성하는 단위체는 5종류이다.
④ (나)를 구성하는 염기 중에 구아닌(G)이 있다.
⑤ (가)와 (나)를 구성하는 당의 종류는 같다.
⑥ (가)와 (나)의 기본 단위체는 뉴클레오타이드이다.
⑦ (가)는 단위체의 배열 순서에 따라 다양한 유전 정보를 저장한다.

DNA 염기의 상보결합

빈출 383 하중상

••서술형

그림은 어떤 이중 나선 **DNA**에서 한쪽 가닥의 염기 서열을 나타낸 것이다.

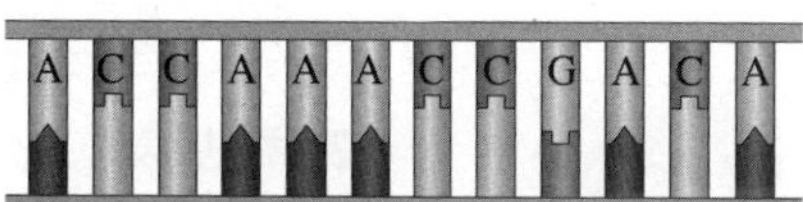

이 **DNA**의 다른 한쪽 가닥의 염기 서열을 순서대로 쓰시오.

384 하중상

어떤 동물 세포의 이중 나선 **DNA**를 구성하는 염기 중에서 아데닌(A)의 비율이 18 %이다. 이 동물 세포의 **DNA**에 존재하는 구아닌(G)과 타이민(T)의 비율을 옳게 짝 지은 것은?

	구아닌(G)	타이민(T)		구아닌(G)	타이민(T)
①	18 %	32 %	②	32 %	18 %
③	25 %	25 %	④	32 %	32 %
⑤	18 %	18 %			

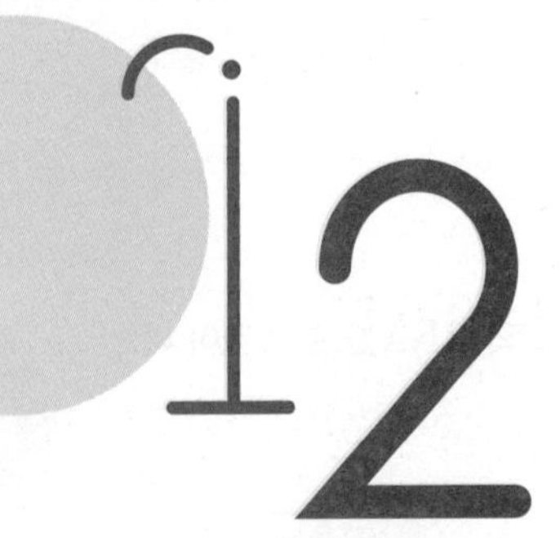

신소재의 개발과 이용

Ⓐ 신소재의 종류

1 반도체 도체와 절연체의 중간 정도인 전기적 성질을 띠는 물질 예 규소(Si), 저마늄(Ge)

➡ 규소나 저마늄을 이용한 순수 반도체는 전류가 잘 흐르지 않지만 소량의 불순물을 넣으면 ❶□□ 전도성이 크게 증가한다.

구분	p형 반도체	n형 반도체
불순물 종류	원자가 전자가 3개인 원소 → 13족 원소 예 붕소(B), 알루미늄(Al), 갈륨(Ga), 인듐(In)	원자가 전자가 5개인 원소 → 15족 원소 예 인(P), 질소(N), 비소(As), 안티모니(Sb)
원리	양공 원자가 전자가 3개인 원소를 첨가하면 공유 결합할 전자 1개가 부족하여 양공이 생긴다. ➡ ❷□□이 전하 나르개 역할을 한다.	원자가 전자가 5개인 원소를 첨가하면 공유 결합을 하고 전자 1개가 남는다. ➡ 남는 ❸□□가 전하 나르개 역할을 한다.

① 다이오드: p형 반도체와 n형 반도체를 붙여 만든 소자로 한쪽 방향으로만 전류가 흐른다. → 정류 작용

- ❹□형 반도체에 전원의 (+)극을, ❺□형 반도체에 전원의 (−)극을 연결한다. → 이를 순방향 전압 연결이라고 한다.
- 양공은 n형 반도체 쪽으로, 전자는 p형 반도체 쪽으로 이동하여 접합면을 통과하므로 전류가 흐른다.
- 전원의 극을 반대로 연결하면 전류가 흐르지 않는다.

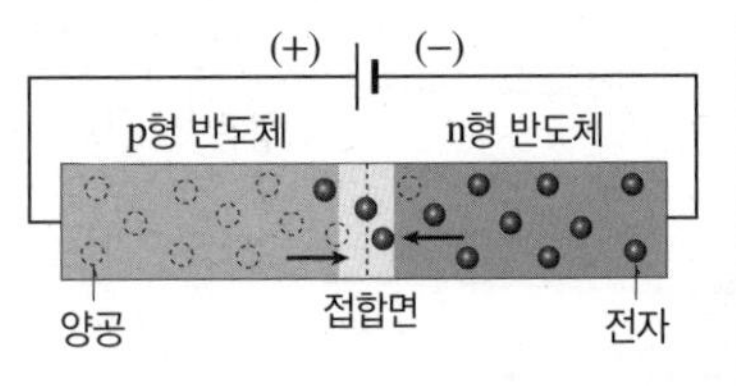

② 발광 다이오드(LED): 전류가 흐를 때 빛을 내는 다이오드로 신호등, 조명 장치, 영상 표시 장치 등에 이용한다.

③ 이용: 정류 장치, 컴퓨터 CPU, LED 조명 장치, 태양 전지, 각종 감지기 등
 - 정류 장치 → 교류를 직류로 바꾸어 준다.
 - 각종 감지기 → 반도체가 온도나 압력 등 조건에 따라 전기 저항이 변하는 성질을 이용한다.

2 초전도체 초전도 현상을 나타내는 물질

① 초전도 현상: 특정 온도 이하에서 ❻□□ □□이 0이 되는 현상

② 임계 온도: 전기 저항이 0이 되어 초전도 현상이 나타나기 시작하는 온도

③ 마이스너 효과: 임계 온도 이하의 초전도체가 외부 자기장을 밀어내는 성질 ➡ 초전도체를 자석 위에 놓으면 자석 위에 떠 있을 수 있다. (→ 이러한 성질을 반자성이라고 한다.)

④ 이용: MRI, 자기 부상 열차, 핵융합 장치, 초전도 케이블 등

전기 저항 / 임계 온도 / O / 온도

▲ 전기 저항 – 온도 그래프

3 액정 가늘고 긴 분자가 나란히 배열되어 있고, 고체와 액체의 성질을 함께 가진 물질

① 액정 디스플레이(LCD): 액정을 이용해 얇게 만든 영상 표시 장치로, 액정에 가하는 ❼□□의 세기를 변화시켜 빛의 투과량을 조절한다.

➡ 액정에 전압을 걸면 수직 편광판을 지난 빛의 진동 방향이 뒤틀리지 못하여 수평 편광판을 통과하지 못한다.

② 이용: 전자계산기, 온도계, 텔레비전, 휴대 전화 등의 화면

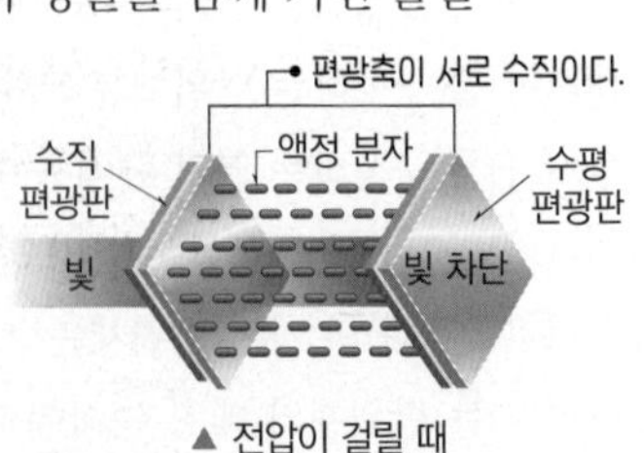

▲ 전압이 걸릴 때

기출 Tip Ⓐ-1

도체와 절연체
- 도체: 전기 저항이 작아 전류가 잘 흐르는 물질 예 철, 구리, 알루미늄
- 절연체: 전기 저항이 커서 전류가 잘 흐르지 않는 물질 예 고무, 유리, 플라스틱

강자성체와 상자성체
- 강자성체: 자석이 될 수 있는 물질로, 강한 자기장 속에 놓아두면 외부 자기장을 제거해도 오랫동안 자석의 성질을 유지한다. 예 철, 니켈
- 상자성체: 자석이 될 수 없는 물질로, 자석에 약하게 끌려오지만 외부 자기장을 제거하면 자석의 성질을 유지할 수 없다. 예 종이, 알루미늄

역방향 전압 연결
다이오드의 p형 반도체에 전원의 (−)극을, n형 반도체에 전원의 (+)극을 연결하는 것으로, 이때 다이오드에는 전류가 흐르지 않는다.

트랜지스터
p-n 접합 다이오드에 p형 또는 n형 반도체를 추가하여 만든 소자로 신호의 증폭 작용, 스위칭 작용을 한다.

기출 Tip Ⓐ-2

전기 저항이 0일 때의 열손실
물체의 전기 저항이 0이 되면 전류가 흐를 때 열이 발생하지 않으므로 전기 에너지가 열에너지로 손실되지 않는다.

기출 Tip Ⓐ-3

액정의 이용
액정의 성질을 최초 발견 후 실생활 적용에 대한 아이디어가 없었으나, 뒤늦게 디스플레이에 적용할 수 있다는 가능성이 발견되어 연구가 진행되었다.

LCD와 LED의 차이점
LCD는 광원에서 나온 빛을 조절하는 역할을 하므로 따로 광원이 필요하지만 LED는 스스로 빛을 내는 광원이다.

4 그래핀 ❽ ☐☐ 원자가 육각형의 벌집 모양의 평면적인 구조를 이루고 있는 물질

구조	특징	이용
	• 전기 전도성과 열전도성이 뛰어나다. • 강철보다 강도가 강하다. • 얇고 투명하며, 유연성이 있어 휘어질 수 있다. • 대량 생산이 어려우며, 반도체처럼 전기적 성질을 변화시키기 어렵다.	휘어지는 디스플레이, 의복형 컴퓨터, 차세대 반도체 소재, 야간 투시용 콘택트렌즈 등

기출 Tip Ⓐ-4

그래핀의 전기적 성질

- 유연성이 뛰어나 늘어나거나 휘어지더라도 전기적 성질이 변하지 않는다.
- 규소(Si)에 비해 전자의 이동 속도가 매우 빨라 전기 전도성이 훨씬 좋다.

Ⓑ 생체 모방 신소재

모방한 생명체	생체 모방 신소재
도꼬마리 열매	도꼬마리 열매의 갈고리 형태로 된 가시를 모방한 벨크로 테이프
연잎	연잎 표면의 미세한 돌기 구조를 모방한 ❾ ☐☐가 되는 옷
모르포 나비	나비의 날개가 보는 방향에 따라 색이 달라지는 원리를 모방한 모르포텍스 섬유
홍합	홍합이 분비하는 접착 단백질(족사)을 모방한 수중 공사용 접착테이프
게코도마뱀	게코도마뱀의 발바닥에 나 있는 미세 섬모를 모방한 의료용 패치 → 쉽게 붙었다 떨어졌다 할 수 있다.
거미	거미줄의 강도와 신축성을 모방한 방탄복
상어	상어 비늘의 구조를 모방한 전신 수영복
혹등고래	혹등고래의 지느러미에 있는 돌기의 구조를 모방한 저소음 고효율 팬

답 ❶ 전기 ❷ 양공 ❸ 전자 ❹ p ❺ n ❻ 전기 저항 ❼ 전압 ❽ 탄소 ❾ 방수

빈출 자료 보기

정답과 해설 35쪽

385 그림 (가), (나), (다)는 서로 다른 반도체의 결정 구조를 나타낸 것이다.

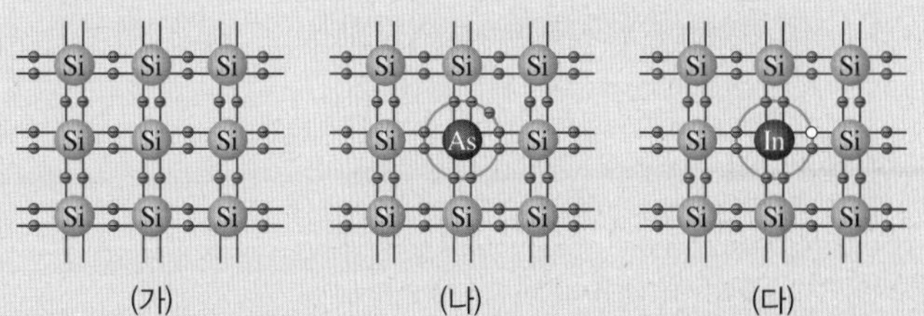

(가) (나) (다)

이에 대한 설명으로 옳은 것은 ○, 옳지 않은 것은 ×로 표시하시오.

(1) (나)는 p형 반도체, (다)는 n형 반도체이다. ( )

(2) (나)에는 공유 결합에 참여하지 않는 남는 전자가 있다. ( )

(3) (다)에서 인듐(In) 대신에 붕소(B)나 알루미늄(Al)을 첨가하여도 같은 종류의 반도체를 만들 수 있다. ( )

(4) (가)와 (나)를 이용하여 다이오드를 만들 수 있다. ( )

(5) (가)에서보다 (나)와 (다)에서 전류가 잘 흐른다. ( )

(6) (가)~(다)에 규소(Si) 대신에 저마늄(Ge)을 사용해도 같은 성질을 나타낸다. ( )

386 그림 (가)와 (나)는 액정 디스플레이(LCD)의 액정에 전압이 걸린 경우와 걸리지 않은 경우를 순서 없이 나타낸 것이다.

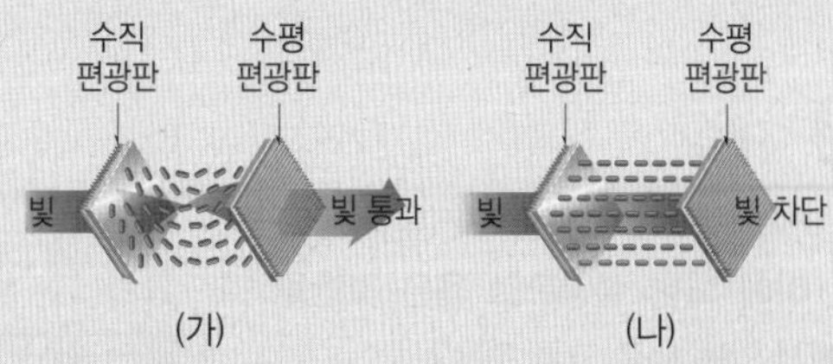

(가) (나)

이에 대한 설명으로 옳은 것은 ○, 옳지 않은 것은 ×로 표시하시오.

(1) (가)는 전압이 걸린 경우이다. ( )

(2) (가)에서는 액정 분자가 규칙적으로 배열되어 있지 않다. ( )

(3) (가)에서는 액정 분자에 의해 빛의 진동 방향이 뒤틀린다. ( )

(4) (나)는 편광판 사이에서 빛의 진동 방향이 변하지 않는다. ( )

(5) 두 편광판의 편광축은 서로 나란하다. ( )

(6) 액정 분자에 전압을 걸면 수직 편광판을 지난 빛이 수평 편광판을 통과하지 못한다. ( )

상 7문항
중 14문항
하 2문항

A 신소재의 종류

387 하 중 상

물질의 전기적 성질과 자기적 성질에 대한 설명으로 옳지 않은 것은?

① 고무, 유리, 플라스틱은 절연체에 속한다.
② 전기 저항이 작아 전류가 잘 흐르는 물질을 도체라고 한다.
③ 반도체는 온도나 압력을 조절해도 전기 저항값이 일정하다.
④ 강자성체는 자석의 재료가 될 수 있다.
⑤ 상자성체는 외부 자기장이 있을 때만 자석의 성질을 유지한다.

반도체

388 하 중 상

대표문제 多 보기

반도체에 대한 설명으로 옳은 것만을 모두 고르면?(3개)

① 도체보다 전기 전도성이 더 크다.
② 규소, 저마늄과 같은 원소가 반도체에 사용된다.
③ 온도가 낮아지면 전기 저항이 감소하여 0이 된다.
④ 순수 반도체에 원자가 전자가 5개인 원소를 첨가하면 전기 전도성이 증가한다.
⑤ p형 반도체는 순수 반도체에 원자가 전자가 3개인 불순물을 첨가한 반도체이다.
⑥ 발광 다이오드(LED)는 p−n 접합 다이오드에 p형 또는 n형 반도체를 추가하여 만든 소자로 증폭 작용을 한다.

389 하 중 상

그림은 어떤 반도체의 결정 구조를 나타낸 것이다. 이에 대한 설명으로 옳은 것만을 〈보기〉에서 있는 대로 고른 것은?

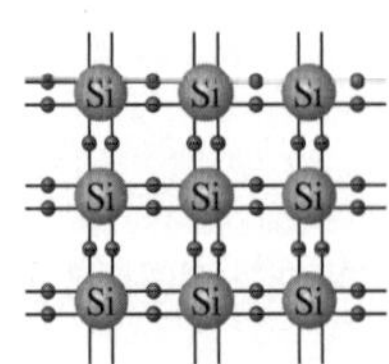

〈 보기 〉
ㄱ. 원자가 전자가 4개인 14족 원소이다.
ㄴ. 붕소나 알루미늄을 소량 첨가하면 양공이 만들어진다.
ㄷ. 인, 비소와 같은 불순물을 첨가한 반도체보다 전류가 잘 흐른다.

① ㄱ ② ㄷ ③ ㄱ, ㄴ
④ ㄴ, ㄷ ⑤ ㄱ, ㄴ, ㄷ

빈출

390 하 중 상

그림 (가)와 (나)는 순수한 반도체에 각각 불순물을 첨가하여 만든 반도체의 결정 구조를 나타낸 것이다.

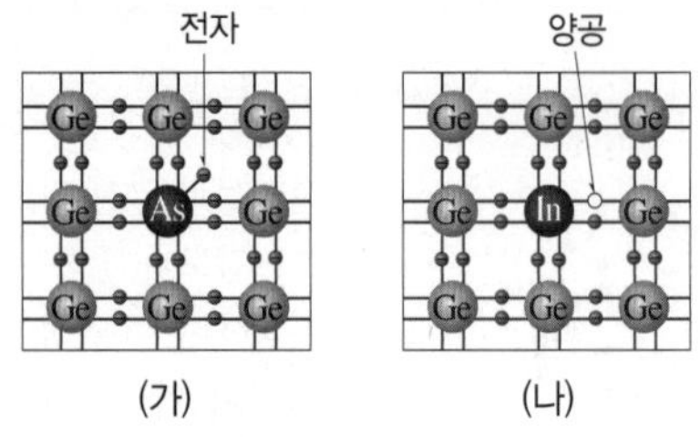

이에 대한 설명으로 옳은 것만을 〈보기〉에서 있는 대로 고른 것은?

〈 보기 〉
ㄱ. (가)와 (나)를 접합하면 전류를 한 방향으로만 흐르게 할 수 있다.
ㄴ. (가)와 (나)에서 저마늄(Ge) 대신 규소를 사용할 수 있다.
ㄷ. (나)의 인듐(In) 대신에 알루미늄, 붕소, 인을 사용해서 같은 종류의 반도체를 만들 수 있다.

① ㄱ ② ㄷ ③ ㄱ, ㄴ
④ ㄴ, ㄷ ⑤ ㄱ, ㄴ, ㄷ

391 하 중 상

그림과 같이 스위치, p−n 접합 다이오드, 저항으로 회로를 구성하였다. 이에 대한 설명으로 옳은 것만을 〈보기〉에서 있는 대로 고른 것은?

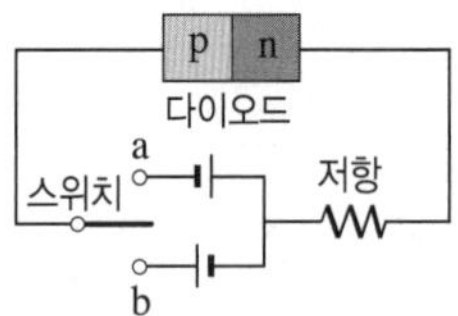

〈 보기 〉
ㄱ. 스위치를 a에 연결하면 전류가 흐르지 않는다.
ㄴ. 스위치를 b에 연결하면 다이오드에 역방향의 전압이 걸린다.
ㄷ. 스위치를 b에 연결했을 때 p형 반도체의 양공은 접합면을 넘어 n형 반도체 쪽으로 이동한다.

① ㄱ ② ㄴ ③ ㄷ
④ ㄱ, ㄷ ⑤ ㄴ, ㄷ

392 하 중 상

서술형

그림은 서로 다른 불순물 반도체를 접합하여 만든 장치이다.

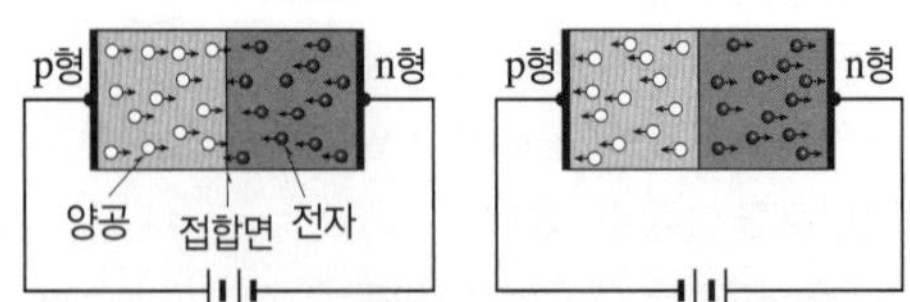

이 장치의 이름을 쓰고, 그림에서 알 수 있는 장치의 특징을 서술하시오.

393 하/중/상

그림은 p형 반도체와 n형 반도체를 붙여서 만든 발광 다이오드(LED)를 전원 장치에 연결했을 때 빛이 방출되는 것을 나타낸 것이다.

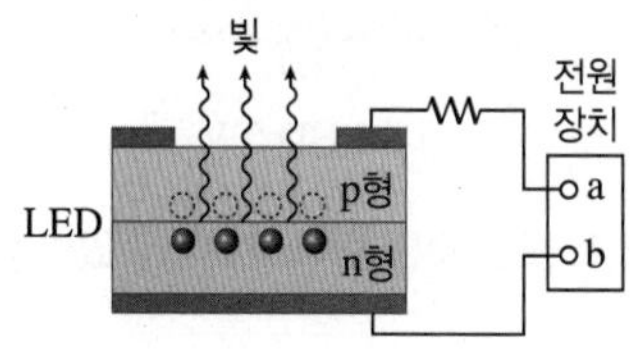

이에 대한 설명으로 옳은 것만을 〈보기〉에서 있는 대로 고른 것은?

〈 보기 〉
ㄱ. 전원 장치의 a는 (+)극이다.
ㄴ. LED는 증폭 장치 및 스위치 역할을 한다.
ㄷ. LED에서는 전기 에너지가 빛에너지로 전환된다.

① ㄱ ② ㄷ ③ ㄱ, ㄴ
④ ㄱ, ㄷ ⑤ ㄴ, ㄷ

초전도체

[394~395] 그림은 매우 낮은 온도에서 초전도체가 자석 위에 떠 있는 모습을 나타낸 것이다.

394 하/중/상

이 초전도체에 대한 설명으로 옳지 않은 것은?

① 반자성이 강하게 나타난다.
② 마이스너 효과에 의해 나타나는 현상이다.
③ 특정 온도 이상이 되면 전류가 매우 잘 흐른다.
④ 외부 자기장의 방향에 관계없이 자기장을 바깥으로 밀어낸다.
⑤ 이와 같은 현상이 일어나기 시작하는 온도를 임계 온도라고 한다.

395 하/중/상

••서술형

초전도체가 이와 같은 현상이 나타나기 위한 조건과 이때의 전기 저항에 대해 서술하시오.

빈출

396 하/중/상

그림은 어떤 물질의 온도에 따른 전기 저항을 나타낸 것이다. 이에 대한 설명으로 옳은 것만을 〈보기〉에서 있는 대로 고른 것은?

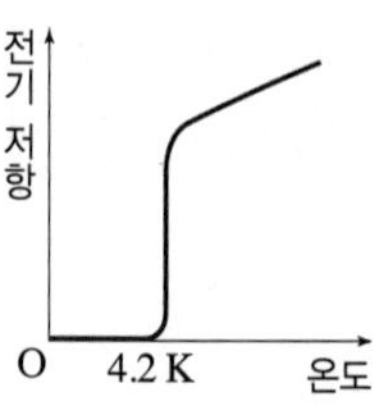

〈 보기 〉
ㄱ. 온도가 3 K일 때 마이스너 효과가 나타난다.
ㄴ. 이 물질은 상온(20 ℃)에서 초전도 현상이 나타난다.
ㄷ. 4 K 이하의 온도에서 전류가 흐를 때 전력 손실이 발생하지 않는다.

① ㄱ ② ㄴ ③ ㄱ, ㄷ
④ ㄴ, ㄷ ⑤ ㄱ, ㄴ, ㄷ

397 하/중/상

그림 (가)는 물체 A의 온도에 따른 전기 저항을 나타낸 것이고, 그림 (나)는 스타이로폼 용기에 A를 넣고 액체 질소를 부은 후 A 위에 자석을 놓은 모습을 나타낸 것이다.

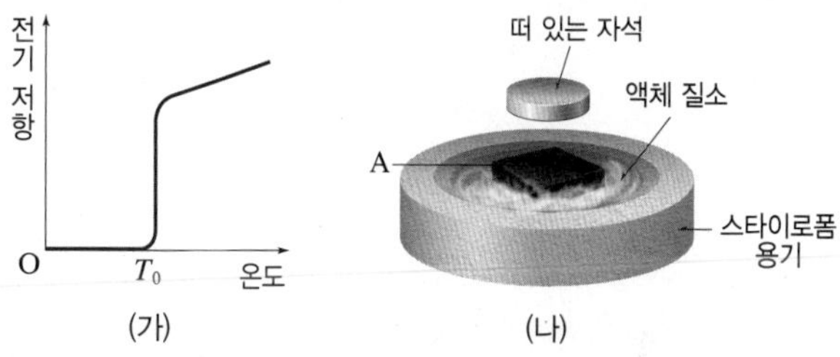

(가) (나)

이에 대한 설명으로 옳은 것만을 〈보기〉에서 있는 대로 고른 것은?

〈 보기 〉
ㄱ. 액체 질소의 온도는 T_0보다 낮다.
ㄴ. A는 강한 자기장을 만드는 데 이용될 수 있다.
ㄷ. A는 T_0보다 높은 온도에서 초전도 현상이 나타난다.
ㄹ. (나)에서 A 위에 자석이 떠 있는 것은 상자성과 관련있다.

① ㄱ, ㄴ ② ㄷ, ㄹ ③ ㄱ, ㄴ, ㄷ
④ ㄱ, ㄴ, ㄹ ⑤ ㄴ, ㄷ, ㄹ

398 하/중/상

••서술형

그림은 어떤 초전도체 물질의 온도에 따른 전기 저항을 나타낸 것이다. 초전도체가 가지는 전기적 특성과 자기적 특성을 그래프에 표시된 용어를 사용하여 서술하시오.

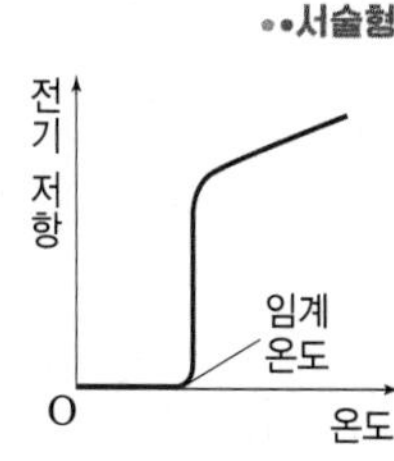

(1) 전기적 특성

(2) 자기적 특성

399 하 중 상

그림 (가)와 (나)는 초전도체와 반도체의 온도에 따른 전기 저항 그래프를 순서 없이 나타낸 것이다.

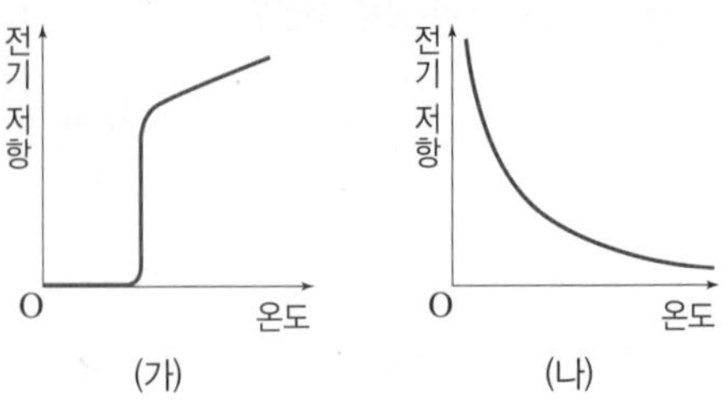

이에 대한 설명으로 옳은 것만을 〈보기〉에서 있는 대로 고른 것은?

〈 보기 〉
ㄱ. (가)는 반도체이다.
ㄴ. (나)와 같은 물질을 이용하여 발광 다이오드를 만들 수 있다.
ㄷ. (가)는 낮은 온도에서 전기적 성질이 변하지 않으므로 휘어지는 디스플레이의 소재가 된다.

① ㄴ ② ㄷ ③ ㄱ, ㄴ
④ ㄴ, ㄷ ⑤ ㄱ, ㄴ, ㄷ

액정

빈출

400 하 중 상

대표문제 多 보기

그림 (가), (나)는 액정 디스플레이(LCD)의 액정에 전압이 걸린 경우와 걸리지 않은 경우를 순서 없이 나타낸 것이다.

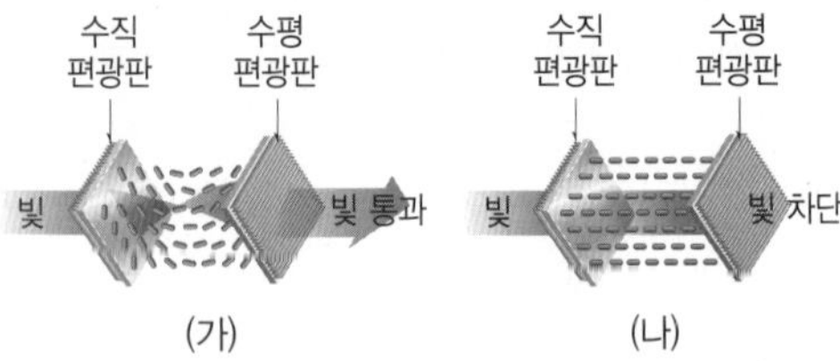

액정에 대한 설명으로 옳지 않은 것만을 모두 고르면?(2개)

① 액정에 가하는 전압에 따라 분자 배열이 달라진다.
② 주로 컴퓨터, 텔레비전, 휴대 전화에 이용한다.
③ 고체 결정의 성질을 가지면서 액체처럼 흐르는 성질이 있다.
④ 이 특성이 최초로 발견된 후 바로 실생활에 적용하여 널리 이용되었다.
⑤ 전압이 걸리지 않으면 빛이 통과되고, 전압이 걸리면 빛이 차단된다.
⑥ 액정을 이용하여 만든 LCD는 액정이 광원이므로 별도의 광원이 필요하지 않다.

401 하 중 상

그림 (가)~(다)는 신소재를 이용한 예를 나타낸 것이다.

(가) 다이오드 (나) LED TV (다) LCD 화면

이에 대한 설명으로 옳은 것만을 〈보기〉에서 있는 대로 고른 것은?

〈 보기 〉
ㄱ. (가)는 순수 물질로 만든다.
ㄴ. (나)는 전기 에너지를 빛에너지로 전환한다.
ㄷ. (다)에 사용된 액정은 스스로 빛을 낼 수 없기 때문에 (다)는 배경 광원이 필요하다.

① ㄱ ② ㄴ ③ ㄱ, ㄷ
④ ㄴ, ㄷ ⑤ ㄱ, ㄴ, ㄷ

[402~403] 그림 (가)와 (나)는 두 장의 직교하는 편광판 사이에 액정을 채워 넣은 액정 디스플레이(LCD)의 구조를 나타낸 것이다.

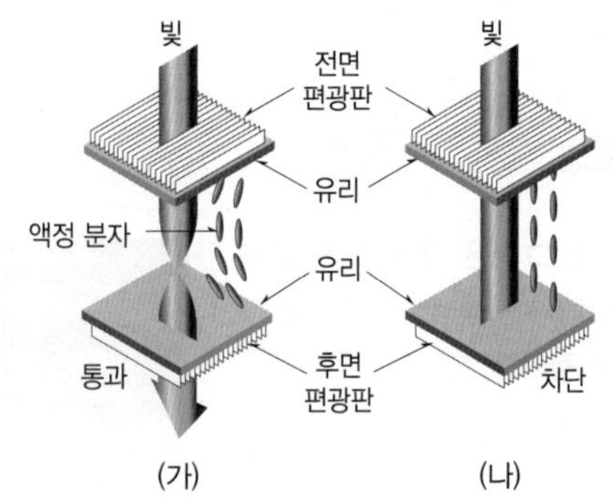

402 하 중 상

이에 대한 설명으로 옳은 것만을 〈보기〉에서 있는 대로 고른 것은?

〈 보기 〉
ㄱ. (가)는 전압이 걸려 있는 상태이다.
ㄴ. 액정의 전기적 성질을 이용한 것이다.
ㄷ. (나)에서 전면 편광판을 통과한 빛이 진동 방향은 변하지 않는다.

① ㄱ ② ㄴ ③ ㄱ, ㄷ
④ ㄴ, ㄷ ⑤ ㄱ, ㄴ, ㄷ

403 하 중 상

••서술형

그림 (가)에서는 빛이 편광판 두 개와 액정을 모두 통과하였고, 그림 (나)에서는 빛이 후면 편광판을 통과하지 못하였다. 그 까닭을 서술하시오.

그래핀

404 하중상

대표문제 多 보기

그림은 탄소 원자가 육각형 모양으로 연결된 구조를 나타낸 것이다. 이에 대한 설명으로 옳지 않은 것만을 모두 고르면?(2개)

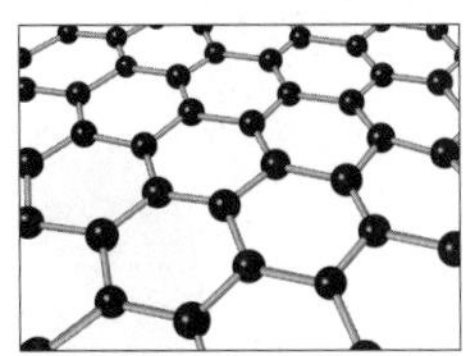

① 이 물질은 그래핀이다.
② 강철보다 단단하다.
③ 열전도성과 전기 전도성이 높다.
④ 구부리거나 접으면 전기 전도성을 잃는다.
⑤ 두께가 얇고, 유연성이 있어 휘어질 수 있다.
⑥ 전자의 이동 속도가 규소로 만든 반도체보다 느리다.
⑦ 휘어지는 디스플레이, 의복형 컴퓨터 등의 소재로 이용된다.

405 하중상

그림 (가)와 (나)는 신소재를 나타낸 것이다.

(가)

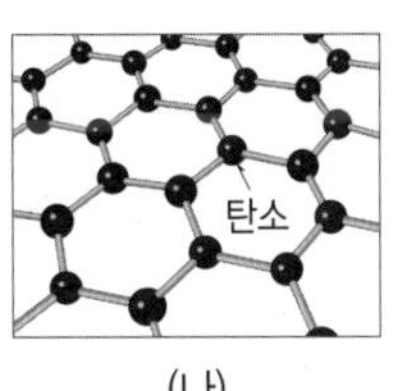

(나)

이에 대한 설명으로 옳은 것만을 〈보기〉에서 있는 대로 고른 것은?

〈 보기 〉
ㄱ. (가)는 전류가 흘러도 열이 발생하지 않는다.
ㄴ. (나)에 붕소, 알루미늄과 같은 불순물을 첨가하면 전기 전도성이 좋아진다.
ㄷ. (가)는 자기 공명 영상 장치(MRI), (나)는 투명 디스플레이의 소재로 사용할 수 있다.

① ㄱ　② ㄷ　③ ㄱ, ㄴ
④ ㄱ, ㄷ　⑤ ㄴ, ㄷ

B 생체 모방 신소재

406 하중상

빈출

자연을 모방한 기술을 생체 모방이라고 한다. 자연의 생명체와 이를 모방한 신소재를 옳게 짝 지은 것은?

① 연잎 – 벨크로 테이프
② 홍합 – 방수가 되는 섬유
③ 게코도마뱀 – 의료용 패치
④ 혹등고래 – 모르포텍스 섬유
⑤ 도꼬마리 열매 – 수중 접착제

407 하중상

그림 (가)~(다)는 자연을 모방하여 만든 신소재를 나타낸 것이다.

(가) 벨크로 테이프

(나) 모르포텍스 섬유

(다) 수중 접착제

이에 대한 설명으로 옳은 것만을 〈보기〉에서 있는 대로 고른 것은?

〈 보기 〉
ㄱ. (가)는 게코도마뱀의 발바닥 구조를 모방하였다.
ㄴ. (나)는 모르포 나비 날개의 막이 가진 구조를 모방하였다.
ㄷ. (다)는 홍합의 분비물인 족사를 모방하였다.

① ㄱ　② ㄴ　③ ㄱ, ㄷ
④ ㄴ, ㄷ　⑤ ㄱ, ㄴ, ㄷ

408 하중상

서술형

다음은 생체 모방 기술을 활용하여 개발된 신소재에 대한 글이다.

거미줄은 매우 가늘지만 강철보다 강도가 강하고, 신축성이 뛰어나다. 이러한 거미줄의 특성을 이용하여 방탄복이나 인공 힘줄, 낙하산 등에 사용할 수 있는 신소재를 개발하였다.

이와 같이 생체 모방 기술에 이용된 생물과, 모방하여 개발한 신소재 또는 제품의 예를 한 가지만 서술하시오.

409 하중상

대표문제 多 보기

신소재에 대한 설명으로 옳지 않은 것은?

① 물질의 물리적 성질을 변화시켜서 만든다.
② 홍합의 분비물을 이용하여 유리 코팅제를 만든다.
③ 초전도체를 전력 수송에 이용하면 에너지 손실을 최소화 할 수 있다.
④ 신소재의 개발에 따라 휴대 전화의 성능이 점점 향상되고 있다.
⑤ 신소재는 기존 물질의 단점을 보완하거나 새로운 성질을 가진 물질이다.
⑥ 나노 기술이 발달하면서 자연의 작은 생명체를 모방하는 신소재를 개발하기도 한다.

410

그림은 지각을 구성하는 광물을 특성에 따라 구분하는 과정을 나타낸 것이다.

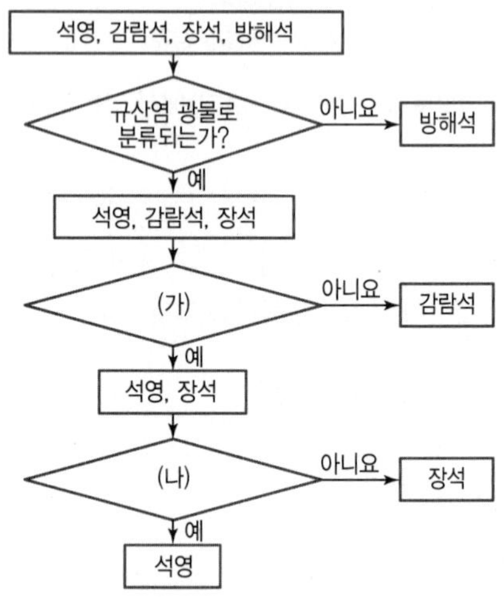

(가)와 (나)에 들어갈 질문을 옳게 짝 지은 것은?

① (가) – 규산염 사면체가 결합하여 이루어져 있는가?
② (가) – 힘을 가하면 깨지는 성질이 있는가?
③ (나) – 단위체가 망상 구조로 결합되어 있는가?
④ (나) – 힘을 가하면 쪼개지는 성질이 있는가?
⑤ (나) – 산소와 규소만으로 이루어져 있는가?

411

그림 (가)~(다)는 서로 다른 규산염 광물의 결합 구조를 나타낸 것이다.

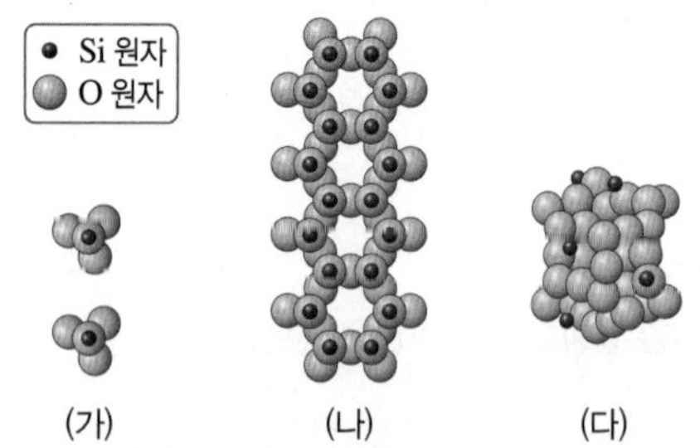

(가) (나) (다)

이에 대한 설명으로 옳지 않은 것만을 모두 고르면?(2개) (단, 마그마에서 광물이 정출되는 순서는 (가) → (나) → (다)이다.)

① (가)는 광물을 형성할 때 양이온과 결합한다.
② (다)의 규산염 사면체를 이루는 모든 산소는 다른 규산염 사면체와 공유 결합을 한다.
③ 광물이 정출되는 온도는 (가)<(나)<(다)이다.
④ $\frac{\text{Si 원자 수}}{\text{O 원자 수}}$는 (다)<(나)<(가)이다.
⑤ (가) → (나) → (다)로 갈수록 화학적 풍화에 강하다.

412

그림 (가)는 지각을 구성하는 물질의 비율을, (나)는 사람을 구성하는 물질의 비율을 나타낸 것이다.

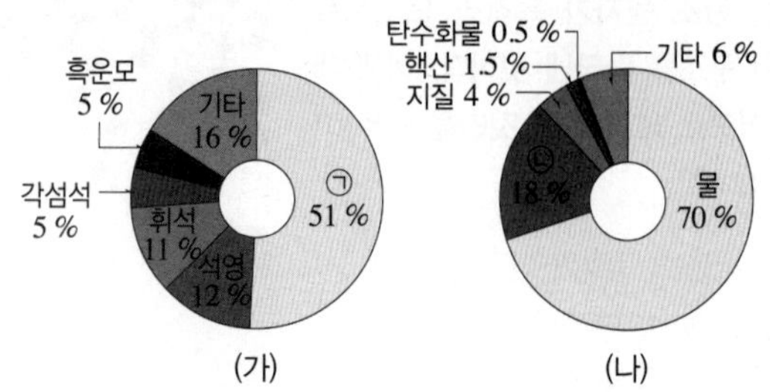

(가) (나)

이에 대한 설명으로 옳은 것만을 〈보기〉에서 있는 대로 고른 것은?

〈 보기 〉
ㄱ. ㉠은 규산염 사면체가 복사슬 구조로 결합되어 있다.
ㄴ. ㉡은 탈수 축합 반응으로 단위체가 연결되어 만들어진 중합체이다.
ㄷ. ㉡의 단위체는 포도당이다.

① ㄱ ② ㄴ ③ ㄱ, ㄷ
④ ㄴ, ㄷ ⑤ ㄱ, ㄴ, ㄷ

413

그림은 탄수화물의 구조를 나타낸 것이다. (가)는 동물의 에너지 저장 물질이고, (가)~(다)는 각각 녹말, 글리코젠, 셀룰로스 중 하나이다.

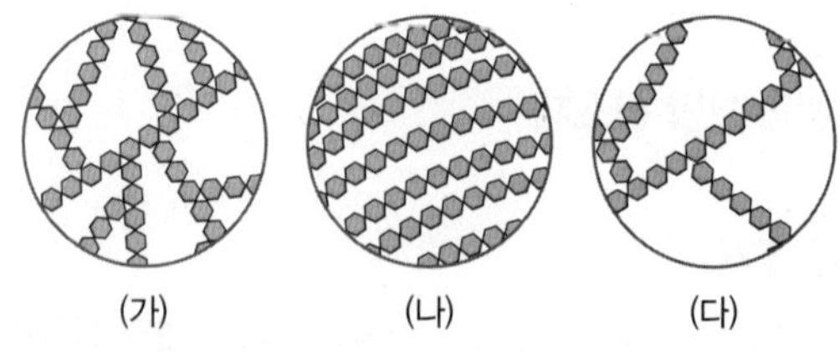
(가) (나) (다)

이에 대한 설명으로 옳지 않은 것은?

① (가)는 글리코젠이다.
② (나)는 식물 세포의 세포벽을 구성한다.
③ (나)는 폴리펩타이드로 이루어져 있다.
④ (다)는 다당류이다.
⑤ (가)~(다)는 모두 포도당이 단위체이다.

414

표는 이중 나선 DNA (가)와 (나)의 염기 조성을 나타낸 것이다. DNA (가)와 (나)는 각각 200개의 뉴클레오타이드로 구성되어 있다.

DNA	염기 조성
(가)	$\frac{A+T}{G+C}=3$
(나)	A의 수=60

이에 대한 설명으로 옳은 것만을 〈보기〉에서 있는 대로 고른 것은?

〈 보기 〉

ㄱ. (가)와 (나)의 $\frac{A+T}{G+C}$의 값은 같다.

ㄴ. (가)와 (나)의 염기의 수를 합하면 400이다.

ㄷ. (가)의 아데닌(A) 수와 (나)의 구아닌(G) 수를 합하면 115이다.

① ㄱ ② ㄷ ③ ㄱ, ㄴ
④ ㄴ, ㄷ ⑤ ㄱ, ㄴ, ㄷ

415

표는 여러 생명체의 DNA 염기 조성을 분석하여 얻은 결과이다.

구분	염기 (가) / 염기 (나)	염기 (다) / 사이토신	염기 (가) / 염기 (다)	염기 (나) / 사이토신
생명체 Ⅰ	1.5	1.5	1	1
생명체 Ⅱ	1.05	1.05	1	1
생명체 Ⅲ	1.3	1.3	1	1

(1) 염기 (나)의 이름을 쓰시오. (단, 반드시 한글로 쓰시오.)

(2) 어떤 생명체에서 염기 (가)의 비율이 20 %라면, 염기 (나)의 비율은 몇 %인지 쓰시오.

416

표는 단일 가닥 DNA Ⅰ~Ⅳ의 염기 조성을 나타낸 것이다. Ⅰ~Ⅳ는 각각 2개의 이중 가닥 DNA를 구성하는 단일 가닥이다.

구분	염기 조성(%)			
	A	G	T	C
가닥 Ⅰ	18	?	11	㉢
가닥 Ⅱ	㉠	18	?	40
가닥 Ⅲ	?	㉡	26	18
가닥 Ⅳ	?	31	18	?

(1) 가닥 Ⅱ~Ⅳ 중 가닥 Ⅰ과 상보적으로 결합하는 가닥을 쓰시오.

(2) 염기 조성에서 ㉠+㉡+㉢의 값을 구하시오.

417

그림과 같이 발광 다이오드(LED) A, B와 전지를 연결하여 회로를 구성하였더니 A에서 빛이 방출되었다. X와 Y는 p형 반도체와 n형 반도체를 순서 없이 나타낸 것이다.

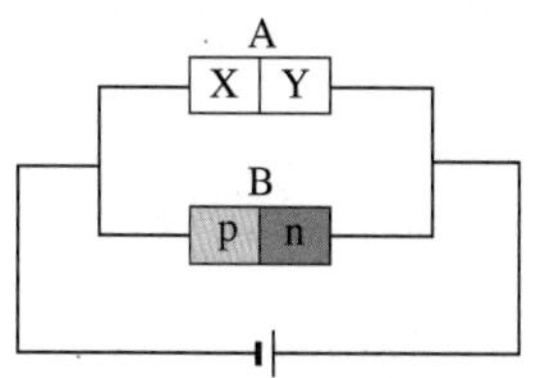

이에 대한 설명으로 옳은 것만을 〈보기〉에서 있는 대로 고른 것은?

〈 보기 〉

ㄱ. X는 p형 반도체이다.

ㄴ. B에는 전류가 흐르지 않는다.

ㄷ. A의 p형 반도체 속 양공은 p−n 접합면 쪽으로 이동하고, n형 반도체 속 전자는 p−n 접합면으로부터 멀어진다.

① ㄱ ② ㄴ ③ ㄱ, ㄷ
④ ㄴ, ㄷ ⑤ ㄱ, ㄴ, ㄷ

418

다음은 물체 A의 성질을 알아보기 위한 실험이다.

[실험 과정]

(가) A를 건전지와 전구에 연결한 후 스타이로폼 용기에 넣고 액체 질소를 천천히 붓는다.

(나) 액체 질소에 잠겨 있는 A를 꺼내어 자석 위에 가만히 놓는다.

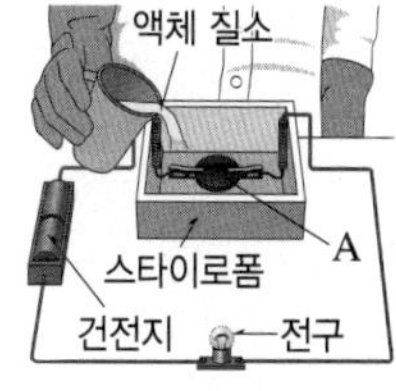

[실험 결과]

과정 (가)	전구에 불이 켜지지 않다가 액체 질소를 붓고 난 후 전구에 불이 켜졌다.
과정 (나)	A가 자석 위에 얼마 동안 떠 있다가 천천히 자석 위로 내려앉았다.

이에 대한 설명으로 옳은 것만을 〈보기〉에서 있는 대로 고른 것은?

〈 보기 〉

ㄱ. 액체 질소의 온도는 A의 임계 온도보다 낮다.

ㄴ. A의 전기 저항은 액체 질소를 붓기 전보다 부은 후가 더 작다.

ㄷ. 과정 (나)에서 자석 위로 내려앉은 A의 온도는 임계 온도보다 낮다.

① ㄱ ② ㄴ ③ ㄱ, ㄴ
④ ㄴ, ㄷ ⑤ ㄱ, ㄴ, ㄷ

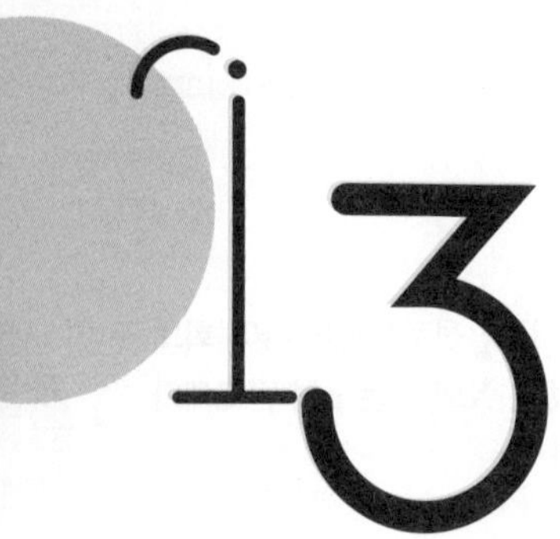

힘과 중력

Ⓐ 힘

1 과학에서의 힘 물체의 모양이나 ❶□□ □□(빠르기, 운동 방향)를 변화시키는 원인이다.

➡ 물체에 작용한 힘이 클수록 물체의 모양이나 운동 상태가 크게 변한다.

① **힘의 표시**: 힘의 크기, 힘의 방향, 힘의 작용점을 화살표로 나타낸다.

② **힘의 효과**: 힘의 크기, 힘의 방향, 힘의 작용점에 따라 힘의 효과가 달라진다. (힘의 3요소)

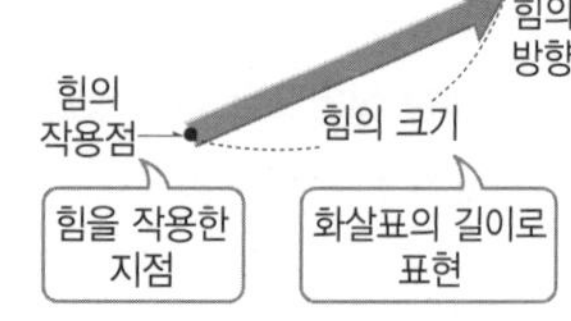

▲ 힘의 표시

③ **힘의 단위**: N(뉴턴)

④ **힘의 합력과 알짜힘**: 한 물체에 둘 이상의 힘이 동시에 작용할 때 이들 힘을 합성하여 하나의 힘으로 나타낸 것을 힘의 합력이라 하고, 물체에 작용하는 모든 힘의 합력을 알짜힘이라고 한다. ➡ 물체의 운동 상태는 알짜힘에 의해 결정된다.

기출 Tip Ⓐ-1

힘과 운동

정지 상태인 물체는 힘을 받지 않으면 정지 상태를 유지하고, 운동 중인 물체는 힘을 받지 않으면 원래의 운동 상태를 유지한다.

(힘의 합력과 알짜힘 구하기)

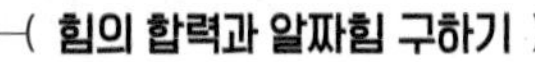
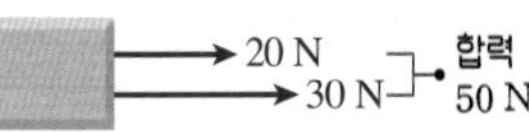

• 힘의 합력: 20 N+30 N=50 N(오른쪽)
• 물체에 작용하는 알짜힘의 크기와 방향: 50 N, 오른쪽

2 여러 가지 힘

❷□□	질량이 있는 모든 물체 사이에 서로 당기는 힘
전기력	전기(전하)를 띤 물체 사이에 서로 밀거나 당기는 힘 → 밀어내는 힘(척력), 당기는 힘(인력)이 있다.
자기력	자석 또는 자성체 사이에 서로 밀거나 당기는 힘
마찰력	두 물체의 접촉면에서 물체의 운동을 방해하는 힘 → 낙하하는 물체에는 공기 저항력이 작용한다.
탄성력	탄성을 가진 물체가 변형되었을 때 다시 원래 상태로 되돌아가려는 힘

Ⓑ 중력

1 지구의 중력 지구와 물체 사이에 작용하는 힘 → 중력은 물체를 지구 중심 방향으로 가속시키는 원인이다.

① 중력의 방향: 지구 ❸□□ 방향(=연직 아래 방향) → 지면에 대해 물체를 매단 실이 나타내는 수직 아래 방향

② 중력의 크기

• 물체의 ❹□□이 클수록 중력이 크다.
• 지구 중심에 가까울수록 중력이 크다.
• 적도보다 극지방에서 중력이 ❺□다.
• 지표면에서 높이 올라갈수록 중력이 ❻□□진다.

③ 중력과 무게: 물체에 작용하는 중력의 크기를 무게라고 한다.

기출 Tip Ⓑ-1

중력의 크기

• 물체의 질량에 따라 달라지고, 물체의 속력과는 관계가 없다.
• 물체에 작용하는 지구 중력의 크기 =질량×중력 가속도(9.8 m/s²)

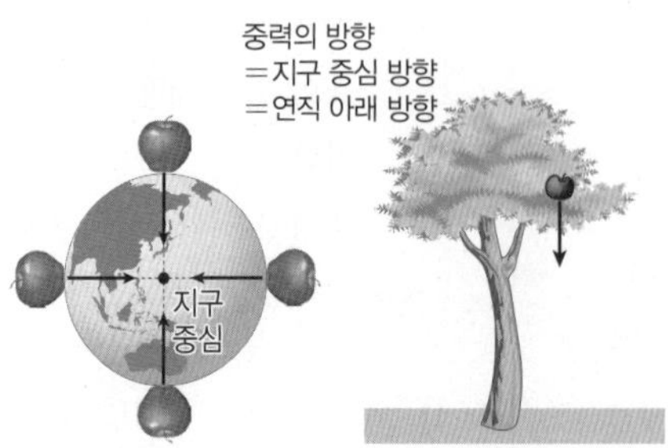

▲ 지구 중심을 향하는 중력의 방향

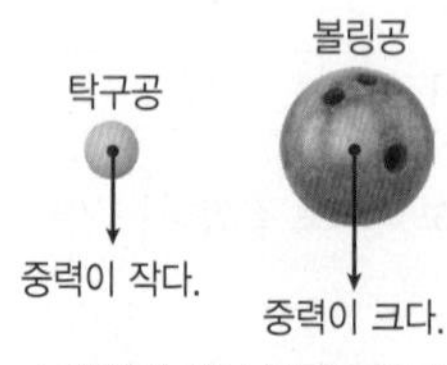

▲ 질량에 따른 중력의 크기

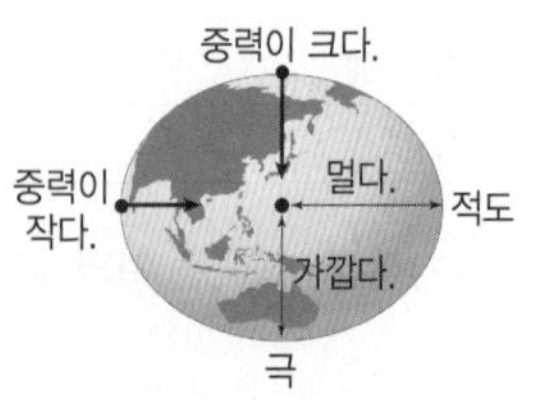

▲ 위치에 따른 중력의 크기

구분	❼ □□	질량
정의	물체에 작용하는 중력의 크기	물체의 ❽ □□□ 양
단위	N(뉴턴) → 힘의 단위와 같다.	g(그램), kg(킬로그램)
특징	측정 장소에 따라 물체를 당기는 중력의 크기가 달라지므로, 무게가 달라진다.	측정 장소가 바뀌어도 물체의 양은 변하지 않으므로 질량이 변하지 않는다.
관계	질량이 클수록 무게도 크다. ➾ 지구에서 물체의 무게=9.8×질량 → 질량과 무게는 비례한다. 예 지구에서 질량이 1 kg인 물체의 무게는 약 9.8 N이다.	

(달에서의 중력)

- 달에서의 중력은 지구 중력의 $\frac{1}{6}$이다. ➾ 달에서의 무게=지구에서의 무게×$\frac{1}{6}$
- 천체의 질량과 크기에 따라 천체가 물체를 당기는 중력의 ❾ □□도 다르다.

2 두 물체 사이에 상호 작용 하는 중력 일반적으로 ❿ □□이 있는 모든 물체 사이에 상호 작용 하는 힘을 중력이라고 한다.

① 중력의 방향: 서로를 끌어당기는 방향으로 중력이 작용한다. → 두 물체의 질량 중심을 향한다.

② 중력의 크기: 질량이 클수록, 두 물체 사이의 거리가 가까울수록 중력이 크다.

③ 중력의 작용: 물체가 서로 접촉해 있거나 떨어져 있어도 중력은 작용한다.

(두 물체 사이에 작용하는 중력)

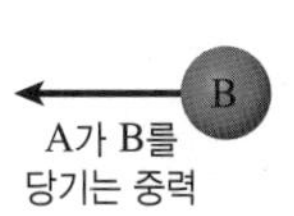

➾ A가 B를 당기는 중력과 B가 A를 당기는 중력은 서로 크기가 ⓫ □고 방향이 반대이다.

기출 Tip Ⓑ-1

무중력 상태에서 무게와 질량
무게는 물체에 작용하는 중력의 크기이므로 무중력 상태에서 무게는 0이지만, 질량은 물체의 고유한 양이므로 무중력 상태에서도 같은 값을 갖는다.

대기권 밖에서 중력의 작용
지구 대기권 밖에서는 중력이 작용하지만 그 크기가 매우 작아 작용하지 않는 것처럼 느껴진다.

기출 Tip Ⓑ-2

두 물체 사이에 상호 작용 하는 힘
- 상호 작용 하는 두 힘의 크기는 항상 같다.
  예 지구가 물체를 당기는 힘의 크기는 물체가 지구를 당기는 힘의 크기와 같다.
- 두 물체 사이에 상호 작용 하는 중력의 크기는 두 물체의 질량의 곱에 비례하고, 두 물체 사이 거리의 제곱에 반비례한다.

답 ❶ 운동 상태 ❷ 중력 ❸ 중심 ❹ 질량 ❺ 크 ❻ 작아 ❼ 무게 ❽ 고유한 ❾ 크기 ❿ 질량 ⓫ 같

빈출 자료 보기

정답과 해설 38쪽

419 그림은 질량이 m_1인 물체 A와 질량이 m_2인 물체 B가 거리 r만큼 떨어져 있는 모습을 나타낸 것이다.

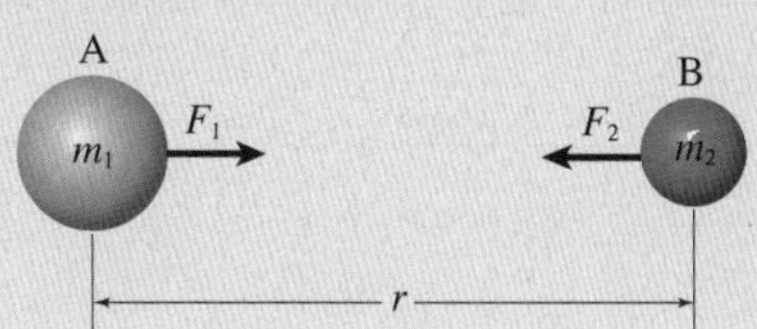

이에 대한 설명으로 옳은 것은 ○, 옳지 않은 것은 ×로 표시하시오.

(1) F_1은 B가 A를 당기는 힘이다. ( )

(2) m_1이 커지면 F_1의 크기만 커진다. ( )

(3) F_1과 F_2는 크기가 같고 방향이 반대인 힘이다. ( )

(4) A와 B 사이에 작용하는 힘은 r^2에 반비례한다. ( )

(5) r가 커지면 F_1과 F_2의 크기도 모두 커진다. ( )

A 힘

420 하 중 상

물체에 작용하는 힘에 대한 설명으로 옳은 것만을 〈보기〉에서 있는 대로 고른 것은?

〈 보기 〉
ㄱ. 힘은 물체의 운동 상태를 변화시킬 수 있다.
ㄴ. 한 물체에 여러 힘이 동시에 작용할 수 있다.
ㄷ. 힘의 크기, 힘의 방향, 힘의 작용점에 따라 힘의 효과는 달라진다.

① ㄱ ② ㄴ ③ ㄱ, ㄷ
④ ㄴ, ㄷ ⑤ ㄱ, ㄴ, ㄷ

421 하 중 상

여러 가지 힘에 대한 설명으로 옳은 것은?

① 중력은 물체의 질량이 클수록 작다.
② 자기력은 접촉했을 때만 작용하는 힘이다.
③ 다른 종류의 전하 사이에는 인력이 작용한다.
④ 탄성력은 탄성체가 변형된 상태를 유지하려는 힘이다.
⑤ 낙하하는 물체에 작용하는 공기 저항력은 중력과 같은 방향으로 작용한다.

빈출
422 하 중 상

대표문제 多 보기

힘과 운동에 대한 설명으로 옳지 않은 것은?

① 힘은 물체의 모양을 바꾸는 원인이다.
② 힘은 물체의 빠르기를 바꾸는 원인이다.
③ 힘은 물체의 운동 방향을 바꾸는 원인이다.
④ 물체는 힘을 받아야만 운동을 계속 할 수 있다.
⑤ 한 물체에 여러 가지 힘이 동시에 작용할 수 있다.

B 중력

지구의 중력

423 하 중 상

다음은 지구 중력에 대한 설명이다.

지구가 물체에 작용하는 중력의 방향은 지구의 (㉠)을 향하는 방향이다. 중력의 크기는 물체의 질량이 (㉡), 물체와 지구 사이의 거리가 (㉢) 크다.

( ) 안에 들어갈 말을 옳게 짝 지은 것은?

	㉠	㉡	㉢
①	바깥쪽	클수록	가까울수록
②	바깥쪽	작을수록	멀수록
③	중심	클수록	가까울수록
④	중심	클수록	멀수록
⑤	중심	작을수록	가까울수록

424 하 중 상

물체의 무게에 대한 설명으로 옳은 것만을 〈보기〉에서 있는 대로 고른 것은?

〈 보기 〉
ㄱ. 단위는 kg이다.
ㄴ. 물체에 작용하는 중력의 크기를 무게라고 한다.
ㄷ. 같은 물체라도 측정하는 위치에 따라 무게가 달라진다.

① ㄱ ② ㄴ ③ ㄷ
④ ㄱ, ㄴ ⑤ ㄴ, ㄷ

425 하 중 상

질량과 무게에 대한 설명으로 옳은 것만을 〈보기〉에서 있는 대로 고른 것은?

〈 보기 〉
ㄱ. 지구에서 측정한 물체의 무게는 달에서의 6배이다.
ㄴ. 질량은 물체의 고유한 양으로 장소에 따라 달라진다.
ㄷ. 중력이 작용하지 않는 곳에서 질량 2 kg인 물체의 무게는 0이다.

① ㄱ ② ㄴ ③ ㄱ, ㄴ
④ ㄱ, ㄷ ⑤ ㄴ, ㄷ

426 하중상 대표문제 多 보기

중력에 대한 설명으로 옳지 않은 것만을 모두 고르면?(2개)

① 중력은 적도에서 극지방 쪽으로 갈수록 커진다.
② 물체에 작용하는 중력의 크기를 무게라고 한다.
③ 중력은 지표면에서 높은 곳으로 올라갈수록 작아진다.
④ 물체의 질량이 클수록 작용하는 중력의 크기도 커진다.
⑤ 물체의 속력이 빠르면 물체에 작용하는 중력의 크기도 크다.
⑥ 일정한 질량의 물체에 작용하는 중력의 크기는 어디에서나 일정하다.
⑦ 지표면 부근에서 질량 10 kg인 물체에 작용하는 중력의 크기는 약 98 N이다.

427 하중상

그림은 민수와 주희가 사과나무 옆에 서 있는 모습을 나타낸 것이다. 질량은 민수가 주희보다 크다.

이에 대한 설명으로 옳은 것만을 〈보기〉에서 있는 대로 고른 것은?

〈 보기 〉
ㄱ. 무게는 민수가 주희보다 크다.
ㄴ. 나무에 매달려 있는 사과에 작용하는 중력은 0이다.
ㄷ. 민수에게 작용하는 중력의 방향은 지구 중심 방향이다.

① ㄱ ② ㄴ ③ ㄱ, ㄷ
④ ㄴ, ㄷ ⑤ ㄱ, ㄴ, ㄷ

428 하중상

그림은 지구와 지구 밖의 어느 지점에 있는 물체를 나타낸 것이다. A~E는 특정 방향을 나타낸 것이다.

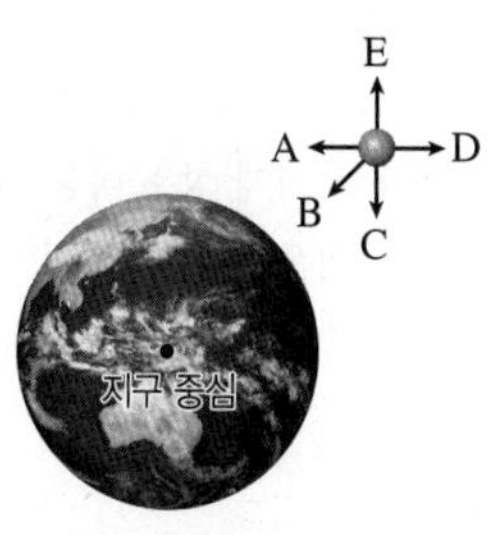

이에 대한 설명으로 옳은 것만을 〈보기〉에서 있는 대로 고른 것은?

〈 보기 〉
ㄱ. 물체에 작용하는 중력의 방향은 C이다.
ㄴ. 물체의 질량에 관계없이 물체에 작용하는 중력의 크기는 일정하다.
ㄷ. 지구가 물체를 당기는 힘과 물체가 지구를 당기는 힘의 크기는 항상 같다.

① ㄱ ② ㄴ ③ ㄷ
④ ㄱ, ㄴ ⑤ ㄴ, ㄷ

429 하중상

중력에 대한 설명으로 옳은 것만을 〈보기〉에서 있는 대로 고른 것은?

〈 보기 〉
ㄱ. 지구 대기권 밖에서는 지구 중력이 작용하지 않는다.
ㄴ. 지구가 나를 당기는 중력과 내가 지구를 당기는 중력은 크기가 같고 방향이 반대이다.
ㄷ. 지상에 있는 물체에 작용하는 지구 중력은 물체를 지구 중심 방향으로 가속시키는 원인이 된다.

① ㄱ ② ㄴ ③ ㄱ, ㄷ
④ ㄴ, ㄷ ⑤ ㄱ, ㄴ, ㄷ

두 물체 사이에 상호 작용 하는 중력

430 하중상

다음은 어떤 힘에 대한 설명이다.

- 질량이 있는 모든 물체 사이에 상호 작용 하는 힘이다.
- 물체 사이의 거리가 가까울수록, 질량이 클수록 힘의 크기가 크다.

이 힘은?

① 중력 ② 전기력 ③ 탄성력
④ 자기력 ⑤ 마찰력

빈출

431 하중상

대표문제 多 보기

중력에 대한 설명으로 옳지 않은 것만을 모두 고르면?(2개)

① 중력은 물체가 가진 고유한 양이다.
② 중력은 두 물체가 떨어져 있어도 작용한다.
③ 중력은 질량을 가진 모든 물체 사이에 작용한다.
④ 중력은 물체들이 서로 끌어당기는 방향으로 작용한다.
⑤ 지구가 물체에 작용하는 중력의 방향은 연직 아래 방향이다.
⑥ 중력의 크기는 물체 사이의 거리가 멀수록, 질량이 클수록 크다.

432 하중상

그림은 두 물체 A와 B 사이에 작용하는 중력을 나타낸 것이다.

이에 대한 설명으로 옳은 것만을 〈보기〉에서 있는 대로 고른 것은?

〈 보기 〉

ㄱ. A가 B를 당기는 중력과 B가 A를 당기는 중력의 방향은 같다.
ㄴ. A가 B를 당기는 중력의 크기는 B가 A를 당기는 중력의 크기와 다르다.
ㄷ. 두 물체의 질량이 클수록, 두 물체 사이의 거리가 가까울수록 중력이 크다.

① ㄱ ② ㄷ ③ ㄱ, ㄴ
④ ㄴ, ㄷ ⑤ ㄱ, ㄴ, ㄷ

433 하중상

새의 깃털과 지구가 일정한 거리를 두고 떨어져 있다. 이때 깃털과 지구 사이에 작용하는 힘에 대한 설명으로 옳은 것만을 〈보기〉에서 있는 대로 고른 것은? (단, 공기 저항은 무시한다.)

〈 보기 〉

ㄱ. 중력이 작용한다.
ㄴ. 지구와 깃털 사이에 서로 당기는 힘이 작용한다.
ㄷ. 깃털이 지구를 당기는 힘보다 지구가 깃털을 당기는 힘의 크기가 훨씬 더 크다.

① ㄱ ② ㄷ ③ ㄱ, ㄴ
④ ㄴ, ㄷ ⑤ ㄱ, ㄴ, ㄷ

빈출

434 하중상

그림은 두 물체 A와 B가 서로에게 작용하는 중력을 나타낸 것이다.

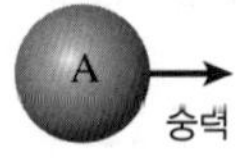

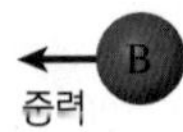

A의 질량이 B의 질량보다 크다고 할 때, 이에 대한 설명으로 옳은 것만을 〈보기〉에서 있는 대로 고른 것은? (단, 외부의 영향은 무시한다.)

〈 보기 〉

ㄱ. A의 질량이 클수록 A가 받는 중력의 크기는 커진다.
ㄴ. A가 받는 중력의 크기는 B가 받는 중력의 크기보다 크다.
ㄷ. A와 B 사이의 거리가 멀어지면 B가 받는 중력의 크기는 작아진다.

① ㄱ ② ㄷ ③ ㄱ, ㄴ
④ ㄱ, ㄷ ⑤ ㄴ, ㄷ

빈출

435 하/중/상 대표문제 多 보기

그림과 같이 질량이 각각 m_1, m_2인 물체 A와 B가 거리 r만큼 떨어져 있다.

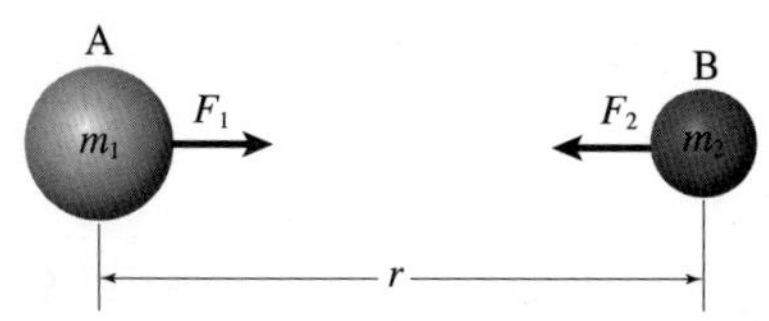

이에 대한 설명으로 옳지 않은 것만을 모두 고르면?(2개)

① F_1은 B가 A를 당기는 힘이다.
② F_1과 F_2는 크기가 같고 방향이 반대인 힘이다.
③ 현재 상태에서 m_1이 커지면 F_1은 커지지만 F_2는 변하지 않는다.
④ 두 물체 사이에 작용하는 중력에 의해 두 물체 사이의 거리는 점점 멀어진다.
⑤ 현재 상태에서 두 물체 사이의 거리 r가 작아지면 F_1과 F_2의 크기는 모두 커진다.

436 하/중/상 ••서술형

그림은 질량이 있는 두 물체 A와 B 사이에 작용하는 중력을 나타낸 것이다.

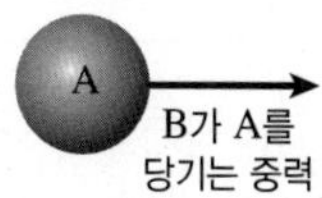

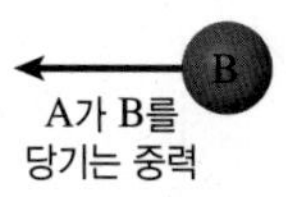

두 물체 사이에 작용하는 중력의 크기를 크게 하려면 두 물체의 질량을 크게 해야 한다. 중력의 크기를 크게 하는 다른 방법은 무엇인지 서술하시오.

437 하/중/상 ••서술형

그림은 질량이 각각 m_1, m_2인 물체 A와 B가 거리 r만큼 떨어져 있을 때, 두 물체에 힘 F_1, F_2가 작용하고 있는 모습을 나타낸 것이다.

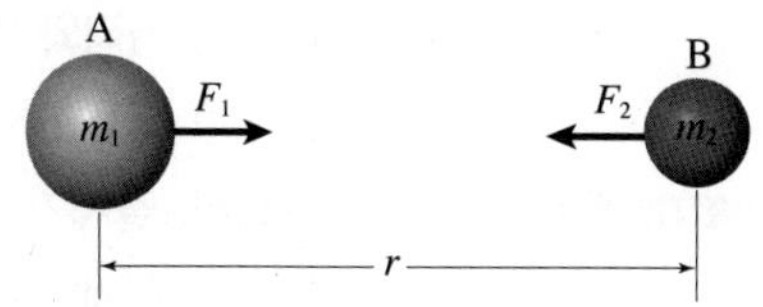

(1) F_1, F_2와 같이 질량이 있는 물체 사이에서 작용하는 힘을 쓰시오.

(2) F_1의 값을 감소시킬 수 있는 방법을 두 가지 서술하시오.

(3) 힘 F_1의 크기가 30 N일 때 힘 F_2의 크기를 구하고, 그 까닭을 서술하시오.

438 하/중/상 ••서술형

그림 (가)는 질량이 각각 m, M인 두 물체가 거리 r만큼 떨어져 있는 모습을, (나)는 질량이 각각 $4m$, $3M$인 두 물체가 거리 $2r$만큼 떨어져 있는 모습을 나타낸 것이다.

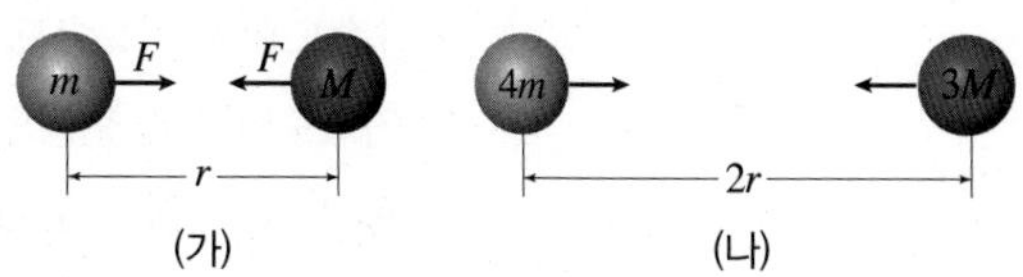

(가)에서 두 물체 사이에 작용하는 중력의 크기를 F라고 할 때, (나)에서 두 물체 사이에 작용하는 중력의 크기를 F로 나타내시오. (단, 물체의 크기와 외부의 영향은 무시하고, 풀이 과정과 함께 나타낸다.)

물체의 운동

Ⓐ 속도와 가속도

1 이동 거리와 변위

① 이동 거리: 물체가 실제로 움직인 총 거리

② 변위: 물체가 운동할 때 운동 경로에 관계없이 처음 위치에서 나중 위치까지의 위치 변화량

➔ 처음 위치에서 나중 위치까지의 ❶☐☐ ☐☐와 방향

기출 Tip Ⓐ-1

변위가 0인 경우
물체가 출발했다가 제자리로 돌아온 경우 처음 위치와 나중 위치가 같으므로 변위는 0이다.

곡선 궤도를 따라 운동할 때	원 궤도를 따라 운동할 때	직선상에서 운동 방향이 바뀔 때
총 거리 : 5 m, 직선 거리 : 3 m (A → B)	원 둘레 : 5 m	A, B, 5 m, 3 m
• 이동 거리: 5 m • 변위의 크기: 3 m	• 이동 거리: 5 m • 변위의 크기: 0 m	• 이동 거리: 5 m+3 m=8 m • 변위의 크기: 5 m−3 m=2 m

2 속력과 속도

① 속력: 물체의 빠르기를 나타내는 물리량

• 속력의 크기: 단위시간 동안 전체 이동한 거리

• 속력의 방향: 속력은 방향을 고려하지 않는다.

$$속력=\frac{이동\ 거리}{걸린\ 시간}\quad [단위: m/s,\ km/h]$$

② 속도: 물체의 운동 방향과 빠르기를 함께 나타내는 물리량

$$속도=\frac{변위}{걸린\ 시간}=\frac{나중\ 위치-처음\ 위치}{걸린\ 시간}\quad [단위: m/s,\ km/h]$$

• 속도의 크기: 단위시간 동안 변위의 크기

• 속도의 방향: 운동 방향의 한쪽 방향을 (+)로 표시하면, 반대 방향은 ❷☐로 표시한다.

[예제] 달리기 선수가 400 m 트랙을 한 바퀴 돌아서 제자리까지 오는 데 40초가 걸렸다. 이 선수의 평균 속력과 평균 속도의 크기를 각각 구하시오.

[풀이] 이동 거리는 400 m, 변위는 0이다.

$평균\ 속력=\frac{이동\ 거리}{걸린\ 시간}=\frac{400\ m}{40\ s}=10\ m/s$, $평균\ 속도의\ 크기=\frac{변위}{걸린\ 시간}=0$

답 평균 속력: 10 m/s, 평균 속도의 크기: 0

기출 Tip Ⓐ-2

속력과 속도의 구별
물체의 운동 방향이 변하지 않을 때에는 이동 거리와 변위의 크기가 같기 때문에 속력과 속도의 크기도 같다. 따라서 이때에는 속력과 속도를 구별하지 않고 사용한다.

평균 속력과 평균 속도
• 평균 속력: 전체 이동 거리를 걸린 시간으로 나눈 값
• 평균 속도: 전체 변위를 걸린 시간으로 나눈 값

3 가속도

① 가속도: 물체의 속도가 시간에 따라 변하는 정도를 나타내는 물리량

$$가속도=\frac{속도\ 변화량}{걸린\ 시간}=\frac{나중\ 속도-처음\ 속도}{걸린\ 시간}\quad [단위: m/s^2]$$

• 가속도의 크기: 단위시간 동안 ❸☐☐ ☐☐☐의 크기

• 가속도의 방향: 속도 변화량의 방향과 같다.

② 가속도와 힘과 질량의 관계: 가속도는 작용하는 알짜힘에 ❹☐☐하고, 질량에 반비례한다.

➔ 힘 1 N은 질량 1 kg을 1 m/s^{2}만큼 가속시키는 힘이다. → $1\ N=1\ kg\times 1\ m/s^2$

$$가속도=\frac{힘}{질량},\ 힘=질량\times 가속도$$

[예제] 직선 도로에서 20 m/s의 속도로 달리던 질량이 1200 kg인 자동차가 가속 페달을 밟아서 10초 후에 속도가 50 m/s가 되었다. 이 자동차의 가속도의 크기와 작용한 힘의 크기를 구하시오.

[풀이] $가속도=\frac{나중\ 속도-처음\ 속도}{걸린\ 시간}=\frac{50\ m/s-20\ m/s}{10\ s}=3\ m/s^2$

$힘=질량\times 가속도=1200\ kg\times 3\ m/s^2=3600\ N$

답 가속도의 크기: 3 m/s^2, 힘의 크기: 3600 N

기출 Tip Ⓐ-3

중력 가속도
지구 중력에 의해 생기는 가속도로, 약 9.8 m/s^{2}이다. 즉, 지구 중력만을 받는 물체의 속도는 1초에 9.8 m/s씩 변한다.

B 힘과 운동

1 등속 직선 운동 속도의 크기와 방향이 ❺☐☐☐ 운동

➡ 속력과 운동 방향이 모두 일정하다.

① 등속 직선 운동의 조건: 물체의 속력과 운동 방향이 일정하므로, 물체에 ❻☐이 작용하지 않거나 물체에 작용하는 알짜힘이 ❼☐이어야 한다.

▲ **등속 직선 운동의 다중 섬광 사진** 같은 시간 동안 공의 이동 거리가 일정하다.

② 등속 직선 운동을 나타내는 그래프와 식

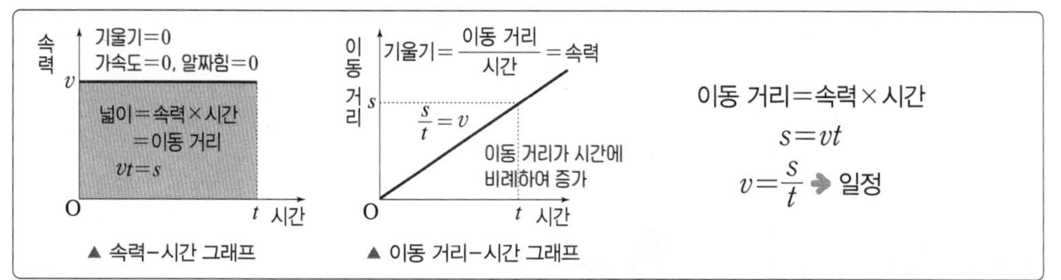

▲ 속력-시간 그래프 ▲ 이동 거리-시간 그래프

2 등가속도 직선 운동 ❽☐☐☐의 크기와 운동 방향이 일정한 운동

➡ 운동 방향은 변하지 않고, 속도가 일정하게 증가하거나 감소한다.

① 등가속도 직선 운동의 조건: 가속도가 일정하므로 크기와 방향이 ❾☐☐☐ 힘이 작용해야 한다.

▲ **등가속도 직선 운동의 다중 섬광 사진** 같은 시간 동안 공의 이동 거리가 일정하게 증가한다.

② 등가속도 직선 운동을 나타내는 그래프와 식

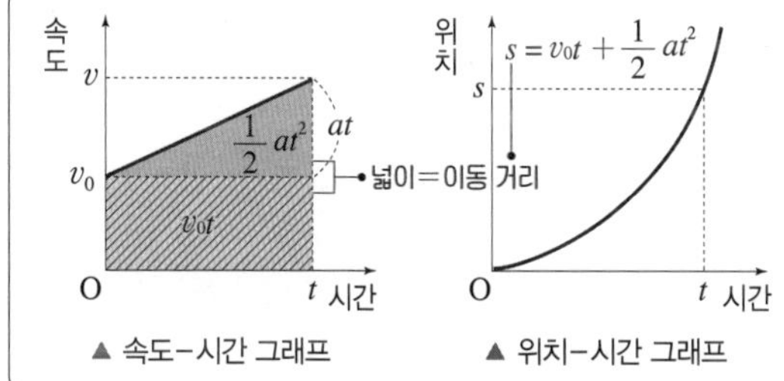

▲ 속도-시간 그래프

위치 $s=v_0t+\frac{1}{2}at^2$, s, O, t 시간

▲ 위치-시간 그래프

$$v=v_0+at,\ s=v_0t+\frac{1}{2}at^2$$

(v: 나중 속도, v_0: 처음 속도, a: 가속도, t: 시간, s: 변위)

기출 Tip B-1

그래프 분석

- 속력-시간 그래프: 그래프 아랫부분의 넓이는 이동 거리, 기울기는 가속도의 크기를 나타낸다.
- 이동 거리-시간 그래프: 기울기는 속력을 나타낸다.

기출 Tip B-2

가속도의 방향

직선상에서 물체가 운동하는 속도의 방향을 (+)라고 할 때

- 가속도의 방향과 운동 방향이 같으면 가속도의 방향도 (+)라 하고, 물체의 속도는 증가한다.
- 가속도의 방향과 운동 방향이 반대이면 가속도의 방향은 (−)라 하고, 물체의 속도는 감소한다.

답 ❶ 직선 거리 ❷ (−) ❸ 속도 변화량 ❹ 비례 ❺ 일정한 ❻ 힘 ❼ 0 ❽ 가속도 ❾ 일정한

빈출 자료 보기

정답과 해설 39쪽

439 그림은 정지 상태에서 출발한 어떤 물체의 속도를 시간에 따라 나타낸 것이다.

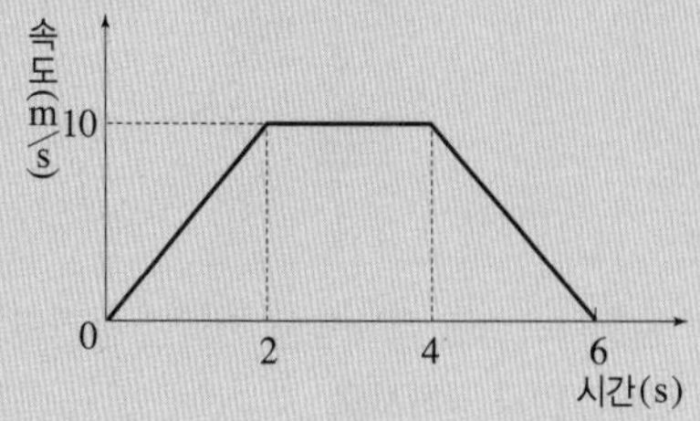

물체의 운동에 대한 설명으로 옳은 것은 ○, 옳지 않은 것은 ×로 표시하시오.

(1) 0~2초 동안 물체의 가속도의 크기는 5 m/s²이다. ( )

(2) 0~2초 동안 물체에 작용하는 힘의 크기는 증가한다. ( )

(3) 0~6초 동안 물체의 이동 거리는 40 m이다. ( )

(4) 2~4초 동안 물체에 작용하는 알짜힘은 0이다. ( )

(5) 4~6초 동안 물체의 운동 방향과 가속도의 방향은 반대이다. ( )

A 속도와 가속도

440 하 중 상

그림은 민호가 P점을 출발하여 동쪽으로 100 m를 이동한 후 서쪽으로 50 m를 이동하여 Q점에 도착한 모습을 나타낸 것이다. 민호가 P에서 Q까지 이동하는 데 걸린 시간은 10초이다.

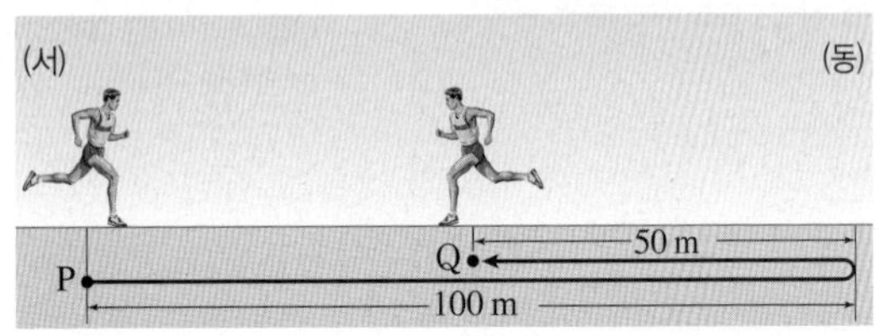

(1) P에서 Q까지 이동 거리와 변위의 크기는 각각 몇 m인지 구하시오.

(2) P에서 Q까지 평균 속력은 몇 m/s인지 구하시오.

(3) P에서 Q까지 평균 속도의 크기는 몇 m/s인지 구하시오.

441 하 중 상

표는 직선 운동하는 자동차의 시간에 따른 순간 속도를 나타낸 것이다.

시간(s)	0	1	2	3
속도(m/s)	10	15	20	25

이 자동차의 가속도의 크기는 몇 m/s^2인지 구하시오.

442 하 중 상

그림은 등가속도 직선 운동을 하면서 길이가 80 m인 직선 터널을 지나는 자동차의 모습을 나타낸 것이다. 자동차가 터널에 들어갈 때 속력은 10 m/s이고, 터널을 빠져 나올 때 속력은 30 m/s이다. 이 자동차가 터널을 통과하는 데 걸린 시간은 4초이다.

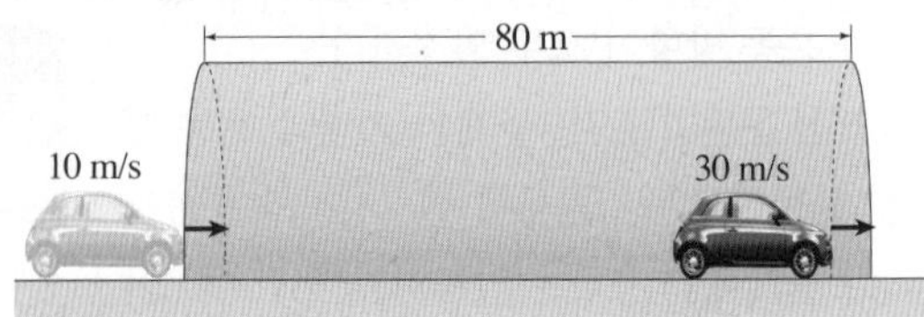

이 자동차의 가속도의 크기는 몇 m/s^2인지 구하시오.

빈출 443 하 중 상

그림은 등가속도 직선 운동하는 장난감 자동차의 모습을 0.1초 간격으로 나타낸 것이다.

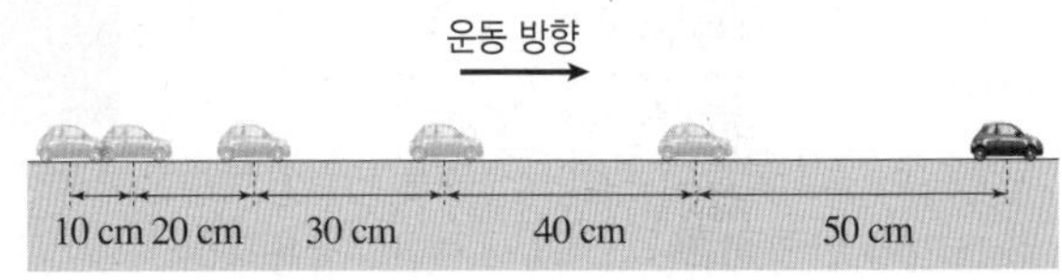

이 장난감 자동차의 가속도의 크기는 몇 m/s^2인지 구하시오.

444 하 중 상

그림은 물체가 자유 낙하 운동을 하는 모습을 나타낸 것이다. 낙하하는 물체의 가속도는 중력 가속도 9.8 m/s^2이고, p점을 지나는 순간 물체의 속력은 5 m/s이다.

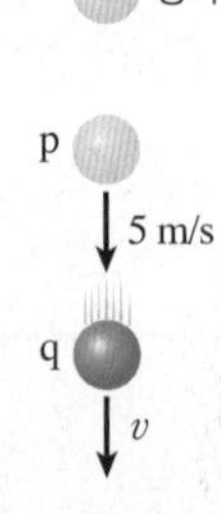

p점을 지난 순간부터 3초 후 q점을 지나는 순간의 속력을 v라고 할 때, v는 몇 m/s인지 구하시오.

445 하 중 상

질량이 **10 kg**인 물체가 정지해 있다. 이 물체에 **10**초 동안 일정한 힘 F를 작용시켰더니 직선상에서 운동하여 속도가 **20 m/s**가 되었다. 일정한 힘 F의 크기는 몇 **N**인지 구하시오.

446 하 중 상

그림은 반지름이 **10 m**인 원형 빙판의 모습을 나타낸 것이다. 스피드스케이팅 선수가 원형 빙판의 **P**점에서 출발하여 시계 방향으로 일정한 빠르기로 한 바퀴 도는 데 **10**초가 걸렸다.

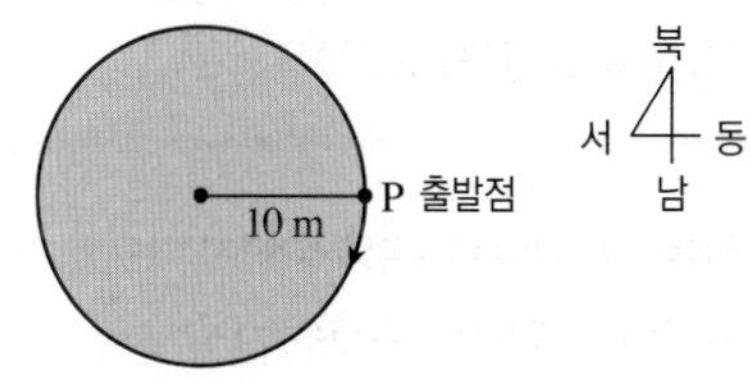

이에 대한 설명으로 옳은 것만을 〈보기〉에서 있는 대로 고른 것은?

〈 보기 〉
ㄱ. 10초 동안 선수가 이동한 변위는 20 m이다.
ㄴ. 10초 동안 선수의 평균 속력은 2π m/s이다.
ㄷ. 출발 후 5초 동안 선수의 평균 속도는 서쪽으로 2π m/s 이다.

① ㄱ ② ㄴ ③ ㄷ
④ ㄱ, ㄴ ⑤ ㄴ, ㄷ

447 하 중 상

그림은 직선상에서 등가속도 운동을 하는 자동차의 모습을 **0.5**초 간격으로 나타낸 것이고, 표는 자동차의 가속도를 구하기 위해 이 자동차의 운동을 **0.5**초 간격으로 구간 거리와 구간 속도를 정리한 것이다.

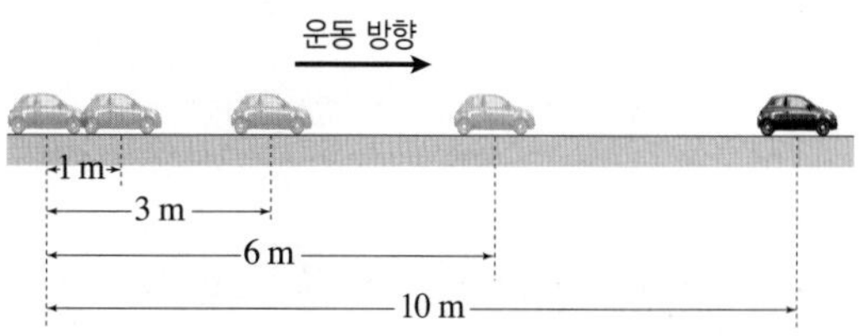

시간(s)	0~0.5	0.5~1	1~1.5	1.5~2	2~2.5
구간 거리(m)	1				(가)
구간별 평균 속도(m/s)	2				(나)

(1) (가)와 (나)의 값은 각각 얼마인지 구하시오.

(2) 이 자동차의 가속도의 크기는 몇 m/s^2인지 구하시오.

448 하 중 상

그림은 마찰이 없는 수평면 위의 질량이 **5 kg**인 물체에 **20 N**의 힘과 **10 N**의 힘이 반대 방향으로 작용하고 있는 모습을 나타낸 것이다.

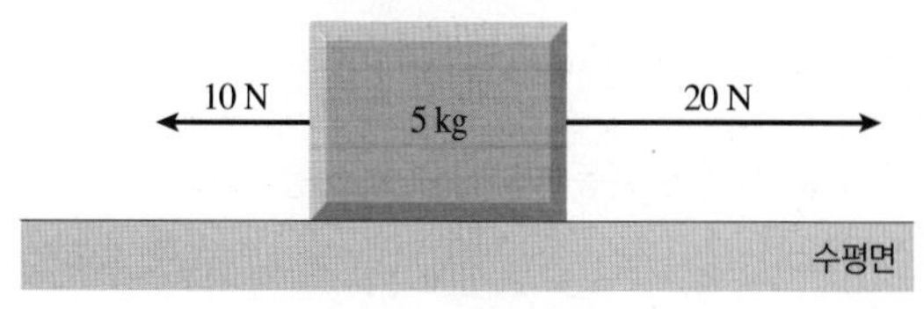

이 물체의 가속도의 크기는 몇 m/s^2인지 구하시오.

B 힘과 운동

[449~450] 그림은 물체 A~F에 작용하는 모든 힘을 각각 나타낸 것이다. 물체 A~F는 직선 운동을 하고 있다.

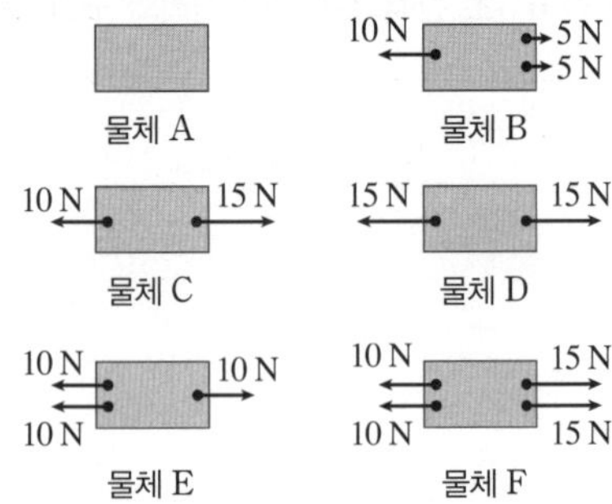

449 하 중 상

그림은 다중 섬광 사진으로 어떤 물체의 운동을 나타낸 것이다. 사진은 동일한 시간 간격으로 촬영하였으며, 1번이 가장 먼저 촬영된 모습이다.

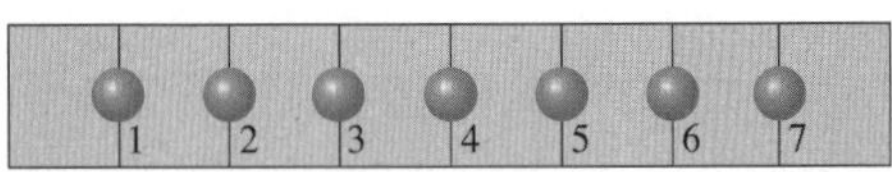

다음 설명의 ( ) 안에 알맞은 말을 쓰시오. (단, 운동 방향은 무시한다.)

> 위와 같은 물체의 운동을 (㉠) 운동이라고 한다. 물체 A~F 중에서 (㉡)는 모두 위의 다중 섬광 사진과 같이 운동을 할 수 있다.

450 하 중 상

그림은 다중 섬광 사진으로 어떤 물체의 운동을 나타낸 것이다. 사진은 동일한 시간 간격으로 촬영하였으며, 1번이 가장 먼저 촬영된 모습이다.

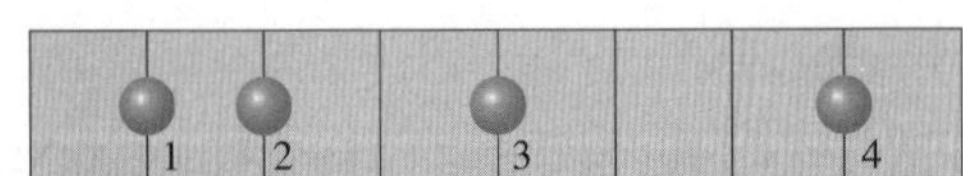

다음 설명의 ( ) 안에 알맞은 말을 쓰시오. (단, 운동 방향은 무시한다.)

> 위와 같은 물체의 운동을 (㉠) 운동이라고 한다. 물체 A~F 중에서 (㉡)는 위의 다중 섬광 사진과 같은 운동을 할 수 있다.

[451~453] 그림은 공이 눈금자에 나란하게 굴러가는 모습을 0.1초 간격으로 나타낸 것이다. 공의 위치는 0에서 출발한 이후 0.1초부터 나타낸 것이고, 눈금자의 단위는 cm이다.

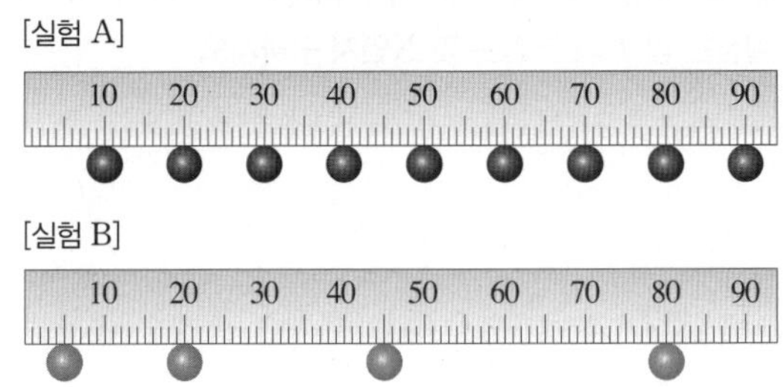

451 하 중 상

실험 A에서 공의 속도의 크기는?

① 1 m/s ② 5 m/s ③ 10 m/s
④ 50 m/s ⑤ 100 m/s

빈출

452 하 중 상

실험 B에서 공의 가속도의 크기는?

① 0.5 m/s^2 ② 1 m/s^2 ③ 5 m/s^2
④ 10 m/s^2 ⑤ 50 m/s^2

453 하 중 상

(가)~(다) 중 실험 A와 B에서 공의 속도를 시간에 따라 나타낸 그래프로 옳게 짝 지은 것은?

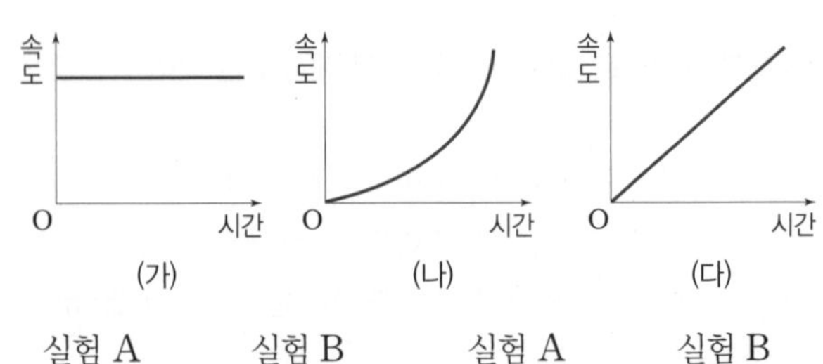

	실험 A	실험 B		실험 A	실험 B
①	(가)	(나)	②	(가)	(다)
③	(나)	(가)	④	(나)	(다)
⑤	(다)	(가)			

454 하 중 상

그림은 직선상에서 운동하는 물체의 이동 거리를 시간에 따라 나타낸 것이다.

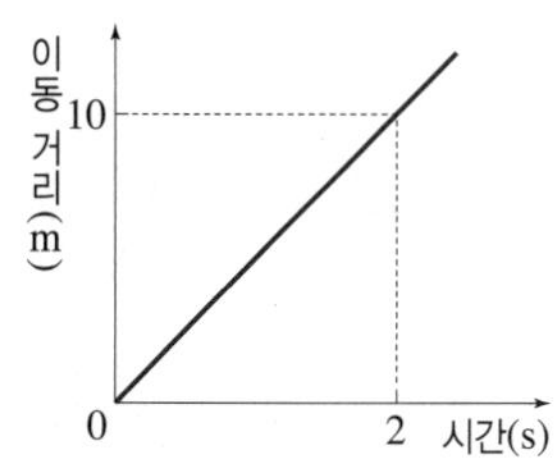

이에 대한 설명으로 옳은 것만을 〈보기〉에서 있는 대로 고른 것은?

〈 보기 〉

ㄱ. 물체는 등가속도 직선 운동을 한다.
ㄴ. 0.5초일 때 물체의 속력은 5 m/s이다.
ㄷ. 0초부터 2초까지 물체가 이동한 거리는 10 m이다.

① ㄴ ② ㄷ ③ ㄱ, ㄴ
④ ㄱ, ㄷ ⑤ ㄴ, ㄷ

455 하 중 상

직선 경로를 따라 $3\ m/s^2$의 일정한 가속도로 운동하는 물체가 있다. 0초일 때 이 물체의 속도는 2 m/s였다.

(1) 3초인 순간 물체의 속도의 크기는 몇 m/s인지 구하시오.

(2) 0초부터 4초까지 물체의 이동 거리는 몇 m인지 구하시오.

456 하 중 상

다음은 어떤 물체의 운동을 관찰하여 정리한 것이다.

- 물체는 직선 운동을 한다.
- 0초일 때 물체의 속력이 10 m/s이다.
- 물체는 매 초마다 속력이 2 m/s씩 작아진다.

0초를 기준으로 물체가 정지하게 되는 시간은 몇 초 후인가?

① 5초 ② 6초 ③ 7초
④ 8초 ⑤ 9초

빈출

457 하 중 상

그림은 직선상에서 운동하는 어떤 물체의 속력을 시간에 따라 나타낸 것이다.

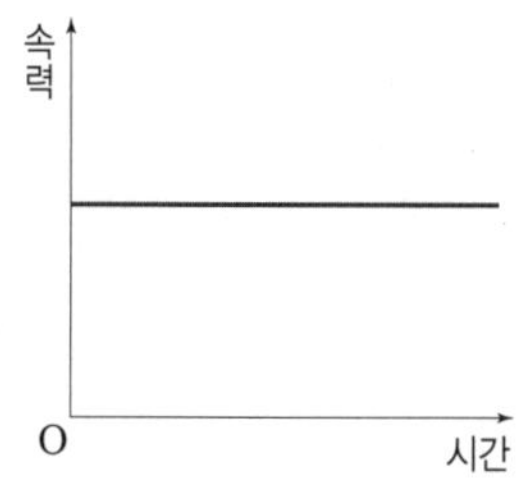

이에 대한 설명으로 옳은 것만을 〈보기〉에서 있는 대로 고른 것은?

〈 보기 〉

ㄱ. 가속도가 0인 운동이다.
ㄴ. 일정한 크기의 알짜힘이 계속 작용한다.
ㄷ. 물체의 이동 거리는 시간에 비례하여 증가한다.
ㄹ. 엘리베이터의 운동은 이 물체와 같은 종류의 운동이다.

① ㄱ, ㄴ ② ㄱ, ㄷ ③ ㄴ, ㄷ
④ ㄴ, ㄹ ⑤ ㄷ, ㄹ

458 하 중 상

그림은 나란한 직선상에서 같은 방향으로 운동하는 두 물체 A와 B의 속력을 시간에 따라 나타낸 것이다. 0초일 때 B는 A보다 20 m 앞서 있다.

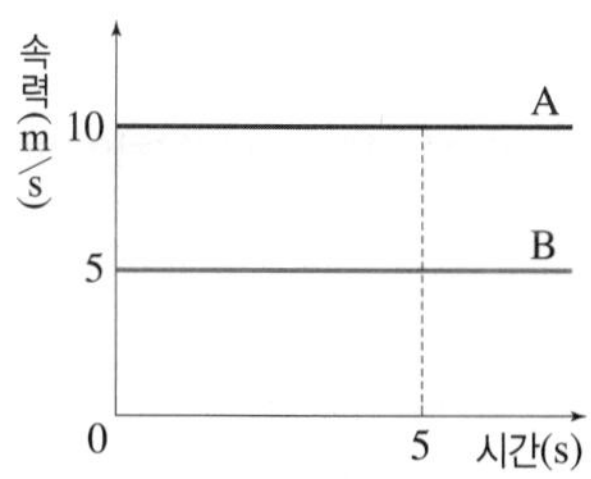

이에 대한 설명으로 옳은 것만을 〈보기〉에서 있는 대로 고른 것은?

〈 보기 〉

ㄱ. A는 등속 직선 운동을 한다.
ㄴ. 4초일 때 A와 B는 만난다.
ㄷ. 5초일 때 A는 B보다 5 m 앞서 있다.

① ㄱ ② ㄷ ③ ㄱ, ㄴ
④ ㄴ, ㄷ ⑤ ㄱ, ㄴ, ㄷ

459 (하)(중)(상)

그림 (가)와 (나)는 직선상에서 질량이 m인 물체에 알짜힘 F를 작용했을 때 물체의 위치와 속도를 각각 시간에 따라 나타낸 것이다.

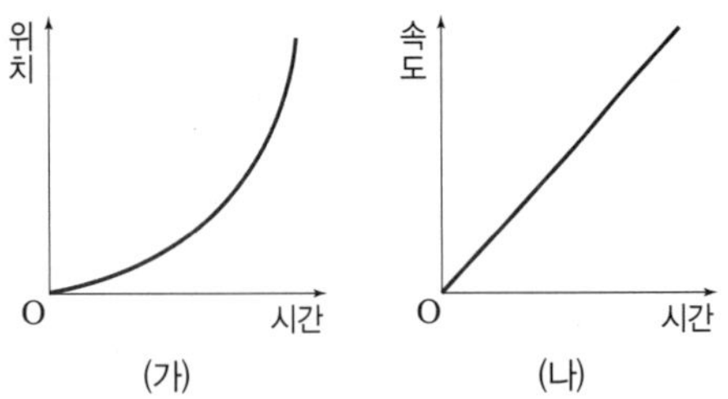

이에 대한 설명으로 옳은 것만을 〈보기〉에서 있는 대로 고른 것은?

〈 보기 〉

ㄱ. 물체는 등가속도 직선 운동을 한다.

ㄴ. 물체에 작용하는 알짜힘의 크기는 감소한다.

ㄷ. 물체의 가속도는 $\frac{F}{m}$이다.

① ㄱ ② ㄴ ③ ㄱ, ㄷ
④ ㄴ, ㄷ ⑤ ㄱ, ㄴ, ㄷ

[460~461] 그림은 직선 운동하는 질량이 같은 두 물체 A와 B의 속도를 시간에 따라 나타낸 것이다.

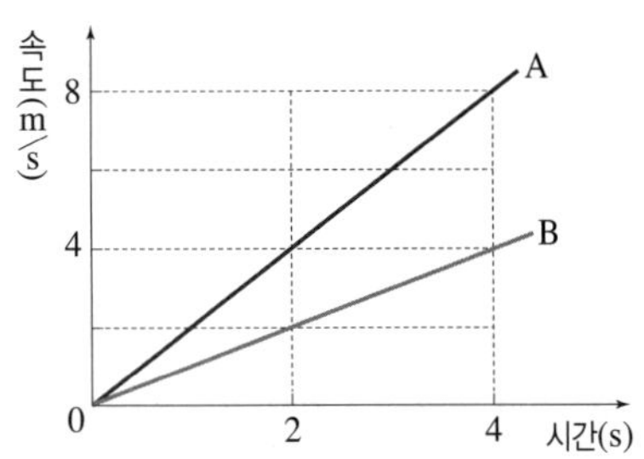

460 (하)(중)(상)

A와 B의 가속도의 크기를 부등호를 이용하여 비교하시오.

A의 가속도 (   ) B의 가속도

461 (하)(중)(상)

A와 B에 작용하는 알짜힘의 크기를 부등호를 이용하여 비교하시오.

A에 작용하는 알짜힘 (   ) B에 작용하는 알짜힘

빈출

462 (하)(중)(상)

대표문제 多 보기

그림은 정지 상태에서 출발하여 직선상에서 한 방향으로 운동하는 어떤 물체의 속도를 시간에 따라 나타낸 것이다.

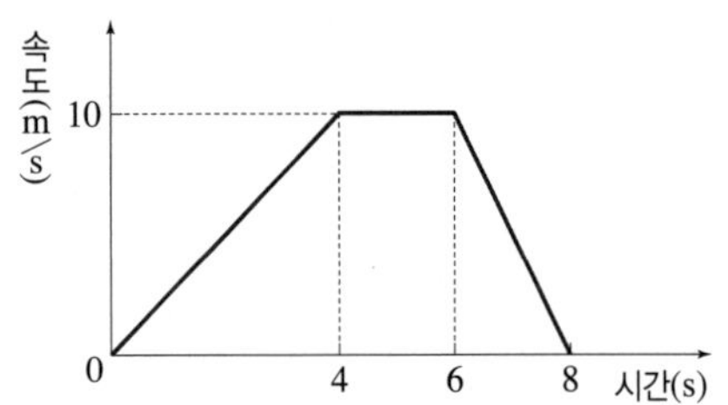

이 물체의 운동에 대한 설명으로 옳지 않은 것만을 모두 고르면? (2개)

① 0~4초 동안 물체의 가속도의 크기는 2.5 m/s^{2}이다.

② 0~8초 동안 물체의 이동 거리는 50 m이다.

③ 4~6초 동안 물체에 작용하는 알짜힘은 0이다.

④ 6~8초 동안 물체의 운동 방향과 가속도의 방향은 같다.

⑤ 6~8초 동안 물체에 작용하는 알짜힘의 크기는 일정하게 감소한다.

⑥ 0~4초 동안 가속도의 크기는 6~8초 동안 가속도의 크기보다 작다.

빈출

463 (하)(중)(상)

그림은 시간에 따라 속도가 변하는 자동차를 속도와 함께 나타낸 것이다.

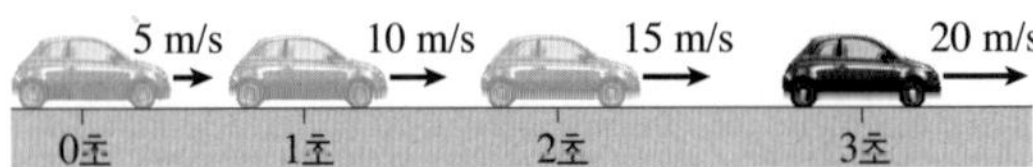

이 자동차의 운동에 대한 설명으로 옳은 것만을 〈보기〉에서 있는 대로 고른 것은?

〈 보기 〉

ㄱ. 등가속도 직선 운동이다.

ㄴ. 자동차의 가속도의 크기는 5 m/s^{2}이다.

ㄷ. 자동차에 작용하는 알짜힘의 크기는 점점 커진다.

ㄹ. 가속도를 유지하면 자동차는 5초일 때 30 m/s의 속도로 운동을 한다.

① ㄱ, ㄴ ② ㄱ, ㄷ ③ ㄷ, ㄹ
④ ㄱ, ㄴ, ㄹ ⑤ ㄴ, ㄷ, ㄹ

464 하/중/상

직선상에서 2 m/s의 속도로 달리던 철수의 속도가 일정하게 증가하여 4초 뒤에 10 m/s가 되었다. 4초 동안 철수가 이동한 거리는?

① 10 m ② 12 m ③ 15 m
④ 20 m ⑤ 24 m

465 하/중/상

연직 위로 10 m/s의 속력으로 던진 물체가 최고 높이까지 올라가는 데 걸린 시간과 최고 높이를 옳게 짝 지은 것은? (단, 중력 가속도는 10 m/s^{2}이고, 공기 저항은 무시한다.)

	시간	높이		시간	높이
①	1초	5 m	②	1초	10 m
③	2초	20 m	④	5초	1 m
⑤	10초	1 m			

466 하/중/상

그림은 직선상에서 운동하는 물체의 위치를 시간에 따라 나타낸 것이다.

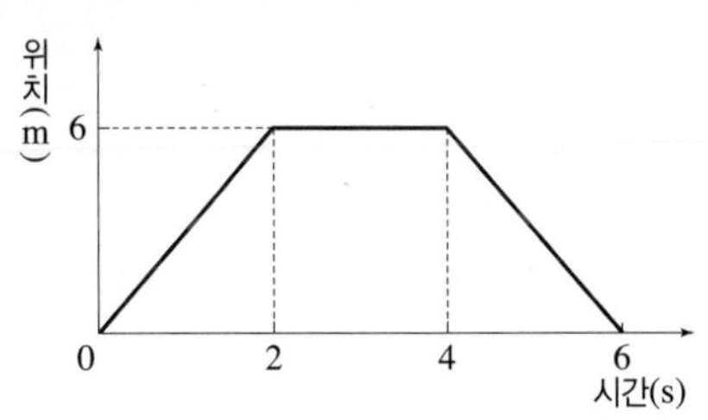

이에 대한 설명으로 옳은 것만을 〈보기〉에서 있는 대로 고른 것은?

〈 보기 〉
ㄱ. 등속 직선 운동을 하는 구간은 2~4초이다.
ㄴ. 0~2초 동안 물체의 속력은 3 m/s이다.
ㄷ. 4~6초 동안 물체가 받은 알짜힘은 0이다.

① ㄱ ② ㄴ ③ ㄷ
④ ㄱ, ㄴ ⑤ ㄴ, ㄷ

467 하/중/상

그림은 직선상에서 운동하는 물체의 속도를 시간에 따라 나타낸 것이다.

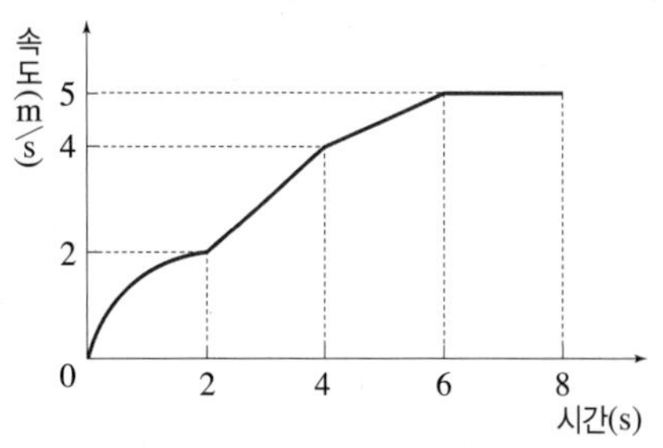

이에 대한 설명으로 옳은 것만을 〈보기〉에서 있는 대로 고른 것은?

〈 보기 〉
ㄱ. 0~2초 동안 물체의 가속도가 증가한다.
ㄴ. 2~6초 동안 물체에 작용하는 알짜힘의 크기는 일정하다.
ㄷ. 6~8초 동안 물체에 작용하는 알짜힘은 0이다.

① ㄱ ② ㄴ ③ ㄷ
④ ㄱ, ㄴ ⑤ ㄴ, ㄷ

468 하/중/상 ••서술형

그림 (가)는 직선 도로의 출발점에 정지해 있는 자동차의 모습을, (나)는 자동차가 출발한 순간부터 가속도를 시간에 따라 나타낸 것이다.

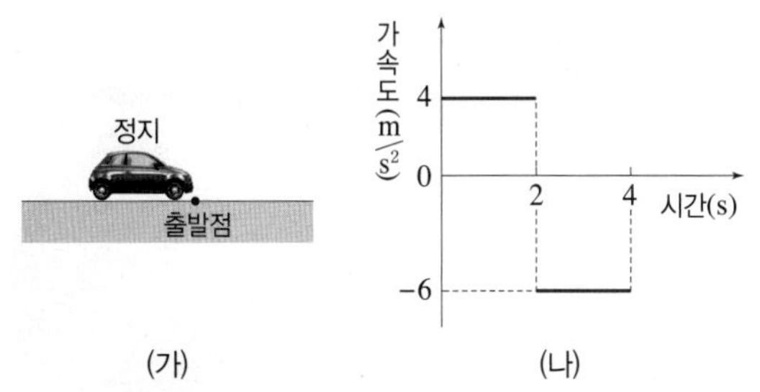

(가) (나)

자동차의 속력이 2초일 때가 4초일 때의 몇 배인지 풀이 과정과 함께 서술하시오.

15 중력과 역학적 시스템

A 중력을 받는 물체의 운동

1 자유 낙하 운동 공기 저항을 무시할 때 물체가 ❶□□만 받아 낙하하는 운동

① 물체의 운동: 1초마다 ❷□.□ m/s씩 속도가 증가하는 등가속도 직선 운동을 한다. ➡ 연직 아래 방향으로 일정한 크기의 중력이 작용하기 때문

② 중력 가속도: 지구 중력에 의해 생기는 가속도로, 지표면 근처에서 운동하는 물체의 중력 가속도는 물체의 ❸□□과 관계없이 9.8 m/s^{2}으로 일정하다.

0초 0
1초 9.8 m/s
2초 19.6 m/s
3초 29.4 m/s
4초 39.2 m/s

▲ 자유 낙하 하는 물체

기출 Tip A-1

낙하하는 물체의 속력 변화

- 중력 가속도는 물체의 질량이나 속력과 관계없이 모두 같으므로, 진공에서와 같이 중력만 받으며 동시에 낙하하는 물체는 같은 시간 동안 속력의 변화가 같다.
- 공기 저항을 받으며 낙하하는 물체는 면적이 넓을수록 공기 저항을 크게 받아 느리게 떨어진다.

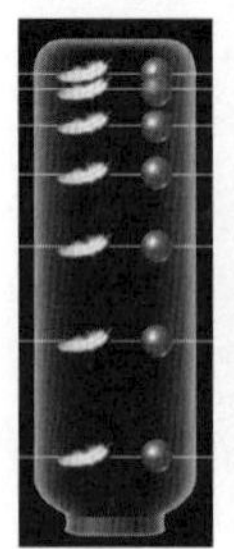
진공 중

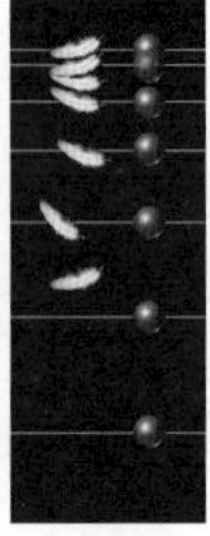
공기 중

2 수평 방향으로 던진 물체의 운동 공기 저항을 무시할 때 물체의 운동 방향과 나란하지 않은 방향으로 중력이 작용하여 물체의 운동 방향과 속력이 계속 변하는 운동

① 물체의 운동: 포물선 경로를 그리며 낙하하는 운동을 한다. → 포물선 경로를 그리는 까닭은 수평 방향의 등속 직선 운동과 연직 방향의 자유 낙하 운동이 합쳐졌기 때문이다.

- 수평 방향으로는 ❹□□ □□ 운동을 한다.
- 연직 방향으로는 ❺□□ □□ 운동을 한다. → 등가속도 직선 운동

➡ 수평 방향으로는 작용하는 힘이 없고, 연직 방향으로는 일정한 크기의 중력만 작용하기 때문

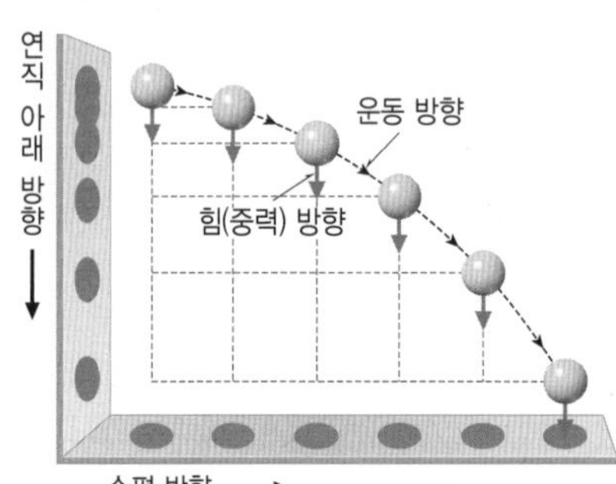

구분	수평 방향	연직 방향
힘	0	일정
운동	등속 직선 운동	등가속도 직선 운동
속도	일정	일정하게 증가
이동 거리	구간마다 일정	구간마다 증가
가속도	0	일정

② 수평 방향으로 던진 물체의 운동(처음 속력을 다르게 던진 경우)

- 수평 방향으로 던진 물체의 처음 속력이 달라도 연직 방향의 가속도(g)가 같으므로 처음 높이(h)가 같으면 ❻□□□ 바닥에 도달한다. ➡ 낙하 시간 $t=\sqrt{\frac{2h}{g}}$
- 수평 방향으로 던진 물체의 처음 속력(v_0)이 클수록 수평 방향으로 이동한 ❼□□가 커진다. ➡ 수평 방향 이동 거리 $s=v_0t$

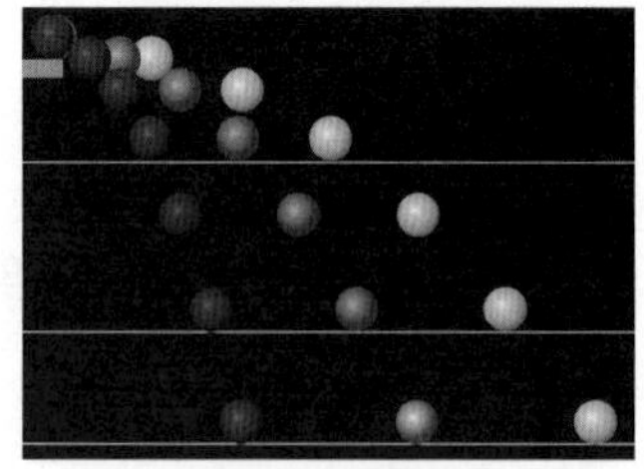
▲ 수평 방향으로 던진 세 물체의 운동

기출 Tip A-2

포물선 경로의 연직 방향 운동

수평 방향으로 던진 물체의 운동에서 연직 방향의 운동은 자유 낙하 하는 물체의 운동과 같다.

수평 방향과 연직 방향 물리량의 계산 식

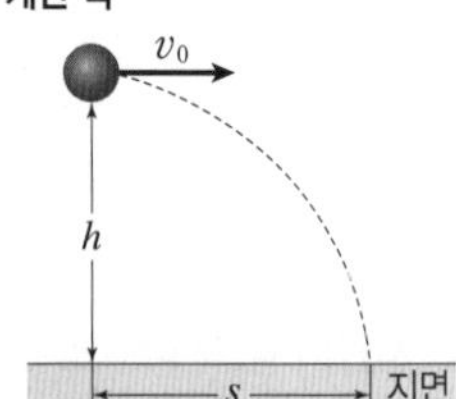

- 중력 가속도 g
- 수평 방향 속도 v_0
- 수평 방향 이동 거리 $s=v_0t$
- 연직 방향 속도 $v=gt$
- 연직 방향 이동 거리 $h=\frac{1}{2}gt^2$
- 낙하 시간 $t=\sqrt{\frac{2h}{g}}$

뉴턴의 사고 실험

물체를 수평 방향으로 점점 세게 던지면 물체가 점점 더 멀리 가서 떨어지다가, 충분히 큰 속력으로 던지면 물체는 원운동을 한다.

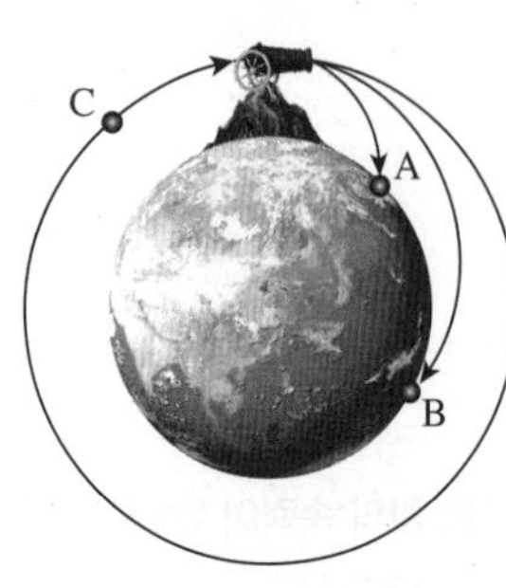

- 포탄의 처음 속력은 A<B<C 순이다.
- 포탄 A, B, C의 가속도의 크기는 동일하다.
- 포탄 A, B, C는 지구 중심 방향으로 중력을 받는다.
- 포탄 C가 지구를 한 바퀴 도는 동안 지표면과 수평한 방향의 속력은 일정하다. → 중력이 지표면과 수평한 방향으로는 작용하지 않기 때문이다.
- 포탄 C는 중력에 의해 지구 중심 방향으로 떨어지지만, 지구가 둥글기 때문에 지표면에 닿지 않고 지구 주위를 공전한다.

➡ 포탄 C와 같은 원리로 달이 지구로 떨어지지 않고 지구 주위를 공전한다.

Ⓑ 중력과 역학적 시스템

1 역학적 시스템과 여러 가지 힘 자연은 여러 가지 힘이 물체들 사이에서 상호 작용을 하면서 일정한 질서에 따라 운동 체계를 유지하는 ❽☐☐☐ 시스템으로 구성되어 있다.

① 역학적 시스템에 관여하는 힘: ❾☐☐, 전기력, 자기력, 탄성력, 마찰력 등

② 역학적 시스템의 작용: 지구 시스템과 생명 시스템의 지속성에 영향을 준다.

2 중력과 자연 현상 중력은 지구 시스템과 생명 시스템에서 일어나는 여러 가지 자연 현상에 중요하게 작용하고 있다.

중력과 지구 시스템	• 달과 인공위성은 중력에 의해 지구 주위를 공전하고 있다. • 기체와 액체는 온도별 밀도차에 따라 대류 현상이 일어난다. • 수증기를 포함한 공기의 대류에 의해 기상 현상이 일어난다. • 달의 중력이 바닷물과 상호 작용 하여 밀물과 썰물이 일어난다. • 고도가 높아질수록 중력이 작아지므로 공기의 밀도도 작아진다. • 공기의 대류에 의해 바람과 파도가 일어나 지표면에 변화를 일으킨다. • 가볍고 빠른 기체는 중력의 영향을 벗어나 우주로 날아가 버린다.
중력과 생명 시스템	• 사람 귀의 전정 기관은 평형을 느낄 수 있게 해 준다. • 식물의 뿌리는 중력의 방향에 따라 아래를 향하여 자란다. • 기린은 중력을 이겨내고 뇌까지 피를 보내기 위해 혈압이 높다. • 중력을 지탱하기 위해 코끼리는 골격이 단단해지고, 식물 세포의 세포벽은 두꺼워졌다. • 중력을 작게 받기 위해 조류의 뼈는 가벼워지고, 민들레 씨는 갓털을 가지게 되었다. • 사람의 다리에 있는 정맥에는 중력으로 인해 혈액이 역류하는 것을 방지하기 위한 판막이 발달하였다.

기출 Tip Ⓑ-2

중력과 대류 현상

촛불 모양이 위로 길쭉한 것은 중력에 의한 대류 현상 때문이다.

지구

우주 정거장

▲ 장소에 따른 촛불 모양

무중력 상태에서의 현상

- 대류가 일어나지 않는다.
- 식물 세포의 세포벽이 얇아진다.
- 전정 기관의 방향 감각이 둔해진다
- 동물의 심장 박동이 느려지며 혈압이 낮아지고, 근육과 뼈의 기능이 약화된다.

답 ❶ 중력 ❷ 9.8 ❸ 질량 ❹ 등속 직선 ❺ 자유 낙하 ❻ 동시에 ❼ 거리 ❽ 역학적 ❾ 중력

빈출 자료 보기

정답과 해설 42쪽

469 그림은 같은 높이에서 공 A를 자유 낙하시키는 동시에 공 B를 수평 방향으로 던졌을 때, 두 공의 위치를 일정한 시간 간격으로 나타낸 것이다.

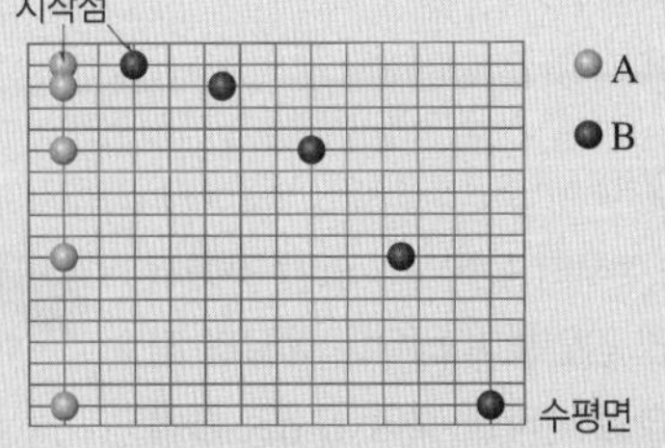

두 공 A와 B의 운동에 대한 설명으로 옳은 것은 ○, 옳지 않은 것은 ×로 표시하시오. (단, 공기 저항은 무시한다.)

(1) A는 등가속도 운동을 한다. ( )

(2) A의 속도는 1초에 9.8 m/s씩 증가한다. ( )

(3) B는 수평 방향으로 중력을 받는다. ( )

(4) B는 수평 방향으로 등속 직선 운동을 한다. ( )

(5) A와 B는 질량에 따라 가속도가 달라진다. ( )

470 그림은 책상과 플라스틱 자 위에 동일한 두 동전 A와 B를 올려놓고 자를 ㉠ 방향으로 빠르게 쳐서 두 동전을 떨어뜨릴 때, 동전 A와 B의 운동을 나타낸 것이다.

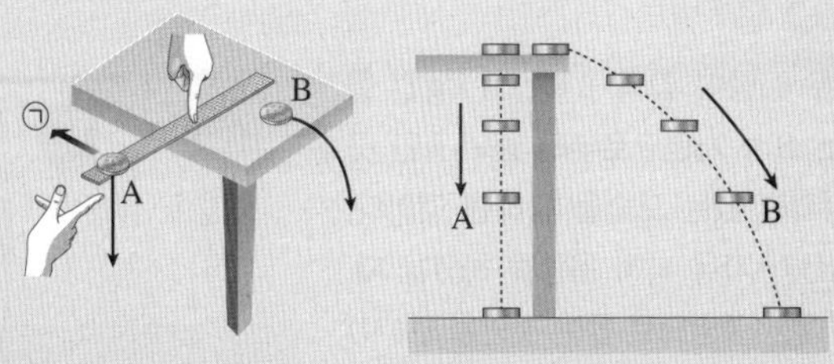

이에 대한 설명으로 옳은 것은 ○, 옳지 않은 것은 ×로 표시하시오. (단, 모든 저항과 동전의 크기, 자의 두께는 무시한다.)

(1) A는 등속 직선 운동을 한다. ( )

(2) A와 B는 동시에 바닥에 닿는다. ( )

(3) B의 수평 방향 속력은 일정하다. ( )

(4) 자를 세게 칠수록 B가 늦게 바닥에 닿는다. ( )

(5) B가 받는 알짜힘의 방향은 연직 아래 방향이다. ( )

난이도별 필수 기출

상 7문항 · 중 32문항 · 하 11문항

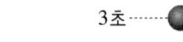

A 중력을 받는 물체의 운동

자유 낙하 운동

471 하 중 상

정지해 있다가 연직 방향으로 떨어지며 자유 낙하 운동하는 물체에 대한 설명으로 옳은 것만을 〈보기〉에서 있는 대로 고른 것은?

〈 보기 〉
ㄱ. 물체는 등속 직선 운동을 한다.
ㄴ. 물체의 운동 방향과 같은 방향으로 중력이 작용한다.
ㄷ. 중력만 작용하는 물체의 가속도를 중력 가속도라고 한다.

① ㄱ ② ㄴ ③ ㄱ, ㄷ
④ ㄴ, ㄷ ⑤ ㄱ, ㄴ, ㄷ

472 하 중 상

그림과 같이 물체를 가만히 놓았더니 물체가 자유 낙하 운동을 하였다. 이 물체가 낙하하기 시작한 뒤 3초 후의 속력을 구하시오.

0초
1초
2초
3초

473 하 중 상

그림은 질량이 각각 2 kg, 4 kg인 물체 A, B가 지면으로부터 높이 h인 곳에 정지해 있는 모습을 나타낸 것이다. A와 B가 자유 낙하 운동을 하였을 때, 이에 대한 설명으로 옳은 것만을 〈보기〉에서 있는 대로 고른 것은?

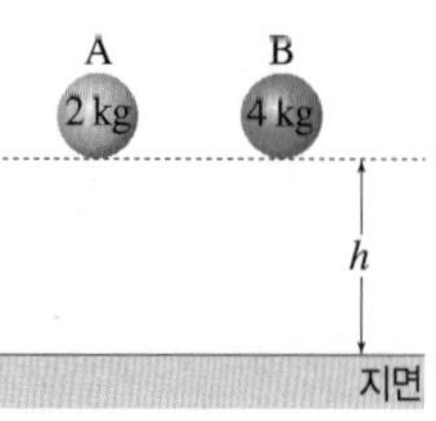

〈 보기 〉
ㄱ. 질량이 클수록 큰 중력을 받는다.
ㄴ. 질량이 클수록 바닥에 빨리 도달한다.
ㄷ. 떨어지는 동안 물체의 가속도는 일정하다.

① ㄱ ② ㄴ ③ ㄱ, ㄷ
④ ㄴ, ㄷ ⑤ ㄱ, ㄴ, ㄷ

빈출

474 하 중 상 대표문제 多 보기

그림은 자유 낙하 하는 공을 일정한 시간 간격으로 나타낸 것이다. 이 공의 운동에 대한 설명으로 옳지 않은 것만을 모두 고르면?(2개)

① 공의 속력은 일정하게 증가한다.
② 공에 작용하는 힘은 중력뿐이다.
③ 공의 가속도의 크기는 19.6 m/s^{2}이다.
④ 일정 시간 동안 움직인 거리가 증가한다.
⑤ 공에 작용하는 알짜힘의 크기는 일정하다.
⑥ 공의 질량이 클수록 구간별 공 사이 간격이 더 넓게 나타난다.

475 하 중 상

그림과 같이 지면으로부터 높이 H인 곳에서 질량 M인 물체를 가만히 놓았더니 5초 후에 지면에 떨어졌다. 이에 대한 설명으로 옳은 것만을 〈보기〉에서 있는 대로 고른 것은? (단, 중력 가속도는 10 m/s^{2}으로 일정하고, 공기 저항과 물체의 크기는 무시한다.)

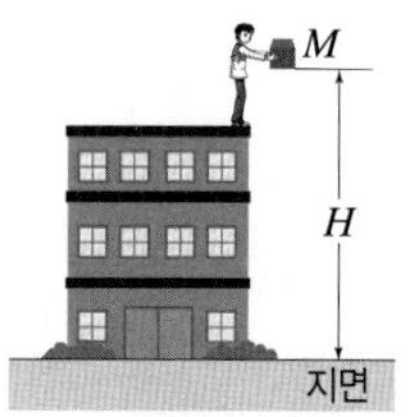

〈 보기 〉
ㄱ. $H=125$ m이다.
ㄴ. 물체의 질량이 $2M$이 되면 가속도는 2배가 된다.
ㄷ. 2초부터 4초 때까지 물체의 이동 거리는 60 m이다.

① ㄱ ② ㄱ, ㄴ ③ ㄱ, ㄷ
④ ㄴ, ㄷ ⑤ ㄱ, ㄴ, ㄷ

476 하 중 상

그림은 지면으로부터 높이 45 m인 곳에서 질량이 3 kg인 곰인형이 나무에 매달려 정지해 있는 모습을 나타낸 것이다. (단, 중력 가속도는 10 m/s^{2}이고, 공기 저항과 물체의 크기는 무시한다.)

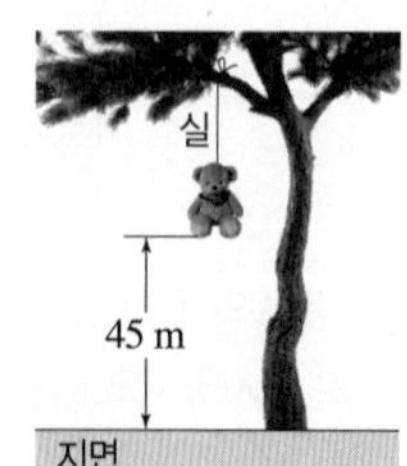

(1) 곰인형에게 작용하는 중력의 크기는 몇 N인지 구하시오.

(2) 실을 끊었을 때 곰인형이 지면에 도달할 때까지 걸리는 시간은 몇 초인지 구하시오.

477 하 중 상

그림은 사과나무에 달려 정지해 있는 사과 A와 떨어지고 있는 사과 B를 나타낸 것이다. 두 사과 A와 B의 질량은 같다. 이에 대한 설명으로 옳은 것만을 〈보기〉에서 있는 대로 고른 것은? (단, 공기 저항은 무시한다.)

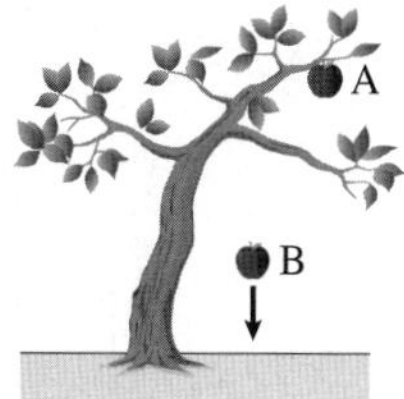

〈 보기 〉

ㄱ. A에 작용하는 중력은 0이다.
ㄴ. B는 매초 속력이 9.8 m/s씩 빨라진다.
ㄷ. A에 작용하는 중력의 크기와 B에 작용하는 중력의 크기는 같다.

① ㄱ ② ㄷ ③ ㄱ, ㄴ
④ ㄴ, ㄷ ⑤ ㄱ, ㄴ, ㄷ

478 하 중 상

그림은 가벼운 깃털과 무거운 쇠구슬이 진공 중에서 자유 낙하 하는 모습을 일정한 시간 간격으로 나타낸 것이다. 이에 대한 설명으로 옳지 않은 것은?

① 깃털과 쇠구슬은 바닥에 동시에 도달한다.
② 깃털과 쇠구슬의 속력이 증가하는 정도는 같다.
③ 깃털과 쇠구슬에 작용하는 중력의 크기는 같다.
④ 같은 시간 동안 두 물체가 낙하하는 거리는 같다.
⑤ 쇠구슬의 운동 방향은 쇠구슬에 작용하는 중력의 방향과 같다.

479 하 중 상

그림 (가)는 공기 중에서, (나)는 진공 중에서 쇠구슬과 깃털을 동시에 떨어뜨렸을 때 낙하하는 모습을 나타낸 것이다. 이에 대한 설명으로 옳은 것만을 〈보기〉에서 있는 대로 고른 것은?

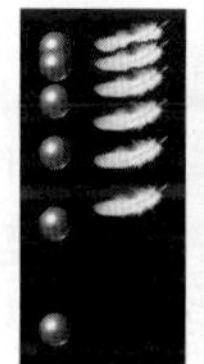
(가)

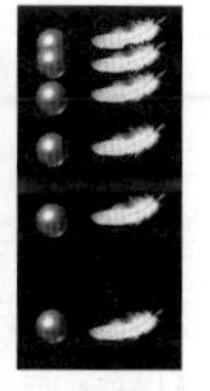
(나)

〈 보기 〉

ㄱ. (가)에서 쇠구슬과 깃털에 작용하는 힘은 중력뿐이다.
ㄴ. (나)에서 쇠구슬과 깃털의 속력은 일정하다.
ㄷ. 중력만 받아 낙하하는 물체는 물체의 질량, 크기, 모양에 관계없이 같은 가속도로 운동한다.

① ㄱ ② ㄴ ③ ㄷ
④ ㄱ, ㄴ ⑤ ㄴ, ㄷ

480 하 중 상

••서술형

그림은 지면으로부터 높이가 h인 곳에서 질량이 각각 m, $2m$, $3m$인 물체 A, B, C가 동시에 자유 낙하 하는 모습을 나타낸 것이다.

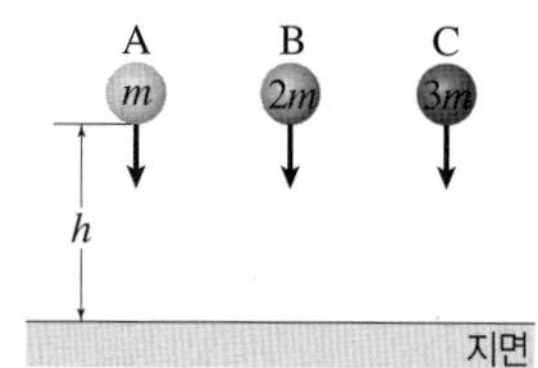

(1) 물체 A, B, C의 같은 시간 동안 속력 변화의 비를 쓰시오.

(2) (1)과 같이 생각한 까닭을 서술하시오.

481 하 중 상

표는 원통 모양의 물체 A, B, C의 질량과 단면적을 나타낸 것이다.

구분	A	B	C
질량	1 kg	2 kg	2 kg
단면적	10 cm^2	30 cm^2	10 cm^2

세 물체 A, B, C를 동일한 높이에서 세운 상태로 떨어뜨렸을 때, 이에 대한 설명으로 옳은 것만을 〈보기〉에서 있는 대로 고른 것은? (단, 물체는 회전하지 않고 떨어진다.)

〈 보기 〉

ㄱ. 공기 저항을 무시할 때 A와 B는 지면에 동시에 떨어진다.
ㄴ. 공기 저항을 고려할 때 B가 C보다 지면에 먼저 떨어진다.
ㄷ. 작용하는 중력의 크기는 B가 A의 2배이다.

① ㄱ ② ㄴ ③ ㄷ ④ ㄱ, ㄷ ⑤ ㄴ, ㄷ

482 하 중 상

그림은 가만히 놓은 공의 위치를 일정한 시간 간격으로 나타낸 것이고, 표는 그 결과를 기록한 것이다.

시간(s)	0	0.1	0.2	0.3	0.4
위치(cm)	0	5	20	45	80
평균 속도 (m/s)	0.5	(가)	(나)	(다)	

이에 대한 설명으로 옳은 것만을 〈보기〉에서 있는 대로 고른 것은?

〈 보기 〉

ㄱ. 속도가 일정하게 증가하였다.
ㄴ. 구간별 평균 속도는 (가)가 2.0, (나)가 4.5이다.
ㄷ. 가속도는 10 m/s^{2}으로 일정하다.

① ㄱ ② ㄴ ③ ㄱ, ㄷ ④ ㄴ, ㄷ ⑤ ㄱ, ㄴ, ㄷ

483 하 중 상

다음은 지우개와 A4 용지를 동시에 떨어뜨리는 실험을 나타낸 것이다.

(가) 지우개와 펼친 A4 용지를 동시에 떨어뜨려 어느 것이 먼저 바닥에 도달하는지 확인한다.
(나) 지우개와 뭉친 A4 용지를 동시에 떨어뜨려 어느 것이 먼저 바닥에 도달하는지 확인한다.

(가)

(나)

이에 대한 설명으로 옳은 것만을 〈보기〉에서 있는 대로 고른 것은?

〈 보기 〉
ㄱ. 공기 저항을 가장 많이 받는 것은 펼친 A4 용지이다.
ㄴ. 달에서 (가)의 실험을 하면 지우개와 A4 용지가 바닥에 동시에 떨어진다.
ㄷ. 같은 높이에서 떨어뜨리는 경우 A4 용지는 (나)에서가 (가)에서보다 더 빨리 바닥에 떨어진다.

① ㄱ ② ㄴ ③ ㄱ, ㄷ
④ ㄴ, ㄷ ⑤ ㄱ, ㄴ, ㄷ

수평 방향으로 던진 물체의 운동

484 하 중 상

그림과 같이 지면으로부터 높이가 h인 지점에서 공을 수평 방향으로 속력 5 m/s로 던졌더니 3초 후 공이 바닥에 떨어졌다. 공이 바닥에 떨어질 때까지 수평 방향으로 이동한 거리 R를 구하시오. (단, 공기 저항은 무시한다.)

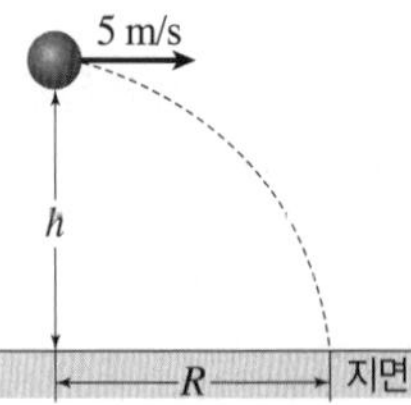

485 하 중 상

질량이 m인 물체를 지면으로부터 높이 h인 곳에서 수평 방향으로 던졌더니 지면에 닿을 때까지 4초가 걸렸다. 지면에 도달하는 순간 연직 방향의 속력을 구하시오. (단, 중력 가속도는 $10\ m/s^2$이고, 공기 저항은 무시한다.)

[486~487] 그림은 수평 방향으로 던진 물체의 운동을 나타낸 것이다. P점과 Q점은 운동 중 임의의 한 지점이다. (단, 공기 저항은 무시한다.)

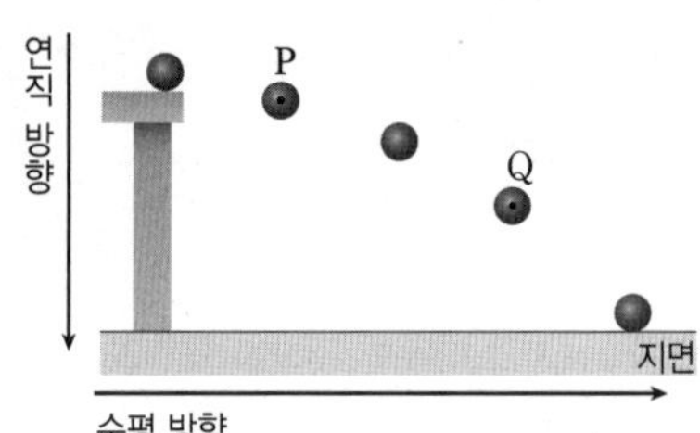

486 하 중 상 (빈출)

이 운동에 대한 설명으로 옳지 않은 것만을 모두 고르면?(2개)

	구분	수평 방향	연직 방향
①	작용하는 힘	없음	중력
②	속도	일정	일정하게 증가
③	가속도	일정하게 증가	일정
④	운동	등속 직선 운동	자유 낙하 운동
⑤	이동 거리	구간마다 감소	구간마다 증가

487 하 중 상

Q점에서의 값이 P점에서보다 큰 물리량만을 〈보기〉에서 있는 대로 고른 것은?

〈 보기 〉
ㄱ. 물체의 속력
ㄴ. 물체의 가속도
ㄷ. 물체에 작용하는 알짜힘
ㄹ. 물체에 수평 방향으로 작용하는 힘

① ㄱ ② ㄴ ③ ㄱ, ㄷ
④ ㄴ, ㄹ ⑤ ㄷ, ㄹ

488 하 중 상

그림은 바닥으로부터 1.5 m 높이에 쇠구슬 발사 장치를 고정하고, 쇠구슬 A를 자유 낙하시키는 동시에 쇠구슬 B를 수평 방향으로 발사하는 모습을 나타낸 것이다. 이에 대한 설명으로 옳은 것은?

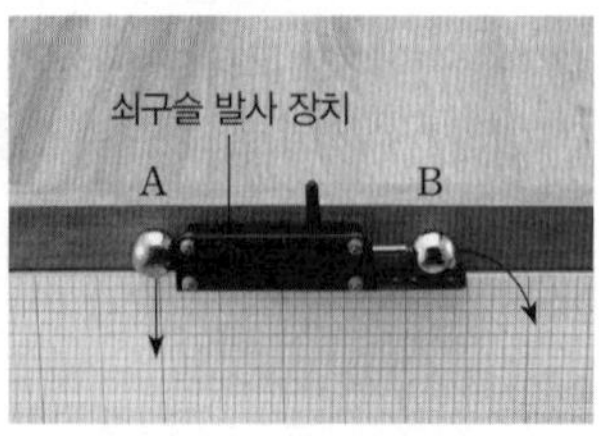

① A의 속력은 일정하다.
② A는 계속 힘을 받는다.
③ B는 등속 직선 운동을 한다.
④ B의 연직 방향 속력은 일정하다.
⑤ B는 수평 방향으로 계속 힘을 받는다.

489 (하)(중)(상)

수평 방향으로 던진 물체의 운동에 대한 설명으로 옳지 않은 것은? (단, 공기 저항은 무시한다.)

① 수평 방향으로 가속도 운동을 한다.
② 수평 방향으로는 힘이 작용하지 않는다.
③ 수평 방향의 단위시간 동안 이동 거리는 일정하다.
④ 연직 방향의 속력은 증가한다.
⑤ 연직 방향의 가속도의 크기는 시간에 관계없이 일정하다.

빈출

490 (하)(중)(상)

••서술형

그림은 책상 끝에 있는 공을 수평 방향으로 던졌을 때 공이 포물선 경로를 그리며 운동하는 모습을 일정한 시간 간격으로 나타낸 것이다. (단, 공기 저항은 무시한다.)

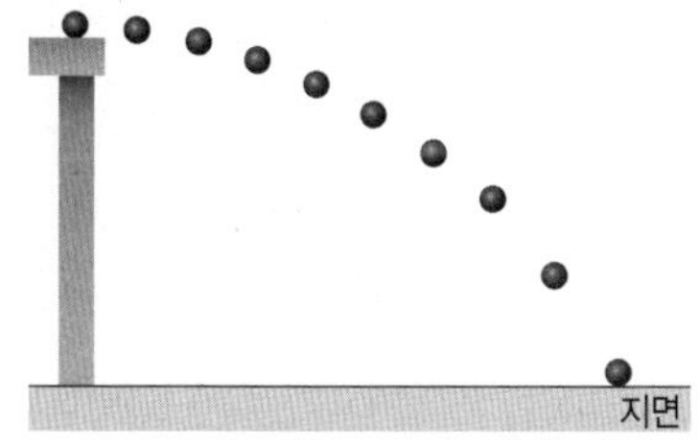

(1) 공이 수평 방향과 연직 방향으로 각각 어떤 운동을 하는지 쓰시오.
- 수평 방향
- 연직 방향

(2) 수평 방향으로 던진 공이 포물선을 그리며 운동하는 까닭을 서술하시오.

491 (하)(중)(상)

수평면으로부터 높이 20 m인 지점에 정지해 있는 쇠구슬을 수평 방향으로 5 m/s의 속력으로 던졌다. (단, 중력 가속도는 10 m/s^{2}이고, 공기 저항은 무시한다.)

(1) 이 쇠구슬이 수평면에 도달할 때까지 걸린 시간은 몇 초인지 구하시오.

(2) 이 쇠구슬이 수평면에 도달할 때까지 수평 방향으로 이동한 거리는 몇 m인지 구하시오.

[492~493] 그림은 수평 방향으로 속력 v로 던진 물체의 운동을 나타낸 것이다. (단, 공기 저항은 무시한다.)

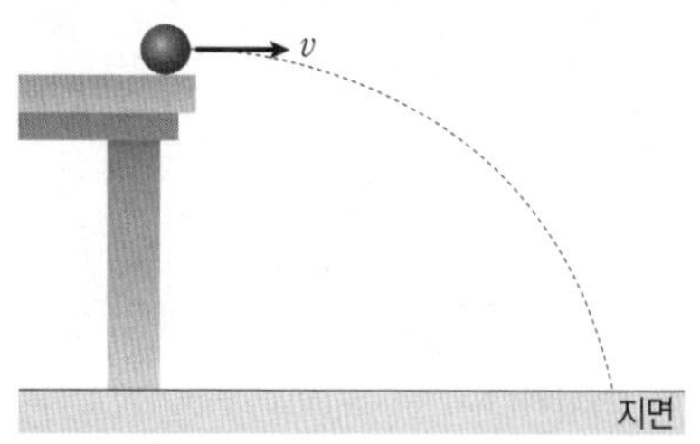

492 (하)(중)(상)

이 물체의 운동에 대한 설명으로 옳은 것만을 〈보기〉에서 있는 대로 고른 것은?

〈 보기 〉
ㄱ. 수평 방향의 속력은 v로 일정하다.
ㄴ. 물체가 운동하는 동안 가속도의 방향은 일정하다.
ㄷ. 수평 방향의 속력을 $2v$로 하면 지면에 도달하는 시간도 2배가 된다.

① ㄱ　② ㄴ　③ ㄷ
④ ㄱ, ㄴ　⑤ ㄴ, ㄷ

493 (하)(중)(상)

그래프는 이 물체의 속력과 이동 거리를 시간에 따라 나타낸 것이다.

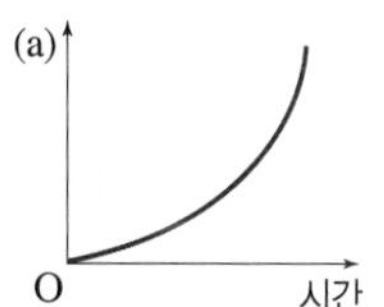

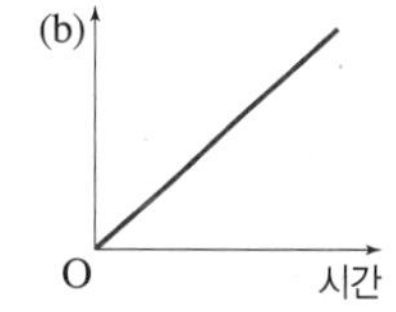

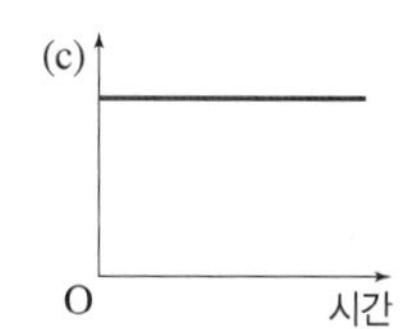

그래프의 세로축 (a), (b), (c)에 들어갈 물리량을 옳게 짝 지은 것은?

	(a)	(b)	(c)
①	수평 방향 속력	연직 방향 속력	수평 방향 이동 거리
②	수평 방향 속력	연직 방향 이동 거리	연직 방향 속력
③	수평 방향 이동 거리	연직 방향 이동 거리	수평 방향 속력
④	연직 방향 이동 거리	연직 방향 속력	수평 방향 속력
⑤	연직 방향 이동 거리	수평 방향 속력	연직 방향 속력

494 하중상

그림은 지면으로부터 높이가 H인 기둥 위에서 공을 수평 방향으로 3 m/s의 속력으로 던진 모습을 나타낸 것이다. 공의 질량은 6 kg이고, 공은 기둥에서 수평 방향으로 18 m 떨어진 곳에 떨어졌다. (단, 중력 가속도의 크기는 10 m/s^{2}이고, 공기 저항은 무시한다.)

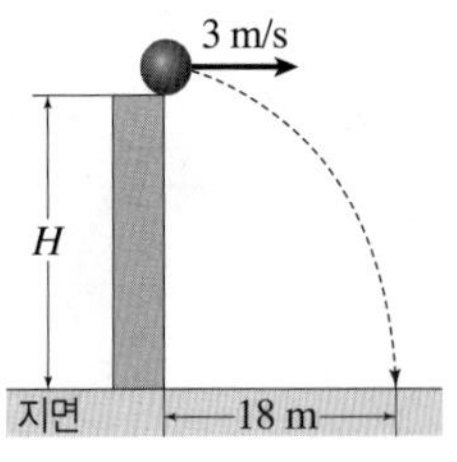

(1) 이 공이 지면에 도달하는 순간 연직 방향의 속력을 구하시오.

(2) 이 기둥의 높이 H는 몇 m인지 구하시오.

495 하중상

그림은 자유 낙하 하는 쇠구슬 A와 수평 방향으로 던진 쇠구슬 B의 모습을 동일한 시간 간격인 1초마다 나타낸 것이다. 모눈종이의 1칸은 5 m이다.

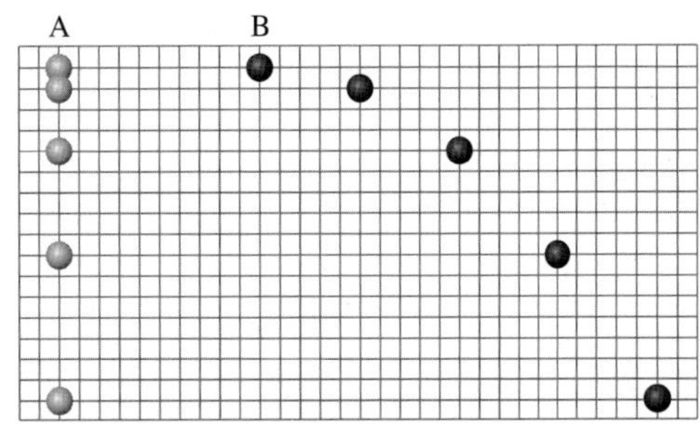

(1) 쇠구슬 A의 시간에 따른 연직 아래 방향으로의 구간 거리와 속도를 나타낸 표를 완성하시오.

시간(s)	0~1	1~2	2~3	3~4
연직 아래 방향 구간 거리(m)				
연직 아래 방향의 속도(m/s)				

(2) 쇠구슬 B의 시간에 따른 연직 아래 방향으로의 구간 거리와 속도를 나타낸 표를 완성하시오.

시간(s)	0~1	1~2	2~3	3~4
연직 아래 방향 구간 거리(m)				
연직 아래 방향의 속도(m/s)				

(3) 쇠구슬 B의 시간에 따른 수평 방향으로의 구간 거리와 속도를 나타낸 표를 완성하시오.

시간(s)	0~1	1~2	2~3	3~4
수평 방향 구간 거리(m)				
수평 오른쪽 방향의 속도(m/s)				

(4) 쇠구슬 A와 B의 연직 아래 방향의 가속도의 크기를 각각 구하시오.

496 하중상

대표문제 多 보기

그림은 같은 높이에서 동시에 운동을 시작하는 공 A와 공 B의 모습을 나타낸 것이다. 공 A는 자유 낙하시키고, 공 B는 수평 방향으로 던졌다. 이에 대한 설명으로 옳지 않은 것만을 모두 고르면? (단, 공의 질량은 같고, 공기 저항은 무시한다.)(2개)

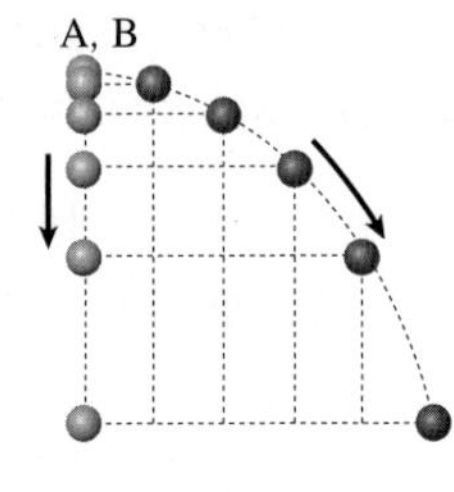

① A는 연직 방향으로 직선 운동한다.
② B는 수평 방향으로 등속 직선 운동을 하고, 연직 방향으로 등가속도 직선 운동을 한다.
③ A와 B는 바닥에 동시에 도달하지 않는다.
④ A와 B의 연직 방향 속력은 항상 서로 같다.
⑤ 가속도의 크기와 방향은 A와 B가 서로 같다.
⑥ A와 B에 작용하는 중력의 크기와 방향은 같다.
⑦ B의 수평 방향으로 던지는 속력을 증가시키면 A보다 더 늦게 바닥에 도달한다.

빈출

497 하중상

그림은 책상 위에 놓인 자를 화살표 방향으로 빠르게 쳐서 동전 A가 자유 낙하함과 동시에 동전 B는 수평 방향으로 튀어 나가도록 하는 모습을 나타낸 것이다. A와 B의 물리량 중 같은 것만을 〈보기〉에서 있는 대로 고른 것은? (단, 모든 마찰과 공기 저항은 무시하고, 동전은 회전하지 않고 낙하한다.)

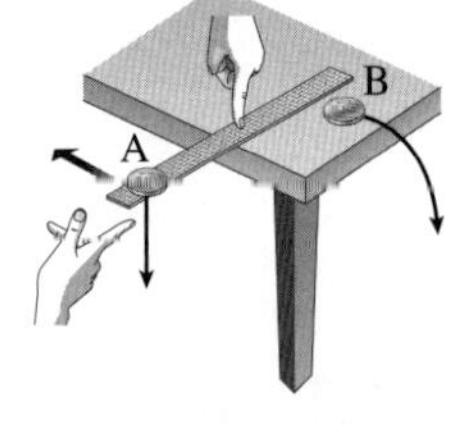

〈 보기 〉
ㄱ. 운동하는 동안의 가속도
ㄴ. 바닥에 도달하기 직전의 속력
ㄷ. 바닥에 도달할 때까지 걸리는 시간
ㄹ. 바닥에 도달할 때까지 운동한 거리

① ㄱ, ㄴ　② ㄱ, ㄷ　③ ㄴ, ㄷ
④ ㄴ, ㄹ　⑤ ㄷ, ㄹ

빈출
498 하중상

그림과 같이 두꺼운 종이 위에 나무 도막 **A**와 **B**를 올려놓고 손으로 자를 휘어지게 한 다음, 자에서 손을 떼었더니 **A**는 자유 낙하하고, **B**는 포물선 운동을 하였다.

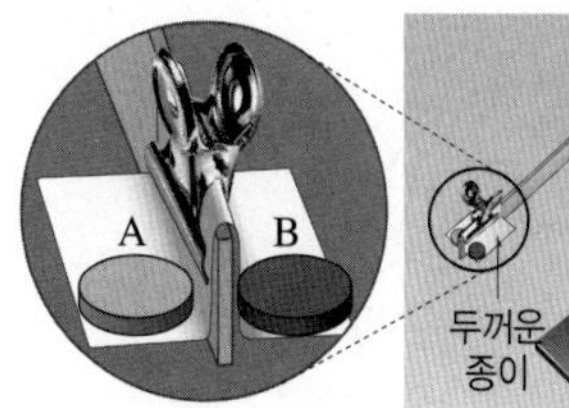

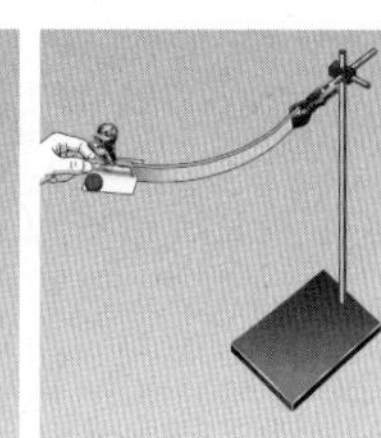

이에 대한 설명으로 옳은 것만을 〈보기〉에서 있는 대로 고른 것은? (단, 공기 저항은 무시한다.)

〈 보기 〉
ㄱ. 두 물체는 바닥에 동시에 떨어진다.
ㄴ. A와 B에는 연직 아래 방향으로 중력이 작용한다.
ㄷ. 자를 더 휘어지게 할수록 B는 바닥에 빨리 떨어진다.

① ㄱ ② ㄷ ③ ㄱ, ㄴ
④ ㄴ, ㄷ ⑤ ㄱ, ㄴ, ㄷ

499 하중상

그림은 수평면으로부터 같은 높이에서 공 **A**를 자유 낙하시키는 동시에 공 **B**를 x 방향으로 던졌을 때 두 공의 위치를 **1**초 간격으로 나타낸 것이고, 표는 두 공의 x 방향과 y 방향에 대한 처음 속력을 나타낸 것이다.

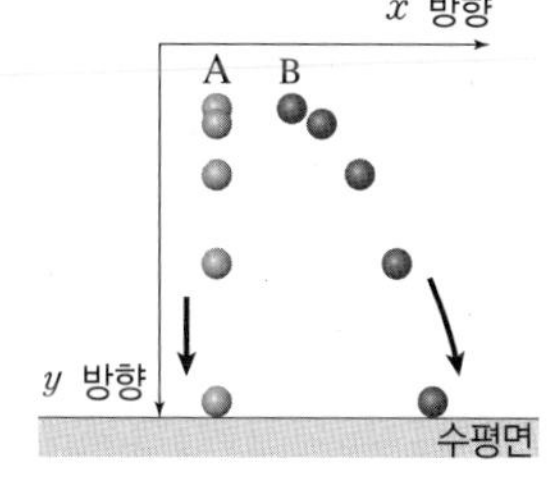

구분	x 방향 처음 속력	y 방향 처음 속력
공 A	0 m/s	0 m/s
공 B	10 m/s	0 m/s

이에 대한 설명으로 옳은 것만을 〈보기〉에서 있는 대로 고른 것은? (단, 중력 가속도는 **10** m/s^2이고, 공기 저항과 물체의 크기는 무시한다.)

〈 보기 〉
ㄱ. 두 공이 y 방향으로 매 순간 위치가 같은 것으로 보아 두 공의 질량은 같다.
ㄴ. 공 B는 0~4초 동안 낙하한 거리보다 수평 방향으로 이동한 거리가 더 길다.
ㄷ. 공 B는 x 방향 처음 속력이 클수록 같은 시간 동안 x 방향으로 이동한 거리가 커진다.

① ㄱ ② ㄴ ③ ㄷ
④ ㄱ, ㄴ ⑤ ㄴ, ㄷ

빈출
500 하중상

그림은 지면으로부터 같은 높이에서 질량 **2 kg**인 물체 **A**를 가만히 놓는 동시에 질량 **1 kg**인 물체 **B**를 수평 방향으로 던진 모습을 나타낸 것이다.

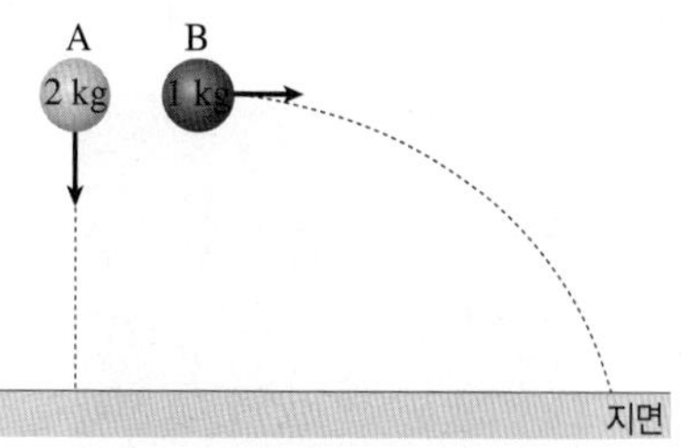

이에 대한 설명으로 옳은 것만을 〈보기〉에서 있는 대로 고른 것은? (단, 공기 저항은 무시한다.)

〈 보기 〉
ㄱ. 두 물체는 지면에 동시에 도달한다.
ㄴ. 지면에 닿는 순간 A의 속력은 B의 연직 방향 속력의 2배이다.
ㄷ. 물체 A와 B에 작용하는 중력의 크기는 서로 같다.

① ㄱ ② ㄴ ③ ㄷ
④ ㄱ, ㄴ ⑤ ㄴ, ㄷ

501 하중상

그림은 동일한 높이에서 각각 다른 방향으로 운동하는 질량이 같은 공 **A, B, C**의 모습을 나타낸 것이다. **A**는 지면과 수직인 위쪽(↑) 방향으로 던지고, **B**는 가만히 놓아 낙하(↓)시켰으며, **C**는 지면과 수평인 오른쪽 방향으로 던졌다. 이에 대한 설명으로 옳은 것만을 〈보기〉에서 있는 대로 고른 것은? (단, 공기 저항은 무시한다.)

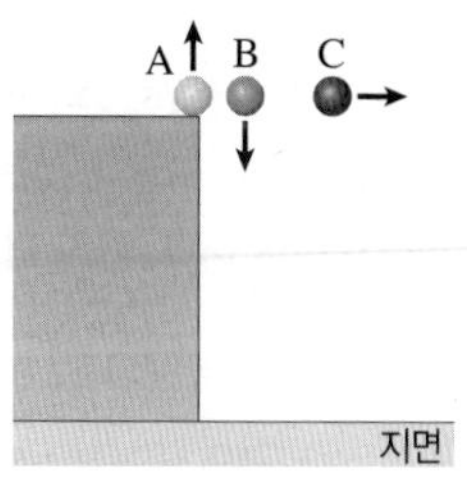

〈 보기 〉
ㄱ. A에 작용하는 알짜힘의 방향은 아래쪽(↓)이다.
ㄴ. B의 단위시간당 속력의 변화량은 점점 커진다.
ㄷ. C를 수평 방향으로 던진 속력이 클수록 지면에 도달하는 시간이 길어진다.

① ㄱ ② ㄴ ③ ㄷ
④ ㄱ, ㄴ ⑤ ㄴ, ㄷ

502 (하)(중)(상)

그림은 지면으로부터 같은 높이에 있는 질량이 각각 m, $2m$, $3m$인 공 A, B, C가 운동하는 모습을 일정한 시간 간격으로 나타낸 것이다. A는 정지 상태에서 가만히 놓았으며 B와 C는 A를 가만히 놓는 순간 수평 방향으로 각각 v, $2v$의 속력으로 던졌다.

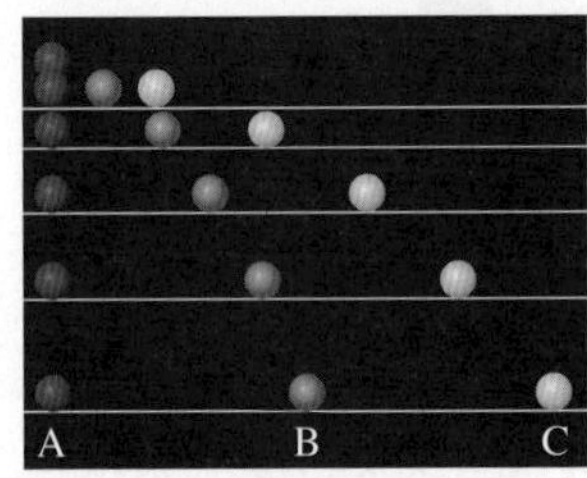

이에 대한 설명으로 옳은 것만을 〈보기〉에서 있는 대로 고른 것은? (단, 공기 저항은 무시한다.)

〈 보기 〉

ㄱ. A가 지면에 가장 늦게 떨어진다.
ㄴ. A가 B를 보면 B는 수평 방향으로 등속 직선 운동을 한다.
ㄷ. A에 작용하는 중력과 C에 작용하는 중력의 크기는 같다.
ㄹ. 지면에 도달했을 때 B와 C의 수평 방향 이동 거리의 비는 1 : 2이다.

① ㄱ, ㄴ ② ㄱ, ㄷ ③ ㄴ, ㄹ
④ ㄱ, ㄷ, ㄹ ⑤ ㄴ, ㄷ, ㄹ

503 (하)(중)(상)

••서술형

그림은 지면으로부터 높이가 같은 두 지점에서 공 A, B를 수평 방향으로 각각 5 m/s, v의 속력으로 던진 모습을 나타낸 것이다. A, B의 수평 방향 도달 거리는 각각 20 m, 40 m이다. (단, 중력 가속도는 10 m/s^{2}이고, 공기 저항은 무시한다.)

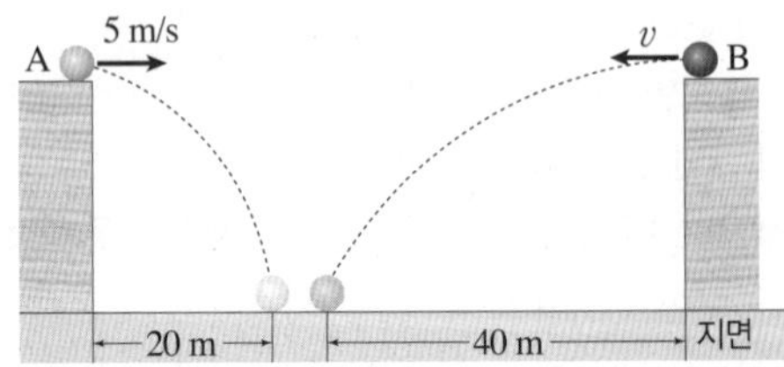

(1) 공 A, B의 지면 도달 시간을 각각 t_A, t_B라고 할 때, t_A와 t_B를 풀이 과정과 함께 각각 구하시오.

(2) 공 B를 수평 방향으로 던진 순간 속력 v를 풀이 과정과 함께 구하시오.

빈출 504 (하)(중)(상)

대표문제 多 보기

그림은 지표면 근처의 같은 높이에서 질량이 같은 포탄 A, B, C를 발사하는 대포와 A, B, C의 운동 경로를 나타낸 것이다. C는 지구를 중심으로 원 궤도를 따라 운동한다.

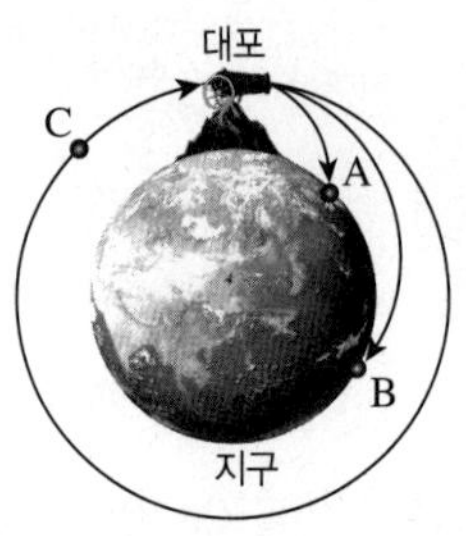

이에 대한 설명으로 옳은 것만을 모두 고르면? (단, 공기 저항은 무시한다.)(3개)

① 포탄 A에 작용하는 중력이 가장 크다.
② 포탄 B의 처음 속력은 포탄 A의 처음 속력보다 크다.
③ 포탄 C의 가속도는 0이다.
④ 포탄 C에는 중력이 작용하지 않는다.
⑤ C가 지구를 한 바퀴 도는 동안 지표면과 수평한 방향의 속력은 일정하다.
⑥ 세 포탄에 작용하는 힘의 방향은 지구 중심 방향이다.
⑦ 운동하는 동안 가속도의 크기는 A>B>C 순으로 크다.

505 (하)(중)(상)

••서술형

그림은 물체의 운동에 대한 뉴턴의 생각을 나타낸 것이다.

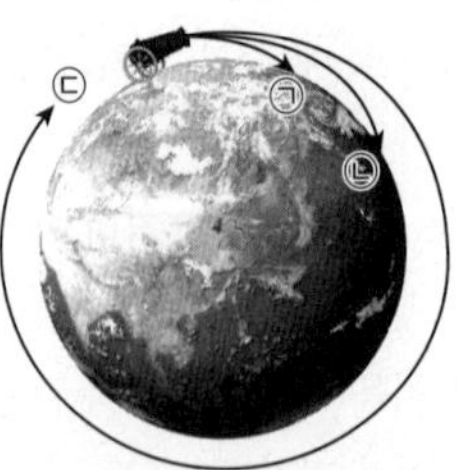

물체의 운동이 ㉠, ㉡, ㉢의 경로와 같이 서로 다르게 나타나는 까닭을 서술하시오.

506 하/중/상 ••서술형

그림은 책상 끝에 있는 공을 수평 방향으로 10 m/s의 속력으로 쳤을 때 공이 운동하는 모습을 일정한 시간 간격으로 나타낸 것이다. 중력 가속도는 10 m/s^{2}이고 공기 저항을 무시할 때, 0초에서 5초까지의 수평 방향과 연직 방향에 대한 속력-시간 그래프를 그리시오. (그래프에는 눈금값을 모두 표시하고 시간별 속력 값을 정확하게 점으로 나타내어 선으로 연결해야 한다.)

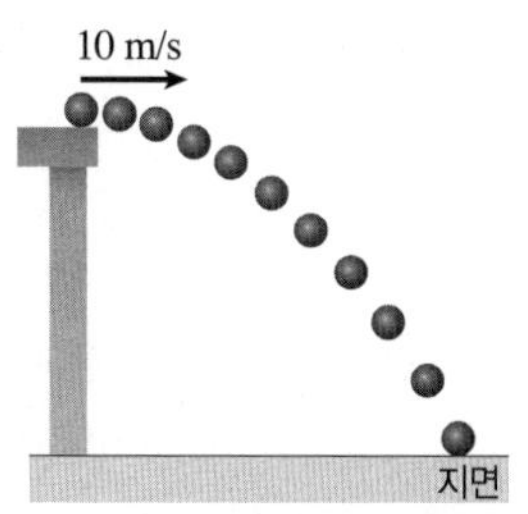

(1) 수평 방향

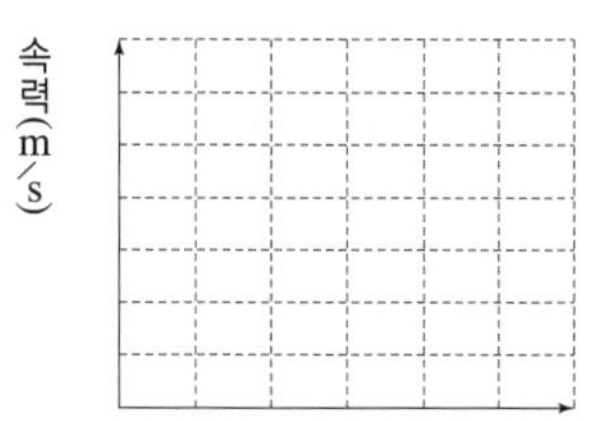

(2) 연직 방향

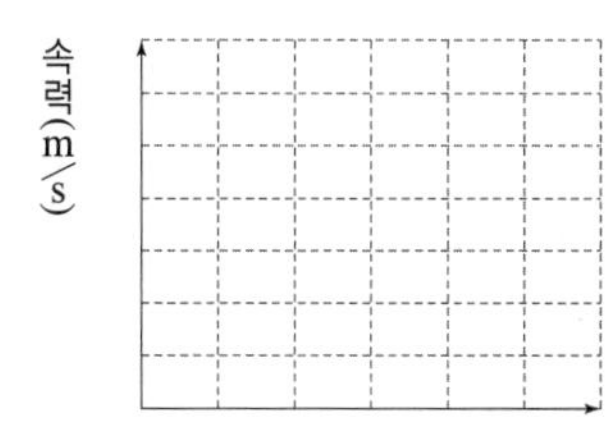

507 하/중/상 ••서술형

그림과 같이 지면 위에서 질량이 m인 물체를 화살표 방향으로 던졌다. (단, 공기 저항은 무시한다.)

E
D
A B C
지면

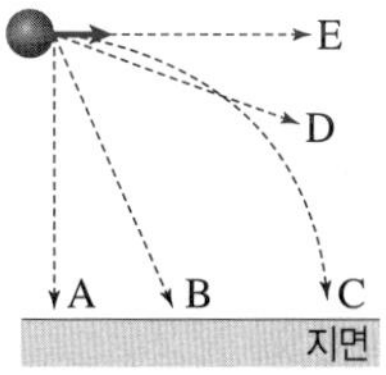

(1) 물체의 예상 운동 경로를 A~E로 나타낼 때 (가) 중력이 작용할 때와 (나) 무중력 상태에서 물체의 운동 경로를 각각 쓰시오.

(가) (　　　　　　　) (나) (　　　　　　　)

(2) (가)의 경우 중력의 방향을 화살표로 그리고, 이 물체의 운동을 x축(가로축)과 y축(세로축)으로 나누어 각각 쓰시오.

① (가)의 경우 중력의 방향을 표시하시오.

② x축(가로축) 운동: (　　　　　　　)

③ y축(세로축) 운동: (　　　　　　　)

(3) (나)의 경우 물체는 어떤 운동을 하는지 서술하시오.

508 하/중/상

그림은 정지 상태에서 연직 아래 방향으로 자유 낙하 운동을 하는 감 A와 수평 방향으로 던져져 포물선 운동을 하는 감 B의 모습을 나타낸 것이다. 감 A는 감 B보다 높은 곳에 위치하였다.

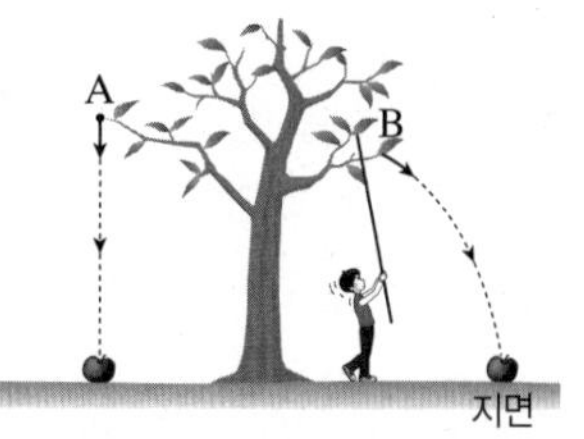

떨어지는 순간부터 지면에 도달하는 순간까지 감 A와 B의 운동에 대한 설명으로 옳은 것만을 〈보기〉에서 있는 대로 고른 것은? (단, A와 B가 출발점에서 지면에 도달할 때까지 이동한 거리는 같고, 공기 저항과 A와 B의 크기는 무시한다.)

〈 보기 〉

ㄱ. A는 등가속도 직선 운동을 한다.
ㄴ. 평균 속력은 A가 B보다 작다.
ㄷ. 떨어지는 데 걸리는 시간은 A가 B보다 길다.

① ㄱ　② ㄷ　③ ㄱ, ㄴ　④ ㄴ, ㄷ　⑤ ㄱ, ㄴ, ㄷ

509 하/중/상

그림은 건물의 서로 다른 층에서 질량이 같은 두 물체 A와 B를 각각 수평 방향으로 동시에 던지는 모습을 나타낸 것이다. A의 수평 방향 속도는 20 m/s이고, 두 물체는 수평면상의 같은 지점에 떨어졌다. A가 떨어지는 데 걸린 시간은 2초, B가 떨어지는 데 걸린 시간은 T초이다.

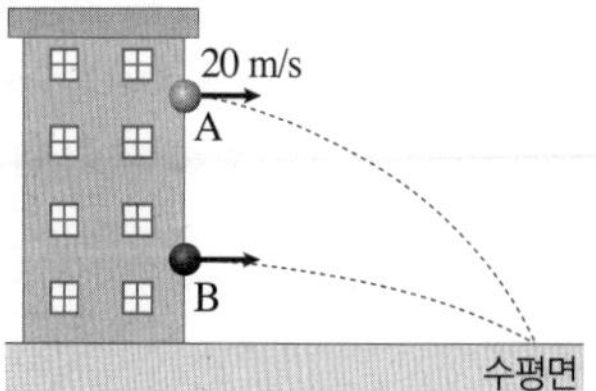

이에 대한 설명으로 옳은 것만을 〈보기〉에서 있는 대로 고른 것은? (단, 공기 저항은 무시한다.)

〈 보기 〉

ㄱ. T의 값은 2보다 크다.
ㄴ. 떨어지기 전까지 A의 수평 방향 이동 거리는 40 m이다.
ㄷ. B의 수평 방향 속도는 20 m/s보다 크다.

① ㄱ　② ㄴ　③ ㄱ, ㄷ　④ ㄴ, ㄷ　⑤ ㄱ, ㄴ, ㄷ

510 하 중 상

그림과 같이 높이가 같은 두 탑 위에서 물체 A를 수평 방향으로 10 m/s의 속력으로 던진 순간에 물체 B를 가만히 떨어뜨렸더니 2초 후 지면에 닿기 전 점 P에서 충돌하였다.

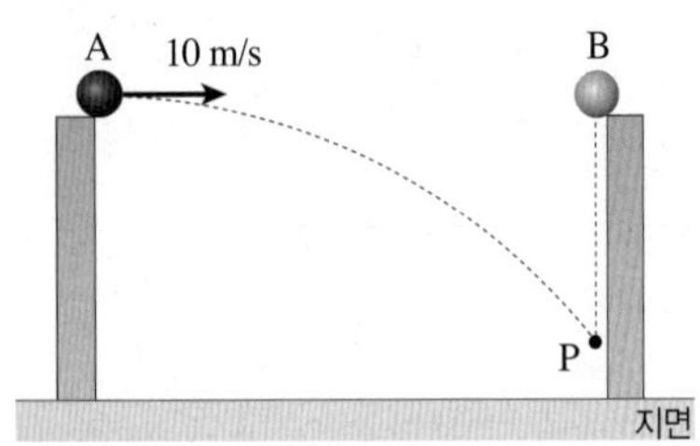

이 운동에 대한 설명으로 옳은 것만을 〈보기〉에서 있는 대로 고른 것은? (단, 중력 가속도는 10 m/s^2이고, 공기 저항과 물체의 크기는 무시한다.)

〈 보기 〉

ㄱ. 두 탑 사이의 거리는 10 m이다.
ㄴ. 충돌 직전 B의 속력은 20 m/s이다.
ㄷ. B의 처음 위치에서 P점까지의 거리는 20 m이다.
ㄹ. A를 던지는 속력을 더 크게 하면 두 물체는 충돌하지 않는다.

① ㄱ, ㄴ ② ㄱ, ㄹ ③ ㄴ, ㄷ
④ ㄱ, ㄷ, ㄹ ⑤ ㄴ, ㄷ, ㄹ

B 중력과 역학적 시스템

빈출

511 하 중 상 대표문제 多 보기

역학적 시스템을 설명한 내용으로 옳지 않은 것은?

① 자연계는 역학적 시스템으로 구성되어 있다.
② 여러 가지 힘이 물체들 사이에서 상호 작용 한다.
③ 각 요소들은 정해진 질서 없이 항상 변하고 있다.
④ 원자나 분자 사이에서는 전기력이 중요한 역할을 한다.
⑤ 중력, 전기력, 자기력 등 여러 가지 힘이 작용하여 시스템이 유지된다.

512 하 중 상

중력과 관련이 있는 현상이 아닌 것은?

① 수직추를 이용하여 수평을 맞춘다.
② 수도꼭지에서 물줄기가 아래로 떨어진다.
③ 자동차의 가속페달을 밟으면 차가 점점 빨라진다.
④ 인공위성이 지구를 벗어나지 못하고 주위를 돌고 있다.
⑤ 지구 대기는 기체의 대류 현상으로 인해 순환이 발생한다.

513 하 중 상

다음은 중력에 의해 발생하는 여러 가지 자연 현상에 대한 글이다.

> 중력은 지구에서 일어나는 여러 가지 현상을 일으키는 데 중요한 역할을 한다. 물과 대기의 순환 및 그 과정에서 생기는 (㉠)이나 고기압과 저기압 등은 모두 (㉡) 때문에 생기는데, (㉡)(은)는 (㉢)이 있을 때만 일어난다.

㉠~㉢에 알맞은 말을 옳게 짝 지은 것은?

	㉠	㉡	㉢
①	구름	대류	전기력
②	구름	대류	중력
③	구름	전도	마찰력
④	밀물과 썰물	전도	중력
⑤	밀물과 썰물	대류	마찰력

514 하 중 상 대표문제 多 보기

중력에 의해 지구 시스템과 생명 시스템에서 일어나는 자연 현상에 대한 설명으로 옳지 않은 것만을 모두 고르면? (2개)

① 달이 지구 주위를 돈다.
② 중력에 의해 아래로 흐르는 유수와 빙하는 지형을 변화시킨다.
③ 지면으로부터 높이 올라갈수록 중력이 커지므로 공기 밀도도 커진다.
④ 식물은 중력이 작용하는 방향으로 뿌리를 내리고, 반대 방향으로 줄기를 뻗는다.
⑤ 사람의 다리에 있는 정맥에는 중력에 의해 혈액이 역류하는 것을 방지하기 위한 판막이 있다.
⑥ 사람은 전정 기관이 중력을 감지하여 몸의 평형을 유지하거나 자세의 안정감을 찾는다.
⑦ 큰 포유류는 중력을 견디기 위해 근육과 골격이 발달하였고, 몸이 클수록 혈압이 낮은 특징이 있다.

515 하중상

자연 현상에 대한 중력의 작용을 설명한 것으로 옳지 않은 것은?

	자연 현상	중력의 작용
①	밀물과 썰물	달이 지표면의 바닷물에 작용하는 중력의 차이로 발생한다.
②	기린의 혈압	중력에 대항하여 심장에서 멀리까지 피를 보내야 하므로 혈압이 높다.
③	민들레 씨앗의 갓털	갓털은 중력이 크게 작용하여 지면에 빨리 도착하게 한다.
④	대기의 구성 성분	가벼운 수소나 헬륨은 지구 중력을 벗어나 멀리 날아갈 수 있다.
⑤	조류의 뼈	중력을 작게 받기 위해 뼛속이 비어 있다.

516 하중상

다음은 과학 수업 중 학생들이 무중력 상태가 자연 현상과 생명체에 미치는 영향에 대해 조사하여 발표한 것이다.

- 수영: 식물의 세포벽은 얇아집니다.
- 민수: 코끼리의 골격은 중력이 작용할 때에 비하여 더 단단해집니다.
- 길동: 촛불의 모양은 중력이 작용할 때에 비하여 더 둥근 모양에 가까워집니다.
- 철수: 무중력 상태가 되면 식물의 뿌리는 땅속 아래 방향을 향해 자랄 것입니다.

옳게 말한 사람만을 있는 대로 고른 것은?

① 수영, 민수　② 수영, 길동　③ 길동, 철수　④ 수영, 민수, 철수　⑤ 민수, 길동, 철수

517 하중상

지구 중력이 현재보다 2배로 커질 때 나타나게 될 현상을 추론한 내용으로 옳은 것만을 〈보기〉에서 있는 대로 고른 것은?

〈 보기 〉

ㄱ. 나무가 높게 자라지 못한다.
ㄴ. 공기의 대류가 일어나지 않는다.
ㄷ. 마찰이 없는 수평면에서 물체를 가속시키기가 더 어려워진다.

① ㄱ　② ㄴ　③ ㄱ, ㄷ　④ ㄴ, ㄷ　⑤ ㄱ, ㄴ, ㄷ

518 하중상 ••서술형

그림은 지구와 우주 정거장에서 타고 있는 촛불의 모양을 나타낸 것이다.

지구

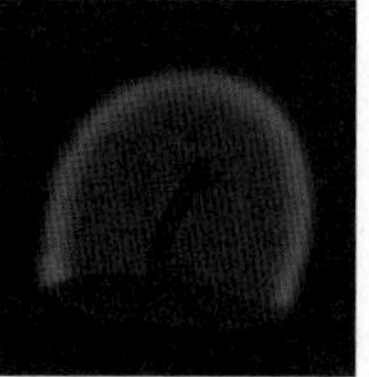
우주 정거장

이와 같이 촛불 모양이 서로 다르게 나타나는 까닭을 중력과 관련지어 서술하시오.

519 하중상 ••서술형

지구의 대기 성분 중에는 수소, 헬륨과 같이 가볍고 빠른 기체가 없다. 그 까닭을 중력과 관련지어 서술하시오.

520 하중상 ••서술형

사람은 중력이 존재하는 지구에 적응한 신체 구조로 되어 있다. 이 때문에 무중력 상태가 오랫동안 지속되면 인체에 다양한 변화가 생긴다. 이때 생길 수 있는 인체의 변화를 두 가지만 서술하시오.

16

운동량과 충격량

Ⓐ 관성

1 관성 물체가 현재의 ❶□□ □□(운동 방향과 빠르기)를 유지하려는 성질

*관성을 나타내는 물체

(관성에 의한 현상)

- 동전이 놓여 있는 종이를 컵 위에 놓고 손가락으로 종이를 퉁기면 종이만 날아가고 동전은 컵 속에 떨어진다.

- 버스가 갑자기 출발하면 승객이 뒤로 쏠린다.
- 버스가 갑자기 정지하면 승객이 앞으로 쏠린다.
- 마찰이 없는 얼음판 위에서 물체가 일정한 속도로 미끄러진다.
- 망치 자루를 바닥에 내리치면 헐거웠던 망치 머리가 망치 자루에 단단히 박힌다.

- 이불을 막대기로 두드리면 먼지가 떨어진다.
- 달리던 사람이 돌부리에 걸려 넘어진다.
- 달리던 기차는 제동장치를 작동하여도 어느 정도 앞으로 움직인 뒤에 멈춘다.

기출 Tip Ⓐ-1

관성과 관계없는 현상
- 로켓이 가스를 분사하며 위로 나아간다. ➔ 작용 반작용
- 배에서 노를 저으면 배가 앞으로 나아간다. ➔ 작용 반작용
- 축구공을 세게 찰수록 축구공의 속력이 더 빨라진다. ➔ 힘의 작용
- 높은 곳에서 떨어뜨린 물체는 속력이 점점 빨라진다. ➔ 중력의 작용

관성과 관련하여 안전띠를 매는 까닭
자동차가 급제동했을 때 탑승자가 관성에 의해 유리창 등에 부딪히는 것을 방지하기 위해 안전띠를 맨다.

2 관성의 크기 물체의 ❷□□이 클수록 관성이 크다.

➔ 질량이 ❸□ 물체일수록 물체의 운동 상태를 변화시키기 어렵다.

(질량이 클수록 관성이 커서 나타나는 현상)

- 짐을 가득 실은 트럭은 빈 트럭보다 출발이 느리다.
- 작은 보트에 비해 큰 유람선은 방향을 바꾸기가 더 어렵다.
- 두 팽이가 같은 속도로 돌고 있을 때, 질량이 큰 팽이가 더 오랫동안 돈다.
- 두루마리 휴지가 많이 남아 있을수록 빠르게 잡아당겼을 때 더 쉽게 끊어진다.
- 그네를 밀어줄 때 몸무게가 무거운 친구를 밀어줄 때가 가벼운 친구를 밀어줄 때보다 힘이 더 든다.

기출 Tip Ⓐ-2

관성의 크기
관성의 크기는 물체의 속력이나 물체에 가한 힘의 크기와는 관련 없다.

3 관성 법칙 물체에 작용하는 알짜힘이 0이면 물체의 운동 상태가 변하지 않는다.

➔ 정지해 있던 물체는 계속 ❹□□해 있고, 운동하던 물체는 ❺□□ □□ 운동을 한다.

기출 Tip Ⓐ-3

정지 관성
물체가 정지해 있을 때에도 물체는 계속 정지해 있으려는 정지 관성이 작용한다.

Ⓑ 운동량

1 운동량 운동하는 물체의 운동 효과를 나타내는 양으로, 물체의 질량과 속도를 곱한 물리량이다.

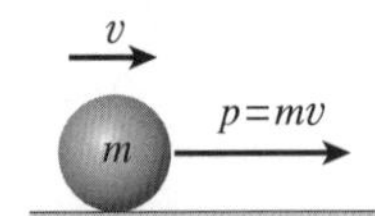

▲ 운동량 질량이 m인 물체가 v의 속도로 운동할 때 운동량 $p=mv$이다.

운동량(p)=질량(m)×속도(v) [단위: kg·m/s]

① 운동량의 크기: 물체의 질량과 속도가 클수록 운동량이 ❻□다.

② 운동량의 방향: ❼□□의 방향과 같다. → 물체의 운동 방향과 같다.

[예제] 질량이 400 g인 축구공이 동쪽으로 20 m/s의 속도로 날아가고 있다. 이 축구공의 운동량의 크기와 방향을 구하시오.

[풀이] 운동량의 크기는 0.4 kg×20 m/s=8 kg·m/s이고, 운동량의 방향은 동쪽이다. 답 8 kg·m/s, 동쪽

2 운동량 보존 법칙 두 물체가 충돌할 때 외부에서 힘이 작용하지 않으면 충돌 전과 충돌 후 운동량의 총합은 항상 ❽□다.

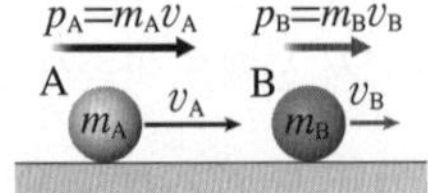

충돌 전

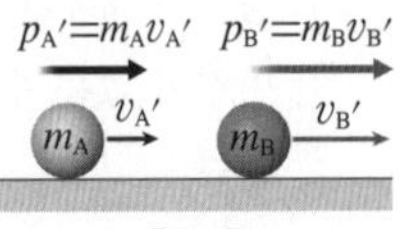

충돌 후

충돌 전 운동량의 합($m_Av_A+m_Bv_B$)=충돌 후 운동량의 합($m_Av_A'+m_Bv_B'$)

기출 Tip Ⓑ-2

힘의 작용 반작용
물체가 다른 물체에 힘을 가하면 힘을 받은 물체도 힘을 가한 물체에 크기가 같고 방향이 반대인 힘을 동시에 가한다.

C 충격량

1 충격량 물체가 받은 충격의 정도를 나타내는 양으로, 물체에 작용한 힘과 힘이 작용한 시간을 곱한 물리량이다.

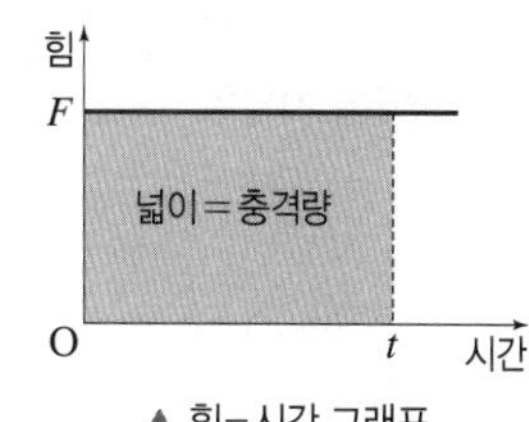

▲ 충격량 힘 F를 시간 Δt 동안 물체에 작용할 때 충격량 $I=F\Delta t$이다.

> 충격량(I)=힘(F)×시간(Δt) [단위: N·s]

① **충격량의 크기**: 물체가 받은 힘의 크기가 클수록, 힘이 작용한 시간이 길수록 충격량이 ❾ ☐다.

② **충격량의 방향**: 물체에 작용한 힘의 방향과 같다.

[예제] 수레에 10 N의 힘을 오른쪽으로 20초 동안 작용하였을 때 수레가 받은 충격량의 크기와 방향을 구하시오.

[풀이] 충격량의 크기는 10 N×20 s=200 N·s이고, 충격량의 방향은 오른쪽이다.

답 200 N·s, 오른쪽

③ **힘-시간 그래프**: 그래프 아랫부분의 넓이는 힘과 시간을 곱한 값이므로 ❿ ☐☐☐의 크기를 나타낸다.

힘
F
넓이=충격량
O t 시간
▲ 힘-시간 그래프

2 충격량과 운동량의 관계 충돌 시 물체가 받은 충격량은 운동량의 변화량과 같다.

> 충격량=운동량의 ⓫ ☐☐☐=나중 운동량−처음 운동량

① **운동량의 크기 변화**: 물체가 운동 방향으로 충격량을 받으면 그만큼 운동량이 ⓬ ☐☐하고, 물체가 운동 방향과 반대 방향으로 충격량을 받으면 그만큼 운동량이 ⓭ ☐☐한다.

② **두 물체의 충돌**: 두 물체가 충돌할 때 충돌 전과 충돌 후 운동량의 총합은 보존되고, 두 물체는 크기가 같고 방향이 반대인 ⓮ ☐☐☐을 서로 주고받는다.

③ **운동량-시간 그래프**: 그래프에서 운동량의 변화량은 충격량의 크기를 나타내고, 기울기는 $\frac{\text{운동량의 변화량}}{\text{시간}}=\frac{mv}{t}=ma=F$이므로 ⓯ ☐☐☐을 나타낸다.

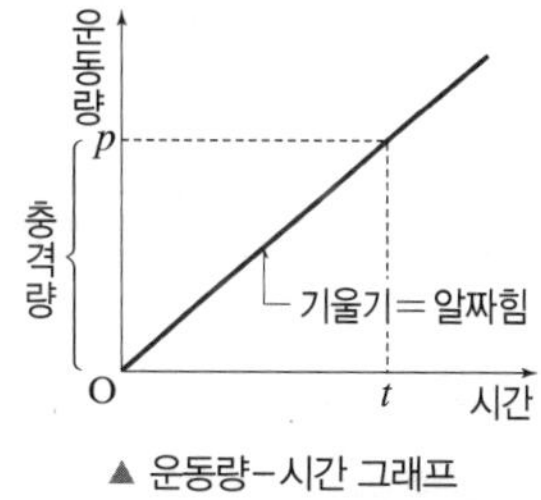

▲ 운동량-시간 그래프

기출 Tip C-1

충격량의 단위
N·s=(kg·m/s²)·s=kg·m/s
충격량의 단위는 운동량의 단위와 같다.

빨대를 이용한 충격량 실험
빨대에 면봉을 넣고 불어서 날아간 거리를 측정한다.
- 부는 힘이 클수록 면봉이 멀리 날아간다. ➔ 힘이 클수록 충격량이 크다.
- 빨대의 길이가 길수록 면봉이 멀리 날아간다. ➔ 힘을 받는 시간이 길수록 충격량이 크다.

답 ❶ 운동 상태 ❷ 질량 ❸ 큰 ❹ 정지 ❺ 등속 직선 ❻ 크 ❼ 속도 ❽ 같 ❾ 크 ❿ 충격량 ⓫ 변화량 ⓬ 증가 ⓭ 감소 ⓮ 충격량 ⓯ 알짜힘

빈출 자료 보기

정답과 해설 46쪽

521 그림 (가)는 마찰이 없는 수평면 위에서 5 m/s의 속력으로 직선 운동하는 질량 5 kg인 물체 A가 동일한 직선상에서 2 m/s의 속력으로 운동하는 질량 2 kg인 물체 B와 충돌하기 전의 모습을, (나)는 A와 B가 충돌한 후의 모습을 나타낸 것이다. 충돌한 후 A의 속력은 4 m/s, B의 속력은 v_B가 되었다.

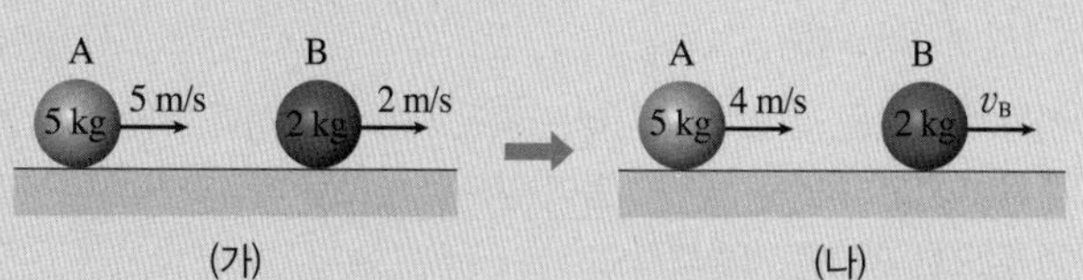

이에 대한 설명으로 옳은 것은 ○, 옳지 않은 것은 ×로 표시하시오. (단, 충돌 후 A와 B의 운동 방향은 충돌 전 A의 운동 방향과 같다.)

(1) (가)에서 A의 운동량의 크기는 5 kg·m/s이다. ( )
(2) (나)에서 B의 운동량의 크기는 9 kg·m/s이다. ( )
(3) (나)에서 v_B는 4.5 m/s이다. ( )
(4) 충돌 과정에서 A가 받은 충격량의 크기는 5 N·s이다. ( )
(5) 충돌 과정에서 B는 운동량의 변화량의 크기가 9 kg·m/s이다. ( )
(6) 충돌 과정에서 A가 받은 충격량과 B가 받은 충격량은 크기와 방향이 다르다. ( )

A 관성

522 하/중/상

정지해 있는 물체는 계속 정지해 있으려고 하고 운동하는 물체는 계속 등속 직선 운동을 하려는 성질로, 물체가 현재의 운동 상태를 그대로 유지하려는 성질을 쓰시오.

빈출 523 하/중/상 대표문제 多 보기

물체의 관성과 관련이 있는 현상으로 옳지 않은 것은?

① 옷을 털면 먼지가 떨어진다.
② 자동차 운전자가 안전띠를 맨다.
③ 로켓이 가스를 분사하며 위로 나아간다.
④ 달리던 사람이 돌부리에 걸려 넘어진다.
⑤ 버스가 갑자기 출발하면 승객이 뒤로 쏠린다.
⑥ 망치 자루를 바닥에 내리치면 망치 머리가 망치 자루에 단단히 박힌다.
⑦ 동전이 놓여 있는 종이를 컵 위에 놓고 손가락으로 종이를 퉁기면 종이는 날아가고 동전은 컵 속으로 떨어진다.

빈출 524 하/중/상

그림은 동전이 놓여 있는 종이를 컵 위에 놓고, 손가락으로 종이를 퉁기는 모습을 나타낸 것이다.

이와 같은 원리로 설명되는 현상만을 〈보기〉에서 있는 대로 고른 것은?

〈 보기 〉
ㄱ. 노를 저으면 배가 앞으로 나아간다.
ㄴ. 달리는 기차는 갑자기 멈추기 어렵다.
ㄷ. 축구공을 세게 찰수록 축구공의 속력이 더 빨라진다.
ㄹ. 작은 보트에 비해 큰 유람선은 방향을 바꾸기가 더 어렵다.

① ㄱ, ㄴ ② ㄱ, ㄷ ③ ㄱ, ㄹ
④ ㄴ, ㄹ ⑤ ㄷ, ㄹ

525 하/중/상 대표문제 多 보기

물체가 가진 관성에 대한 설명으로 옳지 않은 것만을 모두 고르면? (3개)

① 물체의 속력이 클수록 관성이 크다.
② 정지해 있던 물체에는 관성이 나타나지 않는다.
③ 관성이 클수록 운동 상태를 변화시키기 어렵다.
④ 물체의 질량에 관계없이 관성의 크기는 항상 일정하다.
⑤ 알짜힘이 0이면 운동하던 물체는 등속 직선 운동을 한다.
⑥ 운동하던 물체는 운동 방향과 빠르기를 계속 유지하려고 한다.
⑦ 외부에서 가해 주는 힘의 크기와 관계없이 관성의 크기는 일정하다.

빈출 526 하/중/상

관성에 대한 설명으로 옳은 것만을 〈보기〉에서 있는 대로 고른 것은?

〈 보기 〉
ㄱ. 질량이 클수록 운동 상태를 변화시키기 어렵다.
ㄴ. 물체에 힘이 작용하면 가속도가 생기는 것을 설명할 수 있다.
ㄷ. 달리던 버스가 급정거를 할 때 몸이 앞으로 쏠리는 현상은 관성의 예이다.

① ㄱ ② ㄴ ③ ㄱ, ㄷ
④ ㄴ, ㄷ ⑤ ㄱ, ㄴ, ㄷ

빈출 527 하/중/상 서술형

자동차에 탔을 때 안전띠를 매는 것은 매우 중요하다. 자동차가 충돌하는 사고가 났을 때 (가) 몸이 앞으로 쏠리는 까닭과 (나) 안전띠가 필요한 까닭을 서술하시오.

B 운동량

빈출

528 하중상

그림은 질량이 150 g인 야구공이 20 m/s의 속력으로 날아가고 있는 모습을 나타낸 것이다. 이 야구공의 운동량의 크기는?

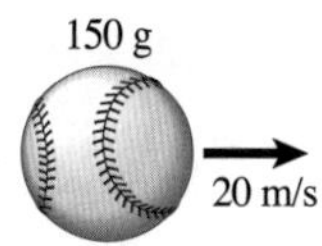

① 3 kg·m/s ② 7.5 kg·m/s
③ 15 kg·m/s ④ 750 kg·m/s
⑤ 3,000 kg·m/s

[529~530] 그림은 각각 골프공, 야구공, 볼링공의 질량과 속도의 크기를 나타낸 것이다.

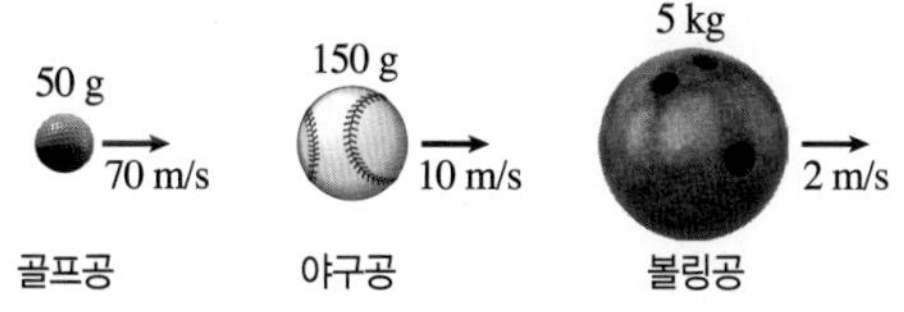

529 하중상

관성이 큰 순서대로 옳게 나열한 것은?

① 골프공>야구공>볼링공
② 야구공>골프공>볼링공
③ 볼링공>야구공>골프공
④ 야구공>볼링공>골프공
⑤ 볼링공>골프공>야구공

빈출

530 하중상

운동량이 큰 순서대로 옳게 나열한 것은?

① 골프공>야구공>볼링공
② 야구공>골프공>볼링공
③ 볼링공>야구공>골프공
④ 야구공>볼링공>골프공
⑤ 볼링공>골프공>야구공

531 하중상

그림은 마찰이 없는 수평면에서 질량이 2 kg인 물체가 속도 3 m/s로 등속 직선 운동을 하다가 A 구간을 통과한 후 속도가 5 m/s로 변하여 등속 직선 운동을 하는 모습을 나타낸 것이다. 이 물체는 운동 방향이 일정하고, A 구간에서만 알짜힘을 받았다.

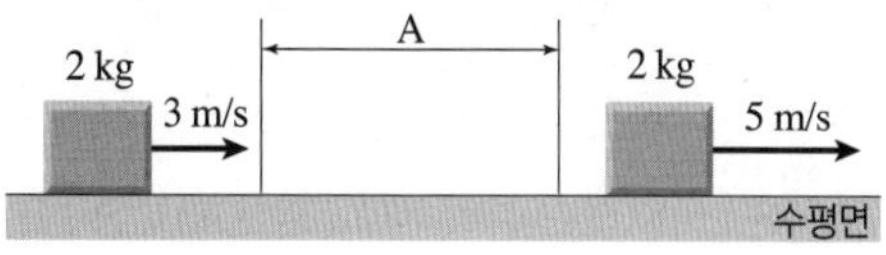

이 물체가 A 구간에서 운동량의 변화량의 크기는 몇 kg·m/s인지 구하시오.

532 하중상

••서술형

그림은 마찰이 없는 수평면 위에서 물체 A는 속력 3 m/s로, 물체 B는 속력 4 m/s로 운동하고 있는 모습을 나타낸 것이다. 물체 A의 질량은 2 kg이고, 물체 B의 질량은 m이다.

B의 운동량의 크기가 A의 운동량의 크기의 3배일 때, B의 질량 m을 구하시오. (단, 풀이 과정과 단위를 함께 쓰시오.)

533 하중상

그림 (가)는 마찰이 없는 수평한 얼음판에서 6 m/s의 속력으로 운동하는 A와 1.5 m/s의 속력으로 운동하는 B의 모습을, (나)는 A가 B를 뒤에서 밀고 난 후 A의 속력이 3 m/s가 된 모습을 나타낸 것이다. A와 B의 질량은 각각 60 kg과 40 kg이다.

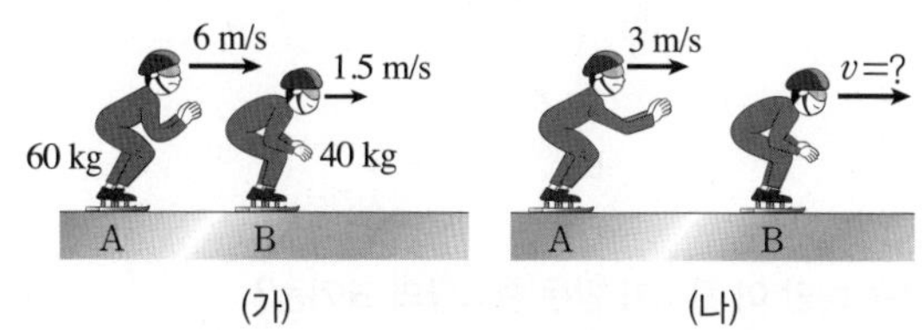

(나)에서 B의 속력 v를 구하시오. (단, A와 B는 밀기 전과 밀고 난 후 같은 직선상에서 운동한다.)

C 충격량

534 하 중 상

오른쪽으로 15 m/s의 속도로 운동하고 있는 질량이 3 kg인 물체에 10 N의 힘을 왼쪽으로 2초 동안 작용하였다.

(1) 물체에 작용한 충격량의 크기와 방향을 쓰시오.

• 충격량의 크기: ( )

• 충격량의 방향: ( )

(2) 힘이 작용하기 전과 후 운동량의 변화량의 크기와 방향을 쓰시오.

• 운동량의 변화량의 크기: ( )

• 운동량의 변화량의 방향: ( )

535 하 중 상

마찰이 없는 수평면에서 질량이 3 kg인 물체가 2 m/s의 속력으로 운동하다가 물체에 힘이 작용하여 2초 후 같은 방향으로 속력이 5 m/s가 되었다. 이 물체가 2초 동안 받은 충격량의 크기는 몇 N·s인지 구하시오.

536 하 중 상

그림은 직선상에서 운동하고 있는 질량이 2 kg인 물체의 운동량을 시간에 따라 나타낸 것이다.

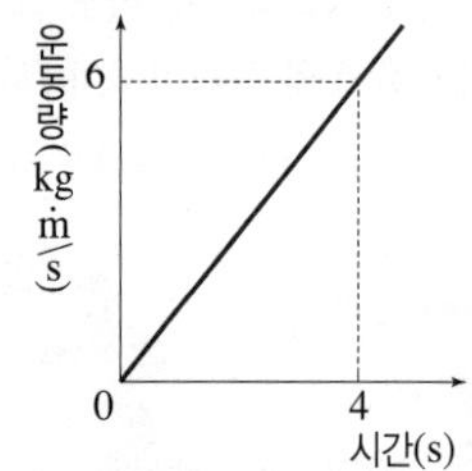

0~4초 동안 이 물체가 받은 충격량의 크기는?

① 2 N·s ② 3 N·s ③ 6 N·s
④ 12 N·s ⑤ 24 N·s

537 하 중 상

정지해 있는 물체에 작용한 힘의 크기와 힘이 작용한 시간이 다음과 같을 때, 힘이 작용한 후 물체의 운동량이 가장 큰 것은? (단, 모든 마찰과 공기 저항은 무시한다.)

	작용한 힘의 크기	힘이 작용한 시간
①	10 N	5초
②	20 N	2초
③	30 N	1초
④	30 N	2초
⑤	40 N	1초

538 하 중 상

표는 마찰이 없는 수평면에 정지해 있는 물체 (가)~(라)에 수평 방향으로 일정하게 작용한 힘의 크기, 힘이 작용한 시간, 물체 (가)~(라)의 질량을 나타낸 것이다.

물체	힘의 크기	힘이 작용한 시간	질량
(가)	200 N	2초	1 kg
(나)	70 N	12초	4 kg
(다)	25 N	20초	5 kg
(라)	150 N	5초	10 kg

이에 대한 설명으로 옳은 것만을 〈보기〉에서 있는 대로 고른 것은?

〈 보기 〉
ㄱ. (다)는 운동량의 변화량의 크기가 5 kg·m/s이다.
ㄴ. 물체가 받은 충격량의 크기가 가장 큰 것은 (라)이다.
ㄷ. (가)~(라) 중 힘이 작용한 후의 속력이 가장 큰 것은 (가)이다.

① ㄱ ② ㄷ ③ ㄱ, ㄴ
④ ㄱ, ㄷ ⑤ ㄴ, ㄷ

539 하 중 상 대표문제 多 보기

운동량과 충격량에 대한 설명으로 옳지 않은 것만을 모두 고르면? (2개)

① 운동량의 단위는 kg·m/s이다.
② 운동량은 물체의 질량과 속도를 곱한 물리량이다.
③ 서로 반대 방향으로 나아가는 두 물체의 속력이 같으면 운동량이 같다.
④ 운동량과 충격량은 같은 단위를 사용한다.
⑤ 물체가 받는 충격량은 운동량의 변화량과 같다.
⑥ 충격량의 방향은 물체의 운동 방향과 항상 같다.
⑦ 속력이 빠른 물체를 멈추려고 할수록 필요한 충격량이 크다.

540 하 중 상

다음은 빨대를 이용한 충격량 실험을 나타낸 것이다.

(가) 빨대 A의 입구 근처에 면봉을 넣고 강하게 불 때와 약하게 불 때 면봉이 날아가는 거리를 비교한다.
(나) 빨대 A와 B의 입구 근처에 면봉을 넣고 같은 세기로 불 때 면봉이 날아가는 거리를 비교한다.

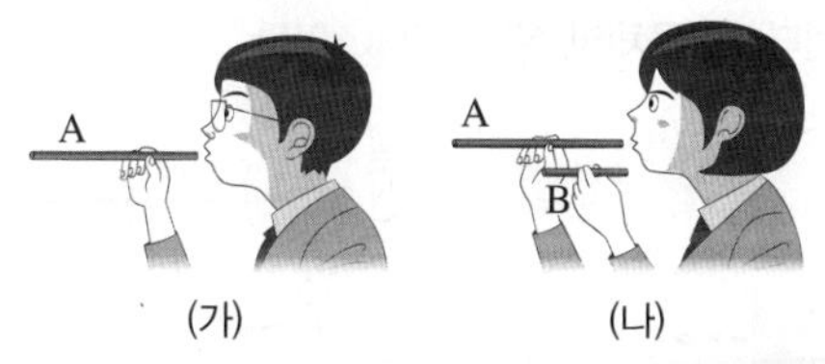

이에 대한 설명으로 옳은 것만을 〈보기〉에서 있는 대로 고른 것은? (단, 빨대의 길이는 A가 B의 2배이다.)

〈 보기 〉
ㄱ. (가)에서 부는 힘이 클수록 면봉이 받는 충격량이 커진다.
ㄴ. (나)를 통해 힘의 크기에 따라 달라지는 충격량을 설명할 수 있다.
ㄷ. 면봉이 받은 충격량이 클수록 면봉이 날아가는 거리가 길어진다.

① ㄱ ② ㄴ ③ ㄱ, ㄷ
④ ㄴ, ㄷ ⑤ ㄱ, ㄴ, ㄷ

541 하 중 상

그림은 마찰이 없는 수평면에 정지해 있는 질량이 2 kg인 물체에 수평 방향으로 작용한 힘을 시간에 따라 나타낸 것이다.

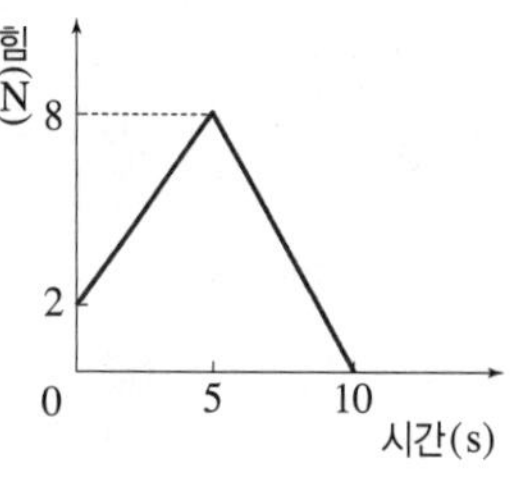

10초일 때 이 물체의 속력을 구하시오.

542 하 중 상

그림은 직선상에서 운동하고 있는 질량이 5 kg인 물체의 운동량을 시간에 따라 나타낸 것이다.

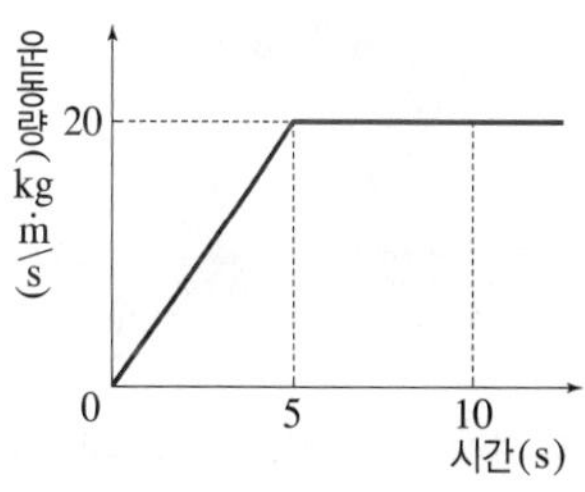

이 물체의 운동에 대한 설명으로 옳은 것만을 〈보기〉에서 있는 대로 고른 것은?

〈 보기 〉
ㄱ. 5초 후 이 물체의 속력은 5 m/s이다.
ㄴ. 0~5초 동안 물체에 작용한 힘은 4 N이다.
ㄷ. 0~10초 동안 물체가 받은 충격량은 20 N·s이다.

① ㄱ ② ㄴ ③ ㄱ, ㄷ
④ ㄴ, ㄷ ⑤ ㄱ, ㄴ, ㄷ

빈출

543 하 중 상

그림은 물체 A와 B가 마찰이 없는 수평면에서 직선 운동하는 모습을 나타낸 것이다.

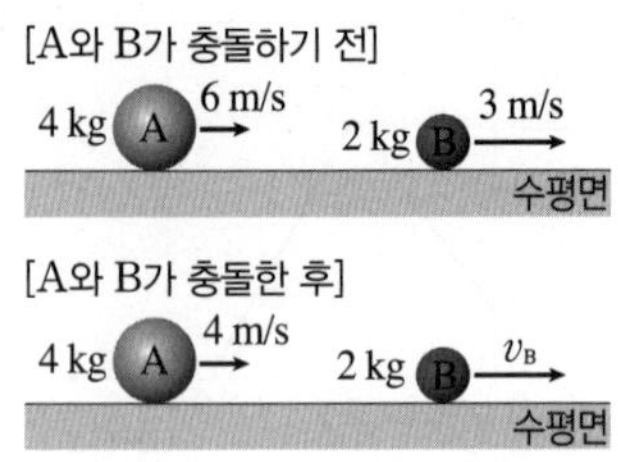

(1) 충돌 후 B의 속력은 몇 m/s인지 구하시오.

(2) 충돌하는 동안 물체 B가 받은 충격량의 크기는 몇 N·s인지 구하시오.

544 하 중 상

그림은 철수와 영희가 인라인 스케이트를 신고 서 있는 상태에서 서로 밀어내는 모습을 나타낸 것이다. 질량은 철수가 영희보다 크다.

이에 대한 설명으로 옳지 않은 것은? (단, 모든 마찰과 공기 저항은 무시한다.)

① 두 사람이 정지해 있을 때에도 관성이 나타난다.
② 철수의 관성이 영희의 관성보다 크기 때문에 서로 밀어낸 후의 속력은 영희가 철수보다 크다.
③ 철수와 영희는 서로에게 힘을 작용하여 운동 상태가 변한다.
④ 철수와 영희가 서로에게 작용하는 충격량의 방향은 서로 반대 방향이다.
⑤ 철수가 영희를 더 세게 밀면 영희가 철수로부터 받는 힘의 크기가 철수가 영희로부터 받는 힘의 크기보다 커진다.

545 하 중 상

••서술형

그림은 마찰이 없는 수평면 위에서 3 m/s의 속력으로 운동하고 있는 물체에 운동 방향과 같은 방향으로 작용한 힘을 시간에 따라 나타낸 것이다. 이 물체의 질량은 10 kg이다.

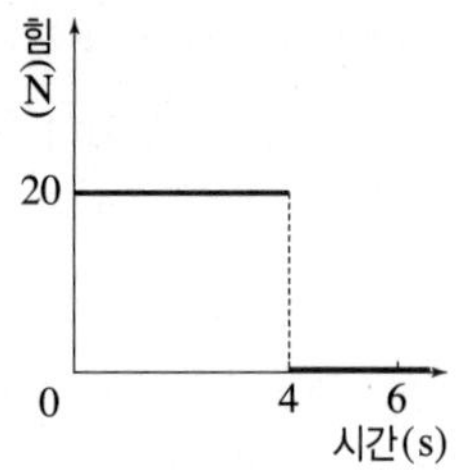

(1) 이 물체가 6초 동안 받은 충격량의 크기를 구하시오.

(2) 0초에서 6초까지 물체의 운동량을 시간에 따라 그래프로 나타내시오. (단, 그래프에는 좌표축을 나타내는 눈금의 값을 구체적으로 표시하고, 점으로 나타낸 후 선을 연결한다.)

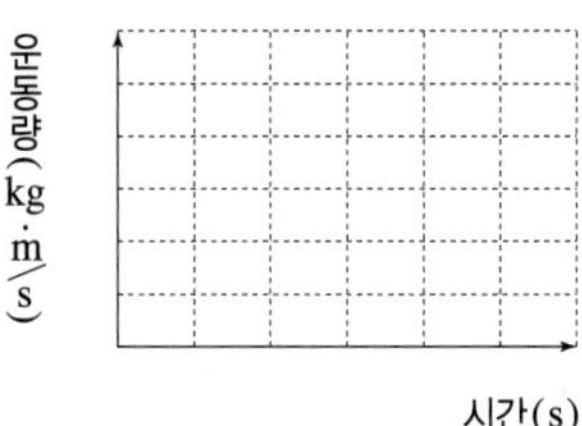

빈출

546 하 중 상

그림 (가)는 마찰이 없는 수평면 위에 정지해 있는 물체가 일정한 방향으로 힘을 받는 모습을, (나)는 물체가 받은 힘을 시간에 따라 나타낸 것이다. 이 물체의 질량은 2 kg이다.

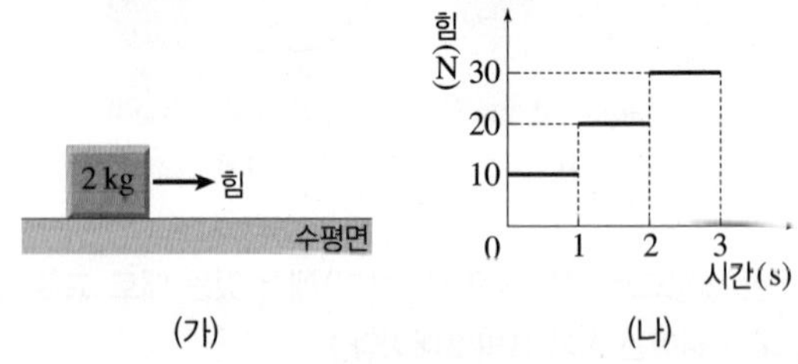

이에 대한 설명으로 옳은 것만을 〈보기〉에서 있는 대로 고른 것은? (단, 모든 마찰과 공기 저항은 무시한다.)

〈 보기 〉

ㄱ. 0~1초 동안 물체가 받은 충격량의 크기는 10 N·s이다.
ㄴ. 물체의 운동량은 2초일 때가 1초일 때의 3배이다.
ㄷ. 3초일 때 물체의 속력은 30 m/s이다.

① ㄱ ② ㄷ ③ ㄱ, ㄴ
④ ㄴ, ㄷ ⑤ ㄱ, ㄴ, ㄷ

547 하/중/상

그림 (가)는 동일한 발사체를 빨대의 입구(A)와 빨대의 출구(B)에 넣은 후 빨대를 불어 발사체를 수평 방향으로 발사하는 모습을, (나)는 A와 B의 발사체가 받은 힘을 시간에 따라 나타낸 것이다.

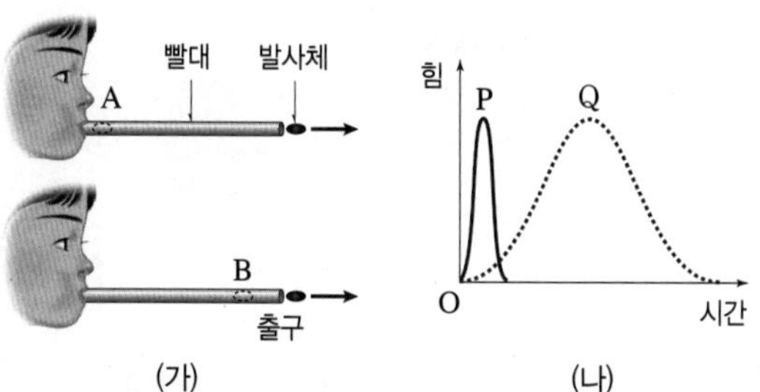

이에 대한 설명으로 옳은 것만을 〈보기〉에서 있는 대로 고른 것은? (단, 바닥으로부터 빨대의 높이와 부는 세기를 일정하게 하고, 모든 마찰과 공기 저항은 무시한다.)

〈 보기 〉

ㄱ. A에 해당하는 그래프는 Q이다.
ㄴ. 발사체가 빨대를 통과하는 동안 받은 충격량은 A와 B에서 같다.
ㄷ. 발사체가 빨대를 빠져나온 순간, 발사체의 속력은 B에서가 A에서보다 작다.

① ㄱ ② ㄴ ③ ㄱ, ㄷ
④ ㄴ, ㄷ ⑤ ㄱ, ㄴ, ㄷ

548 하/중/상

••서술형

그림은 정지해 있는 축구공과 배구공을 각각 발로 찰 때, 각각의 공이 받은 힘을 시간에 따라 나타낸 것이다. 축구공은 배구공보다 무겁고, 두 그래프 아랫부분의 넓이는 같다.

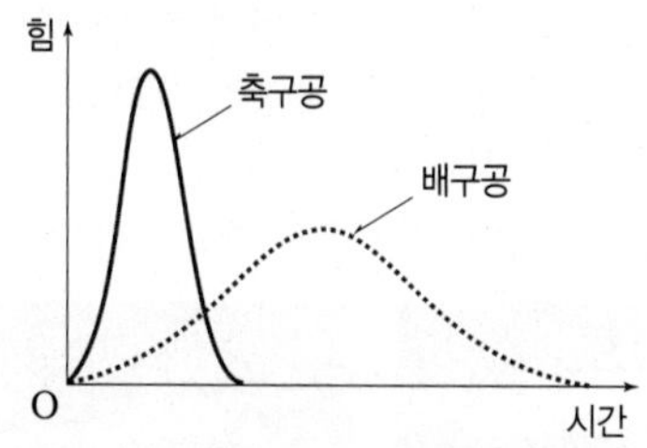

공이 발을 떠나는 순간 축구공과 배구공 중 속력이 더 큰 것을 쓰고, 그 까닭을 서술하시오.

549 하/중/상

그림 (가)는 마찰이 없는 수평면에서 직선 운동하는 물체 A가 정지해 있던 물체 B와 정면으로 충돌한 후 한 덩어리가 되어 운동하는 모습을, (나)는 A와 B의 속도를 시간에 따라 나타낸 것이다. A와 B의 질량은 각각 1 kg과 2 kg이다.

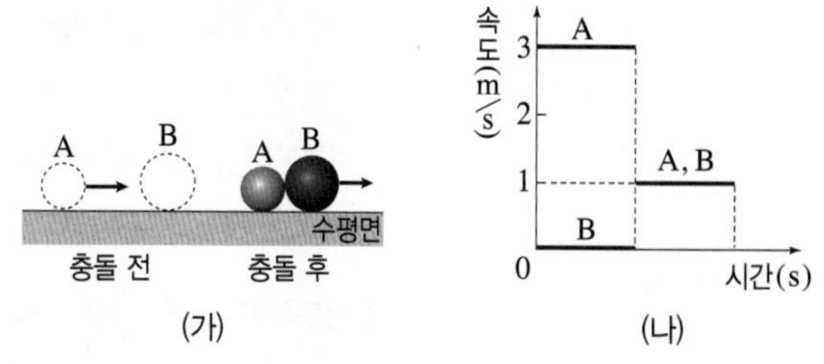

이에 대한 설명으로 옳은 것만을 〈보기〉에서 있는 대로 고른 것은?

〈 보기 〉

ㄱ. 충돌 전 A의 운동량의 크기는 3 kg·m/s이다.
ㄴ. 충돌 과정에서 B가 받은 충격량의 크기는 2 N·s이다.
ㄷ. 충돌 과정에서 A가 받은 충격량은 B의 운동량의 변화량과 같다.

① ㄱ ② ㄷ ③ ㄱ, ㄴ
④ ㄴ, ㄷ ⑤ ㄱ, ㄴ, ㄷ

17 충돌과 안전

Ⓐ 충돌과 충격력

1 벽과 충돌하는 물체의 운동

① 벽과 충돌 후 정지할 때 충격량: 충격량은 충돌 전 처음 운동량과 크기가 같고, 방향이 반대이다. (충돌 후 나중 운동량이 0이기 때문에)

② 벽과 충돌 후 튕겨 나올 때 충격량: 충돌 전과 후 운동량의 변화량의 크기와 ❶□□□의 크기가 같다.

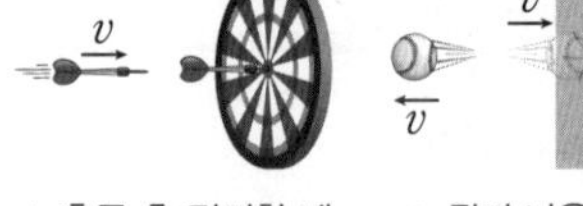

▲ 충돌 후 정지할 때 ▲ 튕겨 나올 때

기출 Tip Ⓐ-1

충돌 후 속력과 충격량
충돌 후 정지할 때와 달리 튕겨 나올 때는 나중 운동량이 0이 아니므로 충격량(운동량의 변화량)이 더 크다.

2 충격력 충돌하는 동안 물체가 받는 ❷□□ 힘

$$충격력(평균\ 힘) = \frac{충격량}{충돌\ 시간} = \frac{운동량의\ 변화량}{시간}$$

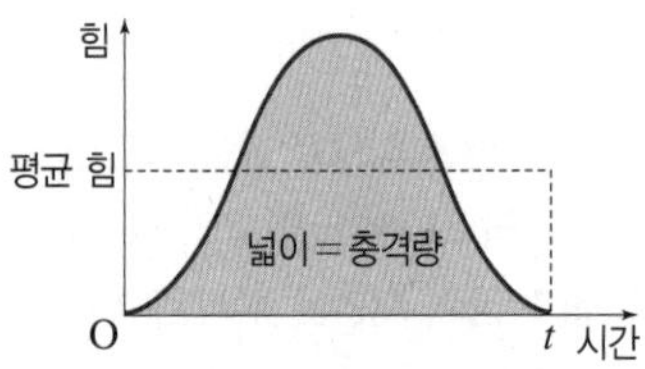

▲ 충격력 물체가 충격량 I를 시간 Δt 동안 받을 때 충격력 $F=\frac{I}{\Delta t}$이다.

① 충격력의 크기: 일반적으로 두 물체가 충돌할 때 두 물체 사이에 작용하는 힘은 일정하지 않으므로, 충격량을 힘이 작용한 ❸□□으로 나누어 물체에 작용한 평균 힘을 구할 수 있다.

② 충격량이 같을 때 충격력: 충격량이 같을 때 충돌 시간이 ❹□□수록 충격력이 커지고, 충돌 시간이 ❺□수록 충격력이 작아진다.

기출 Tip Ⓐ-2

질량이 다른 트럭과 승용차가 충돌할 때의 충격력
질량이 큰 트럭과 질량이 작은 승용차가 충돌할 때, 힘의 작용 반작용에 의해 트럭과 승용차가 받는 충격력과 충격량(운동량의 변화량)의 크기는 같지만, 질량이 다르므로 속도 변화량이 다르다.

(충격력과 충돌 시간의 관계)

다음은 동일한 두 달걀을 같은 높이에서 A와 B에 각각 떨어뜨린 모습과 이때 달걀이 받은 힘의 변화를 시간에 따라 나타낸 것이다.

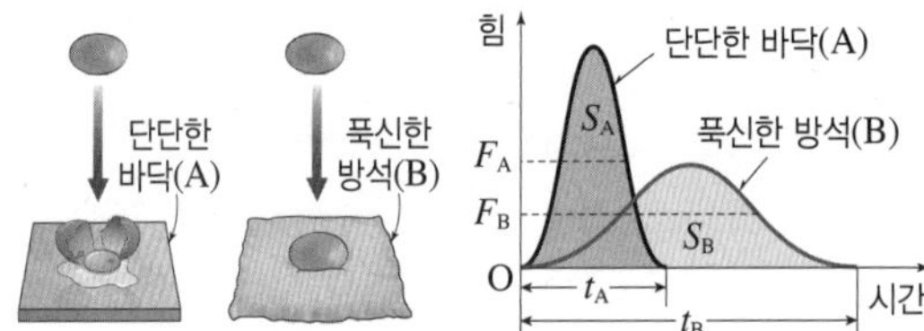

- 충격량(운동량의 변화량): A=B
- 그래프 아랫부분의 넓이: A=B($S_A=S_B$)
- 힘(충격력)을 받는 시간: A<B($t_A<t_B$)
- 충격력(평균 힘): A>B($F_A>F_B$)

➜ 힘을 받는 시간이 길수록 충격이 완화된다.

Ⓑ 충돌과 안전장치

1 안전장치의 원리

안전장치는 ❻□□에 의해 몸이 쏠리는 것을 방지하거나, 충돌이 일어났을 때 힘이 작용하는 ❼□□을 길게 하여 사람이 받는 힘의 크기가 ❽□□지도록 한다.

기출 Tip Ⓑ-1

안전장치와 충격량
충격 완화의 원리를 활용한 안전장치의 경우 사람이 받는 충격량의 크기는 같다.

2 운동 경기에 사용되는 안전장치의 예시

- 야구 선수가 공을 받을 때 손을 뒤로 빼면서 받으면 손이 받는 힘이 작아져 충격을 줄일 수 있다.
- 멀리뛰기 선수가 착지할 때 무릎을 살짝 구부리면 몸이 받는 ❾□이 작아져 충격을 줄일 수 있다.
- 태권도나 권투 경기에서 선수가 보호대를 착용하면 몸이 받는 힘이 작아져 충격을 줄일 수 있다.
- 체조 경기에서 푹신한 매트를 깔면 몸이 받는 힘이 작아져 충격을 줄일 수 있다.
- 바닥이 푹신한 쿠션이 있는 신발을 신으면 발이 받는 힘이 작아져 충격을 줄일 수 있다.

공을 받는 야구 선수

멀리뛰기 선수의 착지

운동 선수의 보호대

3 교통수단에 사용되는 안전장치의 예시

• 자동차의 에어백은 충돌 시간을 길게 하여 탑승자가 받는 힘을 줄여 준다.
• 자동차의 범퍼는 찌그러지면서 충돌 시간을 길게 하여 탑승자가 받는 힘을 줄여 준다.
• 헬멧 안쪽의 스펀지는 충돌 시간을 길게 하여 머리가 받는 힘을 줄여 준다.
• 자전거 안장에 부착되어 있는 용수철은 충돌 시간을 길게 하여 몸이 받는 힘을 줄여 준다.
• 도로의 가드레일은 자동차가 충돌할 때 찌그러지면서 충돌 시간을 길게 하여 탑승자가 받는 힘을 줄여 준다.

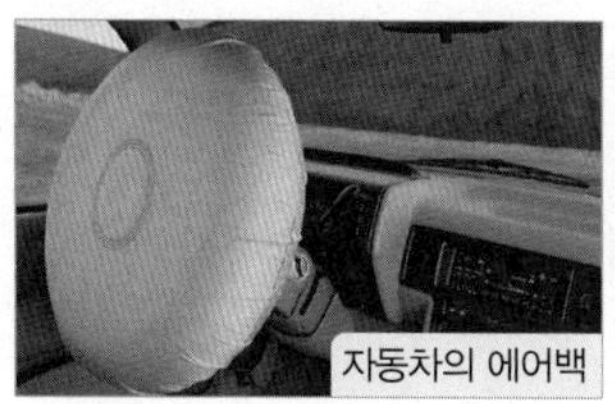
자동차의 에어백

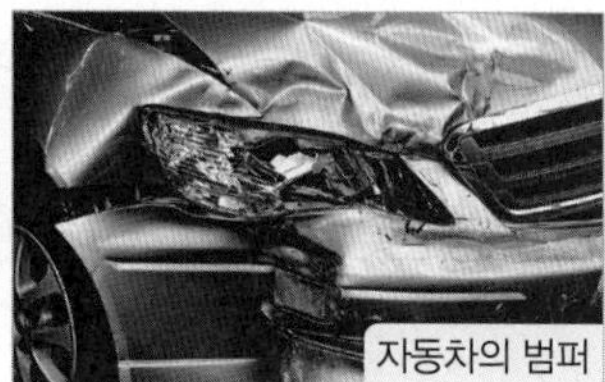
자동차의 범퍼

스펀지가 있는 헬멧

4 일상생활에 사용되는 안전장치의 예시

• 공기가 충전된 포장재는 상품이 충돌에 의해 힘을 받는 시간을 길게 하여 충격을 줄여 준다.
• 푹신한 재질의 모서리 보호대는 몸이 부딪쳤을 때 충돌 시간을 길게 하여 충격을 줄여 준다.
• 놀이 매트는 바닥에 넘어졌을 때 몸이 충돌에 의해 힘을 받는 시간을 길게 하여 충격을 줄여 준다.
• 달걀을 담는 골판지 포장재는 달걀이 충돌에 의해 힘을 받는 시간을 길게 하여 충격을 줄여 준다.
• 번지점프의 탄성이 있는 줄은 사람이 떨어지는 동안 서서히 늘어나므로 힘을 받는 시간을 길게 하여 충격을 줄여 준다.

기출 Tip B-3

안전띠의 원리
안전띠는 기본적으로 관성으로 쏠리는 몸을 붙잡아 주는 안전장치로, 고무줄이나 용수철과 같은 다른 충격 완화 장치가 없다면 충격력을 줄이는 것과 관련 없는 안전장치이다.

범퍼 앞 철제 보호대의 위험성
자동차 범퍼 앞부분에 철제 보호대를 달면 자동차 범퍼는 보호할 수 있지만, 충돌 시 철제 보호대 때문에 범퍼가 충격 완화를 할 수 없으므로 탑승자는 더 위험하다.

답 ❶ 충격량 ❷ 평균 ❸ 시간 ❹ 짧을 ❺ 길 ❻ 관성 ❼ 시간 ❽ 작아 ❾ 힘

빈출 자료 보기

정답과 해설 49쪽

550 그림은 질량이 5 kg인 공이 벽에 수직으로 7 m/s의 속력으로 충돌한 후, 반대 방향으로 3 m/s의 속력으로 튀어 나오는 것을 나타낸 것이다.

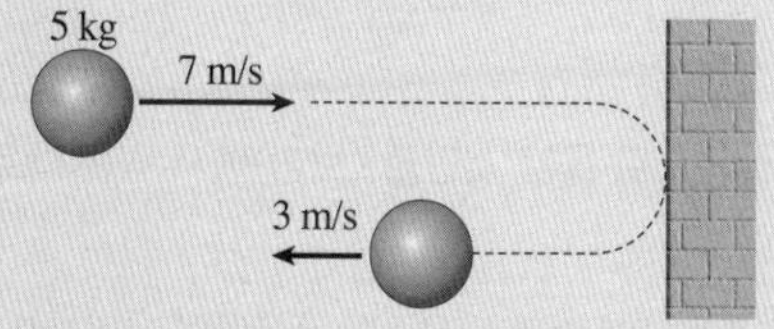

이에 대한 설명으로 옳은 것은 ○, 옳지 않은 것은 ×로 표시하시오. (단, 공기 저항은 무시한다.)

(1) 공이 벽과 충돌 전 운동량의 크기는 35 kg·m/s이다. ( )
(2) 충돌 전과 후 공의 운동량의 변화량은 20 kg·m/s이다. ( )
(3) 공이 벽으로부터 받은 충격량의 크기는 50 N·s이다. ( )
(4) 벽이 공으로부터 받은 충격량의 크기는 50 N·s보다 작다. ( )
(5) 충돌 시간이 0.2초였다면 공이 벽으로부터 받은 평균 힘의 크기는 250 N이다. ( )

551 그림은 똑같은 두 유리컵을 같은 높이에서 각각 마룻바닥과 푹신한 방석에 떨어뜨렸을 때 유리컵에 작용하는 힘의 크기를 시간에 따라 나타낸 것이다.

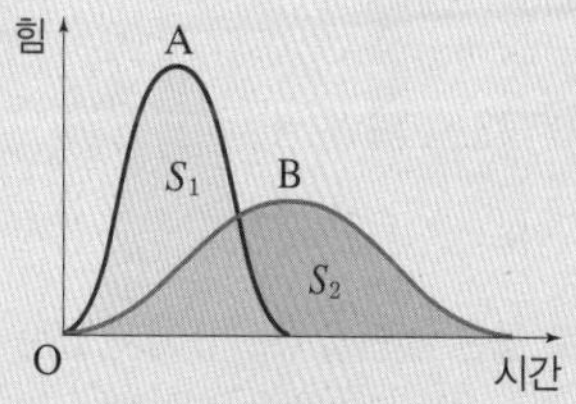

두 유리컵 중에서 마룻바닥에 떨어진 유리컵만 깨졌다. 이에 대한 설명으로 옳은 것은 ○, 옳지 않은 것은 ×로 표시하시오.

(1) 그래프 아랫부분의 넓이는 유리컵이 받은 충격량이다. ( )
(2) 그래프 아랫부분의 넓이 S_1과 S_2는 같다. ( )
(3) A는 B보다 짧은 시간 동안 힘을 받았다. ( )
(4) A와 B 중 유리컵이 받은 평균 힘의 크기가 큰 것은 B이다. ( )
(5) B는 마룻바닥에 떨어진 유리컵이 받은 힘을 나타낸 것이다. ( )

A 충돌과 충격력

벽과 충돌하는 물체의 운동

552 하 중 상

그림은 질량이 m인 두 화살 A와 B가 각각 고정된 원판에 충돌하여 정지한 것을 나타낸 것이다. 충돌하기 직전 A의 속력은 v, B의 속력은 $2v$이다.

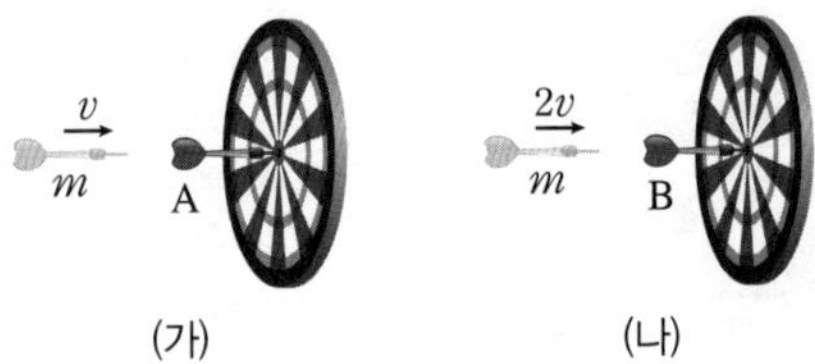

화살과 원판 사이의 충돌에 대한 설명으로 옳은 것만을 <보기>에서 있는 대로 고른 것은?

〈 보기 〉
ㄱ. (가)에서 충돌 전과 후 A의 운동량의 변화량은 0이다.
ㄴ. (나)에서 충돌하는 동안 B가 원판으로부터 받은 충격량의 크기는 $2mv$이다.
ㄷ. (나)에서 충돌하는 동안 'B가 받은 충격량의 크기'와 '원판이 B로부터 받은 충격량의 크기'는 같다.

① ㄱ ② ㄴ ③ ㄱ, ㄷ ④ ㄴ, ㄷ ⑤ ㄱ, ㄴ, ㄷ

553 하 중 상

그림 (가)는 질량이 m인 물체가 벽을 향해 오른쪽 방향으로 일정한 속력 $2v$로 운동하는 모습을, (나)는 벽에 충돌한 후 왼쪽 방향으로 일정한 속력 v로 운동하는 모습을 나타낸 것이다.

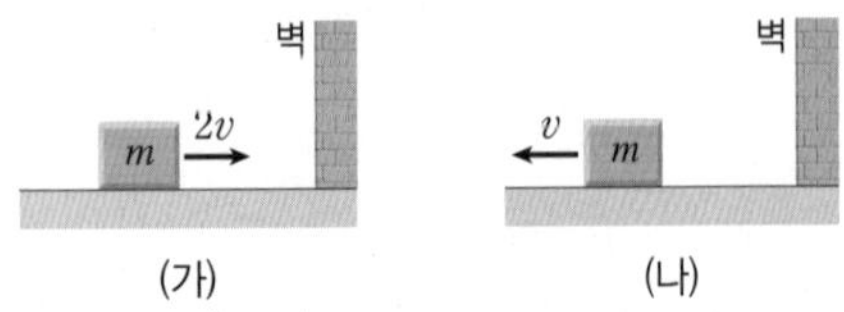

이에 대한 설명으로 옳은 것만을 <보기>에서 있는 대로 고른 것은?

〈 보기 〉
ㄱ. 물체의 운동량의 크기는 충돌 후가 충돌 전보다 작다.
ㄴ. 충돌 과정에서 물체가 벽으로부터 받은 충격량은 오른쪽 방향으로 $3mv$이다.
ㄷ. 만약 물체가 벽에 충돌 후 정지하였다면 충격량의 크기는 더 작았을 것이다.

① ㄱ ② ㄴ ③ ㄱ, ㄷ ④ ㄴ, ㄷ ⑤ ㄱ, ㄴ, ㄷ

충격력

554 하 중 상

그림은 질량이 50 g인 총알이 오른쪽 벽을 향해 900 m/s의 일정한 속력으로 날아가 박히는 모습을 나타낸 것이다. 총알이 벽과 충돌하여 완전히 정지하는 데까지 걸린 시간은 0.02초이다.

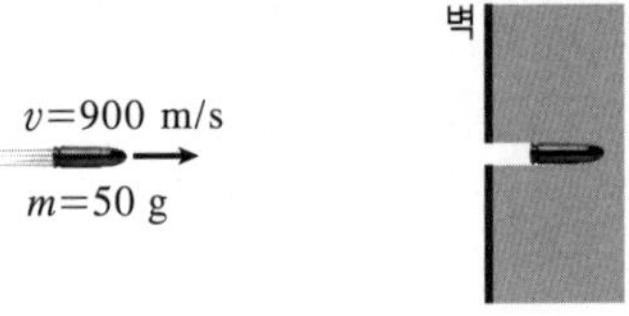

(1) 총알이 벽으로부터 받은 충격량의 크기와 방향을 구하시오.

(2) 총알이 벽으로부터 받은 평균 힘의 크기를 구하시오.

555 하 중 상

그림은 40 m/s의 속력으로 날아오던 질량 0.05 kg인 테니스공이 라켓과 충돌 후 반대 방향으로 80 m/s의 속력으로 날아가는 모습을 나타낸 것이다. 테니스공이 라켓에 충돌한 시간이 0.1초일 때, 테니스공이 라켓으로부터 받은 평균 힘의 크기는 몇 N인지 구하시오. (단, 공기 저항은 무시한다.)

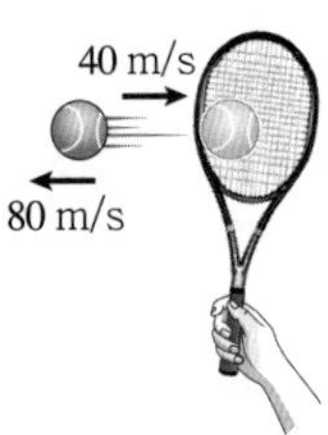

빈출

556 하 중 상

그림은 질량이 150 g인 야구공이 20 m/s의 속력으로 벽에 수직으로 충돌한 직후, 반대 방향으로 10 m/s의 속력으로 튀어 나오는 것을 나타낸 것이다.

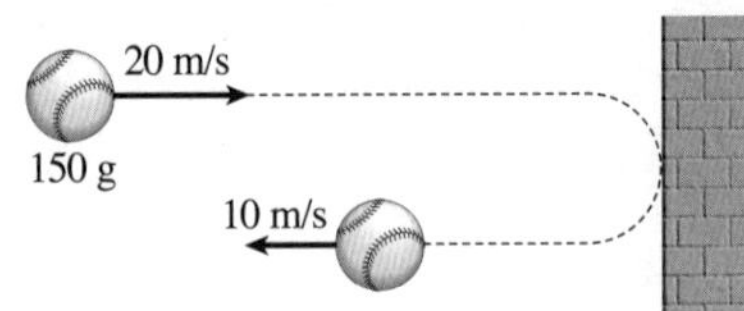

이에 대한 설명으로 옳은 것만을 <보기>에서 있는 대로 고른 것은?

〈 보기 〉
ㄱ. 벽과 충돌하기 직전 야구공의 운동량의 크기는 1.5 kg·m/s이다.
ㄴ. 충돌하는 과정에서 야구공이 벽으로부터 받은 충격량의 크기는 4.5 N·s이다.
ㄷ. 야구공이 벽과 충돌한 시간이 0.15초였다면 야구공이 받은 충격력(평균 힘)의 크기는 10 N이다.

① ㄱ ② ㄴ ③ ㄱ, ㄷ
④ ㄴ, ㄷ ⑤ ㄱ, ㄴ, ㄷ

557 하 중 상

대표문제 多 보기

그림은 질량이 같은 두 달걀을 같은 높이에서 떨어뜨렸을 때 달걀이 시멘트 바닥과 방석 위에 각각 멈추는 동안 달걀이 받은 힘의 크기를 시간에 따라 나타낸 것이다. 이에 대한 설명으로 옳지 않은 것만을 모두 고르면? (단, 공기 저항과 방석의 두께는 무시한다.)(2개)

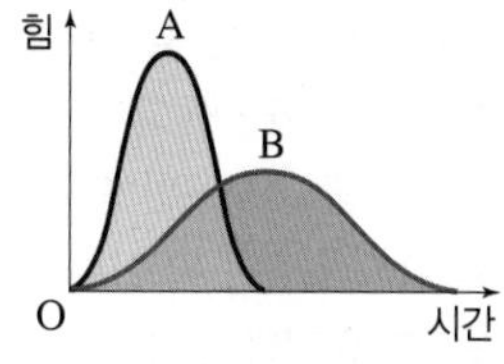

① 충돌 시간은 B가 A보다 길다.
② 두 달걀이 받은 충격량의 크기는 A와 B가 같다.
③ 두 그래프의 아랫부분의 면적은 B가 A보다 크다.
④ 두 달걀이 받은 평균 힘의 크기는 B가 A보다 크다.
⑤ 두 달걀이 시멘트 바닥과 방석에 닿기 직전의 속력은 같다.
⑥ B는 방석 위에 떨어진 달걀이 받은 힘의 크기를 나타낸 것이다.
⑦ 번지점프할 때 탄성이 있는 줄을 이용하는 것은 B와 같은 원리이다.

558 하 중 상

그림 (가)는 야구 선수가 빠른 속도로 날아오는 공을 받기 위해 손을 움직이는 모습을, (나)는 야구 선수가 질량이 같은 두 공을 각각 손을 앞으로 내밀면서 받을 때와 뒤로 빼면서 받을 때 손이 받는 힘을 시간에 따라 나타낸 것이다.

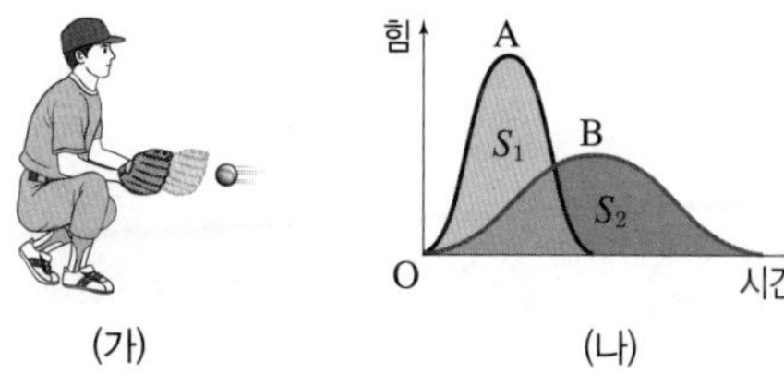

(가) (나)

이에 대한 설명으로 옳은 것만을 〈보기〉에서 있는 대로 고른 것은? (단, S_1과 S_2는 그래프 아랫부분의 넓이이며, 그 값이 같다.)

〈 보기 〉

ㄱ. A는 손을 앞으로 내밀면서 받을 때에 해당한다.
ㄴ. 손이 받은 충격량의 크기는 A에서와 B에서가 같다.
ㄷ. 손이 받는 평균 힘의 크기는 A에서와 B에서가 같다.

① ㄱ ② ㄴ ③ ㄱ, ㄴ
④ ㄱ, ㄷ ⑤ ㄴ, ㄷ

559 하 중 상

그림은 질량이 m으로 같은 두 자동차가 속력 v로 각각 짚더미와 콘크리트 벽에 충돌하는 모습을 나타낸 것이다. 충돌 후 자동차는 모두 정지하였으며, 자동차는 (나)에서가 (가)에서보다 크게 파손되었다.

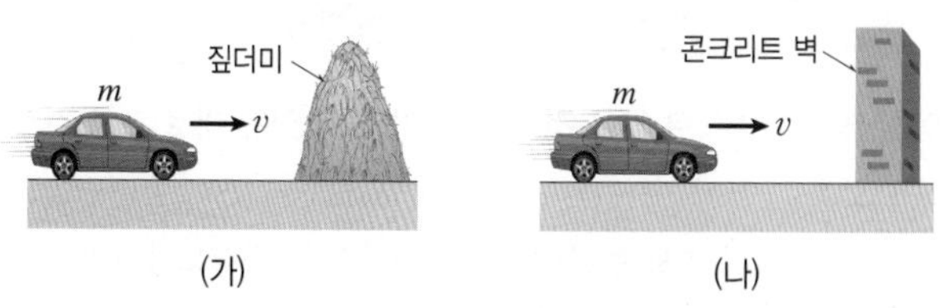

(가) (나)

이에 대한 설명으로 옳은 것만을 〈보기〉에서 있는 대로 고른 것은?

〈 보기 〉

ㄱ. 자동차가 받은 충격량의 크기는 (나)에서가 (가)에서보다 작다.
ㄴ. 충돌하여 정지할 때까지 걸리는 시간은 (가)에서가 (나)에서보다 길다.
ㄷ. 충돌하는 동안 자동차가 받은 평균 힘의 크기는 (가)에서가 (나)에서보다 작다.

① ㄱ ② ㄴ ③ ㄱ, ㄴ
④ ㄱ, ㄷ ⑤ ㄴ, ㄷ

560 하 중 상

그림은 자동차가 벽에 충돌하는 모습을, 표는 질량이 같은 자동차 A와 B가 각각 벽에 충돌하는 순간부터 정지할 때까지 일정한 시간 간격으로 측정한 자동차의 속력을 나타낸 것이다.

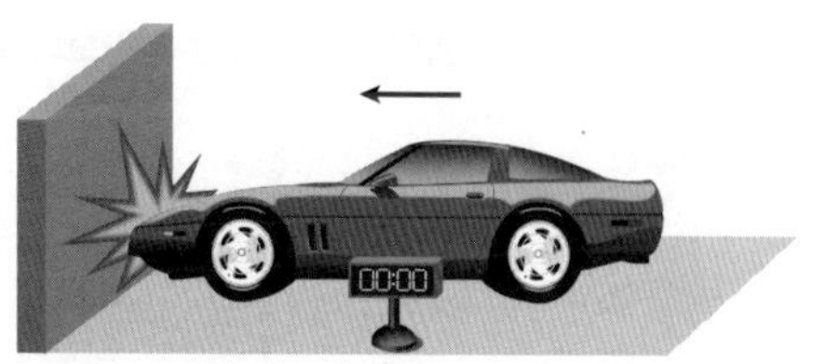

시간(s)	0	0.01	0.02	0.03	0.04	0.05
자동차 A 속력(m/s)	8	7	5	3	1	0
자동차 B 속력(m/s)	8	6	3	1	0	0

A와 B가 벽에 충돌하는 순간부터 정지할 때까지 자동차의 운동에 대한 설명으로 옳은 것만을 〈보기〉에서 있는 대로 고른 것은?

〈 보기 〉

ㄱ. B는 등가속도 직선 운동을 한다.
ㄴ. A와 B가 정지하는 시간이 다르므로, A와 B의 전체 운동량의 변화량은 다르다.
ㄷ. 자동차에 작용하는 평균 힘의 크기는 B가 A보다 크다.

① ㄱ ② ㄷ ③ ㄱ, ㄴ
④ ㄴ, ㄷ ⑤ ㄱ, ㄴ, ㄷ

561 하/중/상

그림은 질량이 작은 승용차와 질량이 큰 트럭이 서로 충돌하는 모습을 나타낸 것이다.

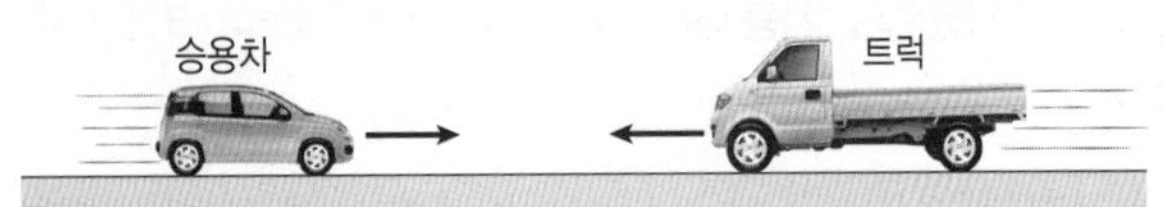

이에 대한 설명으로 옳은 것만을 <보기>에서 있는 대로 고른 것은?

〈 보기 〉
ㄱ. 승용차의 속도 변화량이 트럭의 속도 변화량보다 크다.
ㄴ. 트럭이 받은 충격량이 승용차가 받은 충격량보다 크다.
ㄷ. 충돌 시 승용차가 받은 힘의 크기가 트럭이 받은 힘의 크기보다 크다.

① ㄱ ② ㄴ ③ ㄷ
④ ㄱ, ㄴ ⑤ ㄴ, ㄷ

562 하/중/상

그림은 야구 선수가 운동량이 같은 공을 야구 장갑으로 받아 정지시키는 모습과 야구 방망이로 공이 날아오던 방향과 정반대 방향으로 쳐 내는 모습을 나타낸 것이다. (가)에서 공과 야구 장갑이 충돌한 시간은 (나)에서 공과 야구 방망이가 충돌한 시간보다 길다.

(가) (나)

이에 대한 설명으로 옳은 것만을 <보기>에서 있는 대로 고른 것은? (단, 공의 크기는 무시한다.)

〈 보기 〉
ㄱ. (가)에서 공의 운동량의 변화량은 공의 처음 운동량과 크기가 같다.
ㄴ. 공에 작용한 충격량의 크기는 (가)에서와 (나)에서가 같다.
ㄷ. 공에 작용하는 평균 힘의 크기는 (나)에서가 (가)에서보다 크다.

① ㄱ ② ㄴ ③ ㄱ, ㄷ
④ ㄴ, ㄷ ⑤ ㄱ, ㄴ, ㄷ

563 하/중/상

그림 (가)는 같은 높이에 있는 동일한 공을 각각 시멘트 바닥과 모래판 위에 가만히 떨어뜨린 모습을, (나)는 시멘트 바닥과 모래판에 떨어진 공에 작용한 힘을 시간에 따라 나타낸 것이다. 시멘트 바닥에 떨어진 공은 위로 튀어 올랐지만 모래판 위에 떨어진 공은 튀어 오르지 않았다.

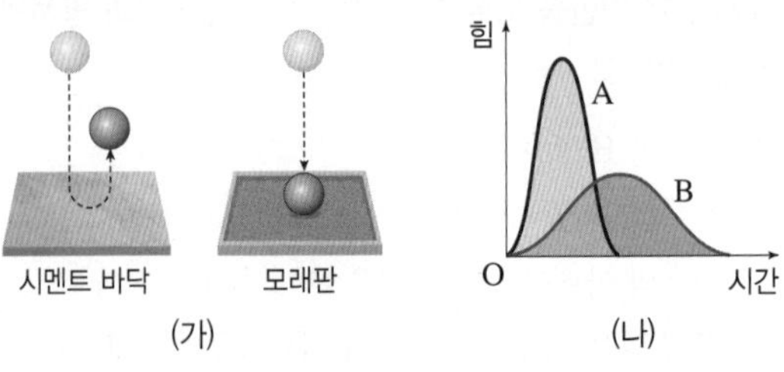

(가) (나)

이에 대한 설명으로 옳은 것만을 <보기>에서 있는 대로 고른 것은? (단, 공기 저항은 무시한다.)

〈 보기 〉
ㄱ. 모래판에 공이 떨어진 경우는 B이다.
ㄴ. (나)에서 그래프 아랫부분의 넓이는 A와 B가 같다.
ㄷ. 충돌하기 직전 공의 속력은 시멘트 바닥에서와 모래판에서가 같다.
ㄹ. 충돌 과정에서 공이 받은 평균 힘의 크기는 시멘트 바닥에서와 모래판에서가 같다.

① ㄱ, ㄴ ② ㄱ, ㄷ ③ ㄴ, ㄷ
④ ㄴ, ㄹ ⑤ ㄷ, ㄹ

564 하/중/상

그림 (가)는 질량이 m인 공이 각각 $3v$와 v의 일정한 속력으로 굴러올 때 발로 차는 모습을, (나)는 공이 발로부터 받은 힘의 크기를 시간에 따라 각각 나타낸 것이다. (가)에서 공은 동일 직선상에서 운동하고, (나)에서 그래프 아랫부분의 넓이는 $5mv$로 같다.

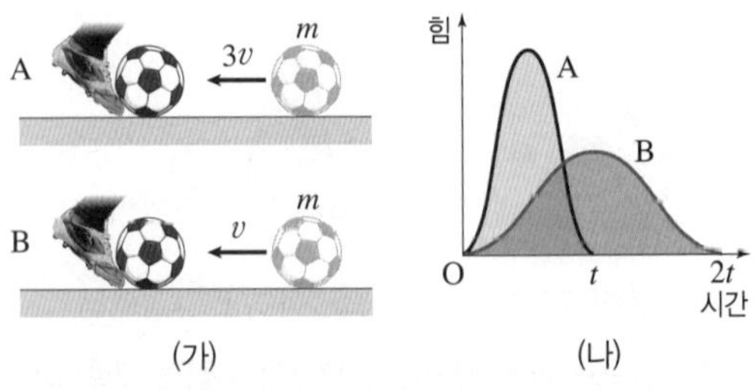

(가) (나)

이에 대한 설명으로 옳은 것만을 <보기>에서 있는 대로 고른 것은?

〈 보기 〉
ㄱ. 공이 받은 충격량의 크기는 A>B이다.
ㄴ. 공이 받은 평균 힘의 크기는 A가 B의 2배이다.
ㄷ. 공이 발을 떠나는 순간 공의 속력은 B가 A의 2배이다.

① ㄱ ② ㄴ ③ ㄱ, ㄷ
④ ㄴ, ㄷ ⑤ ㄱ, ㄴ, ㄷ

B 충돌과 안전장치

565 하중상

다음은 충격과 관련된 몇 가지 현상을 나타낸 것이다.

> • 체조 선수가 착지할 때 무릎을 구부리면 더 안전하게 착지할 수 있다.
> • 번지점프를 할 때 줄이 늘어나면서 뛰어내린 사람을 안전하게 보호한다.

이 현상을 물리적으로 설명하는 다음 문장에서 ㉠, ㉡에 알맞은 말을 각각 쓰시오.

> 움직이던 물체가 충돌에 의해 정지할 때 (㉠)을(를) 길게 하면 같은 충격량을 받더라도 (㉡)을(를) 줄일 수 있다.

㉠: ( ) ㉡: ( )

566 하중상

안전장치 중 주된 원리와 역할이 나머지 넷과 가장 다른 것은?

① 자동차의 안전띠
② 자동차의 에어백
③ 헬멧 안쪽의 스펀지
④ 운동 선수의 보호대
⑤ 공기가 충전된 포장재

567 하중상

자동차의 에어백은 탑승자를 보호하기 위한 안전 장치이다. 에어백의 원리에 대한 설명으로 옳은 것만을 〈보기〉에서 있는 대로 고른 것은?

〈 보기 〉

ㄱ. 충격량을 작게 한다.
ㄴ. 충격력을 작게 한다.
ㄷ. 충돌 시간을 짧게 한다.

① ㄱ ② ㄴ ③ ㄱ, ㄷ
④ ㄴ, ㄷ ⑤ ㄱ, ㄴ, ㄷ

빈출

568 하중상

••서술형

그림은 같은 자동차의 충돌 사고에서 에어백이 있는 경우와 없는 경우에 탑승자가 받은 힘의 크기를 시간에 따라 나타낸 것이다.

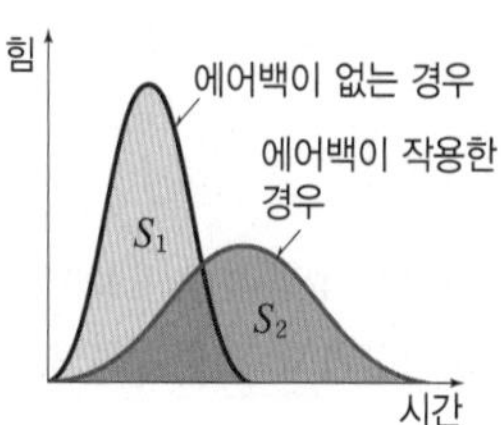

(1) 그래프 아랫부분의 넓이 S_1과 S_2가 나타내는 물리량은 무엇인지 쓰시오.

(2) S_1과 S_2가 같을 때 에어백이 필요한 까닭을 충격력과 충돌 시간을 포함하여 서술하시오.

빈출

569 하중상

대표문제 多 보기

그림은 야구 선수가 날아오는 공을 손을 뒤로 빼면서 받는 모습을 나타낸 것이다. 이와 같이 공을 잡으면 손의 부상을 줄일 수 있다. 일상생활에서 이와 같은 원리로 충격을 줄이는 예로 옳지 않은 것만을 모두 고르면?(2개)

① 런닝화로 바닥이 푹신한 신발을 사용한다.
② 상품을 포장할 때 공기가 충전된 포장재를 사용한다.
③ 오토바이를 탈 때 안쪽에 스펀지가 있는 헬멧을 착용한다.
④ 같은 충격량을 가할 때 야구공이 농구공보다 멀리 날아간다.
⑤ 타자가 공을 멀리 치기 위해서는 배트를 끝까지 휘둘러야 한다.
⑥ 번지점프를 할 때 줄이 서서히 늘어나면 다칠 위험이 줄어든다.
⑦ 멀리뛰기 선수가 착지할 때 무릎을 구부리면 더 안전하게 착지할 수 있다.

570 하중상

••서술형

그림 (가)는 자동차 충돌 사고가 발생하였을 때 자동차의 범퍼가 찌그러진 모습을, (나)는 자동차의 범퍼 앞부분에 단단한 철제 보호대를 설치한 모습을 나타낸 것이다.

(가)

(나)

(나)와 같이 범퍼 앞부분에 단단한 철제 보호대를 설치하면 자동차 충돌 사고 시 오히려 위험하다고 한다. 그 까닭을 서술하시오.

571

다음은 각 행성 A～D에서 자유 낙하 운동 실험을 하였을 때 물체의 질량과 이때 물체의 속력을 시간에 따라 나타낸 것이다.

행성	물체의 질량(kg)
A	10
B	20
C	50
D	100

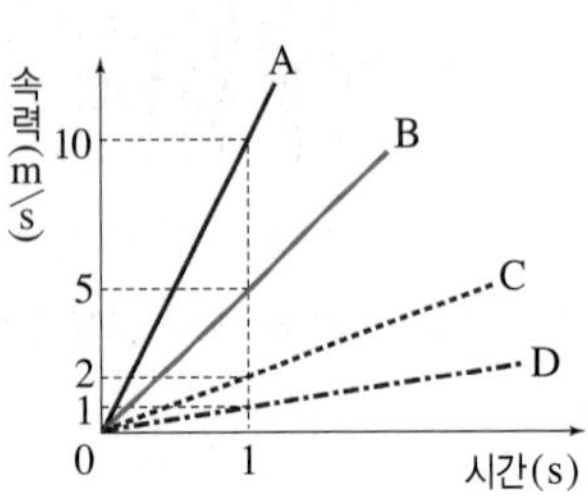

이에 대한 설명으로 옳은 것만을 〈보기〉에서 있는 대로 고른 것은? (단, 물체의 크기는 무시한다.)

〈 보기 〉

ㄱ. 행성 A～D에서 행성의 중력 가속도는 모두 같다.

ㄴ. 행성 A～D에서 각 물체에 작용한 중력의 크기는 모두 같다.

ㄷ. 행성 B에서 실험했던 물체를 행성 A로 가져가 떨어뜨리면 행성 B에서 떨어뜨렸을 때와 가속도가 같다.

① ㄱ ② ㄴ ③ ㄱ, ㄴ
④ ㄱ, ㄷ ⑤ ㄴ, ㄷ

572

••서술형

그림은 질량을 가지고 있는 두 물체가 서로 끌어당기는 모습을 나타낸 것이다. A의 질량은 M, B의 질량은 m이고, 두 물체 A와 B의 중심 사이의 거리는 r이다. 질량을 가지고 있는 두 물체가 서로 당기는 힘 F를 중력이라고 할 때, 두 물체 사이의 중력의 크기를 식으로 나타내고 그 까닭을 두 물체의 질량 및 중심 사이의 거리와 힘의 관계로 서술하시오. (단, 중력 상수는 G이다.)

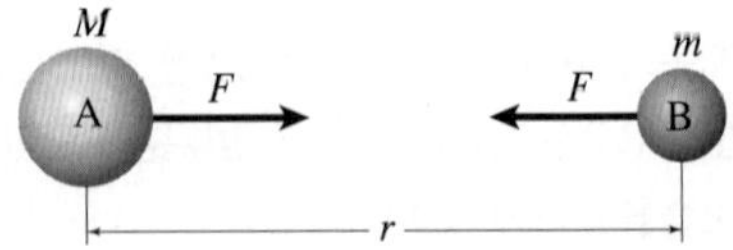

573

어떤 행성의 질량은 지구 질량의 8배이고, 반지름은 지구 반지름의 4배이다. 이 행성 표면에서의 중력 가속도는 지구 표면에서의 중력 가속도의 몇 배인가?

① 0.5배 ② 2배 ③ 2.5배
④ 3배 ⑤ 3.5배

574

그림은 지면으로부터 높이가 h, $\frac{3h}{4}$인 탑 위에서 두 물체 A, B를 수평 방향으로 각각 v_A, v_B의 속력으로 던졌을 때 높이가 $\frac{h}{2}$인 지점에서 만나는 모습을 나타낸 것이다.

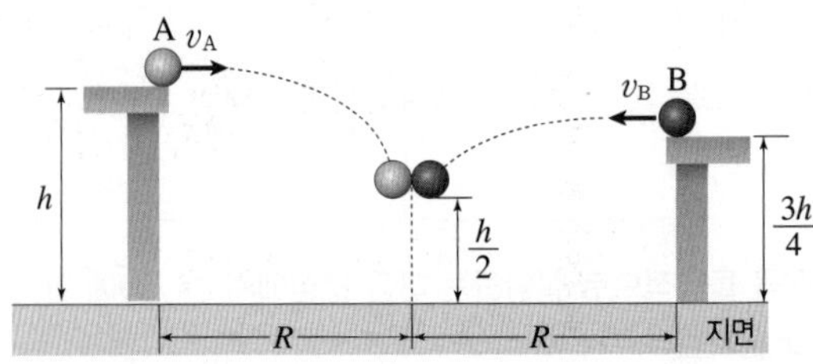

A와 B가 만난 지점이 두 탑으로부터 수평 도달 거리가 R로 같을 때, $v_A : v_B$는? (단, 공기 저항과 물체의 크기는 무시한다.)

① $1 : \sqrt{2}$ ② $1 : 2$ ③ $1 : 4$
④ $\sqrt{2} : 1$ ⑤ $2 : 1$

575

그림은 지구의 P 지점에서 질량이 같은 포탄 A와 B를 수평 방향으로 각각 v_A와 v_B의 속력으로 발사한 모습을 나타낸 것이다. A는 완전한 원 궤도를 따라 운동하고, B는 타원 궤도를 따라 운동하였다. 이에 대한 설명으로 옳은 것만을 〈보기〉에서 있는 대로 고른 것은?

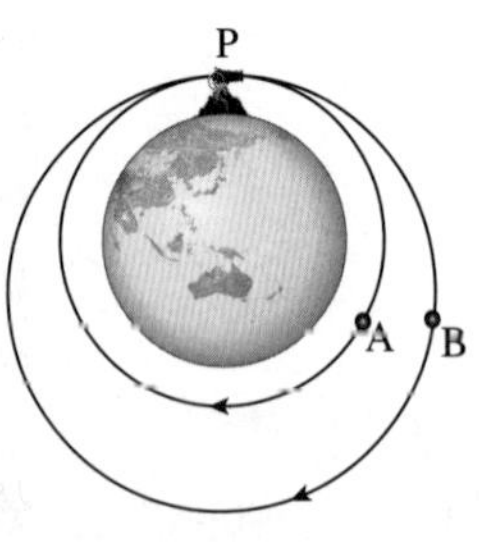

〈 보기 〉

ㄱ. 발사 속력이 v_A보다 크면 포탄은 지면에 도달한다.

ㄴ. 포탄을 충분히 빠른 속력으로 발사하면 원운동하지 않고 지구에서 멀리 날아가게 된다.

ㄷ. 포탄 B에 작용하는 중력의 최솟값은 포탄 A에 작용하는 중력의 크기보다 크다.

① ㄱ ② ㄴ ③ ㄱ, ㄴ
④ ㄱ, ㄷ ⑤ ㄴ, ㄷ

576

그림과 같이 두 수레 A와 B 사이에 용수철을 압축시켰다가 놓았더니 두 수레가 용수철의 탄성력을 받아 서로 반대 방향으로 튀어 나가 동시에 수레 멈춤대에 부딪쳤다. 이 과정에서 같은 시간 동안 두 수레가 이동한 거리 S_1, S_2를 측정하였더니 $S_1 : S_2 = 2 : 1$이었다.

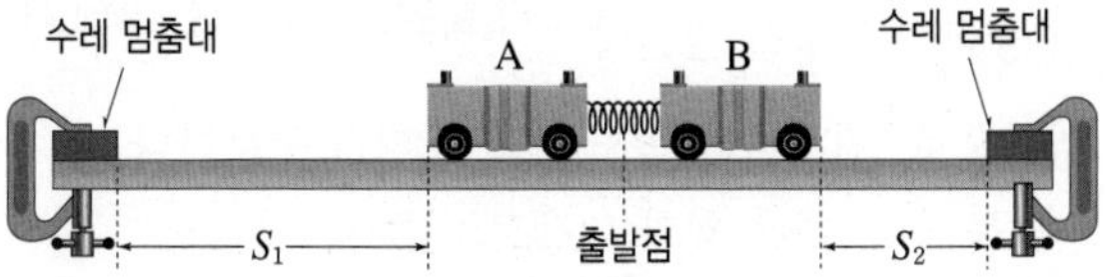

이에 대한 설명으로 옳은 것만을 〈보기〉에서 있는 대로 고른 것은? (단, 모든 마찰과 공기 저항은 무시한다.)

〈 보기 〉

ㄱ. 수레 B의 질량은 수레 A의 2배이다.
ㄴ. 두 수레가 용수철에 의해 받는 힘의 크기는 서로 같다.
ㄷ. 두 수레가 운동하여 수레 멈춤대에 닿기 직전까지 두 수레의 운동량의 합은 항상 0이다.

① ㄱ ② ㄴ ③ ㄱ, ㄷ
④ ㄴ, ㄷ ⑤ ㄱ, ㄴ, ㄷ

578

그림 (가)는 마찰이 없는 수평면에 정지해 있던 질량이 m과 $2m$인 물체 A와 B에 각각 힘 F_A와 F_B를 수평 방향으로 작용하여 나란하게 직선 운동시키는 모습을, (나)는 힘이 작용하기 시작한 순간부터 힘 F_A와 F_B를 시간에 따라 나타낸 것이다.

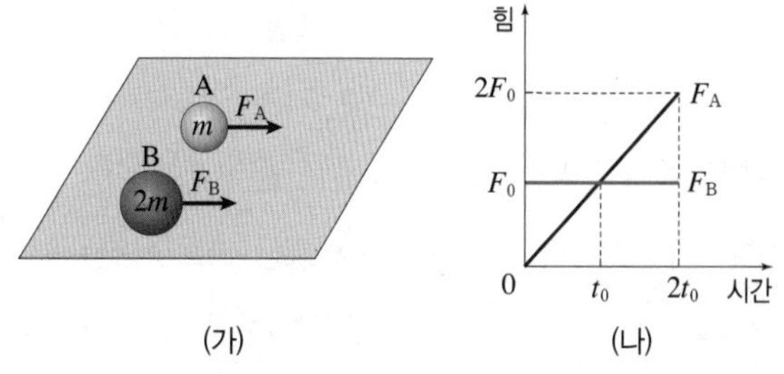

이에 대한 설명으로 옳은 것만을 〈보기〉에서 있는 대로 고른 것은?

〈 보기 〉

ㄱ. 0부터 t_0까지 물체가 받은 충격량의 크기는 A가 B보다 작다.
ㄴ. t_0일 때 A의 속력은 $\frac{F_0 t_0}{2m}$이고, B의 속력은 $\frac{F_0 t_0}{m}$이다.
ㄷ. $2t_0$일 때 물체의 운동량의 크기는 A와 B가 같다.

① ㄱ ② ㄴ ③ ㄱ, ㄷ
④ ㄴ, ㄷ ⑤ ㄱ, ㄴ, ㄷ

577

그림과 같이 질량이 2 kg인 공을 20 m 높이에서 가만히 놓았더니 2초 후에 지면에 충돌한 후 10 m/s의 속력으로 튀어 올랐다. 이에 대한 설명으로 옳은 것만을 〈보기〉에서 있는 대로 고른 것은? (단, 중력 가속도는 $10\ m/s^2$이고, 공기 저항은 무시한다.)

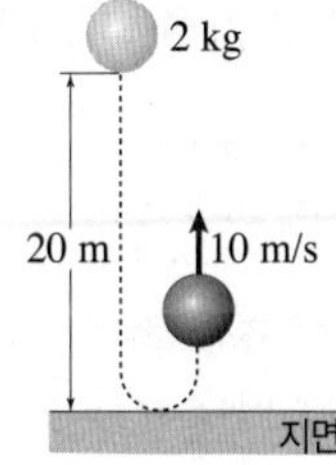

〈 보기 〉

ㄱ. 지면에 충돌하기 직전 공의 운동량의 크기는 80 kg·m/s이다.
ㄴ. 충돌하는 동안 공이 받은 충격량의 크기는 60 N·s이다.
ㄷ. 충돌하는 동안 공이 받은 충격량의 크기는 공의 운동량의 변화량보다 작다.

① ㄱ ② ㄴ ③ ㄱ, ㄷ
④ ㄴ, ㄷ ⑤ ㄱ, ㄴ, ㄷ

579

그림 (가)는 수평면에서 벽을 향해 운동하던 물체가 벽에 정면으로 충돌한 후 반대 방향으로 운동하는 모습을, (나)는 물체 A와 B가 벽에 충돌하는 동안 받은 힘의 크기를 시간에 따라 나타낸 것이다. A와 B의 질량과 벽에 충돌하기 직전의 속력은 같고, 그래프 아랫부분의 넓이는 B가 A의 1.5배이다.

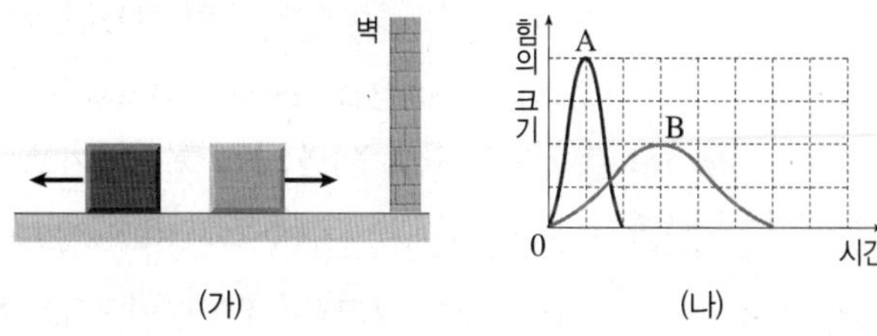

이에 대한 설명으로 옳은 것만을 〈보기〉에서 있는 대로 고른 것은? (단, 공기 저항과 모든 마찰은 무시한다.)

〈 보기 〉

ㄱ. 벽으로부터 받은 충격량의 크기는 A가 B보다 크다.
ㄴ. 벽에 충돌한 후 속력은 A가 B보다 크다.
ㄷ. 벽으로부터 받은 평균 힘의 크기는 A가 B보다 크다.

① ㄱ ② ㄷ ③ ㄱ, ㄴ
④ ㄴ, ㄷ ⑤ ㄱ, ㄴ, ㄷ

지구 시스템의 구성 요소

Ⓐ 지구 시스템의 구성 요소

1 지구 시스템 지구를 구성하는 지권, 기권, 수권, 생물권, 외권이 서로 영향을 주고받으며 이루어진 시스템으로, 태양계를 구성하면서 중력의 영향을 받는다. └• 물질 순환과 에너지 교환이 일어난다.

기출 Tip Ⓐ-2

지권의 층상 구조
- 지구 중심으로 갈수록 온도, 압력, 밀도가 증가한다.
- 지권 중 가장 큰 부피를 차지하는 층은 맨틀이다.

2 지권 지각과 지구 내부를 포함하는 영역으로, 지진파의 속도 변화에 따라 구분한다.

① 지권의 구성 물질: 지각과 맨틀은 규산염 물질로, 핵은 철과 니켈로 이루어져 있다.
└• 수권, 지권, 기권 중 지권의 질량이 가장 크고, 변화 속도가 느리다. └• 밀도가 크다.

② 층상 구조: 지진파의 속도 변화에 따라 구분한다.

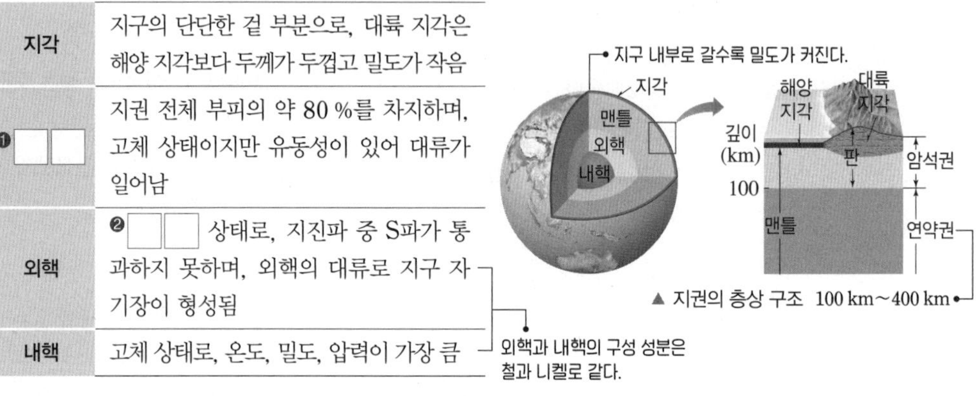

구분	특징
지각	지구의 단단한 겉 부분으로, 대륙 지각은 해양 지각보다 두께가 두껍고 밀도가 작음
❶□□	지권 전체 부피의 약 80 %를 차지하며, 고체 상태이지만 유동성이 있어 대류가 일어남
외핵	❷□□ 상태로, 지진파 중 S파가 통과하지 못하며, 외핵의 대류로 지구 자기장이 형성됨
내핵	고체 상태로, 온도, 밀도, 압력이 가장 큼

└• 외핵과 내핵의 구성 성분은 철과 니켈로 같다.

▲ 지권의 층상 구조 100 km~400 km

기출 Tip Ⓐ-3

수권의 층상 구조
바람이 강할수록 혼합층의 두께가 두꺼워지고, 수온 약층이 시작되는 깊이가 깊어지며, 층상 구조가 뚜렷하게 나타난다.

3 수권 지구상에 물이 분포하는 영역

① 수권의 분포: 수권의 대부분은 해수이고, 육수(육지의 물)는 ❸□□의 형태로 가장 많이 분포하며, 빙하는 극지방이나 고산 지대에 분포한다.

② 층상 구조: 깊이에 따른 수온 변화에 따라 구분한다.

구분	특징
혼합층	• 바람의 혼합 작용으로 깊이에 따른 수온이 거의 일정한 층 • 바람이 강할수록 두께가 두껍게 발달하며, 바람이 강한 중위도 해역에서 두껍게 발달하고, 저위도에서 수온이 높음
❹□□□□	• 깊이가 깊어질수록 수온이 급격히 낮아지는 층으로, 안정하여 연직 혼합이 잘 일어나지 않고, 혼합층과 심해층 사이의 물질과 에너지 교환을 차단함 • 저위도 해역에서 깊이에 따른 수온 차가 크게 나타남
심해층	수온이 낮고 깊이에 따른 수온 변화가 거의 없는 층으로, 위도나 계절의 영향을 받지 않음

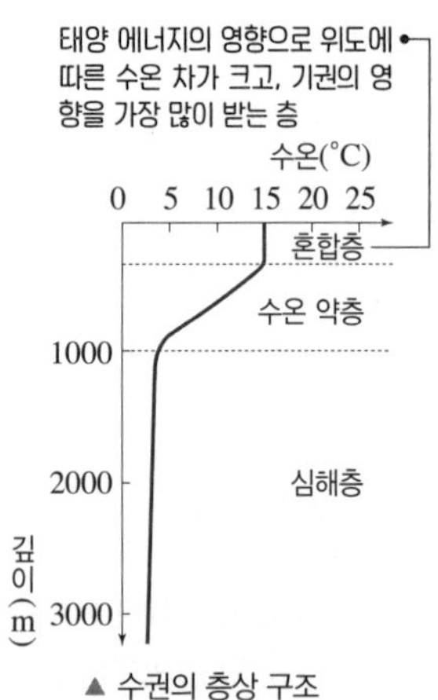

▲ 수권의 층상 구조

기출 Tip Ⓐ-4

기권의 층상 구조의 특징

구분	내용
온도 상승 구간	• 성층권: 자외선 흡수 • 열권: 태양 복사 에너지 흡수
대류가 일어나는 층	대류권, 중간권 ➡ 높이 올라갈수록 기온이 낮아지기 때문

공기의 분포
중력의 영향으로 대기 질량의 약 99 %가 높이 약 30 km 이내인 대류권과 성층권에 분포한다.

4 기권 지구를 둘러싸고 있는 대기층

① 대기의 조성: 질소 > 산소 > 기타 ─• 수증기를 포함한다.

② 층상 구조: 높이에 따른 기온 변화에 따라 구분한다.

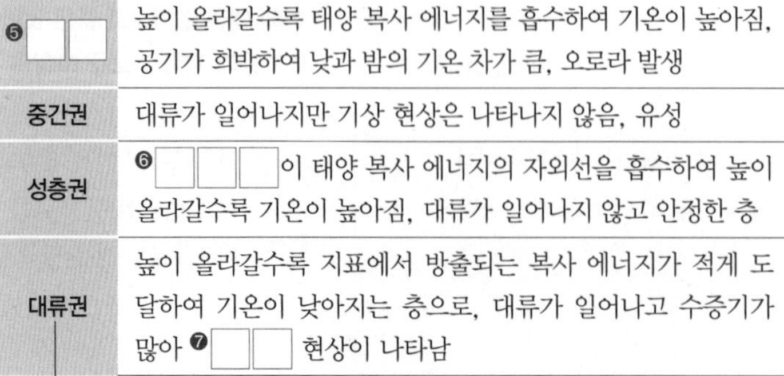

구분	특징
❺□□	높이 올라갈수록 태양 복사 에너지를 흡수하여 기온이 높아짐, 공기가 희박하여 낮과 밤의 기온 차가 큼, 오로라 발생
중간권	대류가 일어나지만 기상 현상은 나타나지 않음, 유성
성층권	❻□□□이 태양 복사 에너지의 자외선을 흡수하여 높이 올라갈수록 기온이 높아짐, 대류가 일어나지 않고 안정한 층
대류권	높이 올라갈수록 지표에서 방출되는 복사 에너지가 적게 도달하여 기온이 낮아지는 층으로, 대류가 일어나고 수증기가 많아 ❼□□ 현상이 나타남

└• 저위도에서는 공기가 가열되어 대류권 계면의 높이가 높게 나타남

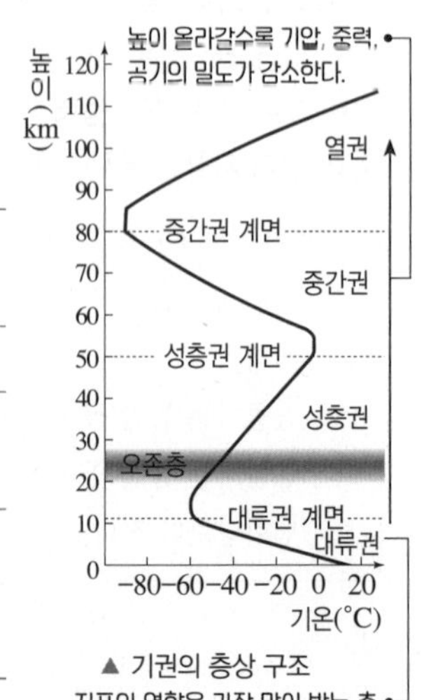

▲ 기권의 층상 구조

지표의 영향을 가장 많이 받는 층

5 생물권 인간과 미생물을 포함한 모든 생명체 → 태양계 행성 중 지구에만 나타나는 특징

(지구에 생명체가 존재하는 까닭)
- 액체 상태의 물이 존재함
- 적절한 두께의 대기에 의한 온실 효과가 일어남
- 태양풍과 우주선을 막아주는 자기장이 존재
- 태양으로부터 안정적으로 에너지를 공급받아 생명체가 살 수 있는 환경이 조성됨

6 외권 태양, 지구, 달 등 기권 바깥의 우주 공간으로, 외권에 있는 지구 ❽☐☐☐은 태양풍과 우주선으로부터 지구상의 생명체를 보호해 준다.

B 지구 시스템 구성 요소의 상호 작용

근원 \ 영향	❾☐☐	수권	❿☐☐	생물권
기권	기단의 상호 작용	Ⓒ 엘니뇨, 강수, 폭풍 해일 발생	Ⓐ 사구, 버섯바위 형성	Ⓓ 호흡, 광합성
수권	Ⓒ 태풍 발생, 구름 형성, 증발	물의 순환	Ⓑ U자곡, 석회 동굴, 석회암 형성, 해안 침식	Ⓕ 서식처 제공
지권	Ⓐ 화산 가스 분출, 황사, 화석 연료 연소	Ⓑ 지진 해일 발생	대륙의 이동	Ⓔ 서식처 제공
생물권	Ⓓ 호흡, 광합성, 증산 작용	Ⓕ 생물체 부패	Ⓔ 식물 뿌리의 풍화, 화석 연료 생성	먹이 순환

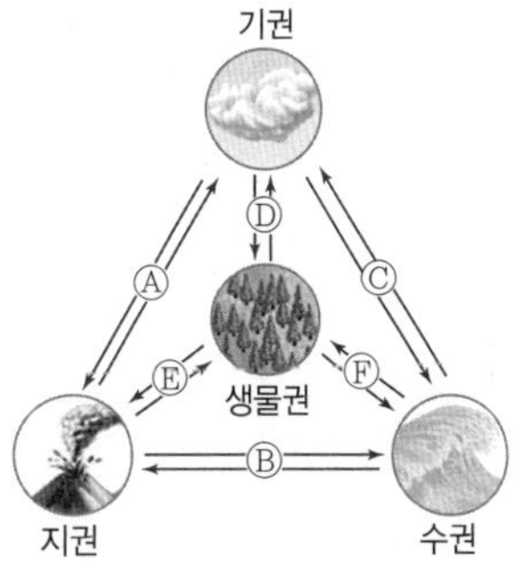

▲ 지구 시스템 구성 요소의 상호 작용
외권과 상호 작용하는 예: 오로라 발생, 유성

기출 Tip Ⓐ-5
생물권의 분포
- 생물권은 지권, 기권, 수권에 걸쳐 분포한다.
- 지질 시대를 거치는 동안 생물권은 수권 → 수권, 지권 → 수권, 지권, 기권으로 공간 범위가 확대되었다.

기출 Tip Ⓐ-5, 6
지구의 생명체
- 외핵에서 대류가 일어나 지구 자기장이 형성되고, 지구 자기장은 태양풍과 우주선으로부터 생명체를 보호하여 지구에 생명체가 존재할 수 있다.
- 오존층이 생성되면서 자외선으로부터 생명체를 보호하여 육지에 생명체가 등장하면서 생물권이 증가하였다.

답 ❶ 맨틀 ❷ 액체 ❸ 빙하 ❹ 수온 약층 ❺ 열권 ❻ 오존층 ❼ 기상 ❽ 자기장 ❾ 기권 ❿ 지권

II

빈출 자료 보기

정답과 해설 53쪽

580 그림은 높이에 따른 기권의 층상 구조를 나타낸 것이다. 이에 대한 설명으로 옳은 것은 ○, 옳지 않은 것은 ×로 표시하시오.

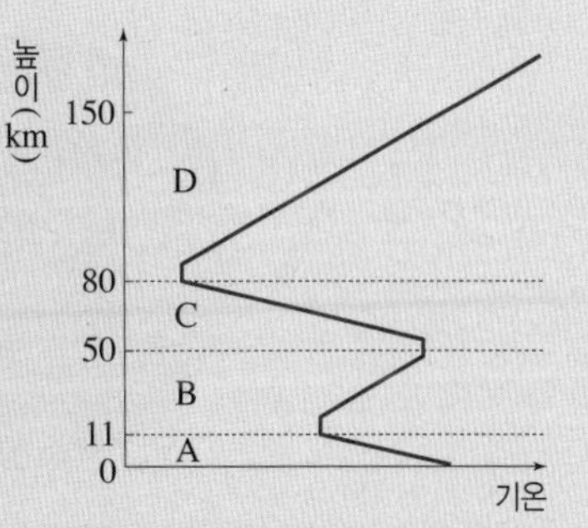

(1) A는 대류가 일어나지만 기상 현상은 나타나지 않는다. ( )
(2) 지표의 영향을 가장 많이 받는 층은 A이다. ( )
(3) B는 불안정한 층이다. ( )
(4) 높이 40 km~50 km 구간에는 오존층이 존재한다. ( )
(5) C는 대류가 일어나고 기상 현상이 나타난다. ( )
(6) A~D 중 D는 낮과 밤의 기온 차가 가장 작은 구간이다. ( )
(7) 오로라가 발생하는 층은 D이다. ( )
(8) A에서 D로 갈수록 공기의 밀도가 작아진다. ( )

581 그림은 지구 시스템을 구성하는 요소들의 상호 작용을 나타낸 것이다. 이에 대한 설명으로 옳은 것은 ○, 옳지 않은 것은 ×로 표시하시오.

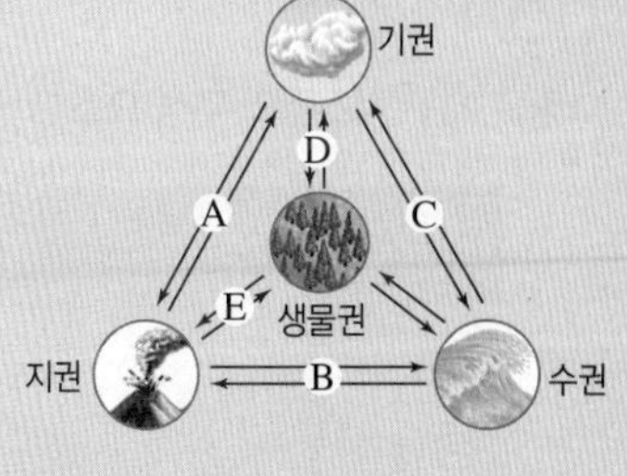

(1) 열대 해상에서 태풍이 발생하는 것은 C에 해당한다. ( )
(2) 바람에 깎여 버섯바위가 형성되는 것은 D에 해당한다. ( )
(3) 바다 밑의 지진으로 해일이 발생하는 것은 B에 해당한다. ( )
(4) 생물체가 땅속에 묻혀 화석 연료가 되는 것은 E에 해당한다. ( )
(5) 빙하가 흐르면서 지표가 깎여 U자곡이 형성되는 것은 A에 해당한다. ( )
(6) 무역풍의 약화로 동태평양 적도 부근 해수의 온도가 상승하는 엘니뇨 현상은 B에 해당한다. ( )
(7) 해수면에서 증발한 수증기가 응결하여 구름이 형성되는 것은 C에 해당한다. ( )

A 지구 시스템의 구성 요소

지구 시스템

582 하 중 상

지구 시스템에 대한 설명으로 옳지 않은 것은?

① 지구는 다양한 구성 요소로 이루어진 시스템을 이룬다.
② 지구 시스템이 형성되어 유지되는 데 중력의 영향이 크게 작용하였다.
③ 지구 시스템을 구성하는 각 권역들은 상호 작용하며 균형을 이루고 있다.
④ 지구 시스템은 계에 속하지 않고 독립적으로 존재한다.
⑤ 지구 시스템의 구성 요소 사이에 물질 순환과 에너지 교환이 일어난다.

583 하 중 상

지구 시스템을 구성하는 다섯 가지 요소를 모두 쓰시오.

584 하 중 상

그림은 지구 시스템의 구성 요소 A~E를 나타낸 것이다.

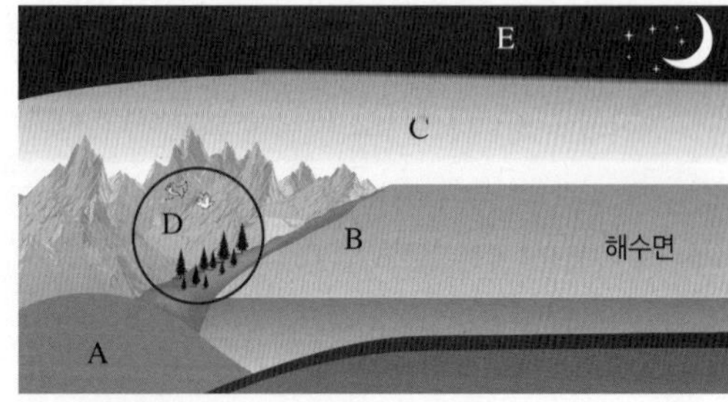

이에 대한 설명으로 옳지 않은 것은?

① A는 생물에게 서식 공간을 제공한다.
② B는 육지에서는 대부분 빙하의 형태로 분포한다.
③ C에서 대기 질량의 약 99 %는 대류권과 성층권에 분포한다.
④ D는 A, B, C의 성분을 변화시킨다.
⑤ A~D 영역과 E 영역 사이에서의 에너지 이동은 차단된다.

빈출 **585** 하 중 상 대표문제 多 보기

지구 시스템의 구성 요소에 대한 설명으로 옳지 않은 것만을 모두 고르면?(2개)

① 수권, 기권, 지권 중 지권의 질량이 가장 크고, 변화 속도가 느리다.
② 지권의 외핵은 액체 상태이고, 내핵은 고체 상태이다.
③ 수권은 지구에 분포하는 액체 상태의 물만 포함한다.
④ 수권은 깊이에 따른 수온 분포에 따라 대류권, 성층권, 중간권, 열권으로 구분한다.
⑤ 기권은 질소가 산소보다 많은 양을 차지한다.
⑥ 태양계 행성 중 지구에만 생물권이 존재한다.
⑦ 외핵의 대류에 의해 외권에 자기장이 존재한다.

지권

586 하 중 상

지권에 대한 설명으로 옳지 않은 것은?

① 중력의 영향으로 층상 구조를 이룬다.
② 지각은 주로 철과 니켈로 구성되어 있다.
③ 지권에서 가장 큰 부피를 차지하는 층은 맨틀이다.
④ 핵은 맨틀보다 밀도가 크다.
⑤ 지구 중심으로 갈수록 온도와 압력이 증가한다.

587 하 중 상 대표문제 多 보기

그림은 지권의 구조를 나타낸 것이다.

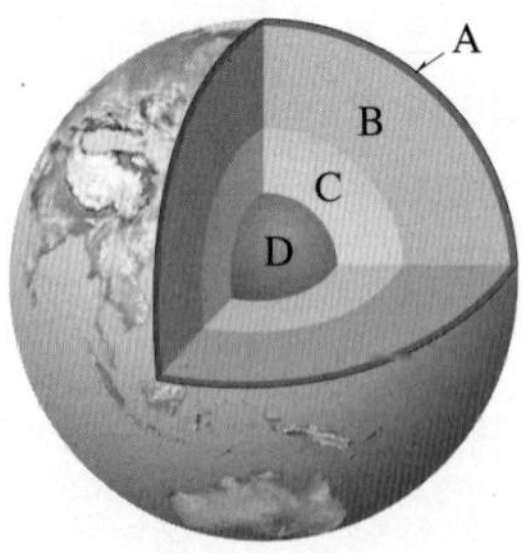

이에 대한 설명으로 옳은 것만을 〈보기〉에서 있는 대로 고른 것은?

〈 보기 〉
ㄱ. A는 지각, B는 맨틀이다.
ㄴ. A는 단단한 암석으로 되어 있어 밀도가 가장 크다.
ㄷ. B는 C나 D보다 큰 부피를 차지한다.
ㄹ. C는 고체 상태로, 유동성이 있어 대류가 일어난다.

① ㄱ, ㄷ ② ㄴ, ㄷ ③ ㄴ, ㄹ
④ ㄱ, ㄴ, ㄹ ⑤ ㄱ, ㄷ, ㄹ

588 하 중 상

표는 지권의 층상 구조의 깊이와 주요 구성 성분을 나타낸 것이다.

층상 구조	깊이(km)	주요 구성 성분
A	0~35	산소, 규소
B	35~2900	산소, 규소, 마그네슘
C	2900~5100	철, 니켈
D	5100~6400	철, 니켈

이에 대한 설명으로 옳은 것만을 〈보기〉에서 있는 대로 고른 것은?

〈 보기 〉
ㄱ. A층과 B층은 규산염 물질로 이루어져 있다.
ㄴ. 깊이 약 2900 km에서 밀도 변화가 가장 크다.
ㄷ. A~D 중 온도가 가장 높은 층은 A이다.
ㄹ. D층에서 대류가 일어나 지구 자기장을 형성한다.

① ㄱ, ㄴ ② ㄴ, ㄷ ③ ㄷ, ㄹ
④ ㄱ, ㄴ, ㄹ ⑤ ㄱ, ㄷ, ㄹ

589 하 중 상

그림 (가)는 구성 성분에 따라 구분한 지구 내부의 층상 구조를, (나)는 물리적 성질에 따라 구분한 지구 내부의 층상 구조를 나타낸 것이다.

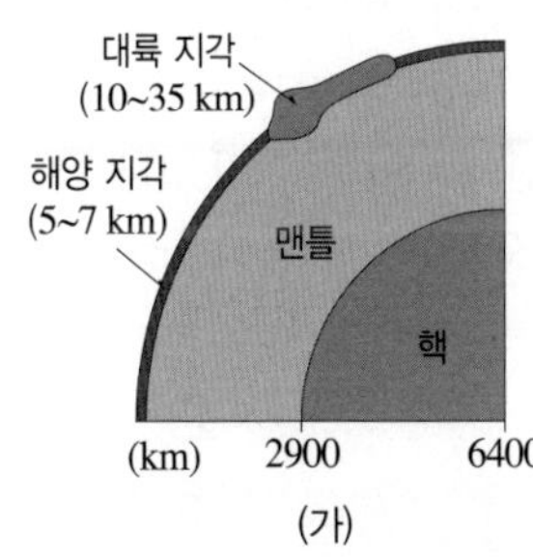

(가)

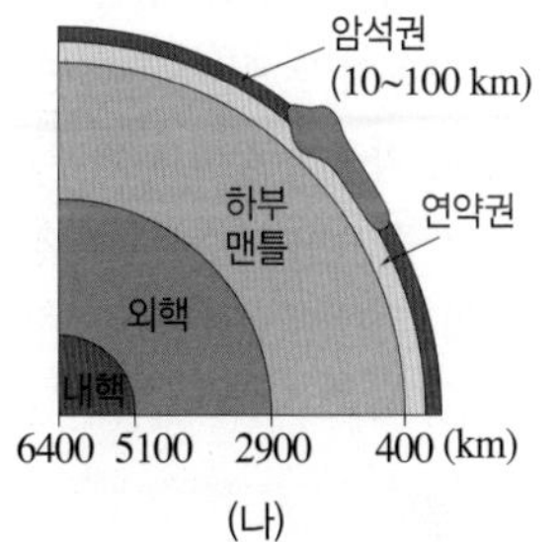

(나)

이에 대한 설명으로 옳은 것은?

① 대륙 지각은 해양 지각보다 두께가 두껍고 평균 밀도가 크다.
② 암석권은 연약권보다 구성 물질의 평균 밀도가 크다.
③ 연약권은 지각에 해당한다.
④ 맨틀은 고체 상태이지만 유동성이 있어 대류가 일어난다.
⑤ 내핵과 외핵은 모두 고체 상태이고, 구성 성분이 다르다.

수권

590 하 중 상

수권에 대한 설명으로 옳지 않은 것은?

① 수권의 대부분은 해수가 차지한다.
② 육수의 대부분은 빙하가 차지한다.
③ 바람이 강할수록 혼합층의 두께가 두꺼워진다.
④ 수온 약층은 깊이에 따른 수온 변화가 거의 없다.
⑤ 심해층의 수온 변화는 위도나 계절의 영향을 거의 받지 않는다.

591 하 중 상

다음 설명에 해당하는 수권의 층상 구조를 쓰시오.

- 해수가 바람에 의해 잘 섞이는 층으로 깊이에 따른 수온이 거의 일정하다.
- 태양 복사 에너지의 영향으로 위도에 따른 수온 차이가 크다.

592 하 중 상

그림은 수권의 분포와 기권의 대기 구성 성분을 나타낸 것이다.

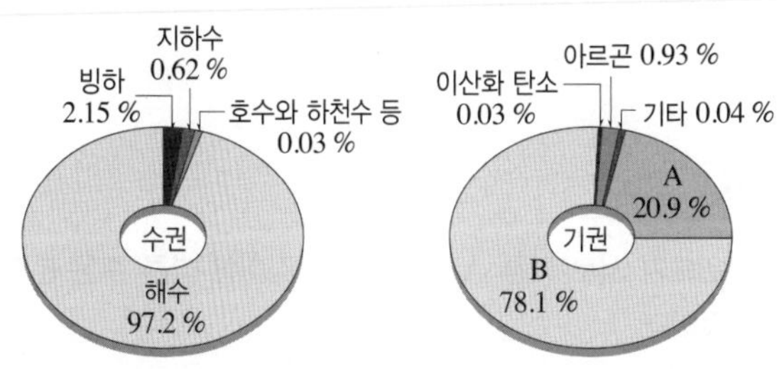

이에 대한 설명으로 옳은 것만을 〈보기〉에서 있는 대로 고른 것은?

〈 보기 〉
ㄱ. 육지에서 물은 고체 상태로 가장 많이 분포한다.
ㄴ. A는 질소이고, B는 산소이다.
ㄷ. 생명체는 A를 이용하여 호흡을 한다.
ㄹ. 식물은 B를 이용하여 광합성을 한다.

① ㄱ, ㄴ ② ㄱ, ㄷ ③ ㄴ, ㄷ
④ ㄴ, ㄹ ⑤ ㄷ, ㄹ

593 하 중 상 ••서술형

수권에서 육지의 물이 어떤 형태로 가장 많이 분포하고 어느 지역에 분포하는지 서술하시오.

빈출

594 하 중 상

대표문제 多 보기

그림은 중위도 지방의 어느 해양에서 깊이에 따른 수온의 연직 분포를 나타낸 것이다.

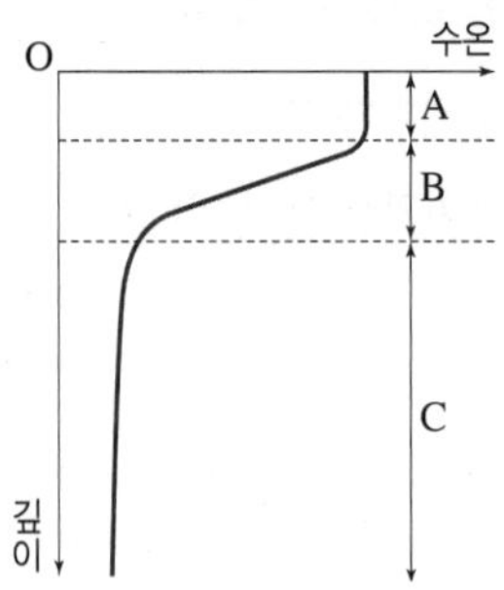

이에 대한 설명으로 옳지 않은 것만을 모두 고르면?(2개)

① A층은 바람에 의한 혼합 작용이 활발하다.
② B층은 A층과 C층 사이의 물질 교환을 차단한다.
③ B층에서는 해수의 연직 운동이 잘 일어나지 않는다.
④ C층은 계절이나 깊이에 따른 수온 변화가 크다.
⑤ C층에는 태양 복사 에너지가 거의 도달하지 않는다.
⑥ A층은 고위도로 갈수록 수온이 높아진다.
⑦ B층은 저위도일수록 뚜렷하게 발달한다.

595 하 중 상

그림은 위도가 서로 다른 A~C 해역의 깊이에 따른 수온 분포를 나타낸 것이다.

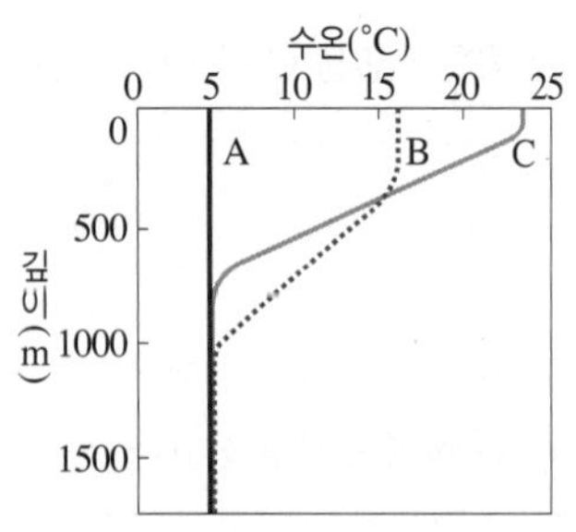

이에 대한 설명으로 옳은 것만을 〈보기〉에서 있는 대로 고른 것은?

〈 보기 〉
ㄱ. A 해역에는 혼합층과 수온 약층이 발달하지 않았다.
ㄴ. 수온 약층의 수온 변화가 가장 큰 해역은 B이다.
ㄷ. 바람은 B 해역이 C 해역보다 강하게 분다.
ㄹ. A는 저위도, C는 고위도 해역의 수온 분포이다.

① ㄱ, ㄴ ② ㄱ, ㄷ ③ ㄴ, ㄷ
④ ㄴ, ㄹ ⑤ ㄷ, ㄹ

596 하 중 상

그림은 위도에 따른 해수의 층상 구조와 깊이에 따른 수온 분포를 나타낸 것이다.

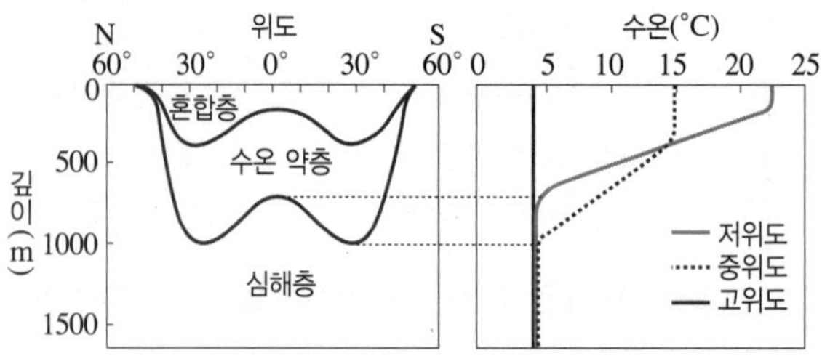

이에 대한 설명으로 옳은 것만을 〈보기〉에서 있는 대로 고른 것은?

〈 보기 〉
ㄱ. 바람은 중위도 해역에서 가장 강하게 분다.
ㄴ. 수온 약층은 안정하여 혼합층과 심해층의 물질 교환을 차단한다.
ㄷ. 층상 구조는 중위도 해역보다 고위도 해역에서 뚜렷하게 나타난다.

① ㄱ ② ㄷ ③ ㄱ, ㄴ
④ ㄴ, ㄷ ⑤ ㄱ, ㄴ, ㄷ

597 하 중 상

그림은 어느 해역에서 1년 동안 측정한 깊이에 따른 수온 변화를 나타낸 것이다.

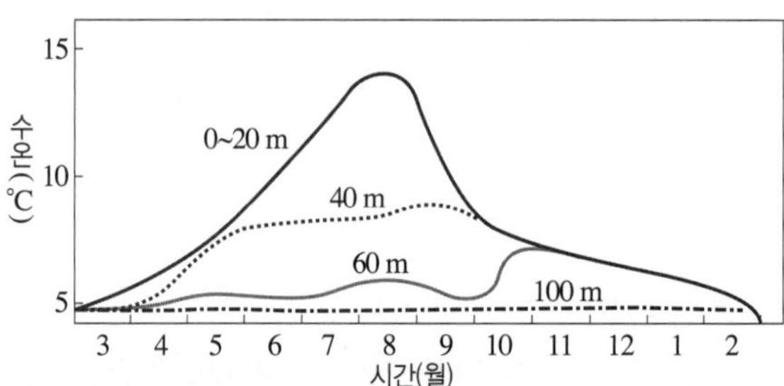

이에 대한 설명으로 옳지 않은 것만을 모두 고르면?(2개)

① 5월에는 수심 약 40 m까지 혼합층이 나타난다.
② 혼합층의 두께는 8월이 5월보다 두껍다.
③ 수온 약층의 깊이에 따른 수온 변화는 8월에 가장 크다.
④ 1년 중 수온 약층은 8월경에 가장 불안정하다.
⑤ 8월은 2월보다 해수의 연직 운동이 약하다.

기권

598 하 중 상

기권에서 지표로부터 높이 올라갈수록 감소하는 물리량만을 〈보기〉에서 있는 대로 고르시오.

〈 보기 〉
ㄱ. 기온 ㄴ. 기압 ㄷ. 중력 ㄹ. 공기의 밀도

599 하중상

기권에 대한 설명으로 옳은 것은?

① 대류권의 두께는 극지방으로 갈수록 두꺼워진다.
② 성층권은 안정하여 대류가 일어나지 않는다.
③ 오존층은 태양의 적외선을 흡수하여 생명체를 보호한다.
④ 중간권에서는 기상 현상이 나타난다.
⑤ 열권에서는 지구 복사 에너지를 흡수하여 높이 올라갈수록 기온이 높아진다.

600 하중상 대표문제 多 보기

그림은 높이에 따른 기온의 분포를 나타낸 것이다.

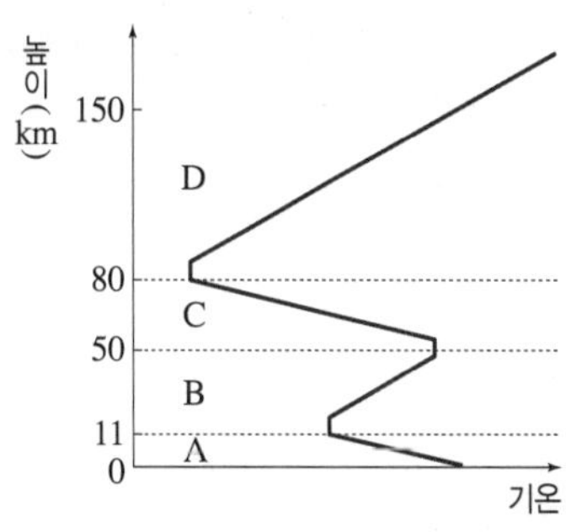

이에 대한 설명으로 옳은 것만을 모두 고르면?(2개)

① A에서 높이 올라갈수록 기온이 낮아지는 것은 태양 복사 에너지의 영향이다.
② 낮과 밤의 기온 차는 A층에서 가장 크다.
③ 수증기가 가장 많이 분포하는 곳은 B이다.
④ 태양의 자외선이 주로 흡수되는 층은 B이다.
⑤ A층과 C층에서는 기상 현상이 나타난다.
⑥ C층은 B층보다 안정하다.
⑦ C층에서는 유성이, D층에서는 오로라가 나타난다.

601 하중상 ••서술형

그림은 기권의 높이에 따른 물리량 A의 변화를 나타낸 것이다.

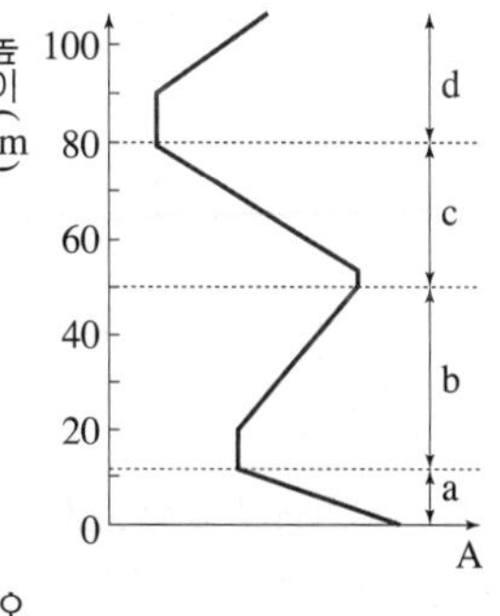

(1) 물리량 A를 쓰시오.

(2) a~d층의 이름을 모두 쓰시오.

(3) a~d 중 대류가 일어나는 층을 모두 고르고, 그 까닭을 서술하시오.

(4) a에서 높이 올라갈수록 기온이 낮아지는 까닭을 서술하시오.

(5) b와 d에서 높이 올라갈수록 기온이 높아지는 까닭을 각각 서술하시오.

602 하중상 ••서술형

대류권과 중간권의 공통점과 차이점을 각각 서술하시오.

빈출

603 하중상

그림 (가)와 (나)는 각각 기권과 수권의 연직 온도 분포를 나타낸 것이다.

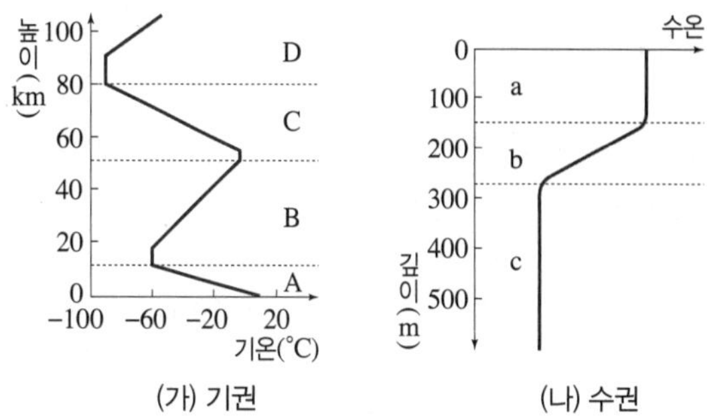

(가) 기권　　(나) 수권

이에 대한 설명으로 옳은 것만을 〈보기〉에서 있는 대로 고른 것은?

〈 보기 〉
ㄱ. (가)에서 생물이 가장 많이 분포하는 구간은 A층이다.
ㄴ. (나)에서 a층은 여름철과 겨울철의 수온 차이가 크다.
ㄷ. A층과 a층의 두께는 저위도 지역보다 중위도 지역에서 더 두껍다.
ㄹ. B층과 b층에서는 연직 운동이 활발하게 일어난다.

① ㄱ, ㄴ　② ㄴ, ㄷ　③ ㄷ, ㄹ
④ ㄱ, ㄴ, ㄹ　⑤ ㄱ, ㄷ, ㄹ

604 하중상

그림은 기권과 수권의 층상 구조를 모식적으로 나타낸 것이다.

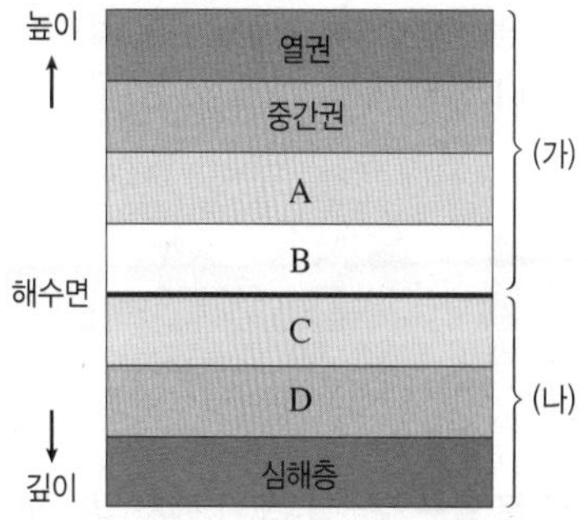

이에 대한 설명으로 옳은 것만을 〈보기〉에서 있는 대로 고른 것은?

〈 보기 〉
ㄱ. (가)와 (나)는 모두 구성 성분에 따라 층을 구분한 것이다.
ㄴ. A층과 유사한 안정도를 가진 층은 D이다.
ㄷ. C층의 두께는 바람이 강할수록 두꺼워진다.

① ㄱ　② ㄷ　③ ㄱ, ㄴ
④ ㄴ, ㄷ　⑤ ㄱ, ㄴ, ㄷ

생물권과 외권

605 하중상

지구에만 생명체가 존재하는 까닭에 대한 설명으로 옳은 것만을 〈보기〉에서 있는 대로 고른 것은?

〈 보기 〉
ㄱ. 태양으로부터 안정적으로 에너지를 공급받고 있다.
ㄴ. 액체 상태의 물이 존재하여 생명체의 탄생에 유리하다.
ㄷ. 지구 자기장이 온실 효과를 일으켜 생명체가 살기 적합한 환경을 만든다.
ㄹ. 지구 자기장이 태양풍과 우주선으로부터 생명체를 보호해 준다.

① ㄱ, ㄴ ② ㄴ, ㄷ ③ ㄷ, ㄹ
④ ㄱ, ㄴ, ㄹ ⑤ ㄱ, ㄷ, ㄹ

606 하중상

지구 시스템의 구성 요소 중 수많은 천체가 존재하며 태양 에너지나 유성 등이 지구로 들어오면서 다른 구성 요소와 상호 작용하는 것은?

① 지권 ② 기권 ③ 수권
④ 생물권 ⑤ 외권

607 하중상 ••서술형

지구 자기장이 형성된 원인을 지권의 층상 구조를 이용하여 서술하고, 지구 자기장이 생명체에 미친 영향을 서술하시오.

608 하중상

그림은 지구 시스템이 형성되면서 생물권이 차지하는 공간적 분포 변화를 나타낸 것이다.

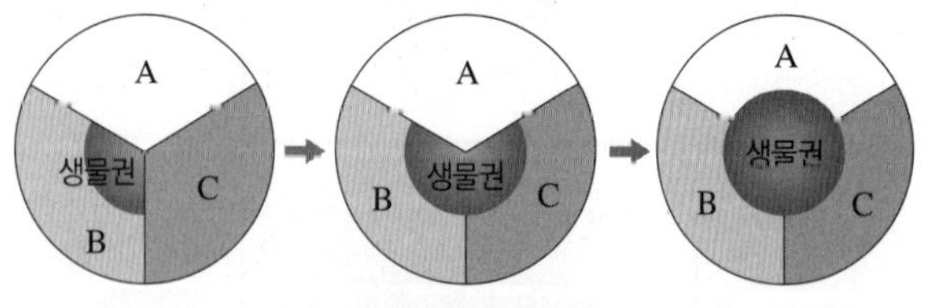

이에 대한 설명으로 옳은 것만을 〈보기〉에서 있는 대로 고른 것은?

〈 보기 〉
ㄱ. 생물권이 분포하는 범위는 점점 확대되었다.
ㄴ. 생물권이 가장 먼저 형성된 B는 지권이다.
ㄷ. 생물권이 B에서 C로 변화한 주요 원인은 오존층 형성이다.
ㄹ. 현재 생물권은 A, B, C 영역에 모두 영향을 미친다.

① ㄱ, ㄴ ② ㄴ, ㄷ ③ ㄷ, ㄹ
④ ㄱ, ㄴ, ㄹ ⑤ ㄱ, ㄷ, ㄹ

609 하중상

그림은 지구가 탄생한 이후 지구 시스템의 환경 변화 과정을 나타낸 것이다. A와 B는 오존층과 자기권 중 하나이다.

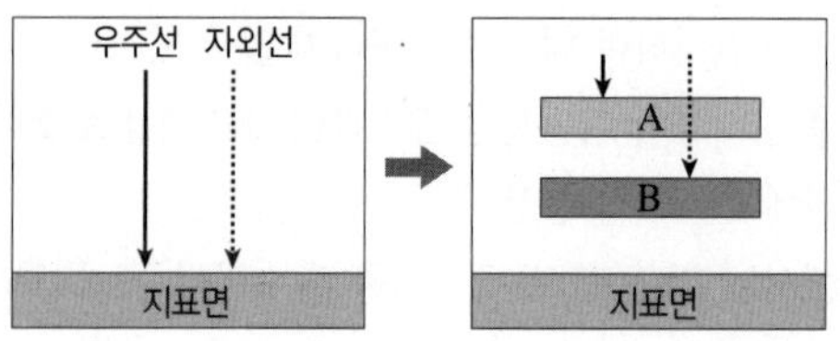

이에 대한 설명으로 옳은 것만을 〈보기〉에서 있는 대로 고른 것은?

〈 보기 〉
ㄱ. A와 B는 외권에 포함된다.
ㄴ. A는 오존층, B는 자기권이다.
ㄷ. A와 B는 우주선과 자외선으로부터 생명체를 보호한다.

① ㄱ ② ㄷ ③ ㄱ, ㄴ
④ ㄴ, ㄷ ⑤ ㄱ, ㄴ, ㄷ

B 지구 시스템 구성 요소의 상호 작용

610 하중상

그림은 지구 시스템 구성 요소의 상호 작용을 나타낸 것이다.

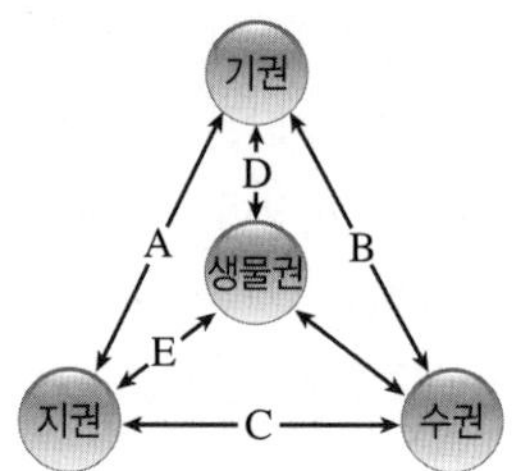

A~E 중 지속적으로 부는 바람의 영향을 받아 해류가 형성되는 현상에 해당하는 상호 작용을 골라 쓰시오.

611 하중상

지구 시스템의 구성 요소 사이에서 일어나는 자연 현상과 상호 작용을 잘못 짝 지은 것은?

	자연 현상	상호 작용
①	광합성	기권, 생물권
②	태풍 발생	수권, 기권
③	황사	수권, 기권
④	지진 해일 발생	지권, 수권
⑤	구름 형성	수권, 기권

612 하중상

지구 시스템의 상호 작용 중 수권에서 기권에 영향을 미치는 자연 현상을 두 가지만 쓰시오.

613 하중상

대표문제 多 보기

그림은 지구 시스템 구성 요소의 상호 작용을 나타낸 것이다.

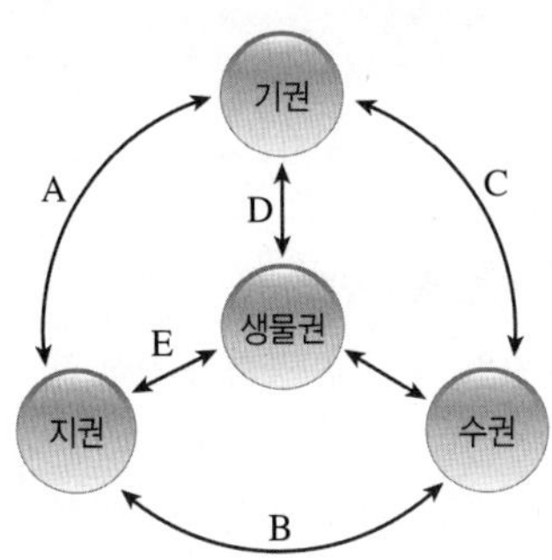

A～E에 해당하는 자연 현상의 예로 옳지 않은 것만을 모두 고르면?(2개)

① A – 모래 먼지가 바람에 날려 황사를 일으킨다.
② B – 지하수가 석회암 지대를 용해하여 동굴이 형성된다.
③ C – 증산 작용으로 식물체에서 물이 수증기가 되어 빠져나간다.
④ D – 생물이 호흡을 통해 기체를 흡수하거나 방출한다.
⑤ E – 파도에 의한 침식 작용으로 해안 지형이 변한다.

614 하중상

그림은 지구 시스템의 지권과 다른 구성 요소의 상호 작용으로 일어나는 현상을 나타낸 것이다.

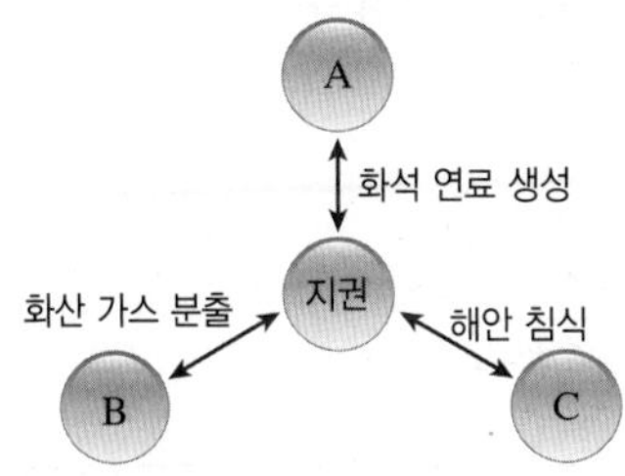

A～C에 해당하는 것을 옳게 짝 지은 것은?

	A	B	C
①	기권	생물권	수권
②	수권	기권	생물권
③	수권	생물권	기권
④	생물권	기권	수권
⑤	생물권	수권	기권

615 하중상

표는 지구 시스템의 구성 요소가 상호 작용하여 일어나는 자연 현상을 정리한 것이다.

근원＼영향	기권	수권	지권	생물권
기권	기단의 상호 작용	A	B	
수권	C	물의 순환	D	
지권			대륙 이동	
생물권			E	먹이 순환

이에 대한 설명으로 옳지 않은 것은?

① 폭풍 해일이 발생하는 과정은 A에 해당한다.
② 버섯바위가 형성되는 과정은 B에 해당한다.
③ 엘니뇨가 발생하는 현상은 C에 해당한다.
④ U자곡이 형성되는 과정은 D에 해당한다.
⑤ 식물 뿌리에 의한 풍화 작용은 E에 해당한다.

616 하중상

그림의 A～D는 지구 시스템의 구성 요소를, 표는 그림의 상호 작용으로 나타나는 자연 현상 ㉠～㉢의 예를 나타낸 것이다.

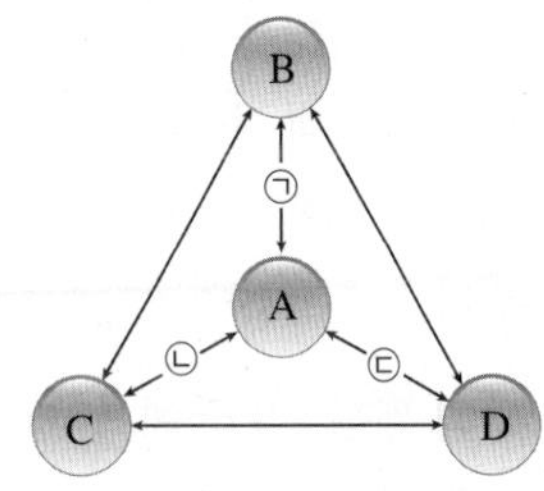

㉠	화산 폭발로 분출된 화산재에 의해 지구의 기온이 변한다.
㉡	수온이 상승하여 태풍의 세기가 강해진다.
㉢	식물이 호흡과 광합성을 하여 기체를 방출한다.

이에 대한 설명으로 옳은 것만을 〈보기〉에서 있는 대로 고른 것은?

〈 보기 〉
ㄱ. A는 수권에 해당한다.
ㄴ. 석회 동굴은 B와 C의 상호 작용으로 형성된다.
ㄷ. 화석 연료의 연소로 인한 대기 성분 변화는 A와 D의 상호 작용에 해당한다.

① ㄱ ② ㄴ ③ ㄱ, ㄷ
④ ㄴ, ㄷ ⑤ ㄱ, ㄴ, ㄷ

지구 시스템의 에너지와 물질 순환

Ⓐ 지구 시스템의 에너지원

기출 Tip Ⓐ-1
지구 시스템의 에너지원이 차지하는 비율
태양 에너지 > 지구 내부 에너지 > 조력 에너지

1 지구 시스템의 에너지원

① 에너지양의 상대적 비율이 가장 큰 에너지원: ❶☐☐ 에너지

② 생명 활동의 근원: 태양 에너지

③ 태양 에너지, 지구 내부 에너지, 조력 에너지는 열에너지, 운동 에너지 등 다양한 형태로 전환되지만, 에너지원 사이에는 전환되지 않는다.
→ 태양 에너지 ↔ 지구 내부 에너지 ↔ 조력 에너지는 전환되지는 않는다.

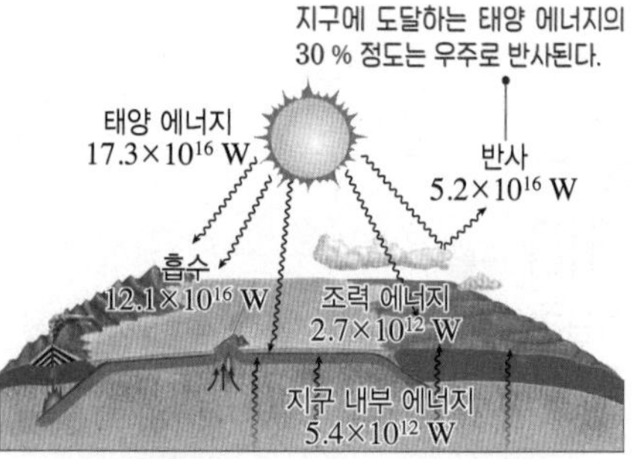

▲ 지구 시스템의 주요 에너지의 양

에너지원	에너지의 양	자연 현상의 예	근원
태양 에너지	17.3×10^{16} W	생명체의 에너지원, 광합성, 풍화와 침식 작용, 기상 현상, 해류, 대기와 해수의 순환 등	수소 핵융합 반응
❷☐☐ ☐☐ 에너지	5.4×10^{12} W	대륙 이동, 판의 운동, 맨틀 대류, 지진과 화산, 지진 해일, 지구 자기장의 형성 등	방사성 원소의 붕괴열
❸☐☐ 에너지	2.7×10^{12} W	밀물과 썰물, 조석 현상(해수면 높이 변화)	달과 태양의 인력

2 지구 시스템의 에너지 흐름 지구는 구형이므로 저위도로 갈수록 태양 고도가 높아 단위 면적당 지표면이 받는 태양 복사 에너지양이 많아진다. ➜ 저위도 지역의 남는 에너지가 고위도 지역으로 이동하면서 자연 현상 및 물질의 순환을 일으키며, 지구는 전체적으로 에너지 평형을 이룬다.
→ 대기와 해수의 순환을 통해 이동

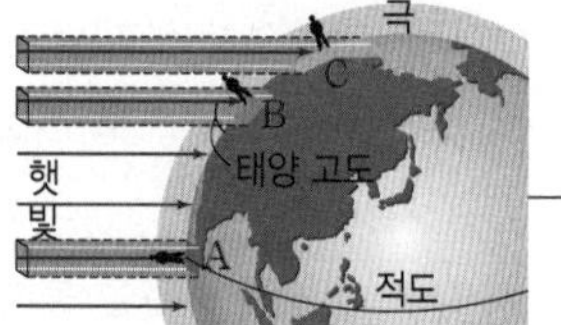

▲ 위도에 따른 태양 복사 에너지양
단위 면적당 태양 복사 에너지의 입사량은 A>B>C이다.

Ⓑ 물의 순환

1 물의 순환과 에너지 흐름 물의 순환 과정에서 물질과 에너지의 이동이 일어난다.

① 물의 순환을 일으키는 주된 에너지원: ❹☐☐ 에너지

② 물은 에너지를 ❺☐☐하여 증발하고, 수증기는 에너지를 ❻☐☐하여 응결한다.

③ 물은 증발과 응결을 통해 구름을 형성하고, 비나 눈으로 내려 순환을 한다.

④ 지표에 내린 물은 식물에 흡수되거나, 지하로 침투하거나, 지표를 흐르면서 지형을 변화시킨다.

기출 Tip Ⓑ-2
물의 평형이 일어나는 까닭
바다에서 잃은 양(증발량−강수량)만큼 육지에서 바다로 물이 유입되기 때문이다. ➜ 바다는 증발량이 강수량보다 많고, 육지는 강수량이 증발량보다 많아서 육지에서 남는 물이 바다로 이동하여 바다와 육지 각 권에서 물의 양은 계속 늘어나거나 줄어들지 않고 일정하게 유지된다.

2 물의 평형 각 권에서 물의 양은 일정하게 유지되어 평형을 이루고 있다. ➜ 지구 시스템 전체 물의 양은 변하지 않는다.
→ 각 권에서 물을 얻은 양=물을 잃은 양

(물의 순환과 평형)

- 지구 전체: 총 증발량=총 강수량
- 바다: 강수량<증발량
- 육지: 강수량>증발량
- 바다에서 유입량=유출량 (강수+지표 유출) (증발) 284+36=320
- 육지에서 유입량=유출량 (강수) (증발+지표 유출) 96=60+36
- 대기에서 유입량=유출량 (육지 증발+바다 증발) (육지 강수+바다 강수) 60+320=96+284

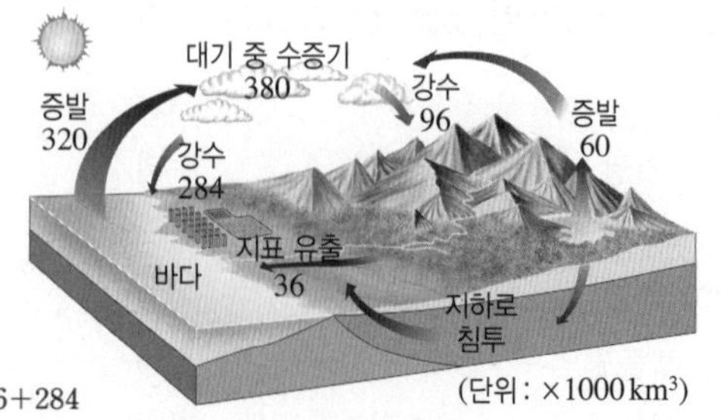

C 탄소의 순환

1 탄소의 순환 탄소는 각 권을 순환하며, 이때 에너지의 흐름이 함께 일어난다. ➡ 탄소가 각 권 사이를 이동해도 지구 시스템 전체의 탄소의 양은 일정하다.

① 화산 분출에 의해 이산화 탄소가 방출된다. ➡ 지권 → 기권

② 이산화 탄소를 흡수하여 식물이 광합성을 한다. ➡ ❼☐☐ → ❽☐☐☐

(광합성을 한다: 무기물에 의해 유기물(포도당)이 생성된다.)

③ 생물의 호흡으로 이산화 탄소가 발생한다. ➡ 생물권 → 기권

④ 이산화 탄소가 해수에 용해된다. ➡ 기권 → 수권

⑤ 강물과 지하수가 암석의 탄산 칼슘을 녹여 바다로 운반한다. ➡ 지권 → 수권

⑥ 해수의 탄산 이온이 탄산염으로 해저에 퇴적되어 석회암으로 저장된다. ➡ 수권 → 지권

⑦ 생물이 땅에 묻혀 화석 연료가 된다. ➡ 생물권 → 지권

⑧ 화석 연료의 연소로 이산화 탄소가 발생한다. ➡ 지권 → 기권

⑨ 지구 온난화로 수온이 상승하면 용해도가 감소하여 해수에 녹아 있던 이산화 탄소가 대기로 방출된다. ➡ 수권 → 기권

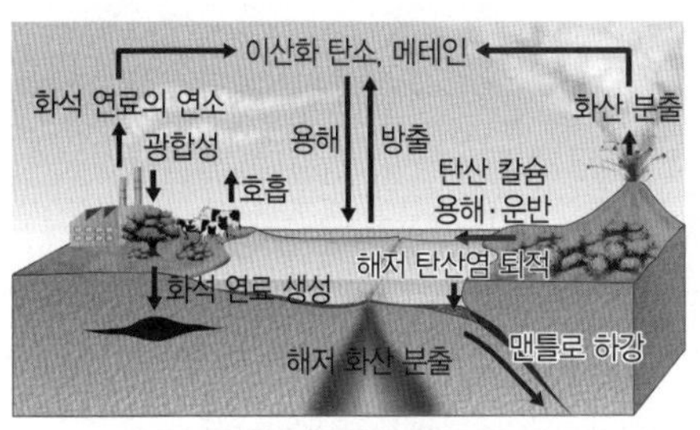

▲ 탄소의 이동

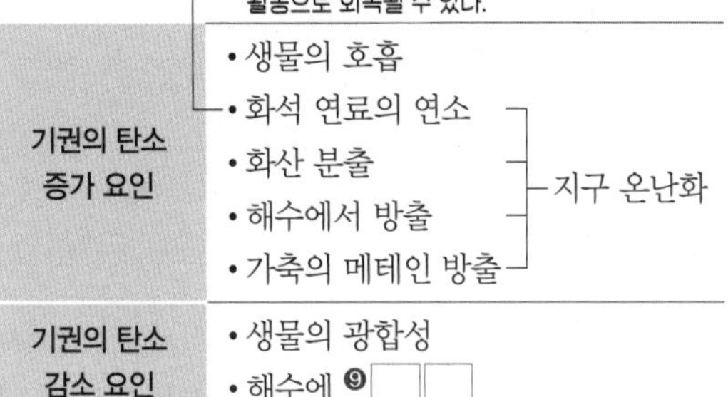

기권의 탄소 증가 요인	• 생물의 호흡 • 화석 연료의 연소 • 화산 분출 • 해수에서 방출 • 가축의 메테인 방출 (화석 연료의 연소 ~ 가축의 메테인 방출: 지구 온난화)
기권의 탄소 감소 요인	• 생물의 광합성 • 해수에 ❾☐☐

(인위적으로 발생한 환경 문제는 인간의 합리적인 활동으로 회복될 수 있다.)

2 탄소의 분포

① 탄소는 각 권에서 다양한 형태로 존재한다.

② 탄소는 지권에 가장 많이 분포하며, 탄산염 광물 형태로 석회암을 이루고 있다.

구분	❿☐☐		수권	생물권	기권
주요 존재 형태	탄산염 (석회암)	화석 연료	⓫☐☐ ☐☐ (CO_3^{2-})	유기물 (탄소 화합물)	이산화 탄소(CO_2), 메테인(CH_4)

기출 Tip C-1

기권의 탄소량

탄소의 순환 과정에서 기권의 탄소량이 증가하면 지구 온난화 현상이 일어난다.

답 ❶ 태양 ❷ 지구 내부 ❸ 조력 ❹ 태양 ❺ 흡수 ❻ 방출 ❼ 기권 ❽ 생물권 ❾ 용해 ❿ 지권 ⓫ 탄산 이온

빈출 자료 보기

정답과 해설 56쪽

617 그림은 지구 시스템에서 탄소가 이동하는 과정을 나타낸 것이다.

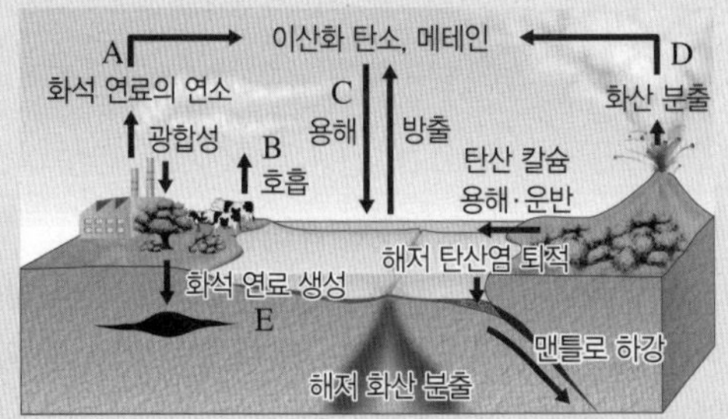

이에 대한 설명으로 옳은 것은 ○, 옳지 않은 것은 ×로 표시하시오.

(1) A에서 탄소는 지권에서 기권으로 이동한다. ( )

(2) B에서 생명체는 이산화 탄소를 기권으로 방출한다. ( )

(3) 수온이 상승하면 C가 증가한다. ( )

(4) D가 증가하면 기권의 탄소량이 증가한다. ( )

(5) 기권의 탄소량이 증가하면 지구 온난화 현상이 일어난다. ( )

(6) E에서 지구 시스템 전체의 탄소의 양이 증가한다. ( )

(7) 탄소는 수권에서 주로 탄산 이온 형태로 존재한다. ( )

(8) 탄소는 기권에 가장 많이 분포한다. ( )

(9) 탄소는 순환하는 과정에서 에너지의 흐름이 함께 일어난다. ( )

A 지구 시스템의 에너지원

618 하중상

지구 시스템은 구성 요소들의 상호 작용으로 다양한 자연 현상이 일어난다. 이러한 현상을 일으키는 에너지원의 종류 세 가지를 쓰시오.

619 하중상

지구 시스템에서 지구 내부 에너지에 의해 나타나는 자연 현상만을 〈보기〉에서 있는 대로 고른 것은?

〈 보기 〉
ㄱ. 지진 해일 ㄴ. 맨틀 대류 ㄷ. 지구 자기장 형성
ㄹ. 판의 이동 ㅁ. 밀물과 썰물 ㅂ. 대기와 해수의 순환

① ㄱ, ㄴ, ㅂ ② ㄱ, ㄹ, ㅁ
③ ㄴ, ㄷ, ㄹ ④ ㄱ, ㄴ, ㄷ, ㄹ
⑤ ㄴ, ㄷ, ㄹ, ㅁ

620 하중상

그림은 지구 시스템의 에너지원을 구분하는 과정을 나타낸 것이다.

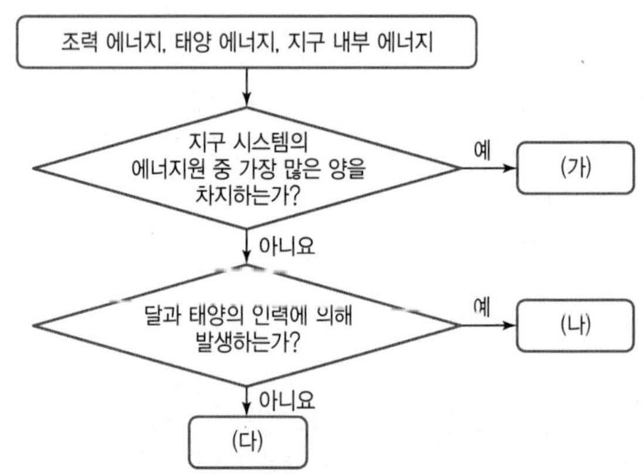

(가)~(다)에 해당하는 에너지원을 옳게 짝 지은 것은?

	(가)	(나)	(다)
①	조력 에너지	태양 에너지	지구 내부 에너지
②	태양 에너지	조력 에너지	지구 내부 에너지
③	태양 에너지	지구 내부 에너지	조력 에너지
④	지구 내부 에너지	태양 에너지	조력 에너지
⑤	지구 내부 에너지	조력 에너지	태양 에너지

빈출

621 하중상 대표문제 多 보기

그림은 지구 시스템의 주요 에너지원을 나타낸 것이다.

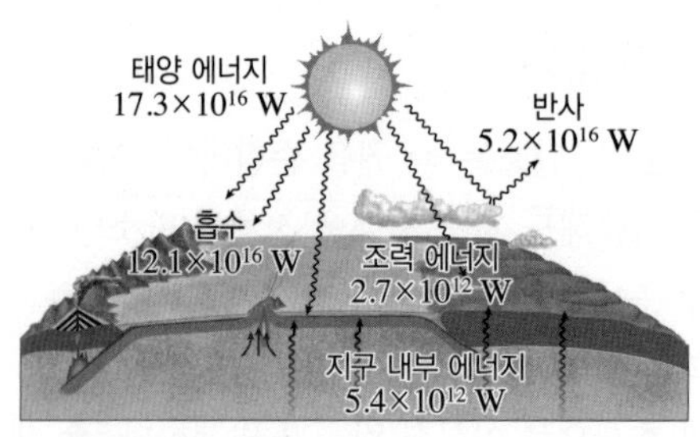

이에 대한 설명으로 옳지 않은 것은?

① 지구 시스템의 에너지원 중 태양 에너지가 가장 많은 양을 차지한다.
② 지구에 도달하는 태양 에너지의 약 30 %가 우주로 반사된다.
③ 표층 해류를 일으키는 주요 에너지원은 태양 에너지이다.
④ 지구 내부 에너지는 지진이나 화산 활동을 일으킨다.
⑤ 지구 내부 에너지의 일부는 조력 에너지로 전환된다.

622 하중상

표는 지구 시스템의 에너지원의 특징을 나타낸 것이다.

에너지원	특징
A	밀물과 썰물을 일으킨다.
B	지각 변동의 원인이 된다.
C	일부는 식물의 광합성에 사용된다.

이에 대한 설명으로 옳은 것만을 〈보기〉에서 있는 대로 고른 것은?

〈 보기 〉
ㄱ. A는 태양 에너지이다.
ㄴ. B는 맨틀의 대류를 일으켜 대륙을 이동시킨다.
ㄷ. C는 암석의 풍화와 침식 작용을 일으킨다.

① ㄱ ② ㄴ ③ ㄱ, ㄷ
④ ㄴ, ㄷ ⑤ ㄱ, ㄴ, ㄷ

623 하중상 ••서술형

지구 시스템의 에너지원 중 자연 현상을 일으키고 생명 활동을 유지하게 하는 데 가장 큰 역할을 하는 에너지원을 쓰고, 이 에너지원은 무엇에 의해 생성되는지 서술하시오.

624 하중상

표는 지구 시스템의 주요 에너지의 양과 근원을 나타낸 것이다.

에너지원	에너지의 양(W)	근원
A	2.7×10^{12}	㉠
B	㉡	수소 핵융합 반응
C	5.4×10^{12}	㉢

이에 대한 설명으로 옳은 것만을 〈보기〉에서 있는 대로 고른 것은?

〈 보기 〉
ㄱ. A는 지구 내부 에너지이다.
ㄴ. A에 의해 해수면의 높이가 주기적으로 변한다.
ㄷ. ㉡은 5.4×10^{12}보다 크다.
ㄹ. ㉢은 방사성 원소가 붕괴하면서 방출하는 열이다.

① ㄱ, ㄴ ② ㄱ, ㄹ ③ ㄷ, ㄹ
④ ㄱ, ㄴ, ㄷ ⑤ ㄴ, ㄷ, ㄹ

625 하중상

그림은 태양 복사 에너지가 지구에 입사하는 모습을 나타낸 것이다. 이에 대한 설명으로 옳은 것만을 〈보기〉에서 있는 대로 고른 것은?

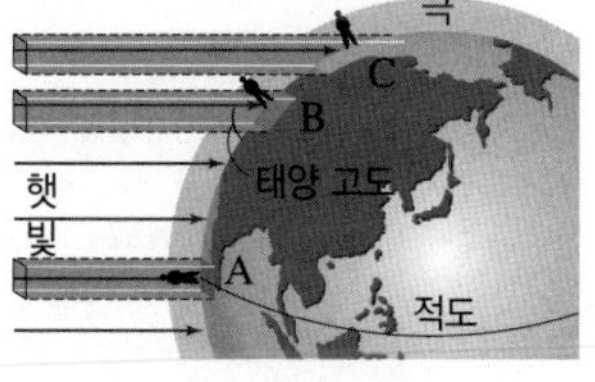

〈 보기 〉
ㄱ. 단위 면적당 태양 복사 에너지의 입사량은 A<B<C이다.
ㄴ. A에서는 에너지가 남고, C에서는 에너지가 부족하다.
ㄷ. C에서 A 방향으로 에너지가 이동한다.

① ㄱ ② ㄴ ③ ㄱ, ㄷ
④ ㄴ, ㄷ ⑤ ㄱ, ㄴ, ㄷ

B 물의 순환

626 하중상

물의 순환에 대한 설명으로 옳지 않은 것은?

① 바다에서 증발량과 강수량은 같다.
② 물이 순환하면서 지표를 변화시킨다.
③ 물은 응결 과정에서 에너지를 방출한다.
④ 물의 순환을 일으키는 에너지원은 태양 에너지이다.
⑤ 물의 순환 과정에서 지구 시스템 전체 물의 양은 변하지 않는다.

빈출 627 하중상 대표문제 多 보기

그림은 물의 순환 과정을 나타낸 것이다.

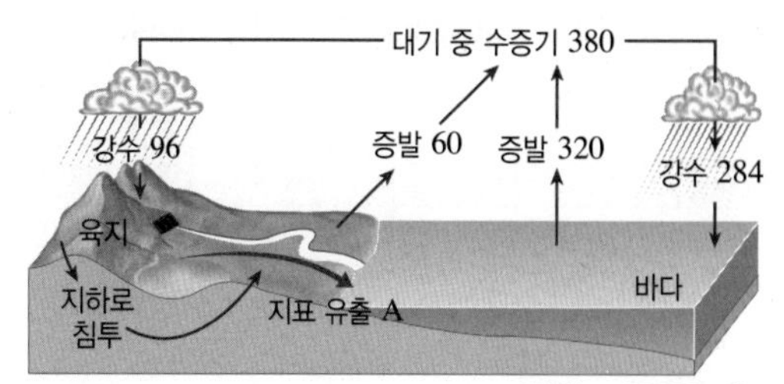

(단위: ×1000 km³)

이에 대한 설명으로 옳은 것만을 〈보기〉에서 있는 대로 고른 것은?

〈 보기 〉
ㄱ. 태양 에너지에 의해 물의 순환이 일어난다.
ㄴ. 대기 중의 수증기는 대부분 바다에서 증발한 것이다.
ㄷ. 바다에서는 증발량이 강수량보다 많으므로 해수의 양은 점점 감소한다.
ㄹ. 육지에서 지표로 유출되는 양 A의 값은 60이다.

① ㄱ, ㄴ ② ㄱ, ㄹ ③ ㄷ, ㄹ
④ ㄱ, ㄴ, ㄷ ⑤ ㄴ, ㄷ, ㄹ

[628~629] 그림은 물의 순환과 물의 이동량을 나타낸 것이다.

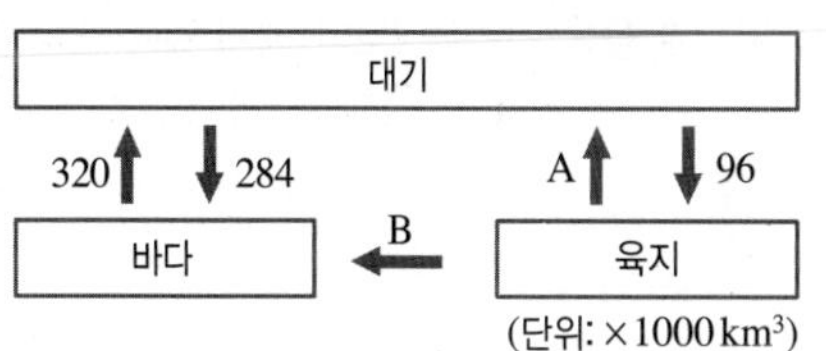

(단위: ×1000 km³)

628 하중상

이에 대한 설명으로 옳은 것만을 〈보기〉에서 있는 대로 고른 것은?

〈 보기 〉
ㄱ. A는 에너지를 흡수하여 나타난다.
ㄴ. B의 이동량은 A의 이동량보다 많다.
ㄷ. 총 증발량은 총 강수량보다 많다.

① ㄱ ② ㄷ ③ ㄱ, ㄴ
④ ㄴ, ㄷ ⑤ ㄱ, ㄴ, ㄷ

629 하중상 서술형

바다에서 증발량이 강수량보다 많음에도 불구하고 물의 평형이 일어나는 까닭을 서술하시오.

630 (하)(중)(상) ••서술형

표는 1년 동안 육지와 바다에서 물이 증발하는 양을 100이라고 할 때, 지구 전체의 평균적인 물의 순환을 나타낸 것이다.

증발량		강수량	
육지	바다	육지	바다
A	84	25	75

(1) A의 값을 풀이 과정을 포함하여 구하시오.

(2) 육지에서 바다로 이동하는 물의 상대적인 양을 풀이 과정을 포함하여 구하시오.

631 (하)(중)(상)

그림은 지구 전체의 물의 분포량과 물의 연간 이동량을 평균적인 물의 순환 과정과 함께 나타낸 것이다.

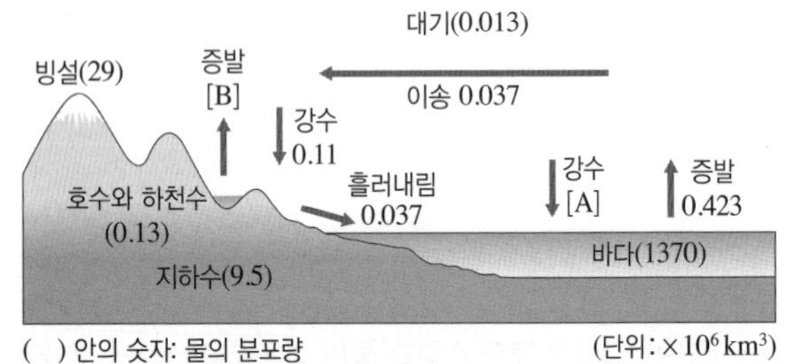

이에 대한 설명으로 옳은 것만을 〈보기〉에서 있는 대로 고른 것은?

〈 보기 〉

ㄱ. A는 B보다 크다.
ㄴ. (0.11−A)는 0.037 단위이다.
ㄷ. 빙설은 육수의 약 80 % 이상을 차지한다.

① ㄱ ② ㄷ ③ ㄱ, ㄴ
④ ㄴ, ㄷ ⑤ ㄱ, ㄴ, ㄷ

C 탄소의 순환

632 (하)(중)(상)

지구 시스템에서 자연 현상이 일어날 때 각 권역 사이에서 탄소가 이동하는 과정을 옳게 짝 지은 것은?

	현상의 예	탄소의 이동
①	생물의 호흡	기권 → 생물권
②	식물의 광합성	생물권 → 기권
③	화석 연료 생성	기권 → 지권
④	화석 연료의 연소	지권 → 기권
⑤	석회암 생성	기권 → 지권

633 (하)(중)(상) 대표문제 多 보기

그림은 탄소 순환 과정의 일부를 나타낸 것이다.

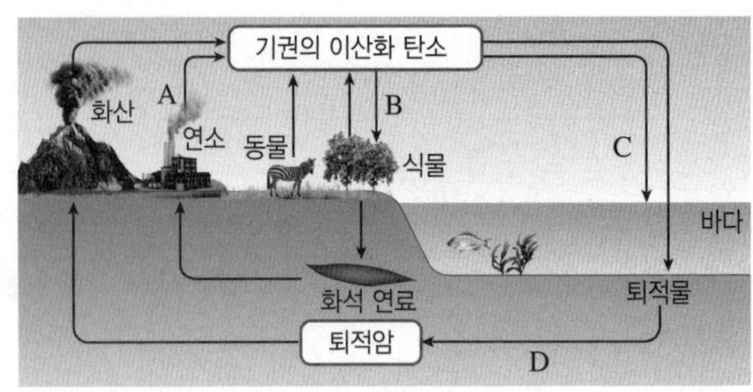

이에 대한 설명으로 옳지 않은 것은?

① A가 증가하면 지구 온난화가 발생한다.
② B에서 이산화 탄소가 포도당으로 전환된다.
③ 탄소는 C를 통해 수권에 이산화 탄소 형태로 존재한다.
④ D에서 생성되는 암석은 대부분 석회암이다.
⑤ 탄소는 지권에 가장 많이 분포한다.

634 (하)(중)(상) ••서술형

그림은 지구 시스템의 탄소 순환 과정을 나타낸 것이다.

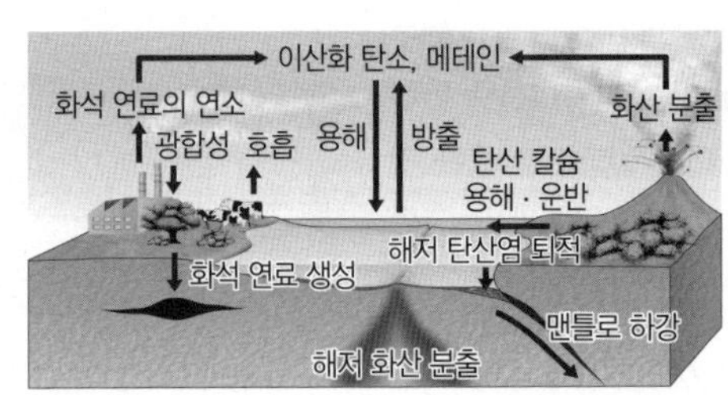

(1) 기권의 탄소가 증가하는 요인과 감소하는 요인을 각각 두 가지씩 쓰시오.

(2) 생물권의 탄소가 기권으로 이동하는 요인을 쓰고, 탄소의 존재 형태는 어떻게 전환되는지 서술하시오.

635 (하)(중)(상)

그림은 지구 시스템 구성 요소의 상호 작용을 나타낸 것이다. 각 구성 요소 사이에서 일어나는 탄소의 이동에 대한 설명으로 옳은 것만을 〈보기〉에서 있는 대로 고른 것은?

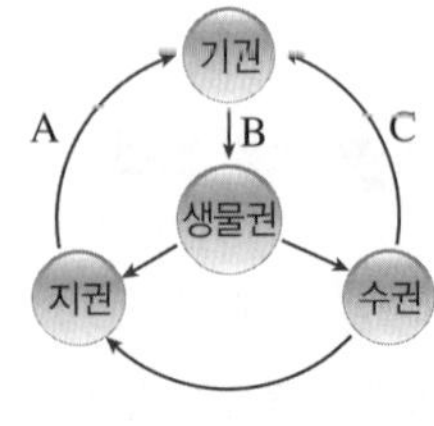

〈 보기 〉

ㄱ. 화산 활동으로 A 과정이 나타난다.
ㄴ. B 과정에서 태양 에너지를 이용한다.
ㄷ. 해수의 온도가 상승하면 C 과정이 활발해진다.

① ㄱ ② ㄷ ③ ㄱ, ㄴ
④ ㄴ, ㄷ ⑤ ㄱ, ㄴ, ㄷ

636 하 중 상

그림은 지구에서 탄소가 순환하는 과정의 일부를 나타낸 것이다.

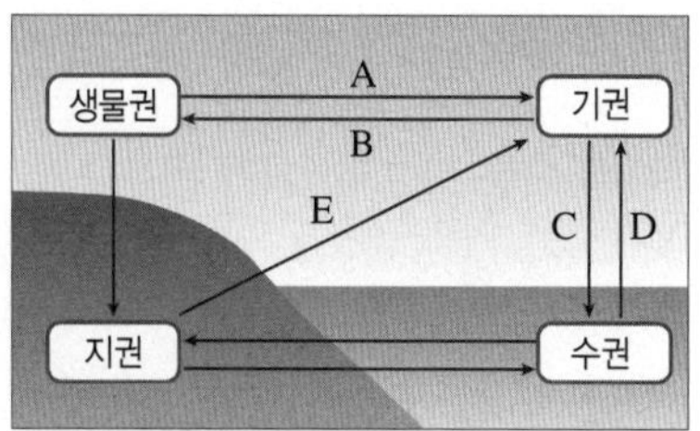

이에 대한 설명으로 옳은 것만을 〈보기〉에서 있는 대로 고른 것은?

〈 보기 〉
ㄱ. 광합성은 A에, 호흡은 B에 해당한다.
ㄴ. 표층 수온이 상승하면 D가 C보다 활발해진다.
ㄷ. E 과정이 증가하면 빙하 면적을 줄일 수 있다.
ㄹ. 지권에서 탄소는 주로 탄산 이온 형태로 저장된다.

① ㄱ, ㄹ ② ㄴ, ㄷ ③ ㄴ, ㄹ
④ ㄱ, ㄴ, ㄷ ⑤ ㄱ, ㄷ, ㄹ

[637~638] 그림은 탄소의 순환 과정과 탄소의 분포량을 나타낸 것이다.

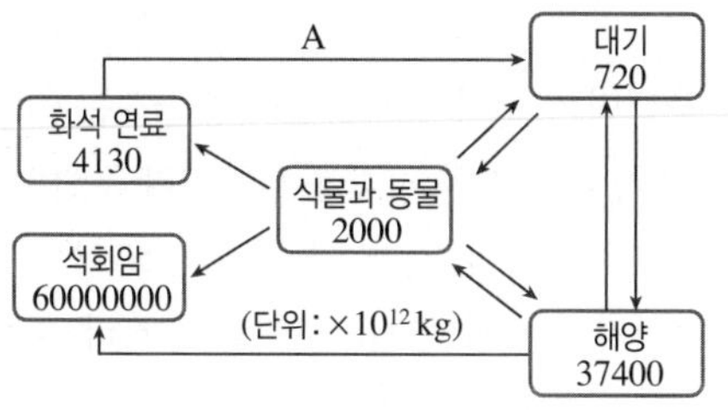

637 하 중 상

이에 대한 설명으로 옳은 것만을 〈보기〉에서 있는 대로 고른 것은?

〈 보기 〉
ㄱ. A 과정에서 탄소는 지권에서 기권으로 이동한다.
ㄴ. 지권에서 탄소는 석탄 형태로 가장 많이 분포한다.
ㄷ. 수권보다 기권에 탄소가 많이 분포한다.

① ㄱ ② ㄷ ③ ㄱ, ㄴ
④ ㄴ, ㄷ ⑤ ㄱ, ㄴ, ㄷ

638 하 중 상

••서술형

수권, 기권, 생물권에서 탄소는 주로 어떤 형태로 존재하는지 서술하시오.

639 하 중 상

그림은 지구 시스템의 구성 요소에서 탄소의 순환 과정을 나타낸 것이다.

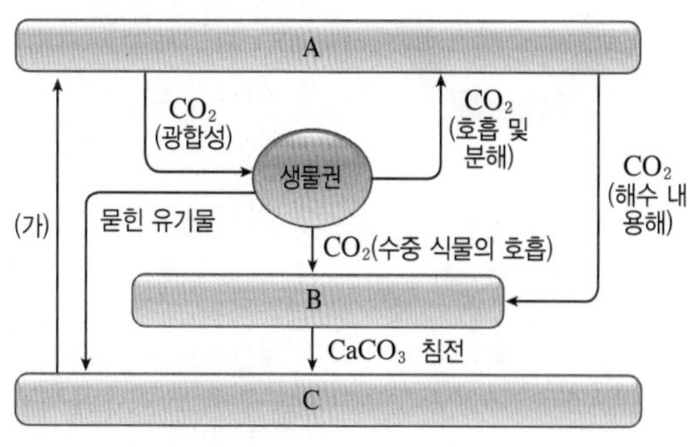

이에 대한 설명으로 옳은 것은?

① A는 지권, B는 기권, C는 수권이다.
② (가)는 인간 활동에 의해서만 일어난다.
③ (가) 과정을 통해 기권의 탄소량은 감소한다.
④ (가) 과정이 증가하면 지구의 평균 기온이 상승한다.
⑤ 광합성 과정에서 화학 에너지가 태양 에너지로 저장된다.

640 하 중 상

그림은 지구 시스템을 구성하는 각 권역 사이의 탄소 순환 과정을, 표는 a~d 과정의 예를 나타낸 것이다. (가), (나), (다)는 각각 지권, 기권, 수권 중 하나이다.

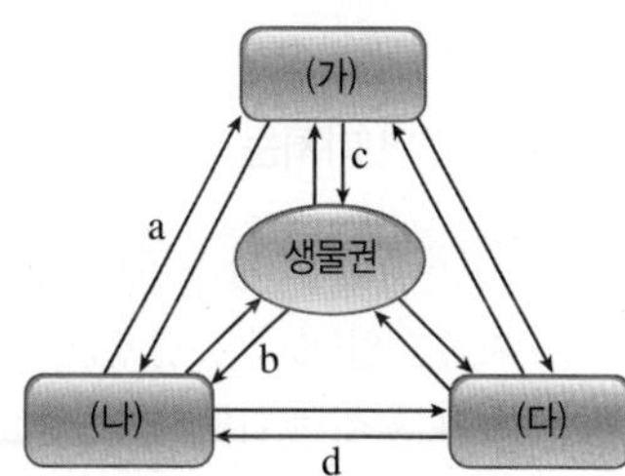

과정	예
a	화산 가스의 분출
b	석탄의 형성
c	㉠
d	탄산염의 침전

이에 대한 설명으로 옳은 것만을 〈보기〉에서 있는 대로 고른 것은?

〈 보기 〉
ㄱ. (다)는 기권이다.
ㄴ. 광합성은 ㉠에 해당한다.
ㄷ. 화석 연료의 사용량이 증가하면 지구 전체의 탄소량은 증가한다.
ㄹ. 화석 연료를 연소하면 지구 내부에 저장된 에너지가 열에너지나 빛에너지로 방출된다.

① ㄱ, ㄷ ② ㄴ, ㄷ ③ ㄴ, ㄹ
④ ㄱ, ㄴ, ㄹ ⑤ ㄱ, ㄷ, ㄹ

지각 변동과 판 구조론

Ⓐ 지각 변동

1 지각 변동 화산 활동, 지진, 습곡 산맥 형성, 대륙 이동 등으로, 지각 변동을 일으키는 에너지원은 ❶□□ □□ □□□이다.

기출 Tip Ⓐ-2

화산 활동이 지구 시스템에 미치는 영향

- 화산재에 물이 섞여 지표를 따라 흐르면서 산사태가 발생한다. ➔ 지권에 영향
- 해저 화산의 분출로 새로운 섬이 생기면 생물에게 새로운 서식처를 제공한다. ➔ 생물권에 영향

2 화산 활동

① 화산 분출물: 마그마가 지각의 약한 부분을 뚫고 상승하면서 분출하는 물질

구분	내용
화산 가스	수증기, 이산화 탄소, 이산화 황 등의 기체로, 대부분 ❷□□□로 이루어져 있다.
화산 쇄설물	고체 상태의 암석 부스러기로, 입자의 크기에 따라 구분한다.
용암	마그마에서 기체가 빠져나가고 남은 고온의 액체로, 용암의 성분에 따라 특징이 다르다.

구분	SiO_2 함량	온도	점성	유동성	화산체 경사	분출 유형
순상 화산 ←현무암질 용암	적다.	높다.	작다.	크다.	완만하다.	조용함
종상 화산 ←유문암질 용암	많다.	낮다.	크다.	작다.	급하다.	폭발적

② 화산 활동이 미치는 영향

피해	대책	이용
• 화산재가 햇빛을 가려(햇빛의 반사율을 증가시킴) 지구의 평균 기온을 일시적으로 낮춤(지권에서 ❸□□에 영향을 줌) • 화산재가 항공기 운항에 방해가 되어 경제적 피해 • 용암으로 인한 산불로 인명과 재산 피해, 화산 가스로 인한 산성비, 화산 쇄설물에 의한 산사태	용암을 막기 위한 제방과 수로 건설 등	• 무기물이 풍부한 화산재가 쌓여 토양이 비옥해짐 • 유용한 광물 자원을 얻음 • 관광 자원, 지열 발전(지구 내부 에너지를 이용하여 전기 생산)

기출 Tip Ⓐ-3

지진의 세기

규모는 어디에서나 같지만 지진의 피해 정도를 나타내는 진도는 조건에 따라 달라질 수 있으므로 관측소에 따라 다르다.

3 ❹□□ 지구 내부에 축적된 에너지가 방출되면서 일시적으로 땅이 흔들리는 현상

① 지진이 발생한 지점을 진원이라 하고, 진원 위쪽 지표면의 지점을 진앙이라고 한다.

② 지진파: 진원으로부터 전파되는 파동으로, P파와 S파가 있다. ➔ P파는 S파보다 관측소에 먼저 도달하며, P파와 S파가 도달한 시간 차이가 클수록 진원으로부터의 거리가 멀다.

③ 지진의 세기: 지진으로부터 방출된 에너지의 크기에 따라 나타낸 세기를 규모라 하고, 지진의 피해 정도로 나타낸 것을 진도라고 한다.

④ 지진이 미치는 영향

피해	대책	지진파 이용
• 지진 해일(쓰나미) 발생(해저에서 발생한 지진은 해안 지역에 영향을 줌)(지권에서 ❺□□에 영향을 줌) • 정전, 누전에 의한 화재, 산사태로 인한 인명 및 재산 피해	내진 설계 적용, 안전 교육 시행 등	지하자원 탐사, 지구 내부 구조 탐사

기출 Tip Ⓐ-4

화산대와 지진대

화산 활동이 일어나는 곳에서는 대체로 지진이 발생하지만, 지진이 발생하는 곳에서 항상 화산 활동이 일어나는 것은 아니다. 따라서 화산대와 지진대는 대체로 일치하지만, 지진대가 화산대보다 광범위하게 나타난다.

4 변동대 화산 활동이나 지진과 같은 지각 변동이 자주 일어나는 지역

① 화산대: 화산 활동이 활발한 지역으로 띠 모양으로 나타난다.

② 지진대: 지진이 자주 발생하는 지역으로 띠 모양으로 나타난다.

(①, ② 주로 판 경계를 따라 분포)

③ 화산대와 지진대의 분포: 화산대와 지진대는 대체로 일치한다. ➔ 화산 활동과 지진은 대부분 ❻□ □□에서 발생하기 때문이다.

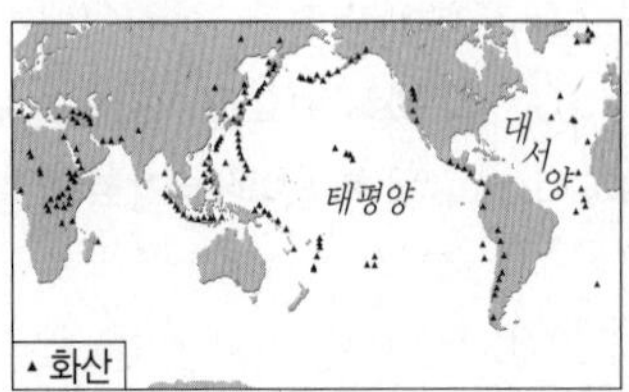

▲ 화산대

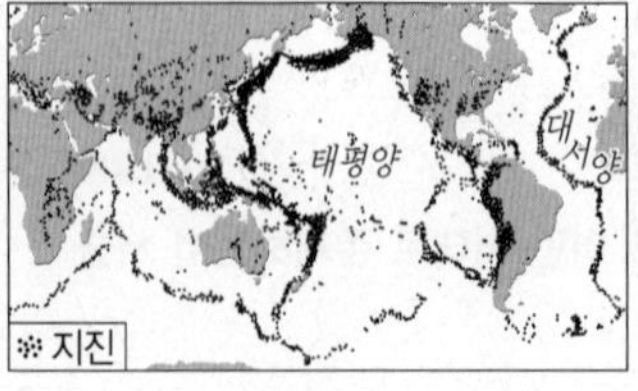

▲ 지진대

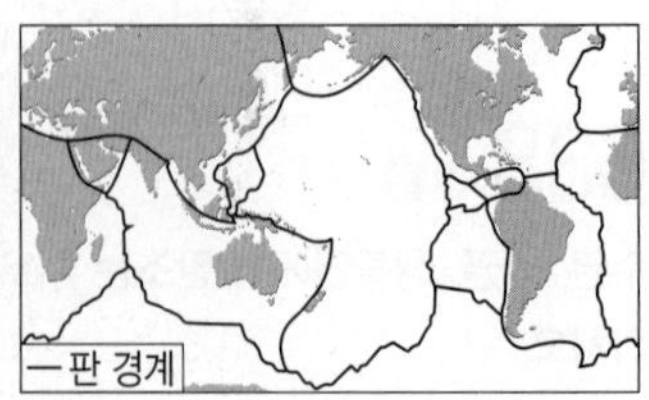

▲ 판 경계

B 판 구조론

1 판의 구조

① 지각과 상부 맨틀의 일부를 포함한 두께 약 100 km의 단단한 부분을 암석권이라고 한다. 암석권은 여러 조각으로 나누어져 있는데, 각각의 암석권 조각을 ❼ [ ]이라고 한다. 판은 특징에 따라 해양판과 대륙판으로 구분한다.

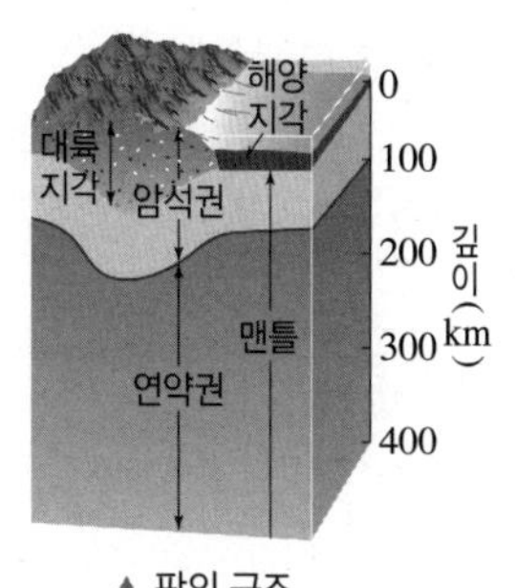

▲ 판의 구조

구분	구성	구성 물질	두께	밀도
해양판	해양 지각 포함	현무암질 암석	얇다.	❽ [ ][ ].
대륙판	대륙 지각 포함	화강암질 암석	두껍다.	❾ [ ][ ].

② 암석권 아래의 깊이 약 100 km～400 km 구간을 ❿ [ ][ ][ ]이라고 한다.

➡ 연약권은 고체 상태이지만 맨틀 물질이 부분적으로 용융되어 있어 대류가 일어나며, 연약권에서 일어나는 맨틀 대류에 의해 판이 이동한다.

2 ⓫ [ ] [ ][ ][ ] 지구 표면은 여러 개의 판으로 이루어져 있고, 판이 이동하면서 판 경계 부분에서 지진이나 화산 활동과 같은 지각 변동이 일어난다는 이론

① 지구의 표면은 10여 개의 크고 작은 판으로 이루어져 있다.

② 판 이동의 원동력: ⓬ [ ][ ]의 대류(연약권의 대류)

➡ 연약권에서 일어나는 대류에 의해 연약권 위에 떠 있는 판이 대류를 따라 이동한다.

③ 판은 약 1 cm/년～10 cm/년의 서로 다른 속력과 서로 다른 방향으로 이동한다.

④ 판 경계는 판의 상대적인 이동 방향에 따라 발산형, 보존형, 수렴형 경계로 구분한다.

- 발산형 경계: 판과 판이 서로 멀어지는 경계
- 보존형 경계: 판과 판이 서로 어긋나는 경계
- 수렴형 경계: 판과 판이 서로 모여드는 경계

유라시아판, 아라비아판, 필리핀판, 태평양판, 북아메리카판, 카리브판, 코코스판, 나스카판, 남아메리카판, 아프리카판, 인도-오스트레일리아판, 남극판

수렴형 경계 / 발산형 경계 / 보존형 경계 (단위 : cm/년)

• 서로 인접한 판의 운동으로 지권의 변화가 일어난다.

• 해양판과 대륙판이 만나면 상대적으로 밀도가 큰 해양판이 대륙판 아래로 들어가면서 지각 변동이 일어난다.

◀ 전 세계 판의 분포와 이동

기출 Tip B-1

해양판과 대륙판의 두께와 밀도
대륙 지각이 해양 지각보다 두께가 두껍고 밀도가 작으므로 대륙 지각을 포함하는 대륙판은 해양 지각을 포함하는 해양판보다 두께가 두껍고 밀도가 작다.

암석권과 연약권의 구성
- 암석권: 해양 지각, 대륙 지각, 상부 맨틀 일부
- 연약권: 맨틀로만 구성
- 암석권과 연약권 모두 고체 상태이다.

답 ❶ 지구 내부 에너지 ❷ 수증기 ❸ 기권 ❹ 지진 ❺ 수권 ❻ 판 경계 ❼ 판 ❽ 크다 ❾ 작다 ❿ 연약권 ⓫ 판 구조론 ⓬ 맨틀

빈출 자료 보기

정답과 해설 58쪽

641 그림은 화산 활동과 관련된 여러 가지 현상들을 나타낸 것이다.

(가) 화산재

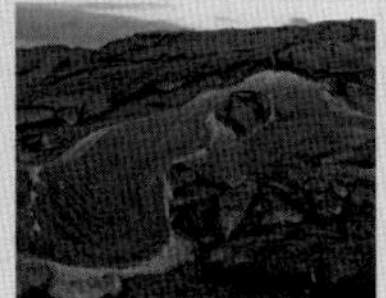
(나) 용암

(다) 지열 발전

이에 대한 설명으로 옳은 것은 ○, 옳지 않은 것은 ×로 표시하시오.

(1) (가)에는 무기물이 풍부하여 토양을 비옥하게 한다. ( )

(2) (가)는 항공기의 엔진에 고장을 일으켜 항공기 운항에 방해가 될 수 있다. ( )

(3) (가)가 다량으로 분출되어 기권에 영향을 주기도 한다. ( )

(4) (가)에 물이 섞여 지표를 따라 흐르면서 산사태가 발생하는 것은 기권에 영향을 미친 예이다. ( )

(5) (나)는 농경지나 건물 등을 뒤덮고, 산불을 일으켜 인명이나 재산 피해를 발생시킬 수 있다. ( )

(6) (다)는 화산 지대에서 태양 에너지를 이용하여 전기를 생산하는 방식이다. ( )

상 4문항
중 12문항
하 7문항

A 지각 변동

화산 활동과 지진

빈출

642 하 중 상 **대표문제 多 보기**

화산 활동과 지진에 대한 설명으로 옳지 않은 것만을 모두 고르면?(2개)

① 화산 활동과 지진은 지구 내부 에너지에 의해 일어난다.
② 대기 중으로 방출된 다량의 화산재는 햇빛을 가려 일시적으로 지구의 평균 기온을 낮춘다.
③ 화산 활동으로 항공기 운항이 중단되어 물류 수송에 차질이 생길 수 있다.
④ 해저에서 발생한 지진은 해안 지역에 피해를 주지 않는다.
⑤ 지진파를 분석하여 지하자원을 탐사하기도 한다.
⑥ 지진이 자주 발생하는 지역 주변에 댐과 수로를 건설한다.

643 하 중 상

화산 폭발 시 분출하는 물질의 종류 세 가지를 쓰시오.

빈출

644 하 중 상

화산 활동의 특징 및 화산 활동이 우리에게 미치는 영향에 대한 설명으로 옳지 않은 것은?

① 화산 가스의 함량이 많을수록 화산이 격렬하게 분출한다.
② 화산 쇄설물은 입자의 크기에 따라 구분한다.
③ 퇴적된 화산재는 토양을 영구적으로 황폐화시킨다.
④ 마그마가 식으면서 유용한 광물 자원이 생성될 수 있다.
⑤ 화산 지대의 온천과 화산 지형은 관광 자원으로 활용된다.

645 하 중 상 **서술형**

화산 활동은 우리에게 피해를 주지만 긍정적인 영향을 주기도 한다. 화산 활동이 우리에게 주는 혜택을 세 가지만 서술하시오.

646 하 중 상

화산 활동과 지진이 지구 시스템에 미치는 영향에 대한 설명으로 옳은 것만을 〈보기〉에서 있는 대로 고른 것은?

〈 보기 〉
ㄱ. 화산 활동은 지진을 발생시켜 태풍을 일으킨다.
ㄴ. 해저 화산의 분출로 새로운 섬이 생기면 생물에게 새로운 서식처를 제공한다.
ㄷ. 해저에서 생긴 지진에 의해 지진 해일이 발생하는 것은 지권이 수권에 미친 영향이다.

① ㄱ ② ㄴ ③ ㄷ
④ ㄱ, ㄴ ⑤ ㄴ, ㄷ

647 하 중 상

그림 (가)는 화산 분출물을, (나)는 A의 성분을 나타낸 것이다.

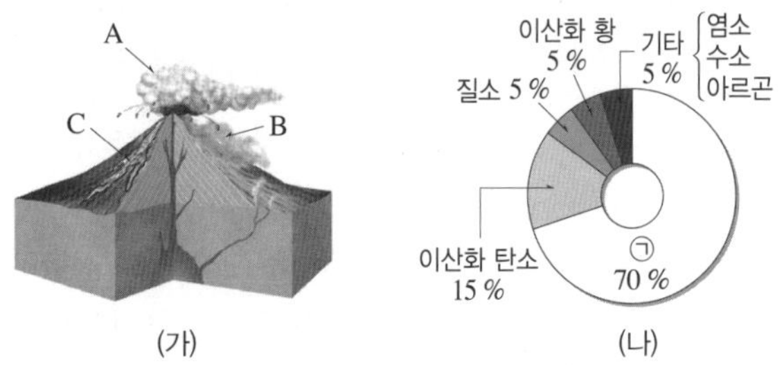

(가) (나)

이에 대한 설명으로 옳지 않은 것은?

① A에 의해 산성비가 내린다.
② B는 햇빛의 반사율을 감소시킨다.
③ B와 함께 분출된 인, 칼륨은 토양을 비옥하게 한다.
④ C는 화산 폭발로 생성된 액체 상태의 물질이다.
⑤ (나)의 ㉠은 수증기이다.

648 하 중 상

그림 (가)와 (나)는 화산 활동으로 생성된 순상 화산과 종상 화산을 순서 없이 나타낸 것이다.

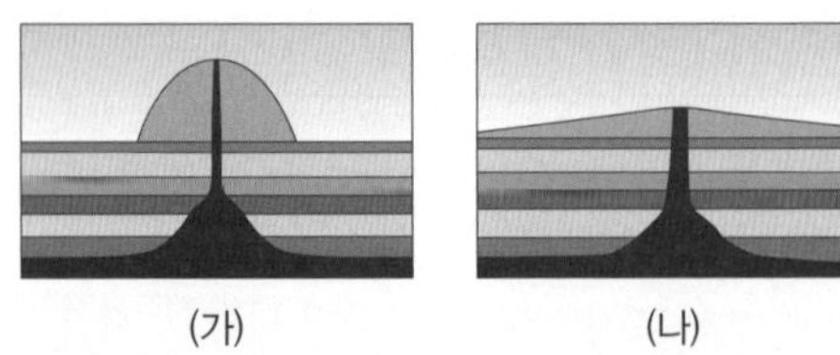

(가) (나)

(가)와 (나)를 만든 용암의 특징을 옳게 비교한 것만을 〈보기〉에서 있는 대로 고른 것은?

〈 보기 〉
ㄱ. 용암의 SiO_2 함량비는 (가)가 (나)보다 높다.
ㄴ. 용암의 온도는 (가)가 (나)보다 높다.
ㄷ. (가)는 (나)보다 폭발적으로 분출하였다.

① ㄱ ② ㄴ ③ ㄱ, ㄷ
④ ㄴ, ㄷ ⑤ ㄱ, ㄴ, ㄷ

649 하 중 상 ••서술형

표는 용암 A와 B의 SiO_2 함량과 화산체의 경사를 비교한 것이다.

용암	SiO_2 함량	화산체의 경사
A	49 %	완만하다.
B	72 %	급하다.

용암 A와 B의 온도, 점성, 유동성을 비교하여 서술하시오.

650 하 중 상 ••서술형

그림은 1991년에 분출한 필리핀 피나투보 화산의 분출 전후로 지구의 평균 기온 변화를 나타낸 것이다.

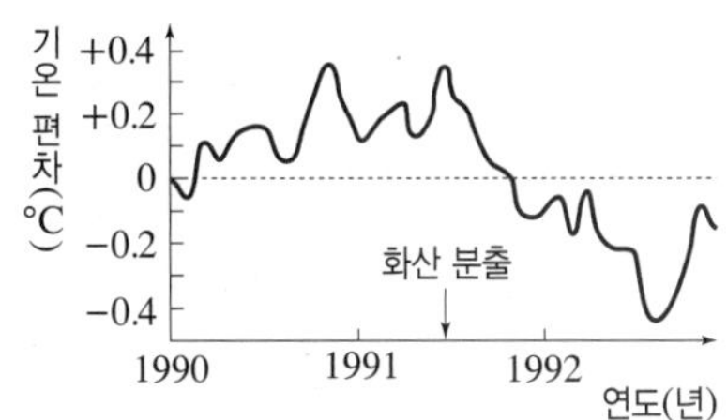

(1) 화산 분출 후 약 1년 동안 일어난 지구의 평균 기온 변화를 그 까닭과 함께 서술하시오.

(2) 화산 분출에 의한 기온 변화는 지구 시스템의 어느 권역 간의 상호 작용인지 쓰시오.

(3) 화산 분출의 원인이 된 지구 시스템의 에너지원을 쓰시오.

651 하 중 상

표는 2010년에 아이티와 칠레에서 발생한 지진을 비교한 것이다.

구분	아이티	칠레
발생일	1월 12일	2월 17일
규모	7.0	8.8
진앙으로부터의 거리	15 km	115 km
사망자 수	316,000명	521명
건축물의 내진 설계	부족	의무

칠레보다 아이티에서 피해가 더 컸던 까닭으로 옳은 것만을 〈보기〉에서 있는 대로 고른 것은?

〈 보기 〉

ㄱ. 발생한 지진의 에너지가 더 컸기 때문이다.
ㄴ. 진앙으로부터 더 가까웠기 때문이다.
ㄷ. 지진에 대한 대비가 부족했기 때문이다.

① ㄱ ② ㄴ ③ ㄱ, ㄷ
④ ㄴ, ㄷ ⑤ ㄱ, ㄴ, ㄷ

652 하 중 상

그림은 2014년 인도네시아 주변 해역에서 발생한 지진의 진앙을 나타낸 것이다.

이에 대한 설명으로 옳은 것만을 〈보기〉에서 있는 대로 고른 것은?

〈 보기 〉

ㄱ. 지권에 누적된 태양 에너지가 갑자기 방출되면서 일어나는 현상이다.
ㄴ. 말레이시아에서는 지진의 규모가 작게 측정된다.
ㄷ. 쓰나미(지진 해일)는 지권과 수권의 상호 작용으로 발생한다.

① ㄱ ② ㄴ ③ ㄷ
④ ㄱ, ㄴ ⑤ ㄴ, ㄷ

653 하 중 상

그림은 한 지점에서 발생한 지진을 관측소 A, B, C 지역에서 관측한 것이다.

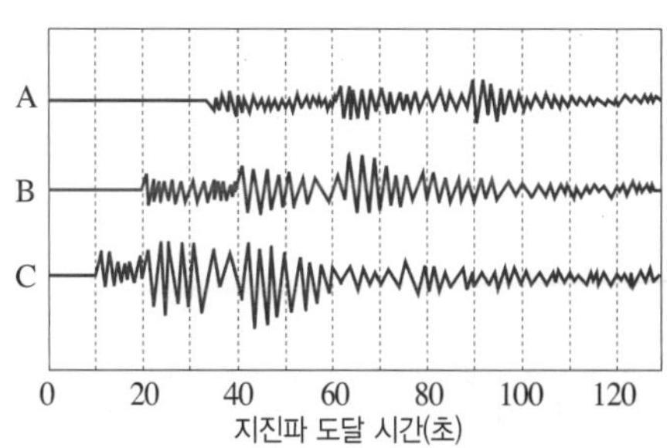

이에 대한 설명으로 옳은 것만을 〈보기〉에서 있는 대로 고른 것은?

〈 보기 〉

ㄱ. A~C 지역 중 관측소가 위치한 지역의 땅이 흔들리는 정도는 A 지역이 가장 작고, C 지역이 가장 크다.
ㄴ. 규모는 B 지역이 A 지역보다 크게 측정된다.
ㄷ. 진원으로부터의 거리는 C 지역이 B 지역보다 멀다.

① ㄱ ② ㄷ ③ ㄱ, ㄴ
④ ㄴ, ㄷ ⑤ ㄱ, ㄴ, ㄷ

654 하/중/상

그림은 1978년에 우리나라에서 발생한 규모 5.2인 지진의 진앙(★)과 진도 분포를 나타낸 것이다.

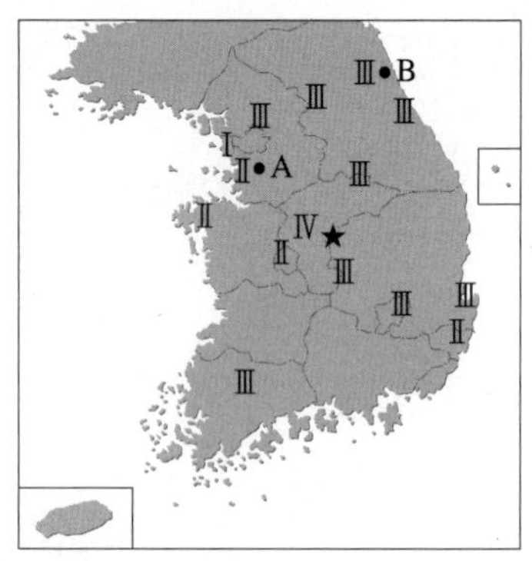

이에 대한 설명으로 옳은 것만을 <보기>에서 있는 대로 고른 것은?

〈 보기 〉

ㄱ. 진도는 진원에서 방출된 에너지의 크기로 나타낸다.
ㄴ. 지진의 규모는 B 지역이 A 지역보다 크다.
ㄷ. 지진에 의한 피해는 B 지역이 A 지역보다 크다.
ㄹ. 지진의 규모가 6.0이었다면, B 지역에서 지진파의 진폭은 더 크게 관측되었을 것이다.

① ㄱ, ㄴ ② ㄱ, ㄹ ③ ㄷ, ㄹ
④ ㄱ, ㄴ, ㄷ ⑤ ㄴ, ㄷ, ㄹ

화산대와 지진대

655 하/중/상

변동대에 대한 설명으로 옳지 <u>않은</u> 것은?

① 지각 변동의 에너지원은 지구 내부 에너지이다.
② 변동대는 주로 판 경계를 따라 띠 모양으로 나타난다.
③ 화산 활동과 지진은 대부분 판 경계에서 발생한다.
④ 화산대는 지진대보다 광범위한 지역에서 나타난다.
⑤ 화산 활동과 지진은 대서양 연안보다 태평양 연안에서 주로 발생한다.

빈출

656 하/중/상

대표문제 多 보기

그림은 전 세계 지진과 화산의 분포를 나타낸 것이다.

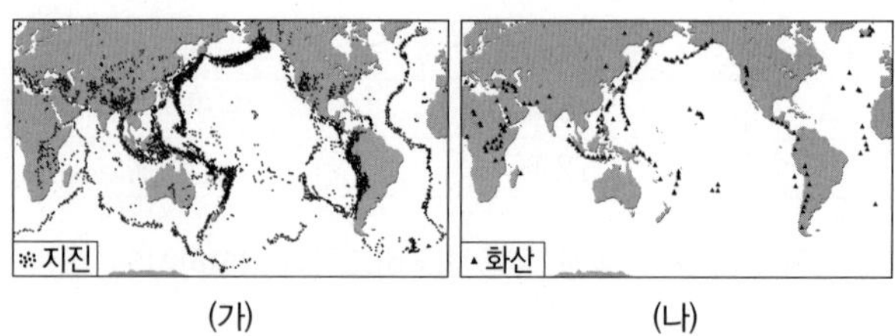

(가) (나)

이에 대한 설명으로 옳은 것만을 모두 고르면?(2개)

① 지진이 발생하는 모든 지역에서 화산 활동이 일어난다.
② 태평양 연안보다 대서양 연안에서 지진이 활발하다.
③ 태평양 연안의 지진대와 화산대는 거의 일치한다.
④ 태평양 중심 부근에는 판 경계가 발달해 있다.
⑤ 지진과 화산 활동은 판 경계에서 주로 발생한다.
⑥ 태양 활동이 활발할 때 지진과 화산 활동도 활발하다.
⑦ 지진과 화산 활동은 지구 시스템에 부정적인 영향만 준다.

657 하/중/상

••서술형

화산 활동과 지진이 자주 발생하는 곳이 특정한 곳에 주로 분포하는 까닭을 판 구조론의 관점에서 서술하시오.

658 하/중/상

그림 (가)는 어느 지역에서 화산 활동 전후로 2년 동안 발생한 지진의 진원 분포를, (나)는 연도별 화산 주변 지표면의 높이 변화를 나타낸 것이다.

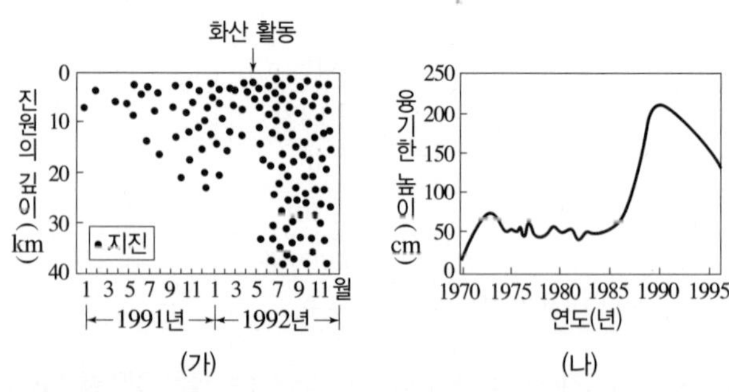

(가) (나)

이에 대한 설명으로 옳은 것만을 <보기>에서 있는 대로 고른 것은?

〈 보기 〉

ㄱ. 화산 활동은 지진 발생의 원인이 된다.
ㄴ. 화산 활동이 일어나면 지형이 변화한다.
ㄷ. (가)에서 화산 폭발 후 발생한 지진은 대부분 천발 지진이다.

① ㄱ ② ㄷ ③ ㄱ, ㄴ
④ ㄴ, ㄷ ⑤ ㄱ, ㄴ, ㄷ

B 판 구조론

659 하중상

판에 대한 설명으로 옳은 것은?

① 암석권의 조각이다.
② 해양 지각에 해당한다.
③ 대륙 지각에 해당한다.
④ 암석권과 연약권을 포함한다.
⑤ 지각과 맨틀 전체에 해당한다.

660 하중상 ••서술형

그림은 판의 구조를 나타낸 것이다.

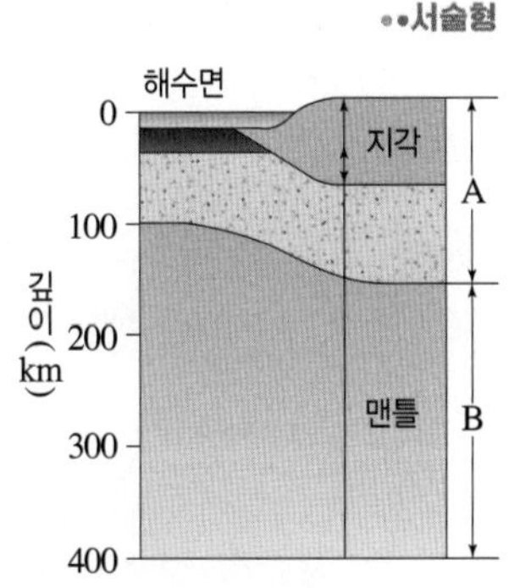

(1) A와 B를 각각 무엇이라고 하는지 쓰시오.

(2) 대륙판과 해양판의 두께, 구성 물질, 밀도를 비교하여 서술하시오.

빈출 661 하중상 대표문제 多 보기

그림은 지구 내부 구조의 일부를 나타낸 것이다.

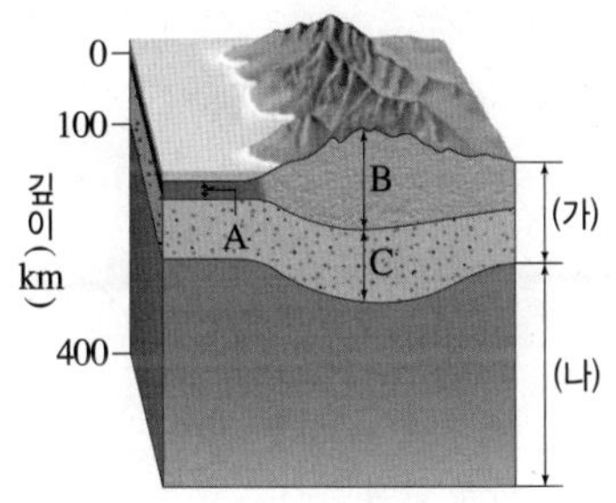

이에 대한 설명으로 옳지 않은 것만을 모두 고르면?(2개)

① 판은 A+C, B+C에 해당한다.
② C는 맨틀 부분이다.
③ (가)는 암석권이다.
④ (나)는 부분적으로 용융되어 대류가 일어난다.
⑤ (가)는 고체 상태, (나)는 액체 상태이다.
⑥ 대륙판은 해양판보다 밀도가 크다.
⑦ 암석권은 여러 조각으로 나누어져 있다.

빈출 662 하중상 대표문제 多 보기

판 구조론에 대한 설명으로 옳지 않은 것만을 모두 고르면?(2개)

① 판은 지각과 상부 맨틀 일부를 포함하는 단단한 암석층이다.
② 지구 표면은 커다란 한 개의 판으로 이루어져 있다.
③ 판은 맨틀의 대류를 따라 이동한다.
④ 판은 이동 방향이 서로 다르지만 이동 속력은 같다.
⑤ 서로 인접한 판의 운동으로 지권의 변화가 일어난다.
⑥ 판 경계는 판의 상대적인 이동 방향에 따라 발산형 경계, 수렴형 경계, 보존형 경계로 구분한다.

663 하중상 ••서술형

다음은 '판 이동의 원동력'을 알아보기 위한 실험 과정과 결과이다.

[실험 과정]
(가) 냄비에 우유를 붓고, 우유 표면에 코코아 가루를 뿌린다.
(나) 냄비 아래쪽을 가열하면서 코코아 가루의 움직임을 관찰한다.

[실험 결과]
가열된 우유가 상승하여 대류가 일어나고, 코코아로 덮인 표면이 갈라져 여러 조각으로 나뉘어 이동한다.

(1) 코코아 가루와 우유는 실제 지구에서 각각 무엇에 비유되는지 쓰시오.

(2) 판 이동의 원동력을 다음 용어를 모두 포함하여 서술하시오.

지구 내부 에너지, 맨틀, 밀도, 대류, 판

664 하중상 ••서술형

다음은 판 구조론에 대한 대화 내용이다. 판 구조론에 대해 잘못 알고 있는 내용을 모두 찾아 옳게 고치시오.

- 정민: 판 경계에서 일어나는 여러 가지 지각 변동은 지구 내부 에너지에 의해 발생해.
- 수민: 해양판과 대륙판이 만나면 해양판이 대륙판 아래로 들어가면서 화산 활동이나 지진이 발생해.
- 희민: 지구 내부에서 액체 상태인 외핵이 대류하면서 판이 서서히 움직이고 있어.
- 유민: 판은 서로 같은 속력으로 이동하기 때문에 시간이 지나도 태평양과 대서양의 크기는 변하지 않아.

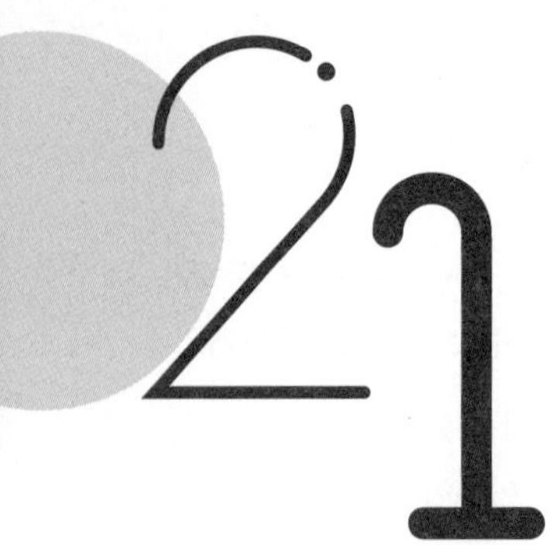

판 경계의 지각 변동

Ⓐ 판 경계의 종류와 지각 변동

1 판 경계의 종류 판의 상대적인 ❶□□ □□에 따라 구분한다.

두 판의 밀도 차이가 크면 밀도가 큰 판이 밀도가 작은 판 아래로 섭입한다.

구분	발산형 경계	보존형 경계	수렴형 경계
상대적인 판의 이동 방향	이웃한 두 판이 서로 멀어지는 경우	이웃한 두 판이 서로 어긋나는 경우	이웃한 두 판이 서로 가까워지는 경우
맨틀 대류 및 판의 생성	맨틀 대류가 ❷□□하는 곳에서 해양 지각이 생성되면서 판이 생성된다.	판이 생성되거나 소멸되지 않고 보존된다.	맨틀 대류가 ❸□□하는 곳에서 판이 수렴하여 소멸한다.

기출 Tip Ⓐ-2

해령과 변환 단층의 지각 변동
해령과 변환 단층을 따라 천발 지진이 발생하고, 화산 활동은 해령에서만 일어난다.

판 경계의 단층
- 발산형 경계: 장력(양쪽에서 당기는 힘)이 작용 ➜ 정단층
- 수렴형 경계: 횡압력(양쪽에서 미는 힘)이 작용 ➜ 역단층

2 발산형 경계와 보존형 경계의 지각 변동

구분	발산형 경계		보존형 경계
	해양판과 해양판	대륙판과 대륙판	
모식도	해령, 열곡, 해양판, 해양판, * 지진	열곡대, 대륙판, 대륙판, * 지진	해령과 해령 사이에 발달, 변환 단층, 판, 판, * 지진
지각 변동	화산 활동, ❹□□ 지진, 정단층		천발 지진
지형	❺□□	열곡대	❻□□ □□
예	대서양 중앙 해령	동아프리카 열곡대	산안드레아스 단층

기출 Tip Ⓐ-3

섭입형 경계의 지각 변동
밀도가 큰 판이 섭입하면서 지진이 발생하고 마그마가 생성되어 분출하므로, 지진과 화산 활동은 주로 밀도가 작은 판 부근에서 나타난다.

섭입형 경계와 충돌형 경계 비교
- 섭입형 경계: 밀도가 큰 판은 깊은 곳까지 섭입하여 심발 지진이 발생하고 화산 활동이 활발하다.
- 충돌형 경계: 판의 밀도 차이가 크지 않기 때문에 판이 깊은 곳까지 들어가지 못하여 심발 지진이 발생하지 않으며 화산 활동이 활발하지 않다.

3 수렴형 경계의 지각 변동

구분	섭입형		충돌형
	해양판과 해양판	대륙판과 해양판	대륙판과 대륙판
모식도	호상 열도, 해구, 해양판, 해양판, • 지진	해구, 습곡 산맥, 해양판, 대륙판, • 지진	습곡 산맥, 대륙판, 대륙판, • 지진
지각 변동	화산 활동, 천발 지진, 중발 지진, 심발 지진, 역단층		천발 지진, 중발 지진, 역단층
지형	해구, ❼□□ □□	❽□□, 습곡 산맥	❾□□ □□
예	마리아나 해구	안데스산맥	히말라야산맥

▲ 판 경계의 종류와 지형

해령에서 해구로 갈수록 해양 지각의 나이가 많다.

B 전 세계의 판 경계

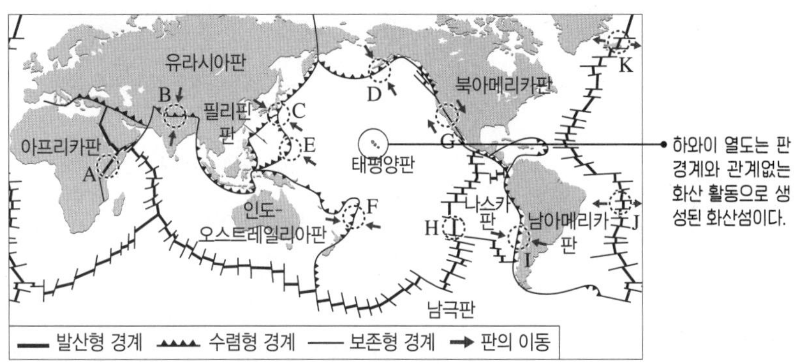

구분	A	B	C	D	E	F
판 경계	발산형	수렴형(충돌형)	수렴형(⑩)		수렴형(섭입형)	
예	동아프리카 열곡대	히말라야산맥	일본 해구	알류샨 해구	마리아나 해구	통가 해구

구분	G	H	I	J	K
판 경계	⑪	발산형	수렴형(섭입형)	⑫	발산형
예	산안드레아스 단층	동태평양 해령	안데스산맥	대서양 중앙 해령	아이슬란드 열곡대

우리나라 주변의 판 경계

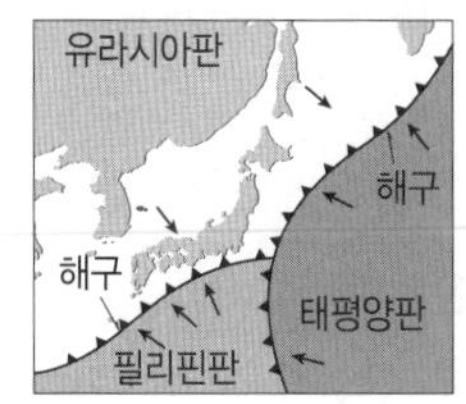

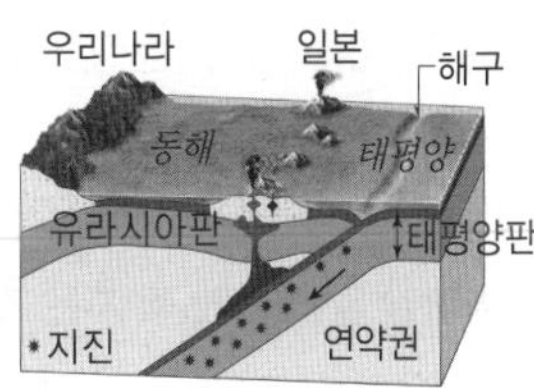

- 대륙판인 유라시아판 아래로 해양판인 필리핀판과 태평양판이 섭입하고 있다.
  ➡ 밀도: 유라시아판 < 필리핀판 < 태평양판
- 해구에서 우리나라로 올수록 진원이 깊어진다.
- 화산 활동은 유라시아판 쪽에서 활발하다.
- 일본은 호상 열도이다.

기출 Tip B

판 경계에 따른 지각 변동

발산형	천발 지진, 화산 활동
보존형	천발 지진
수렴형	• 충돌형: 천발~중발 지진 • 섭입형: 천발~심발 지진, 화산 활동

답 ❶ 이동 방향 ❷ 상승 ❸ 하강 ❹ 천발 ❺ 해령 ❻ 변환 단층 ❼ 호상 열도 ❽ 해구 ❾ 습곡 산맥 ❿ 섭입형 ⓫ 보존형 ⓬ 발산형

빈출 자료 보기

정답과 해설 60쪽

665 그림은 판 경계에서 발달하는 지형을 나타낸 것이다.

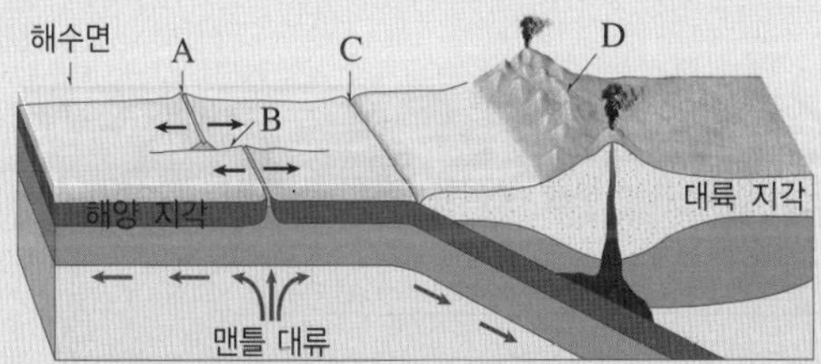

이에 대한 설명으로 옳은 것은 ○, 옳지 않은 것은 ×로 표시하시오.

(1) A는 발산형 경계이다. ( )
(2) B에서는 변환 단층이 발달한다. ( )
(3) B에서는 화산 활동이 활발하게 일어난다. ( )
(4) C는 맨틀 대류의 상승부에서 나타나는 해구이다. ( )
(5) C 경계에서는 화산 활동으로 새로운 판이 생성된다. ( )
(6) A~C 경계 부근에서는 모두 지진이 발생한다. ( )
(7) D에서 습곡 산맥이 형성된다. ( )

666 그림은 전 세계의 판 경계를 나타낸 것이다.

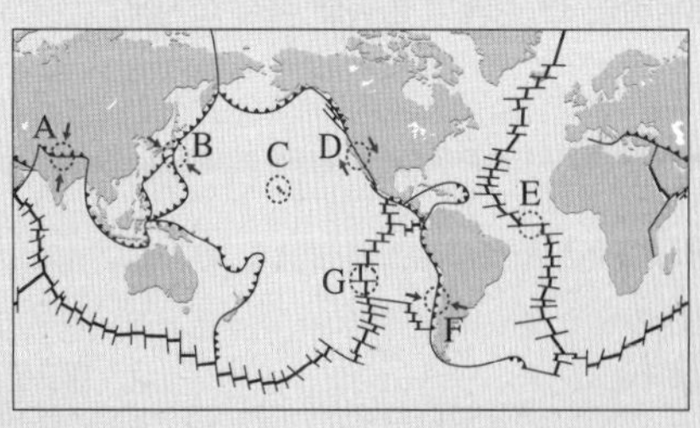

이에 대한 설명으로 옳은 것은 ○, 옳지 않은 것은 ×로 표시하시오.

(1) A는 대륙판과 대륙판의 수렴형 경계이다. ( )
(2) B에서는 호상 열도가 생성된다. ( )
(3) C는 판 경계에서 화산 활동이 활발하게 일어난다. ( )
(4) D에서는 심발 지진이 발생한다. ( )
(5) E에서는 화산 활동이 일어나지 않는다. ( )
(6) F에서는 해구가 형성되며, 습곡 산맥은 형성될 수 없다. ( )
(7) G는 해령과 해령 사이에 보존형 경계가 존재한다. ( )

A 판 경계의 종류와 지각 변동

판 경계의 구분과 지각 변동

667 하중상

표는 판 경계를 분류한 것을 나타낸 것이다.

판 경계	지각 변동	지형
수렴형 경계	지진, 화산 활동	(㉡), 호상 열도, 습곡 산맥
발산형 경계	지진, 화산 활동	(㉢), 열곡대
보존형 경계	(㉠)	변환 단층

(1) 판 경계를 수렴형, 발산형, 보존형 경계로 구분한 기준을 쓰시오.

(2) ㉠~㉢에 알맞은 지각 변동 및 지형을 쓰시오.

668 하중상

그림은 판 경계를 구분하고 판 경계에 해당하는 대표적인 지형의 예를 나타낸 것이다.

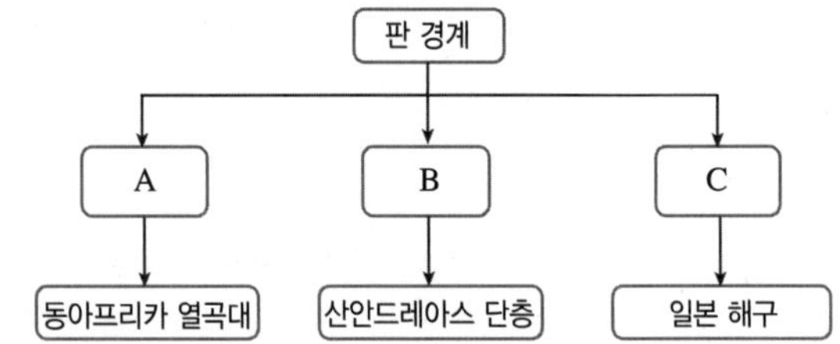

A~C에 해당하는 판 경계의 종류를 각각 쓰시오.

669 하중상 대표문제 多 보기

수렴형 경계에 대한 설명으로 옳은 것만을 모두 고르면?(2개)

① 맨틀 대류가 상승하는 곳에서 형성된다.
② 두 판이 서로 어긋나며 스쳐 지나간다.
③ 새로운 판이 생성되어 양쪽으로 멀어진다.
④ 히말라야산맥은 습곡 산맥에 해당한다.
⑤ 산안드레아스 단층이 대표적인 예이다.
⑥ 횡압력이 작용하여 역단층이 주로 발달한다.
⑦ 장력이 작용하여 정단층이 주로 발달한다.

빈출 **670** 하중상

그림 (가)~(다)는 판의 상대적인 이동 방향과 판 경계를 나타낸 모식도이다.

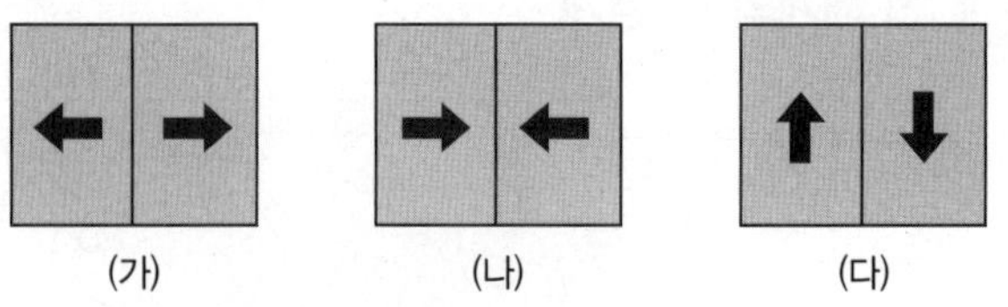

이에 대한 설명으로 옳은 것은?

① 수렴형 경계는 (가)이다.
② 천발 지진은 (가), (나), (다)에서 모두 나타난다.
③ (나)에서 새로운 해양 지각이 생성될 수 있다.
④ 맨틀 대류의 하강부에서 형성되는 판 경계는 (다)이다.
⑤ (나)가 해양판과 대륙판의 경계일 경우 대륙판이 해양판 아래로 섭입한다.

671 하중상

그림은 판 경계를 구분하는 과정을 나타낸 것이다.

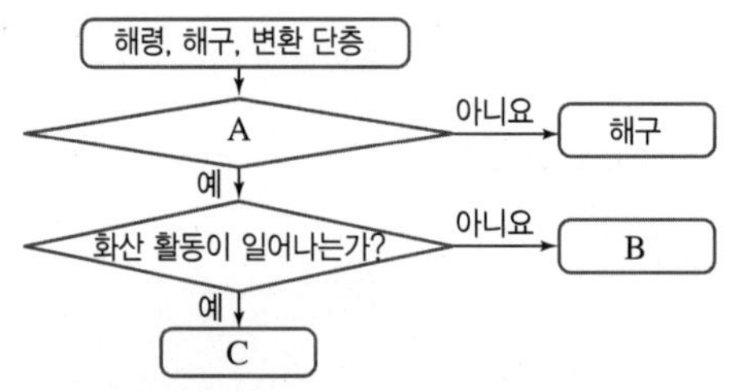

A, B, C에 들어갈 말을 옳게 짝 지은 것은?

	A	B	C
①	판이 생성되는가?	해령	변환 단층
②	판이 생성되는가?	변환 단층	해령
③	지진이 발생하는가?	변환 단층	해령
④	지진이 발생하는가?	해령	변환 단층
⑤	지진 중 천발 지진만 발생하는가?	변환 단층	해령

672 하중상 ••서술형

그림은 판 경계 A~D를 특징에 따라 구분하는 과정이다.

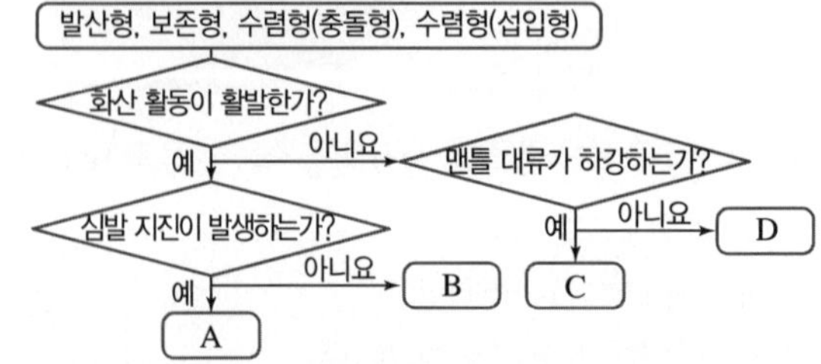

(1) A~D에 해당하는 판 경계의 종류를 각각 쓰시오.

(2) A~D에서 발달하는 지형을 한 가지씩만 쓰시오.

673 하 중 상

그림은 판 경계와 판의 이동 방향을 모식적으로 나타낸 것이다.

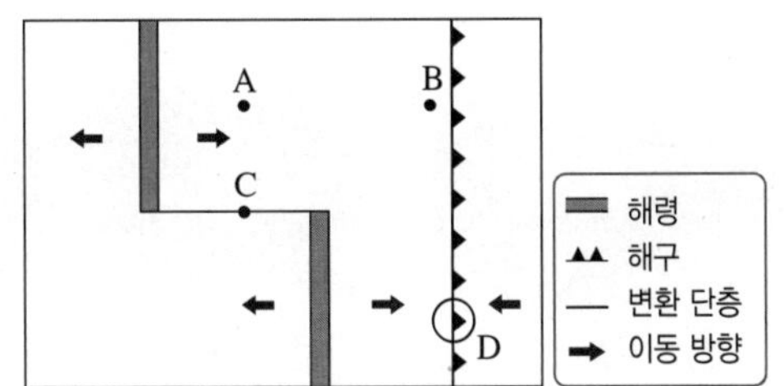

이에 대한 설명으로 옳은 것만을 <보기>에서 있는 대로 고른 것은?

< 보기 >

ㄱ. A에서 B로 갈수록 해양 지각의 나이가 많아진다.
ㄴ. C에서는 화산 활동이 활발하게 일어난다.
ㄷ. D는 맨틀 대류의 하강부에 위치하여 판이 소멸하는 경계이다.

① ㄱ ② ㄴ ③ ㄱ, ㄷ
④ ㄴ, ㄷ ⑤ ㄱ, ㄴ, ㄷ

674 하 중 상

그림 (가)는 판 Ⅰ과 Ⅱ의 경계를, (나)는 두 판의 밀도와 이동 방향을 나타낸 것이다.

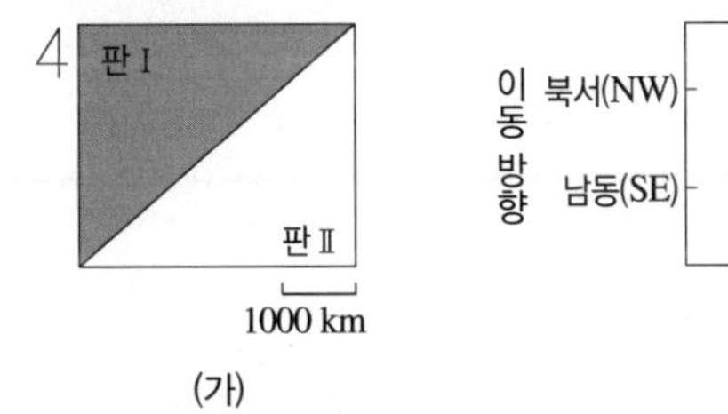

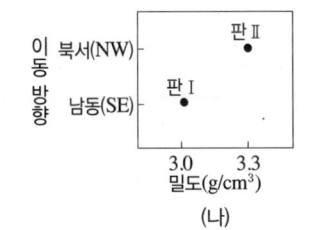

이에 대한 설명으로 옳은 것만을 <보기>에서 있는 대로 고른 것은?

< 보기 >

ㄱ. 판 Ⅰ은 판 Ⅱ 아래로 섭입한다.
ㄴ. 화산 활동은 판 Ⅰ보다 판 Ⅱ에서 더 활발하다.
ㄷ. 진원의 깊이는 두 판의 경계에서 판 Ⅰ 쪽으로 갈수록 깊어진다.

① ㄱ ② ㄷ ③ ㄱ, ㄴ
④ ㄴ, ㄷ ⑤ ㄱ, ㄴ, ㄷ

675 하 중 상

그림은 해양판 A, B의 경계와 진앙 분포를, 표는 두 판의 이동 방향과 속력을 나타낸 것이다.

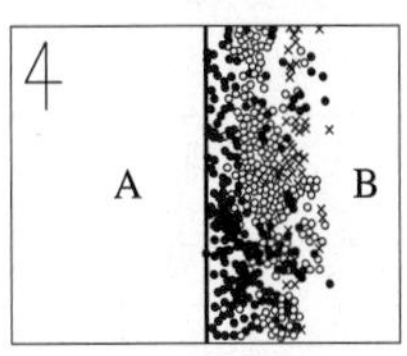

– 판의 경계
• 천발 지진
◦ 중발 지진
× 심발 지진

판	A	B
이동 방향	동쪽	동쪽
이동 속력 (cm/년)	6	㉠

이에 대한 설명으로 옳은 것만을 <보기>에서 있는 대로 고른 것은?

< 보기 >

ㄱ. 보존형 경계이다.
ㄴ. A와 B의 경계에서 해구가 발달한다.
ㄷ. B는 A보다 밀도가 크다.
ㄹ. ㉠은 6보다 작다.

① ㄱ, ㄴ ② ㄱ, ㄷ ③ ㄴ, ㄷ
④ ㄴ, ㄹ ⑤ ㄷ, ㄹ

676 하 중 상 ••서술형

그림은 판 경계에서 형성되는 세 지형을 질문 카드를 사용하여 분류하는 과정이다.

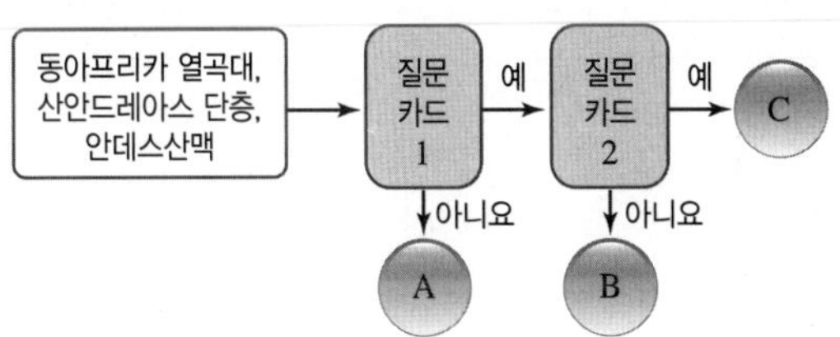

질문 카드 1, 2에 적합한 질문을 서술하고, 질문에 따라 A, B, C에 해당하는 지형을 쓰시오. (단, 질문에서는 발산형, 수렴형, 보존형 경계를 직접 묻지 않는다.)

판 경계 부근의 모식도와 지각 변동

677 하 중 상

그림은 해령 부근에서 판의 이동 방향을 나타낸 것이다.

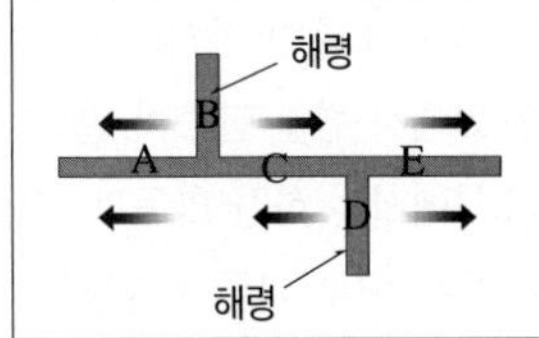

(1) 그림에 나타나는 판 경계의 종류를 모두 쓰시오.

(2) A~E 지점 중 지진은 활발하지만 화산 활동이 일어나지 않는 지점을 고르시오.

678 하 중 상

히말라야산맥과 안데스산맥을 비교한 것으로 옳지 않은 것은?

	구분	히말라야산맥	안데스산맥
①	맨틀 대류	상승부	하강부
②	판 경계	충돌대	섭입대
③	판 종류	대륙판과 대륙판의 경계	대륙판과 해양판의 경계
④	지진	천발~중발 지진	천발~심발 지진
⑤	화산 활동	활발하지 않음	활발

679 하 중 상

••서술형

그림은 판의 운동을 모식적으로 나타낸 것이다.

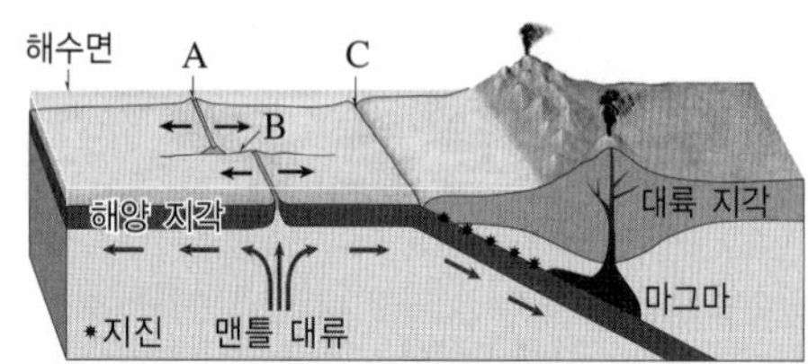

A~C에 해당하는 판 경계의 명칭을 쓰고, 각각의 경계에서 발달하는 지형과 자주 발생하는 지각 변동을 쓰시오.

	판 경계	지형	지각 변동
A	㉠	㉣	㉦
B	㉡	㉤	㉧
C	㉢	㉥	㉨

680 하 중 상

대표문제 多 보기

그림은 해령 부근의 판 경계를 모식적으로 나타낸 것이다.

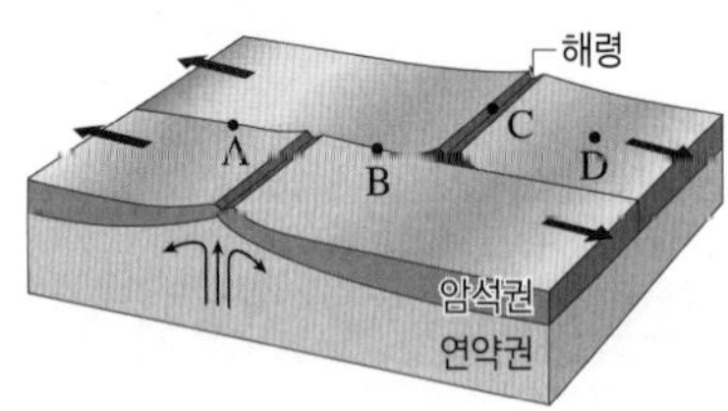

이에 대한 설명으로 옳지 않은 것만을 모두 고르면?(2개)

① A는 보존형 경계이다.
② B에서 변환 단층이 발달한다.
③ B에서는 화산 활동과 천발 지진이 발생한다.
④ C는 맨틀 대류가 상승하는 곳이다.
⑤ 새로운 판이 생성되는 곳은 C이다.
⑥ A와 D는 서로 다른 판에 위치한다.
⑦ 해양 지각의 나이는 D가 C보다 많다.

빈출

681 하 중 상

그림 (가)와 (나)는 안데스산맥과 히말라야산맥의 단면을 순서 없이 나타낸 것이다.

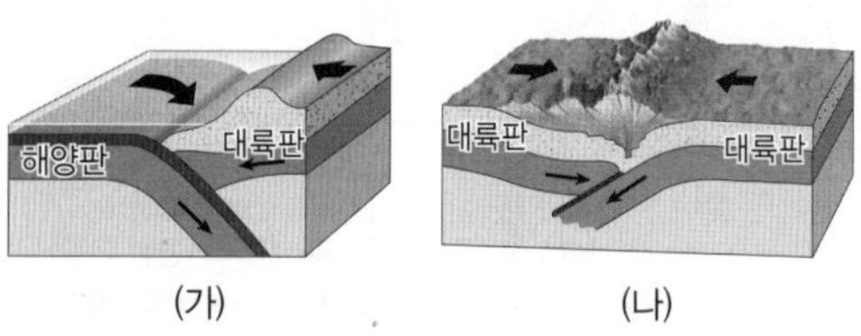

(가) (나)

이에 대한 설명으로 옳지 않은 것은?

① (가)는 안데스산맥이다.
② (나)에서는 새로운 대륙 지각이 생성된다.
③ 화산 활동은 (나)보다 (가)에서 활발하게 일어난다.
④ 심발 지진은 (나)보다 (가)에서 자주 발생한다.
⑤ (가)와 (나)는 모두 수렴형 경계이다.

682 하 중 상

그림 (가)와 (나)는 서로 다른 판 경계를 나타낸 모식도이다.

(가) (나)

이에 대한 설명으로 옳은 것만을 〈보기〉에서 있는 대로 고른 것은?

〈 보기 〉
ㄱ. (가)는 판의 보존형 경계이다.
ㄴ. (나)에서는 맨틀 물질이 하강하면서 두 판이 갈라진다.
ㄷ. (나)는 판 경계에서 멀어질수록 지각의 나이가 많다.

① ㄱ ② ㄴ ③ ㄷ
④ ㄱ, ㄴ ⑤ ㄴ, ㄷ

683 하 중 상

••서술형

그림 (가)~(다)는 서로 다른 지역의 수렴형 경계를 나타낸 모식도이다.

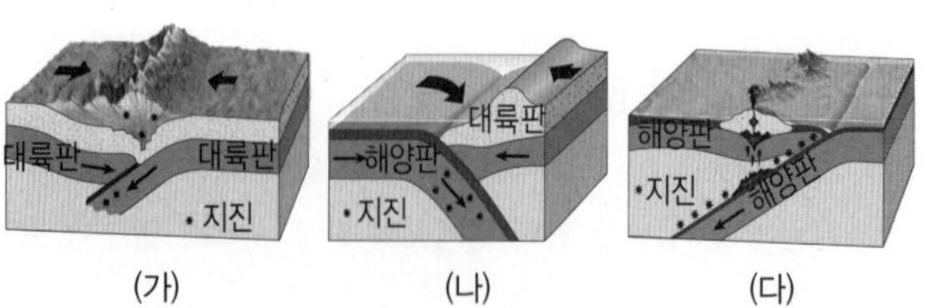

(가) (나) (다)

(가)~(다)에서 형성되는 지형을 각각 서술하시오.

684 하 중 상

그림 (가)~(다)는 서로 다른 판 경계를 나타낸 모식도이다.

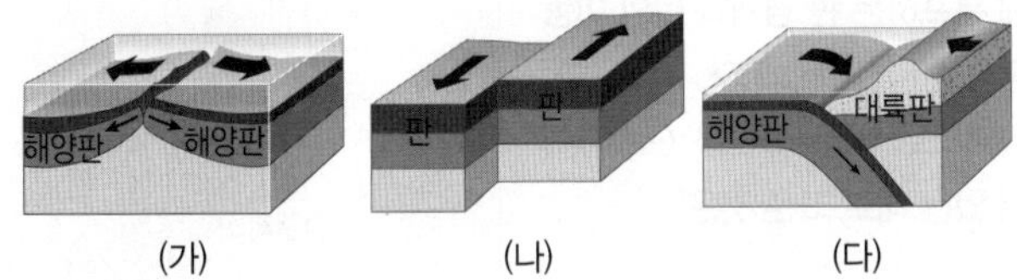

(가) (나) (다)

이에 대한 설명으로 옳은 것만을 〈보기〉에서 있는 대로 고른 것은?

〈 보기 〉
ㄱ. (가)에서는 주로 정단층이 나타난다.
ㄴ. (나)와 (다)에서는 화산 활동이 활발하게 일어난다.
ㄷ. (다)에서는 대륙 지각이 소멸된다.

① ㄱ ② ㄷ ③ ㄱ, ㄴ
④ ㄴ, ㄷ ⑤ ㄱ, ㄴ, ㄷ

685 하 중 상

대표문제 多 보기

그림은 판 경계를 모식적으로 나타낸 것이다.

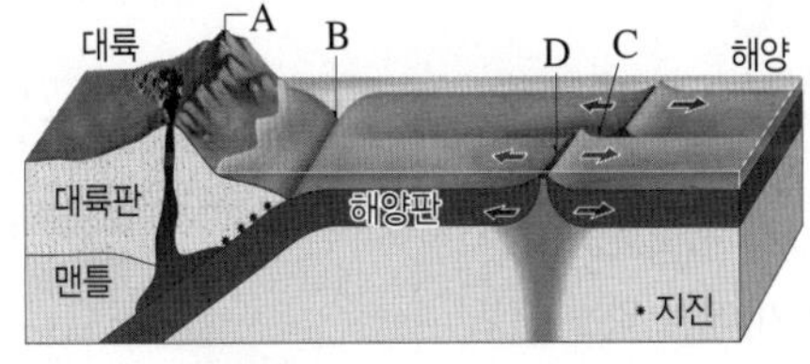

이에 대한 설명으로 옳지 않은 것만을 모두 고르면?(2개)

① A에는 히말라야산맥과 같은 습곡 산맥이 생성된다.
② B에서 A로 갈수록 진원의 깊이가 깊어진다.
③ C 경계에서는 판과 판이 어긋난다.
④ C 경계에서는 화산 활동이 활발하다.
⑤ D 경계는 해령으로 새로운 해양 지각이 생성된다.
⑥ B, C, D 경계에서는 모두 천발 지진이 발생한다.

686 하 중 상

그림은 태평양과 대서양의 판의 운동을 모식적으로 나타낸 것이다.

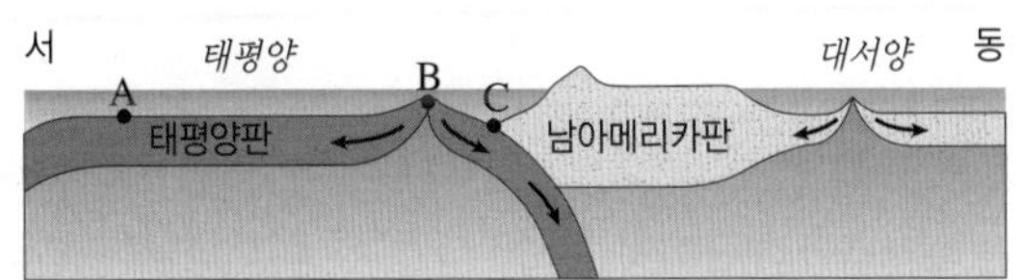

이에 대한 설명으로 옳은 것만을 〈보기〉에서 있는 대로 고른 것은?

〈 보기 〉
ㄱ. 심해 퇴적물의 두께는 A 지점이 B 지점보다 두껍다.
ㄴ. 이웃한 판의 밀도 차이는 B 지점이 C 지점보다 크다.
ㄷ. 태평양 연안보다 대서양 연안에서 지진이 자주 발생한다.

① ㄱ ② ㄷ ③ ㄱ, ㄴ
④ ㄴ, ㄷ ⑤ ㄱ, ㄴ, ㄷ

B 전 세계의 판 경계

[687~688] 그림은 전 세계의 주요 판 경계를 나타낸 것이다.

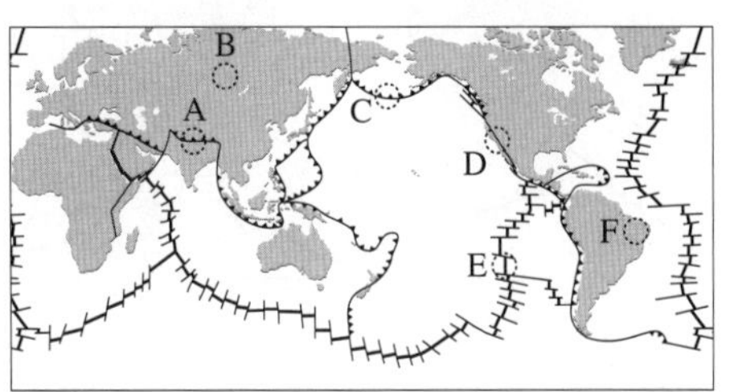

687 하 중 상

A ~ F 중 화산 활동이 활발한 지역만을 모두 고른 것은?

① A, D ② C, E ③ A, C, E
④ B, D, F ⑤ C, D, E

688 하 중 상

판 경계 A, C, D, E 지역의 명칭을 옳게 짝 지은 것만을 모두 고르면?(2개)

① A – 히말라야산맥 ② C – 마리아나 해구
③ D – 산안드레아스 단층 ④ E – 대서양 중앙 해령
⑤ E – 동아프리카 열곡대

[689~690] 그림은 전 세계의 주요 판 경계를 나타낸 것이다.

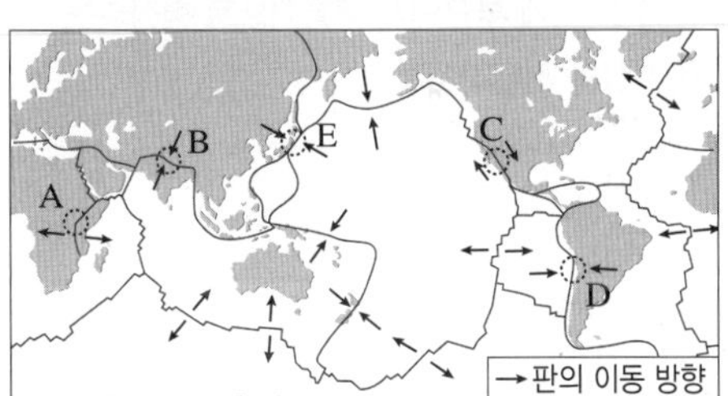

689 하 중 상

A ~ E 지역에 해당하는 지형과 판 경계를 옳게 짝 지은 것은?

		지형	판 경계
①	A	열곡대	발산형
②	B	호상 열도	수렴형
③	C	해구	수렴형
④	D	습곡 산맥	보존형
⑤	E	변환 단층	보존형

690 하 중 상

A ~ E 중 그림과 같은 지역에 해당하는 판의 경계는?

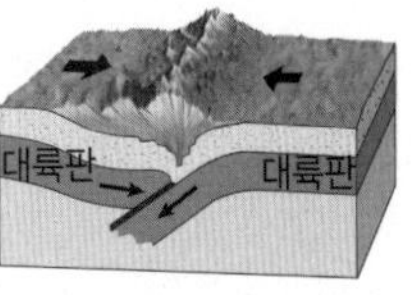

① A ② B ③ C
④ D ⑤ E

II

[691~692] 그림은 전 세계의 주요 판 경계를 나타낸 것이다.

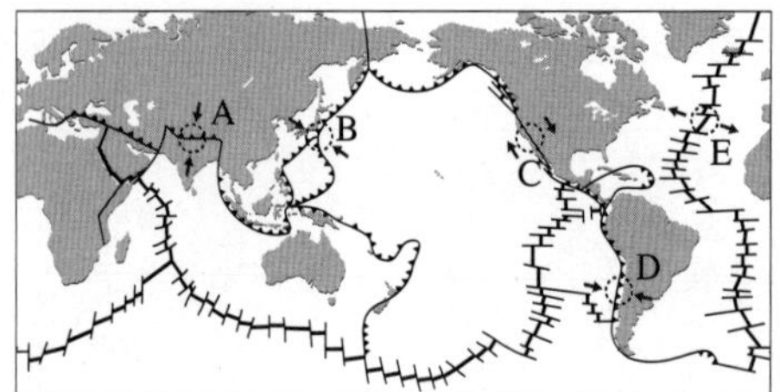

691 (하)(중)(상)

대표문제 (多) 보기

A～E 경계에 대한 설명으로 옳지 않은 것만을 모두 고르면?(2개)

① A에서는 천발 지진과 화산 활동이 활발하다.
② B에서는 해구와 나란하게 호상 열도가 생긴다.
③ C에서는 천발 지진이 발생한다.
④ 판이 생성되는 경계는 C와 E이다.
⑤ 인접한 두 판의 밀도 차이는 D가 E보다 크다.
⑥ A에는 역단층이, E에는 정단층이 주로 나타난다.
⑦ D는 판이 소멸하는 경계이다.

692 (하)(중)(상)

••서술형

B 경계 부근과 D 경계 부근에서 공통적으로 형성되는 지형과 다르게 형성되는 지형을 서술하시오.

693 (하)(중)(상)

그림은 동아프리카 지역에서 판에 작용하는 힘의 방향을 나타낸 것이다. 이에 대한 설명으로 옳은 것만을 〈보기〉에서 있는 대로 고른 것은?

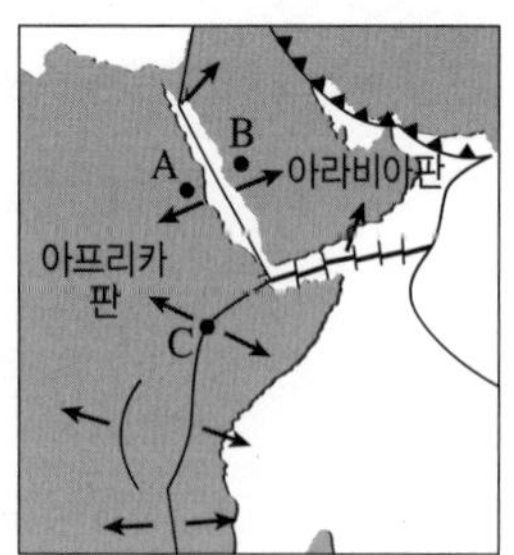

〈 보기 〉

ㄱ. A와 B 사이의 거리는 점점 멀어질 것이다.
ㄴ. A와 B 사이에 해구가 발달한다.
ㄷ. C에서는 열곡대가 발달하고 역단층이 나타날 것이다.
ㄹ. C에서는 천발 지진과 화산 활동이 일어난다.

① ㄱ, ㄴ ② ㄱ, ㄹ ③ ㄴ, ㄷ
④ ㄴ, ㄹ ⑤ ㄷ, ㄹ

694 (하)(중)(상)

그림은 북아메리카 대륙의 서쪽에 분포하는 판 경계와 판의 이동 방향을 나타낸 것이다. 이에 대한 설명으로 옳은 것만을 〈보기〉에서 있는 대로 고른 것은?

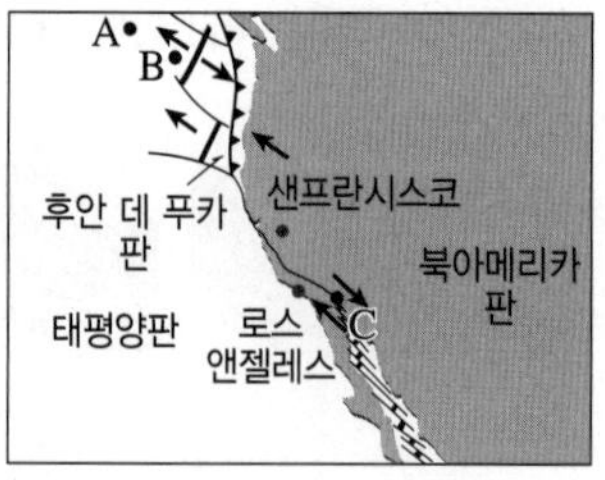

〈 보기 〉

ㄱ. 해양 지각의 나이는 A가 B보다 적다.
ㄴ. C에는 변환 단층이 발달한다.
ㄷ. 샌프란시스코와 로스앤젤레스는 점점 가까워질 것이다.
ㄹ. 로스앤젤레스에는 천발 지진이 자주 발생할 것이다.

① ㄱ, ㄴ ② ㄱ, ㄷ ③ ㄴ, ㄷ
④ ㄱ, ㄴ, ㄹ ⑤ ㄴ, ㄷ, ㄹ

695 (하)(중)(상)

그림은 뉴질랜드 부근의 판 경계와 화산 분포를 나타낸 것이다. 이에 대한 설명으로 옳은 것만을 〈보기〉에서 있는 대로 고른 것은?

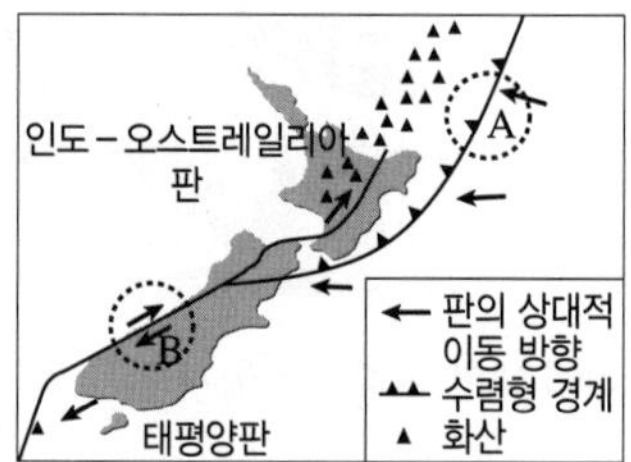

〈 보기 〉

ㄱ. A에서 태평양판이 인도-오스트레일리아판 아래로 섭입한다.
ㄴ. B에서는 심발 지진이 주로 발생한다.
ㄷ. A를 경계로 지진은 태평양판 쪽에서 더 자주 발생한다.

① ㄱ ② ㄷ ③ ㄱ, ㄴ
④ ㄴ, ㄷ ⑤ ㄱ, ㄴ, ㄷ

696 (하)(중)(상)

••서술형

그림은 알래스카 부근에서 두 판 (가)와 (나)의 경계와 화산의 분포를 나타낸 것이다.

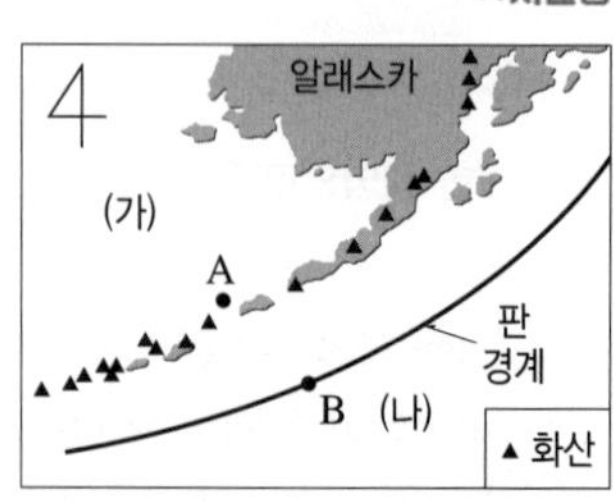

(1) A에 형성된 지형과 판 경계 B의 종류를 쓰시오.

(2) (가)에서 A 지형이 형성된 까닭을 (가)와 (나)의 밀도를 비교하여 서술하시오.

697 하 중 상

그림은 우리나라 주변 판의 운동을 나타낸 모식도이다.

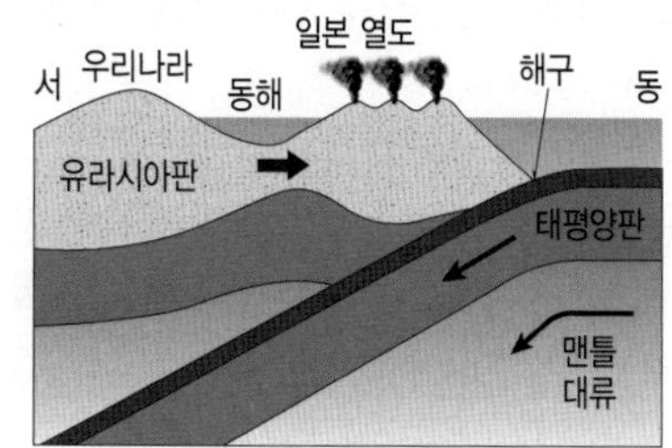

이에 대한 설명으로 옳지 <u>않은</u> 것은?

① 유라시아판은 태평양판보다 밀도가 작다.
② 일본 열도는 해구에 나란하게 생성된다.
③ 진앙은 유라시아판 위쪽에 나타난다.
④ 화산 활동은 해구의 동쪽에서 더 활발하게 일어난다.
⑤ 해구에서는 해양판이 섭입하여 소멸된다.

698 하 중 상

그림은 우리나라 주변에 분포하는 판 A~C의 운동을 나타낸 것이다.

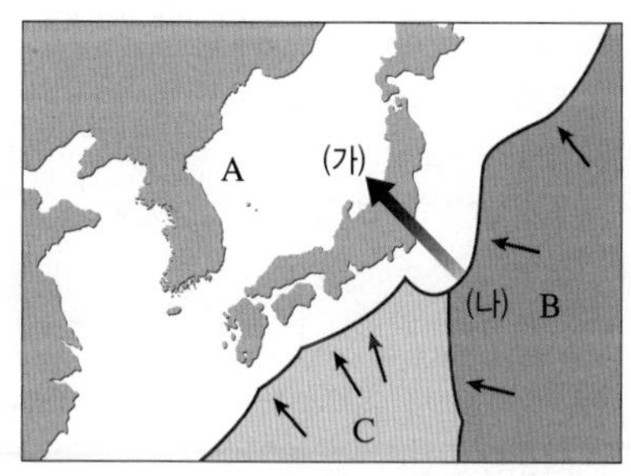

이에 대한 설명으로 옳은 것만을 〈보기〉에서 있는 대로 고른 것은?

〈 보기 〉
ㄱ. A, B, C는 모두 해양판이다.
ㄴ. A는 유라시아판, B는 필리핀판, C는 태평양판이다.
ㄷ. 판의 평균 밀도는 A가 C보다 작다.
ㄹ. (나)에서 (가)로 갈수록 진원의 깊이가 깊다.
ㅁ. A와 B의 경계, A와 C의 경계는 수렴형 경계이고, B와 C의 경계는 보존형 경계이다.

① ㄱ, ㅁ ② ㄷ, ㄹ ③ ㄱ, ㄴ, ㅁ
④ ㄱ, ㄷ, ㄹ ⑤ ㄴ, ㄷ, ㄹ, ㅁ

699 하 중 상

그림은 인도네시아 수마트라 섬 주변 지역에서 과거 100년 동안 발생한 규모 6 이상의 지진의 발생 깊이와 화산 분포를 나타낸 것이다.

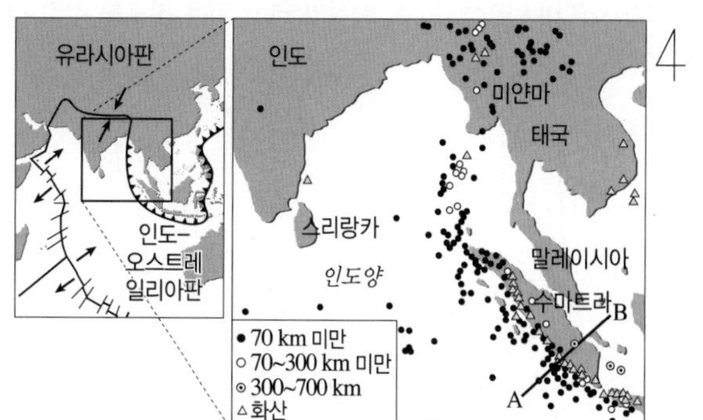

이에 대한 설명으로 옳은 것만을 〈보기〉에서 있는 대로 고른 것은?

〈 보기 〉
ㄱ. A에서 B로 갈수록 지진의 발생 깊이가 깊어진다.
ㄴ. A-B를 따라 남서-북동 방향으로 해구가 형성된다.
ㄷ. 유라시아판 아래로 인도-오스트레일리아판이 섭입하는 지역이다.
ㄹ. A와 B 사이에서는 맨틀 대류를 따라 물질이 상승하여 화산 활동이 활발하다.

① ㄱ, ㄴ ② ㄱ, ㄷ ③ ㄴ, ㄷ
④ ㄱ, ㄴ, ㄹ ⑤ ㄴ, ㄷ, ㄹ

700 하 중 상

그림은 우리나라와 일본 주변에서 발생한 지진의 진원 분포를 나타낸 것이다.

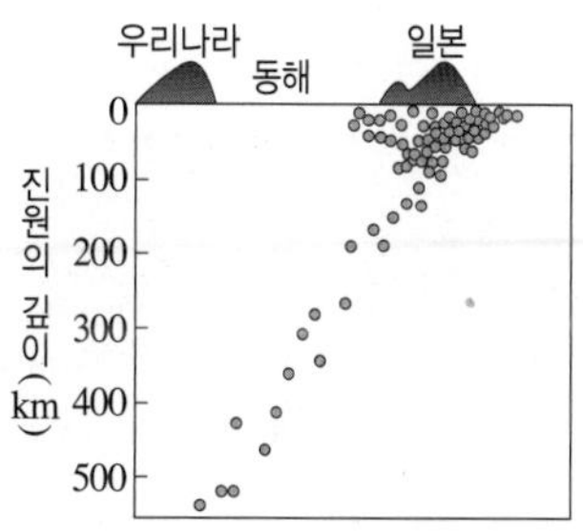

이에 대한 설명으로 옳은 것만을 〈보기〉에서 있는 대로 고른 것은?

〈 보기 〉
ㄱ. 우리나라는 대륙판에, 일본은 해양판에 속한다.
ㄴ. 우리나라 동해에는 해구가 발달한다.
ㄷ. 판의 수렴형 경계 부근이다.

① ㄴ ② ㄷ ③ ㄱ, ㄴ
④ ㄱ, ㄷ ⑤ ㄱ, ㄴ, ㄷ

701

그림 (가)~(다)는 금성, 지구, 화성의 연직 기온 분포를 각각 나타낸 것이다.

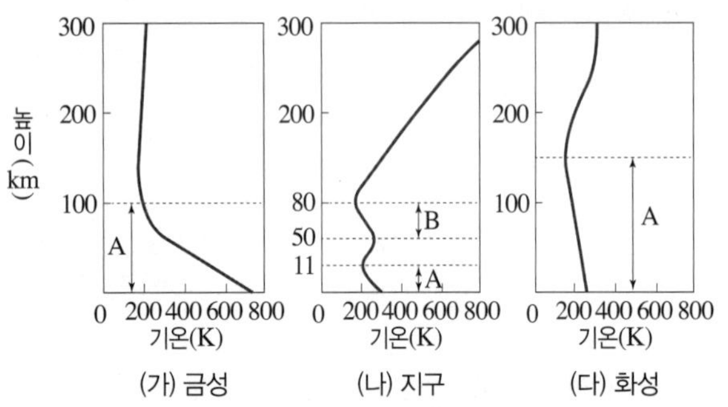

이에 대한 설명으로 옳은 것만을 〈보기〉에서 있는 대로 고른 것은?

〈 보기 〉

ㄱ. A층은 태양 복사 에너지의 영향으로 높이 올라갈수록 기온이 낮아진다.

ㄴ. B층은 안정한 층으로 공기의 대류가 일어나지 않는다.

ㄷ. 금성이나 화성보다 지구의 층상 구조가 복잡한 까닭은 지구에 오존층이 존재하기 때문이다.

① ㄱ ② ㄷ ③ ㄱ, ㄴ
④ ㄴ, ㄷ ⑤ ㄱ, ㄴ, ㄷ

702

그림은 기권과 지권의 층상 구조를 모식적으로 나타낸 것이다.

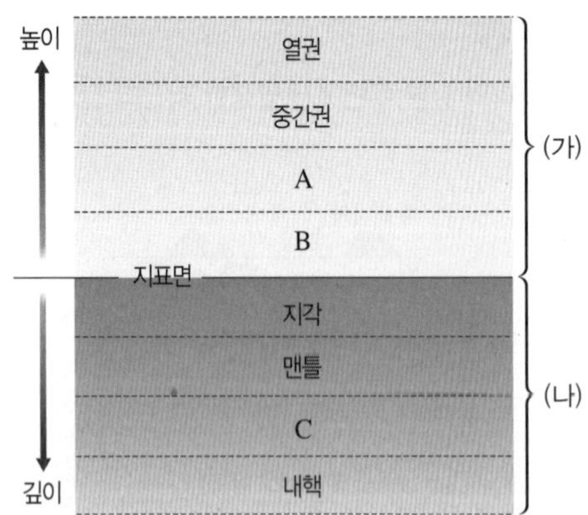

이에 대한 설명으로 옳지 않은 것은?

① (가)는 높이에 따른 기온 변화에 따라 구분한 것이다.

② (나)는 지진파의 속도 변화에 따라 구분한 것이다.

③ 태양으로부터 오는 자외선은 B층보다 A층에서 많이 흡수된다.

④ B층은 높이 올라갈수록 지표에서 방출되는 복사 에너지가 적게 도달한다.

⑤ C층에서는 P파와 S파가 모두 통과한다.

703

그림은 지구 탄생 이후 현재까지의 지구 환경 변화를 모식적으로 나타낸 것이다. ㉠과 ㉡은 각각 지구 자기권과 오존층 중 하나이다.

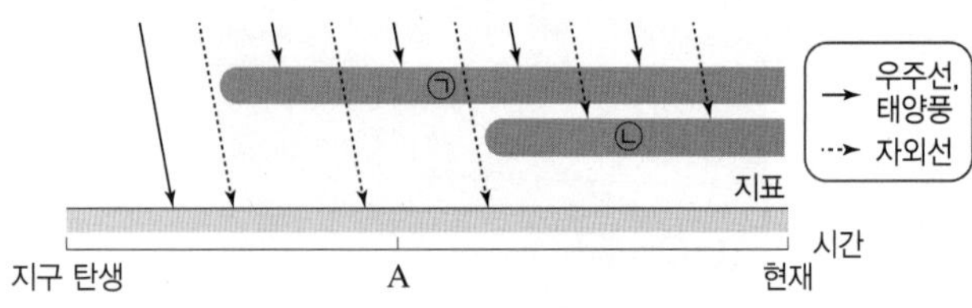

이에 대한 설명으로 옳은 것만을 〈보기〉에서 있는 대로 고른 것은?

〈 보기 〉

ㄱ. ㉠은 지구 자기권이다.

ㄴ. A 시기에 생물권이 육상으로 확장되었다.

ㄷ. ㉡은 외핵의 운동에 의해 형성되었다.

① ㄱ ② ㄴ ③ ㄱ, ㄷ
④ ㄴ, ㄷ ⑤ ㄱ, ㄴ, ㄷ

704

그림 (가)는 지구 대기를 구성하는 주요 기체의 분압 변화를, (나)는 지구계 구성 요소의 상호 작용(⟷)을 나타낸 것이다.

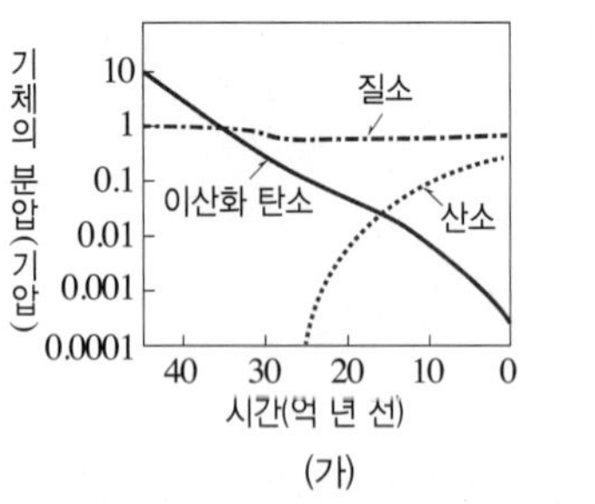

(가)

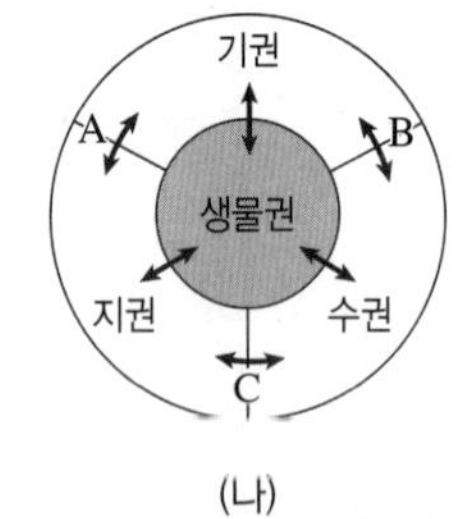

(나)

이에 대한 설명으로 옳은 것만을 〈보기〉에서 있는 대로 고른 것은?

〈 보기 〉

ㄱ. 온실 효과는 40억 년 전이 현재보다 컸을 것이다.

ㄴ. A~C 중 원시 대기 중의 이산화 탄소가 감소한 주요 원인은 A에 속한다.

ㄷ. 20억 년 전 대기 중의 산소는 육상 식물에 의해 생성되었다.

① ㄱ ② ㄴ ③ ㄱ, ㄷ
④ ㄴ, ㄷ ⑤ ㄱ, ㄴ, ㄷ

705

표는 지구계의 각 권역에 존재하는 탄소의 질량비를, 그림은 각 권역 사이에서 일어나는 탄소 순환 과정의 일부를 나타낸 것이다.

권역	탄소 질량비(%)
생물권	0.011
기권	0.004
수권	0.194
지권	99.791

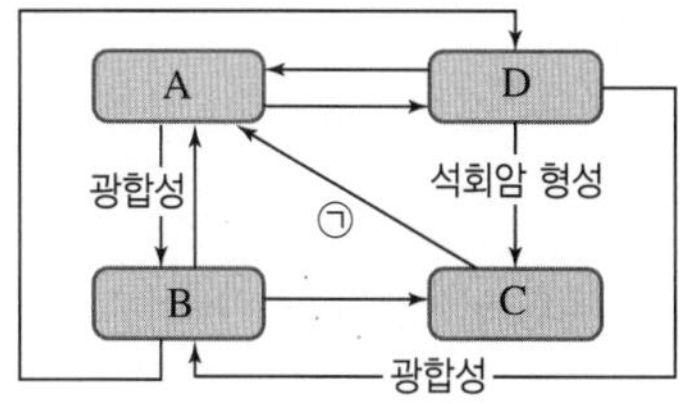

이에 대한 설명으로 옳은 것만을 〈보기〉에서 있는 대로 고른 것은?

〈 보기 〉

ㄱ. 수권은 B이다.
ㄴ. 화석 연료의 연소는 ㉠ 과정에 해당한다.
ㄷ. 탄소의 양은 A~D 중 D에 가장 많다.

① ㄱ ② ㄴ ③ ㄱ, ㄷ
④ ㄴ, ㄷ ⑤ ㄱ, ㄴ, ㄷ

706

그림은 지구 환경에서 일어나는 물과 암석의 순환 과정을 나타낸 것이다.

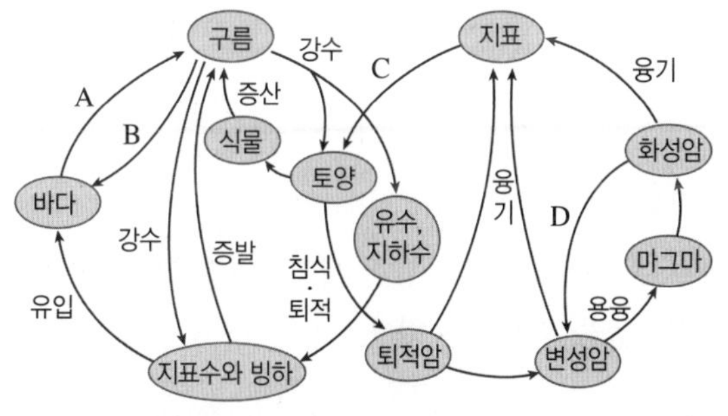

이에 대한 설명으로 옳지 <u>않은</u> 것은?

① 바다에서는 A의 양이 B보다 많다.
② C와 D 과정은 모두 조력 에너지에 의해서 일어난다.
③ 수권과 지권의 상호 작용은 주로 지권의 표층에서 일어난다.
④ 수권과 기권의 상호 작용은 주로 혼합층에서 일어난다.
⑤ 화산 폭발로 분출된 화산재 등이 퇴적되어 퇴적암이 된다.

707

그림 (가)는 어느 대륙 주변부에 있는 판의 경계를, (나)는 (가)의 판 경계와 그 주변에서 나타나는 지진의 발생 깊이를 A−C 단면에 나타낸 것이다.

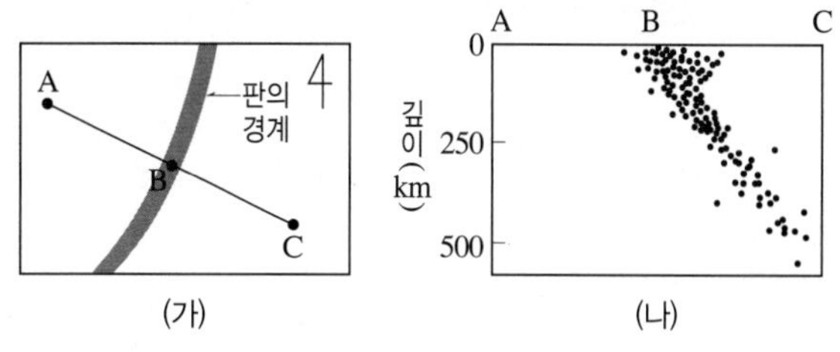

(가) (나)

이에 대한 설명으로 옳은 것만을 〈보기〉에서 있는 대로 고른 것은?

〈 보기 〉

ㄱ. A 지점은 대륙판에, C 지점은 해양판에 속해 있다.
ㄴ. B 지점에 해령이 발달한다.
ㄷ. A 지점이 속한 판이 C 지점이 속한 판보다 밀도가 크다.
ㄹ. 화산 활동은 A−B 구간보다 B−C 구간에서 활발하게 일어난다.

① ㄱ, ㄹ ② ㄴ, ㄷ ③ ㄷ, ㄹ
④ ㄱ, ㄴ, ㄷ ⑤ ㄴ, ㄷ, ㄹ

708

그림은 서로 다른 해양 A와 B에서 어떤 지형의 정상부에 발달한 열곡으로부터 거리에 따른 해양 지각의 연령을 나타낸 것이다.

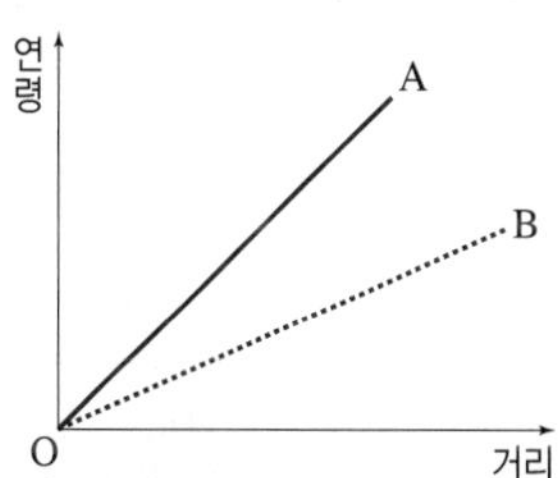

이에 대한 설명으로 옳은 것만을 〈보기〉에서 있는 대로 고른 것은?

〈 보기 〉

ㄱ. 판의 이동 속력은 A 해양보다 B 해양에서 더 빠르다.
ㄴ. 열곡 정상으로부터 같은 거리에 위치한 지점의 수심은 B 해양이 A 해양보다 깊다.
ㄷ. 이 지형 부근의 온도가 상승하면 판의 이동 속력은 빨라질 것이다.

① ㄱ ② ㄴ ③ ㄱ, ㄷ
④ ㄴ, ㄷ ⑤ ㄱ, ㄴ, ㄷ

세포와 생명 시스템

Ⓐ 생명 시스템의 유기적 구성

1 생명 시스템 각각의 생물은 몸을 구성하는 여러 요소가 상호 작용 하여 생명 활동을 수행하는 하나의 생명 시스템이다.

2 생명 시스템의 구성 단계 다세포 생물은 수많은 세포가 유기적으로 조직되어 정교한 체제를 이루고 있다.

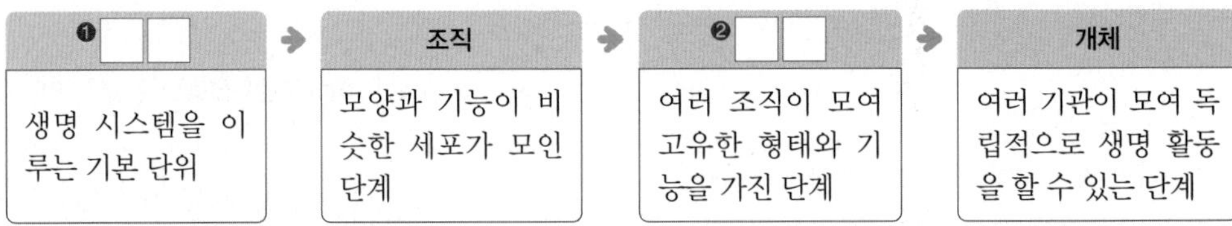

❶
생명 시스템을 이루는 기본 단위
조직
모양과 기능이 비슷한 세포가 모인 단계
❷
여러 조직이 모여 고유한 형태와 기능을 가진 단계
개체
여러 기관이 모여 독립적으로 생명 활동을 할 수 있는 단계

3 동물체와 식물체의 구성 단계 비교

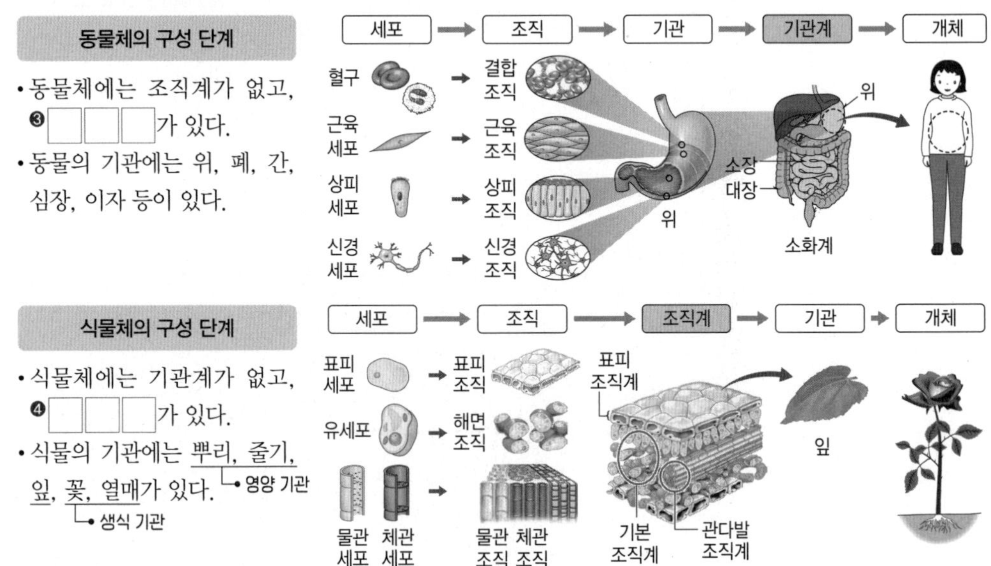

4 세포와 생명 시스템

① 세포는 생명 시스템을 구성하는 구조적 단위이자 생명 활동이 일어나는 기능적 단위이다.

② 세포도 하나의 생명 시스템으로, 여러 세포 소기관이 상호 작용 하여 생명 활동이 일어나 생명 시스템을 유지한다.

Ⓑ 세포의 구조와 기능

1 동물 세포와 식물 세포의 구조 세포에는 구조와 기능이 다양한 세포 소기관이 있다.

➔ 식물 세포에는 엽록체와 세포벽이 있지만, 동물 세포에는 없다.

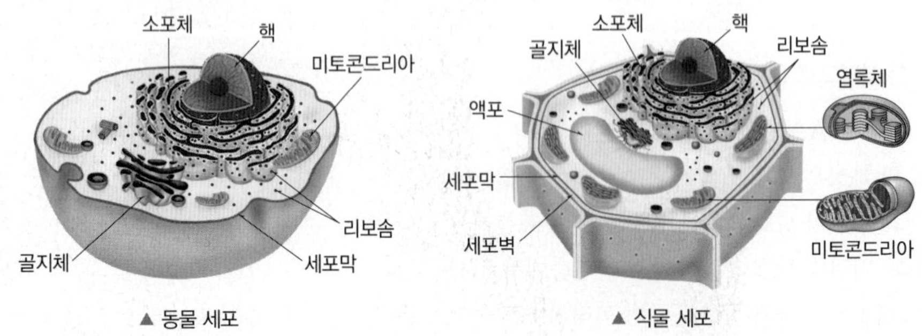

▲ 동물 세포 ▲ 식물 세포

기출 Tip Ⓐ-2

단세포 생물
아메바, 짚신벌레와 같은 단세포 생물은 세포 하나가 곧 개체이다.

기출 Tip Ⓐ-3

기관계와 조직계
• 기관계: 식물체에는 없고 동물체에만 있는, 연관된 기능을 하는 여러 기관이 모인 단계
• 조직계: 동물체에는 없고 식물체에만 있는, 여러 조직이 모인 단계

식물의 조직
• 생장점과 형성층은 세포 분열이 왕성하게 일어나는 분열 조직이다.
• 표피 조직, 유조직(울타리 조직, 해면 조직), 통도 조직(물관 조직, 체관 조직)은 분열 조직으로부터 분화되어 분열 능력이 없는 영구 조직이다.

2 세포 소기관의 기능 세포 소기관은 유기적으로 작용하여 생명 활동을 수행한다.

구분	기능	참고
핵	유전 물질인 ❺□□□가 있어 세포의 구조와 기능을 결정하며, 생명 활동을 조절한다.	**[단백질의 합성과 분비]** 핵 속에 있는 DNA의 유전 정보가 리보솜에 전달되면 리보솜에서 단백질을 합성하고, 이것이 소포체를 거쳐 골지체로 운반된 후 세포 밖으로 분비된다. 리보솜(합성) → 소포체(운반) → 골지체(분비)
리보솜	DNA의 유전 정보에 따라 아미노산을 결합하여 ❻□□□을 합성한다. ➡ 펩타이드 결합이 일어난다.	
❼□□□	리보솜에서 합성한 단백질을 골지체나 세포의 다른 곳으로 운반한다.	
골지체	단백질을 세포 밖으로 분비하는 데 관여한다.	
미토콘드리아 (간세포나 근육 세포와 같이 에너지를 많이 사용하는 세포에 많다.)	❽□□ □□이 일어나 세포가 생명 활동을 하는 데 필요한 형태의 에너지를 생산한다. ➡ 유기물을 분해하여 에너지를 얻는다.	**[에너지 전환]** • 미토콘드리아: 유기물의 화학 에너지가 ATP의 화학 에너지로 전환된다. • 엽록체: 빛에너지가 화학 에너지로 전환된다.
엽록체	빛에너지를 이용하여 물과 이산화 탄소를 포도당과 같은 유기물로 합성하는 ❾□□□이 일어난다.	
❿□□	물, 색소, 노폐물 등을 저장하며, 성숙한 식물 세포에서 크게 발달한다.	
세포막	세포를 둘러싸서 세포 안을 주변 환경과 분리하고, 세포 안팎으로 물질이 출입하는 것을 조절한다.	
세포벽	식물 세포의 세포막 바깥쪽에 있는 단단한 벽으로, 세포를 보호하고 세포의 형태를 유지한다. → 구성 성분으로 셀룰로스가 있다.	

기출 Tip B

세포 소기관의 막 구조
- 핵, 미토콘드리아, 엽록체: 2중막
- 소포체, 골지체, 액포: 단일막
- 리보솜: 막으로 둘러싸여 있지 않다.

세포와 포도당 합성 공장 비교
- 핵 → 중앙 통제소
- 미토콘드리아 → 자가 발전소
- 엽록체 → 포도당 합성 기계
- 세포막 → 출입구

II

답 ❶ 세포 ❷ 기관 ❸ 기관계 ❹ 조직계 ❺ DNA ❻ 단백질 ❼ 소포체 ❽ 세포 호흡 ❾ 광합성 ❿ 액포

빈출 자료 보기

정답과 해설 64쪽

709 그림은 사람 몸의 구성 단계를 나타낸 것이다.

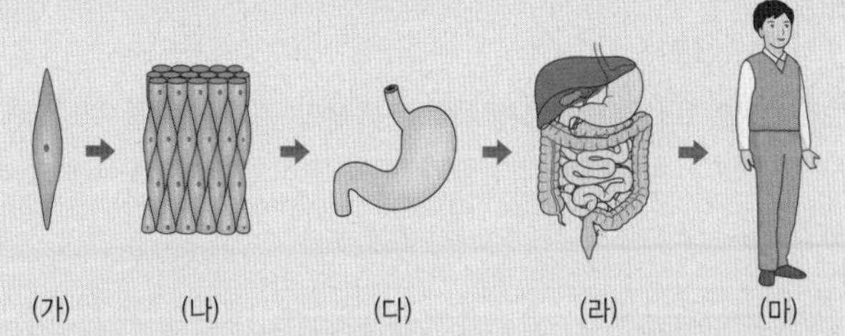

이에 대한 설명으로 옳은 것은 ○, 옳지 않은 것은 ×로 표시하시오.

(1) (가)는 생명 시스템의 기본 단위이다. ( )

(2) 동물체와 식물체의 공통 구성 단계는 (가) → (나) → (라) → (마)이다. ( )

(3) 식물의 생장점은 (나) 단계에 해당한다. ( )

(4) (나)는 모양과 기능이 비슷한 세포가 모인 조직이다. ( )

(5) 간, 이자, 소장은 (다) 단계에 해당한다. ( )

(6) (다)는 여러 조직이 모여 고유한 형태와 기능을 가진 기관이다. ( )

(7) 식물의 뿌리, 줄기, 잎은 (라) 단계에 해당한다. ( )

710 그림은 식물 세포의 구조를 나타낸 것이다.

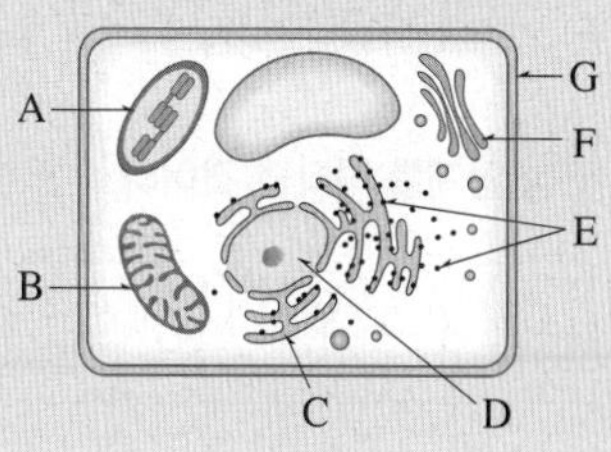

이에 대한 설명으로 옳은 것은 ○, 옳지 않은 것은 ×로 표시하시오.

(1) A와 B는 에너지 전환에 관여한다. ( )

(2) A에서 세포 호흡이 일어나 에너지가 생산된다. ( )

(3) B와 G는 동물 세포에 없다. ( )

(4) D에는 유전 물질인 DNA가 있다. ( )

(5) E와 F는 막으로 둘러싸여 있지 않다. ( )

(6) E에서 만들어진 단백질은 F를 통해 C로 운반되어 세포 밖으로 분비된다. ( )

(7) 이 세포에는 세포막이 없다. ( )

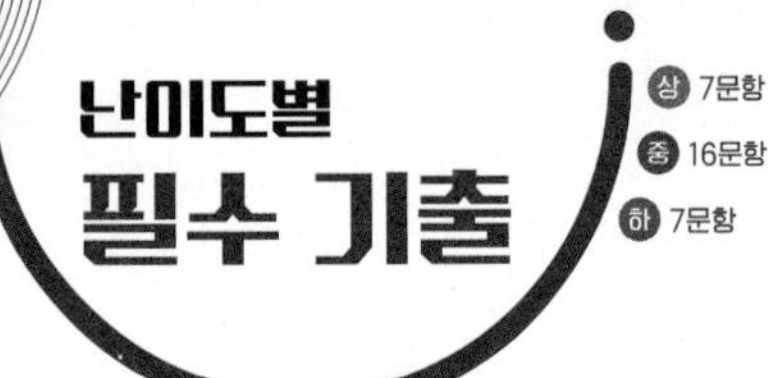

A 생명 시스템의 유기적 구성

711 하중상

각각의 생물은 몸을 구성하는 여러 요소가 상호 작용 하여 다양한 생명 활동을 수행하는 하나의 생명 시스템이다. 생명 시스템을 이루는 기본 단위는?

① 조직 ② 세포 ③ 기관
④ 조직계 ⑤ 기관계

712 하중상

생명 시스템의 구성 단계를 순서대로 옳게 나열한 것은?

① 세포 – 조직 – 개체 – 기관
② 세포 – 조직 – 기관 – 개체
③ 조직 – 세포 – 개체 – 기관
④ 조직 – 세포 – 기관 – 개체
⑤ 기관 – 세포 – 조직 – 개체

713 하중상

다음은 동물체의 구성 단계를 나타낸 것이다.

(가) → 조직 → (나) → 기관계 → 개체

이에 대한 설명으로 옳은 것만을 〈보기〉에서 있는 대로 고른 것은?

〈 보기 〉
ㄱ. (가)는 세포, (나)는 기관이다.
ㄴ. 위, 폐, 심장은 (나)에 해당한다.
ㄷ. (나)는 여러 조직이 모여 고유한 형태와 기능을 가진 단계이다.
ㄹ. 모양과 기능이 다양한 세포가 모여 한 종류의 조직을 구성한다.

① ㄱ, ㄴ ② ㄱ, ㄷ ③ ㄷ, ㄹ
④ ㄱ, ㄴ, ㄷ ⑤ ㄴ, ㄷ, ㄹ

빈출
714 하중상

대표문제 多 보기

그림은 사람 몸의 구성 단계를 나타낸 것이다.

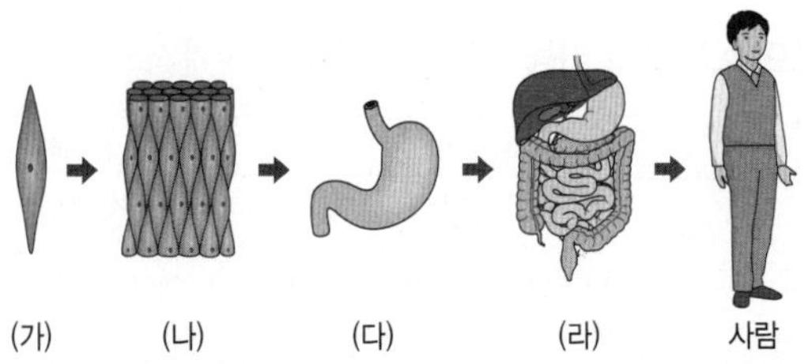

이에 대한 설명으로 옳은 것만을 〈보기〉에서 있는 대로 고른 것은?

〈 보기 〉
ㄱ. (가)는 생명 시스템에서 생명 활동이 일어나는 기능적 단위이다.
ㄴ. (나)는 모양과 기능이 비슷한 세포가 모인 조직이다.
ㄷ. (다)는 한 종류의 조직으로 구성되어 있다.
ㄹ. (라)는 식물체에 없는 단계이다.

① ㄱ, ㄴ ② ㄱ, ㄷ ③ ㄷ, ㄹ
④ ㄱ, ㄴ, ㄹ ⑤ ㄴ, ㄷ, ㄹ

715 하중상

그림 (가)와 (나)는 각각 식물체와 동물체의 구성 단계 중 하나를 나타낸 것이다. A~C는 각각 줄기, 근육 조직, 관다발 조직계 중 하나이다.

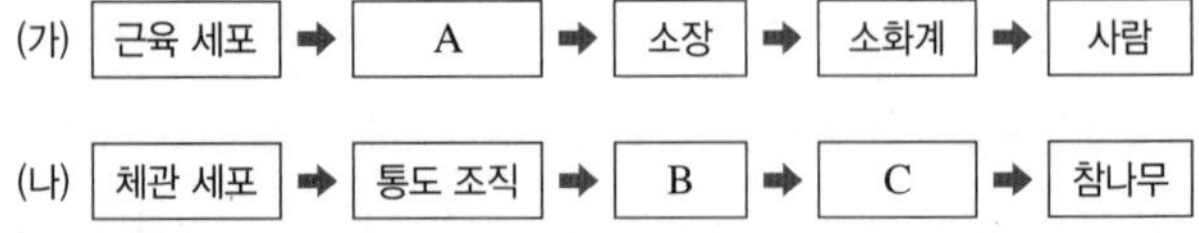

이에 대한 설명으로 옳은 것만을 〈보기〉에서 있는 대로 고른 것은?

〈 보기 〉
ㄱ. 간은 A와 같은 단계에 해당한다.
ㄴ. B는 관다발 조직계이다.
ㄷ. 생장점은 C와 같은 단계에 해당한다.

① ㄱ ② ㄴ ③ ㄷ
④ ㄱ, ㄴ ⑤ ㄴ, ㄷ

빈출
716 하중상

생명 시스템에 대한 설명으로 옳지 않은 것은?

① 세포도 하나의 생명 시스템이다.
② 아메바와 같은 단세포 생물은 하나의 세포로 생명 활동을 유지한다.
③ 식물체의 구성 단계는 세포 → 조직 → 조직계 → 기관 → 개체이다.
④ 세포 안의 여러 세포 소기관이 상호 작용 하여 생명 시스템이 유지된다.
⑤ 몸의 부위에 상관없이 한 생물을 구성하는 세포의 모양과 크기는 모두 같다.

717 하중상

표는 생물 (가)와 (나)에서 구성 단계 A~C의 유무를 나타낸 것이다. (가)와 (나)는 각각 개와 소나무 중 하나이고, A~C는 각각 기관, 조직, 조직계 중 하나이다.

구분	A	B	C
(가)	㉠	없음	㉢
(나)	있음	㉡	있음

이에 대한 설명으로 옳은 것만을 〈보기〉에서 있는 대로 고른 것은?

〈 보기 〉
ㄱ. (가)의 구성 단계에는 기관계가 있다.
ㄴ. 잎은 B에 해당한다.
ㄷ. ㉠~㉢은 모두 '있음'이다.

① ㄱ ② ㄱ, ㄴ ③ ㄱ, ㄷ
④ ㄴ, ㄷ ⑤ ㄱ, ㄴ, ㄷ

B 세포의 구조와 기능

세포 소기관의 기능

718 하중상

세포에 대한 설명으로 옳은 것만을 〈보기〉에서 있는 대로 고른 것은?

〈 보기 〉
ㄱ. 세포막에 의해 세포 안과 주변 환경이 분리된다.
ㄴ. 구조와 기능이 다양한 세포 소기관이 들어 있다.
ㄷ. 독립된 시스템으로 외부와 상호 작용 하지 않는다.

① ㄱ ② ㄱ, ㄴ ③ ㄱ, ㄷ
④ ㄴ, ㄷ ⑤ ㄱ, ㄴ, ㄷ

빈출
719 하중상

동물 세포에는 없고, 식물 세포에만 있는 세포 소기관만을 〈보기〉에서 있는 대로 고른 것은?

〈 보기 〉
ㄱ. 리보솜 ㄴ. 세포막 ㄷ. 세포벽
ㄹ. 엽록체 ㅁ. 미토콘드리아

① ㄷ ② ㄱ, ㅁ ③ ㄷ, ㄹ
④ ㄱ, ㄴ, ㄹ ⑤ ㄴ, ㄷ, ㄹ

빈출
720 하중상 대표문제 多 보기

동물 세포와 식물 세포의 세포 소기관에 대한 설명으로 옳지 않은 것은?

① 엽록체는 광합성이 일어나 포도당을 합성한다.
② 리보솜은 DNA의 유전 정보에 따라 단백질을 합성한다.
③ 핵은 유전 물질인 DNA가 있으며, 생명 활동을 조절한다.
④ 소포체는 합성된 단백질을 골지체나 세포의 다른 곳으로 운반한다.
⑤ 미토콘드리아는 세포 호흡이 일어나 생명 활동에 필요한 에너지를 생산한다.
⑥ 핵과 리보솜은 다른 세포 소기관과 상호 작용 하지 않고 독립적으로 기능한다.
⑦ 세포벽은 식물 세포의 세포막 바깥쪽에 있는 단단한 벽으로, 동물 세포에는 없다.

721 하중상 ••서술형

세포 소기관에 대한 다음 물음에 답하시오.

(1) 물, 색소, 노폐물 등을 저장하며, 성숙한 식물 세포에 크게 발달해 있는 세포 소기관의 이름을 쓰시오.

(2) 리보솜의 기능을 서술하시오.

(3) 엽록체의 기능을 서술하시오.

722 하중상

다음은 단백질이 합성되어 세포 밖으로 분비되는 과정을 설명한 것이다.

> 핵 속에 있는 DNA의 유전 정보가 (가)에 전달되면, (가)는 그 유전 정보에 따라 아미노산을 결합하여 단백질을 합성한다. 합성된 단백질은 (나)를 거쳐 (다)로 운반된 후 세포 밖으로 분비된다.

(가)~(다)에 들어갈 세포 소기관을 옳게 짝 지은 것은?

	(가)	(나)	(다)
①	소포체	골지체	리보솜
②	소포체	엽록체	골지체
③	리보솜	미토콘드리아	소포체
④	리보솜	소포체	골지체
⑤	골지체	리보솜	소포체

빈출

723 하중상

그림 (가)와 (나)는 각각 엽록체와 미토콘드리아 중 하나를 나타낸 것이다.

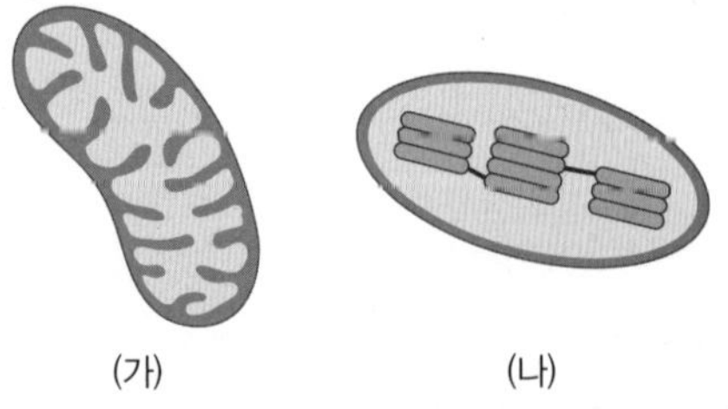

이에 대한 설명으로 옳은 것만을 〈보기〉에서 있는 대로 고른 것은?

〈 보기 〉
ㄱ. (가)와 (나)에서는 에너지 전환이 일어난다.
ㄴ. (가)와 (나)는 동물 세포와 식물 세포에 모두 있다.
ㄷ. (가)에서는 물과 이산화 탄소를 포도당으로 합성한다.

① ㄱ ② ㄴ ③ ㄷ
④ ㄱ, ㄷ ⑤ ㄴ, ㄷ

[724~725] 그림은 세포 안에 들어 있는 세포 소기관의 모습을 나타낸 것이고, 표는 세포를 포도당 합성 공장에 비유하여 나타낸 것이다.

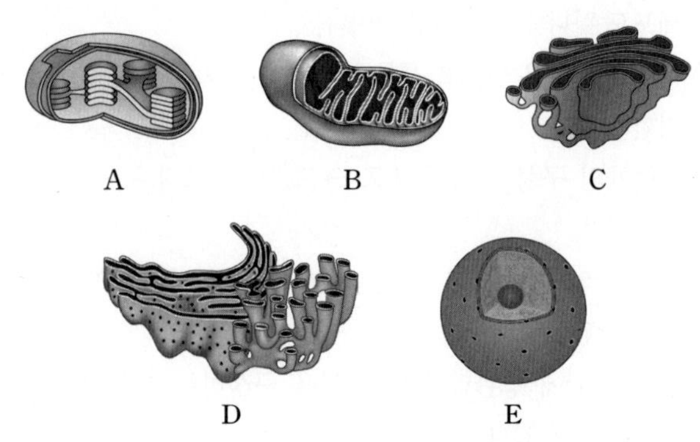

공장 구조	역할
출입구	공장 안팎으로 원료와 생산물이 드나드는 통로이다.
중앙 통제소	포도당의 생산량을 결정하고 공장이 원활하게 작동하도록 조절한다.
자가 발전소	공장이 작동하는 데 필요한 형태의 에너지를 생산한다.
포도당 합성 기계	원료를 이용하여 포도당을 합성한다.

724 하중상

다음에서 설명하는 세포 소기관의 기호를 쓰시오.

> 소포체에서 운반된 단백질을 세포 밖으로 분비하는 데 관여한다.

725 하중상 ••서술형

B를 포도당 합성 공장의 구조 중 하나에 비유하고, 그 까닭을 서술하시오.

726 하 중 상

그림은 세포 소기관 (가)~(다)와 각각의 특징을 연결한 것이다. (가)~(다)는 각각 골지체, 엽록체, 미토콘드리아 중 하나이다.

이에 대한 설명으로 옳은 것만을 〈보기〉에서 있는 대로 고른 것은?

〈 보기 〉
ㄱ. (가)에서 세포 호흡이 일어난다.
ㄴ. (나)와 (다)는 식물 세포에 없다.
ㄷ. (다)는 미토콘드리아이다.

① ㄱ　② ㄴ　③ ㄷ
④ ㄱ, ㄷ　⑤ ㄴ, ㄷ

727 하 중 상

표 (가)는 세포 소기관 A~C에서 특징 ㉠~㉢의 해당 여부를, (나)는 특징 ㉠~㉢을 순서 없이 나타낸 것이다. A~C는 각각 엽록체, 세포막, 소포체 중 하나이다.

구분	㉠	㉡	㉢
A	×	○	○
B	×	○	×
C	○	×	×

(○: 해당함, ×: 해당 안 함)
(가)

특징 ㉠~㉢
• 동물 세포에 있다. • 포도당을 합성한다. • 세포 안팎으로의 물질 출입을 조절한다.

(나)

이에 대한 설명으로 옳은 것만을 〈보기〉에서 있는 대로 고른 것은?

〈 보기 〉
ㄱ. A는 세포막이다.
ㄴ. B는 단백질을 운반한다.
ㄷ. C는 식물 세포와 동물 세포에 모두 있다.

① ㄱ　② ㄱ, ㄴ　③ ㄱ, ㄷ
④ ㄴ, ㄷ　⑤ ㄱ, ㄴ, ㄷ

식물 세포의 구조와 기능

[728~729] 그림은 어떤 세포의 구조를 나타낸 것이다.

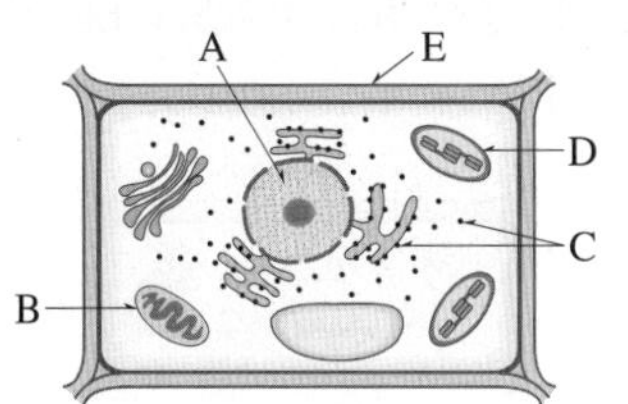

빈출
728 하 중 상

A~E의 이름과 기능을 옳게 짝 지은 것은?

① A – 소포체: 단백질 운반
② B – 엽록체: 광합성
③ C – 리보솜: 단백질 합성
④ D – 미토콘드리아: 세포 호흡
⑤ E – 세포막: 물질 출입 조절

729 하 중 상

이 세포의 종류와 그 까닭을 옳게 짝 지은 것은?

① 식물 세포 – A와 B가 있기 때문
② 식물 세포 – B와 D가 있기 때문
③ 식물 세포 – D와 E가 있기 때문
④ 동물 세포 – C와 D가 있기 때문
⑤ 동물 세포 – D와 E가 있기 때문

빈출
730 하 중 상

대표문제 多 보기

그림은 식물 세포의 구조를 나타낸 것이다.

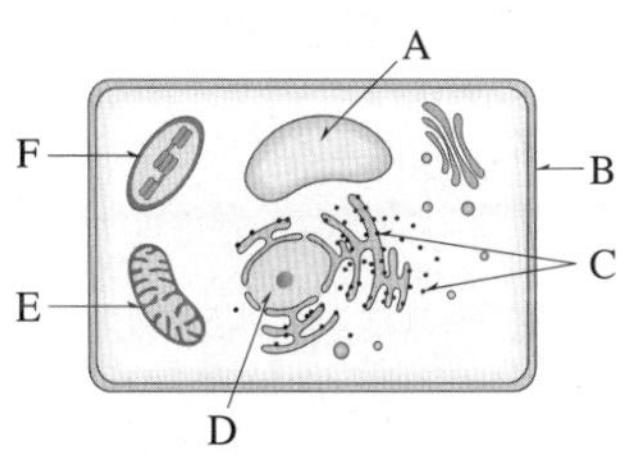

이에 대한 설명으로 옳지 않은 것만을 모두 고르면?(2개)

① A는 성숙한 식물 세포에서 크게 발달한다.
② B의 구성 성분에는 셀룰로스가 있다.
③ C에서 아미노산이 펩타이드 결합으로 연결된다.
④ D가 세포의 생명 활동을 조절한다.
⑤ E는 빛에너지를 화학 에너지로 전환한다.
⑥ E는 근육 세포와 같이 에너지를 많이 사용하는 세포에 많다.
⑦ F는 소의 간세포에도 있다.

731 하/중/상

그림은 식물 세포의 구조를 나타낸 것이고, 표 (가)는 세포 소기관 A~C에서 특징 ㉠~㉢의 해당 여부를, (나)는 특징 ㉠~㉢을 순서 없이 나타낸 것이다.

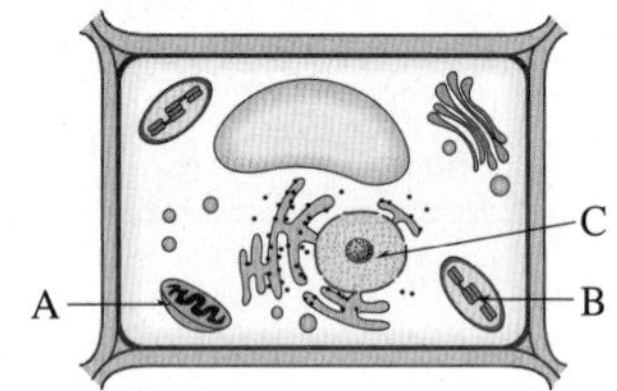

구분	㉠	㉡	㉢
A	○	×	○
B	○	○	×
C	○	×	○

(○: 해당함, ×: 해당 안 함)

(가)

특징 ㉠~㉢
• 2중막 구조이다. • 동물 세포에 있다. • 빛에너지를 화학 에너지로 전환한다.

(나)

이에 대한 설명으로 옳은 것만을 〈보기〉에서 있는 대로 고른 것은?

〈 보기 〉

ㄱ. A에서 유기물을 분해하여 에너지를 생산한다.
ㄴ. 특징 ㉠은 '2중막 구조이다.'이다.
ㄷ. 특징 ㉡은 '빛에너지를 화학 에너지로 전환한다.'이다.

① ㄱ ② ㄱ, ㄴ ③ ㄱ, ㄷ
④ ㄴ, ㄷ ⑤ ㄱ, ㄴ, ㄷ

동물 세포의 구조와 기능

732 하/중/상

그림은 어떤 세포의 구조를 나타낸 것이다.

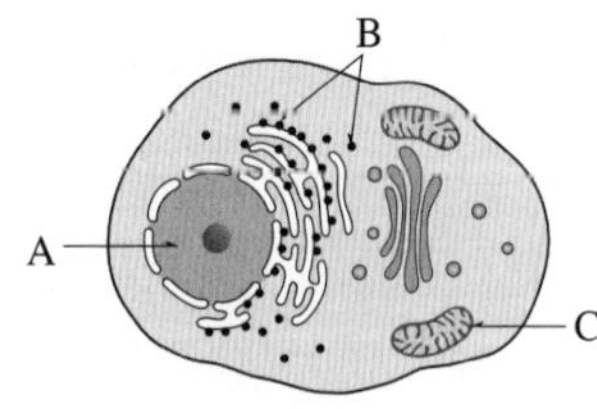

이에 대한 설명으로 옳은 것만을 〈보기〉에서 있는 대로 고른 것은?

〈 보기 〉

ㄱ. 이 세포는 식물 세포이다.
ㄴ. A에는 DNA가 들어 있다.
ㄷ. B에서 단백질 합성, C에서 세포 호흡이 일어난다.

① ㄱ ② ㄱ, ㄴ ③ ㄱ, ㄷ
④ ㄴ, ㄷ ⑤ ㄱ, ㄴ, ㄷ

[733~734] 그림은 동물 세포의 구조를 나타낸 것이다.

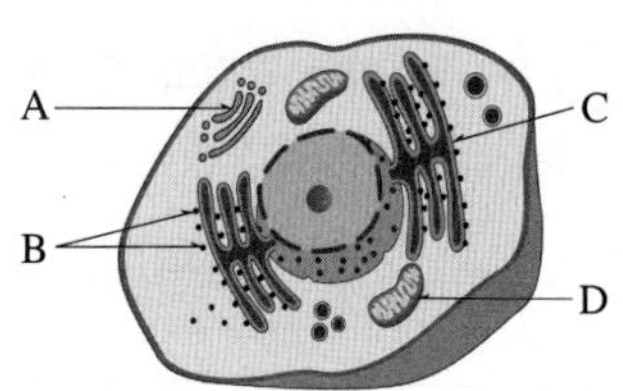

733 하/중/상

대표문제 多 보기

이에 대한 설명으로 옳은 것만을 〈보기〉에서 있는 대로 고른 것은?

〈 보기 〉

ㄱ. 이 세포에는 세포벽이 없다.
ㄴ. C와 D는 식물 세포에도 있다.
ㄷ. D에서 빛에너지를 이용하여 유기물을 합성한다.

① ㄱ ② ㄱ, ㄴ ③ ㄱ, ㄷ
④ ㄴ, ㄷ ⑤ ㄱ, ㄴ, ㄷ

빈출

734 하/중/상

단백질이 합성되어 분비되는 과정에 관여하는 세포 소기관의 기호와 이름을 순서대로 나열하시오.

735 하/중/상

그림 (가)는 어떤 세포의 구조를, (나)는 (가)의 A~C의 공통점과 차이점을 나타낸 것이다.

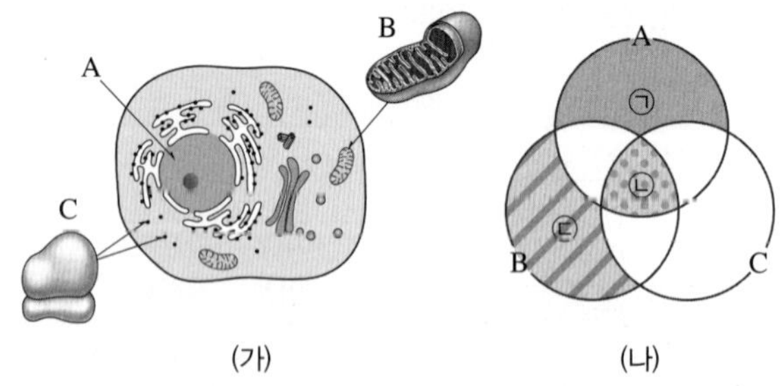

(가) (나)

이에 대한 설명으로 옳은 것만을 〈보기〉에서 있는 대로 고른 것은?

〈 보기 〉

ㄱ. '막으로 싸여 있다.'는 ㉠에 해당한다.
ㄴ. '동물 세포와 식물 세포에 모두 있다.'는 ㉡에 해당한다.
ㄷ. '세포 호흡이 일어난다.'는 ㉢에 해당한다.

① ㄱ ② ㄴ ③ ㄷ
④ ㄱ, ㄴ ⑤ ㄴ, ㄷ

736 하 중 상

그림 (가)는 어떤 세포의 구조를, (나)는 (가)의 한 세포 소기관에서 일어나는 반응을 나타낸 것이다.

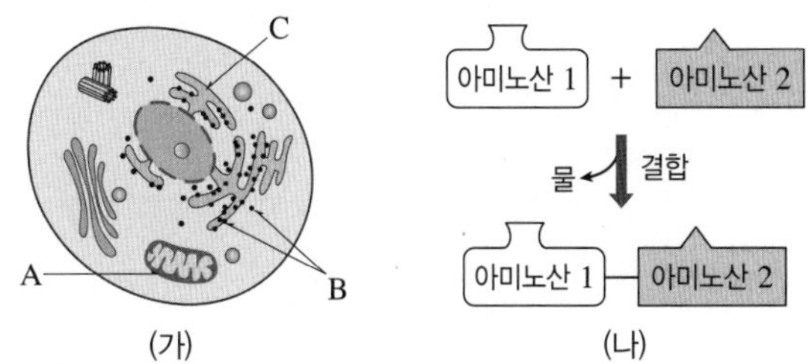

(가) (나)

이에 대한 설명으로 옳지 않은 것은?

① A와 C는 단일막 구조이다.
② A에서 (나) 반응에 필요한 에너지를 생산한다.
③ B에서 (나) 반응이 일어난다.
④ C는 단백질을 운반하는 소포체이다.
⑤ (나)에서 펩타이드 결합이 일어난다.

식물 세포와 동물 세포의 구조와 기능

[737~738] 그림은 동물 세포와 식물 세포의 구조를 순서 없이 나타낸 것이다.

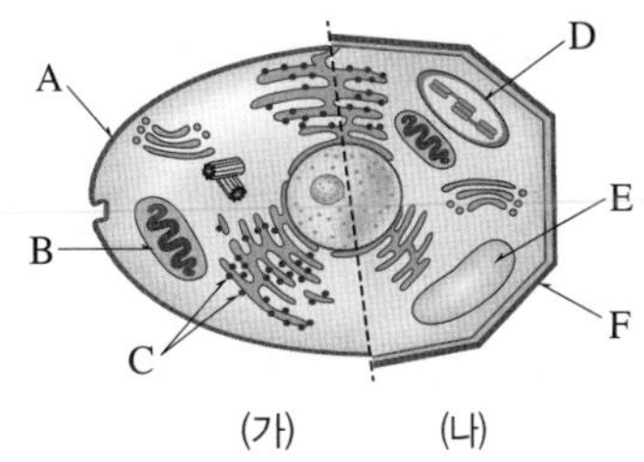

(가) (나)

737 하 중 상

대표문제 多 보기

이에 대한 설명으로 옳지 않은 것만을 모두 고르면?(2개)

① (가)와 같은 세포로 이루어진 생물의 구성 단계에는 기관계가 있다.
② (나)에는 A가 없다.
③ A는 세포 안팎으로의 물질 출입을 조절한다.
④ B는 유기물을 분해하여 에너지를 생산한다.
⑤ C와 D는 같은 세포에 있을 수 없다.
⑥ E는 물, 색소, 노폐물 등을 저장한다.

빈출

738 하 중 상

서술형

(가)와 (나)가 각각 식물 세포와 동물 세포 중 무엇에 해당하는지 쓰고, 그 까닭을 식물 세포에만 있는 구조 두 가지의 기호와 이름을 포함하여 서술하시오.

739 하 중 상

그림 (가)와 (나)는 식물 세포와 동물 세포의 구조를 순서 없이 나타낸 것이다.

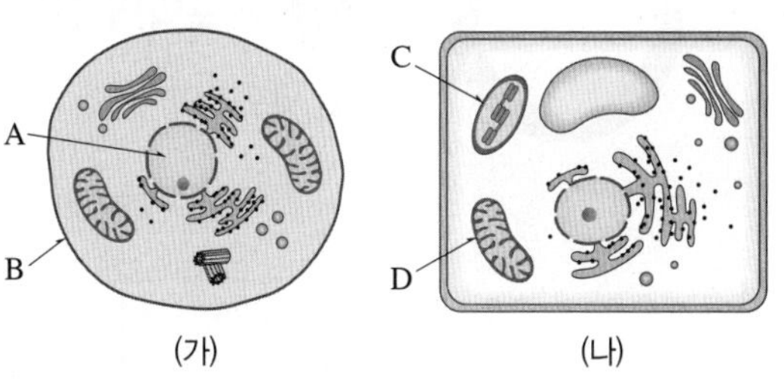

(가) (나)

이에 대한 설명으로 옳은 것만을 〈보기〉에서 있는 대로 고른 것은?

〈 보기 〉

ㄱ. A와 C는 2중막 구조이다.
ㄴ. A에는 뉴클레오타이드를 단위체로 하는 탄소 화합물이 있다.
ㄷ. B가 있으므로 (가)는 식물 세포이다.
ㄹ. D는 이산화 탄소를 소모하고, 산소를 방출한다.

① ㄱ, ㄴ ② ㄱ, ㄹ ③ ㄷ, ㄹ
④ ㄱ, ㄴ, ㄷ ⑤ ㄴ, ㄷ, ㄹ

740 하 중 상

표는 생물 A와 B에서 세포 소기관 ㉠~㉢의 유무를, 그림 (가)와 (나)는 동물 세포와 식물 세포의 구조를 순서 없이 나타낸 것이다. 세포 소기관 ㉠~㉢은 각각 엽록체, 세포벽, 미토콘드리아 중 하나이고, (가)와 (나)는 각각 A의 세포와 B의 세포 중 하나이다.

구분	A	B
㉠	있음	ⓐ
㉡	ⓑ	없음
㉢	ⓒ	없음

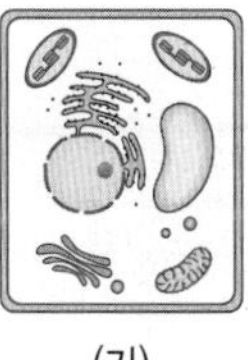

(가)

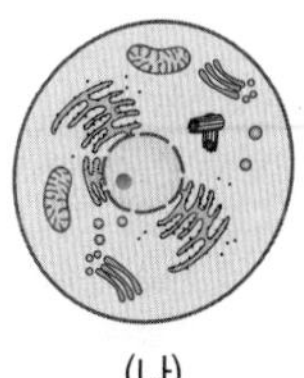

(나)

이에 대한 설명으로 옳은 것만을 〈보기〉에서 있는 대로 고른 것은?

〈 보기 〉

ㄱ. (가)는 A의 세포이다.
ㄴ. ㉡은 미토콘드리아이다.
ㄷ. ⓐ~ⓒ는 모두 '있음'이다.

① ㄱ ② ㄱ, ㄴ ③ ㄱ, ㄷ
④ ㄴ, ㄷ ⑤ ㄱ, ㄴ, ㄷ

세포막의 특성과 물질의 이동

Ⓐ 세포막의 구조와 선택적 투과성

1 세포막의 구조 세포막의 주성분은 ❶☐☐☐과 단백질이다.

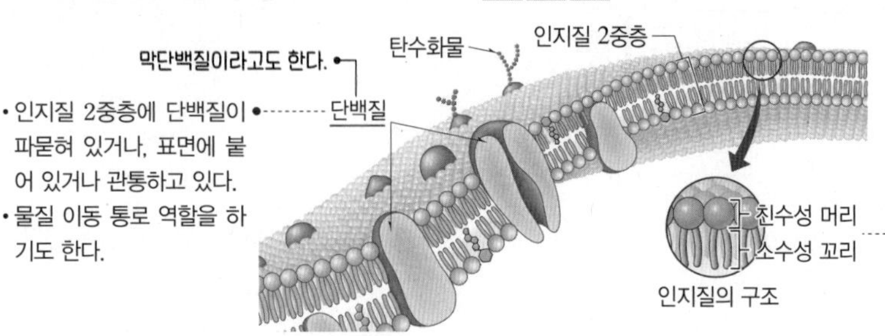
막단백질이라고도 한다.
• 인지질 2중층에 단백질이 파묻혀 있거나, 표면에 붙어 있거나 관통하고 있다.
• 물질 이동 통로 역할을 하기도 한다.
단백질
탄수화물
인지질 2중층
친수성 머리
소수성 꼬리
인지질의 구조

인지질은 물과 잘 섞이는 친수성 부분과 물과 잘 섞이지 않는 소수성 부분으로 되어 있다.

① 인지질 2중층: 세포 안팎은 물이 주성분이므로 인지질의 ❷☐☐☐ 부분이 세포막의 양쪽 바깥으로 배열되어 수용성 환경과 접하고, ❸☐☐☐ 부분이 안쪽으로 서로 마주 보며 배열되어 있다. → 친수성은 물 분자와 쉽게 결합하는 성질로, 물과의 친화력이 크고, 소수성은 그 반대의 성질이다.

② 세포막의 유동성: 인지질과 단백질은 특정 위치에 고정되어 있는 것이 아니라 유동성이 있어 이동할 수 있다.

기출 Tip Ⓐ-2

선택적 투과성
핵산, 단백질과 같은 고분자 물질은 인지질 2중층을 직접 통과할 수 없다.

2 선택적 투과성 물질의 종류에 따라 어떤 물질은 잘 투과시키고 어떤 물질은 잘 투과시키지 않는 세포막의 특성

Ⓑ 세포막을 통한 물질 이동

기출 Tip Ⓑ-1

단백질을 통한 물질 이동
물질의 종류에 따라 통로 역할을 하는 단백질이 달라서 특정 단백질 통로를 통해서는 특정 물질만이 선택적으로 투과한다.

확산 속도
확산은 분자 운동에 의해 일어나므로, 온도가 높을수록 분자의 운동이 활발해져 확산 속도가 빨라진다.

기체 교환
산소는 폐포에서 모세 혈관, 모세 혈관에서 조직 세포로 확산되고, 이산화 탄소는 조직 세포에서 모세 혈관, 모세 혈관에서 폐포로 확산된다.

1 확산 물질을 이루는 분자가 무작위로 움직여 농도가 ❹☐은 쪽에서 ❺☐은 쪽으로 이동하는 현상 ➔ 확산은 에너지를 사용하지 않는다. (분자가 스스로 운동하여 이동한다.)

구분	❻☐☐ 확산	❼☐☐ 확산
이동 방식	인지질 2중층을 직접 통과하여 이동한다. (산소, 세포 밖, 농도가 높다., 농도가 낮다., 세포 안)	세포막의 단백질을 통해 이동한다. (포도당, 세포 밖, 단백질, 세포 안)
이동 속도	물질의 이동 속도가 세포 안팎의 농도 차에 비례한다. (물질의 이동 속도 / O / 세포 안팎의 농도 차)	물질의 이동 속도가 세포 안팎의 농도 차에 따라 증가하다가 일정 수준 이상으로 증가하지 않는다. → 단백질 수가 한정되어 있기 때문 (물질의 이동 속도 / O / 세포 안팎의 농도 차)
이동 물질	• 크기가 작은 물질: 산소, 이산화 탄소 • 소수성(지용성) 물질: 지방산	• 전하를 띠는 물질: Na^+, K^+ • 친수성(수용성) 물질: 포도당, 아미노산
예	폐포와 모세 혈관 사이, 모세 혈관과 조직 세포 사이에서 산소와 이산화 탄소가 교환되는 과정	혈액 속의 포도당이 조직 세포로 확산하는 과정

2 삼투 물이 세포막을 경계로 농도가 ❽☐은 쪽에서 ❾☐은 쪽으로 이동하는 현상 ➔ 삼투는 에너지를 사용하지 않는다. → 물 분자가 많은 쪽에서 적은 쪽으로 물이 확산하는 현상

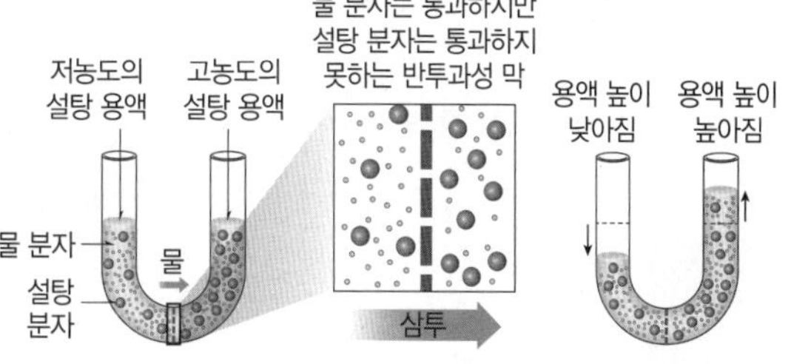

▲ 반투과성 막을 통한 삼투

① 세포에서의 삼투

구분	세포 안보다 용질의 농도가 낮은 용액(❿☐장액)	세포 안과 용질의 농도가 같은 용액(등장액)	세포 안보다 용질의 농도가 높은 용액(⓫☐장액)
동물 세포 (적혈구)	세포 안으로 들어오는 물의 양이 많아 부피가 커지다가 세포막이 터진다. ➔ 용혈	세포 안팎으로 이동하는 물의 양이 같아 부피가 변하지 않는다.	세포 밖으로 빠져나가는 물의 양이 많아 부피가 작아진다. → 쭈그러든다.
식물 세포	세포 안으로 들어오는 물의 양이 많아 부피가 커지는데, 세포벽이 있어 터지지 않는다. ➔ 팽윤 → 일정 부피 이상 커지지 않는다.	세포 안팎으로 이동하는 물의 양이 같아 부피가 변하지 않는다.	세포 밖으로 빠져나가는 물의 양이 많아 세포질의 부피가 작아지다가 세포막이 세포벽에서 분리된다. ➔ 원형질 분리

② 삼투 현상의 예

- 콩팥의 세뇨관에서 모세 혈관으로 물이 재흡수 된다.
- 식물의 뿌리털이 토양에서 물을 흡수한다.
- 배추를 소금물에 담가 두면 배추의 숨이 죽는다.

기출 Tip Ⓑ-2

확산과 삼투

- 확산: 고농도 → 저농도로 용질이 이동
- 삼투: 저농도 → 고농도로 물이 이동

등장액에서의 물의 이동

등장액에서는 물이 이동하지 않는 것이 아니라 세포 안팎으로 이동하는 물의 양이 같아 세포의 부피가 변하지 않는 것이다.

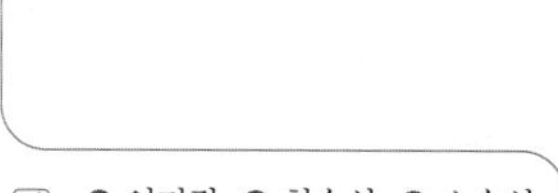
답 ❶ 인지질 ❷ 친수성 ❸ 소수성 ❹ 높 ❺ 낮 ❻ 단순 ❼ 촉진 ❽ 낮 ❾ 높 ❿ 저 ⓫ 고

빈출 자료 보기

정답과 해설 66쪽

741 그림 (가)는 적혈구, (나)는 식물 세포를 각각 농도가 서로 다른 소금물에 넣고 일정 시간이 지난 상태를 나타낸 것이다.

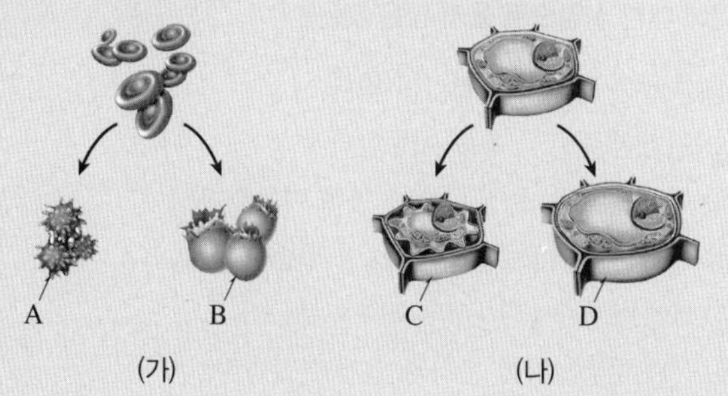

이에 대한 설명으로 옳은 것은 ○, 옳지 않은 것은 ×로 표시하시오.

(1) A에서는 용혈이 일어난다. (　　)
(2) A와 C는 고장액에 넣었을 때이다. (　　)
(3) B에서는 적혈구 안으로 들어오는 물의 양이 많다. (　　)
(4) C에서는 세포 밖으로 빠져나가는 물의 양이 많다. (　　)
(5) D에서는 세포막이 세포벽에서 분리된다. (　　)
(6) 배추를 소금물에 담가 배추의 숨이 죽었을 때 배추 세포의 상태는 D와 같다. (　　)

난이도별 필수 기출

상 7문항
중 17문항
하 5문항

A 세포막의 구조와 선택적 투과성

빈출
742 하 중 상 대표문제 多 보기

그림은 세포막의 구조를 나타낸 것이다.

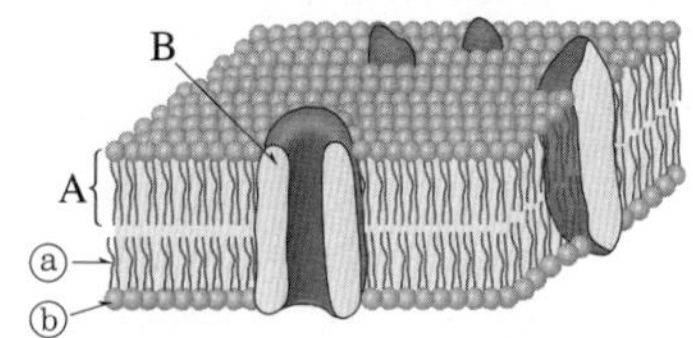

이에 대한 설명으로 옳지 않은 것은?

① A는 인지질이다.
② B는 물질 이동에 관여한다.
③ B는 리보솜에서 만들어진다.
④ ⓐ는 친수성 부분이고, ⓑ는 소수성 부분이다.
⑤ 세포막은 선택적 투과성을 나타낸다.

743 하 중 상 서술형

세포막이 세포 안과 밖에 물이 풍부한 환경에서 인지질 2중층을 이루는 까닭을 인지질의 구조적 특징과 관련지어 서술하시오.

744 하 중 상

그림 (가)는 세포막의 구조를, (나)는 물질 A와 B의 지질에 대한 용해도와 세포막에 대한 투과성을 나타낸 것이다. A와 B는 각각 단백질을 통해 이동하는 수용성 물질과 인지질 2중층을 직접 통과하는 지용성 물질 중 하나이다.

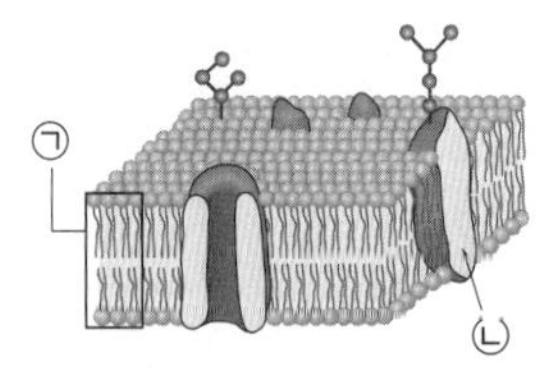

(가)

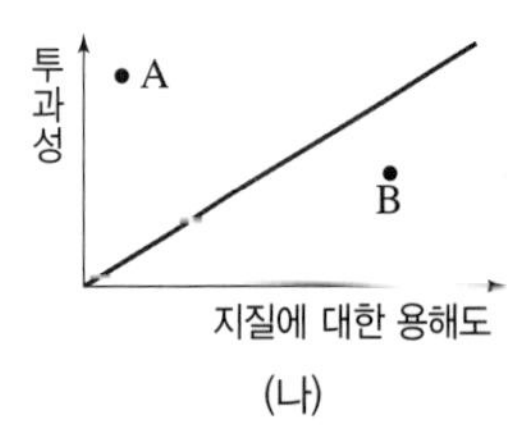

(나)

이에 대한 설명으로 옳은 것만을 〈보기〉에서 있는 대로 고른 것은?

〈보기〉
ㄱ. (가)의 주성분은 인지질과 단백질이다.
ㄴ. A는 B보다 ㉠을 통과하기 쉽다.
ㄷ. B는 지용성 물질이다.
ㄹ. ㉡은 막의 특정 위치에 고정되어 있다.

① ㄱ, ㄴ ② ㄱ, ㄷ ③ ㄴ, ㄷ
④ ㄴ, ㄹ ⑤ ㄱ, ㄷ, ㄹ

745 하 중 상

그림 (가)는 동물 세포의 구조를, (나)는 이 세포의 세포막 구조를 나타낸 것이다.

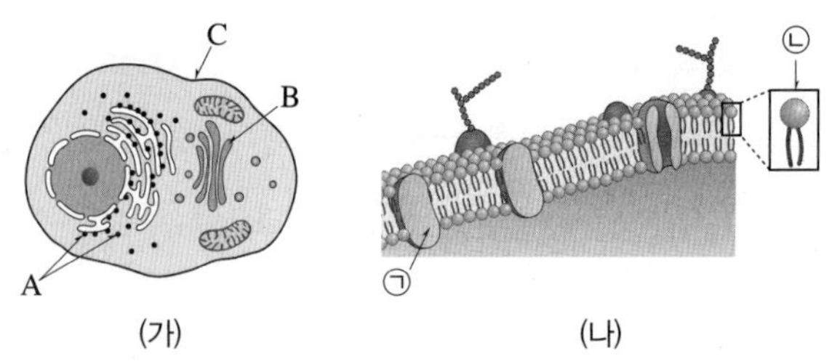

(가) (나)

이에 대한 설명으로 옳은 것만을 〈보기〉에서 있는 대로 고른 것은?

〈보기〉
ㄱ. ㉠은 A에서 합성된다.
ㄴ. B는 단백질의 분비에 관여한다.
ㄷ. C는 ㉡의 2중층 구조로 되어 있다.
ㄹ. ㉠의 단위체는 포도당이다.

① ㄱ, ㄴ ② ㄱ, ㄷ ③ ㄴ, ㄹ
④ ㄷ, ㄹ ⑤ ㄱ, ㄴ, ㄷ

B 세포막을 통한 물질 이동

세포막의 구조와 물질 이동

746 하 중 상

세포막의 인지질 2중층을 직접 통과하는 물질은?

① 핵산 ② 단백질 ③ Na^+
④ 아미노산 ⑤ 이산화 탄소

빈출
747 하 중 상 대표문제 多 보기

그림은 세포막의 구조를 나타낸 것이다.

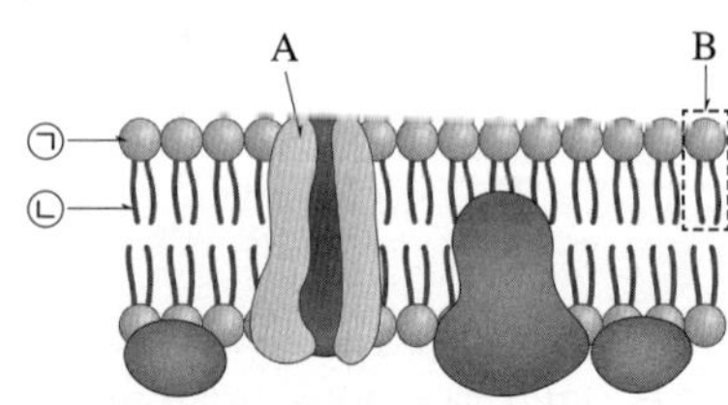

이에 대한 설명으로 옳지 않은 것은?

① A에는 펩타이드 결합이 있다.
② 지방산은 A를 통해 이동한다.
③ 전하를 띠는 물질은 A를 통해 이동한다.
④ 산소는 B의 2중층을 직접 통과한다.
⑤ B에는 친수성 부분과 소수성 부분이 모두 있다.
⑥ ㉠은 ㉡보다 물 분자와 쉽게 결합한다.

748 하 중 상

그림 (가)는 세포막의 구조를, (나)는 세포막의 단백질에 형광 물질을 표지하고 이 형광 물질의 일부를 제거한 다음 일정 시간 후 관찰한 결과를 나타낸 것이다.

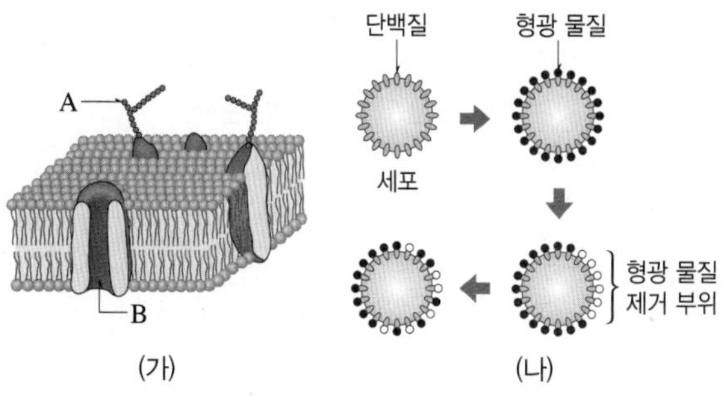

이에 대한 설명으로 옳은 것만을 〈보기〉에서 있는 대로 고른 것은?

〈 보기 〉
ㄱ. A와 B는 모두 단백질이다.
ㄴ. 아미노산은 B를 통해 이동한다.
ㄷ. (나)에서 세포막의 유동성을 확인할 수 있다.

① ㄱ ② ㄷ ③ ㄱ, ㄴ
④ ㄴ, ㄷ ⑤ ㄱ, ㄴ, ㄷ

확산

[749~750] 그림은 물질이 확산되는 두 가지 방식을 나타낸 것이다.

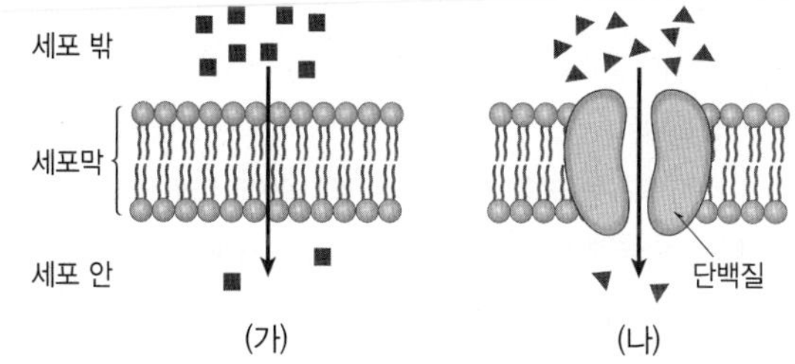

749 하 중 상

(가), (나)의 방식으로 이동하는 물질을 각각 두 가지씩 쓰시오.

750 하 중 상

이에 대한 설명으로 옳은 것만을 〈보기〉에서 있는 대로 고른 것은?

〈 보기 〉
ㄱ. (가)는 단순 확산, (나)는 촉진 확산이다.
ㄴ. (가)에서 물질은 농도가 낮은 곳에서 높은 곳으로 이동한다.
ㄷ. 전하를 띠거나 물에 잘 녹는 물질은 (나)와 같은 방식으로 이동한다.

① ㄱ ② ㄱ, ㄴ ③ ㄱ, ㄷ
④ ㄴ, ㄷ ⑤ ㄱ, ㄴ, ㄷ

751 하 중 상

대표문제 多 보기

그림은 세포막을 통한 물질의 확산을 나타낸 것이다.

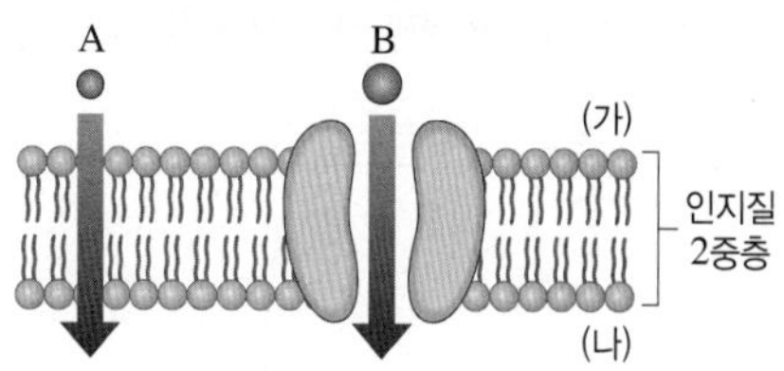

이에 대한 설명으로 옳지 않은 것만을 모두 고르면?(2개)

① A의 농도는 (나)보다 (가)에서 높다.
② Na^+과 K^+은 A와 같은 방식으로 이동한다.
③ A와 B의 이동에는 에너지를 사용하지 않는다.
④ 폐포와 모세 혈관 사이에서 산소와 이산화 탄소는 A와 같은 방식으로 교환된다.
⑤ 포도당과 아미노산은 B와 같은 방식으로 이동한다.
⑥ B와 같은 방식으로 이동하는 물질은 모두 같은 단백질을 통해 이동한다.

752 하 중 상

그림 (가)는 세포막을 통한 물질의 확산을, (나)는 세포 안팎의 농도 차에 따른 물질의 확산 속도를 나타낸 것이다.

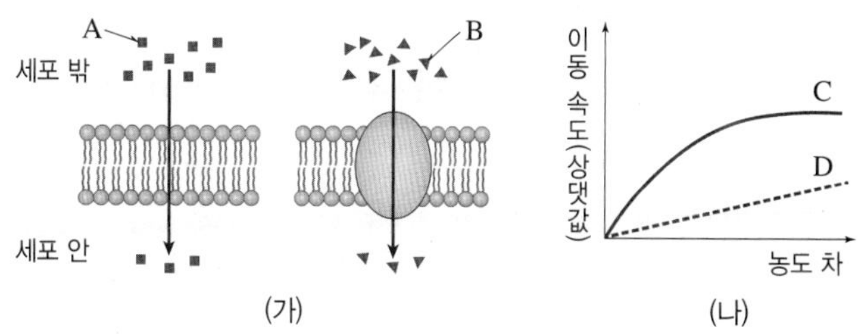

이에 대한 설명으로 옳지 않은 것은?

① A의 확산 속도는 온도가 낮을수록 빠르다.
② A의 확산 속도는 세포 안팎의 농도 차에 비례한다.
③ B의 확산 속도는 세포 안팎의 농도 차에 따라 C와 같이 변한다.
④ 혈액 속의 포도당이 조직 세포로 확산할 때는 B와 같이 이동한다.
⑤ 산소와 이산화 탄소의 확산 속도는 세포 안팎의 농도 차에 따라 D와 같이 변한다.

753 (하)(중)(상)

그림은 기준 (가)와 (나)에 따라 산소, 포도당, 이산화 탄소의 세포막을 통한 이동을 구분하는 과정을 나타낸 것이다.

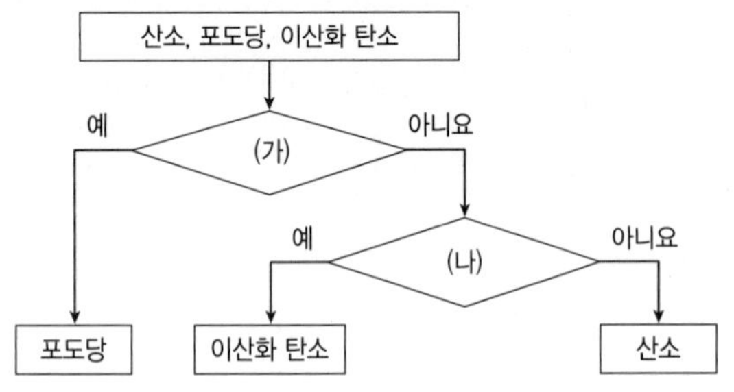

이에 대한 설명으로 옳은 것만을 〈보기〉에서 있는 대로 고른 것은?

〈 보기 〉
ㄱ. '단백질을 통해 이동한다.'는 (가)에 해당한다.
ㄴ. '확산할 때 ATP가 소모된다.'는 (가)에 해당한다.
ㄷ. '폐포에서 모세 혈관으로 확산된다.'는 (나)에 해당한다.
ㄹ. '조직 세포에서 모세 혈관으로 확산된다.'는 (나)에 해당한다.

① ㄱ, ㄴ ② ㄱ, ㄹ ③ ㄴ, ㄷ
④ ㄴ, ㄹ ⑤ ㄷ, ㄹ

754 (하)(중)(상)

표는 세포막을 통해 물질이 확산되는 두 가지 방식 (가)와 (나)를 나타낸 것이다.

구분	단백질	이동 물질
(가)	사용함	㉠
(나)	㉡	산소

이에 대한 설명으로 옳은 것만을 〈보기〉에서 있는 대로 고른 것은?

〈 보기 〉
ㄱ. (가)와 (나)에서 모두 고농도에서 저농도로 물질이 이동한다.
ㄴ. 지용성 물질은 ㉠에 해당한다.
ㄷ. ㉡은 '사용하지 않음'이다.

① ㄱ ② ㄴ ③ ㄱ, ㄷ
④ ㄴ, ㄷ ⑤ ㄱ, ㄴ, ㄷ

삼투 확인 실험

755 (하)(중)(상)

다음은 세포막을 통한 물질의 이동을 확인하는 실험이다.

(가) 식초가 들어 있는 비커에 달걀 A와 B를 넣고, 랩으로 비커의 윗부분을 감싼 뒤 하루 동안 둔다.
(나) 겉껍데기가 제거된 달걀 A와 B를 꺼내 질량을 측정한다.
(다) 달걀 A는 증류수, B는 10 % 소금물이 들어 있는 비커에 각각 넣었다가 20분 후 꺼내어 질량을 측정한다.

이에 대한 설명으로 옳은 것만을 〈보기〉에서 있는 대로 고른 것은?

〈 보기 〉
ㄱ. 식초는 달걀의 겉껍데기를 제거하기 위해 사용한다.
ㄴ. (다)에서 선택적 투과성 막을 통해 삼투가 일어난다.
ㄷ. (다)에서 달걀 B는 (나)에서보다 질량이 감소한다.

① ㄱ ② ㄱ, ㄴ ③ ㄱ, ㄷ
④ ㄴ, ㄷ ⑤ ㄱ, ㄴ, ㄷ

756 (하)(중)(상)

대표문제 多 보기

그림 (가)는 반투과성 막을 사이에 둔 U자관의 A와 B에 각각 농도가 서로 다른 수용액을 넣은 모습을, (나)는 (가)에서 충분한 시간이 지난 후 더 이상 수면의 높이 변화가 없을 때의 모습을 나타낸 것이다. 용질은 반투과성 막을 통과하지 못한다.

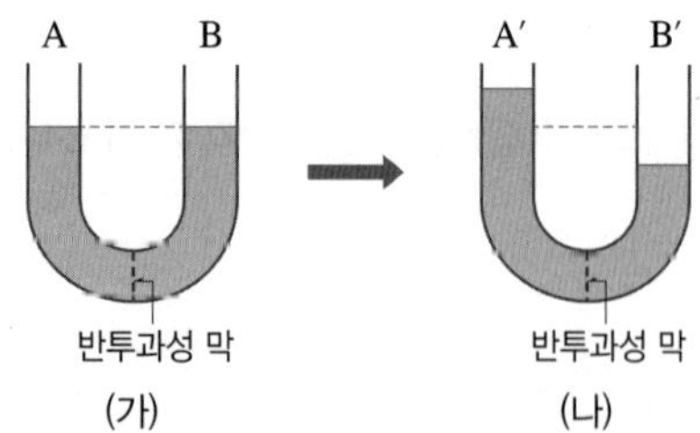

이에 대한 설명으로 옳은 것만을 모두 고르면?(2개)

① (가)에서 수용액의 농도는 A가 B보다 높다.
② A와 B의 농도가 같으면 물의 이동이 일어나지 않는다.
③ (가)의 B에서보다 (나)의 B′에서 용질의 농도가 낮다.
④ 삼투가 일어날 때 에너지가 소모된다.
⑤ 농도가 높은 쪽에서 낮은 쪽으로 용질이 이동한다.
⑥ 식물에 진한 소금물을 주면 이와 같은 원리에 의해 물이 이동하여 식물이 시든다.

757 하 중 상

그림은 반투과성 막으로 구분된 U자관의 모습을, 표는 세 개의 U자관 Ⅰ~Ⅲ의 A와 B에 각각 표와 같이 설탕 용액 ㉠~㉣을 같은 양씩 넣고 충분한 시간이 지난 후 더 이상 수면의 높이 변화가 없을 때 A 용액의 높이에서 B 용액의 높이를 뺀 차이를 나타낸 것이다. 설탕은 반투과성 막을 통과하지 못한다.

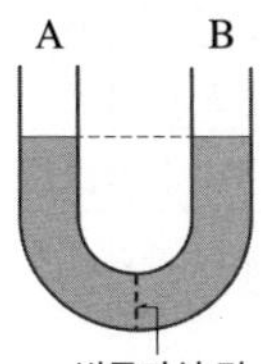

U자관	A 쪽 설탕 용액	B 쪽 설탕 용액	높이 차이 (mm)
Ⅰ	㉠	㉡	30
Ⅱ	㉢	㉠	−12
Ⅲ	㉠	㉣	0

이에 대한 설명으로 옳은 것만을 〈보기〉에서 있는 대로 고른 것은?

〈 보기 〉
ㄱ. 설탕 용액의 농도는 ㉠이 ㉢보다 높다.
ㄴ. Ⅰ~Ⅲ에서 수면의 높이가 변할 때 A와 B에 들어 있는 설탕의 양은 변하지 않는다.
ㄷ. Ⅲ에서는 물의 이동이 일어나지 않았다.

① ㄱ ② ㄱ, ㄴ ③ ㄱ, ㄷ
④ ㄴ, ㄷ ⑤ ㄱ, ㄴ, ㄷ

758 하 중 상

그림 (가)는 세포막을 통한 확산 중 한 가지 방식을, (나)는 삼투를 확인하는 실험을 나타낸 것이다. 시간이 지난 후 (나)에서는 설탕물 A의 높이가 상승하였다.

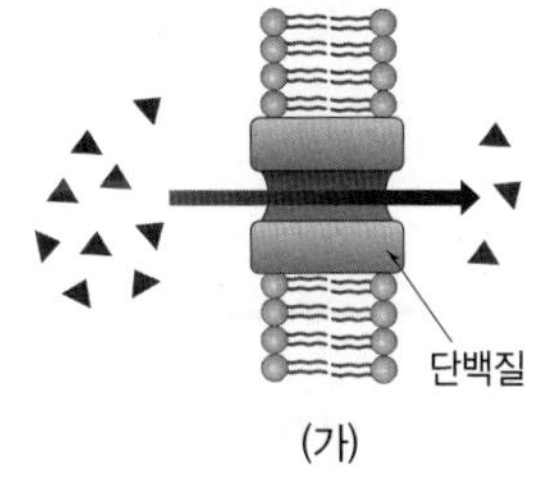

(가)

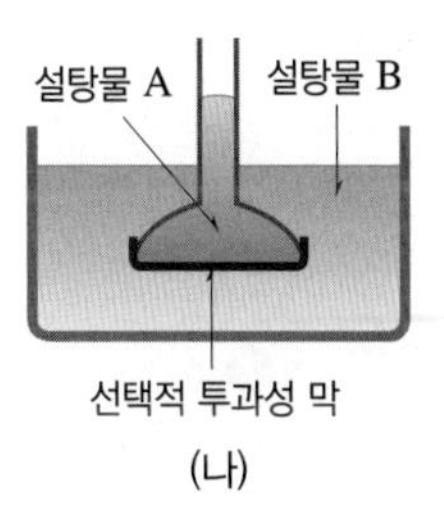

(나)

이에 대한 설명으로 옳은 것만을 〈보기〉에서 있는 대로 고른 것은?

〈 보기 〉
ㄱ. (가)가 일어나기 위해서는 에너지가 필요하다.
ㄴ. 폐포와 모세 혈관 사이의 산소와 이산화 탄소의 교환은 (가)와 같은 방식으로 일어난다.
ㄷ. (나)에서 설탕물 A가 설탕물 B보다 농도가 높다.

① ㄱ ② ㄷ ③ ㄱ, ㄴ
④ ㄱ, ㄷ ⑤ ㄴ, ㄷ

동물 세포에서의 삼투

빈출 759 하 중 상

그림은 적혈구를 용액 X에 일정 시간 동안 담가 두었을 때의 상태 변화를 나타낸 것이다.

이에 대한 설명으로 옳은 것만을 〈보기〉에서 있는 대로 고른 것은?

〈 보기 〉
ㄱ. 용액 X는 적혈구 안보다 농도가 높다.
ㄴ. 적혈구 안으로 들어오는 물의 양이 적혈구 밖으로 빠져나가는 물의 양보다 많다.
ㄷ. 삼투에 의해 물이 이동한다.

① ㄱ ② ㄱ, ㄴ ③ ㄱ, ㄷ
④ ㄴ, ㄷ ⑤ ㄱ, ㄴ, ㄷ

빈출 760 하 중 상 대표문제 多 보기

그림은 적혈구를 각각 0.2 % 소금물, 생리 식염수(0.9 % 소금물), 2 % 소금물에 넣고 일정 시간이 지났을 때의 변화를 순서 없이 나타낸 것이다.

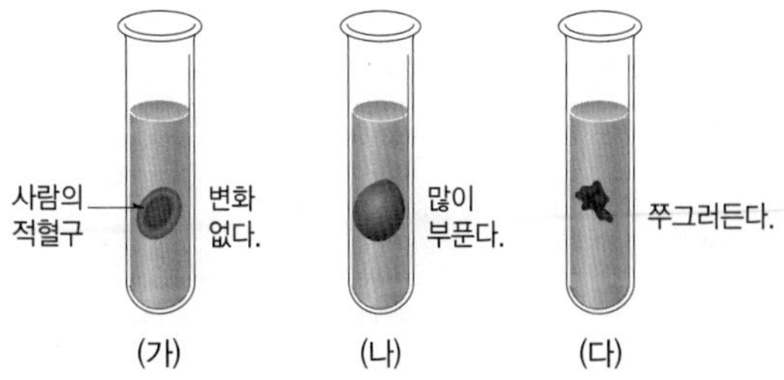

이에 대한 설명으로 옳은 것만을 〈보기〉에서 있는 대로 고른 것은?

〈 보기 〉
ㄱ. (가)에서는 적혈구 안팎으로 물이 이동하지 않았다.
ㄴ. (나)에서는 부피가 점점 커지다가 세포막이 터질 수 있다.
ㄷ. (다)에 넣었던 적혈구를 (나)에 넣으면 부푼다.
ㄹ. (다)는 0.2 % 소금물에 넣었을 때의 변화이다.

① ㄱ, ㄴ ② ㄱ, ㄷ ③ ㄴ, ㄷ
④ ㄴ, ㄹ ⑤ ㄴ, ㄷ, ㄹ

761 (하)(중)(상)

그림 (가)~(다)는 적혈구를 용액 A~C에 순서대로 담그고 일정 시간이 지났을 때의 모습을 나타낸 것이다. (나)에서는 적혈구의 부피가 변하지 않았다.

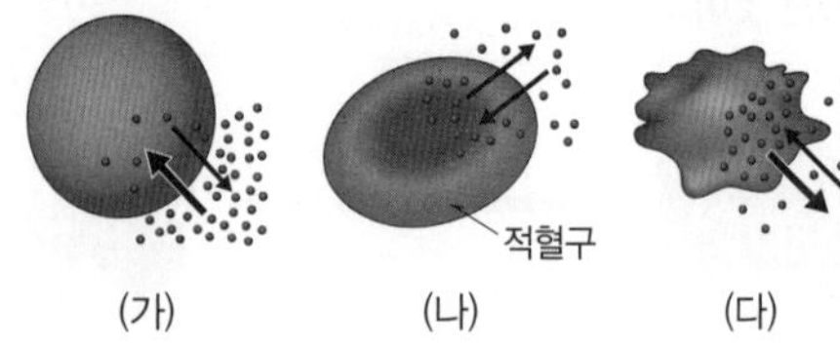

이에 대한 설명으로 옳은 것만을 〈보기〉에서 있는 대로 고른 것은?

〈 보기 〉
ㄱ. 용액의 농도는 A>B>C이다.
ㄴ. (다)에서는 세포막이 세포벽에서 떨어진다.
ㄷ. 적혈구의 상태 변화는 콩팥의 세뇨관에서 모세 혈관으로 물이 재흡수 되는 것과 같은 원리에 의해 일어난다.

① ㄱ ② ㄷ ③ ㄱ, ㄴ
④ ㄴ, ㄷ ⑤ ㄱ, ㄴ, ㄷ

762 (하)(중)(상) ••서술형

적혈구를 저장액, 등장액, 고장액에 각각 넣었을 때 나타나는 적혈구의 부피 변화를 서술하시오. (단, 용혈이 일어나는 경우를 포함하고, 물의 이동은 서술하지 않는다.)

763 (하)(중)(상)

그림은 사람의 적혈구를 농도가 서로 다른 개구리, 오리, 갈치의 등장액에 넣은 후 일정 시간이 지났을 때의 상태 변화를 나타낸 것이다.

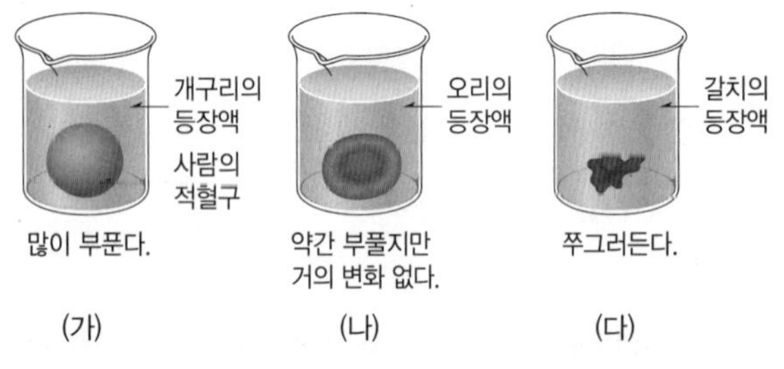

이에 대한 설명으로 옳은 것만을 〈보기〉에서 있는 대로 고른 것은?

〈 보기 〉
ㄱ. (다)에서 적혈구 안의 농도가 높아진다.
ㄴ. 개구리의 등장액은 오리의 등장액보다 농도가 낮다.
ㄷ. 오리의 적혈구를 갈치의 등장액에 넣으면 쭈그러든다.

① ㄱ ② ㄱ, ㄴ ③ ㄱ, ㄷ
④ ㄴ, ㄷ ⑤ ㄱ, ㄴ, ㄷ

식물 세포에서의 삼투

764 (하)(중)(상)

식물 세포에서 일어나는 삼투에 대한 설명으로 옳지 않은 것은?

식물 세포가 세포 안보다 농도가 낮은 용액에 있으면 ① 세포 안으로 들어오는 물의 양이 많아져 ② 세포가 터질 수 있고, 세포 안보다 농도가 높은 용액에 있으면 ③ 세포 밖으로 빠져나가는 물의 양이 많아져 ④ 세포막이 세포벽에서 분리된다. 세포 안과 농도가 같은 용액에 있으면 ⑤ 세포 안팎으로 이동하는 물의 양이 같아 부피가 변하지 않는다.

빈출

765 (하)(중)(상) 대표문제 多 보기

그림은 양파 표피 세포를 각각 농도가 서로 다른 용액 A와 B에 넣고 일정 시간이 지났을 때의 모습을 나타낸 것이다.

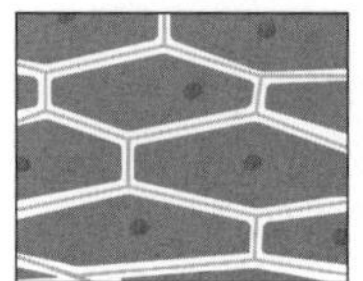
정상 세포

용액 A에 넣은 세포
(가)

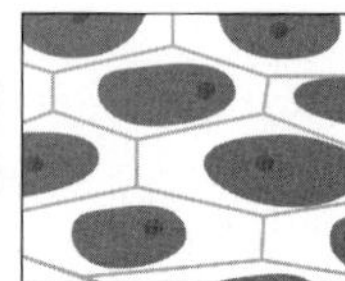
용액 B에 넣은 세포
(나)

이에 대한 설명으로 옳지 않은 것만을 모두 고르면?(2개)

① 용액의 농도는 A가 B보다 높다.
② (가)는 충분한 시간이 지나면 세포막이 터진다.
③ (가)는 세포 안으로 들어오는 물의 양이 많았다.
④ 세포 안의 농도는 (나)가 (가)보다 높다.
⑤ (나)는 세포막이 세포벽에서 분리되었다.
⑥ 식물의 뿌리털이 토양에서 물을 흡수할 때와 같은 원리에 의해 세포의 변화가 나타났다.

766 (하)(중)(상) ••서술형

그림은 식물 세포를 용액 X에 넣었을 때의 변화를 나타낸 것이다.

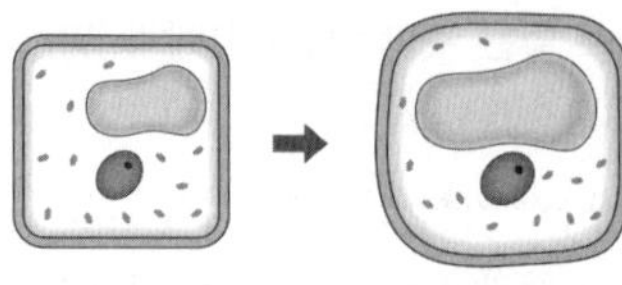

(1) 용액 X와 식물 세포 안의 농도를 비교하여 서술하시오.

(2) (1)과 같이 생각한 까닭을 삼투에 의한 세포의 부피 변화와 관련지어 서술하시오.

767 하 중 상

그림은 같은 종류의 식물 세포를 각각 저장액, 등장액, 고장액 중 하나에 넣은 모습을 순서 없이 나타낸 것이다.

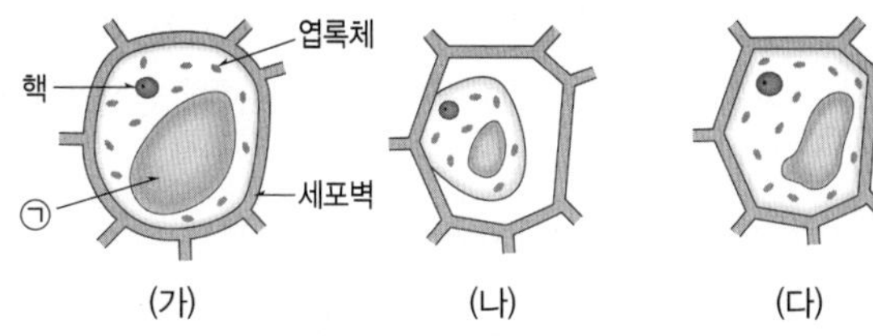

이에 대한 설명으로 옳은 것만을 〈보기〉에서 있는 대로 고른 것은?

〈 보기 〉

ㄱ. ㉠은 액포로, 고장액에 넣었을 때 크기가 가장 크다.
ㄴ. (나)는 저장액에 넣었을 때이다.
ㄷ. (다)에서는 세포 안팎으로 이동하는 물의 양이 같다.

① ㄱ　② ㄴ　③ ㄷ
④ ㄱ, ㄷ　⑤ ㄴ, ㄷ

768 하 중 상

그림 (가)는 적혈구, (나)는 식물 세포를 각각 농도가 서로 다른 소금물에 넣고 일정 시간이 지났을 때의 상태를 나타낸 것이다.

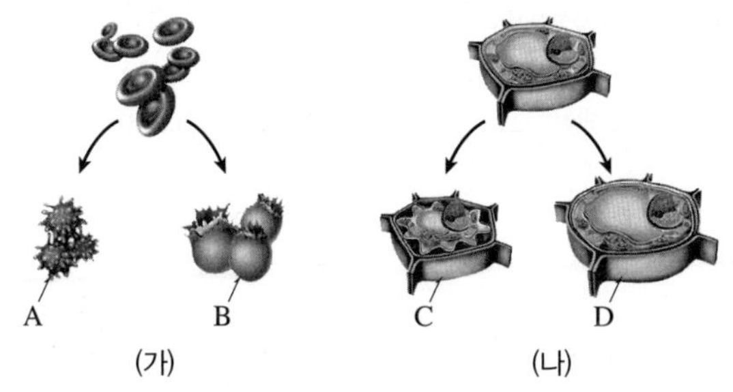

이에 대한 설명으로 옳은 것만을 〈보기〉에서 있는 대로 고른 것은?

〈 보기 〉

ㄱ. (가)와 (나)에서 모두 농도가 낮은 곳에서 높은 곳으로 용질이 이동하는 삼투가 일어났다.
ㄴ. A는 B보다 농도가 높은 용액에 넣은 상태이다.
ㄷ. D가 B처럼 터지지 않는 까닭은 세포벽이 있기 때문이다.

① ㄱ　② ㄱ, ㄴ　③ ㄱ, ㄷ
④ ㄴ, ㄷ　⑤ ㄱ, ㄴ, ㄷ

769 하 중 상

그림은 적혈구와 식물 세포를 농도가 서로 다른 용액 X와 Y에 각각 넣었을 때의 변화를 나타낸 것이다.

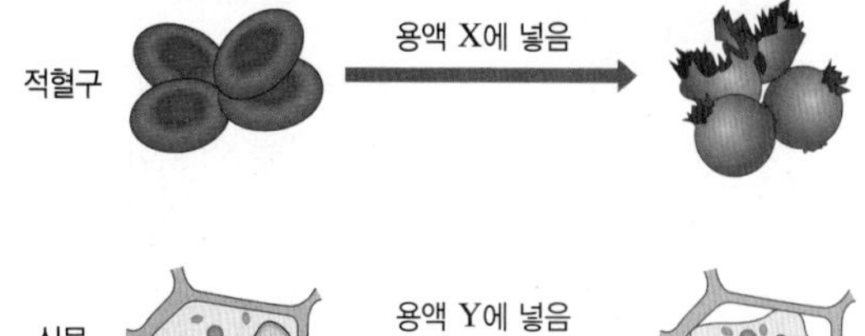

이에 대한 설명으로 옳은 것만을 〈보기〉에서 있는 대로 고른 것은?

〈 보기 〉

ㄱ. 적혈구에서 원형질 분리가 일어났다.
ㄴ. 용액 X는 적혈구 안보다 농도가 낮다.
ㄷ. 식물 세포에서 용혈이 일어났다.

① ㄱ　② ㄴ　③ ㄱ, ㄴ
④ ㄱ, ㄷ　⑤ ㄴ, ㄷ

770 하 중 상

서로 다른 농도의 설탕 용액이 들어 있는 비커 A~D에 크기와 질량이 같은 감자 조각을 하나씩 넣고 일정 시간 후 꺼내어 다시 질량을 측정하였더니 그 결과가 표와 같았다.

비커	A	B	C	D
감자 조각의 질량 변화	0.21 g 증가	0.18 g 증가	변화 없음	0.42 g 감소

이에 대한 설명으로 옳은 것만을 〈보기〉에서 있는 대로 고른 것은?

〈 보기 〉

ㄱ. A는 감자 세포보다 저장액이다.
ㄴ. A~D 중 D의 농도가 가장 높다.
ㄷ. C에서 감자 세포의 세포막을 통해 물이 이동한다.
ㄹ. D에서 감자 세포는 팽윤 상태이다.

① ㄱ, ㄴ　② ㄱ, ㄹ　③ ㄴ, ㄷ
④ ㄱ, ㄴ, ㄷ　⑤ ㄴ, ㄷ, ㄹ

생명 시스템에서의 화학 반응

Ⓐ 물질대사와 효소

1 물질대사 생명체에서 일어나는 모든 화학 반응으로, 생명체는 물질대사를 통해 얻은 물질과 에너지를 이용하여 생명을 유지한다.

① 물질대사에는 효소가 관여하며, 물질대사가 일어날 때 에너지가 출입한다.

② 물질대사는 동화 작용과 이화 작용으로 구분한다.

기출 Tip Ⓐ-1

세포 소기관과 물질대사
- 리보솜: 단백질 합성
- 미토콘드리아: 세포 호흡
- 엽록체: 광합성

구분	❶ ☐☐ 작용	❷ ☐☐ 작용
과정	저분자로부터 고분자를 합성하는 과정	고분자를 저분자로 분해하는 과정
에너지 출입	에너지 ❸ ☐☐(흡열 반응) ➡ 생성물의 에너지 > 반응물의 에너지	에너지 ❹ ☐☐(발열 반응) ➡ 반응물의 에너지 > 생성물의 에너지
예	광합성, 단백질 합성, 핵산 합성	세포 호흡, 글리코젠을 포도당으로 분해

└ 광합성: 이산화 탄소와 물을 포도당으로 합성

└ 세포 호흡: 포도당을 이산화 탄소와 물로 분해

에너지 / 반응물 / 흡열 / 생성물 / 반응 경로 / 동화 작용 / 단백질 / 에너지 흡수 / 아미노산 / 고분자 / 효소 / 저분자 / 포도당 / 물 / 이산화 탄소 / 에너지 방출 / 이화 작용 / 반응물 / 발열 / 생성물 / 반응 경로

▲ 동화 작용과 이화 작용

2 효소 생명체에서 화학 반응을 촉진하는 생체 촉매 ➡ 활성화 에너지를 낮추어 화학 반응이 빠르게 일어나도록 한다.

└ 촉매: 반응 과정에서 소모되거나 변하지 않으면서 반응 속도를 바꾸는 물질

(효소와 활성화 에너지)

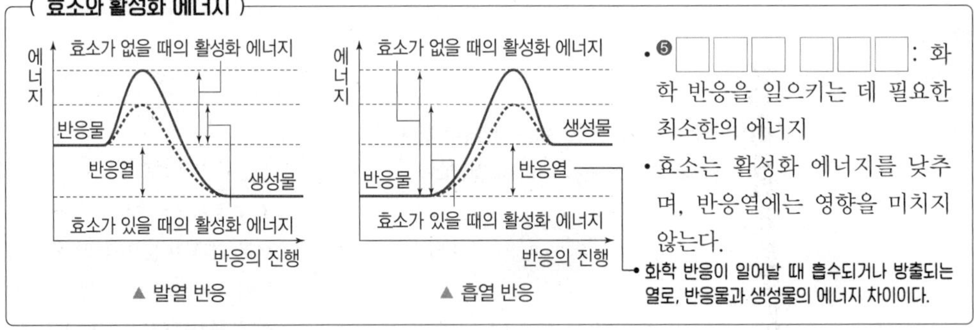

기출 Tip Ⓐ-3

효소의 종류

물질대사가 일어날 때 여러 단계의 화학 반응을 거치는데, 반응물이 다른 각 단계마다 작용하는 효소의 종류가 다르다.

에너지 형태

세포 호흡으로 방출되는 에너지의 일부는 ATP에 화학 에너지 형태로 저장되고, 나머지는 열로 방출된다.

발생하는 에너지양

같은 양의 포도당이 세포 호흡과 연소로 분해되었을 때 발생하는 에너지의 총량은 같다.

3 세포 호흡과 연소

구분	세포 호흡	연소
반응 온도	체온 정도의 낮은 온도	400 °C 이상의 높은 온도
효소	여러 종류의 효소가 관여한다.	효소가 관여하지 않는다.
반응과 에너지 출입	단계적으로 반응이 일어나 에너지를 서서히 방출한다. 반응물(포도당) / 높음 / 에너지 / 에너지 / 에너지 / 에너지 / 낮음 / 생성물 (CO_2, H_2O)	순간적으로 열과 빛을 내면서 한 번에 많은 에너지를 방출한다. 반응물(포도당) / 높음 / 에너지 / 에너지 / 낮음 / 생성물 (CO_2, H_2O)

Ⓑ 효소와 생명 현상

1 효소의 주성분 ❻☐☐☐ ➡ 단백질은 DNA의 유전 정보에 따라 리보솜에서 합성된다.

2 효소의 작용 효소는 반응물과 일시적으로 결합하여 ❼☐☐☐ ☐☐☐를 낮춘다.

(효소의 특성과 작용)

- 효소는 입체 구조가 들어맞는 기질과만 결합하여 효소·기질 복합체를 형성하고 촉매 작용을 한다.
  - 효소와 결합하는 반응물

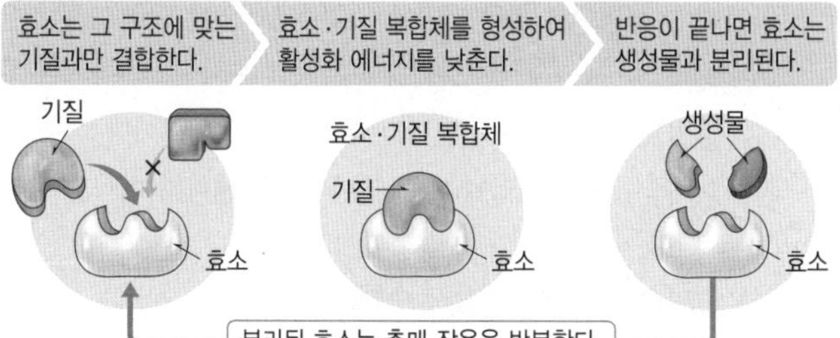

- 효소는 기질과 결합하여 촉매 작용을 하므로 효소·기질 복합체의 양이 많을수록 반응 속도가 빠르다.
- 효소는 반응에서 소모되거나 변형되지 않고 반복적으로 사용된다.

3 효소와 생명 현상 효소는 영양소의 소화, 혈액의 응고, 몸의 구성 성분 합성, 해독 작용 등 생명체에서 일어나는 다양한 반응에 관여한다.

(카탈레이스의 작용)

시험관	기포 발생 여부	꺼져가는 향의 불씨를 넣었을 때	과산화 수소수를 추가로 넣었을 때
A	변화 없음	변화 없음	변화 없음
B	기포 발생	밝게 잘 탐	기포 다시 발생

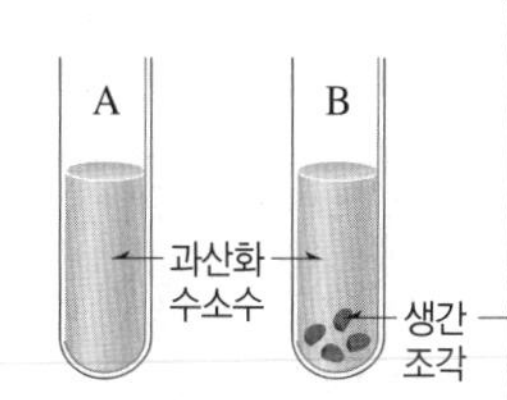

- 카탈레이스는 독성이 강한 과산화 수소를 물과 산소로 분해하는 화학 반응에 작용하는 효소이다.
- 시험관 B에서 발생한 기포에는 ❽☐☐가 있고, 효소는 재사용 되는 것을 알 수 있다.
- 생간 조각 대신 익힌 간 조각을 넣으면 산소 기포가 잘 발생하지 않는다. ➡ 높은 온도에서 효소의 주성분인 단백질의 성질이 변하여 카탈레이스가 촉매 기능을 잃었기 때문
  - 열에 의해 단백질의 입체 구조가 변한다.

4 효소의 활용

① 된장, 고추장, 김치 등의 발효 식품은 미생물이 가진 효소의 작용으로 만들어진다.
② 세제에는 단백질 분해 효소가 들어 있어 옷에 찌든 단백질 때를 분해할 수 있다.
③ 소화제나 혈전 용해제 같은 의약품의 성분에 효소가 들어 있다.

기출 Tip Ⓑ-2
기질의 농도에 따른 효소의 반응 속도
효소의 농도가 일정할 때 처음에는 기질의 농도에 비례하여 효소의 반응 속도가 빨라지다가 기질의 농도가 일정 수준에 이르면 모든 효소가 기질과 결합하여 반응 속도가 더 이상 빨라지지 않고 일정해진다.

기출 Tip Ⓑ-3
과산화 수소의 분해
과산화 수소는 공기 중에서 물과 산소로 분해될 수 있지만, 실온에서는 반응이 느리게 일어나 산소가 발생하는 것을 관찰하기 어렵다.

- 생간 조각 대신 감자즙을 이용하여 실험할 수도 있다.
- $2H_2O_2 \longrightarrow 2H_2O + O_2$

기출 Tip Ⓑ-4
효소의 활용
키위즙이나 배즙을 고기와 섞으면 고기가 연해지는 것도 효소를 활용하는 예이다.

답 ❶ 동화 ❷ 이화 ❸ 흡수 ❹ 방출 ❺ 활성화 에너지 ❻ 단백질 ❼ 활성화 에너지 ❽ 산소

빈출 자료 보기

정답과 해설 69쪽

771 그림은 어떤 화학 반응에서 효소가 있을 때와 없을 때의 에너지 변화를 나타낸 것이다.

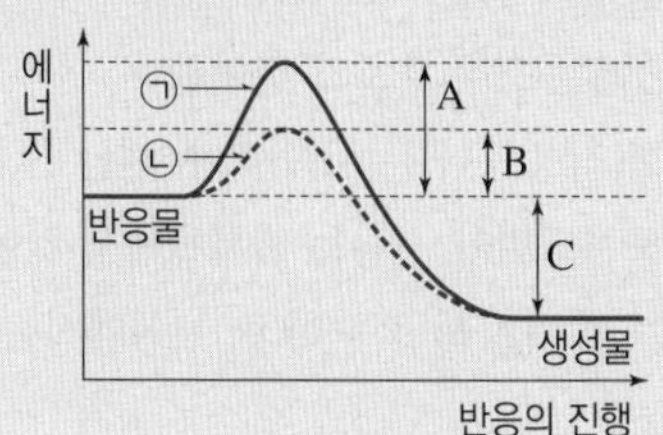

이에 대한 설명으로 옳은 것은 ○, 옳지 않은 것은 ×로 표시하시오.

(1) 이 화학 반응은 발열 반응이다. (　　)
(2) 효소는 활성화 에너지를 낮추는 작용을 한다. (　　)
(3) 화학 반응이 일어나는 속도는 ㉠과 ㉡에서 같다. (　　)
(4) ㉡에서 활성화 에너지는 B+C이다. (　　)
(5) A는 효소가 없을 때의 활성화 에너지이다. (　　)
(6) C는 효소의 유무와 상관없이 일정하다. (　　)

A 물질대사와 효소

동화 작용과 이화 작용

빈출

772 하 중 상

물질대사와 효소에 대한 설명으로 옳지 않은 것은?

① 물질대사에는 효소가 관여한다.
② 물질대사가 일어날 때 에너지가 출입한다.
③ 생명체에서 일어나는 모든 화학 반응을 물질대사라고 한다.
④ 효소는 활성화 에너지를 낮추어 화학 반응이 빠르게 일어나도록 한다.
⑤ 물질대사에서 반응이 단계적으로 일어날 때 각 단계마다 모두 같은 효소가 사용된다.

빈출

773 하 중 상 대표문제 多 보기

그림은 두 종류의 물질대사를 나타낸 것이다. ㉠은 물질대사에 관여하는 생체 촉매이다.

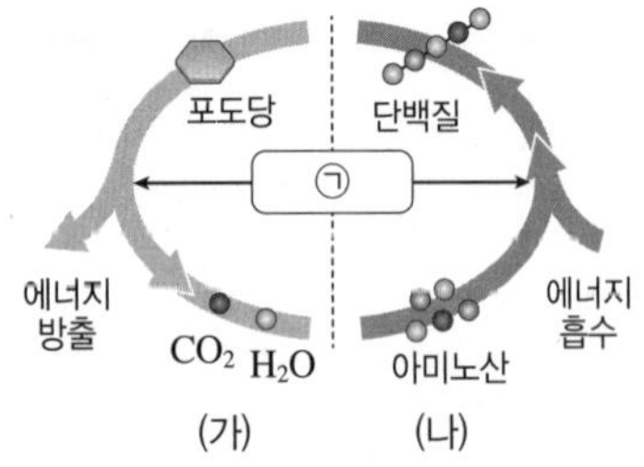

이에 대한 설명으로 옳지 않은 것만을 모두 고르면?(2개)

① (가)는 고분자를 저분자로 분해하는 이화 작용이다.
② (가)에서는 반응물의 에너지보다 생성물의 에너지가 작다.
③ (가)와 (나)는 모두 400 ℃ 이상의 높은 온도에서만 일어난다.
④ (나)에서는 에너지를 흡수한다.
⑤ 광합성은 (나)와 같은 종류의 물질대사이다.
⑥ ㉠은 활성화 에너지를 높여 반응이 빠르게 일어나도록 하는 효소이다.

774 하 중 상

그림은 생명체 내에서 물질대사가 일어날 때의 에너지 변화를 나타낸 것이다.

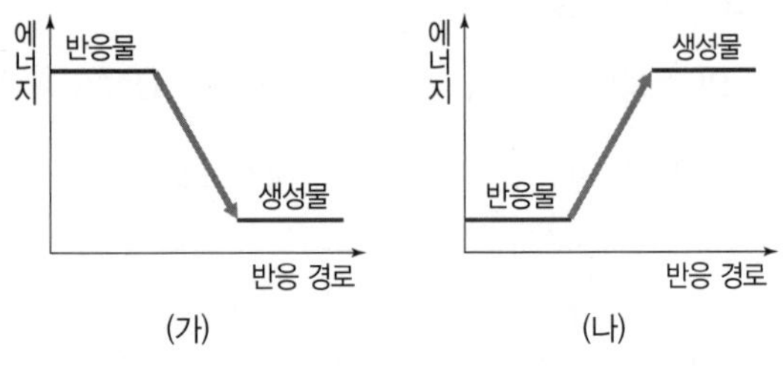

이에 대한 설명으로 옳은 것만을 〈보기〉에서 있는 대로 고른 것은?

〈 보기 〉
ㄱ. (가)는 이화 작용이 일어날 때의 에너지 변화이다.
ㄴ. 세포 호흡이 일어날 때는 (가)와 같은 에너지 변화가 나타난다.
ㄷ. (나)에서는 에너지를 흡수한다.

① ㄱ ② ㄱ, ㄴ ③ ㄱ, ㄷ
④ ㄴ, ㄷ ⑤ ㄱ, ㄴ, ㄷ

775 하 중 상

다음은 광합성과 호흡 과정을 순서 없이 나타낸 것이다. 에너지의 출입은 표시하지 않았다.

(가) 이산화 탄소+물 ⟶ 포도당+산소
(나) 포도당+산소 ⟶ 이산화 탄소+물

이에 대한 설명으로 옳지 않은 것은?

① (가)는 광합성, (나)는 세포 호흡이다.
② (가)와 (나)에는 모두 효소가 관여한다.
③ (가)는 동화 작용, (나)는 이화 작용이다.
④ (가)는 미토콘드리아, (나)는 엽록체에서 일어난다.
⑤ (가)에서는 에너지를 흡수하고, (나)에서는 에너지를 방출한다.

빈출

776 하 중 상

그림은 광합성과 세포 호흡에서의 에너지와 물질의 이동을 나타낸 것이다. (가)와 (나)는 각각 광합성과 세포 호흡 중 하나이다.

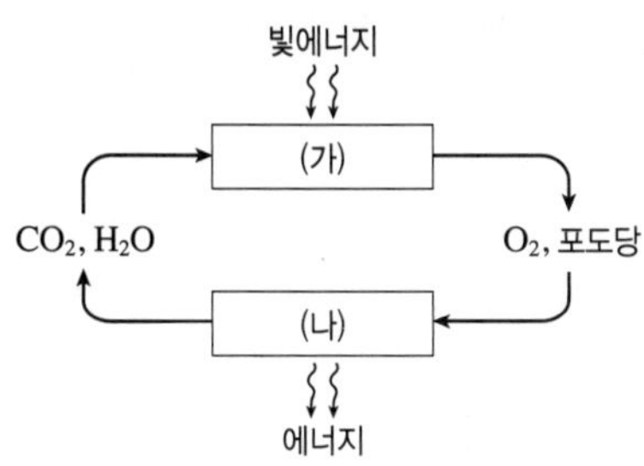

이에 대한 설명으로 옳은 것만을 〈보기〉에서 있는 대로 고른 것은?

〈 보기 〉
ㄱ. (가)는 동화 작용이다.
ㄴ. (가)에서 빛에너지가 화학 에너지로 전환된다.
ㄷ. (나)는 식물에서 일어나지 않는다.
ㄹ. (나)에서 방출되는 에너지는 모두 ATP에 저장된다.

① ㄱ, ㄴ ② ㄱ, ㄹ ③ ㄴ, ㄷ
④ ㄷ, ㄹ ⑤ ㄱ, ㄴ, ㄹ

777 하 중 상

그림은 식물 세포와 동물 세포의 모습을 순서 없이 나타낸 것이다.

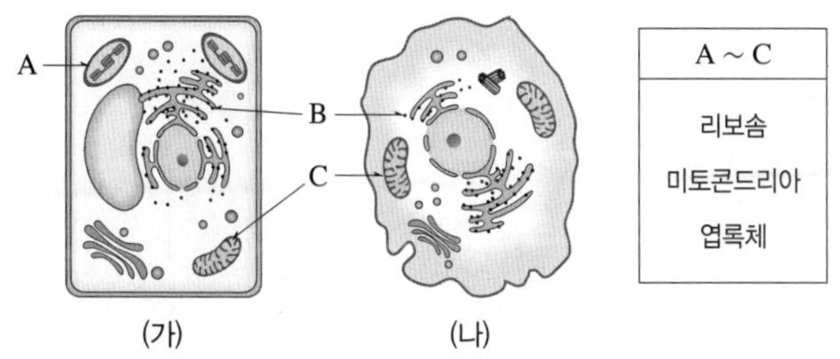

이에 대한 설명으로 옳은 것만을 〈보기〉에서 있는 대로 고른 것은?

〈 보기 〉
ㄱ. A~C에서 모두 물질대사가 일어난다.
ㄴ. B에서 동화 작용이 일어난다.
ㄷ. (나)에서는 광합성이 일어나지 않는다.

① ㄱ ② ㄱ, ㄴ ③ ㄱ, ㄷ
④ ㄴ, ㄷ ⑤ ㄱ, ㄴ, ㄷ

778 하 중 상

다음은 우리 몸에서 일어나는 여러 가지 생명 현상이다.

(가) 간에서 글리코젠을 포도당으로 분해한다.
(나) 산소가 폐포에서 모세 혈관으로 확산된다.
(다) 이자에서 여러 분자의 아미노산이 결합하여 소화 효소 단백질을 합성한다.

이에 대한 설명으로 옳은 것만을 〈보기〉에서 있는 대로 고른 것은?

〈 보기 〉
ㄱ. (가)는 이화 작용이다.
ㄴ. (나)는 세포막의 단백질을 통해 일어난다.
ㄷ. (다)에서 반응물의 에너지는 생성물의 에너지보다 크다.

① ㄱ ② ㄴ ③ ㄱ, ㄴ
④ ㄱ, ㄷ ⑤ ㄴ, ㄷ

효소와 활성화 에너지

[779~780] 그림은 어떤 화학 반응이 일어날 때의 에너지 변화를 나타낸 것이다. (가)와 (나)는 각각 효소가 있을 때와 없을 때 중 하나이다.

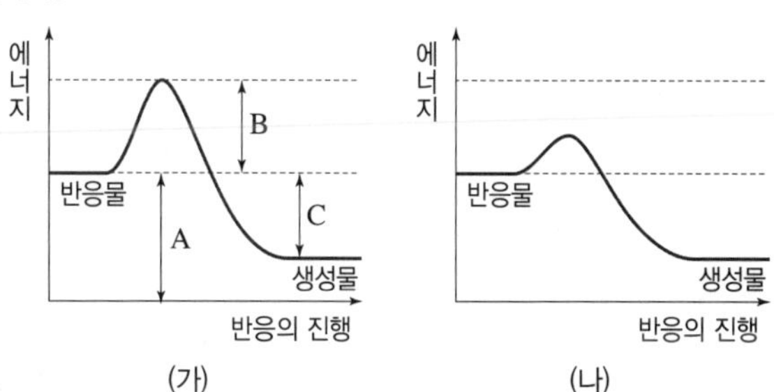

779 하 중 상

(가)에서 활성화 에너지에 해당하는 것은?

① A ② B ③ C
④ A+B ⑤ B+C

빈출

780 하 중 상

이에 대한 설명으로 옳은 것만을 〈보기〉에서 있는 대로 고른 것은?

〈 보기 〉
ㄱ. 이 화학 반응은 발열 반응이다.
ㄴ. 반응 속도는 (가)보다 (나)에서 더 빠르다.
ㄷ. (나)는 효소가 없을 때의 에너지 변화이다.

① ㄱ ② ㄱ, ㄴ ③ ㄱ, ㄷ
④ ㄴ, ㄷ ⑤ ㄱ, ㄴ, ㄷ

781 하 중 상 ••서술형

물질대사가 체온 정도의 낮은 온도에서 빠르게 일어날 수 있는 까닭을 효소의 기능과 관련지어 서술하시오.

빈출

782 하 중 상 대표문제 多 보기

그림은 효소가 있을 때와 없을 때 물질 X 분해 반응에서의 에너지 변화를 나타낸 것이다.

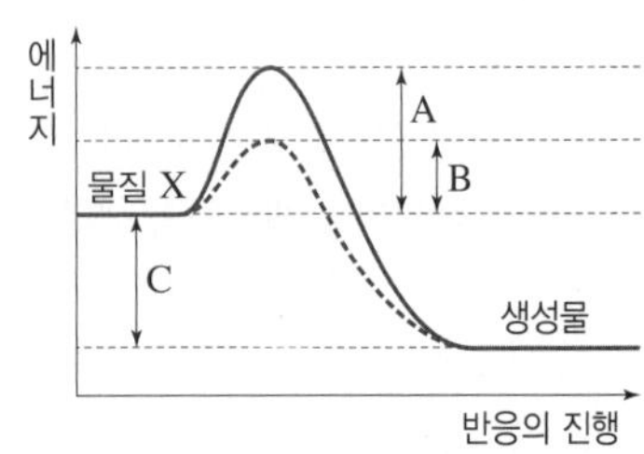

이에 대한 설명으로 옳은 것만을 〈보기〉에서 있는 대로 고른 것은?

〈 보기 〉

ㄱ. 생명체에서 일어나는 물질 X 분해 반응은 동화 작용이다.

ㄴ. 효소가 있으면 활성화 에너지가 A에서 B로 낮아진다.

ㄷ. C는 효소의 유무와 상관없이 일정하다.

① ㄱ ② ㄱ, ㄴ ③ ㄱ, ㄷ
④ ㄴ, ㄷ ⑤ ㄱ, ㄴ, ㄷ

783 하 중 상

그림은 효소가 있을 때와 없을 때 어떤 화학 반응에서의 에너지 변화를 나타낸 것이다.

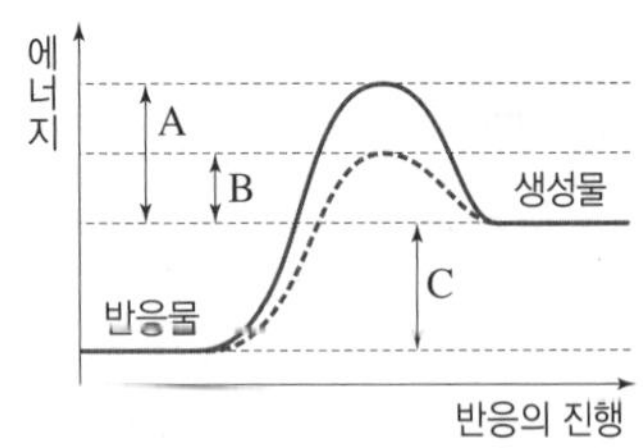

이에 대한 설명으로 옳은 것만을 〈보기〉에서 있는 대로 고른 것은?

〈 보기 〉

ㄱ. 이 화학 반응은 흡열 반응이다.

ㄴ. 효소가 없을 때의 활성화 에너지는 A이다.

ㄷ. 효소의 작용으로 감소하는 활성화 에너지의 크기는 A−B이다.

ㄹ. 효소가 작용하면 C가 작아진다.

① ㄱ, ㄴ ② ㄱ, ㄷ ③ ㄴ, ㄷ
④ ㄷ, ㄹ ⑤ ㄱ, ㄴ, ㄹ

세포 호흡과 연소

784 하 중 상

세포 호흡과 연소에 대한 설명으로 옳은 것만을 〈보기〉에서 있는 대로 고른 것은?

〈 보기 〉

ㄱ. 세포 호흡과 연소에는 모두 효소가 관여한다.

ㄴ. 세포 호흡이 연소보다 높은 온도에서 일어난다.

ㄷ. 세포 호흡에서는 에너지가 단계적으로 방출된다.

① ㄱ ② ㄴ ③ ㄷ
④ ㄱ, ㄴ ⑤ ㄴ, ㄷ

785 하 중 상 ••서술형

세포 호흡과 연소의 차이점을 두 가지만 서술하시오.

빈출

786 하 중 상 대표문제 多 보기

그림은 같은 양의 포도당이 연소될 때와 세포 호흡에 이용될 때의 에너지 변화를 순서 없이 나타낸 것이다.

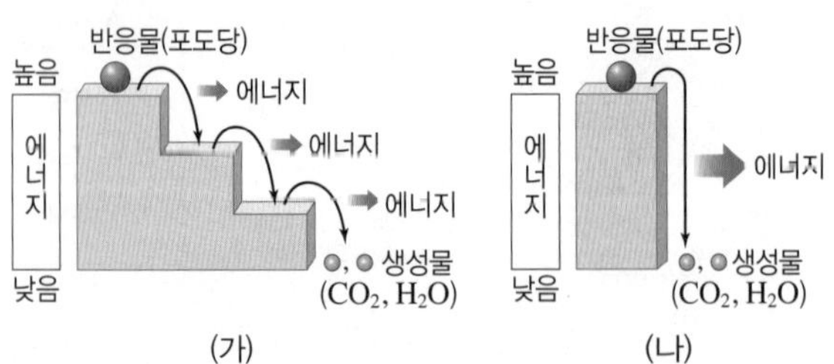

이에 대한 설명으로 옳지 않은 것만을 모두 고르면?(2개)

① (가)는 생명체에서 일어나는 반응이다.

② (가)에서 방출되는 에너지의 일부는 열에너지 형태이다.

③ (가)는 발열 반응, (나)는 흡열 반응이다.

④ (가)와 (나)에서 방출되는 에너지의 총량은 같다.

⑤ (가)와 (나)에서 모두 이산화 탄소와 물이 생성된다.

⑥ (나)는 효소가 관여하므로 (가)보다 낮은 온도에서 일어난다.

B 효소와 생명 현상

효소의 특성과 작용

787 하중상 대표문제 多 보기

효소에 대한 설명으로 옳지 않은 것만을 모두 고르면?(2개)

① 단백질이 주성분이다.
② 반복해서 재사용 할 수 있다.
③ 반응 과정에서 소모되거나 변하지 않는다.
④ 온도가 올라갈수록 반응 속도가 계속 빨라진다.
⑤ 기질과 결합하여 효소·기질 복합체를 형성한다.
⑥ 한 종류의 효소는 입체 구조가 다른 여러 종류의 반응물과 결합할 수 있다.

788 하중상 대표문제 多 보기

그림은 효소의 작용을 나타낸 것이다.

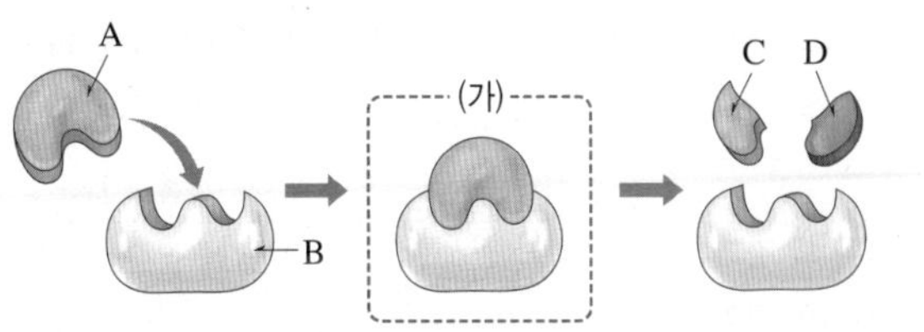

이에 대한 설명으로 옳은 것만을 〈보기〉에서 있는 대로 고른 것은?

〈 보기 〉
ㄱ. A는 기질이고, C와 D는 생성물이다.
ㄴ. B는 반응 전후에 변하지 않는 효소이다.
ㄷ. (가) 상태에서 활성화 에너지가 높아진다.
ㄹ, 이 반응은 이화 작용이다.

① ㄱ, ㄴ ② ㄱ, ㄷ ③ ㄴ, ㄹ
④ ㄱ, ㄴ, ㄹ ⑤ ㄴ, ㄷ, ㄹ

[789~790] 그림은 효소 A의 작용을 나타낸 것이다.

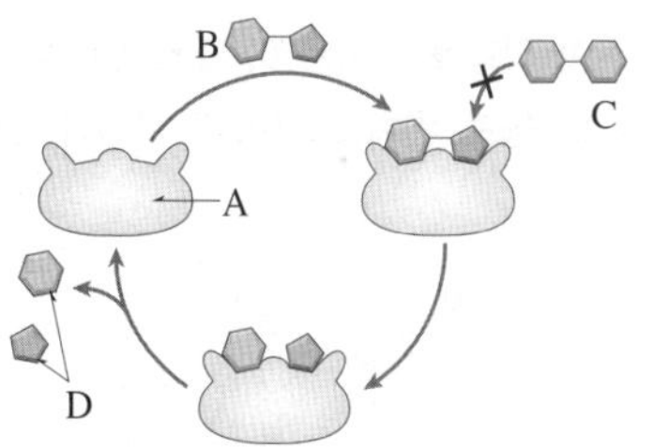

789 하중상 ••서술형

효소 A가 C와 결합하지 않는 까닭을 서술하시오.

790 하중상

이에 대한 설명으로 옳은 것만을 〈보기〉에서 있는 대로 고른 것은?

〈 보기 〉
ㄱ. 반응이 끝난 A는 생체 촉매의 기능을 잃는다.
ㄴ. A의 주성분인 단백질은 리보솜에서 합성된다.
ㄷ. B의 에너지가 D의 에너지보다 크다.

① ㄱ ② ㄱ, ㄴ ③ ㄱ, ㄷ
④ ㄴ, ㄷ ⑤ ㄱ, ㄴ, ㄷ

791 하중상

그림 (가)는 효소 X의 작용을, (나)는 (가) 반응에서의 에너지 변화를 나타낸 것이다.

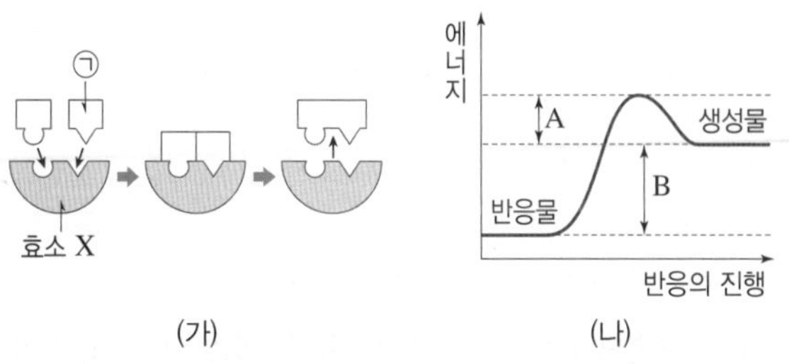

이에 대한 설명으로 옳은 것만을 〈보기〉에서 있는 대로 고른 것은?

〈 보기 〉
ㄱ. 이 반응은 동화 작용으로, 흡열 반응이다.
ㄴ. ㉠은 생성물이다.
ㄷ. (가) 반응의 활성화 에너지는 A+B이다.

① ㄱ ② ㄱ, ㄴ ③ ㄱ, ㄷ
④ ㄴ, ㄷ ⑤ ㄱ, ㄴ, ㄷ

792 하 중 상

그림 (가)는 효소의 작용을, (나)는 이 효소에 의한 반응이 진행될 때 물질 ㉠~㉢의 농도 변화를 나타낸 것이다. ㉠~㉢은 각각 A~C 중 하나이다.

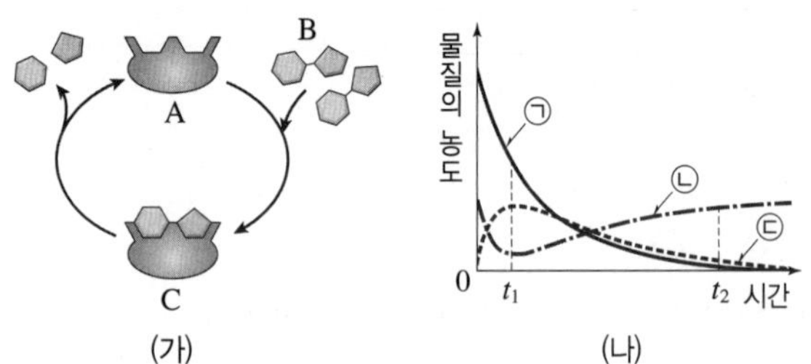

(가) (나)

이에 대한 설명으로 옳은 것만을 〈보기〉에서 있는 대로 고른 것은?

〈 보기 〉
ㄱ. ㉠은 B, ㉢은 C이다.
ㄴ. ㉢의 농도가 높을수록 반응 속도가 빠르다.
ㄷ. 활성화 에너지는 t_1일 때가 t_2일 때보다 높다.

① ㄱ ② ㄱ, ㄴ ③ ㄱ, ㄷ
④ ㄴ, ㄷ ⑤ ㄱ, ㄴ, ㄷ

793 하 중 상

그림 (가)는 어떤 효소의 작용을, (나)는 이 효소의 농도가 일정할 때 기질 농도에 따른 초기 반응 속도를 나타낸 것이다.

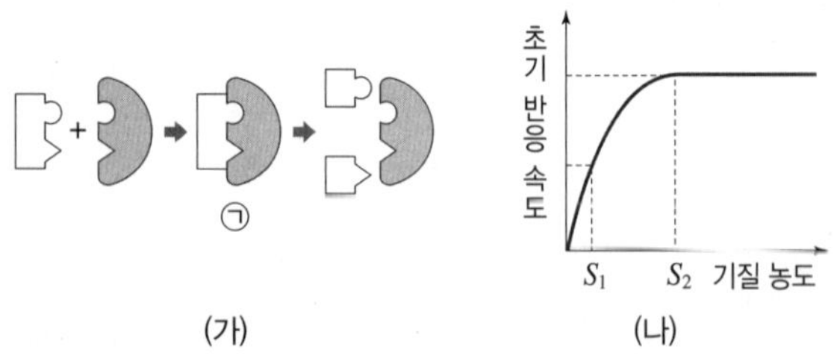

(가) (나)

이에 대한 설명으로 옳은 것만을 〈보기〉에서 있는 대로 고른 것은?

〈 보기 〉
ㄱ. ㉠의 양은 S_2일 때가 S_1일 때보다 많다.
ㄴ. 활성화 에너지는 S_1일 때가 S_2일 때보다 높다.
ㄷ. S_2 이후에 반응 속도가 일정해지는 까닭은 모든 효소가 기질과 결합하였기 때문이다.

① ㄱ ② ㄱ, ㄴ ③ ㄱ, ㄷ
④ ㄴ, ㄷ ⑤ ㄱ, ㄴ, ㄷ

효소와 생명 현상

794 하 중 상

우리 몸에서 효소가 관여하는 반응으로 옳은 것만을 〈보기〉에서 있는 대로 고른 것은?

〈 보기 〉
ㄱ. 상처 부위의 혈액을 응고시킨다.
ㄴ. 음식물 속의 영양소를 소화한다.
ㄷ. 간에서 암모니아를 요소로 전환한다.
ㄹ. 모세 혈관에서 폐포로 이산화 탄소가 이동한다.

① ㄱ, ㄴ ② ㄴ, ㄹ ③ ㄷ, ㄹ
④ ㄱ, ㄴ, ㄷ ⑤ ㄴ, ㄷ, ㄹ

795 하 중 상

대표문제 多 보기

다음은 감자즙을 이용하여 효소의 기능을 알아보는 실험이다.

(가) 시험관 A와 B에 각각 3 % 과산화 수소수 5 mL씩을 넣는다.
(나) 시험관 A에는 감자즙 1 mL를, 시험관 B에는 증류수 1 mL를 넣은 후 기포가 발생하는지 관찰한다.
(다) (나) 반응이 끝난 후 시험관 A와 B에 각각 3 % 과산화 수소수 5 mL씩을 더 넣고 기포가 발생하는지 관찰한다.

구분	시험관 A	시험관 B
(나)의 결과	기포가 발생함	기포가 발생하지 않음
(다)의 결과	㉠	?

이에 대한 설명으로 옳은 것만을 〈보기〉에서 있는 대로 고른 것은?

〈 보기 〉
ㄱ. 감자즙에는 카탈레이스가 있다.
ㄴ. (나)의 시험관 A에서 발생한 기포에는 산소가 있다.
ㄷ. ㉠은 '기포가 발생하지 않음'이다.

① ㄱ ② ㄴ ③ ㄱ, ㄴ
④ ㄱ, ㄷ ⑤ ㄴ, ㄷ

[796~797] 다음은 효소의 작용을 알아보기 위한 실험이다.

(가) 시험관 A~C에 과산화 수소수를 3 mL씩 넣는다.
(나) 시험관 A에는 간 조각을 넣지 않고, 시험관 B에는 생간 조각을, 시험관 C에는 익힌 간 조각을 넣은 후 시험관에서 기포가 발생하는지 관찰한다.

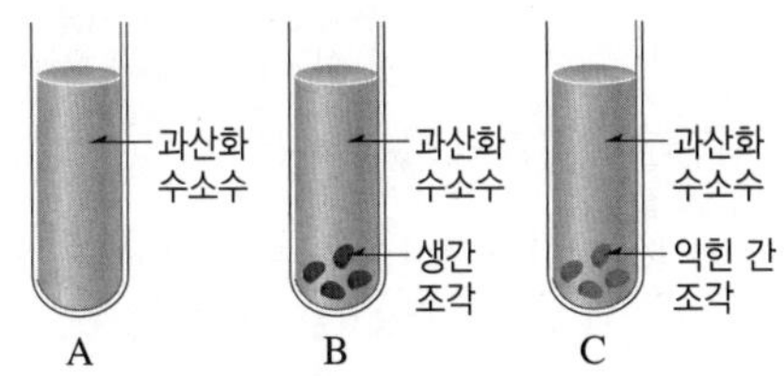

(다) (나) 반응이 끝난 후 시험관 A~C에 과산화 수소수를 2 mL씩 더 넣고 기포가 발생하는지 관찰한다.

구분	(나)의 결과	(다)의 결과
시험관 A	×	×
시험관 B	○	○
시험관 C	×	×

(○: 기포 발생, ×: 기포 발생하지 않음)

796 하중상

이에 대한 설명으로 옳은 것만을 〈보기〉에서 있는 대로 고른 것은?

〈 보기 〉
ㄱ. 생간 조각을 넣은 시험관 B에 꺼져가는 향의 불씨를 넣으면 불씨가 밝게 잘 탄다.
ㄴ. (나)에서 시험관 B에 생간 조각을 많이 넣을수록 발생하는 기포의 총량이 증가한다.
ㄷ. (다)의 결과에서 효소가 재사용 가능한 것을 알 수 있다.

① ㄱ ② ㄱ, ㄴ ③ ㄱ, ㄷ
④ ㄴ, ㄷ ⑤ ㄱ, ㄴ, ㄷ

797 하중상

••서술형

시험관 C에서 기포가 발생하지 않은 까닭을 서술하시오.

798 하중상

다음은 감자즙을 이용한 과산화 수소 분해 실험이다.

(가) 고무풍선 2개에 각각 1 cm 간격을 두고 2개의 점을 표시한다.
(나) 삼각 플라스크 A와 B에 각각 5 % 과산화 수소수를 100 mL씩 넣는다.
(다) 삼각 플라스크 A에는 증류수 10 mL를, 삼각 플라스크 B에는 감자즙 10 mL를 넣는다.
(라) 삼각 플라스크 A와 B의 입구에 고무풍선을 동시에 끼우고 일정 시간 동안 관찰한 후, 고무풍선의 두 점 사이의 거리를 측정한다.

(단위: cm)

두 점 사이의 거리	처음	일정 시간 후
삼각 플라스크 A	1	1
삼각 플라스크 B	1	1.3

이에 대한 설명으로 옳은 것만을 〈보기〉에서 있는 대로 고른 것은?

〈 보기 〉
ㄱ. 삼각 플라스크 A보다 B에서 반응이 빠르게 일어났다.
ㄴ. 삼각 플라스크 A와 B에서 과산화 수소 분해 반응의 활성화 에너지는 같다.
ㄷ. 삼각 플라스크 B에서 고무풍선이 부풀어 오른 까닭은 수소 기체가 발생했기 때문이다.

① ㄱ ② ㄴ ③ ㄷ
④ ㄱ, ㄴ ⑤ ㄱ, ㄷ

799 하중상

효소를 활용하는 예가 아닌 것은?

① 된장, 고추장 등의 발효 식품을 만든다.
② 고기에 배즙이나 키위즙을 섞어 고기를 연하게 만든다.
③ 큰 감자를 반으로 잘라서 찌면 큰 덩어리일 때보다 빨리 익는다.
④ 미생물의 효소를 이용하여 생활 하수 속의 오염 물질을 제거한다.
⑤ 세제에는 단백질 분해 효소가 있어 옷에 찌든 단백질 때를 분해할 수 있다.

Ⅱ. 시스템과 상호 작용

생명 시스템에서 정보의 흐름

Ⓐ 유전 정보와 단백질

1 염색체 유전 정보를 저장하고 전달하는 역할을 하는 것으로, 분열하는 세포에서 막대 모양으로 관찰된다. ➜ ❶ ☐☐☐와 단백질로 구성된다.

└● 세포가 분열하지 않을 때에는 핵 속에 실과 같은 모양으로 풀어져 있다.

2 ❷ ☐☐☐ 형질을 결정하는 유전 정보가 저장된 DNA의 특정 부분

└● 눈동자 색, 머리카락 모양 등 생물이 나타내는 특성

3 유전자와 단백질 유전자에 저장된 유전 정보에 의해 단백질이 합성되며, 단백질에 의해 형질이 나타난다.

└● 리보솜에서 단백질이 합성된다.

기출 Tip Ⓐ

염색체와 유전자

염색체는 DNA와 단백질로 구성된다.

↓

DNA에는 많은 수의 유전자가 있다.

↓

유전자에는 형질을 결정하는 유전 정보가 저장되어 있다.

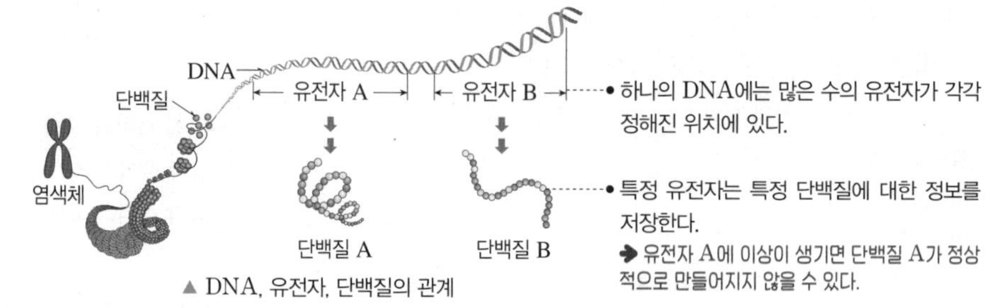

DNA
단백질
염색체
유전자 A
유전자 B
단백질 A
단백질 B
하나의 DNA에는 많은 수의 유전자가 각각 정해진 위치에 있다.
특정 유전자는 특정 단백질에 대한 정보를 저장한다.
➜ 유전자 A에 이상이 생기면 단백질 A가 정상적으로 만들어지지 않을 수 있다.

▲ DNA, 유전자, 단백질의 관계

(갈색 눈동자와 파란색 눈동자가 나타나는 과정)

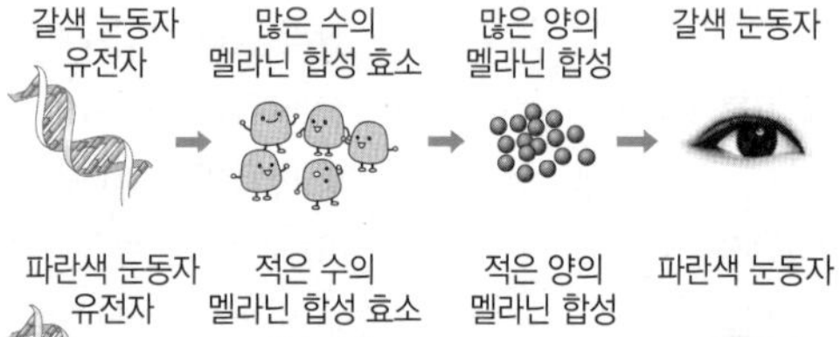

유전자에 저장된 유전 정보에 따라 단백질(멜라닌 합성 효소)이 합성되고, 이 단백질이 특정 기능(멜라닌 합성)을 수행하여 형질(눈동자 색)이 나타난다.

➜ 유전자의 유전 정보가 다르면 합성되는 단백질에 차이가 생겨 형질이 다르게 나타날 수 있다.

Ⓑ 세포에서 유전 정보의 흐름

1 생명 중심 원리 세포에서 유전 정보가 DNA에서 RNA를 거쳐 단백질로 전달되는 흐름

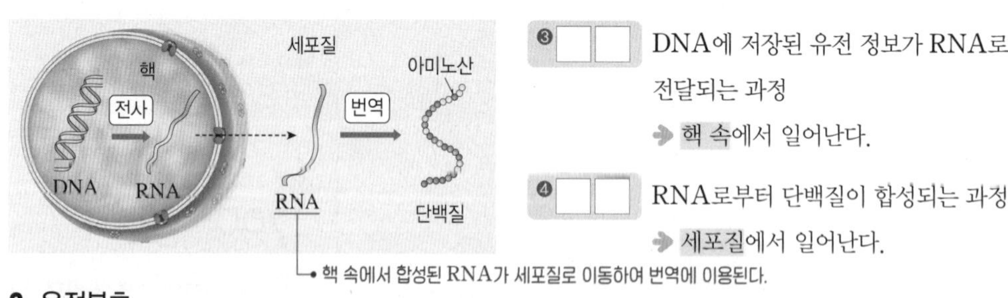

└● 핵 속에서 합성된 RNA가 세포질로 이동하여 번역에 이용된다.

❸ ☐☐ DNA에 저장된 유전 정보가 RNA로 전달되는 과정

➜ 핵 속에서 일어난다.

❹ ☐☐ RNA로부터 단백질이 합성되는 과정

➜ 세포질에서 일어난다.

기출 Tip Ⓑ-1

DNA와 RNA의 비교

- DNA: 이중 나선 구조이고, 뉴클레오타이드의 당은 디옥시리보스, 염기는 A, G, C, T이다.
- RNA: 단일 가닥 구조이고, 뉴클레오타이드의 당은 리보스, 염기는 A, G, C, U이다.

2 유전부호

① DNA의 염기 서열과 단백질의 아미노산 배열 순서를 연결한다.

3염기 조합	DNA의 연속된 3개의 염기로, 아미노산 하나를 지정한다.	염기를 3개씩 조합하여 아미노산 하나를 지정하는 부호를 만들면 64종류의 부호가 생겨 아미노산 20종류를 모두 지정할 수 있다.
❺ ☐☐	RNA의 연속된 3개의 염기로, 아미노산 하나를 지정한다. ➜ 64($=4^3$)종류가 있으며, 아미노산 하나를 지정하는 코돈의 종류는 하나 이상이다.	

② 거의 모든 생명체는 동일한 유전부호를 사용한다. ➜ 공통 조상으로부터 진화되었기 때문

예 사람의 유전자를 대장균에 넣으면 전사와 번역을 거쳐 사람의 단백질이 합성된다.

기출 Tip Ⓑ-2

유전부호의 구성

유전부호를 염기 1개로 만들면 4종류의 부호가 생기고, 염기를 2개씩 조합하여 만들면 16($=4^2$)종류의 부호가 생기므로 모든 종류의 아미노산을 지정할 수 없다.

3 유전자 발현 과정

┌• DNA 염기와 상보적인 염기를 가진 뉴클레오타이드를 결합한다.

① 전사: DNA와 상보적인 염기 서열을 가진 RNA가 합성된다. ➡ DNA의 염기 A, G, C, T에 각각 RNA의 염기 ❻ ☐, C, G, A이 상보적으로 결합한다.

② 번역: 리보솜에서 RNA의 코돈에 따라 ❼ ☐☐☐☐이 순서대로 결합하여 단백질이 합성된다. ➡ 아미노산의 수와 종류, 결합 순서에 따라 단백질의 종류가 달라진다.

③ 단백질: 효소, 근육, 머리카락 구성 등 특정한 기능을 수행한다.

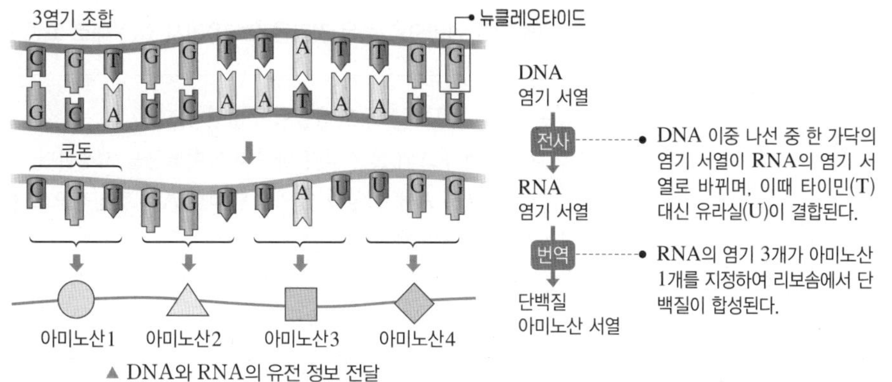

▲ DNA와 RNA의 유전 정보 전달

4 유전자 이상에 의한 유전병

유전자를 구성하는 ❽ ☐☐☐의 염기 서열에 이상이 생기면 유전병이 나타날 수 있다.

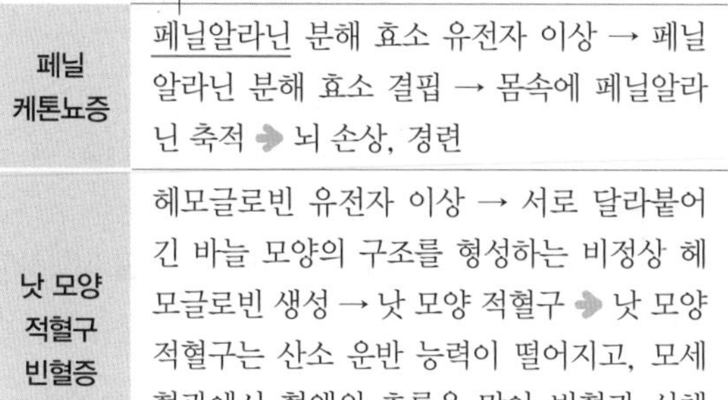

┌• 아미노산의 한 종류

페닐케톤뇨증	페닐알라닌 분해 효소 유전자 이상 → 페닐알라닌 분해 효소 결핍 → 몸속에 페닐알라닌 축적 ➡ 뇌 손상, 경련
낫 모양 적혈구 빈혈증	헤모글로빈 유전자 이상 → 서로 달라붙어 긴 바늘 모양의 구조를 형성하는 비정상 헤모글로빈 생성 → 낫 모양 적혈구 ➡ 낫 모양 적혈구는 산소 운반 능력이 떨어지고, 모세혈관에서 혈액의 흐름을 막아 빈혈과 신체 조직 손상을 유발함

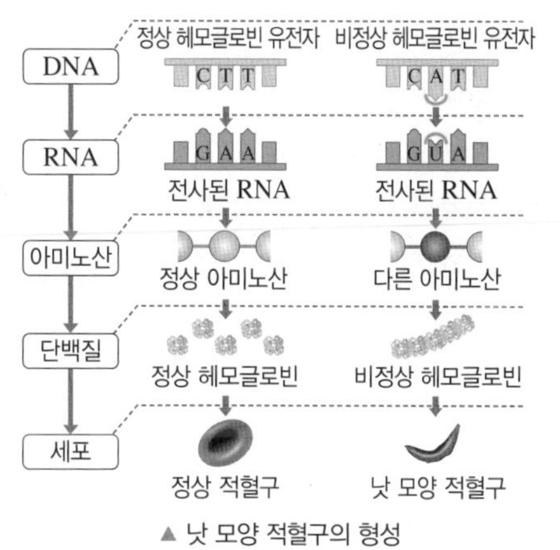

▲ 낫 모양 적혈구의 형성

기출 Tip Ⓑ-3

DNA의 상보적인 염기 서열
DNA의 이중 나선 구조에서 두 가닥의 염기가 쌍을 이룰 때 아데닌(A)은 항상 타이민(T)과, 구아닌(G)은 항상 사이토신(C)과 상보적으로 결합한다.

기출 Tip Ⓑ-4

페닐케톤뇨증
유전자 변이가 일어나 물질대사에 이상이 생긴 선천성 대사 이상 질환이다.

낫 모양 적혈구 빈혈증
DNA의 염기 서열에서 T이 A으로 바뀌어 RNA의 코돈이 달라지고(GAA → GUA), 이에 따라 단백질을 구성하는 아미노산의 종류가 달라졌다(글루탐산 → 발린).

알비노증
멜라닌 합성 효소 유전자에 이상이 생겨 멜라닌 색소를 만들지 못해 눈, 피부, 머리카락 등에 색소가 결핍되는 유전병이다.

답 ❶ DNA ❷ 유전자 ❸ 전사 ❹ 번역 ❺ 코돈 ❻ U ❼ 아미노산 ❽ DNA

빈출 자료 보기

정답과 해설 72쪽

800 그림은 유전자가 발현되는 과정을 나타낸 것이다. 왼쪽 첫 번째 염기부터 번역된다.

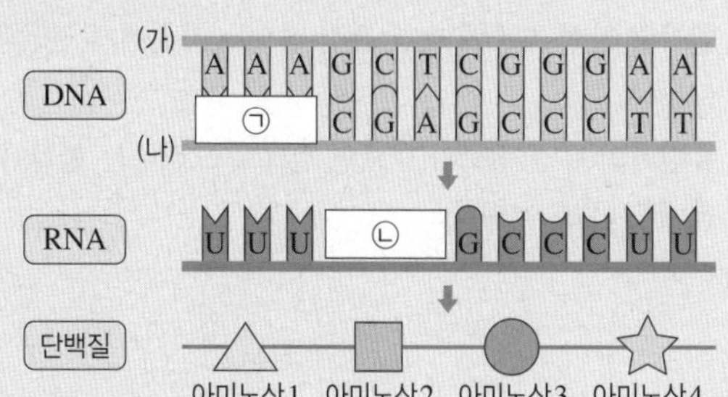

이에 대한 설명으로 옳은 것은 ○, 옳지 않은 것은 ×로 표시하시오.

(1) DNA (가) 가닥에서 RNA가 전사되었다. ( )

(2) DNA (나) 가닥에서 ㉠의 염기 서열은 UUU이다. ( )

(3) RNA에서 ㉡의 염기 서열은 GCT이다. ( )

(4) 아미노산 3을 지정하는 코돈은 CGG이다. ( )

(5) 코돈 하나는 아미노산 하나를 지정한다. ( )

(6) 아미노산과 아미노산은 펩타이드 결합으로 연결된다. ( )

(7) 한 종류의 아미노산을 지정하는 코돈의 종류는 여러 가지일 수 있다. ( )

상 4문항
중 19문항
하 5문항

A 유전 정보와 단백질

801 하 중 상

다음에서 설명하는 물질은?

- 효소의 주성분이다.
- 유전자에 이것의 유전 정보가 저장되어 있다.
- 독특한 입체 구조를 가지며, 입체 구조에 의해 기능이 결정된다.

① DNA ② RNA ③ 단백질
④ 인지질 ⑤ 탄수화물

802 하 중 상

DNA와 유전자에 대한 설명으로 옳지 않은 것은?

① 하나의 DNA에는 하나의 유전자가 있다.
② 형질을 결정하는 유전 정보는 DNA에 저장된다.
③ 특정 유전자는 특정 단백질에 대한 정보를 저장한다.
④ 유전 정보가 저장된 DNA의 특정 부분을 유전자라고 한다.
⑤ 물질대사에 관여하는 효소의 유전자에 이상이 생기면 물질대사에 이상이 생길 수 있다.

803 하 중 상 대표문제 多 보기

그림은 염색체의 구조를 나타낸 것이다.

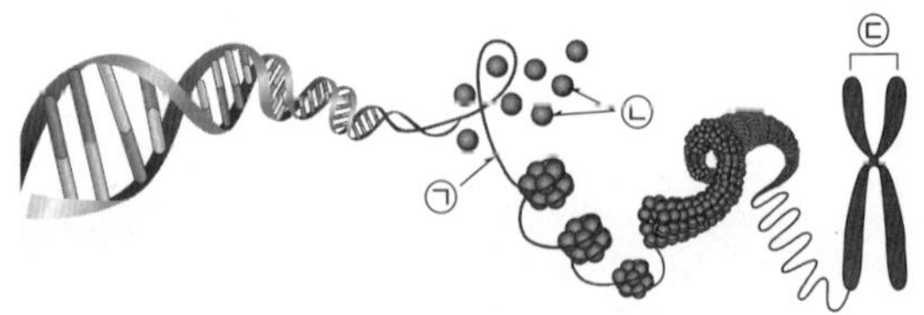

이에 대한 설명으로 옳지 않은 것은?

① ㉠은 이중 나선 구조이다.
② ㉠의 단위체는 뉴클레오타이드이다.
③ ㉠에 있는 염기는 아데닌(A), 구아닌(G), 사이토신(C), 유라실(U)이다.
④ ㉡은 리보솜에서 합성된다.
⑤ ㉡은 펩타이드 결합을 포함한다.
⑥ 세포가 분열할 때 ㉢을 관찰할 수 있다.

804 하 중 상

그림은 DNA와 유전자, 단백질의 관계를 나타낸 것이다.

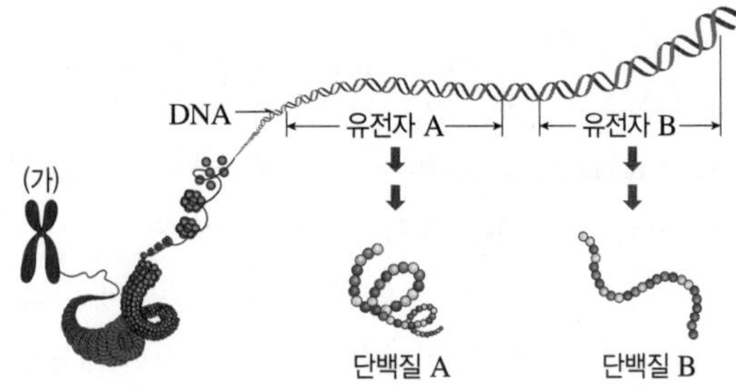

이에 대한 설명으로 옳은 것만을 〈보기〉에서 있는 대로 고른 것은?

〈 보기 〉
ㄱ. (가)는 DNA와 단백질로 구성된다.
ㄴ. 유전자 A와 B는 각각 하나의 아미노산을 지정한다.
ㄷ. 유전자 A에 이상이 있으면 단백질 A가 정상적으로 합성되지 않을 수 있다.

① ㄱ ② ㄱ, ㄴ ③ ㄱ, ㄷ
④ ㄴ, ㄷ ⑤ ㄱ, ㄴ, ㄷ

805 하 중 상

그림은 갈색 눈동자와 파란색 눈동자를 갖게 되는 과정을 비교하여 나타낸 것이다.

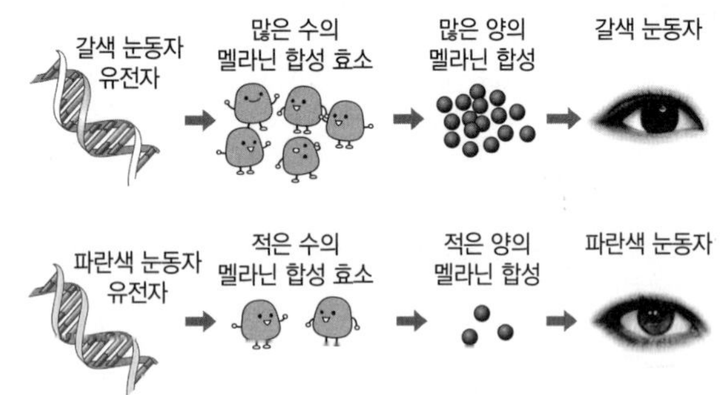

이에 대한 설명으로 옳은 것만을 〈보기〉에서 있는 대로 고른 것은?

〈 보기 〉
ㄱ. 핵 속에서 멜라닌 합성 효소가 만들어진다.
ㄴ. 멜라닌 합성 효소에 대한 유전 정보는 자손에게 전달되지 않는다.
ㄷ. 유전자의 유전 정보가 다르면 겉으로 드러나는 형질이 다르게 나타날 수 있다.

① ㄱ ② ㄷ ③ ㄱ, ㄴ
④ ㄴ, ㄷ ⑤ ㄱ, ㄴ, ㄷ

806 (하)(중)(상)

그림은 유전자 A가 발현되어 사슴의 털색이 갈색을 띠게 되는 과정을 나타낸 것이다.

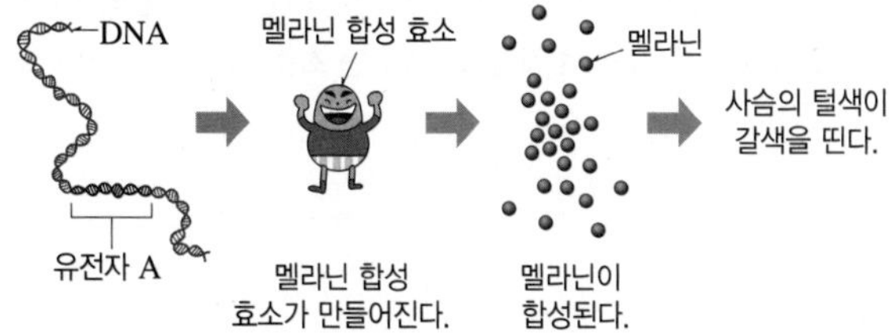

이에 대한 설명으로 옳은 것만을 〈보기〉에서 있는 대로 고른 것은?

〈 보기 〉
ㄱ. 유전자 A에는 멜라닌 합성 효소에 대한 유전 정보가 있다.
ㄴ. 유전자 A에 변이가 일어나면 사슴의 털색이 갈색을 띠지 않을 수 있다.
ㄷ. 유전자에 저장된 유전 정보에 따라 단백질이 합성되며, 단백질에 의해 형질이 나타난다.

① ㄱ ② ㄱ, ㄴ ③ ㄱ, ㄷ
④ ㄴ, ㄷ ⑤ ㄱ, ㄴ, ㄷ

B 세포에서 유전 정보의 흐름

생명 중심 원리

807 (하)(중)(상)

다음은 세포에서 일어나는 유전 정보의 흐름을 설명한 것이다.

세포에서 유전 정보는 DNA에서 RNA를 거쳐 단백질로 전달되는데, 이러한 흐름을 (㉠)(이)라고 한다. 이때 DNA에 저장된 유전 정보가 RNA로 전달되는 과정을 (㉡)(이)라 하고, RNA로부터 단백질이 합성되는 과정을 (㉢)(이)라고 한다.

㉠~㉢에 알맞은 말을 쓰시오.

808 (하)(중)(상)

유전부호에 대한 설명으로 옳은 것은?

① 유전부호는 생물종마다 다르다.
② 코돈 하나는 아미노산 하나를 지정한다.
③ 전사되어 형성된 RNA의 염기 서열은 전사에 사용된 DNA 가닥의 염기 서열과 같다.
④ DNA의 코돈이 전사되어 형성된 RNA의 연속된 3개의 염기를 3염기 조합이라고 한다.
⑤ DNA의 염기를 2개씩 조합하여 유전부호를 만들면 모든 종류의 아미노산을 지정할 수 있다.

809 (하)(중)(상)

대표문제 多 보기

그림은 세포에서 일어나는 유전 정보의 흐름을 나타낸 것이다.

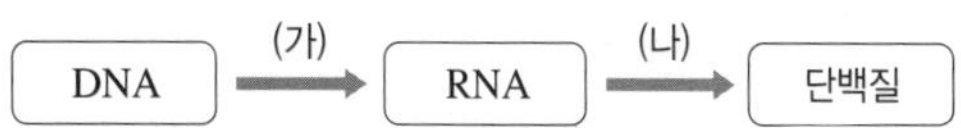

이에 대한 설명으로 옳은 것만을 모두 고르면?(2개)

① (가)는 전사, (나)는 번역이다.
② (가)와 (나)는 모두 핵 속에서 일어난다.
③ (나) 과정을 통해 폴리뉴클레오타이드가 합성된다.
④ 아미노산 하나를 지정하는 코돈의 종류는 한 가지이다.
⑤ RNA는 이중 나선 구조로, 단위체는 뉴클레오타이드이다.
⑥ 사람의 유전자를 대장균에 넣으면 이와 같은 과정을 거쳐 사람의 단백질이 합성된다.

빈출

810 (하)(중)(상)

그림은 세포 내 유전 정보의 흐름을 나타낸 것이다.

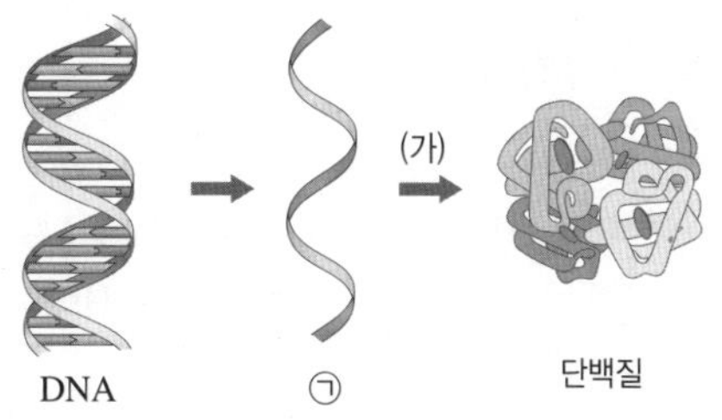

이에 대한 설명으로 옳은 것만을 〈보기〉에서 있는 대로 고른 것은?

〈 보기 〉
ㄱ. 코돈은 ㉠에 있는 3개의 연속된 염기이다.
ㄴ. DNA와 ㉠을 구성하는 염기의 종류는 같다.
ㄷ. ㉠의 염기 1개가 3개의 아미노산을 지정한다.
ㄹ. (가) 과정에서 리보솜이 관여한다.

① ㄱ, ㄴ ② ㄱ, ㄹ ③ ㄴ, ㄷ
④ ㄴ, ㄹ ⑤ ㄱ, ㄷ, ㄹ

811 하 **중** 상

그림은 세포에서 일어나는 유전 정보의 흐름을 나타낸 것이다.

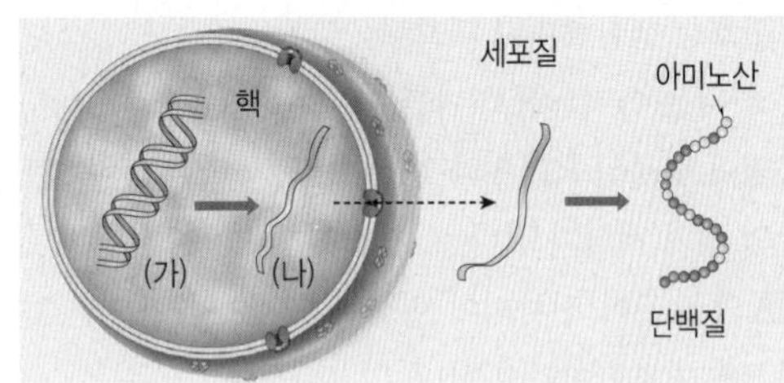

이에 대한 설명으로 옳은 것만을 〈보기〉에서 있는 대로 고른 것은?

〈 보기 〉

ㄱ. (가)의 코돈에 따라 아미노산이 순서대로 결합하여 단백질이 합성된다.

ㄴ. (나)는 RNA로, 핵에만 있고 세포질에는 없다.

ㄷ. (나)를 구성하는 단위체는 리보스를 당으로 가진다.

① ㄱ ② ㄷ ③ ㄱ, ㄴ
④ ㄴ, ㄷ ⑤ ㄱ, ㄴ, ㄷ

812 하 중 **상**

그림 (가)는 동물 세포의 구조를, (나)는 세포에서의 유전 정보의 흐름을 나타낸 것이다.

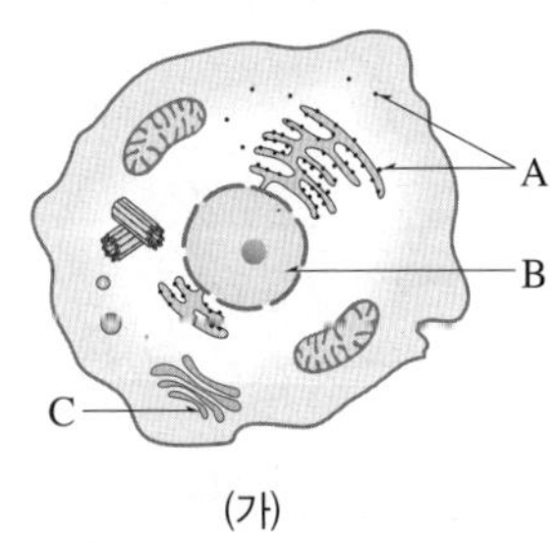

(가)

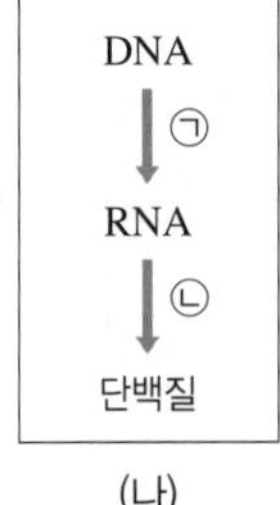

(나)

이에 대한 설명으로 옳은 것만을 〈보기〉에서 있는 대로 고른 것은?

〈 보기 〉

ㄱ. ㉠과 ㉡은 모두 A에서 일어난다.

ㄴ. B 속의 DNA가 A로 직접 이동한다.

ㄷ. C는 (나) 과정을 거쳐 합성된 단백질의 분비에 관여한다.

ㄹ. (나) 과정에는 효소가 관여한다.

① ㄱ, ㄴ ② ㄱ, ㄷ ③ ㄴ, ㄹ
④ ㄷ, ㄹ ⑤ ㄱ, ㄷ, ㄹ

유전자 발현 과정

813 **하** 중 상

단백질의 한 부분에 25개의 아미노산이 있다면 이 부분의 유전 정보를 저장하고 있는 DNA의 염기 개수는 최소 몇 개인지 쓰시오.

814 하 **중** 상

대표문제 多 보기

그림은 (가)와 (나) 가닥으로 구성된 어떤 사람의 DNA 일부와 이로부터 전사된 RNA를 나타낸 것이다.

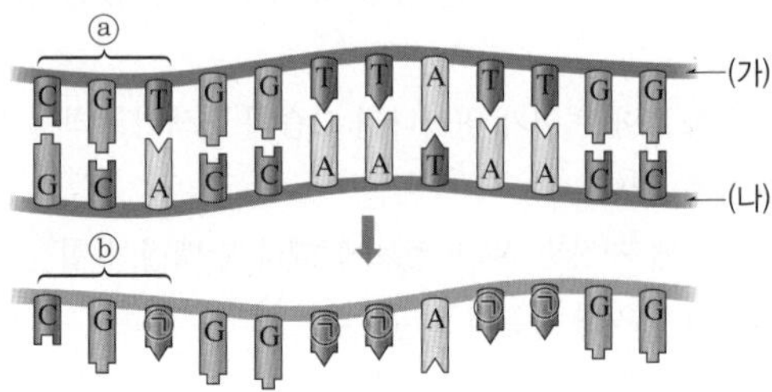

이에 대한 설명으로 옳지 않은 것은?

① ⓐ는 3염기 조합, ⓑ는 코돈이다.

② (가) 가닥에 있는 리보스는 12개이다.

③ (가) 가닥에 있는 뉴클레오타이드는 12개이다.

④ RNA는 (나) 가닥으로부터 전사되었다.

⑤ (나) 가닥의 사이토신(C) 개수와 RNA의 구아닌(G) 개수는 같다.

⑥ ㉠에 해당하는 염기는 (가)와 (나)에 없다.

815 하 **중** 상

그림은 이중 나선 DNA의 두 가닥 Ⅰ, Ⅱ 중 한 가닥으로부터 RNA가 전사된 모습을 나타낸 것이다.

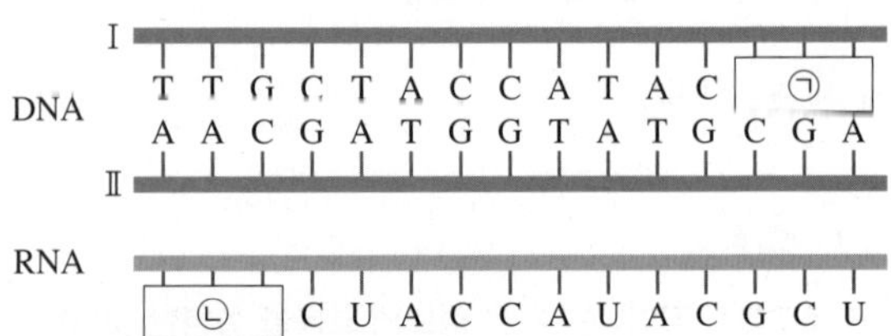

이에 대한 설명으로 옳지 않은 것은?

① ㉠은 왼쪽부터 순서대로 GCT이다.

② ㉡의 염기 3개 중 2개는 U이다.

③ RNA에는 최대 5개의 코돈이 있다.

④ RNA는 DNA Ⅱ로부터 전사되었다.

⑤ RNA가 번역되면 최대 5개의 아미노산이 5개의 펩타이드 결합으로 연결된다.

816 하 중 상 ••서술형

다음은 이중 나선 구조를 이루고 있는 DNA의 염기 서열과 이 중 한 가닥으로부터 전사된 RNA의 염기 서열을 나타낸 것이다.

DNA	(가) ☐ AAACCGAGT (나) TGGTTTGGC ☐
RNA	(다) UGG ☐ GGCUCA

(1) (가)~(다)의 빈 칸에 알맞은 염기 서열을 왼쪽부터 순서대로 쓰시오.

(2) RNA는 (가)와 (나) 중 무엇으로부터 전사되었는지 쓰고, 그 까닭을 서술하시오.

817 하 중 상 ••서술형

그림은 DNA 염기 서열 중 일부를 나타낸 것이다.

(1) 이 부분이 전사되어 만들어지는 RNA의 염기 서열을 쓰시오. (단, 왼쪽 첫 번째 염기부터 전사된다.)

(2) (1)의 RNA에서 왼쪽 첫 번째 염기부터 유전부호가 시작되면 이로부터 합성되는 단백질은 총 몇 개의 아미노산으로 구성되는지 쓰고, 그 까닭을 서술하시오.

818 하 중 상

그림은 단백질 합성 과정을 나타낸 것이다.

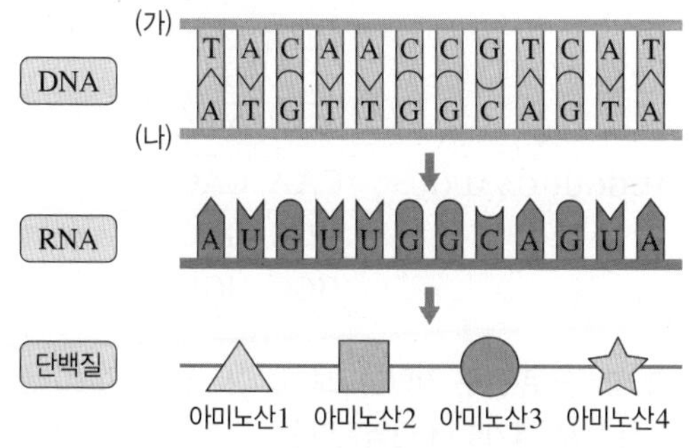

이에 대한 설명으로 옳은 것만을 〈보기〉에서 있는 대로 고른 것은?

〈 보기 〉
ㄱ. RNA는 (가) 가닥으로부터 전사되었다.
ㄴ. 아미노산 2를 지정하는 코돈은 AAC이다.
ㄷ. DNA의 아데닌(A)과 상보적으로 결합하는 RNA의 염기는 유라실(U)이다.

① ㄱ ② ㄷ ③ ㄱ, ㄴ
④ ㄱ, ㄷ ⑤ ㄴ, ㄷ

819 하 중 상 대표문제 多 보기

그림 (가)~(다)는 유전 정보의 전달과 관계된 RNA, 단백질, DNA를 순서 없이 나타낸 것이다.

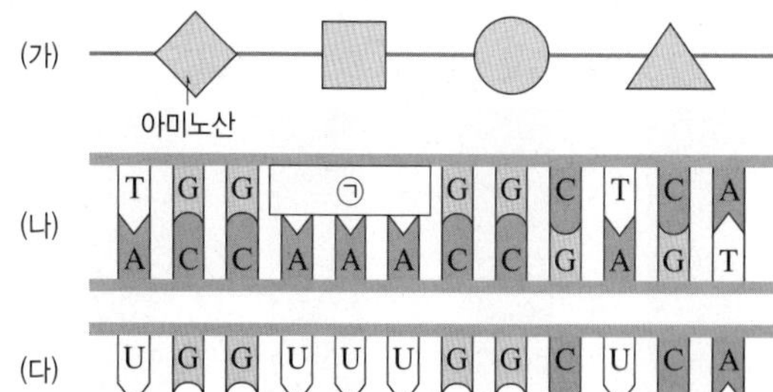

이에 대한 설명으로 옳은 것만을 모두 고르면?(2개)

① 유전 정보의 전달은 (나) → (다) → (가)로 진행된다.
② (나)와 (다)를 구성하는 당의 종류는 같다.
③ (나) → (다) 과정은 세포질의 리보솜에서 일어난다.
④ (다)는 DNA이다.
⑤ ㉠의 염기 서열은 UUU이다.
⑥ 3개의 코돈이 모여 하나의 아미노산을 지정한다.
⑦ 하나의 아미노산을 지정하는 DNA의 염기 수는 3개이다.

820 하 중 상

그림은 세포에서 일어나는 유전 정보의 흐름을 나타낸 것이다.

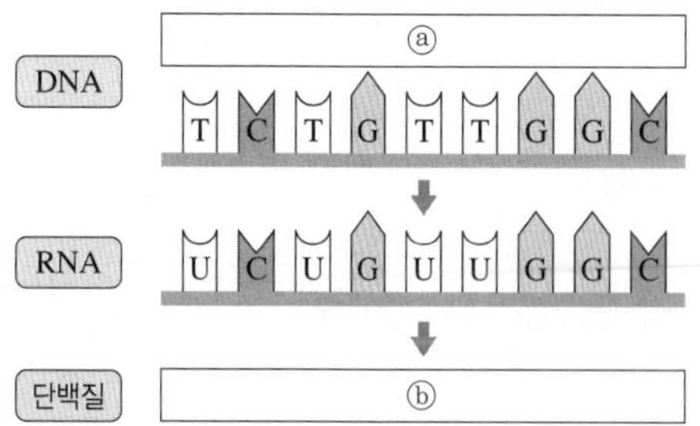

이에 대한 설명으로 옳은 것만을 〈보기〉에서 있는 대로 고른 것은? (단, RNA의 왼쪽 첫 번째 염기부터 유전부호가 시작된다.)

〈 보기 〉
ㄱ. ⓐ는 왼쪽부터 순서대로 AGACAACCG이다.
ㄴ. ⓑ에는 2개의 펩타이드 결합이 있다.
ㄷ. DNA에는 단백질의 아미노산 서열에 대한 정보가 있다.

① ㄱ ② ㄱ, ㄴ ③ ㄱ, ㄷ
④ ㄴ, ㄷ ⑤ ㄱ, ㄴ, ㄷ

821 하중상

(가)는 이중 나선 DNA 중 한 가닥의 염기 서열을, (나)는 RNA의 코돈을 한글과 연결한 암호표를 나타낸 것이다.

(가) TATTTTGGATTGTCCTGGCGC

(나)

UUU	ㅍ	UCU	ㄹ	UAU	ㅠ	UGU	ㅊ
UUC		UCC		UAC		UGC	
UUA	ㄱ	UCA		UAA	?	UGA	ㅋ
UUG		UCG		UAG		UGG	
CUU		CCU	ㅅ	CAU	ㅜ	CGU	ㅕ
CUC		CCC		CAC		CGC	
CUA		CCA	ㄷ	CAA	ㅡ	CGA	ㅔ
CUG	ㄴ	CCG		CAG		CGG	
AUU	ㅂ	ACU	ㅎ	AAU	ㅏ	AGU	ㅌ
AUC		ACC		AAC		AGC	
AUA		ACA	ㅐ	AAA	ㅣ	AGA	ㅇ
AUG	ㅛ	ACG		AAG		AGG	
GUU	ㅖ	GCU	ㅗ	GAU	ㅁ	GGU	ㅓ
GUC		GCC		GAC		GGC	
GUA		GCA	ㅒ	GAA	ㅈ	GGA	ㅑ
GUG		GCG		GAG		GGG	

(1) (가)로부터 전사된 RNA의 염기 서열을 쓰시오. (단, 왼쪽 첫 번째 염기부터 전사된다.)

(2) (1)의 RNA 염기 서열을 (나)의 암호표로 해석한 단어를 쓰시오. (단, 왼쪽 첫 번째 염기부터 해석한다.)

빈출

822 하중상

그림은 어떤 세포에서 일어나는 유전 정보의 흐름을, 표는 일부 코돈이 지정하는 아미노산의 종류를 나타낸 것이다.

DNA CGGTCAGTCGTT (가)
(나) AGTCAGCAAACC
↓
RNA GCCAGUCAGCAAACC
↓
단백질 ㉣—(다)

코돈	아미노산
CAG, CAA	㉠
AGU, AGC	㉡
ACC, ACA	㉢
GCC, GCG	㉣
CCA, CCC	㉤

(1) (가)와 (나)의 염기 서열을 왼쪽부터 순서대로 쓰시오.

(2) (다)의 아미노산 서열을 순서대로 쓰시오. (단, 왼쪽 첫 번째 또는 세 번째 염기부터 번역된다.)

823 하중상

표는 100개의 염기쌍으로 이루어진 이중 나선 DNA 각 가닥의 염기 조성과, 이 중 한 가닥으로부터 전사된 RNA 가닥의 염기 조성을 순서 없이 나타낸 것이다.

구분	염기 조성(개)					
	A	G	T	C	U	계
(가)	23	33	17	㉠	0	100
(나)	17	27	㉡	33	㉢	100
(다)	㉣	33	0	㉤	17	100

이에 대한 설명으로 옳은 것만을 〈보기〉에서 있는 대로 고른 것은?

〈 보기 〉
ㄱ. (가)와 (나)가 DNA이다.
ㄴ. ㉠+㉤=㉡+㉣이다.
ㄷ. ㉢은 0이다.

① ㄱ ② ㄱ, ㄴ ③ ㄱ, ㄷ
④ ㄴ, ㄷ ⑤ ㄱ, ㄴ, ㄷ

824 하중상

그림은 이중 나선 DNA 중 한 가닥과 이로부터 전사된 RNA 가닥의 염기 서열 및 이 RNA로부터 만들어진 단백질의 아미노산 서열을, 표는 일부 코돈이 지정하는 아미노산의 종류를 나타낸 것이다.

㉠ ㉡
DNA TACCAAGTTACA
↓
RNA AUGGUUCAAUGU
↓
단백질 ⓐ—ⓑ—ⓒ—ⓓ

코돈	아미노산
AUG	메싸이오닌
AUU, AUC	아이소류신
CAA, CAG	글루타민
GUU, GUC	발린
UGC, UGU	시스테인

이에 대한 설명으로 옳은 것만을 〈보기〉에서 있는 대로 고른 것은? (단, 왼쪽 첫 번째 염기부터 번역된다.)

〈 보기 〉
ㄱ. 아미노산 ⓐ는 메싸이오닌이다.
ㄴ. ㉠ 부분이 타이민(T)으로 바뀌면 아미노산 ⓑ는 아이소류신으로 바뀐다.
ㄷ. ㉡에 사이토신(C)이 끼어들어가도 아미노산 ⓒ와 ⓓ는 변하지 않는다.

① ㄱ ② ㄱ, ㄴ ③ ㄱ, ㄷ
④ ㄴ, ㄷ ⑤ ㄱ, ㄴ, ㄷ

825 하/중/상

표는 정상 유전자와 이 유전자에 이상이 생긴 비정상 유전자로부터 전사된 RNA의 염기 서열과 이 RNA가 번역된 단백질의 아미노산 서열을 나타낸 것이다. ⓐ~ⓔ는 아미노산이고, 왼쪽 첫 번째 염기부터 번역된다.

정상 유전자	RNA	AAGCCUGUAGAGCGA
	단백질	ⓐ-ⓑ-ⓒ-ⓓ-ⓔ
비정상 유전자	RNA	AAGCCUGAAGAGCGA
	단백질	ⓐ-ⓑ-ⓓ-ⓓ-ⓔ

이에 대한 설명으로 옳은 것만을 〈보기〉에서 있는 대로 고른 것은?

〈 보기 〉

ㄱ. 코돈 GAA와 GAG는 같은 아미노산을 지정한다.
ㄴ. 코돈 GUA와 GAA는 서로 다른 아미노산을 지정한다.
ㄷ. 비정상 유전자로부터 만들어진 단백질의 아미노산 개수는 정상 단백질과 같다.

① ㄱ ② ㄱ, ㄴ ③ ㄱ, ㄷ
④ ㄴ, ㄷ ⑤ ㄱ, ㄴ, ㄷ

유전자 이상에 의한 유전병

826 하/중/상

페닐케톤뇨증에 대한 설명으로 옳지 않은 것은?

① 심할 경우 뇌가 손상되고, 경련이 일어나기도 한다.
② 아미노산의 일종인 페닐알라닌이 몸속에 축적된다.
③ 물질대사에 이상이 있는 선천성 대사 이상 질환이다.
④ 유전자를 구성하는 DNA의 염기 서열에 이상이 생겨 나타난다.
⑤ 멜라닌 색소를 만들지 못해 눈, 피부, 머리카락 등에 색소가 결핍된다.

827 하/중/상

다음은 낫 모양 적혈구 빈혈증에 대한 설명이다.

> 헤모글로빈 유전자에 이상이 생겨 만들어진 ㉠ 비정상 헤모글로빈은 서로 달라붙어 긴 바늘 모양의 구조를 형성하므로 적혈구가 찌그러져 낫 모양이 된다. 낫 모양 적혈구는 수명이 짧고 산소 운반 능력이 떨어지며, 모세 혈관을 막아 혈액 순환을 방해한다. 이 때문에 심한 빈혈이 나타나고 신체 조직이 손상될 수 있다.

이에 대한 설명으로 옳은 것만을 〈보기〉에서 있는 대로 고른 것은?

〈 보기 〉

ㄱ. ㉠이 만들어질 때는 번역이 일어나지 않는다.
ㄴ. ㉠ 유전자의 염기 서열은 정상 헤모글로빈 유전자의 염기 서열과 다르다.
ㄷ. DNA의 염기 서열이 변하면 단백질의 입체 구조가 변할 수 있다.

① ㄱ ② ㄱ, ㄴ ③ ㄱ, ㄷ
④ ㄴ, ㄷ ⑤ ㄱ, ㄴ, ㄷ

828 하/중/상

대표문제 多 보기

그림은 DNA로부터 정상 적혈구와 낫 모양 적혈구가 만들어지는 과정을 나타낸 것이다.

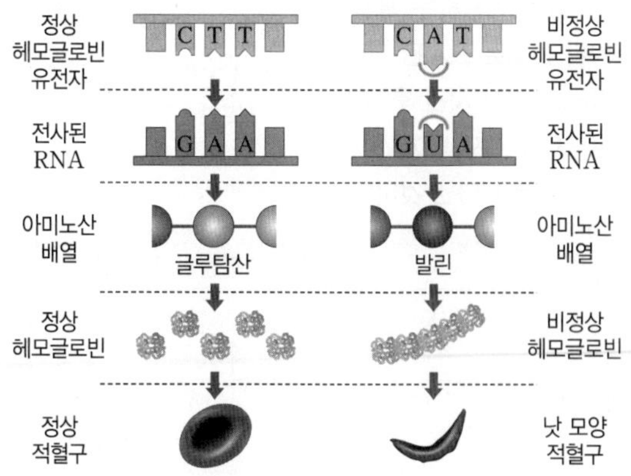

이에 대한 설명으로 옳은 것만을 〈보기〉에서 있는 대로 고른 것은?

〈 보기 〉

ㄱ. 염색체 수가 변하여 적혈구가 낫 모양이 되었다.
ㄴ. CTT는 글루탐산, CAT는 발린을 지정하는 코돈이다.
ㄷ. DNA의 염기가 1개만 바뀌어도 비정상적인 단백질이 만들어질 수 있다.

① ㄱ ② ㄴ ③ ㄷ
④ ㄱ, ㄴ ⑤ ㄴ, ㄷ

829

그림은 동물 세포의 구조를 나타낸 것이다. A～C는 각각 리보솜, 리소좀, 미토콘드리아 중 하나이다.

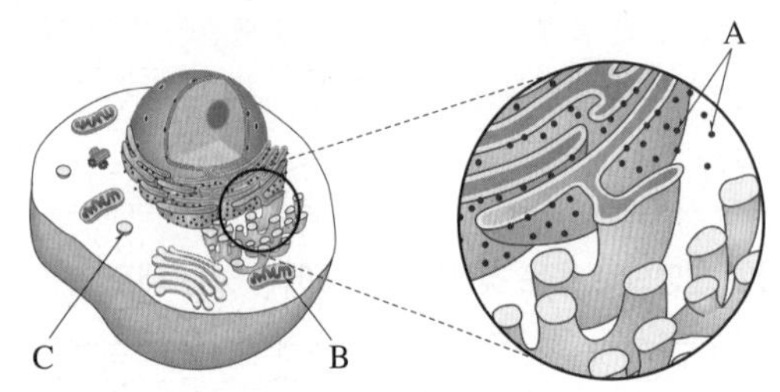

이에 대한 설명으로 옳지 않은 것은?

① A에서 단백질이 합성된다.
② A와 C는 막으로 둘러싸여 있지 않다.
③ B에는 세포 호흡에 관여하는 효소가 있다.
④ B는 DNA와 리보솜이 있어 스스로 복제하여 증식할 수 있다.
⑤ C에는 가수 분해 효소가 있다.

830

그림은 세포에서 합성된 단백질이 분비되는 과정을, 표는 정상 세포와 단백질 이동에 이상이 생긴 비정상 세포 Ⅰ～Ⅲ을 배양하는 배지에 방사성 동위 원소로 표지된 아미노산을 첨가하고 일정 시간 후 세포 소기관 A～C와 세포 밖에서 방사능의 검출 여부를 나타낸 것이다.

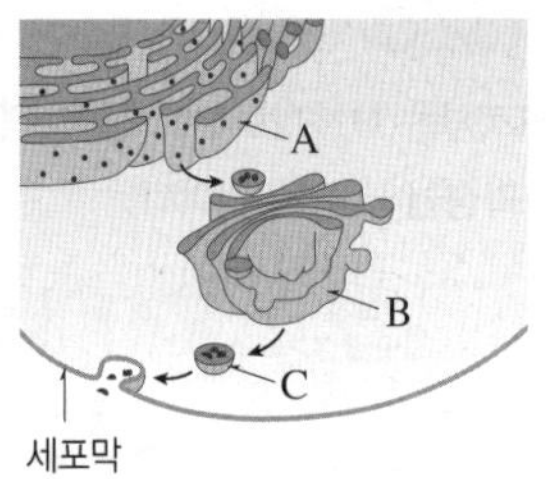

구분	방사능이 검출된 장소			
	A	B	C	세포 밖
정상 세포	○	○	○	○
세포 Ⅰ	○	○	×	×
세포 Ⅱ	○	×	×	×
세포 Ⅲ	○	○	○	×

이에 대한 설명으로 옳은 것만을 〈보기〉에서 있는 대로 고른 것은?

〈 보기 〉
ㄱ. A에는 리보솜이 붙어 있다.
ㄴ. 세포 Ⅰ은 단백질이 B에서 C로 이동하지 않는다.
ㄷ. 세포 Ⅱ는 단백질이 A에서 B로 이동하지 않는다.

① ㄱ ② ㄱ, ㄴ ③ ㄱ, ㄷ
④ ㄴ, ㄷ ⑤ ㄱ, ㄴ, ㄷ

831

표는 세포 소기관 (가)～(다)의 특징과 각 세포 소기관이 사람의 간세포와 시금치의 공변세포에 있는지 여부를 나타낸 것이다. (가)～(다)는 각각 핵, 소포체, 엽록체 중 하나이다.

구분	특징	간세포	공변세포
(가)	단일막 구조이다.	있음	있음
(나)	광합성을 한다.	㉠	있음
(다)	DNA가 있다.	있음	㉡

이에 대한 설명으로 옳은 것만을 〈보기〉에서 있는 대로 고른 것은?

〈 보기 〉
ㄱ. ㉠과 ㉡은 모두 '없음'이다.
ㄴ. (가)는 단백질을 운반한다.
ㄷ. (다)는 핵이다.

① ㄱ ② ㄴ ③ ㄷ
④ ㄱ, ㄴ ⑤ ㄴ, ㄷ

832

다음은 선택적 투과성 막을 통한 물질의 이동을 알아보는 실험이다.

그림과 같이 단당류 또는 이당류인 ㉠, ㉡, ㉢이 포함된 수용액 A와 B를 선택적 투과성 막의 양쪽에 같은 양씩 넣는다.

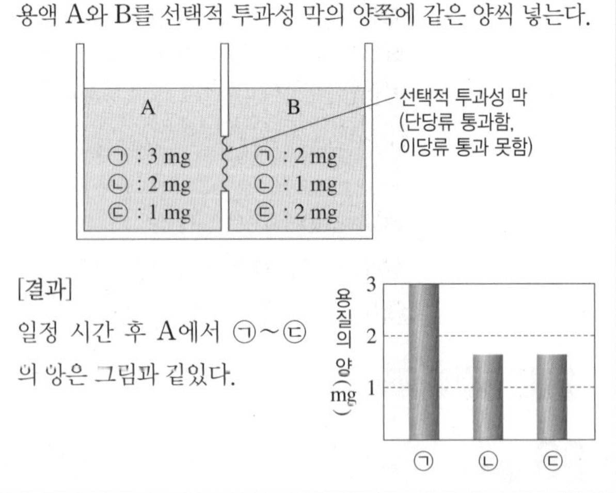

[결과]
일정 시간 후 A에서 ㉠～㉢의 양은 그림과 같았다.

이에 대한 설명으로 옳은 것만을 〈보기〉에서 있는 대로 고른 것은?

〈 보기 〉
ㄱ. ㉠은 이당류이다.
ㄴ. ㉡과 ㉢은 같은 방향으로 확산된다.
ㄷ. B에서 A로 물이 이동하는 삼투가 일어난다.

① ㄱ ② ㄱ, ㄴ ③ ㄱ, ㄷ
④ ㄴ, ㄷ ⑤ ㄱ, ㄴ, ㄷ

833

그림 (가)는 용질이 통과하지 않는 반투과성 막으로 분리된 U자관의 A와 B에 농도가 서로 다른 수용액을 같은 양씩 넣은 모습을 나타낸 것이고, 그림 (나)는 시간에 따른 B에서의 수면의 높이 변화를 나타낸 것이다.

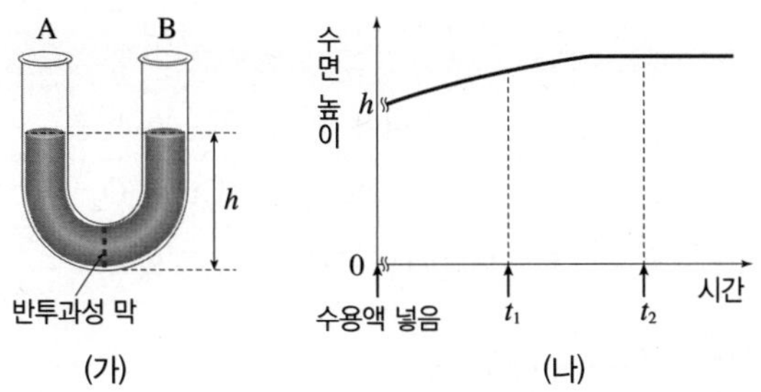

(가) (나)

이에 대한 설명으로 옳은 것만을 〈보기〉에서 있는 대로 고른 것은?

〈 보기 〉

ㄱ. (가)에서 수용액의 농도는 A보다 B에서 높다.
ㄴ. A쪽 수용액의 농도는 t_1일 때가 t_2일 때보다 낮다.
ㄷ. t_2일 때 A와 B에서 용질의 양이 같다.

① ㄱ ② ㄴ ③ ㄷ
④ ㄱ, ㄴ ⑤ ㄴ, ㄷ

834

그림 (가)는 어떤 세포의 구조를, (나)와 (다)는 세포에서 일어나는 물질대사를 나타낸 것이다.

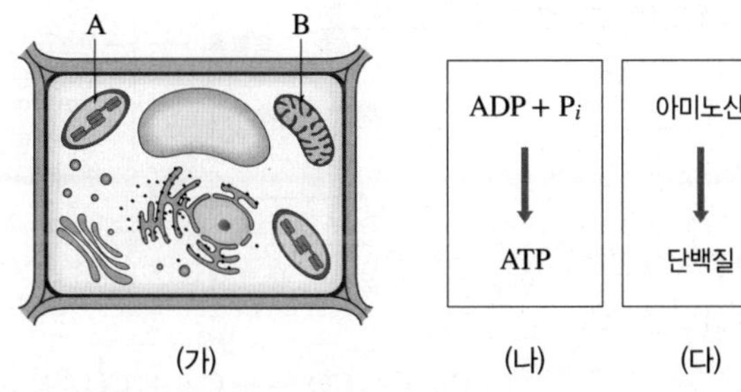

(가) (나) (다)

이에 대한 설명으로 옳은 것만을 〈보기〉에서 있는 대로 고른 것은?

〈 보기 〉

ㄱ. A에서 빛에너지가 화학 에너지로 전환된다.
ㄴ. B에서 (나) 반응이 일어난다.
ㄷ. (나)와 (다)는 에너지가 흡수되는 반응이다.

① ㄱ ② ㄱ, ㄴ ③ ㄱ, ㄷ
④ ㄴ, ㄷ ⑤ ㄱ, ㄴ, ㄷ

835

표는 특정 염기 서열이 반복되는 RNA Ⅰ~Ⅲ과 이를 시험관에서 번역하여 얻은 단백질의 아미노산 구성을 나타낸 것이다. RNA Ⅰ과 Ⅲ은 왼쪽 첫 번째 염기부터 번역되고, RNA Ⅱ는 왼쪽 첫 번째 또는 세 번째 염기부터 번역된다.

RNA		아미노산 구성
Ⅰ	AU 반복	아이소류신－타이로신 반복
Ⅱ	AUA 반복	아스파라진 반복
Ⅲ	AACG 반복	아스파라진－글루탐산－아르지닌－트레오닌 반복

이에 대한 설명으로 옳은 것만을 〈보기〉에서 있는 대로 고른 것은?

〈 보기 〉

ㄱ. 코돈 AUA는 아이소류신을 지정한다.
ㄴ. 코돈 AAU와 AAC는 같은 아미노산을 지정한다.
ㄷ. RNA Ⅲ에서 왼쪽 두 번째 염기부터 번역되어도 폴리펩타이드에 글루탐산이 있다.

① ㄱ ② ㄱ, ㄴ ③ ㄱ, ㄷ
④ ㄴ, ㄷ ⑤ ㄱ, ㄴ, ㄷ

836

정상 DNA의 염기 서열에 염기 1개가 끼어들어가 비정상 DNA가 만들어졌다. (가)는 정상 DNA로부터 전사된 RNA의 염기 서열을, (나)는 (가)로부터 번역된 단백질의 아미노산 서열을, (다)는 비정상 DNA로부터 전사와 번역을 거쳐 만들어진 단백질의 아미노산 서열을 나타낸 것이다. 왼쪽 첫 번째 염기부터 전사, 번역된다.

(가) UUUCGAGCCCUUGGU
(나) 페닐알라닌－아르지닌－알라닌－류신－글리신
(다) 페닐알라닌－아르지닌－알라닌－류신－아르지닌

[코돈표]

코돈	아미노산	코돈	아미노산
UUU, UUC	페닐알라닌	CUU, CUC	류신
GCA, GCC	알라닌	CGU, CGC, CGA, CGG	아르지닌
GGC, GGU	글리신		
CCU, CCC	프롤린	UGG	트립토판

(다)가 만들어지는 비정상 DNA의 염기 서열이 될 수 있는 것은?

① AAAGCTCGGGAAGCA
② AAAGCTCGGGAAGCCA
③ AAAGCTCGTGGAACCA
④ UUUCGAGCACCUUGGU
⑤ UUUCGAGCCCUUCGGU

산화 환원 반응

Ⓐ 산소의 이동에 의한 산화 환원 반응

1 산소의 이동에 의한 산화 환원 반응

구분	산화	환원
정의	물질이 산소를 ❶ ☐는 반응	물질이 산소를 ❷ ☐는 반응
예	$C + O_2 \longrightarrow CO_2$	$2CuO \longrightarrow 2Cu + O_2$
산화 환원 반응의 동시성	화학 반응에서 어떤 물질이 산소를 얻어 ❸ ☐☐되면 다른 물질은 산소를 잃어 ❹ ☐☐되므로 산화와 환원은 항상 동시에 일어난다. $2CuO + C \longrightarrow 2Cu + CO_2$ (산화: C → CO_2, 환원: CuO → Cu) 산화 구리(Ⅱ) 탄소 구리 이산화 탄소 CuO가 잃은 산소 수 = C가 얻은 산소 수	

기출 Tip Ⓐ-2

그 밖의 산화 환원 반응

- 철이 녹스는 현상
  $4Fe + 3O_2 \longrightarrow 2Fe_2O_3$ (산화, 환원)
- 마그네슘의 연소
  $2Mg + O_2 \longrightarrow 2MgO$ (산화, 환원)
- 산화 구리(Ⅱ)와 수소 기체의 반응
  $CuO + H_2 \xrightarrow{가열} Cu + H_2O$ (산화, 환원)
- 호흡

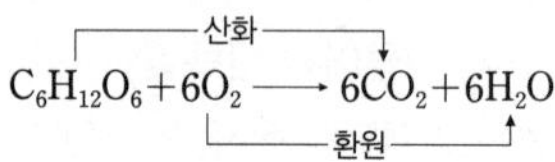

$C_6H_{12}O_6 + 6O_2 \longrightarrow 6CO_2 + 6H_2O$ (산화, 환원)

2 산소의 이동에 의한 여러 가지 산화 환원 반응

① 산화 구리(Ⅱ)와 탄소의 반응: 검은색 산화 구리(Ⅱ) 가루와 탄소 가루를 섞어 시험관에 넣고 가열하면 시험관 속에 붉은색 물질이 생성되고, 석회수가 뿌옇게 흐려진다.

산화 구리(Ⅱ) + 탄소 가루

석회수

- 시험관 속에 생성된 물질이 붉은색을 띠는 까닭: 구리가 생성되었기 때문이다.
- 석회수가 뿌옇게 흐려지는 까닭: 이산화 탄소가 생성되었기 때문이다.

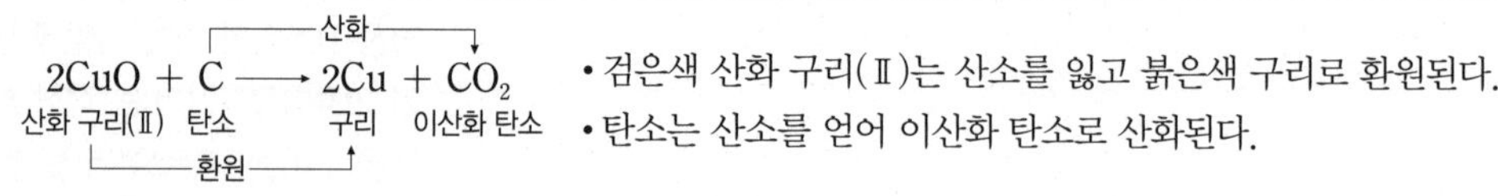

$2CuO + C \longrightarrow 2Cu + CO_2$ (산화, 환원)
산화 구리(Ⅱ) 탄소 구리 이산화 탄소

- 검은색 산화 구리(Ⅱ)는 산소를 잃고 붉은색 구리로 환원된다.
- 탄소는 산소를 얻어 이산화 탄소로 산화된다.

② 구리판의 가열

구분	구리판을 겉불꽃에 넣었을 때	가열된 구리판을 속불꽃에 넣었을 때
과정 및 결과	구리판 / 겉불꽃 / 산소가 충분히 공급된다. 붉은색 구리판을 알코올램프의 겉불꽃에 넣고 가열하면 검은색으로 변한다.	속불꽃 / 산소가 부족하므로 불완전 연소한 일산화 탄소가 존재한다. 구리판의 검게 변한 부분을 알코올램프의 속불꽃에 넣고 가열하면 붉은색으로 변한다.
해석	$2Cu + O_2 \longrightarrow 2CuO$ (산화, 환원) 구리 산소 산화 구리(Ⅱ) • 붉은색 구리는 산소를 얻어 검은색 산화 구리(Ⅱ)로 ❺ ☐☐된다. • 산소는 산화 구리(Ⅱ)로 환원된다. └ O_2는 O가 2개 붙어 있는 상태에서 O를 1개 잃은 것이므로 환원된 것이다. • 구리판의 질량 변화: 증가한다. ➜ 구리가 산화되어 생성된 산화 구리(Ⅱ)의 질량은 구리와 결합한 산소의 질량만큼 증가한다.	$CuO + CO \longrightarrow Cu + CO_2$ (산화, 환원) 산화 구리(Ⅱ) 일산화 탄소 구리 이산화 탄소 • 일산화 탄소는 산소를 얻어 이산화 탄소로 산화된다. • 검은색 산화 구리(Ⅱ)는 산소를 잃고 붉은색 구리로 ❻ ☐☐된다. • 구리판의 질량 변화: 감소한다. ➜ 산화 구리(Ⅱ)가 환원되어 생성된 구리의 질량은 잃은 산소의 질량만큼 감소한다.

Ⓑ 전자의 이동에 의한 산화 환원 반응

1 전자의 이동에 의한 산화 환원 반응

구분	산화	환원
정의	물질이 전자를 ❼ [ ]는 반응	물질이 전자를 ❽ [ ]는 반응
예	$Mg \longrightarrow Mg^{2+} + 2\ominus$	$Cu^{2+} + 2\ominus \longrightarrow Cu$
산화 환원 반응의 동시성	화학 반응에서 어떤 물질이 전자를 잃어 ❾ [ ][ ]되면 다른 물질은 전자를 얻어 ❿ [ ][ ] 되므로 산화와 환원은 항상 동시에 일어난다. $Mg + Cu^{2+} \longrightarrow Mg^{2+} + Cu$ (마그네슘, 구리 이온 → 마그네슘 이온, 구리; Mg: 산화, Cu^{2+}: 환원) Mg이 잃은 전자 수 $=Cu^{2+}$이 얻은 전자 수	

2 전자의 이동에 의한 여러 가지 산화 환원 반응

① 질산 은 수용액과 구리의 반응: 무색의 질산 은 수용액에 구리줄을 넣으면 수용액의 색이 점점 푸른색으로 변하고, 구리줄 표면에 은이 석출된다.

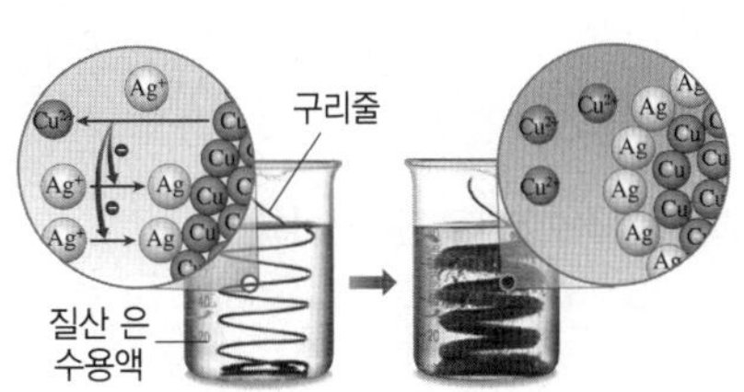

• 수용액의 색 변화가 나타나는 까닭: 구리가 전자를 잃고 푸른색을 나타내는 구리 이온으로 산화되어 수용액에 녹아 들어가기 때문이다.

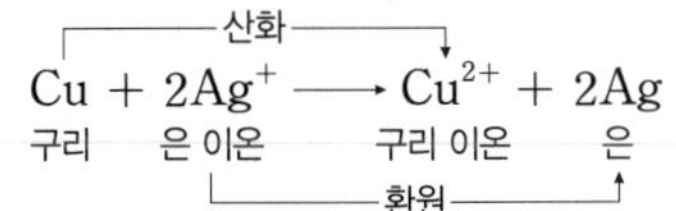

• 구리는 전자를 잃고 구리 이온으로 산화된다.
• 은 이온은 전자를 얻어 은으로 환원된다.

• 전체 이온 수 변화: ⓫ [ ][ ]한다. ➜ 구리 이온 1개가 수용액 속으로 녹아 들어갈 때 은 이온 2개가 은으로 석출되고, 음이온은 반응에 참여하지 않아 그 수가 일정하기 때문이다.
↳ 구리 이온 1개의 전하량 : 은 이온 1개의 전하량=2 : 1

② 묽은 염산과 아연의 반응: 묽은 염산에 아연판을 넣으면 수소 기체가 발생한다.

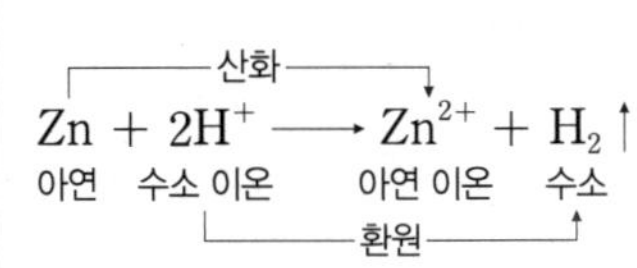

• 아연은 전자를 잃고 아연 이온으로 산화된다.
• 수소 이온은 전자를 얻어 수소로 환원된다.

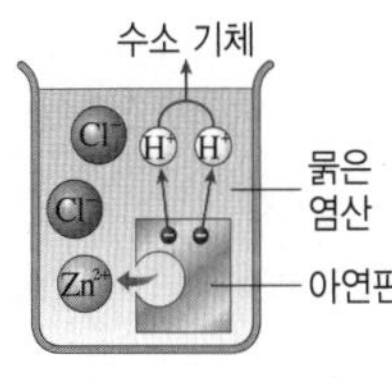

기출 Tip Ⓑ-1

산화 환원 반응

구분	산화	환원
산소	얻음	잃음
전자	잃음	얻음

산화 환원 정의의 확장
산소가 이동하는 산화 환원 반응은 전자의 이동으로 설명할 수 있다. 따라서 산소의 이동에 의한 산화 환원 반응의 정의보다 전자의 이동에 의한 산화 환원 반응의 정의가 더 넓은 개념이다.

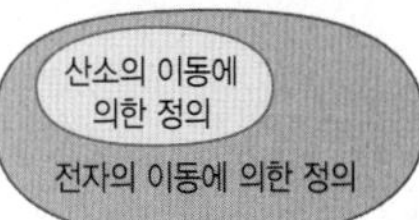

석회수를 이용한 이산화 탄소 기체 확인 반응이 산화 환원 반응이 아닌 까닭
석회수를 이용한 이산화 탄소 기체 확인 반응은 전자의 이동이 없으므로 산화 환원 반응이 아니다.
$Ca(OH)_2+CO_2 \longrightarrow CaCO_3+H_2O$

기출 Tip Ⓑ-2

산화 환원 반응과 이온 결합
이온 결합이 형성될 때 금속 원소는 전자를 잃어 양이온이 되고, 비금속 원소는 전자를 얻어 음이온이 된다.
➜ 금속 원소는 산화, 비금속 원소는 환원되어 이온 결합을 한다.
예 $Na^{+}+Cl^{-} \longrightarrow NaCl$

답 ❶ 얻 ❷ 잃 ❸ 산화 ❹ 환원 ❺ 산화 ❻ 환원 ❼ 잃 ❽ 얻 ❾ 산화 ❿ 환원 ⓫ 감소

빈출 자료 보기

정답과 해설 76쪽

837 그림은 질산 은($AgNO_3$) 수용액에 구리판(Cu)을 넣었을 때의 변화이다.

이에 대한 설명으로 옳은 것은 ○, 옳지 않은 것은 ×로 표시하시오.

(1) 구리는 전자를 잃는다. ( )
(2) 은 이온은 전자를 얻어 은으로 석출된다. ( )
(3) 구리는 은보다 산화되기 쉽다. ( )
(4) 수용액 속 전체 양이온 수는 일정하다. ( )
(5) 수용액의 색 변화는 구리 이온 때문이다. ( )
(6) 산소의 이동에 의한 산화 환원 반응으로 설명할 수 있다. ( )

난이도별
필수 기출
상 7문항
중 26문항
하 2문항

A 산소의 이동에 의한 산화 환원 반응

빈출
838 하 중 상

산화 환원 반응에 대한 설명으로 옳은 것은?

① 산화는 산소를 잃는 반응이다.
② 산화와 환원은 항상 동시에 일어난다.
③ 물질이 산소와 결합하는 반응은 환원이다.
④ 모든 산화 환원 반응에는 산소가 참여한다.
⑤ 철이 녹스는 현상은 산화 환원 반응으로 설명할 수 없다.

빈출
839 하 중 상

다음은 세 가지 산화 환원 반응을 화학 반응식으로 나타낸 것이다.

(가) $\underline{ZnO}+C \longrightarrow Zn+CO$
(나) $\underline{C_6H_{12}O_6}+6O_2 \longrightarrow 6CO_2+6H_2O$
(다) $4\underline{Fe}+3O_2 \longrightarrow 2Fe_2O_3$

(가)~(다)에서 밑줄 친 물질이 산화되는 것만을 있는 대로 고른 것은?

① (가) ② (나) ③ (다)
④ (나), (다) ⑤ (가), (나), (다)

840 하 중 상

다음은 세 가지 산화 환원 반응을 화학 반응식으로 나타낸 것이다.

(가) $2C+O_2 \longrightarrow 2CO$
(나) $Fe_2O_3+3CO \longrightarrow 2Fe+3CO_2$
(다) $3CuO+2NH_3 \longrightarrow 3Cu+N_2+3H_2O$

이에 대한 설명으로 옳은 것만을 〈보기〉에서 있는 대로 고른 것은?

〈 보기 〉
ㄱ. (가)는 산화만 일어나는 반응이다.
ㄴ. (나)에서 CO는 산화된다.
ㄷ. (다)에서 CuO는 환원된다.

① ㄱ ② ㄴ ③ ㄱ, ㄴ
④ ㄱ, ㄷ ⑤ ㄴ, ㄷ

빈출
841 하 중 상

그림과 같이 산화 구리(Ⅱ)(CuO)와 탄소(C) 가루를 혼합하여 시험관에 넣고 가열하였다.

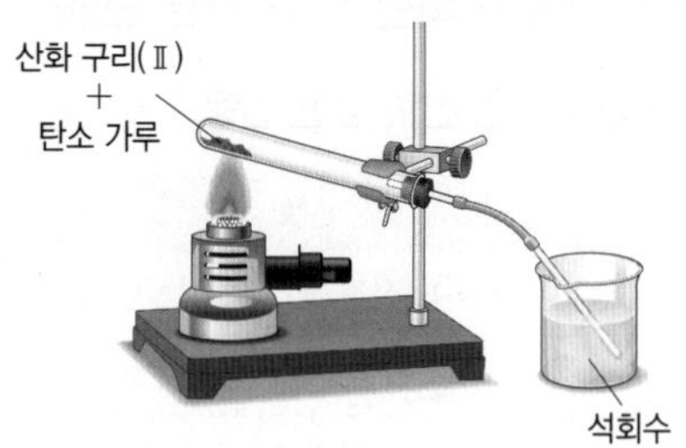

이에 대한 설명으로 옳은 것만을 〈보기〉에서 있는 대로 고른 것은?

〈 보기 〉
ㄱ. 시험관 속에서 산화 환원 반응이 일어난다.
ㄴ. 이산화 탄소가 생성된다.
ㄷ. 반응 후 시험관에는 붉은색 고체가 남는다.

① ㄱ ② ㄴ ③ ㄱ, ㄷ
④ ㄴ, ㄷ ⑤ ㄱ, ㄴ, ㄷ

842 하 중 상

다음은 산화 구리(Ⅱ)(CuO)와 탄소(C)의 반응을 화학 반응식으로 나타낸 것이다.

$$2CuO+C \longrightarrow 2\boxed{㉠}+\boxed{㉡}$$

이에 대한 설명으로 옳은 것만을 〈보기〉에서 있는 대로 고른 것은?

〈 보기 〉
ㄱ. CuO는 C보다 환원되기 쉽다.
ㄴ. ㉠은 CuO가 산화되어 생성된 물질이다.
ㄷ. ㉡을 석회수에 통과시키면 석회수가 뿌옇게 흐려진다.

① ㄱ ② ㄴ ③ ㄷ
④ ㄱ, ㄷ ⑤ ㄴ, ㄷ

[843~844] 그림 (가)는 붉은색 구리(Cu)판을 겉불꽃에 넣어 가열하는 모습을, (나)는 (가)에서 구리판의 검게 변한 부분을 속불꽃에 넣어 가열하는 모습을 나타낸 것이다.

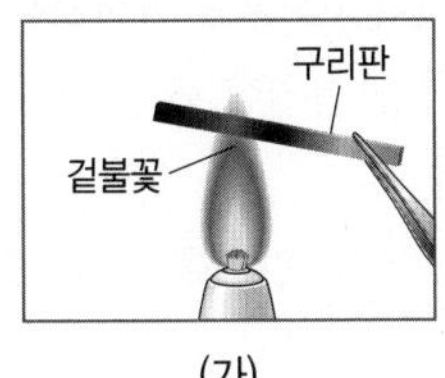

(가)

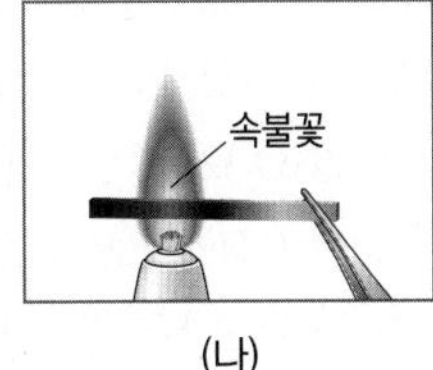

(나)

빈출
843 하중상

대표문제 多 보기

이에 대한 설명으로 옳지 않은 것만을 모두 고르면?(2개)

① (가)에서 구리는 산화된다.
② (가)에서 생성된 물질은 산화 구리(Ⅱ)이다.
③ (나)에서 구리판의 검게 변한 부분은 산소를 얻는다.
④ (나)에서 구리판 전체의 질량은 감소한다.
⑤ (나)에서 검게 변한 부분의 색은 변하지 않는다.
⑥ 겉불꽃보다 속불꽃에 산소가 더 적게 포함되어 있다.

빈출
844 하중상

서술형

(나)에서 일어나는 반응을 화학 반응식으로 쓰고, 이 반응에서 산화된 물질과 환원된 물질의 화학식을 그 까닭과 함께 서술하시오. (단, 속불꽃에는 일산화 탄소(CO)가 존재한다.)

845 하중상

다음은 (가) 자동차의 엔진에서 일어나는 반응과 (나) 촉매 변환기에서 일어나는 반응을 화학 반응식으로 나타낸 것이다. 고온의 자동차 엔진에서는 대기 오염 물질인 질소 산화물이 생성되고, 촉매 변환기에서는 질소 산화물이 다시 분해되는 반응이 일어난다.

(가) [㉠] $+O_2 \longrightarrow 2NO$
(나) $2NO+2CO \longrightarrow$ [㉠] $+2$[㉡]

이에 대한 설명으로 옳은 것만을 〈보기〉에서 있는 대로 고른 것은?

〈 보기 〉
ㄱ. ㉠은 N_2이다.
ㄴ. (나)에서 CO는 환원되어 ㉡이 된다.
ㄷ. (나)로부터 자동차에 의한 대기 오염을 줄일 수 있다.

① ㄱ ② ㄴ ③ ㄷ
④ ㄱ, ㄷ ⑤ ㄴ, ㄷ

846 하중상

그림은 마그네슘(Mg) 리본을 공기 중에서 연소시키는 모습을 나타낸 것이다.

이에 대한 설명으로 옳은 것만을 〈보기〉에서 있는 대로 고른 것은?

〈 보기 〉
ㄱ. 마그네슘은 환원된다.
ㄴ. 산소가 관여하는 반응이다.
ㄷ. 마그네슘 리본의 질량이 증가한다.

① ㄱ ② ㄴ ③ ㄱ, ㄷ
④ ㄴ, ㄷ ⑤ ㄱ, ㄴ, ㄷ

847 하중상

서술형

그림과 같이 드라이아이스(CO_2)로 만든 통 내부에 구멍을 낸 후 마그네슘(Mg) 가루를 넣고 불을 붙였더니 흰색 가루와 검은색 가루가 생성되었다.

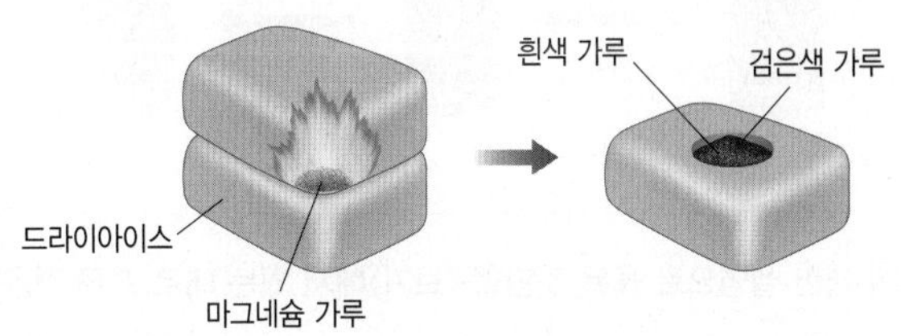

(1) 이 반응에서 산화된 물질과 환원된 물질의 화학식을 그 까닭과 함께 서술하시오.

(2) 연소 후 남은 흰색 가루와 검은색 가루를 각각 화학식으로 쓰시오.

848 하 중 상

다음은 구리(Cu)와 관련된 실험이다.

(가) 붉은색의 구리 1 g을 공기 중에서 가열하면 검게 변한다.
(나) (가)의 검게 변한 물질을 탄소(C) 가루와 섞어서 가열하면 다시 붉은색의 구리가 된다.

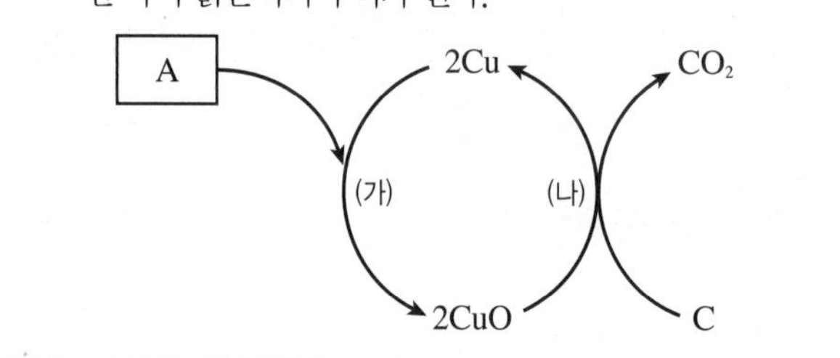

이에 대한 설명으로 옳은 것만을 〈보기〉에서 있는 대로 고른 것은?

〈 보기 〉
ㄱ. A는 CO_2이다.
ㄴ. (가)에서 생성된 검은색 물질의 질량은 1 g보다 크다.
ㄷ. (나)에서 C는 산화된다.

① ㄱ ② ㄴ ③ ㄷ
④ ㄴ, ㄷ ⑤ ㄱ, ㄴ, ㄷ

849 하 중 상

다음은 구리(Cu)와 관련된 실험이다.

(가) 붉은색의 구리줄에 산소를 공급하면서 가열한다.
(나) (가)에서 검게 변한 부분에 수소를 공급하면서 가열한다.

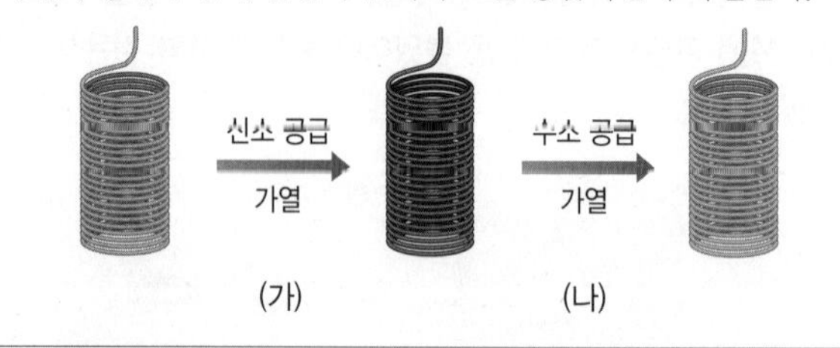

이에 대한 설명으로 옳은 것만을 〈보기〉에서 있는 대로 고른 것은?

〈 보기 〉
ㄱ. (가)에서 산소는 산화된다.
ㄴ. (나)에서 물이 생성된다.
ㄷ. (나)에서 검은색 물질은 산소를 잃는다.

① ㄱ ② ㄴ ③ ㄷ
④ ㄱ, ㄷ ⑤ ㄴ, ㄷ

[850~851] 다음은 구리(Cu)와 관련된 실험이다.

(가) 구리 가루를 공기 중에서 가열한다.
(나) (가)에서 생성된 물질과 탄소(C) 가루를 혼합하여 시험관에 넣고 가열하였더니 붉은색 물질이 생성되었고 이산화 탄소(CO_2)가 발생하였다.
(다) 석회수에 (나)에서 발생한 이산화 탄소를 통과시켰더니 석회수가 뿌옇게 흐려졌다.

850 하 중 상

••서술형

(나)에서 일어나는 반응을 화학 반응식으로 쓰고, 이 반응에서 산화된 물질과 환원된 물질을 각각 화학식으로 쓰시오.

851 하 중 상

이에 대한 설명으로 옳은 것만을 〈보기〉에서 있는 대로 고른 것은?

〈 보기 〉
ㄱ. (가)에서 일어나는 반응은 물리 변화이다.
ㄴ. (나)에서 시험관 안에 들어 있는 물질의 질량은 감소한다.
ㄷ. (다)에서 이산화 탄소는 석회수를 산화시킨다.

① ㄱ ② ㄴ ③ ㄷ
④ ㄱ, ㄷ ⑤ ㄴ, ㄷ

빈출

852 하 중 상

그림 (가)는 마그네슘(Mg) 리본을 공기 중에서 연소시키는 모습을, (나)는 마그네슘 가루를 드라이아이스(CO_2) 통에 넣고 불을 붙여 반응시키는 모습을 나타낸 것이다.

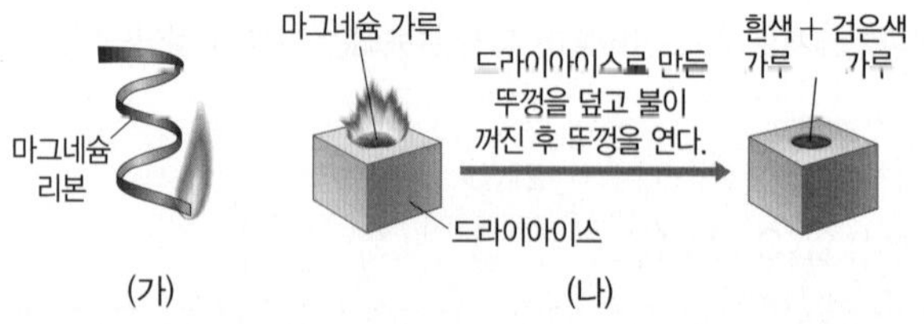

이에 대한 설명으로 옳은 것만을 〈보기〉에서 있는 대로 고른 것은?

〈 보기 〉
ㄱ. (가)에서 생성된 물질은 (나)에서도 생성된다.
ㄴ. (가)와 (나)는 모두 산화 환원 반응이다.
ㄷ. (나)에서 전자는 마그네슘에서 이산화 탄소로 이동한다.

① ㄱ ② ㄴ ③ ㄱ, ㄴ
④ ㄱ, ㄷ ⑤ ㄱ, ㄴ, ㄷ

B 전자의 이동에 의한 산화 환원 반응

빈출

853 하 중 상

산화 환원 반응에 대한 설명으로 옳은 것만을 〈보기〉에서 있는 대로 고른 것은?

〈 보기 〉

ㄱ. 전기적으로 중성인 물질이 양이온이 되는 반응은 산화이다.

ㄴ. 반응이 일어날 때 전자를 잃는 물질이 있으면 반드시 전자를 얻는 물질도 있다.

ㄷ. 금속 원소와 비금속 원소가 결합할 때 금속 원소는 전자를 얻는다.

① ㄱ ② ㄷ ③ ㄱ, ㄴ ④ ㄴ, ㄷ ⑤ ㄱ, ㄴ, ㄷ

854 하 중 상

그림은 산화 환원 반응을 정의하는 방법의 포함 관계를 나타낸 것이다.

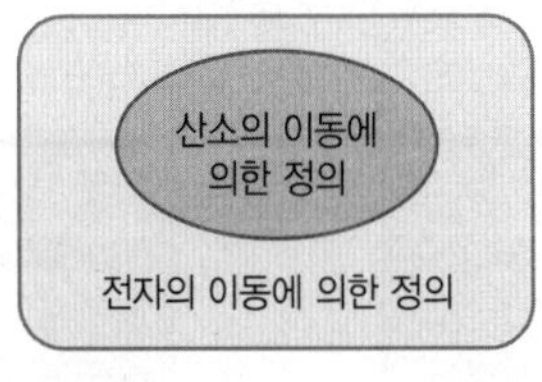

전자의 이동에 의한 정의로만 설명 가능한 산화 환원 반응만을 〈보기〉에서 있는 대로 고른 것은?

〈 보기 〉

ㄱ. $2Na+Cl_2 \longrightarrow 2NaCl$

ㄴ. $2NO+2H_2 \longrightarrow N_2+2H_2O$

ㄷ. $Ca(OH)_2+CO_2 \longrightarrow CaCO_3+H_2O$

① ㄱ ② ㄷ ③ ㄱ, ㄴ ④ ㄱ, ㄷ ⑤ ㄴ, ㄷ

855 하 중 상

다음은 나트륨(Na)과 산소(O_2)가 반응하여 산화 나트륨(Na_2O)이 생성되는 과정을 화학 반응식으로 나타낸 것이다.

$$a\mathrm{Na}+b\mathrm{O_2} \longrightarrow c\mathrm{Na_2O}\ (a\sim c\text{는 반응 계수})$$

이에 대한 설명으로 옳은 것만을 〈보기〉에서 있는 대로 고른 것은?

〈 보기 〉

ㄱ. $a+b+c=5$이다.

ㄴ. Na은 산화된다.

ㄷ. O_2는 전자를 잃는다.

① ㄱ ② ㄴ ③ ㄷ ④ ㄴ, ㄷ ⑤ ㄱ, ㄴ, ㄷ

빈출

856 하 중 상

다음은 황산 구리(Ⅱ)($CuSO_4$) 수용액에 아연(Zn)판을 넣었을 때 일어나는 반응을 화학 반응식으로 나타낸 것이다.

$$CuSO_4+Zn \longrightarrow ZnSO_4+Cu$$

이에 대한 설명으로 옳은 것만을 〈보기〉에서 있는 대로 고른 것은?

〈 보기 〉

ㄱ. Zn은 산화된다.

ㄴ. 수용액 속 전체 양이온 수는 감소한다.

ㄷ. Cu^{2+}은 전자를 얻어 금속으로 석출된다.

① ㄱ ② ㄷ ③ ㄱ, ㄴ ④ ㄱ, ㄷ ⑤ ㄴ, ㄷ

857 하 중 상

다음은 은(Ag) 숟가락에 녹(Ag_2S)이 생성되는 과정 (가)와 녹을 제거하는 과정 (나)에 대한 설명이다.

> (가) 달걀로 만든 음식을 은 숟가락으로 먹으면 달걀 속의 황 성분이 은과 반응하여 황화 은이 생성된다.
> $2Ag + S \longrightarrow Ag_2S$
> (나) 프라이팬에 알루미늄박을 깔고 그 위에 녹슨 은 숟가락을 올려놓은 다음 물과 베이킹파우더를 넣고 물이 끓을 정도로 가열하면 녹이 제거된다.
> $2Al + 3Ag_2S \longrightarrow Al_2S_3 + 6Ag$

이에 대한 설명으로 옳은 것만을 〈보기〉에서 있는 대로 고른 것은?

〈 보기 〉
ㄱ. (가)와 (나)는 모두 산화 환원 반응이다.
ㄴ. (가)에서 Ag은 산화된다.
ㄷ. Al은 Ag보다 전자를 얻기 쉽다.

① ㄱ ② ㄷ ③ ㄱ, ㄴ
④ ㄴ, ㄷ ⑤ ㄱ, ㄴ, ㄷ

858 하 중 상

그림은 푸른색의 황산 구리(Ⅱ)($CuSO_4$) 수용액에 마그네슘(Mg)판을 넣었을 때의 변화를 나타낸 것이다.

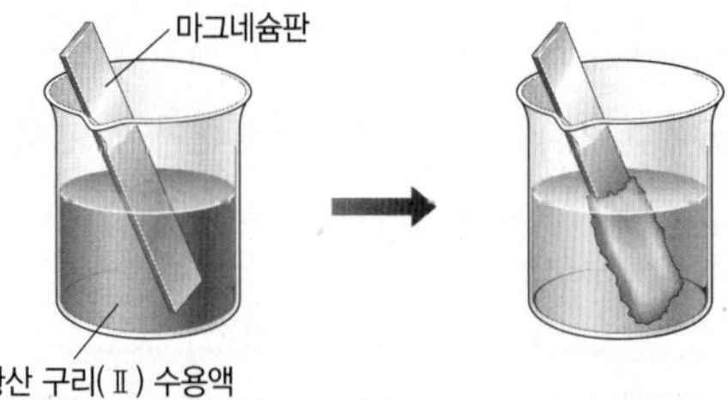

이에 대한 설명으로 옳은 것만을 〈보기〉에서 있는 대로 고른 것은?

〈 보기 〉
ㄱ. 전자는 마그네슘에서 구리 이온으로 이동한다.
ㄴ. 반응이 일어나는 동안 수용액의 푸른색은 점점 연해진다.
ㄷ. 수용액 속에 있는 전체 음이온 수는 반응 전과 후가 같다.

① ㄱ ② ㄷ ③ ㄱ, ㄴ
④ ㄴ, ㄷ ⑤ ㄱ, ㄴ, ㄷ

859 하 중 상

••서술형

그림과 같이 황산 구리(Ⅱ)($CuSO_4$) 수용액에 아연(Zn)판을 넣었더니 아연판에 구리(Cu)가 석출되었다.

(1) 이 반응을 화학 반응식으로 쓰시오.

(2) 이 반응에서 산화된 물질과 환원된 물질의 화학식을 그 까닭과 함께 서술하시오.

860 하 중 상

대표문제 多 보기

무색의 질산 은($AgNO_3$) 수용액에 구리(Cu)선을 넣었더니 그림과 같이 구리선 표면에 은(Ag)이 석출되었다.

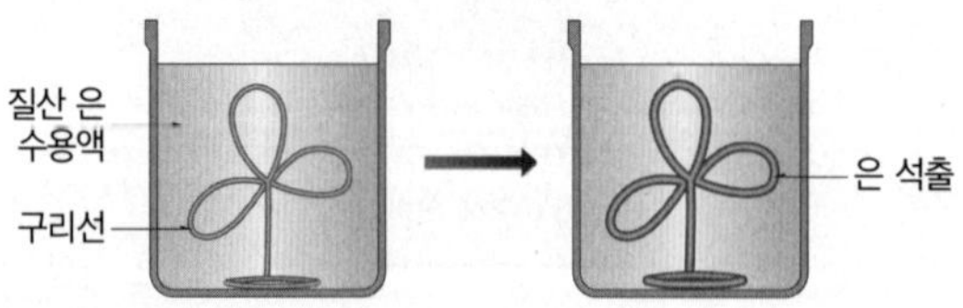

이에 대한 설명으로 옳지 않은 것은?

① 구리는 산화된다.
② 은 이온은 환원된다.
③ 이 반응에서 전자의 이동이 일어난다.
④ 수용액 속 전체 이온 수는 감소한다.
⑤ 구리에서 은 이온으로 산소가 이동한다.
⑥ 반응이 일어나는 동안 수용액의 푸른색은 점점 진해진다.
⑦ 질산 이온은 산화 환원 반응에 참여하지 않는다.

861 하중상

다음은 철(Fe)못을 질산 은($AgNO_3$) 수용액에 넣었을 때의 반응 모형과 산화 환원 반응을 화학 반응식으로 나타낸 것이다.

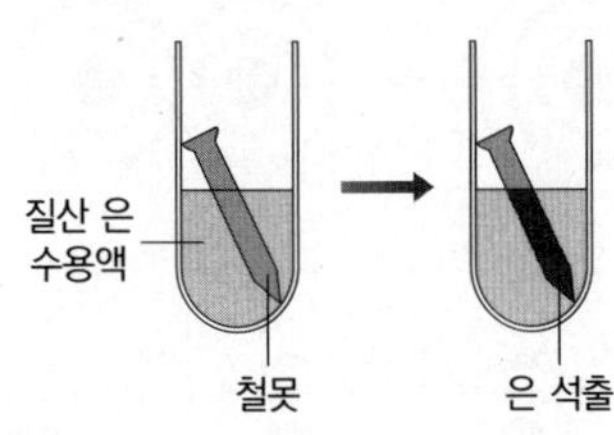

$$2Ag^{+} + Fe \longrightarrow 2Ag + Fe^{2+}$$

이에 대한 설명으로 옳은 것만을 〈보기〉에서 있는 대로 고른 것은? (단, 원자 1개의 질량은 Fe < Ag이다.)

〈 보기 〉
ㄱ. NO_3^-은 Ag^+을 환원시킨다.
ㄴ. 수용액 속 전체 양이온 수는 감소한다.
ㄷ. 철못의 질량은 반응 전보다 반응 후가 크다.

① ㄱ　② ㄴ　③ ㄷ　④ ㄱ, ㄷ　⑤ ㄴ, ㄷ

862 하중상

다음은 금속 A의 이온이 들어 있는 수용액에 금속 B를 넣었을 때 일어나는 변화에 대한 설명이다.

- 수용액이 푸른색에서 무색으로 변한다.
- 수용액에 들어 있는 전체 양이온 수는 증가한다.

이에 대한 설명으로 옳은 것만을 〈보기〉에서 있는 대로 고른 것은? (단, 음이온과 물은 반응에 참여하지 않고, A와 B는 임의의 원소 기호이다.)

〈 보기 〉
ㄱ. A가 석출된다.
ㄴ. A 이온에서 B로 전자가 이동한다.
ㄷ. 이온 1개의 전하량은 A 이온이 B 이온보다 크다.

① ㄱ　② ㄷ　③ ㄱ, ㄴ　④ ㄱ, ㄷ　⑤ ㄴ, ㄷ

빈출

863 하중상

그림은 묽은 염산(HCl)에 마그네슘(Mg) 조각을 넣기 전과 넣은 후의 변화를 모형으로 나타낸 것이다.

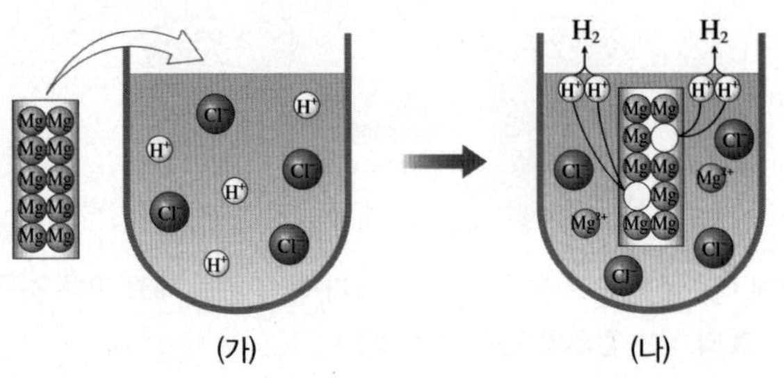

(가)　(나)

이에 대한 설명으로 옳은 것만을 〈보기〉에서 있는 대로 고른 것은?

〈 보기 〉
ㄱ. Mg은 산화된다.
ㄴ. Mg 조각의 질량은 증가한다.
ㄷ. (나)에 Mg 조각을 더 넣으면 기체가 발생한다.

① ㄱ　② ㄷ　③ ㄱ, ㄴ　④ ㄱ, ㄷ　⑤ ㄴ, ㄷ

864 하중상

그림과 같이 묽은 염산(HCl)에 금속 A판과 B판을 각각 넣었더니, A판의 표면에서만 기체가 발생하였다.

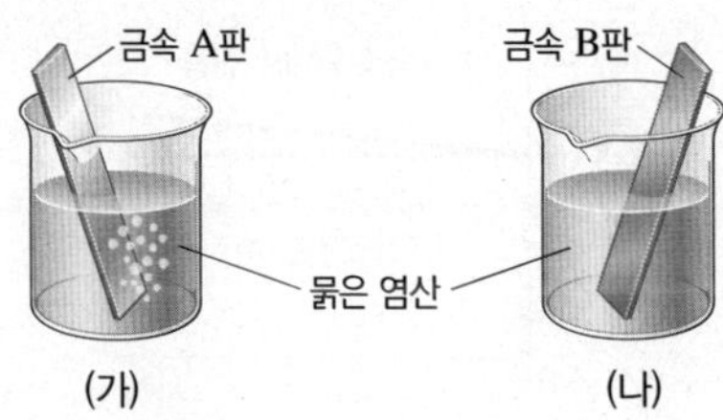

(가)　(나)

이에 대한 설명으로 옳은 것만을 〈보기〉에서 있는 대로 고른 것은? (단, A와 B는 임의의 원소 기호이다.)

〈 보기 〉
ㄱ. (가)에서는 수소 기체가 발생한다.
ㄴ. (가)에서 묽은 염산은 산화된다.
ㄷ. B는 A보다 산화되기 쉽다.

① ㄱ　② ㄷ　③ ㄱ, ㄴ　④ ㄱ, ㄷ　⑤ ㄴ, ㄷ

865 하중상

그림은 금속 X 이온이 들어 있는 수용액에 금속 Y를 넣었을 때 수용액에 존재하는 금속 양이온만을 모형으로 나타낸 것이다.

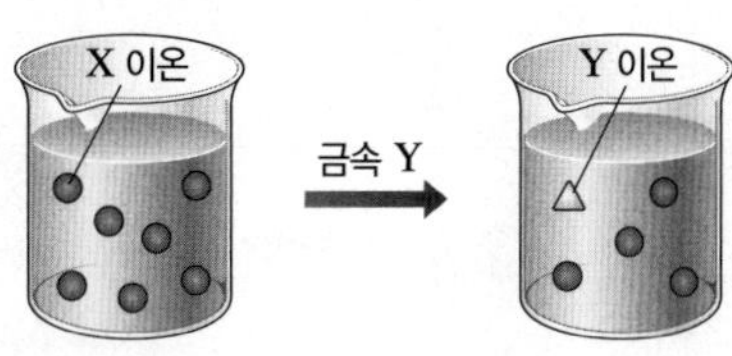

이에 대한 설명으로 옳은 것만을 〈보기〉에서 있는 대로 고른 것은? (단, X와 Y는 임의의 원소 기호이다.)

〈 보기 〉

ㄱ. Y는 산화된다.
ㄴ. 이온 1개의 전하량의 비는 X 이온 : Y 이온=1 : 3이다.
ㄷ. 전자는 Y에서 X 이온으로 이동한다.

① ㄱ ② ㄷ ③ ㄱ, ㄴ
④ ㄴ, ㄷ ⑤ ㄱ, ㄴ, ㄷ

866 하중상

그림은 질산 은($AgNO_3$) 수용액에 금속 M의 막대를 넣은 후, 시간에 따른 막대의 질량과 용액의 전체 이온 수 변화를 각각 상댓값으로 나타낸 것이다.

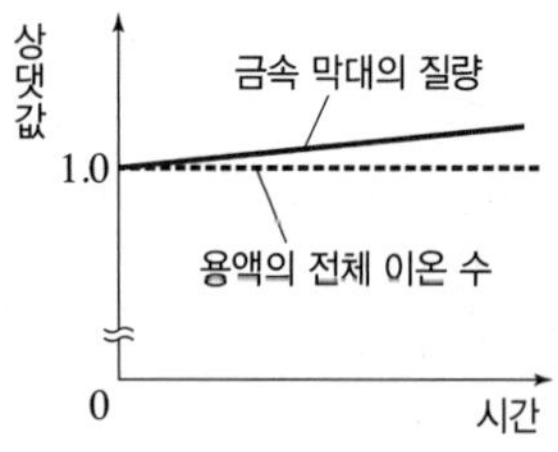

이에 대한 설명으로 옳은 것만을 〈보기〉에서 있는 대로 고른 것은? (단, 물은 반응에 참여하지 않고, M은 임의의 원소 기호이다.)

〈 보기 〉

ㄱ. M은 질산 은 수용액과 반응하여 산화된다.
ㄴ. 원자 1개의 질량은 은<M이다.
ㄷ. 이온 1개의 전하량은 은 이온<M 이온이다.

① ㄱ ② ㄴ ③ ㄷ
④ ㄱ, ㄷ ⑤ ㄴ, ㄷ

867 하중상

그림은 물질 (가)가 형성되는 과정을 나타낸 것이다.

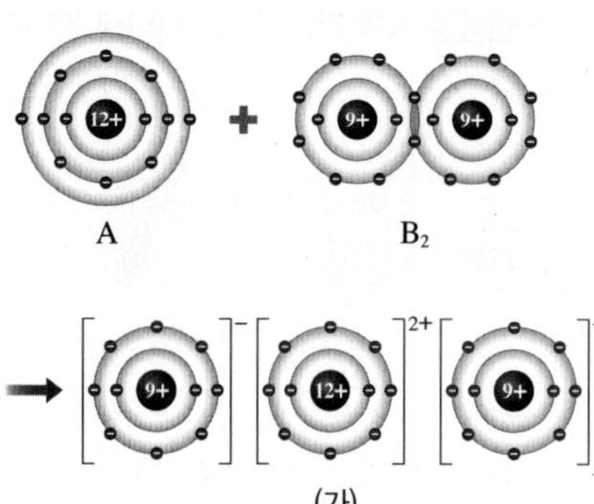

이에 대한 설명으로 옳은 것만을 〈보기〉에서 있는 대로 고른 것은? (단, A와 B는 임의의 원소 기호이다.)

〈 보기 〉

ㄱ. A는 산화된다.
ㄴ. (가)가 형성될 때 전자는 A에서 B_2로 이동한다.
ㄷ. 금속 원소와 비금속 원소가 이온 결합을 형성할 때 비금속 원소는 산화된다.

① ㄱ ② ㄷ ③ ㄱ, ㄴ
④ ㄴ, ㄷ ⑤ ㄱ, ㄴ, ㄷ

868 하중상

그림은 금속 A 이온이 들어 있는 수용액에 금속 B를 넣어 반응시켰을 때, 반응한 B 원자 수에 따른 수용액의 전체 양이온 수를 나타낸 것이다.

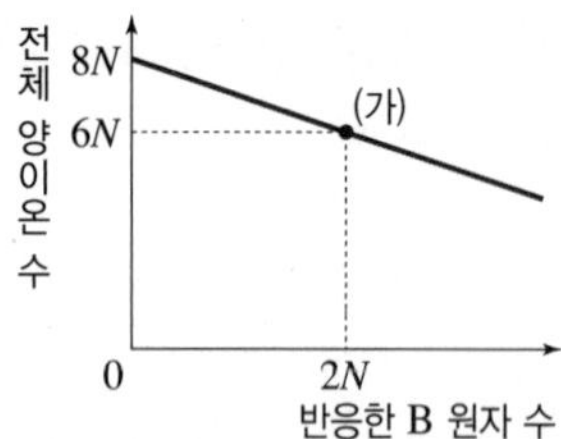

이에 대한 설명으로 옳은 것만을 〈보기〉에서 있는 대로 고른 것은? (단, 음이온과 물은 반응에 참여하지 않고, A와 B는 임의의 원소 기호이다.)

〈 보기 〉

ㄱ. (가)에서 수용액 속 A 이온 수는 $4N$이다.
ㄴ. (가)에서 석출된 금속은 A 이온이 산화되어 생성된 것이다.
ㄷ. 이온 1개의 전하량은 B 이온<A 이온이다.

① ㄱ ② ㄴ ③ ㄷ
④ ㄱ, ㄷ ⑤ ㄴ, ㄷ

869 하/중/상 ••서술형

그림은 금속 X 이온이 들어 있는 수용액에 금속 Y와 Z를 순서대로 넣었을 때 수용액 속에 존재하는 금속 양이온만을 모형으로 나타낸 것이다. (단, 음이온과 물은 반응에 참여하지 않고, X~Z는 임의의 원소 기호이다.)

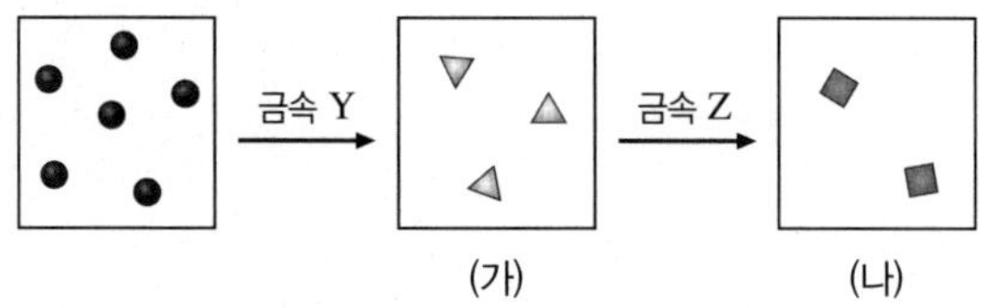

(1) X, Y, Z가 산화되려는 경향을 비교하여 서술하시오.

(2) △와 ■의 전하량 비를 쓰시오.

870 하/중/상

다음은 금속 A, B와 관련된 실험이다.

[실험 과정]
황산 구리(Ⅱ)($CuSO_4$) 수용액에 각각 금속 A판과 B판을 동시에 넣어 반응시킨다.

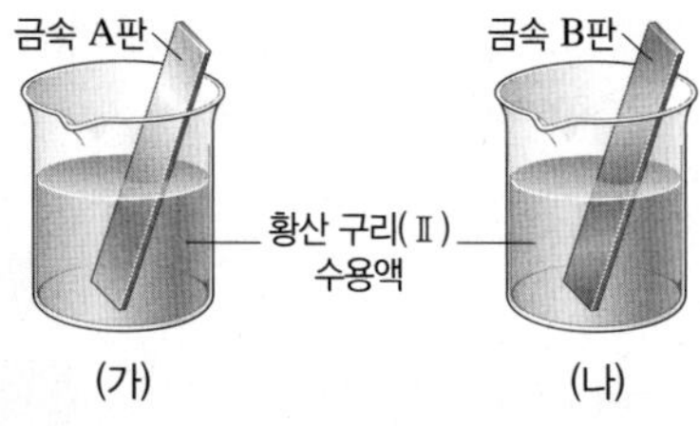

[실험 결과]
- (가) 수용액의 푸른색이 옅어졌다.
- (나)에서 아무 변화가 일어나지 않았다.

이에 대한 설명으로 옳은 것만을 〈보기〉에서 있는 대로 고른 것은? (단, A와 B는 임의의 원소 기호이다.)

〈 보기 〉
ㄱ. (가)에서 수용액 속 구리 이온 수가 감소한다.
ㄴ. (가)에서 색 변화가 나타나는 까닭은 황산 이온 때문이다.
ㄷ. A 이온이 들어 있는 수용액에 금속 B판을 넣으면 금속 A가 석출된다.

① ㄱ ② ㄷ ③ ㄱ, ㄴ
④ ㄱ, ㄷ ⑤ ㄴ, ㄷ

871 하/중/상

다음은 기체 X와 관련된 실험이다.

(가) 아연과 묽은 염산을 반응시켜 발생한 기체 X를 포집한다.
$Zn + 2HCl \longrightarrow ZnCl_2 + X$
(나) (가)에서 포집한 기체 X를 산화 구리(Ⅱ)와 함께 시험관에 넣고 가열하면 구리와 액체 Y가 생성된다.
$CuO + X \longrightarrow Cu + Y$

이에 대한 설명으로 옳은 것만을 〈보기〉에서 있는 대로 고른 것은?

〈 보기 〉
ㄱ. X는 H_2이다.
ㄴ. (나)에서 H_2O이 생성된다.
ㄷ. Cu는 Zn보다 전자를 잃기 쉽다.

① ㄱ ② ㄷ ③ ㄱ, ㄴ
④ ㄴ, ㄷ ⑤ ㄱ, ㄴ, ㄷ

872 하/중/상

다음은 금속 A~C와 관련된 실험이다.

(가) ASO_4 수용액에 금속 B를 넣었더니, 수용액에서 아무런 반응이 일어나지 않았다.
(나) (가) 용액에 금속 C를 넣었더니, 금속 A가 석출되고 용액 속의 전체 양이온 수가 감소하였다.

이에 대한 설명으로 옳은 것만을 〈보기〉에서 있는 대로 고른 것은? (단, A~C는 임의의 원소 기호이다.)

〈 보기 〉
ㄱ. (나)에서 C는 전자를 잃는다.
ㄴ. 이온 1개의 전하량은 C 이온이 A 이온보다 크다.
ㄷ. 금속 A~C가 산화되려는 경향은 C<A<B 순이다.

① ㄱ ② ㄴ ③ ㄷ
④ ㄱ, ㄴ ⑤ ㄱ, ㄴ, ㄷ

III

여러 가지 산화 환원 반응

Ⓐ 지구와 생명의 역사를 바꾼 화학 반응

1 광합성과 호흡

① 광합성과 호흡

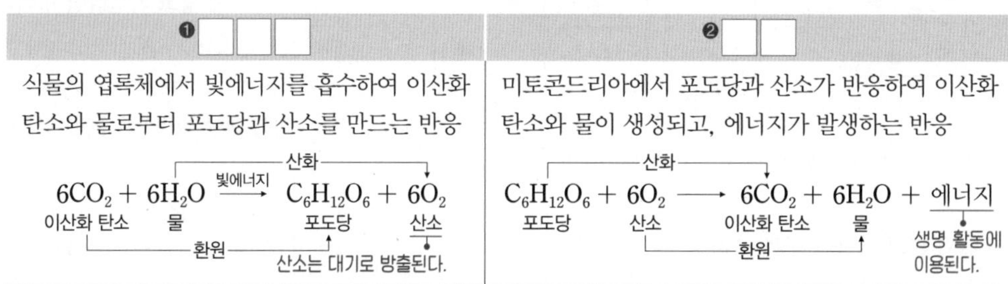

❶ ☐☐☐	❷ ☐☐
식물의 엽록체에서 빛에너지를 흡수하여 이산화 탄소와 물로부터 포도당과 산소를 만드는 반응	미토콘드리아에서 포도당과 산소가 반응하여 이산화 탄소와 물이 생성되고, 에너지가 발생하는 반응
$6CO_2 + 6H_2O \xrightarrow{\text{빛에너지}} C_6H_{12}O_6 + 6O_2$ 이산화 탄소, 물, 포도당, 산소 산화: $H_2O \to O_2$ / 환원: $CO_2 \to C_6H_{12}O_6$ 산소는 대기로 방출된다.	$C_6H_{12}O_6 + 6O_2 \longrightarrow 6CO_2 + 6H_2O +$ 에너지 포도당, 산소, 이산화 탄소, 물 산화: $C_6H_{12}O_6 \to CO_2$ / 환원: $O_2 \to H_2O$ 에너지 → 생명 활동에 이용된다.

기출 Tip Ⓐ-1

포도당
포도당($C_6H_{12}O_6$)은 탄수화물의 단위체로, 생명체의 주요 에너지원이다.

광합성과 호흡
광합성은 식물 세포에서만 일어나고, 호흡은 식물 세포와 동물 세포 모두에서 일어난다.

② 광합성이 지구와 생명에 미친 영향

남세균의 광합성으로 산소의 생성, 대기 조성 변화 ➔ 산소 호흡을 하는 생물 출현, 오존층 형성 ➔ 육상 생물 출현

2 화석 연료의 연소 → 빠르게 일어나는 반응이다.

① 화석 연료의 연소: 화석 연료는 대체로 탄소(C)와 수소(H)로 이루어진 화합물이므로 공기 중의 산소와 반응하여 ❸ ☐☐☐ ☐☐와 ❹ ☐이 생성되고 많은 열이 방출된다.

$$CH_4 + 2O_2 \longrightarrow CO_2 + 2H_2O$$

메테인, 산소, 이산화 탄소, 물 (산화: $CH_4 \to CO_2$, 환원: $O_2 \to H_2O$)

▲ 천연가스의 주성분인 메테인의 연소

② 화석 연료의 연소가 인류의 발전에 미친 영향: 인류는 화석 연료가 연소할 때 발생하는 열을 이용하여 교통이나 산업을 발전시켜 산업 혁명을 이끌었다. (인류는 에너지를 얻게 되었다. ➔ 증기 기관 연료로 사용)

3 철의 제련 → 철은 주로 산소와 결합한 철광석의 형태로 존재하므로 순수한 철을 얻기 위해서는 제련 과정을 거쳐야 한다.

① 철의 제련: 산화 철(Ⅲ)이 주성분인 철광석과 코크스를 용광로에 함께 넣고 가열하여 순수한 철을 얻는 과정이다. (코크스 → 산화 철을 환원시키기 위해 넣는다.)

❶ 코크스의 산화: 코크스가 산소를 얻어 일산화 탄소로 산화된다.

$$2C + O_2 \longrightarrow 2CO$$

코크스, 산소, 일산화 탄소 (산화: $C \to CO$) → 코크스가 불완전 연소하여 생성된다.

❷ 산화 철(Ⅲ)의 환원: 철광석에 들어 있는 산화 철(Ⅲ)이 일산화 탄소와 반응하면 산화 철(Ⅲ)은 산소를 잃고 철로 ❺ ☐☐되고, 일산화 탄소는 산소를 얻어 이산화 탄소로 ❻ ☐☐된다.

$$Fe_2O_3 + 3CO \longrightarrow 2Fe + 3CO_2$$

산화 철(Ⅲ), 일산화 탄소, 철, 이산화 탄소 (산화: $CO \to CO_2$, 환원: $Fe_2O_3 \to Fe$)

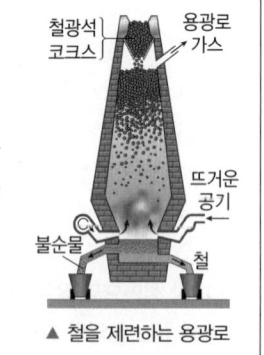

철광석, 코크스, 용광로 가스, 뜨거운 공기, 불순물, 철

▲ 철을 제련하는 용광로

② 철의 제련이 인류의 발전에 미친 영향: 인류는 철을 제련하여 여러 가지 도구와 무기를 만들어 사용하면서 철기 시대를 열었고, 오늘날에도 산업 전반에 철을 널리 이용하고 있다.

기출 Tip Ⓐ-4

지구와 생명의 역사를 바꾼 화학 반응의 공통점

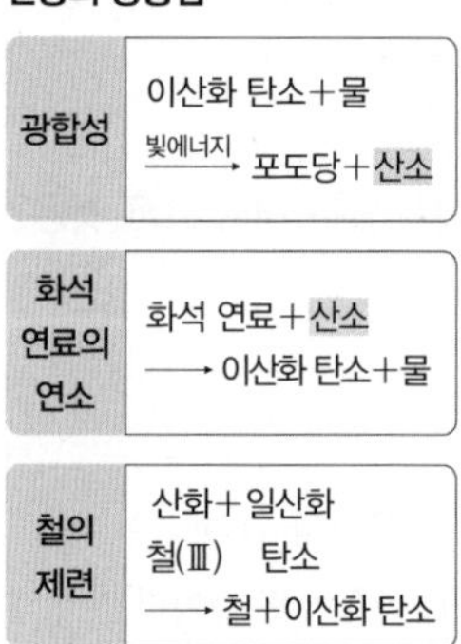

광합성	이산화 탄소+물 $\xrightarrow{\text{빛에너지}}$ 포도당+산소
화석 연료의 연소	화석 연료+산소 ⟶ 이산화 탄소+물
철의 제련	산화 철(Ⅲ)+일산화 탄소 ⟶ 철+이산화 탄소

↓

공통점
산소가 관여하는 반응

4 지구와 생명의 역사를 바꾼 화학 반응

① 광합성, 화석 연료의 연소, 철의 제련은 지구와 생명의 역사에 큰 변화를 가져온 화학 반응이다.

② 공통점: 모두 ❼ ☐☐가 관여하는 산화 환원 반응이다.

Ⓑ 우리 주변의 산화 환원 반응

1 철의 녹슬음과 녹슬음 방지법

① 철의 녹슬음(산화): 철은 공기 중의 ❽[ ], 수분과 쉽게 반응하여 붉은 녹을 만든다. → 느리게 일어나는 반응이다.

② 철의 녹슬음 방지법: 철이 공기 중의 산소나 수분과 접촉하는 것을 막는다. 예 철 표면에 페인트를 칠하거나 기름을 칠한다.

$$4Fe + 3O_2 \longrightarrow 2Fe_2O_3$$

철 산소 산화 철(Ⅲ) (산화: Fe → Fe_2O_3, 환원: O_2 → Fe_2O_3)

▲ 철의 녹슬음 붉은 녹의 주성분이다.

2 그 밖의 산화 환원 반응

사과의 갈변	사과를 깎아 공기 중에 두면 산화되어 표면이 갈색으로 변한다.
음식물의 부패	오래된 음식물이 산화되어 썩는다.
섬유 표백	누렇게 변한 옷을 표백제로 세탁하면 산화 환원 반응이 일어나 옷이 하얗게 된다.
일회용 손난로	철 가루가 들어 있는 손난로를 흔들면 철이 ❾[ ]되면서 열이 발생한다.
반딧불이의 불빛	반딧불이 몸속에서 루시페린이라는 물질이 산화될 때 불빛이 난다.
색이 변하는 렌즈	색이 변하는 안경의 렌즈는 햇빛을 받으면 산화 환원 반응이 일어나 렌즈의 색이 어두워지고, 햇빛을 받지 않으면 렌즈가 다시 투명해진다.
불꽃놀이	폭죽에 들어 있는 화약이 폭발하여 ❿[ ]되면서 매우 높은 열이 발생하여 금속의 불꽃 반응 색이 나타난다.

▲ 사과의 갈변

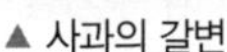

▲ 섬유 표백

▲ 일회용 손난로

▲ 반딧불이의 불빛

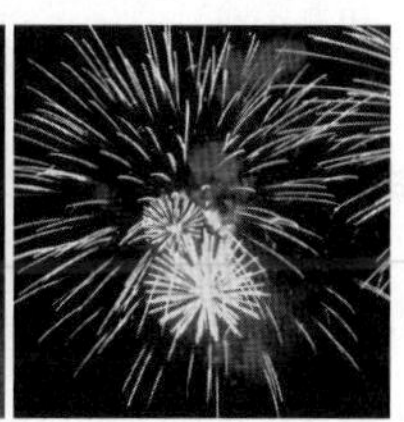
▲ 불꽃놀이

기출 Tip Ⓑ-1

금속 산화물의 성질

철을 비롯한 대부분의 금속은 공기 중에서 산소와 쉽게 반응하여 산화물을 생성한다. 금속 산화물은 처음의 금속과 다른 물질로, 금속 특유의 광택이 없고 전기도 통하지 않는다.

기출 Tip Ⓑ-2

산화 환원 반응의 속도

구분	빠른 반응	느린 반응
특징	빛과 열이 발생	열이 발생
예	연소, 폭발	철의 녹슬음

답 ❶ 광합성 ❷ 호흡 ❸ 이산화 탄소 ❹ 물 ❺ 환원 ❻ 산화 ❼ 산소 ❽ 산소 ❾ 산화 ❿ 산화

빈출 자료 보기

정답과 해설 78쪽

873 그림은 생명체에서 일어나는 두 가지 반응을 나타낸 것이다.

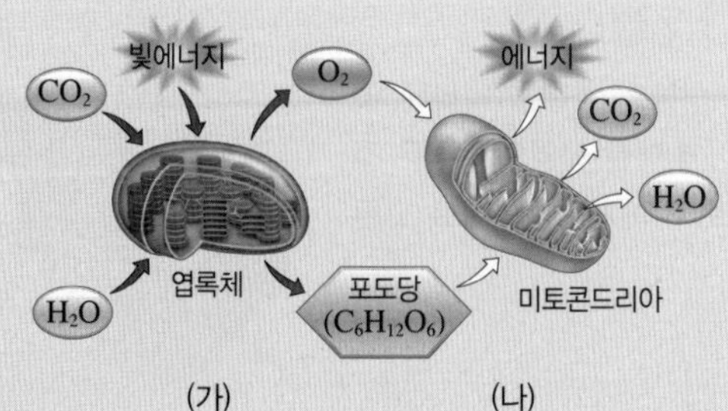

이에 대한 설명으로 옳은 것은 ○, 옳지 않은 것은 ×로 표시하시오.

(1) (가)는 호흡, (나)는 광합성이다. ( )
(2) (가)에서 CO_2는 산화된다. ( )
(3) (나)에서 $C_6H_{12}O_6$은 산화된다. ( )
(4) (나)에서 생성된 에너지는 생명 활동에 이용된다. ( )

874 다음은 지구와 생명의 역사에 변화를 가져온 세 가지 화학 반응을 나타낸 것이다.

(가) 이산화 탄소+물 ⟶ 포도당+산소
(나) 메테인+산소 ⟶ [㉠]+물
(다) 산화 철(Ⅲ)+일산화 탄소 ⟶ 철+[㉡]

이에 대한 설명으로 옳은 것은 ○, 옳지 않은 것은 ×로 표시하시오.

(1) ㉠과 ㉡은 다른 물질이다. ( )
(2) (가)는 육상 생물이 출현하는 계기가 되었다. ( )
(3) (나)에서 메테인은 산화된다. ( )
(4) (다)에서 산화 철(Ⅲ)은 산화된다. ( )
(5) (다)를 이용해 인류는 여러 가지 철로 된 도구를 만들어 사용할 수 있었다. ( )
(6) (가)~(다) 모두 산소가 관여하는 반응이다. ( )

A 지구와 생명의 역사를 바꾼 화학 반응

875 하 중 상

다음은 광합성을 화학 반응식으로 나타낸 것이다.

$aCO_2 + bH_2O \longrightarrow cC_6H_{12}O_6 + dO_2$ (a~d는 반응 계수)

$a+b-c+d$는?

① 7 ② 9 ③ 13 ④ 17 ⑤ 19

876 하 중 상

다음은 지구와 생명의 역사에 변화를 가져온 화학 반응에 대한 설명이다.

> 식물의 엽록체에서 빛에너지를 이용하여 이산화 탄소와 물로부터 포도당과 ㉠ 를 만드는 반응이다.

이에 대한 설명으로 옳은 것만을 <보기>에서 있는 대로 고른 것은?

〈 보기 〉
ㄱ. ㉠은 수소이다.
ㄴ. ㉠에 의해 오존층이 형성되었다.
ㄷ. 식물의 호흡에서 이 반응이 일어난다.

① ㄱ ② ㄴ ③ ㄱ, ㄷ ④ ㄴ, ㄷ ⑤ ㄱ, ㄴ, ㄷ

877 하 중 상

다음은 지구와 생명의 역사를 바꾼 화학 반응이다.

> (가) 광합성 (나) 철의 제련
> (다) 화석 연료의 연소

이에 대한 설명으로 옳은 것만을 <보기>에서 있는 대로 고른 것은?

〈 보기 〉
ㄱ. (가)를 통해 산소 호흡을 하는 생물이 나타났다.
ㄴ. (나)는 철기 시대를 열었다.
ㄷ. (다)를 이용해 인류는 에너지를 얻었다.

① ㄱ ② ㄴ ③ ㄱ, ㄴ ④ ㄱ, ㄷ ⑤ ㄱ, ㄴ, ㄷ

878 하 중 상

다음은 인류 문명에 기여한 화학 반응과 관련된 글이다.

> • ㉠ 석유, 천연가스 등의 화석 연료는 지질 시대의 생물이 땅속에 묻혀 생성되었다.
> • ㉡ 철광석에서 순수한 철을 얻게 되면서 철을 이용한 여러 가지 도구를 만들어 사용하였다.

이에 대한 설명으로 옳은 것만을 <보기>에서 있는 대로 고른 것은?

〈 보기 〉
ㄱ. ㉠의 연소 결과 이산화 탄소와 물이 발생한다.
ㄴ. ㉠의 연소는 산업 혁명을 이끌었다.
ㄷ. ㉡의 반응에서 철광석은 산화된다.

① ㄱ ② ㄴ ③ ㄱ, ㄴ ④ ㄱ, ㄷ ⑤ ㄱ, ㄴ, ㄷ

빈출

879 하 중 상 ••서술형

다음은 지구와 생명의 역사를 바꾼 화학 반응을 나타낸 것이다.

> (가) 원시 지구에 광합성을 하는 생물이 출현하면서 오존층이 형성되었고, 물속에 살던 생물들이 육지로 올라와 살 수 있게 되었다.
> (나) 화석 연료가 연소할 때 발생하는 열을 이용하여 교통 산업을 발전시켰다.
> (다) 철의 제련을 이용해 인류는 여러 가지 도구와 무기를 만들어 사용할 수 있게 되었으며, 오늘날에도 산업 전반에 철을 널리 이용하고 있다.

(가)~(다)의 공통점 한 가지를 서술하시오.

880 하 중 상

그림은 식물의 호흡을 나타낸 것이다. 이에 대한 설명으로 옳은 것만을 <보기>에서 있는 대로 고른 것은?

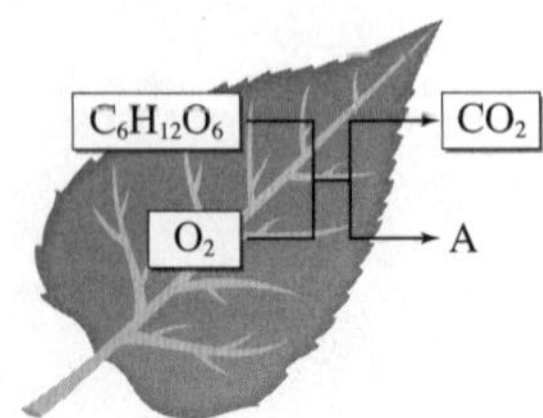

〈 보기 〉
ㄱ. A는 H_2O이다.
ㄴ. O_2는 산화된다.
ㄷ. 생명체는 에너지를 얻는다.

① ㄱ ② ㄴ ③ ㄱ, ㄴ ④ ㄱ, ㄷ ⑤ ㄱ, ㄴ, ㄷ

881 하중상 대표문제 多 보기

그림은 광합성과 호흡을 모식적으로 나타낸 것이다.

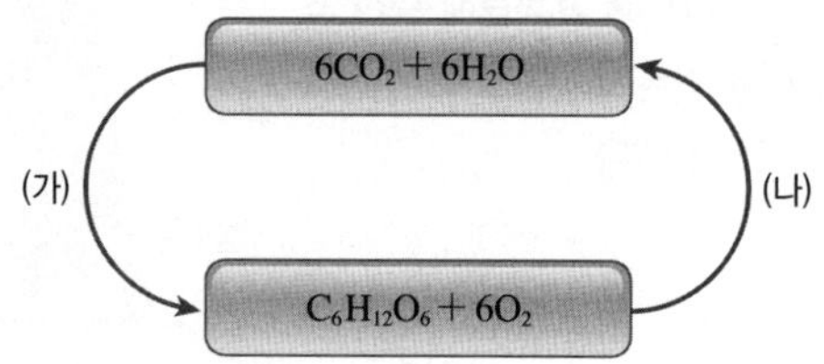

이에 대한 설명으로 옳지 않은 것은?

① (가)는 광합성, (나)는 호흡이다.
② (가)는 엽록체에서 일어나는 반응이다.
③ (가)가 일어나기 위해서는 빛에너지가 필요하다.
④ (가)에서 CO_2는 환원된다.
⑤ (나)는 미토콘드리아에서 일어나는 반응이다.
⑥ (나)에서 $C_6H_{12}O_6$은 환원된다.
⑦ (가)와 (나) 모두 산소가 관여하는 산화 환원 반응이다.

882 하중상

다음은 광합성과 호흡을 화학 반응식으로 나타낸 것이다.

(가) $6CO_2+6H_2O \longrightarrow$ [㉠] $+6$ [㉡]
(나) [㉠] $+6$ [㉡] $\longrightarrow 6CO_2+6H_2O$

이에 대한 설명으로 옳지 않은 것은?

① ㉠은 생명체의 주요 에너지원으로 사용된다.
② ㉡은 물질이 연소될 때 필요하다.
③ (가)로 인하여 원시 지구의 대기 조성에 변화가 생겼다.
④ (나)에서 에너지가 방출된다.
⑤ 동물 세포에서 (가)와 (나)가 모두 일어난다.

883 하중상 서술형

광합성이 지구와 생명의 역사에 미친 영향을 대기와 생물의 변화를 포함하여 서술하시오.

884 하중상 서술형

화석 연료 중 하나인 메테인(CH_4)의 연소 반응을 화학 반응식으로 쓰고, 화살표를 이용하여 산화 환원 반응을 표시하시오.

빈출

885 하중상

다음은 프로페인(C_3H_8)의 연소 반응을 화학 반응식으로 나타낸 것이다.

$C_3H_8+aO_2 \longrightarrow bCO_2+cH_2O$ (a~c는 반응 계수)

이에 대한 설명으로 옳은 것만을 〈보기〉에서 있는 대로 고른 것은?

〈 보기 〉
ㄱ. $a+b+c=12$이다.
ㄴ. 산화 환원 반응이다.
ㄷ. 반응이 빠르게 일어나면서 많은 열이 발생한다.

① ㄱ ② ㄴ ③ ㄱ, ㄴ
④ ㄱ, ㄷ ⑤ ㄱ, ㄴ, ㄷ

886 하중상 ••서술형

다음은 철의 제련에 대한 설명이다.

> 철광석과 코크스(C)를 용광로에 함께 넣고 가열하면 코크스가 산소와 반응하여 일산화 탄소(CO)가 생성되고, 철광석의 주성분인 산화 철(Ⅲ)(Fe_2O_3)과 일산화 탄소가 반응하여 철(Fe)과 이산화 탄소(CO_2)가 생성된다.

(1) 밑줄 친 반응을 화학 반응식으로 쓰시오. (단, 상태는 나타내지 않는다.)

(2) 밑줄 친 반응의 화학 반응식에서 산화된 물질과 환원된 물질의 화학식을 그 까닭과 함께 서술하시오.

887 하중상

그림은 철의 제련 과정의 일부를 간단히 나타낸 것이다.

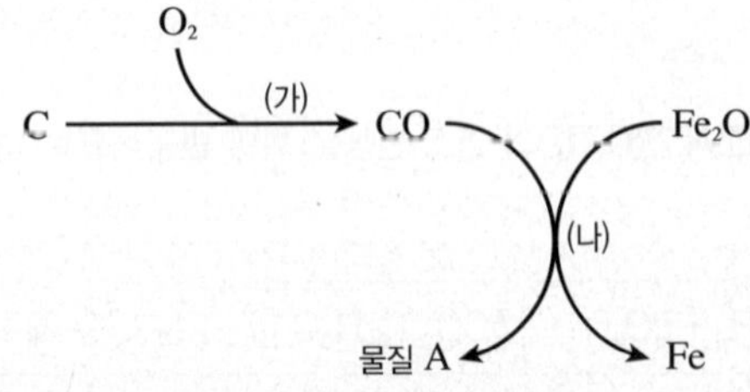

이에 대한 설명으로 옳은 것만을 〈보기〉에서 있는 대로 고른 것은?

〈 보기 〉
ㄱ. (가)에서 C는 불완전 연소한다.
ㄴ. (나)에서 (가)의 생성물이 환원되어 물질 A가 된다.
ㄷ. 물질 A는 광합성의 반응물 중 하나이다.

① ㄱ ② ㄴ ③ ㄱ, ㄴ
④ ㄱ, ㄷ ⑤ ㄱ, ㄴ, ㄷ

888 하중상 대표문제 多 보기

다음은 산화 철(Ⅲ)(Fe_2O_3)이 주성분인 철광석과 코크스(C)를 용광로에 넣어 순수한 철(Fe)을 얻는 과정을 화학 반응식과 함께 나타낸 것이다.

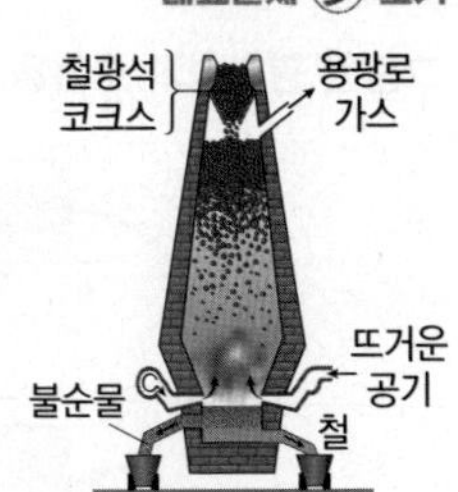

> (가) $2C+O_2 \longrightarrow 2CO$
> (나) $aFe_2O_3+bCO \longrightarrow cFe+dCO_2$ (a~d는 반응 계수)

이에 대한 설명으로 옳지 않은 것은?

① $a+b=c+d$이다.
② 코크스는 산화 철(Ⅲ)을 환원시키기 위해 넣는다.
③ (가)에서 코크스는 산화된다.
④ (나)에서 일산화 탄소는 산화 철(Ⅲ)보다 산화되기 쉽다.
⑤ (나)에서 산화 철(Ⅲ)은 전자를 얻어 순수한 철이 된다.
⑥ (가)와 (나) 모두 산화 환원 반응이다.

889 하중상

다음은 철의 제련 과정에서 일어나는 반응을 화학 반응식으로 나타낸 것이다.

> • $2C+O_2 \longrightarrow 2$ ㉠
> • Fe_2O_3+3 ㉡ $\longrightarrow 2Fe+3CO_2$
> • $CaCO_3+SiO_2 \longrightarrow CaSiO_3+$ ㉢

이에 대한 설명으로 옳은 것만을 〈보기〉에서 있는 대로 고른 것은?

〈 보기 〉
ㄱ. ㉠과 ㉡은 같은 물질이다.
ㄴ. ㉢을 석회수에 통과시키면 석회수가 뿌옇게 흐려진다.
ㄷ. 자연에서 철은 순수한 철로 존재한다.

① ㄱ ② ㄴ ③ ㄱ, ㄴ
④ ㄱ, ㄷ ⑤ ㄱ, ㄴ, ㄷ

B 우리 주변의 산화 환원 반응

890 하중상

생활 속에서 일어나는 산화 환원 반응의 예로 옳지 않은 것은?

① 오래된 음식물이 썩는다.
② 속이 쓰릴 때 제산제를 복용한다.
③ 반딧불이가 불빛을 내며 반짝거린다.
④ 깎아 놓은 사과의 표면이 갈색으로 변한다.
⑤ 누렇게 변한 옷을 세탁할 때 표백제를 넣으면 옷이 하얗게 된다.

891 하중상

다음은 몇 가지 화학 반응의 예이다.

(가) 햇빛을 받으면 안경 렌즈의 색이 어두워진다.
(나) 욕실에 넣어 둔 면도날에 붉은 녹이 생긴다.
(다) 철 가루가 들어 있는 손난로를 흔들면 따뜻해진다.

이에 대한 설명으로 옳은 것만을 〈보기〉에서 있는 대로 고른 것은?

〈 보기 〉
ㄱ. (가)~(다) 모두 산화 환원 반응으로 설명할 수 있다.
ㄴ. (나)와 (다)에서 같은 기체가 반응에 관여한다.
ㄷ. (다)에서 철 가루는 산화된다.

① ㄱ ② ㄴ ③ ㄱ, ㄴ
④ ㄱ, ㄷ ⑤ ㄱ, ㄴ, ㄷ

892 하중상

그림은 철(Fe)이 녹스는 과정을 간단히 나타낸 것이다. 이에 대한 설명으로 옳은 것만을 〈보기〉에서 있는 대로 고른 것은?

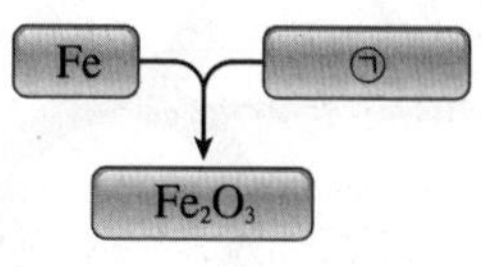

〈 보기 〉
ㄱ. ㉠은 O_2이다.
ㄴ. Fe은 산화된다.
ㄷ. 빠르게 일어나는 반응이다.

① ㄱ ② ㄴ ③ ㄱ, ㄴ
④ ㄱ, ㄷ ⑤ ㄱ, ㄴ, ㄷ

893 하중상 ••서술형

철의 녹슬음을 방지하는 방법 두 가지를 서술하시오.

894 하중상

그림 (가)는 메테인(CH_4)의 연소를, (나)는 철(Fe)의 녹슬음을 나타낸 것이다.

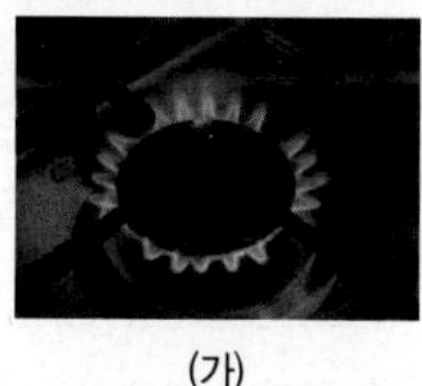
(가)

(나)

(가)와 (나)의 공통점으로 옳은 것만을 모두 고르면?(2개)

① 산화 환원 반응이다.
② 반응이 느리게 일어난다.
③ 반응하면서 물이 생성된다.
④ 반응하면서 열과 빛을 낸다.
⑤ 공기 중의 산소와 반응한다.

III

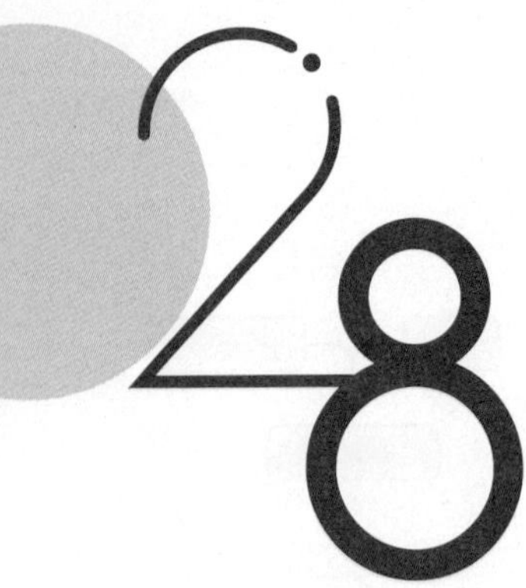

산과 염기

Ⓐ 산과 염기

1 산과 염기

① ❶☐: 물에 녹아 수소 이온(H^+)을 내놓는 물질

예 염산(HCl), 황산(H_2SO_4), 아세트산(CH_3COOH), 탄산(H_2CO_3), 질산(HNO_3) 등

② ❷☐☐: 물에 녹아 수산화 이온(OH^-)을 내놓는 물질

예 수산화 나트륨($NaOH$), 수산화 칼륨(KOH), 수산화 칼슘($Ca(OH)_2$), 암모니아(NH_3) 등

2 산성과 염기성

구분	산성	염기성
정의	산이 가지는 공통적인 성질	염기가 가지는 공통적인 성질
성질	• 대부분 ❸☐ 맛이 난다. • 금속과 반응하여 ❹☐☐ 기체가 발생한다. • 달걀 껍데기(탄산 칼슘)와 반응하여 이산화 탄소 기체가 발생한다. • 푸른색 리트머스 종이를 붉게 변화시킨다. • 페놀프탈레인 용액의 색을 변화시키지 않는다. • 물에 녹아 이온화하므로 수용액에 전류를 흘려 주면 전류가 흐른다.	• 대부분 ❺☐ 맛이 난다. • 대부분의 금속과 반응하지 않는다. • 단백질을 녹이는 성질이 있으므로 손으로 만지면 미끈거린다. • 붉은색 리트머스 종이를 푸르게 변화시킨다. • 페놀프탈레인 용액의 색을 붉게 변화시킨다. • 물에 녹아 이온화하므로 수용액에 전류를 흘려 주면 전류가 흐른다.
물질	레몬(시트르산), 식초(아세트산), 김치(젖산)	제산제(수산화 마그네슘), 비누(수산화 나트륨)

3 산성과 염기성이 나타나는 까닭

① 산성(산의 공통적인 성질)이 나타나는 까닭: 산이 물에 녹으면 이온화하여 ❻☐☐ ☐☐(H^+)을 공통으로 내놓기 때문이다.

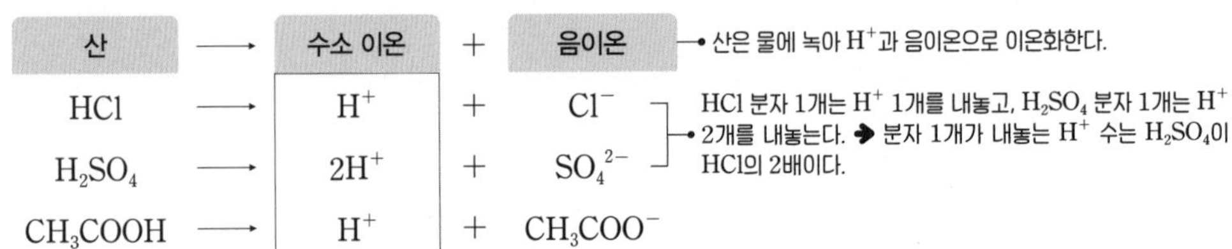

산	→	수소 이온	+	음이온
HCl	→	H^+	+	Cl^-
H_2SO_4	→	$2H^+$	+	SO_4^{2-}
CH_3COOH	→	H^+	+	CH_3COO^-

• 산은 물에 녹아 H^+과 음이온으로 이온화한다.

• HCl 분자 1개는 H^+ 1개를 내놓고, H_2SO_4 분자 1개는 H^+ 2개를 내놓는다. ➜ 분자 1개가 내놓는 H^+ 수는 H_2SO_4이 HCl의 2배이다.

(산성을 나타내는 이온 확인)

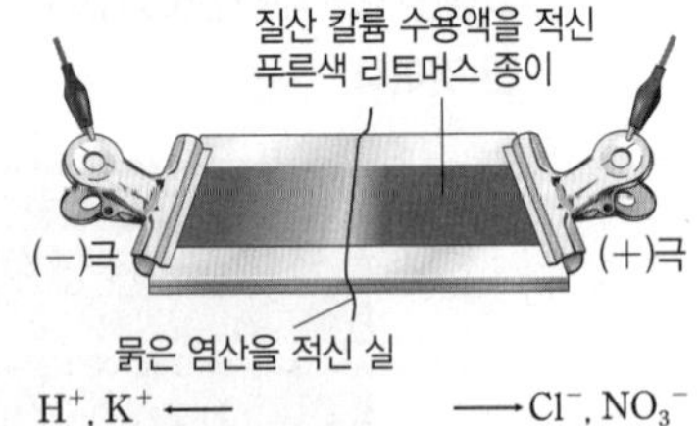

• 전류를 흘려 주면 푸른색 리트머스 종이가 실에서부터 (−)극 쪽으로 붉게 변해 간다. ➜ 수소 이온(H^+)이 (−)극 쪽으로 이동하면서 푸른색 리트머스 종이의 색을 변하게 한다.

• 다른 산 수용액으로 실험해도 같은 결과가 나타난다. ➜ 산의 공통적인 성질은 H^+ 때문에 나타난다.

② 염기성(염기의 공통적인 성질)이 나타나는 까닭: 염기가 물에 녹으면 이온화하여 ❼☐☐☐ ☐☐(OH^-)을 공통으로 내놓기 때문이다.

염기	→	양이온	+	수산화 이온
$NaOH$	→	Na^+	+	OH^-
$Ca(OH)_2$	→	Ca^{2+}	+	$2OH^-$
KOH	→	K^+	+	OH^-

• 염기는 물에 녹아 OH^-과 양이온으로 이온화한다.

• $NaOH$ 입자 1개는 OH^- 1개를 내놓고, $Ca(OH)_2$ 입자 1개는 OH^- 2개를 내놓는다. ➜ 입자 1개가 내놓는 OH^- 수는 $Ca(OH)_2$이 $NaOH$의 2배이다.

기출 Tip Ⓐ-1

메테인이 산이 아닌 까닭
메테인(CH_4)은 H가 들어 있지만 물에 녹아 H^+을 내놓지 않으므로 산이 아니다.

암모니아가 염기인 까닭
암모니아(NH_3)는 물에 녹아 OH^-을 생성하므로 염기이다.
$NH_3 + H_2O \longrightarrow NH_4^+ + OH^-$

알코올이 산 또는 염기가 아닌 까닭
알코올(CH_3OH, C_2H_5OH 등)은 H와 O가 모두 들어 있지만, 물에 녹았을 때 H^+이나 OH^-을 내놓지 않으므로 산 또는 염기가 아니다.

기출 Tip Ⓐ-2

산과 금속의 반응
산은 마그네슘, 철 등의 금속과는 반응하지만 금이나 은 등의 금속과는 반응하지 않는다.
➜ 산이 모든 금속과 반응하는 것은 아니다.

산과 염기의 공통된 성질
수용액에 전류를 흘려 주면 전류가 흐른다.

기출 Tip Ⓐ-3

산과 염기가 종류에 따라 성질이 다른 까닭
• 산의 종류에 따라 물에 녹아 내놓는 음이온의 종류가 다르기 때문에 산의 종류에 따라 성질이 다르다.
• 염기의 종류에 따라 물에 녹아 내놓는 양이온의 종류가 다르기 때문에 염기의 종류에 따라 성질이 다르다.

리트머스 종이를 질산 칼륨 수용액에 적시는 까닭
질산 칼륨(KNO_3)은 물에 녹아 K^+과 NO_3^-으로 이온화하므로 전류가 잘 흐르게 하는 역할을 하기 때문이다.

염기성을 나타내는 이온 확인

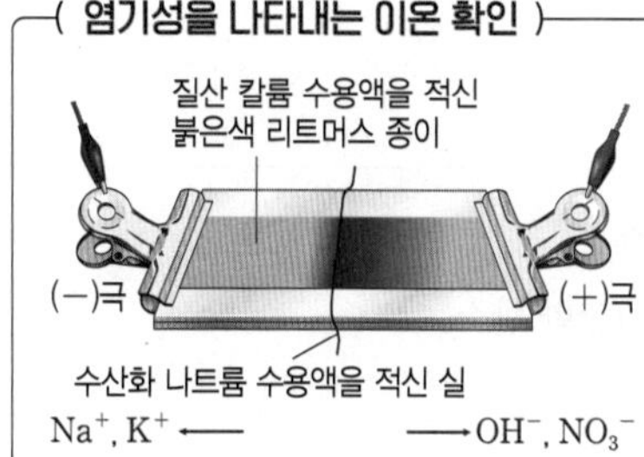

- 전류를 흘려 주면 붉은색 리트머스 종이가 실에서부터 (+)극 쪽으로 푸르게 변해 간다. ➡ 수산화 이온(OH^-)이 (+)극 쪽으로 이동하면서 붉은색 리트머스 종이의 색을 변하게 한다.
- 다른 염기 수용액으로 실험해도 같은 결과가 나타난다. ➡ 염기의 공통적인 성질은 OH^- 때문에 나타난다.

4 지시약 용액의 액성에 따라 색이 변하는 물질 ➡ 용액의 액성을 구별할 때 사용한다.

① 액성에 따른 지시약의 색 변화

지시약	리트머스 종이	페놀프탈레인 용액	메틸 오렌지 용액	BTB 용액
산성	푸른색 → 붉은색	무색	붉은색	노란색
중성	−	무색	노란색	❽ ☐☐☐
염기성	붉은색 → 푸른색	붉은색	노란색	파란색

② 천연 지시약: 자주색 양배추, 붉은색 장미꽃, 포도 껍질, 검은콩 등에서 추출한 용액은 액성에 따라 색이 변하므로 지시약으로 사용할 수 있다.

5 pH 수용액에 들어 있는 수소 이온(H^+)의 농도를 0~14 사이의 숫자로 나타낸 것

➡ pH가 작을수록 산성이 강하고, pH가 클수록 염기성이 강하다. → 수용액에 들어 있는 H^+의 농도가 클수록 pH는 작아진다.

- pH<7: ❾ ☐☐
- pH=7: ❿ ☐☐
- pH>7: 염기성

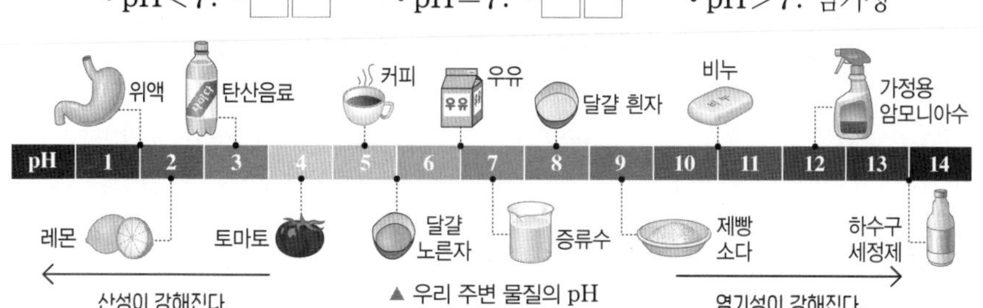

▲ 우리 주변 물질의 pH

기출 Tip Ⓐ-4

액성에 따른 자주색 양배추 지시약의 색 변화

구분	산성	염기성
색 변화	붉은색	푸른색, 노란색

기출 Tip Ⓐ-5

산과 염기의 세기

농도가 같아도 수용액에서 이온화하는 정도가 클수록 산과 염기의 세기는 커진다.

예 산 수용액의 이온화 모형

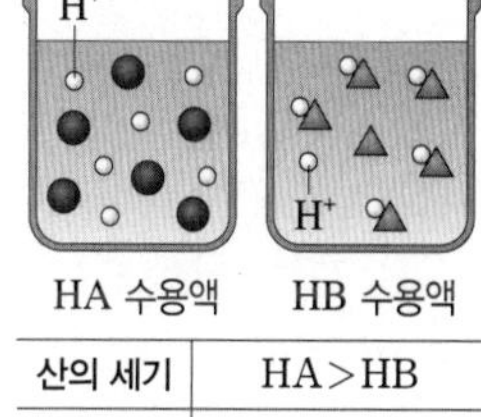

산의 세기	HA>HB
pH 비교	HA<HB

산과 염기의 세기 비교 방법
- 수용액의 전기 전도율의 크기를 비교한다.
- 수용액의 pH를 비교한다.

답 ❶ 산 ❷ 염기 ❸ 신 ❹ 수소 ❺ 쓴 ❻ 수소 이온 ❼ 수산화 이온 ❽ 초록색 ❾ 산성 ❿ 중성

빈출 자료 보기

정답과 해설 80쪽

895 그림과 같이 질산 칼륨(KNO_3) 수용액을 적신 붉은색 리트머스 종이에 수산화 나트륨(NaOH) 수용액을 적신 실을 올려놓고 전류를 흘려 주었더니 실에서부터 (+)극 쪽으로 푸르게 변해 갔다.

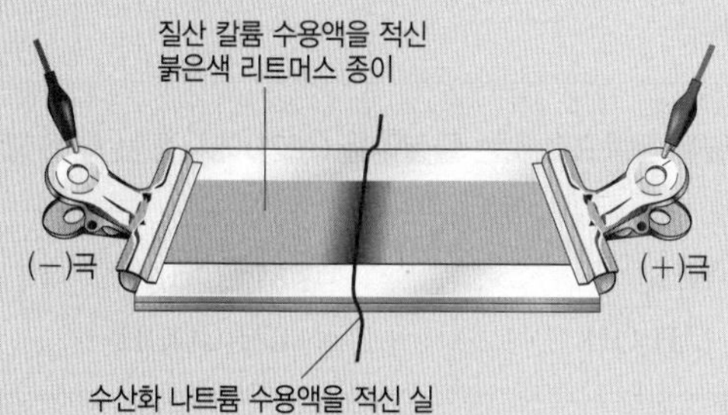

이에 대한 설명으로 옳은 것은 ○, 옳지 않은 것은 ×로 표시하시오.

(1) 리트머스 종이에 질산 칼륨 수용액을 적시는 까닭은 전류가 잘 흐르게 하기 위해서이다. ( )

(2) (−)극 쪽으로 이동하는 이온은 없다. ( )

(3) 수산화 이온과 질산 이온은 (+)극 쪽으로 이동한다. ( )

(4) 리트머스 종이의 색 변화는 수산화 이온 때문이다. ( )

(5) 붉은색 리트머스 종이 대신 푸른색 리트머스 종이로 실험해도 수산화 이온의 이동을 확인할 수 있다. ( )

(6) 수산화 나트륨 대신 수산화 칼슘으로 실험해도 같은 결과가 나타난다. ( )

(7) 염기가 공통적인 성질을 나타내는 까닭을 확인하는 실험이다. ( )

A 산과 염기

빈출

896 하 중 상

산과 염기에 대한 설명으로 옳은 것만을 〈보기〉에서 있는 대로 고른 것은?

〈 보기 〉

ㄱ. 산은 물에 녹아 H^+과 음이온으로 이온화한다.
ㄴ. 산의 종류에 따라 성질이 다른 까닭은 산의 양이온 때문이다.
ㄷ. 염기는 물에 녹아 OH^-을 내놓으므로 공통적인 성질이 나타난다.

① ㄱ ② ㄷ ③ ㄱ, ㄴ
④ ㄱ, ㄷ ⑤ ㄴ, ㄷ

897 하 중 상

다음은 산성과 염기성에 대한 설명이다.

(가) 대부분 쓴맛이 난다.
(나) 단백질을 녹이는 성질이 있다.
(다) 여러 금속과 반응하여 기체를 발생시킨다.
(라) 수용액에 전류를 흘려 주면 전류가 흐른다.
(마) 달걀 껍데기와 반응하여 기체를 발생시킨다.

산성, 염기성, 산과 염기의 공통된 성질을 옳게 짝 지은 것은?

	산성	염기성	공통된 성질
①	(가), (나)	(다), (마)	(라)
②	(가), (마)	(나), (라)	(다)
③	(나), (다)	(가), (마)	(라)
④	(나), (라)	(가), (마)	(다)
⑤	(다), (마)	(가), (나)	(라)

898 하 중 상

다음 반응에서 공통적으로 발생하는 기체는?

• 묽은 질산+철
• 묽은 황산+알루미늄

① 산소 ② 수소 ③ 질소
④ 수증기 ⑤ 이산화 탄소

899 하 중 상

다음은 물질 X의 성질을 나타낸 것이다.

• 수용액에서 신맛이 난다.
• 수용액을 유리 막대에 찍어 푸른색 리트머스 종이에 대었더니 붉게 변하였다.

물질 X로 적절한 것은?

① H_2O ② NH_3 ③ KOH
④ NaOH ⑤ H_2CO_3

900 하 중 상

다음은 어떤 물질이 가지는 성질을 나타낸 것이다.

• 물에 녹아 공통된 음이온을 내놓는다.
• 수용액에 페놀프탈레인 용액을 떨어뜨리면 붉은색으로 변한다.

이 성질을 공통으로 갖는 물질만을 〈보기〉에서 있는 대로 고른 것은?

〈 보기 〉

ㄱ. NH_3 ㄴ. $Mg(OH)_2$
ㄷ. C_2H_5OH ㄹ. CH_3COOH

① ㄱ, ㄴ ② ㄱ, ㄹ ③ ㄴ, ㄷ
④ ㄴ, ㄷ, ㄹ ⑤ ㄱ, ㄴ, ㄷ, ㄹ

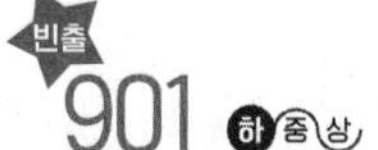

901 하중상 대표문제 多 보기

산과 염기의 이온화식으로 옳은 것만을 모두 고르면?(2개)

① $HCl \longrightarrow H^+ + Cl^-$
② $H_2SO_4 \longrightarrow H^+ + SO_4^-$
③ $H_2CO_3 \longrightarrow 2H^+ + CO_3^{2-}$
④ $Ca(OH)_2 \longrightarrow Ca^+ + OH^{2-}$
⑤ $C_2H_5OH \longrightarrow C_2H_5^+ + OH^-$
⑥ $CH_3COOH \longrightarrow CH_3CO^+ + OH^-$

902 하중상

그림은 우리 주변 물질의 pH를 나타낸 것이다.

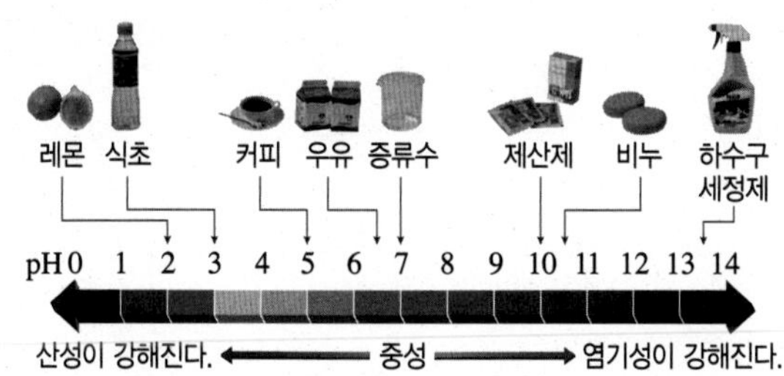

이에 대한 설명으로 옳은 것만을 〈보기〉에서 있는 대로 고른 것은?

〈 보기 〉
ㄱ. 염기성 물질은 네 가지이다.
ㄴ. 산성이 가장 강한 물질은 레몬이다.
ㄷ. 커피에 우유를 넣은 용액의 pH는 7 이하이다.

① ㄱ ② ㄷ ③ ㄱ, ㄴ
④ ㄴ, ㄷ ⑤ ㄱ, ㄴ, ㄷ

903 하중상 서술형

에탄올(C_2H_5OH)이 산 또는 염기가 아닌 까닭을 서술하시오.

904 하중상

표는 물질 (가)~(다)를 물에 녹였을 때 생성되는 이온을 나타낸 것이다.

물질	(가)	(나)	(다)
양이온	H^+	Ca^{2+}	Ba^{2+}
음이온	NO_3^-	OH^-	OH^-

(가)~(다)에 대한 설명으로 옳지 않은 것은?

① (가)는 산이고, (나)와 (다)는 염기이다.
② (가)는 토양의 산성화를 일으키는 물질이다.
③ (나)에서 양이온과 음이온 수의 비는 1 : 2이다.
④ (다)의 수용액에 껍질을 깐 삶은 달걀을 넣으면 크기가 작아진다.
⑤ (나)와 (다)가 공통적인 성질을 나타내는 까닭은 양이온 때문이다.

905 하중상

그림은 염기 AOH와 BOH 수용액에 존재하는 입자들을 모형으로 나타낸 것이다.

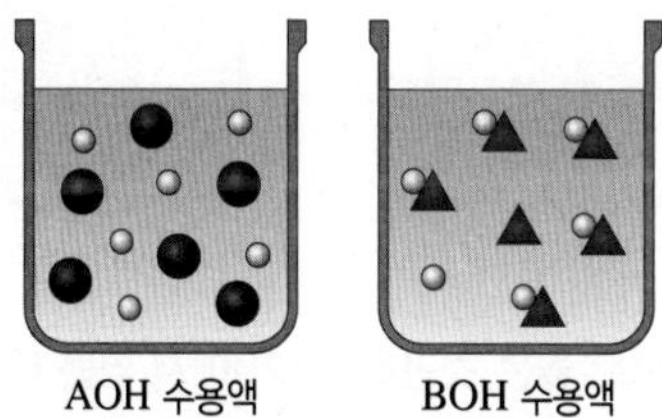

두 수용액의 공통점으로 옳지 않은 것은? (단, A와 B는 임의의 원소 기호이다.)

① 용액의 액성
② 금속과의 반응 유무
③ 전기 전도성의 유무
④ 수용액에 들어 있는 양이온의 수
⑤ 페놀프탈레인 용액을 떨어뜨렸을 때 수용액의 색 변화 유무

906 하 중 상

••서술형

그림 (가)와 (나)는 같은 부피의 수산화 나트륨($NaOH$) 수용액과 암모니아(NH_3) 수용액에 존재하는 입자들을 모형으로 나타낸 것이다.

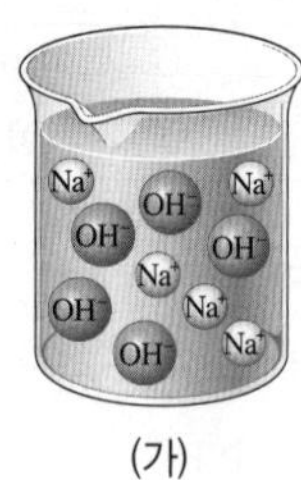

(가)

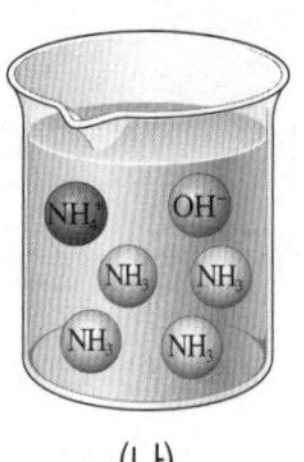

(나)

(1) (가)와 (나) 중 염기의 세기가 더 센 수용액을 쓰시오.

(2) 염기의 세기를 비교할 수 있는 방법 두 가지를 서술하시오.

907 하 중 상

그림은 같은 부피의 묽은 염산(HCl)과 아세트산(CH_3COOH) 수용액에 존재하는 입자들을 모형으로 나타낸 것이다.

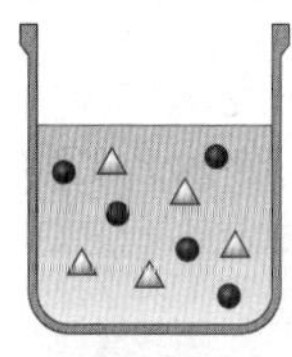
묽은 염산

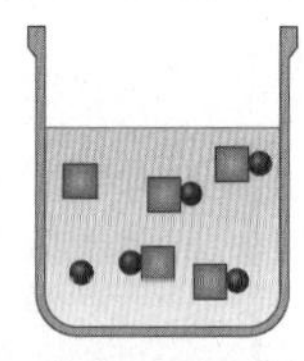
아세트산 수용액

이에 대한 설명으로 옳은 것만을 〈보기〉에서 있는 대로 고른 것은?

〈 보기 〉

ㄱ. 산의 공통적인 성질은 ● 때문에 나타난다.

ㄴ. 같은 양의 마그네슘을 넣은 직후 발생하는 수소 기체의 부피는 아세트산 수용액 < 묽은 염산이다.

ㄷ. pH는 묽은 염산 < 아세트산 수용액이다.

① ㄱ ② ㄴ ③ ㄱ, ㄷ ④ ㄴ, ㄷ ⑤ ㄱ, ㄴ, ㄷ

빈출

908 하 중 상

대표문제 多 보기

표는 물질 A～C의 성질을 확인하기 위해 수행한 실험의 결과를 나타낸 것이다. A～C는 각각 묽은 염산(HCl), 수산화 나트륨($NaOH$) 수용액, 증류수(H_2O) 중 하나이다.

물질	A	B	C
푸른색 리트머스 종이	㉠	붉은색	
마그네슘 리본과의 반응		㉡	변화 없음
BTB 용액	파란색		㉢

이에 대한 설명으로 옳은 것만을 모두 고르면?(2개)

① ㉠은 '변화 없음'이 적절하다.

② ㉡은 '이산화 탄소 기체 발생'이 적절하다.

③ ㉢은 '초록색'이 적절하다.

④ A에 철 조각을 넣으면 수소 기체가 발생한다.

⑤ B에 페놀프탈레인 용액을 떨어뜨리면 붉은색으로 변한다.

⑥ C에 달걀 껍데기를 넣으면 이산화 탄소 기체가 발생한다.

909 하 중 상

표는 네 가지 물질과 각 물질의 성질을 확인하기 위해 수행한 실험의 결과를 나타낸 것이다.

물질	CH_3OH, NH_3, HNO_3, H_2CO_3
실험 결과	(가) 수용액에 전류를 흘려 주면 전류가 흐른다. (나) $CaCO_3$과 반응하여 기체를 발생시킨다. (다) 수용액에 페놀프탈레인 용액을 떨어뜨리면 붉게 변한다.

(가)～(다)의 결과가 나타나는 물질은 각각 몇 가지인지 옳게 짝 지은 것은?

	(가)	(나)	(다)
①	2	2	2
②	3	2	1
③	3	2	2
④	4	1	1
⑤	4	2	2

910 하 중 상

다음은 네 가지 수용액 (가)~(라)를 기준에 따라 분류하는 과정을 나타낸 것이다.

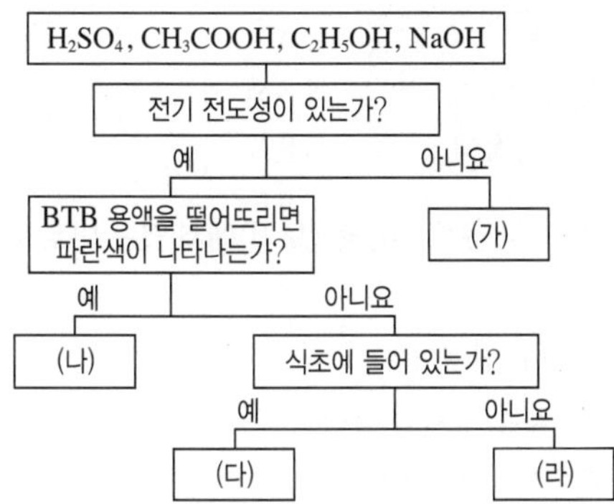

이에 대한 설명으로 옳은 것만을 〈보기〉에서 있는 대로 고른 것은?

〈 보기 〉

ㄱ. (가)는 C_2H_5OH이다.
ㄴ. (나)와 (다)는 물에 녹아 공통된 음이온을 내놓는다.
ㄷ. 분자 1개가 물에 녹아 내놓는 양이온 수는 (라)가 (다)의 2배이다.

① ㄱ　② ㄷ　③ ㄱ, ㄴ
④ ㄱ, ㄷ　⑤ ㄱ, ㄴ, ㄷ

911 하 중 상

그림은 묽은 황산(H_2SO_4)에 아연(Zn)판을 넣었을 때의 변화를 모형으로 나타낸 것이다.

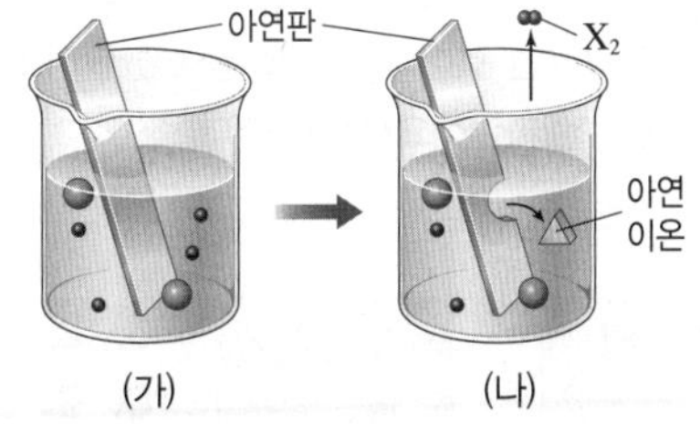

이에 대한 설명으로 옳은 것만을 〈보기〉에서 있는 대로 고른 것은? (단, X는 임의의 원소 기호이다.)

〈 보기 〉

ㄱ. X_2는 수소 기체(H_2)이다.
ㄴ. pH는 (가)<(나)이다.
ㄷ. 기체가 발생하는 동안 황산 이온 수는 감소한다.
ㄹ. 반응이 모두 끝난 후 수용액에 전원 장치를 연결하면 전류가 흐른다.

① ㄱ, ㄴ　② ㄱ, ㄷ　③ ㄷ, ㄹ
④ ㄱ, ㄴ, ㄹ　⑤ ㄴ, ㄷ, ㄹ

912 하 중 상

대표문제 多 보기

그림은 산이 공통적인 성질을 나타내는 까닭을 알아보기 위한 실험 과정을 나타낸 것이다.

(가) 질산 칼륨(KNO_3) 수용액에 적신 리트머스 종이 위에 묽은 염산(HCl)을 적신 실을 올려놓고 전류를 흘려 준다.

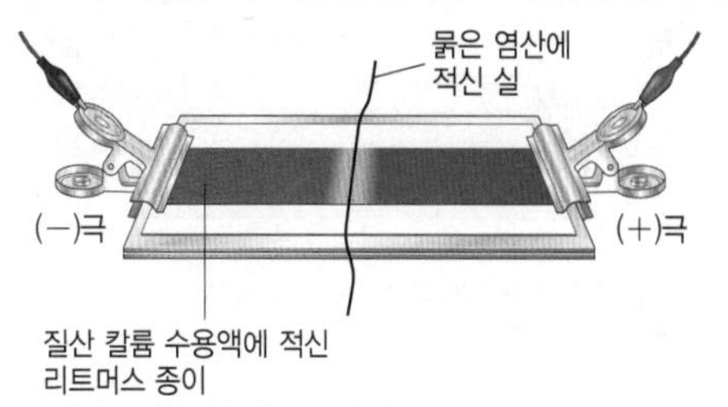

(나) 묽은 염산 대신 묽은 황산(H_2SO_4)을 적신 실을 사용하여 (가) 과정을 반복한다.

이에 대한 설명으로 옳지 않은 것은?

① 질산 칼륨 수용액은 전기 전도성이 있다.
② 이 실험은 붉은색 리트머스 종이를 사용해야 한다.
③ 리트머스 종이의 색 변화가 (−)극 쪽으로 일어난다.
④ 염화 이온은 (+)극 쪽으로 이동한다.
⑤ 묽은 황산으로 실험해도 같은 결과가 나타난다.
⑥ 전극의 방향을 반대로 연결하면 색 변화가 오른쪽으로 일어난다.
⑦ 산이 공통적인 성질을 나타내는 까닭은 수소 이온 때문임을 알 수 있다.

913 하 중 상

다음은 묽은 염산(HCl)을 이용한 실험을 나타낸 것이다.

질산 칼륨(KNO_3) 수용액에 적신 푸른색 리트머스 종이 위에 묽은 염산(HCl)을 적신 실을 올려놓고 전류를 흘려 주었다.

묽은 염산에 적신 실
(−)극
(+)극
질산 칼륨 수용액에 적신 푸른색 리트머스 종이

(1) (+)극 쪽으로 이동하는 이온의 이온식을 모두 쓰시오.

(2) (−)극 쪽으로 이동하는 이온의 이온식을 모두 쓰시오.

(3) 리트머스 종이의 색을 변화시키는 이온의 이온식을 쓰시오.

914 하중상

그림과 같이 질산 칼륨(KNO_3) 수용액에 적신 붉은색 리트머스 종이 위에 수산화 나트륨(NaOH) 수용액을 적신 실을 올려놓은 후 전류를 흘려 주었더니 붉은색 리트머스 종이가 A극 쪽으로 푸르게 변하였다.

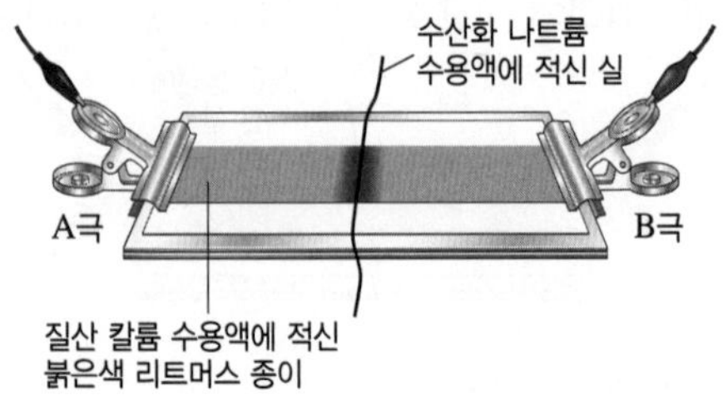

이에 대한 설명으로 옳은 것만을 〈보기〉에서 있는 대로 고른 것은?

〈 보기 〉
ㄱ. 리트머스 종이가 푸르게 변하는 것은 수산화 이온 때문이다.
ㄴ. 칼륨 이온은 A극 쪽으로 이동한다.
ㄷ. 수산화 나트륨 수용액 대신 묽은 염산을 이용하면 푸른색이 B극 쪽으로 이동한다.

① ㄱ ② ㄴ ③ ㄱ, ㄷ
④ ㄴ, ㄷ ⑤ ㄱ, ㄴ, ㄷ

915 하중상

그림과 같이 질산 칼륨(KNO_3) 수용액과 페놀프탈레인 용액을 적신 거름종이에 A와 B 수용액을 떨어뜨렸더니 한쪽만 붉은색을 띠었고, 이 거름종이에 전류를 흘려 주었더니 붉은색이 거름종이 가운데 쪽으로 이동하였다. A와 B는 각각 산성, 염기성 물질 중 하나이다.

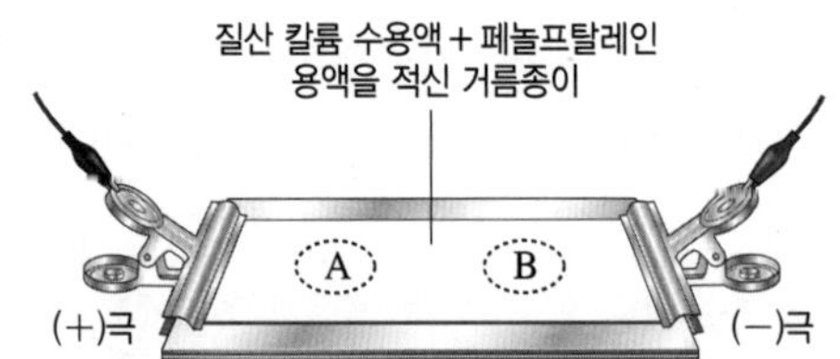

이에 대한 설명으로 옳은 것만을 〈보기〉에서 있는 대로 고른 것은?

〈 보기 〉
ㄱ. 거름종이가 붉은색을 띠는 까닭은 수산화 이온 때문이다.
ㄴ. A 수용액의 액성은 산성이다.
ㄷ. 전극의 방향을 서로 바꾸어 연결해도 붉은색은 거름종이 가운데 쪽으로 이동한다.

① ㄱ ② ㄷ ③ ㄱ, ㄴ
④ ㄴ, ㄷ ⑤ ㄱ, ㄴ, ㄷ

916 하중상

표는 수용액 A～C에 지시약을 떨어뜨렸을 때의 색 변화를 나타낸 것이다.

구분	A	B	C
자주색 양배추 지시약	붉은색	노란색	푸른색
메틸 오렌지 용액	붉은색	㉠	노란색

이에 대한 설명으로 옳은 것만을 〈보기〉에서 있는 대로 고른 것은?

〈 보기 〉
ㄱ. A의 액성은 산성이다.
ㄴ. ㉠은 '초록색'이 적절하다.
ㄷ. C의 pH는 7보다 크다.
ㄹ. A와 B에는 공통의 양이온이 있다.

① ㄱ, ㄴ ② ㄱ, ㄷ ③ ㄴ, ㄷ
④ ㄱ, ㄴ, ㄹ ⑤ ㄴ, ㄷ, ㄹ

917 하중상

그림은 서로 다른 두 가지 물질의 수용액 (가)와 (나)에 들어 있는 이온을 모형으로 나타낸 것이다. BTB 용액을 떨어뜨렸을 때 (가)는 노란색으로, (나)는 파란색으로 변하였다.

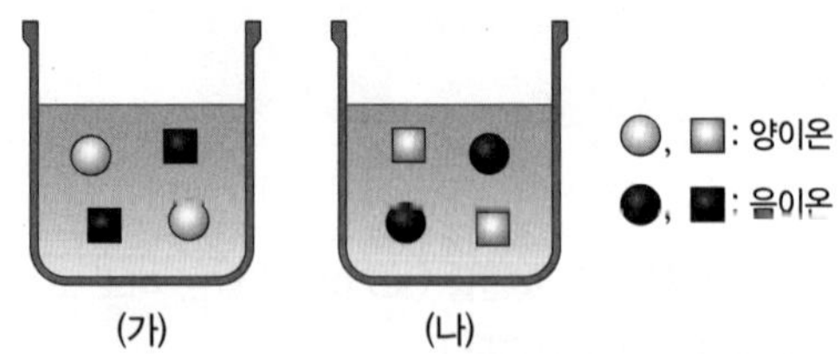

이에 대한 설명으로 옳은 것만을 〈보기〉에서 있는 대로 고른 것은?

〈 보기 〉
ㄱ. (가)에서 ○은 수소 이온이다.
ㄴ. (나)에서 BTB 용액의 색깔을 변화시키는 것은 ●이다.
ㄷ. (가)와 (나)에 메틸 오렌지 용액을 떨어뜨리면 모두 붉은색으로 변한다.

① ㄱ ② ㄷ ③ ㄱ, ㄴ
④ ㄴ, ㄷ ⑤ ㄱ, ㄴ, ㄷ

918 하 중 상

다음은 우리 주변의 어떤 물질이 가지는 성질을 나타낸 것이다.

- 알루미늄과 반응하지 않는다.
- BTB 용액을 떨어뜨렸을 때 파란색이 나타난다.

이 성질을 모두 갖는 물질만을 〈보기〉에서 있는 대로 고른 것은?

〈 보기 〉

ㄱ. 우유 ㄴ. 사이다 ㄷ. 제산제
ㄹ. 소다 수용액 ㅁ. 하수구 세정제

① ㄱ, ㄴ ② ㄱ, ㄷ ③ ㄱ, ㄷ, ㅁ
④ ㄴ, ㄹ, ㅁ ⑤ ㄷ, ㄹ, ㅁ

[919~920] 그림은 묽은 염산(HCl) 50 mL가 들어 있는 비커에 충분한 양의 마그네슘(Mg) 조각을 넣었을 때 시간에 따른 용액 속의 마그네슘 이온(Mg^{2+}) 수의 변화를 나타낸 것이다.

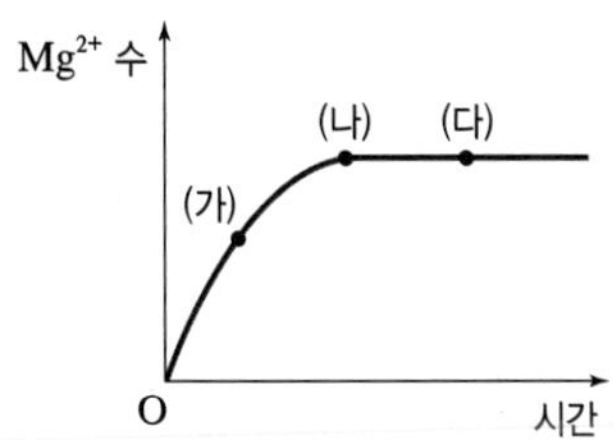

919 하 중 상

이에 대한 설명으로 옳은 것만을 〈보기〉에서 있는 대로 고른 것은?

〈 보기 〉

ㄱ. (가) 지점의 용액은 산성 용액이다.
ㄴ. (가)와 (나) 지점의 용액에서 전체 양이온 수는 같다.
ㄷ. (다) 지점의 용액에 페놀프탈레인 용액을 떨어뜨리면 붉은색으로 변한다.

① ㄱ ② ㄷ ③ ㄱ, ㄴ
④ ㄴ, ㄷ ⑤ ㄱ, ㄴ, ㄷ

920 하 중 상

반응이 일어날 때 비커 속 수용액에서 증가하는 값을 모두 고르면?(2개)

① pH ② 전기 전도율 ③ 전체 전하량의 합
④ 전체 이온 수 ⑤ $\frac{\text{전체 음이온 수}}{\text{전체 양이온 수}}$

921 하 중 상

다음은 세 가지 물질을 기준 A와 B로 분류하는 과정을 나타낸 것이다. ㉠과 ㉡은 각각 H_2O, $Ca(OH)_2$ 중 하나이다.

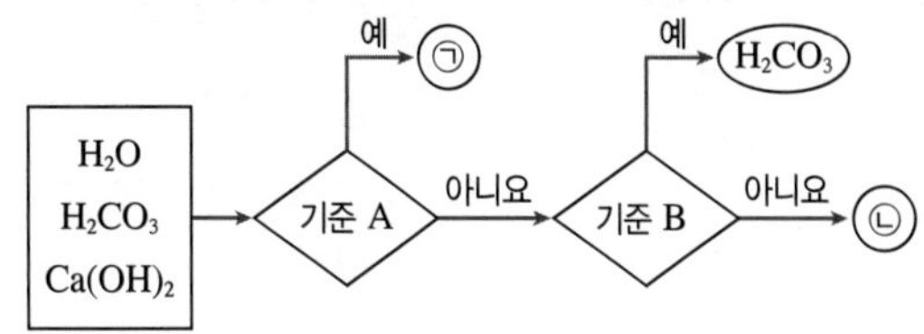

(가) 수용액에 전류가 흐르는가?
(나) 단백질을 녹이는 성질이 있는가?
(다) 붉은색 리트머스 종이를 푸르게 변화시키는가?
(라) 마그네슘과 반응하여 수소 기체를 발생시키는가?
(마) 페놀프탈레인 용액을 떨어뜨려도 색 변화가 없는가?

기준 A와 B를 옳게 짝 지은 것은?

	A	B
①	(가)	(나), (다)
②	(라)	(나), (다), (마)
③	(나), (다)	(가), (라)
④	(나), (다)	(가), (마), (라)
⑤	(라), (마)	(가), (나), (다)

922 하 중 상

그림은 수용액 (가)와 (나)에 들어 있는 이온을 모형으로 나타낸 것이다. 페놀프탈레인 용액을 떨어뜨렸을 때 (가)와 (나)는 모두 붉은색으로 변하였다.

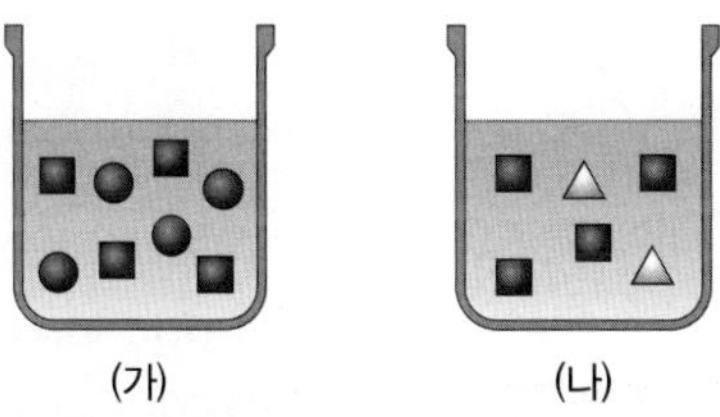

이에 대한 설명으로 옳은 것만을 〈보기〉에서 있는 대로 고른 것은?

〈 보기 〉

ㄱ. (가)와 (나)에 들어 있는 음이온의 종류는 같다.
ㄴ. (가)에서 ●은 수산화 이온이다.
ㄷ. (나)에서 △ 1개의 전하량은 +2이다.

① ㄱ ② ㄴ ③ ㄱ, ㄷ
④ ㄴ, ㄷ ⑤ ㄱ, ㄴ, ㄷ

중화 반응

Ⓐ 중화 반응

1 중화 반응 산과 염기가 반응하여 ❶☐과 염이 생성되는 반응

① 산의 수소 이온(H^+)과 염기의 수산화 이온(OH^-)이 ❷☐ : ☐의 개수비로 반응하여 물이 생성된다.

② 중화 반응에 참여하지 않는 산의 ❸☐이온과 염기의 ❹☐이온이 만나 염이 생성된다.

(묽은 염산과 수산화 나트륨 수용액의 반응)

묽은 염산:	HCl	⟶	H^+	+	Cl^-
수산화 나트륨 수용액:	NaOH	⟶	OH^-	+	Na^+
	HCl + NaOH	⟶	H_2O	+	NaCl
	산 염기		물		염

• 중화 반응의 알짜 이온 반응식: 화학 반응에 참여한 이온만으로 나타낸 화학 반응식 ➔ $H^+ + OH^- \longrightarrow H_2O$

• 구경꾼 이온: 반응에 참여하지 않고 그대로 남아 있는 이온 ➔ Na^+, Cl^-

③ 혼합 용액의 액성: 혼합하는 산의 수소 이온(H^+)과 염기의 수산화 이온(OH^-)의 수에 따라 중화 반응 후 혼합 용액의 액성이 달라진다.

H^+ 수 ❺☐ OH^- 수	H^+ 수 = OH^- 수	H^+ 수 ❼☐ OH^- 수
반응 후 H^+이 남음 ➔ 산성	완전히 중화됨 ➔ ❻☐☐	반응 후 OH^-이 남음 ➔ 염기성

2 중화 반응이 일어날 때의 변화

① ❽☐☐☐: 산의 수소 이온(H^+)과 염기의 수산화 이온(OH^-)이 모두 반응하여 중화 반응이 완결된 지점

② 혼합 용액의 이온 수, 액성의 변화

과정	일정량의 묽은 염산(HCl)에 수산화 나트륨(NaOH) 수용액을 조금씩 넣을 때 혼합 용액의 이온 수와 액성의 변화를 확인한다.			
모형	(가)	(나)	(다)	(라)
H^+ 수	2	1	0	0
Cl^- 수	2	2	2	2
Na^+ 수	0	1	2	3
OH^- 수	0	0	0	1
용액의 액성	산성	산성	중성	염기성

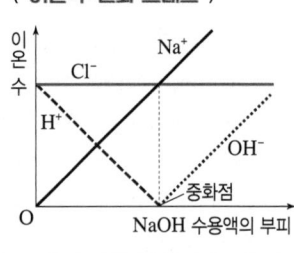

수산화 나트륨 수용액, 묽은 염산, 중화점, 구경꾼 이온만 존재 ➔ 전기 전도성 있음

혼합 용액 속에 H^+ 있음 / 혼합 용액 속에 H^+, OH^- 없음 / 혼합 용액 속에 OH^- 있음

(이온 수 변화 그래프)

이온 수, Cl^-, Na^+, H^+, OH^-, 중화점, O, NaOH 수용액의 부피

• H^+: OH^-과 반응하여 점차 감소하다가 중화점 이후에는 존재하지 않는다.

• Cl^-: 반응에 참여하지 않으므로 처음 수 그대로 일정하다.

• Na^+: 반응에 참여하지 않으므로 넣는 대로 증가한다.

• OH^-: H^+과 반응하므로 처음에는 존재하지 않다가 중화점 이후부터 증가한다.

기출 Tip Ⓐ-2

중화 반응이 일어날 때의 변화 (모형 (가)~(라))

• 전체 이온 수 변화

(가)	(나)	(다)	(라)
4	4	4	6

전체 이온 수, 중화점, (가), (나), (다), (라), O, NaOH 수용액의 부피

• 생성된 물 분자 수 변화

(가)	(나)	(다)	(라)
0	1	2	2

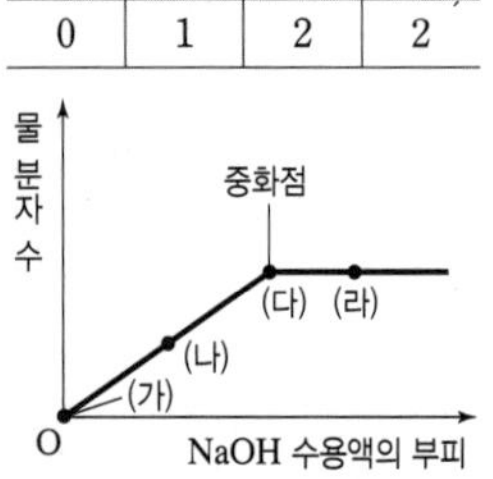

③ 지시약의 색 변화: 일정량의 산(염기) 수용액에 지시약을 떨어뜨린 후 염기(산) 수용액을 넣을 때 중화점을 지나면 혼합 용액의 색이 변한다.

예 일정량의 수산화 나트륨 수용액에 BTB 용액을 떨어뜨린 후 묽은 염산을 넣을 때

중화점 이전		중화점		중화점 이후
파란색(염기성)	➔	초록색(중성)	➔	노란색(산성)

④ 혼합 용액의 온도 변화

- 중화열: 중화 반응이 일어날 때 발생하는 열 ➔ 반응하는 수소 이온(H^+)과 수산화 이온(OH^-)의 수가 많을수록 중화열이 많이 발생한다.

일정량의 산(염기) 수용액에 온도가 같은 염기(산) 수용액을 넣을 때 혼합 용액의 온도 변화

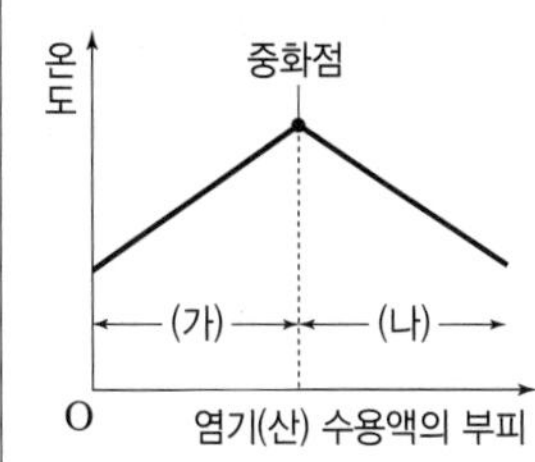

- (가): 중화열이 발생해서 혼합 용액의 온도가 점점 높아진다.
- 중화점: H^+과 OH^-이 모두 반응하여 중화열이 가장 많이 발생하였으므로 혼합 용액의 온도가 가장 ❾ ☐ 다. ─• 혼합 용액의 액성은 중성이다.
- (나): 중화 반응이 더 이상 일어나지 않고 처음과 같은 온도의 염기(산)가 가해지므로 혼합 용액의 온도가 점점 낮아진다.

기출 Tip A-2

중화점 확인

- 지시약의 색이 변하는 지점
- 생성된 물 분자 수가 최대가 되는 지점
- 혼합 용액의 온도가 최고가 되는 지점
- 혼합 용액에 구경꾼 이온만 존재하는 지점
- 혼합 용액의 전기 전도율이 최저가 되는 지점

(전기 전도율은 $\frac{\text{전체 이온 수}}{\text{용액의 부피}}$에 비례한다.)

중화 반응이 일어날 때의 온도 변화 그래프 해석

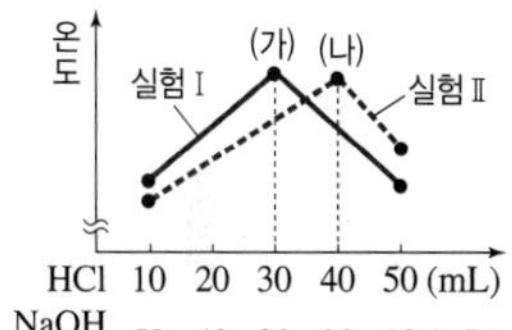

HCl	10	20	30	40	50 (mL)
NaOH 수용액	50	40	30	20	10 (mL)

구분	실험 I	실험 II
중화점	(가)	(나)
반응 부피비 (HCl : NaOH)	1 : 1	2 : 1
농도비 (HCl : NaOH)	1 : 1	1 : 2

B 생활 속의 중화 반응

예	산성 물질	염기성 물질
생선의 비린내는 레몬즙을 뿌려 없앤다.	레몬즙	비린내
속이 쓰릴 때 제산제를 먹는다.	위산	제산제
산성화된 토양에 석회 가루를 뿌린다.	산성화된 토양	석회 가루(산화 칼슘)
공장 배기가스에 포함된 이산화 황을 석회석으로 제거한다.	이산화 황	석회석
충치 예방을 위해 양치질을 한다.	입속의 산성 물질	치약
벌레 물린 부위에 암모니아수를 바른다.	벌레의 산	암모니아수
하수 처리장의 악취를 수산화 나트륨으로 중화시킨다.	악취(황화 수소)	수산화 나트륨
김치의 신맛을 줄이기 위해 소다를 넣는다.	신 김치	소다

답 ❶ 물 ❷ 1, 1 ❸ 음 ❹ 양 ❺ > ❻ 중성 ❼ < ❽ 중화점 ❾ 높

빈출 자료 보기

정답과 해설 82쪽

923 그림은 일정량의 묽은 염산(HCl)에 수산화 나트륨(NaOH) 수용액을 조금씩 넣을 때의 온도 변화를 나타낸 것이다.

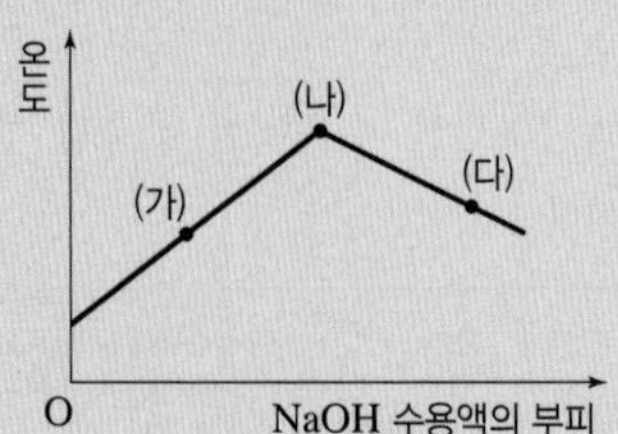

이에 대한 설명으로 옳은 것은 ○, 옳지 않은 것은 ×로 표시하시오.

(1) (가)의 액성은 산성이다. ( )

(2) (나)는 중화점이다. ( )

(3) (나)에는 구경꾼 이온만 존재한다. ( )

(4) (나) 이후로 물 분자는 생성되지 않는다. ( )

(5) (다)에 BTB 용액을 떨어뜨리면 노란색으로 변한다. ( )

(6) 전체 이온 수는 (가)~(다) 모두 같다. ( )

(7) (가)에 (다)를 섞으면 중화 반응이 일어난다. ( )

A 중화 반응

924 하중상

중화 반응에 대한 설명으로 옳은 것은?

① 중화점에서는 전류가 흐르지 않는다.
② 중화점에서 혼합 용액의 온도는 가장 낮다.
③ 지시약의 색 변화로 중화점을 확인할 수 있다.
④ 중화 반응이 일어나면 산의 양이온과 염기의 음이온이 만나 염이 생성된다.
⑤ 같은 부피의 산과 염기가 반응하면 H^+과 OH^-이 모두 존재하지 않는다.

925 하중상

수소 이온(H^+)을 30개 내놓는 묽은 염산(HCl)과 수산화 이온(OH^-)을 60개 내놓는 수산화 나트륨(NaOH) 수용액이 반응할 때 생성되는 물 분자 수와 혼합 용액의 액성을 옳게 짝 지은 것은?

	물 분자 수	혼합 용액의 액성
①	30개	산성
②	30개	중성
③	30개	염기성
④	60개	산성
⑤	60개	염기성

926 하중상

표와 같이 농도가 같은 묽은 염산(HCl)과 수산화 나트륨(NaOH) 수용액의 부피를 달리하여 혼합한 용액의 최고 온도를 측정하였다.

혼합 용액	(가)	(나)	(다)	(라)	(마)
HCl(mL)	10	20	30	40	50
NaOH 수용액(mL)	50	40	30	20	10

혼합 용액 (가)~(마) 중 온도가 가장 높은 것은?

① (가) ② (나) ③ (다)
④ (라) ⑤ (마)

927 하중상

다음은 페놀프탈레인 용액을 떨어뜨린 수산화 나트륨(NaOH) 수용액에 묽은 염산(HCl)을 넣어 줄 때 일어나는 반응을 화학 반응식으로 나타낸 것이다.

$$NaOH + HCl \longrightarrow \boxed{㉠} + NaCl$$

이에 대한 설명으로 옳은 것만을 ⟨보기⟩에서 있는 대로 고른 것은?

⟨ 보기 ⟩
ㄱ. ㉠은 H_2O이다.
ㄴ. 혼합 용액의 붉은색이 진해진다.
ㄷ. 알짜 이온 반응식은 $Na^+ + Cl^- \longrightarrow NaCl$이다.

① ㄱ ② ㄴ ③ ㄱ, ㄷ
④ ㄴ, ㄷ ⑤ ㄱ, ㄴ, ㄷ

빈출

928 하중상 ••서술형

BTB 용액을 떨어뜨린 수산화 나트륨(NaOH) 수용액에 드라이아이스(CO_2) 조각을 충분히 넣어 반응시킬 때 혼합 용액의 색 변화를 그 까닭과 함께 서술하시오.

929 하중상

그림은 묽은 황산(H_2SO_4) 10 mL에 수산화 나트륨(NaOH) 수용액 10 mL를 넣었을 때 혼합 용액 속에 들어 있는 이온을 모형으로 나타낸 것이다.

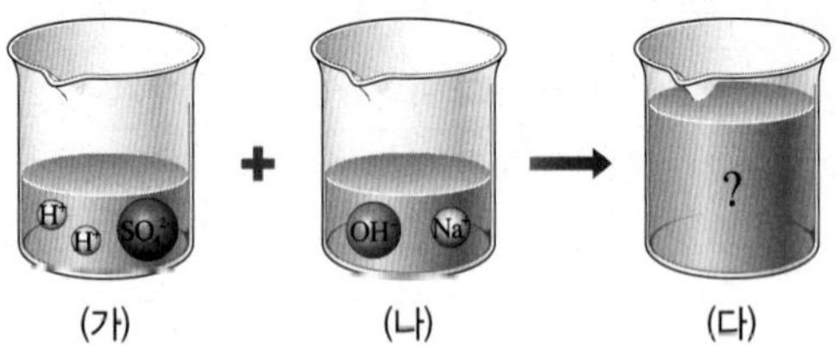

이에 대한 설명으로 옳은 것만을 ⟨보기⟩에서 있는 대로 고른 것은?

⟨ 보기 ⟩
ㄱ. (다)에 페놀프탈레인 용액을 떨어뜨리면 붉은색이 나타난다.
ㄴ. (다)에 (나) 10 mL를 더 넣으면 혼합 용액의 pH는 7이 된다.
ㄷ. H_2SO_4과 NaOH 수용액이 반응할 때 생성된 염은 $NaSO_4$이다.

① ㄱ ② ㄴ ③ ㄷ
④ ㄱ, ㄴ ⑤ ㄴ, ㄷ

930 하 중 상

그림은 같은 온도의 묽은 염산(HCl)과 수산화 나트륨(NaOH) 수용액의 부피를 각각 다르게 하여 섞었을 때 혼합 용액에 들어 있는 이온을 모형으로 나타낸 것이다. (가)~(다)의 전체 부피는 같다.

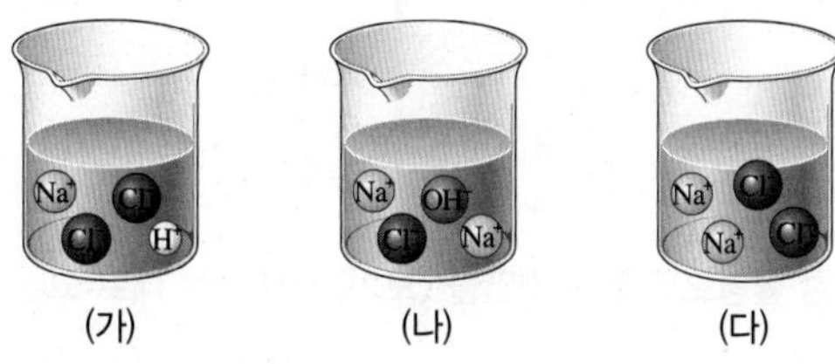

이에 대한 설명으로 옳은 것만을 〈보기〉에서 있는 대로 고른 것은?

〈 보기 〉

ㄱ. 수용액의 pH는 (나)<(다)<(가)이다.
ㄴ. (가)의 온도는 (다)보다 높다.
ㄷ. 생성된 물 분자 수는 (가)와 (나)가 같다.

① ㄱ ② ㄷ ③ ㄱ, ㄴ
④ ㄱ, ㄷ ⑤ ㄴ, ㄷ

931 하 중 상

그림은 일정량의 묽은 염산(HCl)에 수산화 나트륨(NaOH) 수용액을 조금씩 가할 때 혼합 용액에 들어 있는 입자를 모형으로 나타낸 것이다.

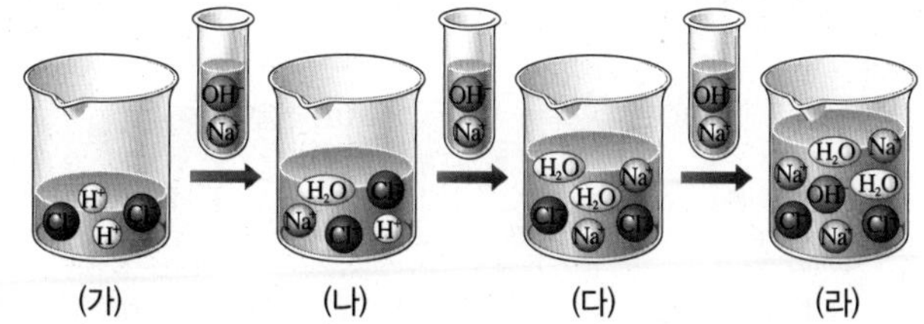

이에 대한 설명으로 옳은 것만을 〈보기〉에서 있는 대로 고른 것은?

〈 보기 〉

ㄱ. (라)의 pH는 7보다 크다.
ㄴ. (나)와 (다)에 페놀프탈레인 용액을 떨어뜨려도 혼합 용액의 색 변화는 없다.
ㄷ. (가)~(다) 중 같은 부피에 들어 있는 전체 이온 수가 가장 작은 것은 (다)이다.

① ㄱ ② ㄴ ③ ㄷ
④ ㄴ, ㄷ ⑤ ㄱ, ㄴ, ㄷ

932 하 중 상

그림은 같은 온도의 산 수용액 (가)와 염기 수용액 (나)를 혼합한 용액 (다)에 들어 있는 이온을 모형으로 나타낸 것이다.

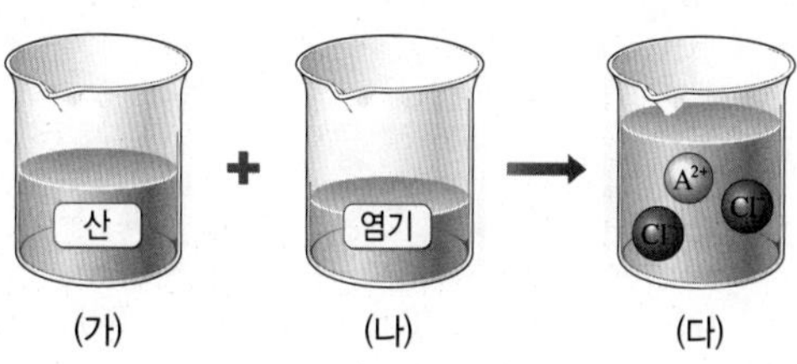

이에 대한 설명으로 옳은 것만을 〈보기〉에서 있는 대로 고른 것은? (단, A는 임의의 원소 기호이다.)

〈 보기 〉

ㄱ. (나)의 화학식은 AOH이다.
ㄴ. 반응 직후 (다)의 온도는 (가)와 (나)보다 높다.
ㄷ. 용액 속 전체 이온 수는 (나)<(가)이다.

① ㄱ ② ㄴ ③ ㄱ, ㄴ
④ ㄱ, ㄷ ⑤ ㄴ, ㄷ

933 하 중 상

그림은 묽은 염산(HCl) 10 mL와 수산화 나트륨(NaOH) 수용액 10 mL에 들어 있는 이온을 모형으로 나타낸 것이다.

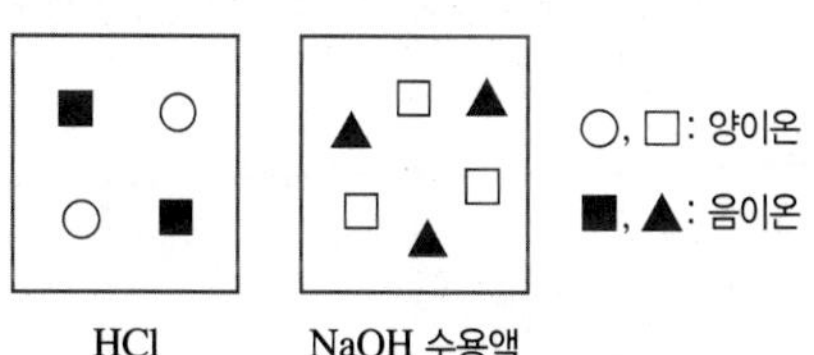

HCl 15 mL와 NaOH 수용액 10 mL를 혼합한 용액에 대한 설명으로 옳은 것만을 〈보기〉에서 있는 대로 고른 것은?

〈 보기 〉

ㄱ. 이온 수의 비는 ■ : ▲=1 : 1이다.
ㄴ. 구경꾼 이온만 존재한다.
ㄷ. BTB 용액을 떨어뜨리면 노란색으로 변한다.

① ㄱ ② ㄴ ③ ㄱ, ㄷ
④ ㄴ, ㄷ ⑤ ㄱ, ㄴ, ㄷ

934 하 중 상

그림 (가)~(다)는 산 또는 염기 수용액 15 mL에 들어 있는 이온을 모형으로 나타낸 것이다. (가)~(다) 중 산 수용액은 두 가지이다.

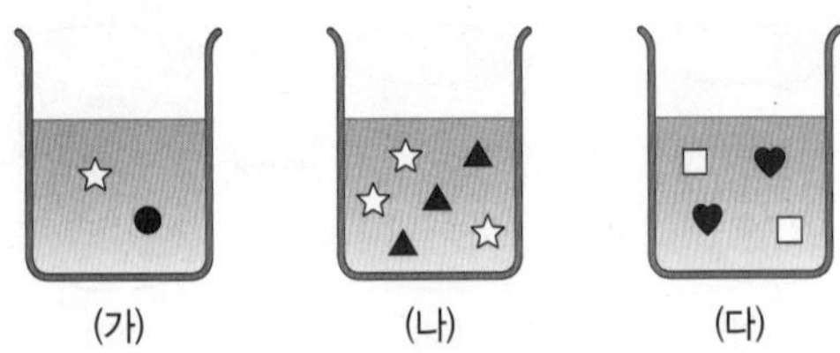

이에 대한 설명으로 옳은 것만을 〈보기〉에서 있는 대로 고른 것은?

〈 보기 〉

ㄱ. (나)에 마그네슘 조각을 넣으면 수소 기체가 발생한다.

ㄴ. (가)와 (다)의 혼합 용액에는 ☆이 남아 있다.

ㄷ. (가) 15 mL, (나) 15 mL, (다) 30 mL를 혼합한 용액의 액성은 중성이다.

① ㄱ ② ㄷ ③ ㄱ, ㄴ ④ ㄱ, ㄷ ⑤ ㄴ, ㄷ

935 하 중 상

그림은 산 또는 염기 수용액 (가)와 (나)를 혼합하였을 때 수용액 (가)와 (다)에 들어 있는 이온을 모형으로 나타낸 것이다.

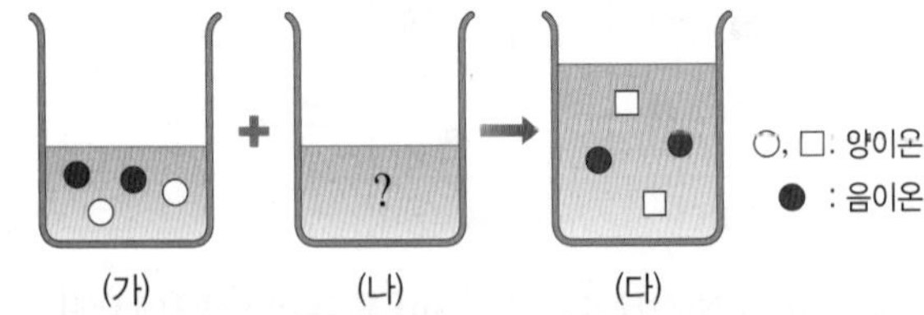

이에 대한 설명으로 옳은 것만을 〈보기〉에서 있는 대로 고른 것은?

〈 보기 〉

ㄱ. (가)에 메틸 오렌지 용액을 떨어뜨리면 노란색이 나타난다.

ㄴ. (나)에는 양이온과 음이온이 1 : 1의 개수비로 존재한다.

ㄷ. (다)의 액성은 중성이다.

① ㄱ ② ㄷ ③ ㄱ, ㄴ ④ ㄴ, ㄷ ⑤ ㄱ, ㄴ, ㄷ

936 하 중 상

그림은 묽은 염산(HCl) 20 mL와 수산화 나트륨(NaOH) 수용액 10 mL를 혼합한 용액에 들어 있는 이온을 모형으로 나타낸 것이다.

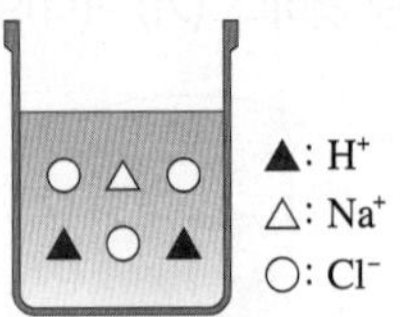

이에 대한 설명으로 옳은 것만을 〈보기〉에서 있는 대로 고른 것은?

〈 보기 〉

ㄱ. 생성된 물 분자 수는 1개이다.

ㄴ. 같은 부피 속에 들어 있는 전체 이온 수는 HCl이 NaOH 수용액보다 작다.

ㄷ. NaOH 수용액 20 mL를 더 넣으면 혼합 용액의 액성은 염기성이 된다.

① ㄱ ② ㄷ ③ ㄱ, ㄴ ④ ㄱ, ㄷ ⑤ ㄴ, ㄷ

937 하 중 상

그림은 산 HA 수용액 20 mL에 염기 BOH 수용액을 10 mL씩 차례대로 넣었을 때 수용액 (가)~(다)에 들어 있는 이온을 모형으로 나타낸 것이다.

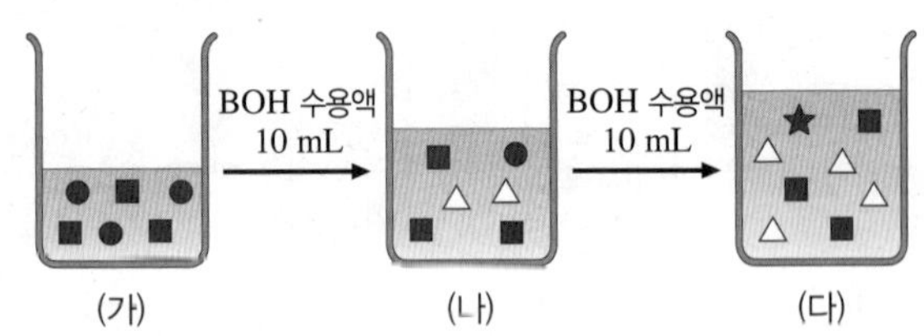

이에 대한 설명으로 옳은 것만을 〈보기〉에서 있는 대로 고른 것은? (단, A와 B는 임의의 원소 기호이다.)

〈 보기 〉

ㄱ. ★은 중화 반응에 참여하지 않는다.

ㄴ. (가)에서 (나)로 될 때 생성된 물 분자 수는 (나)에서 (다)로 될 때 생성된 물 분자 수의 2배이다.

ㄷ. (나)와 (다)를 혼합한 용액의 액성은 중성이다.

① ㄱ ② ㄷ ③ ㄱ, ㄴ ④ ㄱ, ㄷ ⑤ ㄴ, ㄷ

938 하 중 상 ••서술형

그림은 일정량의 수산화 나트륨(NaOH) 수용액이 들어 있는 비커에 같은 농도의 묽은 염산(HCl)을 조금씩 넣을 때 혼합 용액 속에 존재하는 이온 수를 나타낸 것이다.

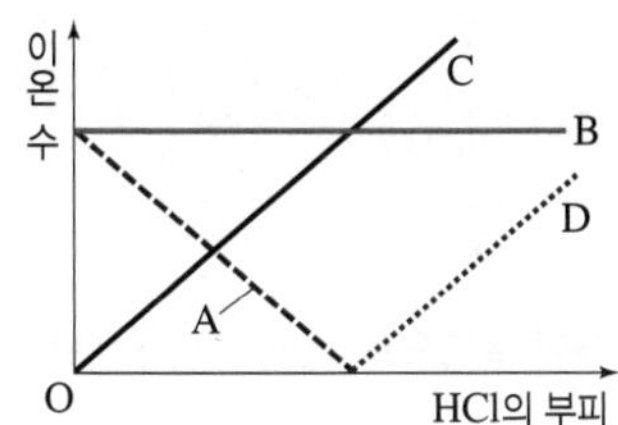

(1) 이 반응의 알짜 이온 반응식을 쓰시오.

(2) A～D에 해당하는 이온의 이온식을 그 까닭과 함께 서술하시오.

939 하 중 상 대표문제 多 보기

그림은 수산화 나트륨(NaOH) 수용액 40 mL에 묽은 염산(HCl)을 조금씩 넣어 줄 때 혼합 용액에 들어 있는 이온 수를 나타낸 것이다.

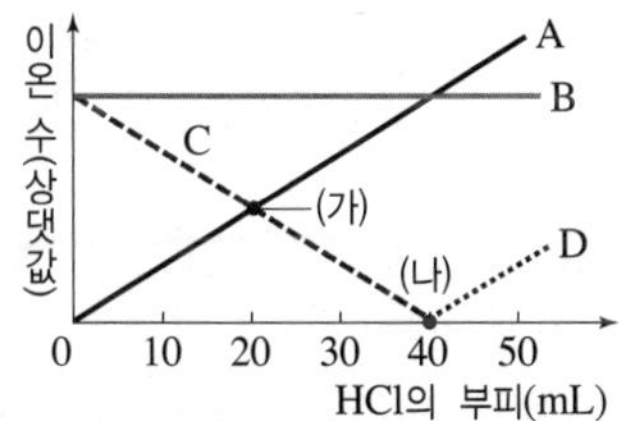

이에 대한 설명으로 옳지 않은 것은?

① A와 B는 구경꾼 이온이다.
② C와 D는 반응하여 물을 생성한다.
③ (가)에서 Na^+ 수는 Cl^- 수의 2배이다.
④ (나)에서 완전히 중화된다.
⑤ 용액의 pH는 (가)<(나)이다.
⑥ 같은 부피의 HCl과 NaOH 수용액에 각각 들어 있는 전체 이온 수는 같다.

[940~941] 그림은 같은 온도의 묽은 염산(HCl) 10 mL에 수산화 나트륨(NaOH) 수용액을 조금씩 넣을 때 용액에 들어 있는 X 이온의 수를 나타낸 것이다.

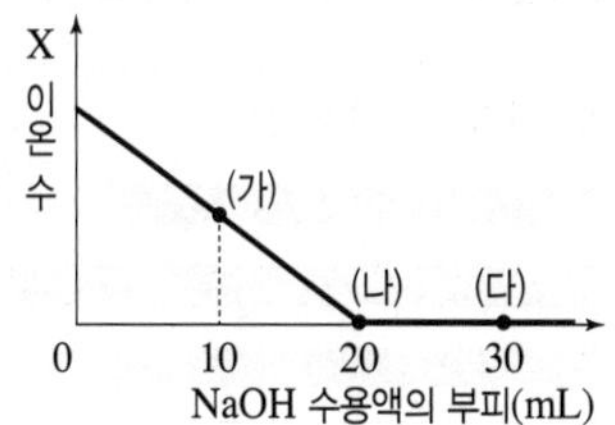

940 하 중 상

이에 대한 설명으로 옳은 것은?

① (가)에는 세 종류의 이온이 존재한다.
② (다)에서 가장 많이 존재하는 이온은 Cl^-이다.
③ (가)～(다) 중 (가)의 온도가 가장 높다.
④ X 이온은 중화 반응에 참여하지 않는 이온이다.
⑤ HCl과 NaOH 수용액의 농도는 같다.

941 하 중 상 ••서술형

(나) 지점을 확인할 수 있는 방법 세 가지를 서술하시오.

942 하 중 상

그림은 일정량의 묽은 염산(HCl)에 수산화 나트륨(NaOH) 수용액을 조금씩 넣을 때 생성된 물 분자 수를 나타낸 것이다.

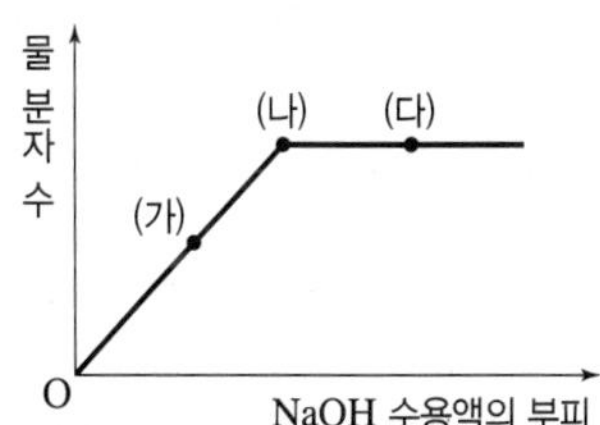

이에 대한 설명으로 옳은 것만을 〈보기〉에서 있는 대로 고른 것은?

〈 보기 〉
ㄱ. 혼합 용액의 온도는 (다)가 (나)보다 높다.
ㄴ. (가)에 푸른색 리트머스 종이를 대면 붉은색으로 변한다.
ㄷ. 혼합 용액에 들어 있는 Cl^- 수는 (가)가 (나)보다 많다.

① ㄱ ② ㄴ ③ ㄷ
④ ㄱ, ㄴ ⑤ ㄴ, ㄷ

943 하중상

그림은 일정량의 수산화 칼륨(KOH) 수용액에 묽은 염산(HCl)을 조금씩 넣을 때 생성된 물 분자 수를 차례대로 나타낸 것이다.

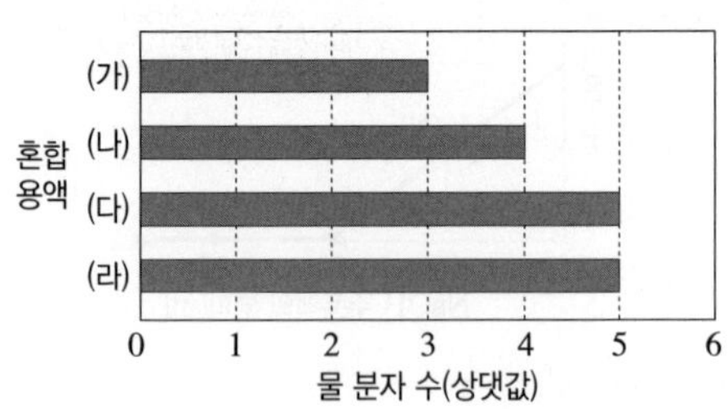

이에 대한 설명으로 옳은 것만을 〈보기〉에서 있는 대로 고른 것은?

〈 보기 〉

ㄱ. (가)에 아연 조각을 넣으면 수소 기체가 발생한다.
ㄴ. (나)와 (라)를 혼합하면 중화 반응이 일어난다.
ㄷ. (가)~(라) 중 혼합 용액의 온도가 가장 높은 것은 (다)이다.

① ㄱ ② ㄴ ③ ㄱ, ㄴ
④ ㄱ, ㄷ ⑤ ㄴ, ㄷ

944 하중상

그림은 묽은 염산(HCl) 10 mL에 농도가 다른 수산화 나트륨(NaOH) 수용액 10 mL를 넣었을 때 혼합 용액에 존재하는 이온 수의 비율을 나타낸 것이다.

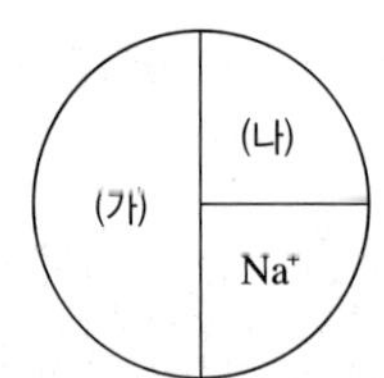

이에 대한 설명으로 옳은 것만을 〈보기〉에서 있는 대로 고른 것은?

〈 보기 〉

ㄱ. 혼합 용액의 액성은 산성이다.
ㄴ. (나)는 구경꾼 이온이다.
ㄷ. 혼합 용액에 농도가 동일한 NaOH 수용액 20 mL를 더 넣으면 (가)와 Na^+의 수가 같아진다.

① ㄱ ② ㄷ ③ ㄱ, ㄴ
④ ㄱ, ㄷ ⑤ ㄴ, ㄷ

945 하중상

그림은 일정량의 수산화 나트륨(NaOH) 수용액에 같은 양의 묽은 염산(HCl)을 조금씩 넣어 줄 때 혼합 용액 A~D에 존재하는 이온의 종류와 이온 수의 비율을 나타낸 것이다.

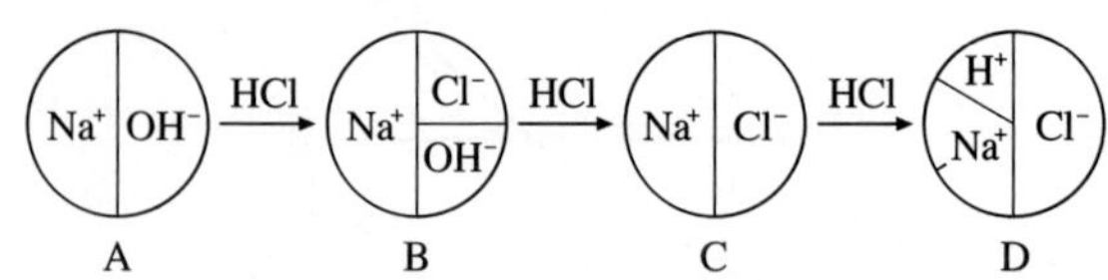

수용액 A~D에 대한 설명으로 옳은 것만을 〈보기〉에서 있는 대로 고른 것은?

〈 보기 〉

ㄱ. pH는 D가 가장 작다.
ㄴ. Na^+의 수는 A가 D보다 크다.
ㄷ. Cl^-의 수는 D가 B의 3배이다.
ㄹ. 혼합 용액에 전류를 흘려 주었을 때 A~C 중 전류의 세기는 C가 가장 약하다.

① ㄱ, ㄴ ② ㄱ, ㄹ ③ ㄴ, ㄷ
④ ㄷ, ㄹ ⑤ ㄱ, ㄷ, ㄹ

946 하중상

대표문제 多 보기

그림은 수산화 나트륨(NaOH) 수용액과 묽은 염산(HCl)의 부피를 달리하여 혼합한 용액의 최고 온도를 나타낸 것이다.

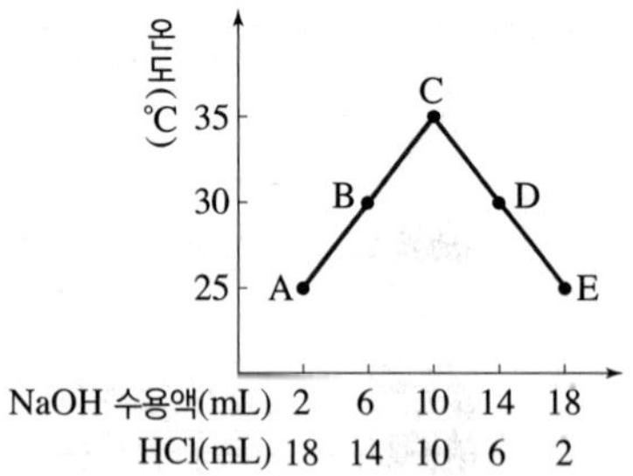

이에 대한 설명으로 옳지 않은 것만을 모두 고르면?(2개)

① A에 소다 용액을 넣으면 물이 생성된다.
② B에는 Na^+이 H^+보다 많이 들어 있다.
③ D에는 한 종류의 양이온이 들어 있다.
④ D에 페놀프탈레인 용액을 떨어뜨리면 붉은색으로 변한다.
⑤ A~E 중 생성된 물의 양은 E가 가장 많다.
⑥ A~E 중 혼합 용액 속에 들어 있는 이온의 종류가 가장 적은 것은 C이다.
⑦ A와 E를 혼합한 용액에는 두 종류의 이온만 존재한다.

947 (하)(중)(상)

그림은 묽은 염산(HCl)과 수산화 나트륨(NaOH) 수용액의 부피를 달리하여 혼합한 용액의 최고 온도를 나타낸 것이다.

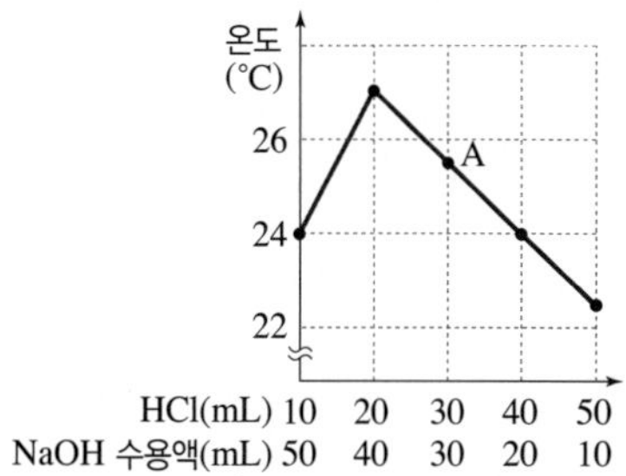

A에 존재하는 이온 모형으로 가장 적절한 것은? (단, ●, ▲, △, ○은 서로 다른 이온을 나타낸 것이다.)

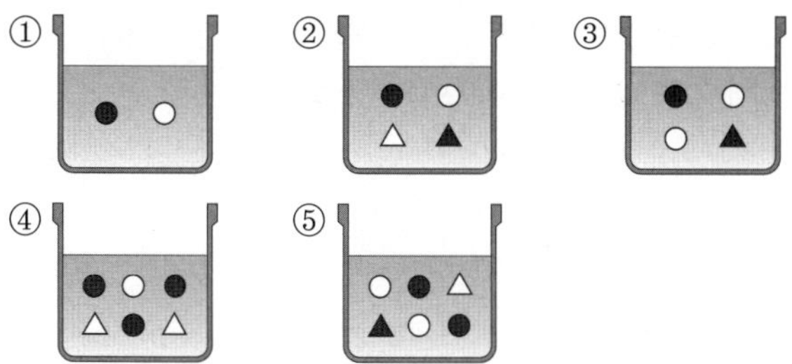

빈출

948 (하)(중)(상)

표는 온도가 같은 묽은 염산(HCl)과 수산화 나트륨(NaOH) 수용액의 부피를 달리하여 혼합할 때 각 혼합 용액의 최고 온도와 혼합 용액에 존재하는 이온의 종류를 나타낸 것이다.

혼합 용액		(가)	(나)	(다)
혼합 전 부피(mL)	HCl	40	60	80
	NaOH 수용액	80	60	40
최고 온도(°C)		29	t_1	29
혼합 용액에 존재하는 이온의 종류 수(개)		㉠	2	㉡

이에 대한 설명으로 옳은 것만을 ⟨보기⟩에서 있는 대로 고른 것은?

⟨ 보기 ⟩

ㄱ. t_1은 29이다.

ㄴ. ㉠과 ㉡은 3이다.

ㄷ. HCl 10 mL에 들어 있는 H^+ 수와 NaOH 수용액 10 mL에 들어 있는 Na^+ 수는 같다.

① ㄱ　② ㄷ　③ ㄱ, ㄴ　④ ㄴ, ㄷ　⑤ ㄱ, ㄴ, ㄷ

949 (하)(중)(상)

그림은 묽은 염산(HCl) 10 mL에 수산화 나트륨(NaOH) 수용액 10 mL씩 차례대로 넣을 때 수용액에 들어 있는 이온을 모형으로 나타낸 것이다.

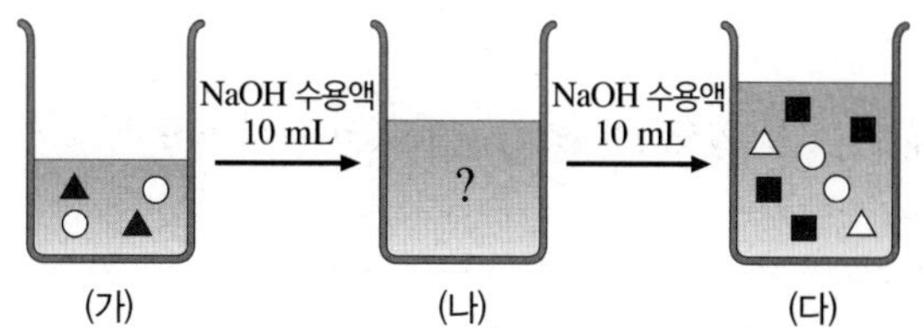

이에 대한 설명으로 옳은 것만을 ⟨보기⟩에서 있는 대로 고른 것은?

⟨ 보기 ⟩

ㄱ. ▲과 ■은 양이온이다.

ㄴ. (나)에 HCl을 넣어 주면 중화 반응이 일어난다.

ㄷ. HCl과 NaOH 수용액의 농도는 같다.

① ㄱ　② ㄷ　③ ㄱ, ㄴ　④ ㄱ, ㄷ　⑤ ㄴ, ㄷ

950 (하)(중)(상)

그림은 같은 부피의 질산(HNO_3) 수용액과 수산화 바륨($Ba(OH)_2$) 수용액을 혼합하였을 때 생성된 물(H_2O) 분자와 반응 후 남아 있는 수산화 이온(OH^-)을 모형으로 나타낸 것이다.

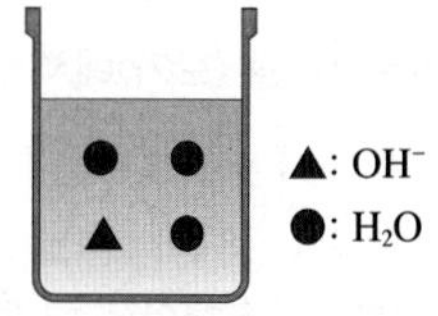

(1) 혼합 전 같은 부피의 HNO_3 수용액과 $Ba(OH)_2$ 수용액에 들어 있는 전체 이온 수비를 가장 간단한 정수비로 쓰시오.

(2) HNO_3 수용액과 $Ba(OH)_2$ 수용액을 혼합할 때 혼합 용액의 액성이 중성이 되기 위해 필요한 HNO_3 수용액과 $Ba(OH)_2$ 수용액의 부피비를 가장 간단한 정수비로 쓰시오.

951 하/중/상

그림은 25 °C 수산화 나트륨(NaOH) 수용액 100 mL에 같은 온도의 묽은 염산(HCl)을 조금씩 넣을 때 혼합한 용액의 최고 온도를 나타낸 것이다.

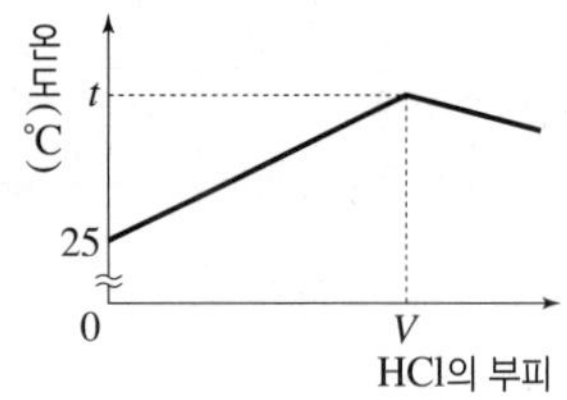

묽은 염산 대신 같은 온도의 묽은 황산(H_2SO_4)을 넣을 때, 이에 대한 설명으로 옳은 것만을 〈보기〉에서 있는 대로 고른 것은? (단, 실험에 사용한 HCl과 H_2SO_4은 같은 부피에 존재하는 음이온 수가 같다.)

〈 보기 〉

ㄱ. 중화점까지 넣어 준 H_2SO_4의 부피는 $\frac{V}{2}$이다.

ㄴ. 중화점에서 생성된 물의 양은 같다.

ㄷ. 중화점에서 혼합 용액 속 전체 이온 수는 H_2SO_4을 넣었을 때가 HCl을 넣었을 때보다 작다.

① ㄱ ② ㄷ ③ ㄱ, ㄴ
④ ㄴ, ㄷ ⑤ ㄱ, ㄴ, ㄷ

952 하/중/상

그림은 일정량의 묽은 염산(HCl)에 수산화 나트륨(NaOH) 수용액을 조금씩 넣을 때 혼합 용액에 들어 있는 이온 수를 나타낸 것이다.

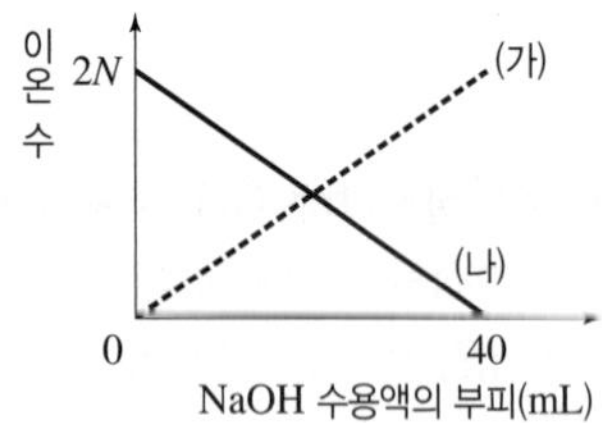

이에 대한 설명으로 옳은 것만을 〈보기〉에서 있는 대로 고른 것은?

〈 보기 〉

ㄱ. (가)는 Na^+이다.

ㄴ. NaOH 수용액 20 mL를 넣었을 때 혼합 용액 속 (나)의 수는 N이다.

ㄷ. 혼합 용액 속 전체 이온 수는 NaOH 수용액 40 mL를 넣었을 때가 NaOH 수용액 20 mL를 넣었을 때보다 크다.

① ㄱ ② ㄷ ③ ㄱ, ㄴ
④ ㄴ, ㄷ ⑤ ㄱ, ㄴ, ㄷ

953 하/중/상

그림은 묽은 염산(HCl) 10 mL에 수산화 나트륨(NaOH) 수용액을 넣을 때, 혼합 용액의 $\frac{Na^+ \text{ 수}}{Cl^- \text{ 수}}$를 나타낸 것이다.

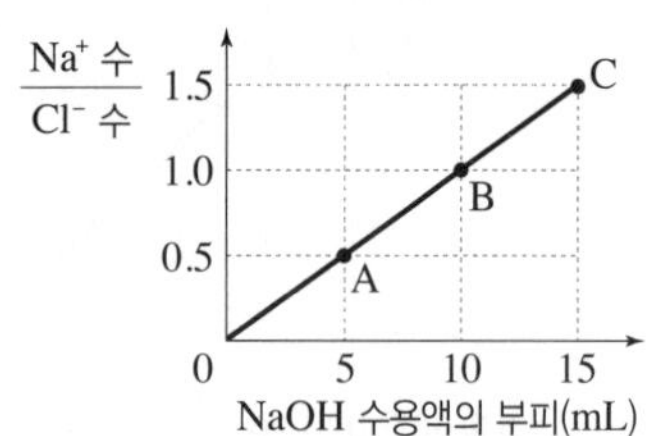

이에 대한 설명으로 옳은 것만을 〈보기〉에서 있는 대로 고른 것은?

〈 보기 〉

ㄱ. A와 B에서 전체 양이온 수는 같다.

ㄴ. A~C 중 혼합 용액의 온도가 가장 높은 것은 B이다.

ㄷ. C에 가장 많이 존재하는 이온은 Na^+이다.

① ㄱ ② ㄷ ③ ㄱ, ㄴ
④ ㄴ, ㄷ ⑤ ㄱ, ㄴ, ㄷ

954 하/중/상

표는 같은 온도의 묽은 염산(HCl)과 수산화 나트륨(NaOH) 수용액을 혼합한 용액 (가)와 (나)에 대한 자료를 나타낸 것이다.

혼합 용액		(가)	(나)
혼합 전 부피 (mL)	HCl	a	$2a$
	NaOH 수용액	$3b$	b
혼합 용액에 들어 있는 양이온 모형			

이에 대한 설명으로 옳은 것만을 〈보기〉에서 있는 대로 고른 것은?

〈 보기 〉

ㄱ. (가)의 액성은 산성이다.

ㄴ. NaOH 수용액 $2b$ mL와 반응하여 가장 높은 온도를 나타낼 때의 HCl의 부피는 a mL이다.

ㄷ. 생성된 물 분자 수는 (가)가 (나)의 2배이다.

① ㄱ ② ㄷ ③ ㄱ, ㄴ
④ ㄱ, ㄷ ⑤ ㄴ, ㄷ

955 하/중/상

표는 묽은 염산(HCl)과 수산화 나트륨(NaOH) 수용액의 부피를 달리하여 혼합한 용액 (가)와 (나)에 대한 자료를 나타낸 것이다.

구분	(가)	(나)
HCl의 부피(mL)	20	80
NaOH 수용액의 부피(mL)	100	40
혼합 용액에 들어 있는 전체 양이온 수(상댓값)	$5N$	$12N$

이에 대한 설명으로 옳은 것만을 〈보기〉에서 있는 대로 고른 것은?

〈 보기 〉
- ㄱ. 실험에 사용한 HCl과 NaOH 수용액의 같은 부피에 들어 있는 음이온 수의 비는 3 : 2이다.
- ㄴ. (가)와 (나)에서 생성된 물 분자 수의 비는 3 : 2이다.
- ㄷ. (가)에 들어 있는 Cl^-과 OH^-의 개수비는 3 : 2이다.

① ㄱ ② ㄷ ③ ㄱ, ㄴ
④ ㄴ, ㄷ ⑤ ㄱ, ㄴ, ㄷ

956 하/중/상

표는 묽은 염산(HCl)과 수산화 칼륨(KOH) 수용액의 부피를 달리하여 혼합한 용액 (가)~(라)에 대한 자료를 나타낸 것이다.

혼합 용액	혼합 전 용액의 부피(mL)		전체 음이온 수	생성된 물 분자 수
	HCl	KOH 수용액		
(가)	5	15	x	N
(나)	10	10	$2N$	N
(다)	15	5	$3N$	y
(라)	10	20	—	z

이에 대한 설명으로 옳은 것만을 〈보기〉에서 있는 대로 고른 것은?

〈 보기 〉
- ㄱ. $z=2N$이다.
- ㄴ. x는 y의 2배이다.
- ㄷ. (가)와 (나)를 혼합한 용액의 액성은 산성이다.

① ㄱ ② ㄴ ③ ㄱ, ㄷ
④ ㄴ, ㄷ ⑤ ㄱ, ㄴ, ㄷ

B 생활 속의 중화 반응

빈출

957 하/중/상

생활 속 중화 반응에 대한 설명으로 옳지 않은 것은?

① 산성화된 토양에 석회 가루를 뿌린다.
② 김치의 신맛을 줄이기 위해 소다를 넣는다.
③ 위산이 과다하게 분비되면 제산제를 복용한다.
④ 공장 배기가스에 포함된 이산화 황을 산화 칼슘으로 제거한다.
⑤ 머리카락에 의해 하수구가 막혔을 때 하수구 세정제를 사용한다.

958 하/중/상

다음은 생활 속 중화 반응의 예를 나타낸 것이다. ㉠~㉥ 중 산으로 작용하는 것만을 옳게 짝 지은 것은?

- ㉠ 위액이 지나치게 많이 분비되어 속이 쓰릴 때 ㉡ 제산제를 먹는다.
- ㉢ 김치의 신맛을 줄이기 위해 ㉣ 소다를 넣는다.
- 하수 처리장의 ㉤ 악취를 ㉥ 수산화 나트륨으로 중화시킨다.

① ㉠, ㉢, ㉤ ② ㉠, ㉣, ㉤ ③ ㉠, ㉣, ㉥
④ ㉡, ㉢, ㉤ ⑤ ㉡, ㉣, ㉥

959 하/중/상

다음은 생활 속 중화 반응의 세 가지 예를 나타낸 것이다.

- 벌레에 물렸을 때 ㉠ 암모니아수를 바른다.
- 충치 예방을 위해 ㉡ 치약으로 양치질을 한다.
- 생선의 비린내를 없애기 위해 ㉢ 레몬 즙을 뿌린다.

이에 대한 설명으로 옳은 것만을 〈보기〉에서 있는 대로 고른 것은?

〈 보기 〉
- ㄱ. ㉠~㉢ 중 염기성 물질은 두 가지이다.
- ㄴ. ㉠과 ㉢을 혼합하면 중화 반응이 일어난다.
- ㄷ. ㉡에 BTB 용액을 떨어뜨리면 노란색이 나타난다.

① ㄱ ② ㄷ ③ ㄱ, ㄴ
④ ㄱ, ㄷ ⑤ ㄴ, ㄷ

III

960

••서술형

그림은 묽은 염산(HCl)에 아연(Zn)판을 넣었을 때 일어나는 변화를 모형으로 나타낸 것이다.

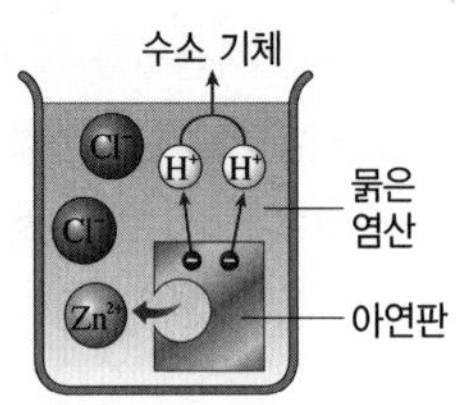

(1) 이 반응의 화학 반응식을 쓰고, 산화 환원 반응을 화살표로 표시하시오.

(2) 아연판 대신 구리(Cu)판을 넣었을 때의 변화를 그 까닭과 함께 서술하시오.

961

그림은 금속 A 이온이 들어 있는 수용액에 금속 B를 넣어 반응시켰을 때 반응한 B 원자 수에 따른 수용액의 전체 양이온 수를 나타낸 것이다. (가)에서 수용액 속 A 이온 수와 B 이온 수가 같다.

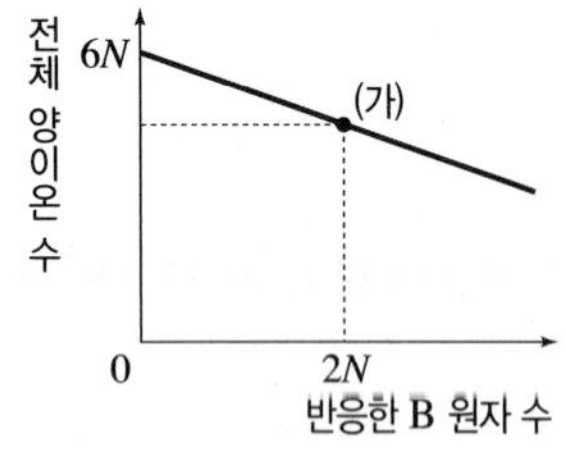

이에 대한 설명으로 옳은 것만을 〈보기〉에서 있는 대로 고른 것은? (단, 음이온과 물은 반응에 참여하지 않고, A와 B는 임의의 원소 기호이다.)

〈 보기 〉
ㄱ. A는 B보다 산화되기 쉽다.
ㄴ. 이온 1개의 전하량의 비는 A 이온 : B 이온=1 : 2이다.
ㄷ. 반응한 B 원자 수가 $3N$일 때 수용액 속에는 A 이온이 존재하지 않는다.

① ㄱ ② ㄷ ③ ㄱ, ㄴ
④ ㄴ, ㄷ ⑤ ㄱ, ㄴ, ㄷ

962

표는 금속 A 이온이 들어 있는 수용액에 금속 B를 넣어 반응시켰을 때 반응한 B 원자 수에 따른 수용액 속 전체 양이온 수를 나타낸 것이다.

구분	반응한 B 원자 수	수용액 속 전체 양이온 수
반응 전	0	$4N$
반응 후	$3N$	$5N$

이에 대한 설명으로 옳은 것만을 〈보기〉에서 있는 대로 고른 것은? (단, 음이온과 물은 반응에 참여하지 않고, A와 B는 임의의 원소 기호이다.)

〈 보기 〉
ㄱ. B는 산화된다.
ㄴ. A 이온과 B는 1 : 2의 개수비로 반응한다.
ㄷ. B $6N$을 추가로 더 넣으면 수용액 속 전체 양이온 수는 $9N$이다.

① ㄱ ② ㄷ ③ ㄱ, ㄴ
④ ㄴ, ㄷ ⑤ ㄱ, ㄴ, ㄷ

963

그림은 XNO_3 수용액에 금속 Y를 넣어 반응시킨 후 충분한 양의 금속 Z를 넣어 반응시켰을 때 수용액 속에 존재하는 양이온만을 모형으로 나타낸 것이다.

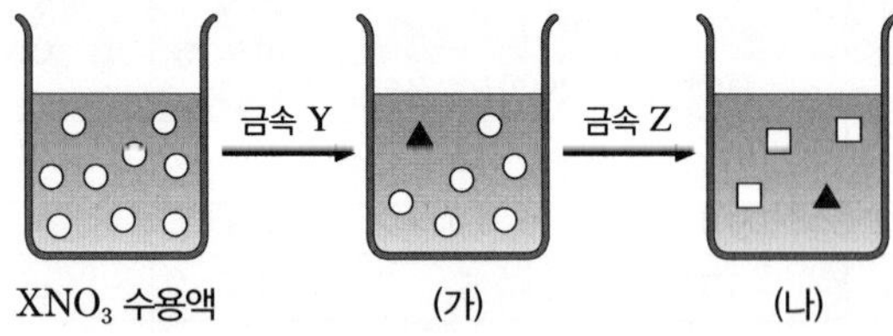

이에 대한 설명으로 옳은 것만을 〈보기〉에서 있는 대로 고른 것은? (단, X~Z는 임의의 원소 기호이다.)

〈 보기 〉
ㄱ. Z 이온 1개의 전하량은 +3이다.
ㄴ. (가)에 Z를 넣으면 ○은 환원제로 작용한다.
ㄷ. (나)에 Y를 넣으면 Y가 산화된다.

① ㄱ ② ㄷ ③ ㄱ, ㄴ
④ ㄱ, ㄷ ⑤ ㄴ, ㄷ

964

다음은 세 가지 반응의 화학 반응식을 나타낸 것이다.

(가) $C_6H_{12}O_6 + 6O_2 \longrightarrow$ [㉠] $+ 6H_2O$

(나) $CH_4 + 2O_2 \longrightarrow$ [㉡] $+ 2H_2O$

(다) $Fe_2O_3 + 3CO \longrightarrow 2Fe +$ [㉢]

이에 대한 설명으로 옳지 않은 것은?

① ㉠~㉢은 모두 같은 물질이다.
② ㉠~㉢ 중 반응 계수는 ㉠이 가장 크다.
③ ㉠~㉢은 모두 반응물이 산화되어 생성된다.
④ (가)~(다) 모두 산소가 관여하는 반응이다.
⑤ (가)~(다) 모두 에너지를 방출하는 반응이다.

965

그림은 수산화 칼륨(KOH) 수용액에 같은 농도의 묽은 황산(H_2SO_4)을 조금씩 첨가할 때 혼합 용액에 존재하는 수산화 이온(OH^-)과 황산 이온(SO_4^{2-})의 개수를 나타낸 것이다.

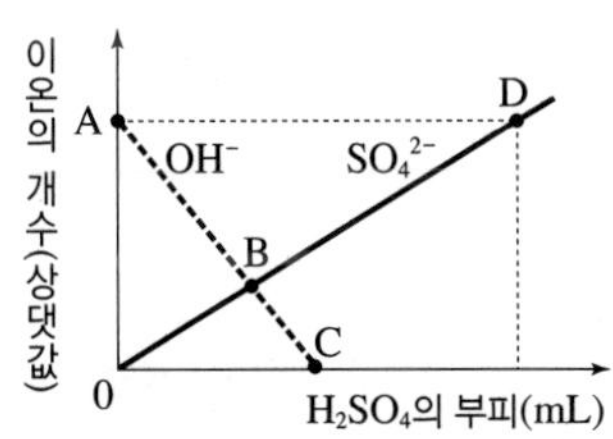

이에 대한 설명으로 옳은 것만을 〈보기〉에서 있는 대로 고른 것은?

〈 보기 〉
ㄱ. A와 C에서 전체 이온 수비는 4 : 3이다.
ㄴ. D에서 H^+과 K^+의 수는 같다.
ㄷ. B에서 전체 양이온 수와 전체 음이온 수비는 2 : 3이다.

① ㄱ ② ㄷ ③ ㄱ, ㄴ
④ ㄱ, ㄷ ⑤ ㄴ, ㄷ

966

표는 묽은 염산(HCl)과 수산화 나트륨(NaOH) 수용액의 부피를 달리하여 혼합한 용액 (가)~(라)를, 그림은 각 혼합 용액에서 중화 반응에 의해 생성된 물 분자 수를 상댓값으로 나타낸 것이다.

혼합 용액	HCl	NaOH 수용액
(가)	50 mL	10 mL
(나)	50 mL	30 mL
(다)	10 mL	50 mL
(라)	30 mL	50 mL

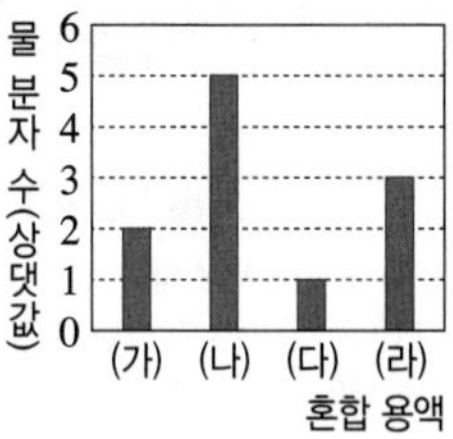

이에 대한 설명으로 옳은 것만을 〈보기〉에서 있는 대로 고른 것은?

〈 보기 〉
ㄱ. (나)의 액성은 염기성이다.
ㄴ. (가)와 (다)에서 전체 양이온 수의 비는 1 : 2이다.
ㄷ. 전기 전도율은 (라)가 (나)보다 크다.

① ㄱ ② ㄷ ③ ㄱ, ㄴ
④ ㄴ, ㄷ ⑤ ㄱ, ㄴ, ㄷ

967

그림은 산 HA 수용액과 염기 BOH 수용액의 부피를 달리하여 반응시켰을 때 생성된 물 분자 수를 상댓값으로 나타낸 것이다.

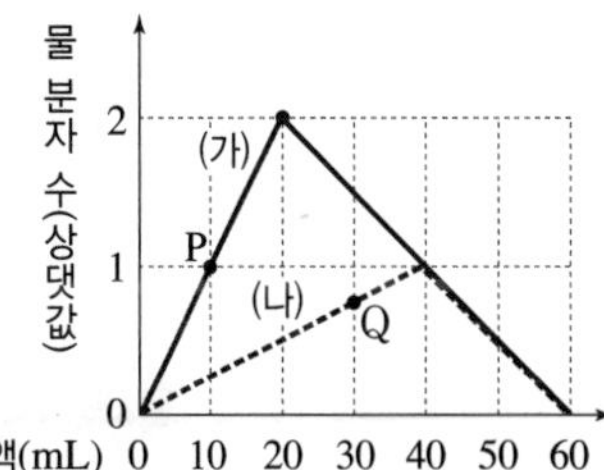

이에 대한 설명으로 옳은 것만을 〈보기〉에서 있는 대로 고른 것은? (단, 실험 (가)와 (나)에서 사용한 BOH 수용액의 농도는 같다.)

〈 보기 〉
ㄱ. (가)와 (나)에서 사용한 HA 수용액의 같은 부피에 들어 있는 전체 이온 수비는 1 : 4이다.
ㄴ. (가)의 P에서 혼합 용액의 액성은 염기성이다.
ㄷ. (나)의 Q에서 A^-과 OH^- 수는 같다.

① ㄱ ② ㄴ ③ ㄷ
④ ㄴ, ㄷ ⑤ ㄱ, ㄴ, ㄷ

지질 시대의 환경과 생물

Ⓐ 화석과 지질 시대의 구분

1 화석 지질 시대에 살았던 생물의 유해나 흔적이 지층 속에 남아서 굳은 것 (→ 화석은 주로 퇴적암에서 발견된다.)

예 규화목(식물 줄기), 공룡 발자국 등

① 화석의 생성 조건: 단단한 부분이 있을수록, 지각 변동을 적게 받을수록, 개체 수가 많을수록, 생물의 유해나 흔적이 빨리 매몰될수록 유리하며, 화석화 작용을 받아야 한다.

② 표준 화석과 시상 화석

구분	❶☐☐ 화석	❷☐☐ 화석
정의	지층의 생성 시대를 알려주는 화석	지층의 생성 환경을 알려주는 화석
조건	생존 기간이 짧고, 분포 면적이 넓어야 한다.	생존 기간이 길고, 분포 면적이 좁아야 한다.
예	• ❸☐☐☐: 삼엽충, 방추충, 갑주어 • 중생대: 암모나이트, 공룡 • ❹☐☐☐: 화폐석, 매머드	• ❺☐☐☐: 따뜻하고 습한 육지 • 산호: 따뜻하고 수심이 얕은 바다 • 조개: 수심이 얕은 바다나 갯벌 (→ 현재도 생존하고 있다.)

③ 화석으로 알 수 있는 것: 지층이 생성된 시대와 환경, 과거의 수륙 분포(육지와 바다 환경), 지층의 대비, 지질 시대 구분, 생물의 진화 과정 등 (→ 생물의 생존 당시의 환경도 알 수 있다.)

기출 Tip Ⓐ-1
표준 화석과 시상 화석
• 지층이 생성된 환경을 추정하는 데에는 표준 화석보다 시상 화석이 유리하다. ➔ 시상 화석이 환경 변화에 더 민감하기 때문이다.
• 지질 시대를 구분하는 데에는 표준 화석이 시상 화석보다 유리하다.

2 지질 시대 지구가 탄생한 약 46억 년 전부터 현재까지의 시간

구분	내용
구분 기준	화석의 변화(주요 구분 기준), 부정합 등 • 부정합: 지층과 지층 사이가 연속적이지 않은 관계 • 부정합의 생성 과정: 퇴적 → 융기 → 침식 → 침강 → 퇴적 (→ 침식된 경계면(부정합면)의 위층과 아래층 사이에 긴 시간의 단절이 있다.)
상대적 길이	화석이 거의 발견되지 않는 시대 / 화석이 많이 발견되는 시대 선캄브리아 시대 / 고생대 / 중생대 / 신생대 46.00 / 5.41 / 2.52 / 0.66 (억 년 전) • 상대적 길이: ❻☐☐☐☐☐ ☐☐ > 고생대 > 중생대 > ❼☐☐☐ • 선캄브리아 시대의 길이가 긴 까닭: 지질 시대 구분의 기준이 되는 화석과 지층에 대한 정보가 불확실하거나 부족하기 때문 ➔ 선캄브리아 시대의 화석이 적은 까닭: 생물의 개체 수가 적었고, 생물에 대부분 단단한 골격이 없었으며, 지각 변동을 많이 받았기 때문

기출 Tip Ⓐ-2
지질 시대의 구분
발견되는 화석의 수가 적은 시대를 선캄브리아 시대로 구분하고, 화석의 수가 많은 시대를 생물의 멸종과 출현 등의 변화에 따라 고생대, 중생대, 신생대로 구분한다.

Ⓑ 지질 시대의 환경과 생물

1 지질 시대의 환경과 생물의 변화

지질 시대	생물	환경
선캄브리아 시대	• ❽☐☐에서 최초의 생명체 출현 • 남세균(최초의 광합성 생물) 출현 • 화석: 스트로마톨라이트, 에디아카라 동물군 (→ 스트로마톨라이트: 남세균이 쌓여 형성된 퇴적 구조)	• 자외선이 강하여 바다에서 생명체 탄생 (→ 생물에 유해한 자외선이 바다 속에는 닿지 않았기 때문) • 광합성을 하는 생물의 출현 이후 바다와 대기 중의 산소 농도 ❾☐☐
고생대	• 최초의 육상 생물 출현 • 무척추동물(예 삼엽충, 방추충 등), 어류(예 갑주어 등), 양서류 번성, 파충류 출현 • ❿☐☐식물 번성, 겉씨식물 출현 (→ 석탄층 형성)	• ⓫☐☐☐이 형성되어 육지에 도달하는 자외선 차단 • 말기에 판게아 형성 • 대체로 온난, 말기에 큰 빙하기

기출 Tip Ⓑ-1
생물의 육상 진출 과정
자외선이 차단되는 바다에서 최초의 생명체 탄생 → 남세균의 광합성으로 대기 중의 산소 농도 증가 → 오존층이 형성되어 육상으로 생물 진출

지질 시대	생물	환경
중생대	• 암모나이트, 거대 ⓬ ☐☐☐(예 공룡, 익룡, 어룡 등) 번성, 포유류 출현 • 겉씨식물 번성, 속씨식물 출현	• 판게아 분리, 인도양과 대서양 형성 • 빙하기 없이 전반적으로 온난한 기후
신생대	• 화폐석, 포유류(예 매머드 등), 조류 번성, 최초의 인류 출현 • ⓭ ☐☐식물 번성, 넓은 초원 형성	• 현재와 비슷한 수륙 분포, 알프스산맥과 히말라야산맥 형성 • 전기에는 대체로 온난하였고, 후기에는 빙하기와 간빙기 반복

(지질 시대 수륙 분포 변화)

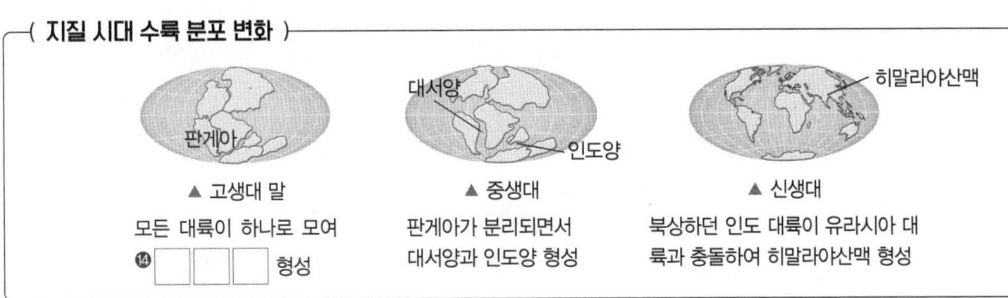

▲ 고생대 말 — 모든 대륙이 하나로 모여 ⓮ ☐☐☐ 형성

▲ 중생대 — 판게아가 분리되면서 대서양과 인도양 형성

▲ 신생대 — 북상하던 인도 대륙이 유라시아 대륙과 충돌하여 히말라야산맥 형성

2 지질 시대 생물의 대멸종

① 지질 시대의 대멸종: 지질 시대에는 여러 번의 멸종이 있었고, 그 중 대규모로 일어난 다섯 번의 멸종을 대멸종이라고 한다. ➜ ⓯ ☐☐☐ 말에 가장 큰 규모의 멸종이 일어났다.

(대륙이 합쳐지면서 해안선의 길이가 감소하며 얕은 바다 면적 감소로 해양 무척추동물의 대량 멸종 초래)

② 대멸종의 원인: 지진, 화산 활동, 운석 충돌, 대륙 이동에 따른 수륙 분포 및 해수면 변화 등의 급격한 환경 변화

③ 대멸종과 생물의 다양성: 급격한 환경 변화에 적응하지 못한 생물은 멸종하고, 적응한 생물은 다양한 종으로 진화하여 생물 다양성이 증가하였다.

(지질 시대 생물의 수 변화)

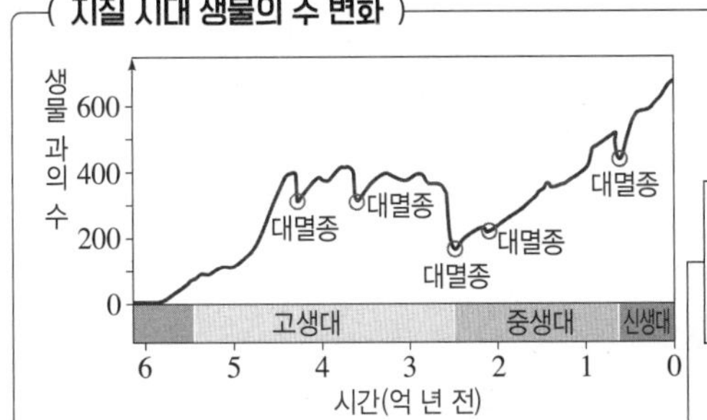

• 지질 시대 동안 대멸종은 다섯 번 일어났다.
• 고생대 초: 생물의 수 급증 (온난한 기후, 대기 중 산소 농도 증가 등으로 생물이 서식하기 좋은 환경이 형성됨)
• 고생대 말(3차 대멸종): 가장 큰 규모의 멸종, 삼엽충, 방추충 등 멸종 ➜ 주요 원인: 판게아 형성, 대규모 화산 폭발
• 중생대 말(5차 대멸종): 암모나이트, 공룡 등 멸종 ➜ 주요 원인: 운석 충돌, 대규모 화산 폭발

(큰 규모의 멸종이 일어난 시기)

기출 Tip Ⓑ-1

동물계의 변화
지구상에 동물은 '단세포 동물 → 다세포 동물 → 무척추동물 → 어류 → 양서류 → 파충류 → 조류와 포유류' 순으로 출현하였다.

식물계의 변화
지구상에 식물은 '남세균 → 양치식물 → 겉씨식물 → 속씨식물' 순으로 출현하였다.

III

기출 Tip Ⓑ-2

대륙의 이동에 따른 생물종 수의 변화
• 대륙이 합쳐질 때: 생물종의 수 감소
• 대륙이 분리될 때: 생물종의 수 증가

답 ❶ 표준 ❷ 시상 ❸ 고생대 ❹ 신생대 ❺ 고사리 ❻ 선캄브리아 시대 ❼ 신생대 ❽ 바다 ❾ 증가 ❿ 양치 ⓫ 오존층 ⓬ 파충류 ⓭ 속씨 ⓮ 판게아 ⓯ 고생대

빈출 자료 보기

정답과 해설 89쪽

968 그림은 지질 시대의 상대적인 길이를 나타낸 것이다.

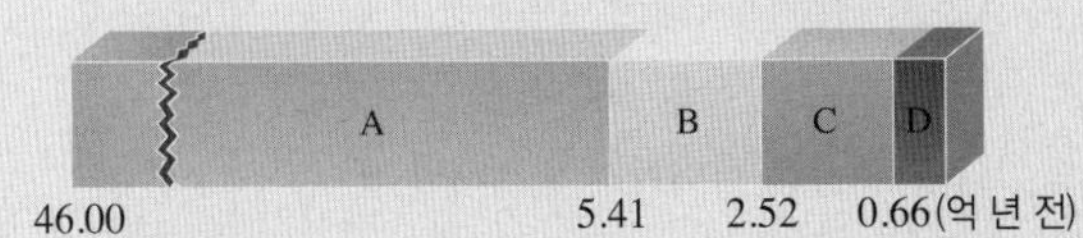

이에 대한 설명으로 옳은 것은 ○, 옳지 않은 것은 ×로 표시하시오.

(1) A 시대에는 오존층이 형성되지 않아 대부분의 생물이 바다에서 생활하였다. ( )

(2) A 시대의 화석이 가장 많이 발견된다. ( )

(3) B 시대에 바다에서는 무척추동물이, 육지에서는 파충류가 번성하였다. ( )

(4) C 시대에는 대서양과 인도양이 형성되기 시작하였다. ( )

(5) D 시대에는 단풍나무와 같은 속씨식물이 최초로 출현하였다. ( )

(6) 최초의 인류가 출현한 시대는 D이다. ( )

난이도별 필수 기출

상 4문항 중 24문항 하 12문항

A 화석과 지질 시대의 구분

화석

969 하중상

화석이 잘 생성될 수 있는 조건이 아닌 것은?

① 개체 수가 많아야 한다.
② 화석화 작용을 받아야 한다.
③ 지각 변동을 적게 받아야 한다.
④ 생물의 유해가 지표에 오래 노출되어야 한다.
⑤ 뼈나 껍데기 등 몸체에 단단한 부분이 많을수록 좋다.

970 하중상

화석으로 알 수 있는 것만을 〈보기〉에서 있는 대로 고르시오.

〈 보기 〉
ㄱ. 지구 내부 구조 ㄴ. 지질 시대 구분
ㄷ. 생물의 진화 과정 ㄹ. 과거의 수륙 분포
ㅁ. 암석의 생성 원인 ㅂ. 생물의 생존 당시 환경

971 하중상

중생대 표준 화석끼리 옳게 짝 지은 것은?

① 공룡, 삼엽충 ② 방추충, 매머드
③ 삼엽충, 화폐석 ④ 공룡, 암모나이트
⑤ 화폐석, 암모나이트

빈출
972 하중상 대표문제 多 보기

그림은 고생물의 생존 기간과 분포 면적을 나타낸 것이다. 이에 대한 설명으로 옳은 것만을 모두 고르면?(2개)

① A는 표준 화석이다.
② A에 해당하는 화석에는 고사리가 있다.
③ B에 해당하는 생물은 현재도 생존하고 있다.
④ B를 이용하여 지층의 생성 시대를 알 수 있다.
⑤ B는 A보다 환경 변화에 민감하다.
⑥ 지층의 퇴적 환경을 추정하는 데에는 B가 A보다 유용하다.

973 하중상 서술형

그림은 과거 생물체의 분포 면적과 생존 기간을 나타낸 것이다.

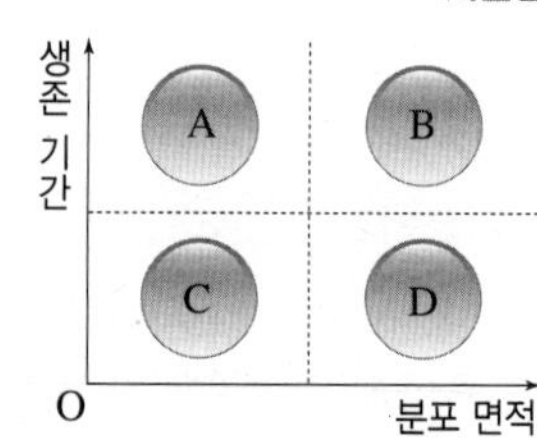

(1) A～D 중 지층의 생성 시대를 알려주는 화석으로 가장 적당한 조건을 고르고, 고생대를 대표하는 화석을 한 가지만 쓰시오.

(2) A～D 중 산호 화석이 분류되는 조건을 고르고, 산호 화석이 발견되는 지층의 생성 당시 환경을 서술하시오.

빈출
974 하중상

그림 (가)～(라)는 각각 지질 시대 생물의 화석을 나타낸 것이다.

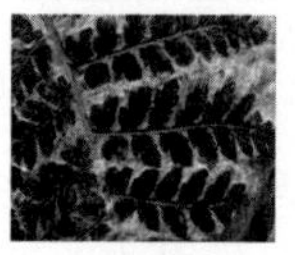
(가) 고사리

(나) 공룡

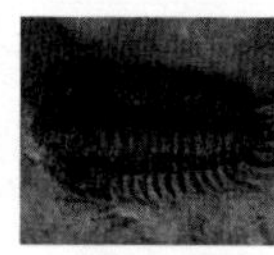
(다) 삼엽충

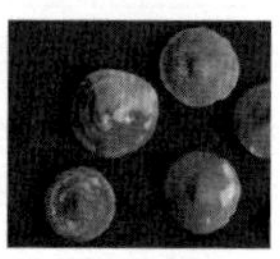
(라) 화폐석

이에 대한 설명으로 옳은 것은?

① (가)는 (나)보다 분포 면적이 넓고 생존 기간이 길다.
② (다)는 (나)보다 나중에 번성하였다.
③ 지질 시대 구분에는 (라)가 (가)보다 유용하다.
④ (라)는 고생대 바다에서 번성했던 생물이다.
⑤ (나)가 살았던 시대에 단풍나무가 번성하였다.

빈출
975 하중상

그림은 어느 지역의 지층 단면과 지층에서 발견된 화석을 나타낸 것이다. 이에 대한 설명으로 옳은 것만을 〈보기〉에서 있는 대로 고른 것은? (단, 지층은 역전되지 않았다.)

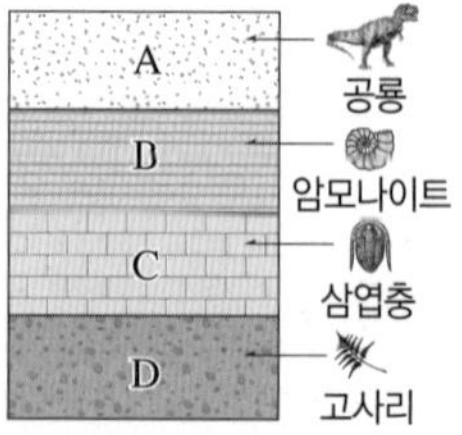

〈 보기 〉
ㄱ. A층이 생성된 시대에 양치식물이 번성하였다.
ㄴ. B층은 A층과 같은 시대에 생성되었다.
ㄷ. B층과 C층은 바다에서 퇴적되었다.
ㄹ. D층은 따뜻하고 습도가 높은 육지에서 퇴적되었다.

① ㄱ, ㄷ ② ㄱ, ㄹ ③ ㄴ, ㄹ
④ ㄱ, ㄴ, ㄷ ⑤ ㄴ, ㄷ, ㄹ

976 하중상

••서술형

그림은 해남과 태백 지역에서 발견된 화석을 나타낸 것이다.

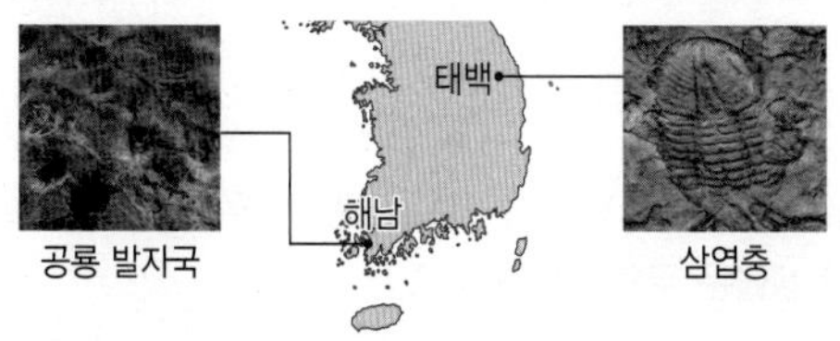

두 화석이 발견된 지층의 생성 시기를 각각 쓰고, 삼엽충 화석이 태백 지역과 같은 육지에서 발견되는 까닭을 서술하시오.

977 하중상

그림 (가)와 (나)는 서로 다른 두 지역의 지층에서 산출된 화석을 나타낸 것이다.

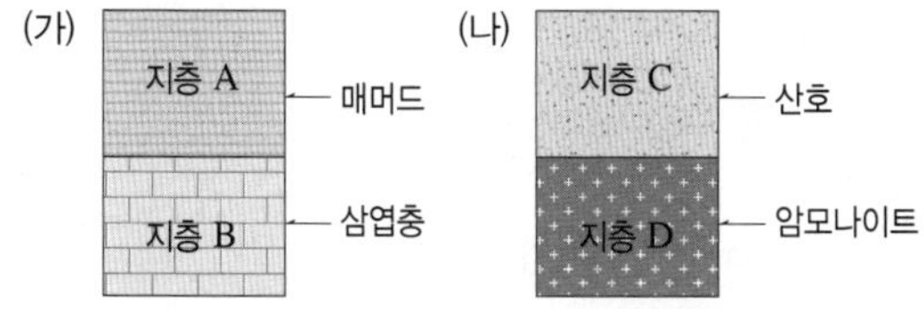

이에 대한 설명으로 옳은 것은? (단, (가)와 (나) 두 지역에서 지층의 역전은 일어나지 않았다.)

① 지층 A~D 중 가장 오래된 지층은 D이다.
② 지층 B와 C는 같은 지질 시대에 퇴적되었다.
③ 지층 A와 B는 바다 환경에서 퇴적되었다.
④ (가) 지역은 지층 B가 퇴적된 후 융기한 적이 있다.
⑤ (나) 지역은 지층이 퇴적되는 동안 서늘한 기후였다.

978 하중상

그림 (가)는 고생대 지층에서 발견되는 산호 화석의 위도별 분포를, (나)는 현생 산호의 위도별 분포를 나타낸 것이다.

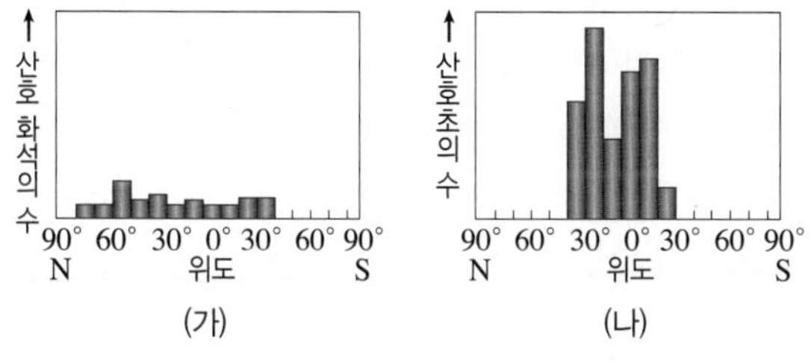

이에 대한 설명으로 옳은 것만을 〈보기〉에서 있는 대로 고른 것은?

〈 보기 〉
ㄱ. 고생대에는 산호가 차가운 고위도에서도 서식하였다.
ㄴ. 오늘날 산호는 따뜻한 바다에서 서식한다.
ㄷ. 고생대 이후 산호의 서식 환경이 바뀌었다.
ㄹ. 저위도에서 생성된 화석이 대륙이 이동하면서 고위도에서 발견되었다.

① ㄱ, ㄷ ② ㄱ, ㄹ ③ ㄴ, ㄹ
④ ㄱ, ㄴ, ㄷ ⑤ ㄴ, ㄷ, ㄹ

지질 시대의 구분

빈출 979 하중상

대표문제 多 보기

화석과 지질 시대에 대한 설명으로 옳지 않은 것만을 모두 고르면? (2개)

① 화석은 생물의 단단한 부분이나 흔적이 굳은 것이다.
② 화석은 주로 퇴적암에서 발견된다.
③ 화석은 유수의 변화가 큰 강바닥보다 호수 바닥이나 해저에서 더 잘 생성된다.
④ 생명체가 등장한 이후의 역사를 지질 시대라고 한다.
⑤ 지질 시대는 화석의 변화를 기준으로 구분한다.
⑥ 지질 시대의 기간이 길수록 산출되는 화석이 풍부하다.
⑦ 선캄브리아 시대는 고생대보다 기간이 길다.

980 하중상

부정합면을 경계로 위층과 아래층 사이에는 긴 시간 간격이 있다. 부정합이 만들어지는 과정에서 ㉠~㉢에 알맞은 말을 쓰시오.

퇴적 → (㉠) → (㉡) → (㉢) → 퇴적

981 하중상

••서술형

선캄브리아 시대가 지질 시대의 대부분을 차지하는 까닭을 서술하시오.

982 하중상

••서술형

선캄브리아 시대에 화석이 적게 발견되는 까닭을 서술하시오.

빈출 983 하중상

대표문제 多 보기

그림은 지질 시대의 상대적 길이를 나타낸 것이다. A~D 시대에 대한 설명으로 옳은 것은?

C D B A

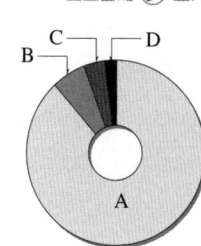

① A 시대의 화석이 가장 많이 발견된다.
② B 시대 말에 모든 대륙이 한 덩어리로 모였다.
③ C 시대에 최초의 육상 생물이 출현하였다.
④ D 시대에는 빙하기가 없이 온난한 기후가 지속되었다.
⑤ C 시대에 생존하던 거대 파충류는 D 시대에도 존재했다.

984 하 중 상

그림은 선캄브리아 시대, 고생대, 중생대, 신생대를 상대적 길이에 따라 순서 없이 나타낸 것이다.

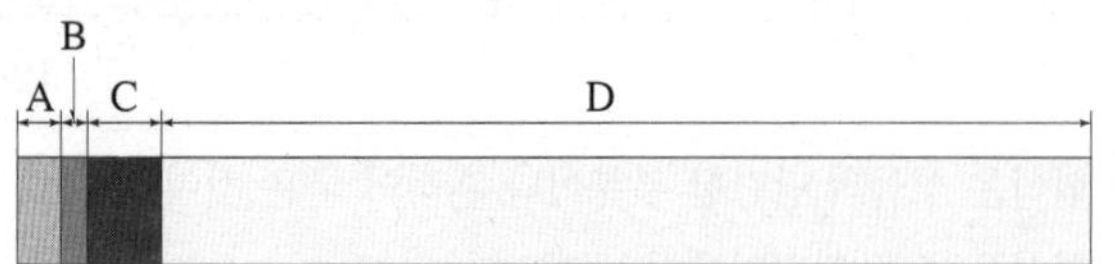

이에 대한 설명으로 옳은 것만을 〈보기〉에서 있는 대로 고른 것은?

〈 보기 〉
ㄱ. A 시대는 대체로 온난하였으며 빙하기가 없었다.
ㄴ. B 시대에 오존층이 형성되어 생물이 바다에서 육지로 진출하였다.
ㄷ. C 시대에 겉씨식물이 출현하였다.
ㄹ. D 시대에 가장 많은 종의 동물이 지구상에 존재했다.

① ㄱ, ㄷ ② ㄱ, ㄹ ③ ㄴ, ㄹ
④ ㄱ, ㄴ, ㄷ ⑤ ㄴ, ㄷ, ㄹ

985 하 중 상

그림 (가)는 지질 시대의 지속 시간을, (나)는 방추충 화석을, (다)는 암모나이트 화석을 나타낸 것이다.

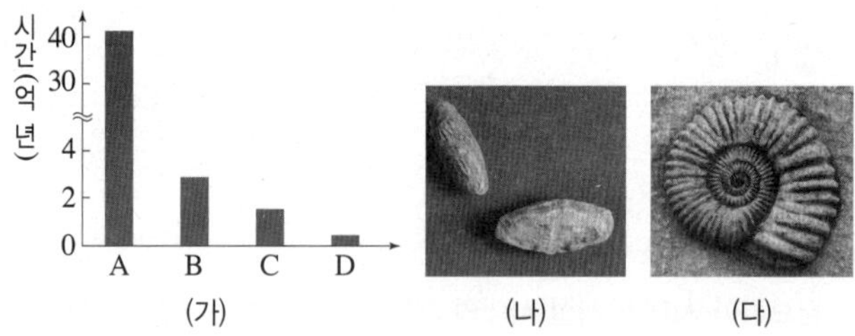

(가) (나) (다)

이에 대한 설명으로 옳은 것만을 〈보기〉에서 있는 대로 고른 것은?

〈 보기 〉
ㄱ. 오래된 지질 시대부터 나열하면 A → B → C → D이다.
ㄴ. (나)는 A 시대의 표준 화석이다.
ㄷ. (다)는 C 시대의 지층에서 발견된다.

① ㄱ ② ㄴ ③ ㄱ, ㄷ
④ ㄴ, ㄷ ⑤ ㄱ, ㄴ, ㄷ

986 하 중 상

••서술형

지구는 약 46억 년 전에 탄생하였고, 신생대는 약 0.66억 년 전에 시작하였다.

(1) 지질 시대를 12시간이라고 할 때, 신생대는 약 몇 분에 해당하는지 구하시오.

(2) 지구의 나이를 365일이라고 할 때, 신생대의 시작은 몇 월 며칠 몇 분인지 풀이 과정과 함께 구하시오. (단, 지구의 탄생은 1월 1일, 현재는 12월 31일 24시로 한다.)

B 지질 시대의 환경과 생물

지질 시대의 환경과 생물의 변화

987 하 중 상

선캄브리아 시대에 출현하여 최초로 광합성을 통해 산소를 방출하기 시작한 생물은 무엇인지 쓰시오.

988 하 중 상

다음의 생물을 지구상에 출현한 순서대로 나열하시오.

공룡, 남세균, 삼엽충, 화폐석

989 하 중 상

다음은 서로 다른 지질 시대의 특징을 나타낸 것이다.

(가) 속씨식물이 출현하였다.
(나) 인류의 조상이 출현하였다.
(다) 최초로 다세포 생물이 출현하였다.
(라) 양치식물이 거대한 삼림을 이루었다.

각 특징에 해당하는 지질 시대가 빠른 것부터 순서대로 나열한 것은?

① (나) → (가) → (다) → (라) ② (나) → (가) → (라) → (다)
③ (다) → (나) → (가) → (라) ④ (다) → (라) → (가) → (나)
⑤ (라) → (가) → (다) → (나)

990 하 중 상

지질 시대의 생물과 환경에 대한 설명으로 옳지 않은 것은?

① 지구상에서 최초의 생명체는 바다에서 탄생하였다.
② 스트로마톨라이트는 남세균이 쌓여 생성된 퇴적 구조이다.
③ 오존층의 형성으로 육상에 생물이 진출하기 시작하였다.
④ 중생대에 알프스산맥과 히말라야산맥이 형성되었다.
⑤ 신생대 후기에는 빙하기와 간빙기가 교대로 나타났다.

991 하 중 상

스트로마톨라이트를 형성한 생물인 남세균에 대한 설명으로 옳은 것만을 〈보기〉에서 있는 대로 고른 것은?

〈 보기 〉
ㄱ. 선캄브리아 시대에 출현한 생물이다.
ㄴ. 오존층이 형성된 후 육상에서 처음 출현하였다.
ㄷ. 이산화 탄소를 흡수하여 광합성을 하였다.

① ㄱ ② ㄴ ③ ㄷ
④ ㄱ, ㄴ ⑤ ㄱ, ㄷ

빈출

992 (하)(중)(상)

대표문제 多 보기

그림 (가)~(라)는 지질 시대를 대표하는 화석을 나타낸 것이다.

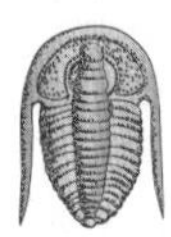
(가)

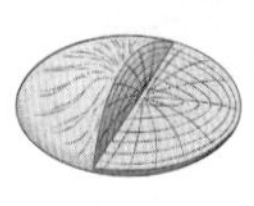
(나)

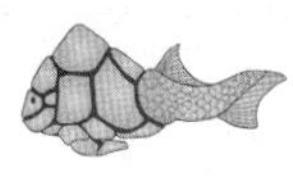
(다)

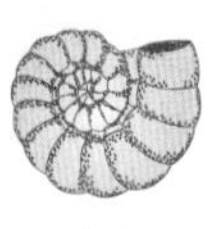
(라)

이에 대한 설명으로 옳지 않은 것만을 모두 고르면?(2개)

① (가)는 판게아가 분리되면서 멸종하였다.
② (나)가 번성한 시대에는 몇 번의 빙하기가 있었다.
③ (나)가 번성한 시기에 히말라야산맥이 형성되었다.
④ (다)가 번성한 시대에 양치식물이 번성하여 대규모 석탄층이 형성되었다.
⑤ (라)가 번성한 시대에는 오존층이 존재하지 않았다.
⑥ (라)는 중생대에 번성했던 생물이다.

993 (하)(중)(상)

그림은 어느 지질 시대의 생물과 환경을 나타낸 것이다. 이 시대에 대한 설명으로 옳은 것만을 〈보기〉에서 있는 대로 고른 것은?

〈 보기 〉
ㄱ. 겉씨식물이 번성하였다.
ㄴ. 대륙이 하나로 모여 판게아가 형성되었다.
ㄷ. 빙하기 없이 온난한 기후가 계속되었다.

① ㄴ　② ㄷ　③ ㄱ, ㄴ
④ ㄱ, ㄷ　⑤ ㄱ, ㄴ, ㄷ

994 (하)(중)(상)

서술형

그림은 어느 지질 시대의 환경과 생물을 복원한 것이다.

(1) 이 지질 시대의 이름을 쓰고, 이 지질 시대에 번성했던 식물을 서술하시오.

(2) 이 지질 시대의 수륙 분포의 특징을 한 가지만 서술하시오.

(3) 이 지질 시대의 기후의 특징을 서술하시오.

빈출

995 (하)(중)(상)

그림 (가)~(다)는 지질 시대의 환경과 생물을 복원한 모식도를 순서 없이 나타낸 것이다.

(가)

(나)

(다)

이에 대한 설명으로 옳은 것만을 〈보기〉에서 있는 대로 고른 것은?

〈 보기 〉
ㄱ. 지질 시대의 순서는 (가) → (다) → (나)이다.
ㄴ. (가) 시기 후기는 (나) 시기 후기에 비해 기후가 온난하였다.
ㄷ. (다) 시기 말에는 가장 큰 규모의 대멸종이 있었다.

① ㄱ　② ㄷ　③ ㄱ, ㄴ
④ ㄴ, ㄷ　⑤ ㄱ, ㄴ, ㄷ

996 (하)(중)(상)

그림 (가)~(다)는 서로 다른 지질 시대의 식물을 나타낸 것이다.

(가) 겉씨식물

(나) 양치식물

(다) 속씨식물

이에 대한 설명으로 옳지 않은 것은?

① (나) → (가) → (다) 순으로 번성하였다.
② (가)가 번성한 시대에 몸집이 큰 파충류가 번성하였다.
③ (나)가 번성한 시대에 육상 생물이 출현하였다.
④ (나)가 번성한 시대 말기에 큰 빙하기가 있었다.
⑤ (다)가 번성한 시대에 최초의 포유류가 출현하였다.

997 (하)(중)(상)

다음 (가)~(라)는 동물계의 변화를 순서 없이 나타낸 것이다.

매머드 번성	남세균 출현	공룡 번성	삼엽충 번성
(가)	(나)	(다)	(라)

이에 대한 설명으로 옳은 것만을 〈보기〉에서 있는 대로 고른 것은?

〈 보기 〉
ㄱ. 오래된 시대부터 나열하면 (라) → (나) → (가) → (다)이다.
ㄴ. (가) 시대는 (나) 시대보다 상대적 길이가 길다.
ㄷ. (다) 시대에 바다에서는 암모나이트가 번성하였다.

① ㄱ　② ㄷ　③ ㄱ, ㄴ
④ ㄴ, ㄷ　⑤ ㄱ, ㄴ, ㄷ

지질 시대의 환경

998 하중상

다음은 지질 시대에 나타난 현상들을 순서 없이 나열한 것이다.

> (가) 오존층 형성
> (나) 육상 생물의 등장
> (다) 최초의 광합성 생물 출현
> (라) 대기 중의 산소 농도 증가

지구와 생명의 역사를 순서대로 옳게 나열한 것은?

① (나) → (가) → (다) → (라)
② (나) → (가) → (라) → (다)
③ (다) → (나) → (가) → (라)
④ (다) → (라) → (가) → (나)
⑤ (라) → (가) → (다) → (나)

999 하중상

••서술형

그림은 지질 시대 동안 지구 대기 중 산소 농도의 변화를 나타낸 것이다.

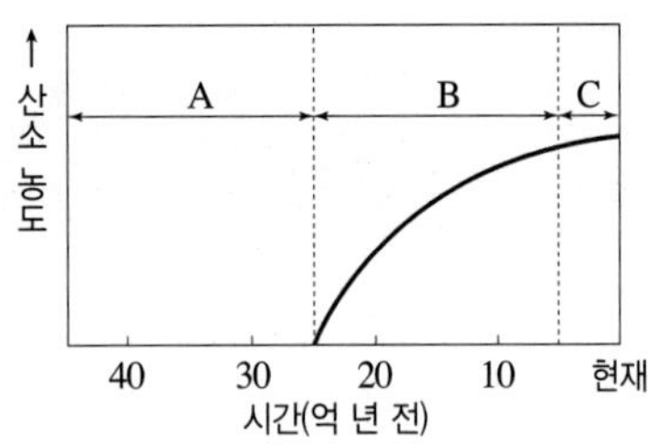

(1) B 구간에서 산소 농도가 증가한 까닭을 서술하시오.

(2) A~C 구간 중 육상 생물이 출현한 시기를 고르고, 육상 생물이 출현하게 된 까닭을 산소 농도와 관련지어 서술하시오.

1000 하중상

그림 (가)~(다)는 지질 시대의 수륙 분포를 순서 없이 나타낸 것이다.

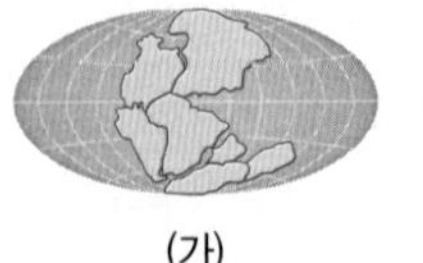
(가)

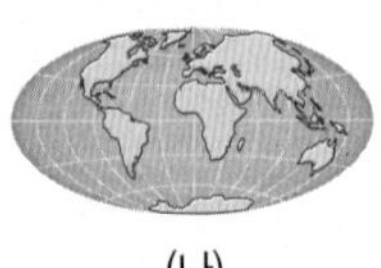
(나)

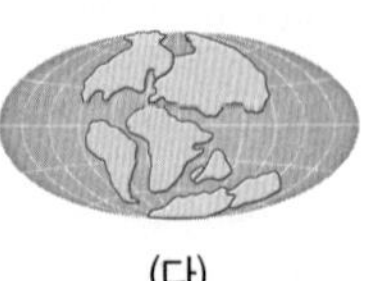
(다)

이에 대한 설명으로 옳은 것은?

① 수륙 분포는 (다) → (가) → (나) 순으로 변하였다.
② 현재와 수륙 분포가 가장 비슷한 모습은 (다)이다.
③ (가) 시대의 판게아 형성은 해양 무척추동물이 대량으로 멸종하는 원인이 되었다.
④ (나) 시대에는 겉씨식물이 번성하였다.
⑤ (다) 시대에 알프스산맥과 히말라야산맥이 형성되었다.

빈출 1001 하중상

대표문제 多 보기

그림은 지질 시대의 지구 평균 기온 변화를 나타낸 것이다.

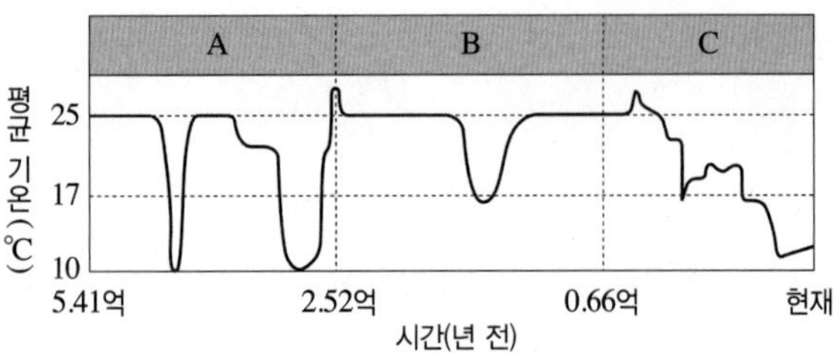

이에 대한 설명으로 옳은 것만을 모두 고르면?(2개)

① A 시대 말기에는 생물의 수가 급격히 증가하였다.
② A 시대 말기에는 큰 빙하기가 있었다.
③ B 시대는 전반적으로 온난하였지만, 큰 빙하기가 있었다.
④ C 시대는 후기로 갈수록 대체로 기온이 상승하였다.
⑤ C 시대에는 여러 번의 빙하기가 있었다.
⑥ C 시대에 평균 해수면은 후기가 전기보다 높았을 것이다.
⑦ 지질 시대의 평균 기온 변화는 생물의 번성과 쇠퇴에 영향을 주지 않았다.

1002 하중상

그림은 지질 시대 동안 평균 해수면과 평균 기온의 변화를 나타낸 것이다.

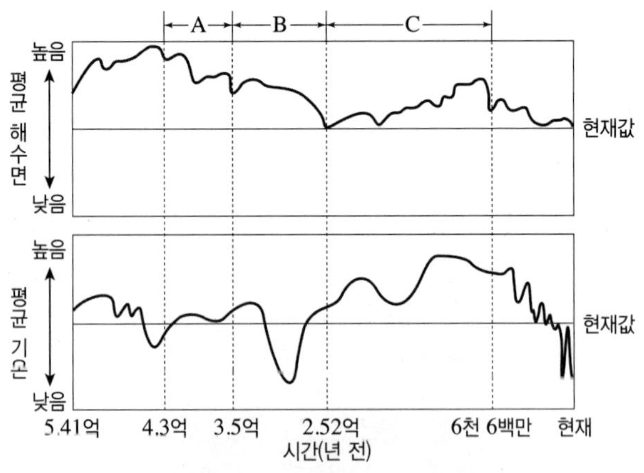

이에 대한 설명으로 옳은 것만을 〈보기〉에서 있는 대로 고른 것은?

> 〈 보기 〉
> ㄱ. A는 고생대, B는 중생대, C는 신생대이다.
> ㄴ. B 시대는 A 시대보다 빙하의 분포 면적이 넓었을 것이다.
> ㄷ. C 시대에는 빙하기와 간빙기가 반복되었다.

① ㄱ ② ㄴ ③ ㄱ, ㄷ
④ ㄴ, ㄷ ⑤ ㄱ, ㄴ, ㄷ

지질 시대 생물의 대멸종

1003 하중상

지질 시대에 일어난 생물 대멸종의 원인으로 가장 타당하지 않은 것은?

① 운석 충돌　② 초신성 폭발　③ 급격한 기후 변화　④ 지진과 화산 활동　⑤ 대륙 분포의 변화

1004 하중상

지질 시대에 일어난 생물의 대멸종과 생물 다양성에 대한 설명으로 옳지 않은 것은?

① 지질 시대 동안 대멸종은 다섯 번 일어났다.
② 가장 큰 규모의 멸종은 고생대 말기에 있었다.
③ 운석 충돌은 급격한 환경 변화를 일으켜 생물 대멸종의 원인이 된다.
④ 표준 화석인 삼엽충, 방추충, 암모나이트, 화폐석 등은 현재는 멸종된 생물들의 화석이다.
⑤ 대멸종 이후에 생물 다양성은 감소하였다.

빈출

1005 하중상

대표문제 多 보기

그림은 지질 시대에 따른 해양 생물의 수 변화를 나타낸 것이다.

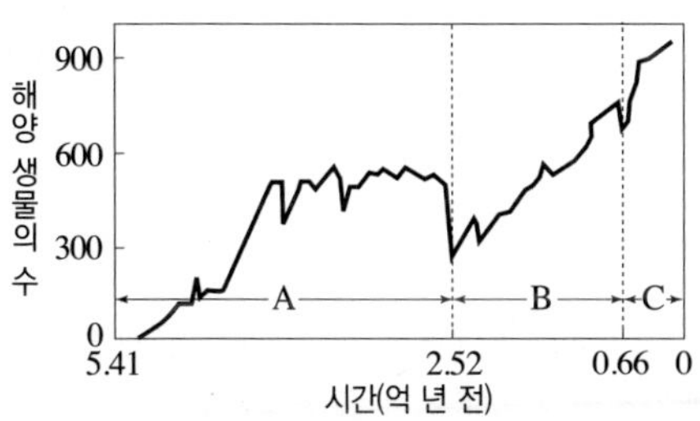

이에 대한 설명으로 옳지 않은 것만을 모두 고르면?(2개)

① A 시대 초에 해양 생물의 수가 급증한 것은 바다 속의 산소 농도가 높아졌기 때문이다.
② A 시대 말에는 판게아가 분리되기 시작하였다.
③ 가장 규모가 컸던 대멸종은 A 시대 말에 일어났다.
④ B 시대에 암모나이트, 익룡 등이 번성하였다.
⑤ B 시대 말에 판게아가 형성되어 해양 생물이 감소하였다.
⑥ C 시대에는 속씨식물이 번성하였고, 인류가 출현하였다.
⑦ 생물 다양성이 가장 높은 시기는 C 시대이다.
⑧ 대멸종은 지질 시대를 구분하는 주요 기준이다.

1006 하중상

••서술형

그림은 지질 시대에 따른 해양 생물 과의 수 변화를 나타낸 것이다.

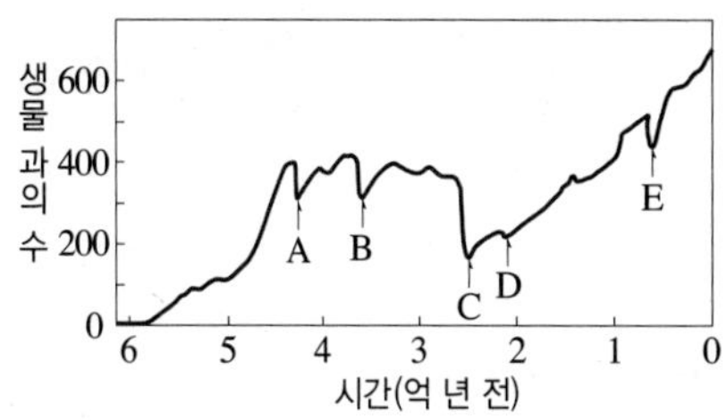

(1) A~E 중 삼엽충과 공룡이 멸종한 시기를 각각 고르시오.

(2) 대멸종이 일어났음에도 생물 다양성이 유지되는 까닭을 서술하시오.

1007 하중상

빈출

그림은 지질 시대에 생존했던 해양 동물과 육상 식물의 종류의 수를 나타낸 것이다. 이에 대한 설명으로 옳은 것만을 〈보기〉에서 있는 대로 고른 것은?

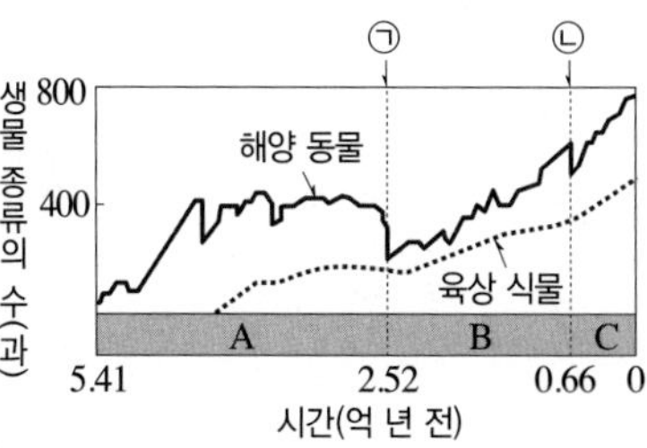

〈 보기 〉

ㄱ. A 시대에 최초의 광합성 생물이 등장하였다.
ㄴ. ㉠ 시기에 방추충이 멸종하였다.
ㄷ. ㉡ 시기에 포유류가 멸종하였다.
ㄹ. 해양 동물은 육상 식물보다 지질 시대 구분에 유용하다.

① ㄱ, ㄷ　② ㄱ, ㄹ　③ ㄴ, ㄹ　④ ㄱ, ㄴ, ㄷ　⑤ ㄴ, ㄷ, ㄹ

1008 하중상

다음은 어느 지질 시대 대멸종의 원인에 대한 가설이다.

> 지구에 거대한 운석이 충돌하여 대규모 지진이 발생하였고, 다량의 먼지 구름이 전 지구를 뒤덮어 급격한 환경 변화가 일어나 먹이 사슬이 무너지면서 수많은 생물이 멸종하였다.

이에 대한 설명으로 옳지 않은 것은?

① 소행성 충돌설에 대한 내용이다.
② 중생대 말의 대멸종의 원인에 대한 가설이다.
③ 공룡이 멸종한 시기의 대멸종 원인에 대한 가설이다.
④ 유카탄 반도에서 발견된 지질 시대에 생성된 운석 구덩이는 가설을 뒷받침하는 증거가 된다.
⑤ 지질 시대의 경계 지층에서 이리듐 농도가 낮게 나타나는 것은 가설을 뒷받침하는 증거가 된다.

Ⅲ. 변화와 다양성

자연 선택과 생물의 진화

A 진화와 변이

1 진화 생물이 오랜 시간에 걸쳐 환경에 적응하여 변화하는 현상 ➔ 진화에 의해 지구의 생물종이 다양해졌다. → 생물 다양성 증가

기출 Tip A-2

형질의 유전
돌연변이와 생식세포의 다양한 조합으로 나타나는 변이는 유전적 변이로, 형질이 자손에게 유전된다.

2 변이 같은 종의 개체들 사이에서 나타나는 형질의 차이

① 변이의 구분

구분	내용
유전적 변이	개체가 가진 유전자의 차이로 나타난다. ➔ 형질이 자손에게 ❶☐☐되며, 진화의 원동력이 된다. 예 앵무는 깃털 색이 개체마다 다르다.
비유전적 변이	환경의 영향으로 나타난다. ➔ 형질이 자손에게 유전되지 않는다. 예 카렌족 여인들은 어릴 때부터 여러 개의 링을 목에 걸고 생활한 결과 목이 길어졌다.

② 유전적 변이의 원인

원인	내용
❷☐☐☐☐	DNA의 유전 정보에 변화가 생겨 새로운 유전자가 만들어져 부모에게 없던 새로운 형질이 자손에게 나타난다. (새로운 유전자 → 자손에게 유전된다.) 예 붉은색 딱정벌레 무리에서 초록색 딱정벌레가 나타났다.
생식세포의 다양한 조합	유성 생식 과정에서 생식세포의 다양한 조합으로 자손에서 부모와 다른 형질이 나타난다. 예 흰색 개와 검은색 개 사이에서 얼룩무늬 강아지가 태어났다.

B 다윈의 자연 선택설

기출 Tip B-1

다윈의 자연 선택설의 한계점
변이가 나타나는 원인과 부모의 형질이 자손에게 유전되는 원리를 명확하게 설명하지 못하였다.

다윈의 자연 선택설이 과학과 사회에 준 영향
- 경쟁을 기반으로 하는 자본주의 사회의 발달에 영향을 주었다.
- 사회적인 경쟁과 불평등 구조를 자연스러운 일이라고 주장하는 사회진화론이 대두되었다.

기출 Tip B-2

다윈의 자연 선택설에 의한 진화 과정
과잉 생산 → 변이 → 생존 경쟁 → 자연 선택 → 진화

1 다윈의 자연 선택설 다양한 변이를 가진 개체들 중에서 환경에 적응하기 유리한 변이를 가진 개체가 자연 선택되는 과정이 반복되어 생물의 ❸☐☐가 일어난다는 학설이다.

2 다윈의 자연 선택설에 의한 진화 과정

과정	내용
과잉 생산	생물은 주어진 환경(→ 먹이나 생활 공간 등)에서 살아남을 수 있는 것보다 많은 수의 자손을 낳는다.
변이	같은 종의 개체 사이에는 형태, 습성, 기질 등 형질이 조금씩 다른 ❹☐☐가 나타난다.
생존 경쟁	과잉 생산된 개체 사이에서 한정된 먹이나 서식 공간을 두고 ❺☐☐ ☐☐이 일어난다.
❻☐☐ ☐☐	생존 경쟁에서 환경에 적응하기 유리한 형질을 가진 개체가 더 많이 살아남아 자손을 남긴다. ➔ 자손에게 자신의 형질(유전자)을 물려준다.
진화	이러한 자연 선택 과정이 오랫동안 누적되어 환경에 적응하기 유리한 형질을 가진 개체가 많아지면 생물의 진화가 일어난다.

3 다윈의 자연 선택설로 설명한 기린의 진화

많은 수의 기린이 태어났고, 기린의 목 길이는 다양하였다. (→ 목 길이에 다양한 변이가 있다.)
➔ 과잉 생산, 변이

목이 긴 기린이 생존에 유리하여 경쟁에서 살아남아 자손을 남겼다.
➔ 생존 경쟁, 자연 선택

이런 과정이 반복되어 목이 긴 기린으로 진화하였다.
➔ 진화

Ⓒ 변이와 자연 선택에 의한 생물의 진화

핀치 부리의 자연 선택

[먹이 환경에 따른 핀치의 진화]

- 같은 종의 핀치가 갈라파고스 군도의 각 섬에 정착하여 섬마다 부리의 모양이 다양한 많은 수의 핀치가 태어났다.
- 각 섬마다 먹이 환경이 달랐고, 각 섬의 먹이 환경에 적합한 부리를 가진 핀치가 자연 선택되었다.

짧고 단단한 부리
길고 뾰족한 부리
곤충을 먹는 핀치
선인장을 먹는 핀치
나뭇잎을 먹는 핀치
씨를 먹는 핀치
열매를 먹는 핀치
크고 두꺼운 부리

➡ 같은 종의 핀치가 각 섬의 먹이 환경에 적응한 결과 서로 다른 부리 모양을 가진 종으로 진화하였다.

낫 모양 적혈구 빈혈증의 자연 선택

[낫 모양 적혈구 유전자의 빈도와 말라리아의 분포]

낫 모양 적혈구 유전자의 빈도
1~5 %
5~10 %
10~20 %
말라리아 발생 지역
정상 적혈구
낫 모양 적혈구

- 낫 모양 적혈구 유전자는 헤모글로빈 유전자의 ❼ □□□□로 나타난다.
- 낫 모양 적혈구를 가진 사람은 심한 빈혈 때문에 일반적으로 생존에 불리하다. ─ 따라서 드물게 나타난다.
- 낫 모양 적혈구를 가진 사람은 말라리아에 저항성이 있다.
- 말라리아가 자주 발생하는 지역에서는 낫 모양 적혈구를 가진 사람이 생존에 유리하여 자연 선택된다. ➡ 말라리아가 자주 발생하는 아프리카의 일부 지역에서는 낫 모양 적혈구 유전자를 가진 사람이 다른 지역보다 많다. 같은 형질이라도 환경에 따라 생존에 유리할 수도, 불리할 수도 있다.

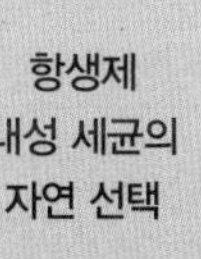

항생제 내성 세균의 자연 선택

[항생제 내성 세균 집단의 형성]

돌연변이
항생제 내성 유전자 ─ 항생제 사용 전에 나타났다.
자연 선택
항생제 사용
항생제 사용

- 항생제 내성 유전자는 돌연변이로 나타나며, 자손에게 전달된다.
- 항생제를 사용하면 항생제에 내성이 없는 세균은 대부분 죽고, 항생제에 내성이 있는 세균은 살아남는다. 즉, 항생제 내성 세균이 생존에 유리하여 ❽ □□ □□된다.
- 항생제를 지속적으로 사용하면 항생제 내성 세균의 비율이 점차 증가하여 항생제 내성 세균 집단이 형성될 수 있다.

기출 Tip Ⓒ

돌연변이 형질의 유전
낫 모양 적혈구 유전자와 항생제 내성 유전자는 모두 돌연변이로 나타나며, 자손에게 전달된다.

변이와 자연 선택의 또 다른 예
- 살충제를 살포하는 환경에서는 살충제에 내성이 있는 해충이 자연 선택된다.
- 산업화로 주위 환경이 어두워짐에 따라 흰색 나방보다 눈에 잘 띄지 않는 검은색 나방이 자연 선택되었다.
- 가뭄 시에 작고 연한 씨가 적어지고 크고 딱딱한 씨가 많아지면서 부리 크기가 큰 핀치가 자연 선택되어 핀치 부리의 평균 크기가 커졌다.

답 ❶ 유전 ❷ 돌연변이 ❸ 진화 ❹ 변이 ❺ 생존 경쟁 ❻ 자연 선택 ❼ 돌연변이 ❽ 자연 선택

III

빈출 자료 보기

정답과 해설 92쪽

1009 그림은 항생제 내성 세균 집단이 형성되는 과정을 나타낸 것이다.

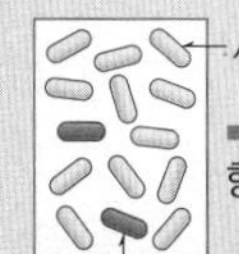

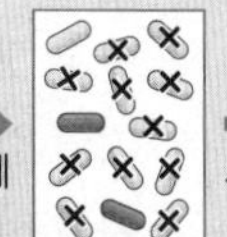

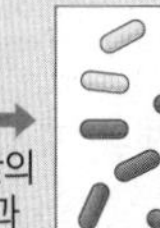

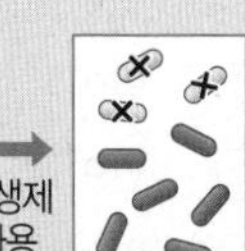

이에 대한 설명으로 옳은 것은 ○, 옳지 않은 것은 ×로 표시하시오.

(1) 항생제의 사용으로 변이가 일어났다. ( )
(2) 변이가 일어난 세균의 유전자는 자손에게 전달된다. ( )
(3) 항생제 사용을 중단하면 항생제 내성 세균은 사라진다. ( )
(4) 항생제가 작용하는 환경에서는 항생제에 내성이 없는 세균이 생존에 유리하다. ( )
(5) 항생제를 지속적으로 사용하면 항생제에 내성이 있는 세균의 비율이 증가한다. ( )

A 진화와 변이

1010 하중상

생물의 진화에 대한 설명으로 옳은 것만을 <보기>에서 있는 대로 고른 것은?

< 보기 >
ㄱ. 진화는 오랜 시간에 걸친 생물의 변화이다.
ㄴ. 진화를 통해 지구의 생물 다양성이 증가한다.
ㄷ. 진화는 변이가 없는 집단일수록 더 빠르게 일어난다.

① ㄱ　② ㄷ　③ ㄱ, ㄴ
④ ㄴ, ㄷ　⑤ ㄱ, ㄴ, ㄷ

1011 하중상

변이에 대한 설명으로 옳지 않은 것은?

① 유전적 변이는 개체가 가진 유전자의 차이로 나타난다.
② 핀치와 독수리의 부리 모양이 다른 것은 변이의 예이다.
③ 같은 종의 개체들 사이에서 나타나는 형질의 차이를 변이라고 한다.
④ 돌연변이로 인해 유전적 변이가 생길 수 있고, 그 형질은 자손에게 유전될 수 있다.
⑤ 무성 생식을 하는 생물보다 유성 생식을 하는 생물이 개체들 간의 변이가 다양하게 나타난다.

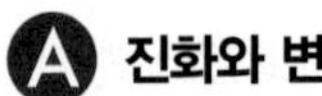

빈출 1012 하중상

다음은 형질의 차이가 나타나는 사례에 대한 설명이다.

(가) 카렌족 여인들은 어릴 때부터 여러 개의 링을 목에 걸고 생활한 결과 목이 길어졌다.
(나) 무당벌레는 겉날개의 색, 무늬 등이 개체마다 다르다.

이에 대한 설명으로 옳은 것은?

① (가)는 개체가 가진 유전자의 차이에 의해 나타난다.
② (나)는 자손에게 유전되지 않는다.
③ (가)와 (나)는 모두 진화의 원동력이 된다.
④ 유성 생식 과정에서 생식세포의 다양한 유전자 조합은 (나)의 원인이 된다.
⑤ 앵무가 개체마다 깃털 색의 차이를 보이는 현상은 (가)와 관련된 사례이다.

1013 하중상

다음은 변이와 관련된 내용이다.

(가) 새로운 유전자가 만들어져 새로운 형질이 나타난다.
(나) 부모의 유전자가 자손에게 전달되는 과정에서 다양한 조합을 형성해 자손에서 부모와 다른 형질이 나타난다.

이에 대한 설명으로 옳지 않은 것은?

① (가)는 돌연변이에 관한 내용이다.
② (가)에 의해 유전적 다양성이 증가한다.
③ (가)와 (나)를 통해 개체 사이에 유전자 차이가 나타난다.
④ (가)와 (나)에 의한 변이는 자손에게 전달된다.
⑤ 항생제 내성 세균의 출현은 (나)와 관계가 있다.

B 다윈의 자연 선택설

1014 하중상

다음은 생물의 진화에 대한 설명의 일부이다.

(㉠)는 같은 종의 개체들 사이에서 나타나는 형질의 차이이다. 자연 상태에서 생물은 많은 수의 자손을 생산하고, 그 자손들은 다양한 형질을 가진다.
많은 수의 자손들은 한정된 자원을 두고 (㉡)을 한다. 이때 환경에 적응하기 유리한 형질을 가진 개체가 더 많이 살아남아 자손을 남기는데, 이것을 (㉢)이라 한다.
이 과정이 여러 세대에 걸쳐 누적되어 환경에 적응하기 유리한 형질을 가진 개체가 많아지면 (㉣)가 일어난다.

㉠~㉣에 해당하는 개념을 옳게 짝 지은 것은?

	㉠	㉡	㉢	㉣
①	변이	생존 경쟁	유성 생식	돌연변이
②	변이	생존 경쟁	자연 선택	진화
③	변이	유성 생식	자연 선택	돌연변이
④	돌연변이	유성 생식	자연 선택	진화
⑤	돌연변이	자연 선택	유성 생식	진화

1015 하중상

다음은 다윈의 자연 선택설에 따른 진화 과정을 나타낸 것이다.

과잉 생산 → (A) → (B) → (C) → 진화

이에 대한 설명으로 옳은 것만을 〈보기〉에서 있는 대로 고른 것은?

〈 보기 〉

ㄱ. A에서 개체 사이에는 형태, 습성 등의 형질이 조금씩 다른 변이가 나타난다.

ㄴ. B에서 과잉 생산된 개체들이 살아남기 위해 생존 경쟁이 일어난다.

ㄷ. C에서 환경에 적응하여 생존하기 유리한 변이를 가진 개체가 살아남고, 생존에 불리한 개체는 도태된다.

① ㄱ ② ㄷ ③ ㄱ, ㄴ
④ ㄴ, ㄷ ⑤ ㄱ, ㄴ, ㄷ

빈출

1016 하중상

다음은 다윈의 자연 선택설을 순서 없이 나타낸 것이다.

(가) 개체들 사이에는 형태, 습성, 기질 등 형질이 조금씩 차이가 난다.

(나) 환경에 적응하기 유리한 형질을 가진 개체들이 살아남아 자손을 남긴다.

(다) 세대를 거치면서 자연 선택 과정이 누적되어 생물의 진화가 일어난다.

(라) 생물은 주어진 환경에서 살아남을 수 있는 것보다 더 많은 자손을 낳는다.

(마) 먹이나 서식 공간이 한정되어 있기 때문에 개체 사이에 생존 경쟁이 일어난다.

진화가 일어나는 과정을 순서대로 옳게 나열한 것은?

① (가) → (마) → (다) → (라) → (나)
② (가) → (라) → (마) → (나) → (다)
③ (다) → (나) → (가) → (라) → (마)
④ (라) → (가) → (마) → (나) → (다)
⑤ (라) → (마) → (나) → (가) → (다)

1017 하중상

다음은 자연 선택에 의해 기린의 목이 길어지게 된 과정을 순서 없이 나열한 것이다.

(가) 목의 길이가 다양한 기린들이 살고 있었다.

(나) 기린 집단에서 목이 긴 기린이 다수를 차지하게 되었다.

(다) 뜯어먹기 쉬운 낮은 곳에 있는 나뭇잎이 고갈되었다.

(라) 목이 긴 기린들이 목이 짧은 기린보다 더 많은 자손을 남기게 되었다.

(마) 목이 긴 기린들이 목이 짧은 기린에 비해 높은 곳에 있는 나뭇잎을 더 잘 뜯어먹을 수 있어 많이 살아남았다.

자연 선택에 의한 진화 과정을 순서대로 옳게 나열한 것은?

① (가) → (다) → (마) → (라) → (나)
② (가) → (마) → (다) → (라) → (나)
③ (다) → (가) → (나) → (라) → (마)
④ (다) → (마) → (라) → (나) → (가)
⑤ (라) → (다) → (마) → (가) → (나)

빈출

1018 하중상

그림은 오늘날 기린이 긴 목을 가지게 된 과정을 설명하는 가설 중 하나를 나타낸 것이다.

목 길이가 다양한 많은 수의 기린이 살고 있었다.

목이 긴 기린이 경쟁에서 살아남아 자손을 남겼다.

이런 과정이 반복되어 목이 긴 기린으로 진화하였다.

이에 대한 설명으로 옳지 않은 것은?

① 다윈의 자연 선택설에 의한 진화 과정이다.
② 기린의 다양한 목 길이는 변이에 해당한다.
③ 생존 경쟁에 유리한 개체가 자연 선택되었다.
④ 자연 선택된 개체는 생존에 유리한 형질만 자손에게 전달한다.
⑤ 자연 상태에서 생물은 많은 수의 자손을 낳아 생존 경쟁이 일어난다.

1019 (하 중 상) 대표문제 多 보기

그림은 기린의 진화 과정을 다윈의 자연 선택설로 나타낸 것이다.

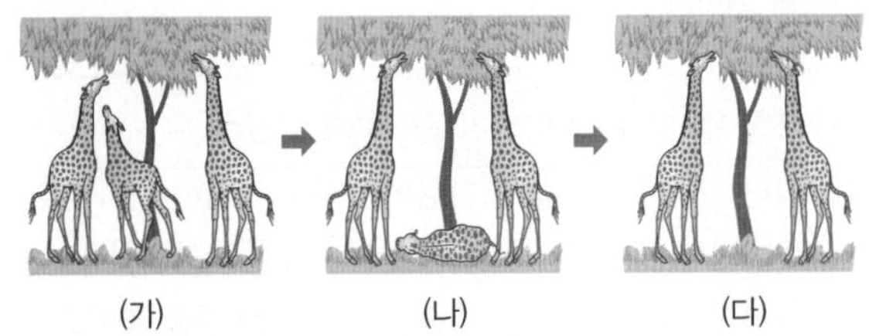

(가) (나) (다)

이에 대한 설명으로 옳지 않은 것만을 모두 고르면?(2개)

① (가)의 기린 집단에서 목 길이에 대한 다양한 변이가 있다.
② 목 길이에 대한 변이는 자손에게 유전되지 않는다.
③ (나)에서 개체 사이에 생존 경쟁이 일어났다.
④ (나)에서 목이 긴 기린이 생존 경쟁에서 유리하였다.
⑤ 목이 짧은 기린보다 목이 긴 기린이 더 많은 자손을 남겼다.
⑥ (다)에서 목이 긴 기린이 목이 긴 자손을 남기는 원리를 다윈은 명확하게 설명하였다.

1020 (하 중 상)

다윈이 제시한 이론의 예시로 적당하지 않은 것은?

① 도도나무는 도도새가 멸종한 뒤 개체 수가 급격히 감소하였다.
② 상아를 노린 인간의 밀렵으로 상아가 없는 코끼리의 비율이 높아졌다.
③ 살충제를 지속적으로 사용한 결과 살충제에 내성이 있는 해충의 비율이 높아졌다.
④ 갈라파고스 군도에 서식하는 핀치는 각 섬의 먹이 환경에 따라 서로 다른 부리 모양을 가지고 있다.
⑤ 산업화가 진행되어 주위 환경이 어두워짐에 따라 눈에 잘 띄는 흰색 나방보다 눈에 잘 띄지 않는 검은색 나방의 개체 수가 증가하였다.

1021 (하 중 상)

다윈의 자연 선택설과 그 영향에 대한 설명으로 옳지 않은 것은?

① 변이가 나타나는 원인을 명확하게 설명하지 못하였다.
② 생존에 유리한 개체들이 살아남아 더 많은 자손을 남긴다고 설명하였다.
③ 같은 종의 개체들 사이에는 형태와 기능이 조금씩 다른 변이가 존재한다고 설명하였다.
④ 경쟁을 기반으로 한 자본주의 사회의 발달에 영향을 주었다.
⑤ 인종차별과 사회 불평등 구조를 없애고 해소하는 데 영향을 주었다.

C 변이와 자연 선택에 의한 생물의 진화

핀치 부리의 자연 선택

1022 (하 중 상)

그림은 갈라파고스 군도의 각 섬에 살고 있는 핀치의 먹이와 부리 모양을 나타낸 것이다.

이에 대한 설명으로 옳은 것만을 〈보기〉에서 있는 대로 고른 것은?

〈 보기 〉
ㄱ. 자연 선택의 결과이다.
ㄴ. 섬마다 처음 정착한 핀치의 종이 서로 달랐다.
ㄷ. 각 섬마다 먹이 환경이 달라 서로 다른 부리 모양을 가지게 되었다.

① ㄱ ② ㄴ ③ ㄱ, ㄷ
④ ㄴ, ㄷ ⑤ ㄱ, ㄴ, ㄷ

1023 (하 중 상)

그림은 대륙에서 건너온 조상 핀치가 갈라파고스 군도의 여러 섬으로 흩어져 살게 되면서 먹이의 종류에 따라 서로 다른 종으로 진화한 것을 나타낸 것이다.

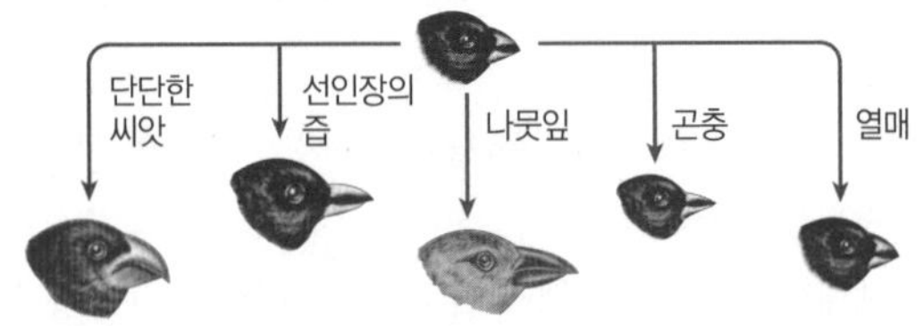

이에 대한 설명으로 옳은 것만을 〈보기〉에서 있는 대로 고른 것은?

〈 보기 〉
ㄱ. 곤충을 먹는 핀치와 열매를 먹는 핀치의 부리 모양을 결정하는 유전자는 같다.
ㄴ. 핀치는 먹이 환경이 다른 각각의 섬에 적응하여 여러 세대를 거치며 부리의 모양이 서로 달라졌다.
ㄷ. 단단한 씨앗이 많은 환경에서는 크고 튼튼한 부리를 가진 핀치보다 길고 가느다란 부리를 가진 핀치가 생존에 더 유리하였다.

① ㄱ ② ㄴ ③ ㄱ, ㄴ
④ ㄴ, ㄷ ⑤ ㄱ, ㄴ, ㄷ

빈출

1024 하 중 상

대표문제 多 보기

그림은 갈라파고스 군도에 서식하는 핀치의 먹이와 부리 모양을 나타낸 것이다.

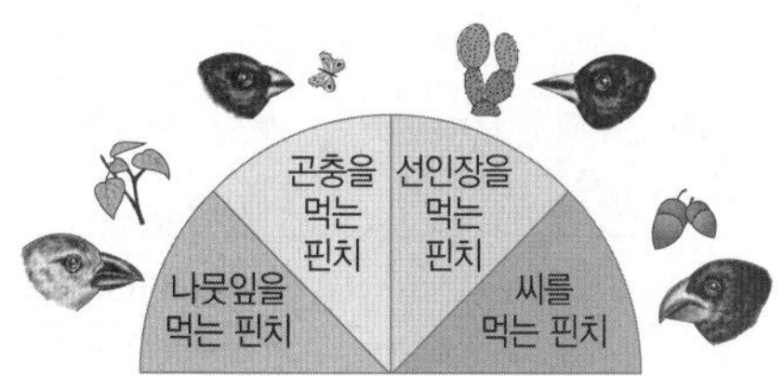

이에 대한 설명으로 옳은 것만을 모두 고르면?(2개)

① 핀치 조상 집단의 개체들은 유전적으로 모두 동일하였다.
② 천적의 종류에 따라 부리 모양이 다르게 진화한 것이다.
③ 4종류의 핀치는 부리 모양에 대한 유전자 구성이 서로 같다.
④ 부리 모양의 변이는 서로 다른 종의 집단에서 발생한 것이다.
⑤ 핀치들이 대륙과 격리되어 살아가면서 각 섬의 환경에 적응한 결과이다.
⑥ 먹이의 종류에 따라 부리 모양이 가장 유리한 개체가 살아남아 여러 세대에 걸쳐 형질이 축적된 결과이다.

낫 모양 적혈구 빈혈증의 자연 선택

[1025~1026] 그림은 아프리카 지역에서 낫 모양 적혈구 유전자의 빈도와 말라리아의 분포를 나타낸 것이다.

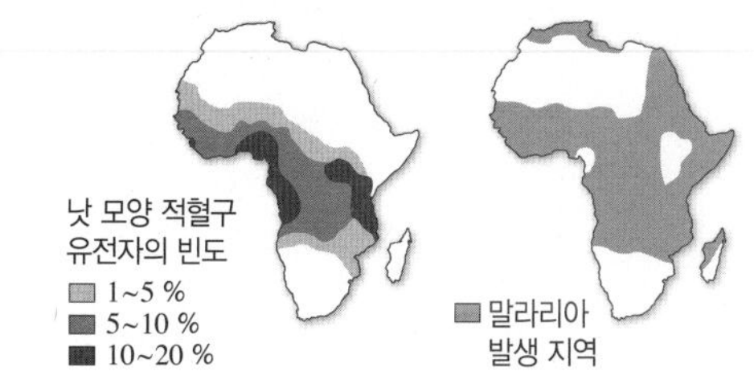

빈출

1025 하 중 상

이에 대한 설명으로 옳은 것만을 〈보기〉에서 있는 대로 고른 것은?

〈 보기 〉
ㄱ. 낫 모양 적혈구는 일반적으로 생존에 유리한 형질이다.
ㄴ. 낫 모양 적혈구를 가진 사람은 말라리아에 걸릴 확률이 낮다.
ㄷ. 말라리아가 자주 발생하는 지역에서는 낫 모양 적혈구 유전자를 가진 사람이 자연 선택되었다.

① ㄱ ② ㄴ ③ ㄷ ④ ㄱ, ㄴ ⑤ ㄴ, ㄷ

1026 하 중 상

••서술형

아프리카 지역에서 낫 모양 적혈구 유전자의 빈도와 말라리아의 분포가 거의 일치하는 까닭을 서술하시오.

1027 하 중 상

다음은 낫 모양 적혈구에 대한 설명이다.

> 낫 모양 적혈구를 가진 사람은 심한 빈혈 때문에 생존에 불리하여 일반적으로는 드물게 발견된다. 그러나 말라리아가 자주 발생하는 아프리카 일부 지역에서는 낫 모양 적혈구를 가진 사람이 다른 지역보다 많다.

이에 대한 설명으로 옳은 것만을 〈보기〉에서 있는 대로 고른 것은?

〈 보기 〉
ㄱ. 낫 모양 적혈구는 헤모글로빈 유전자의 돌연변이로 나타난다.
ㄴ. 낫 모양 적혈구를 가진 사람은 말라리아에 저항성이 없다.
ㄷ. 동일한 형질이라도 환경에 따라 생존에 유리하게 작용할 수도 있고, 불리하게 작용할 수도 있다.

① ㄱ ② ㄷ ③ ㄱ, ㄴ
④ ㄱ, ㄷ ⑤ ㄱ, ㄴ, ㄷ

1028 하 중 상

그림은 두 지역에서 적혈구 유전자의 종류에 따른 인구 수를 나타낸 것이고, 표는 각 유전자 유형을 가진 사람들의 특징을 나타낸 것이다.

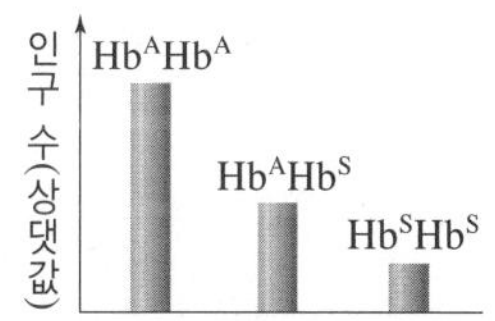

(가) 말라리아가 발생하지 않는 지역

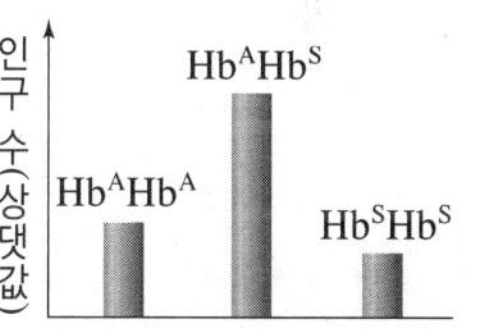

(나) 말라리아가 자주 발생하는 지역

구분	Hb^AHb^A	Hb^AHb^S	Hb^SHb^S
말라리아 저항성	없음	있음	있음
적혈구 모양	정상	정상, 낫 모양	낫 모양
빈혈	없음	미약	악성

이에 대한 설명으로 옳은 것만을 〈보기〉에서 있는 대로 고른 것은?

〈 보기 〉
ㄱ. 낫 모양 적혈구는 유전적 변이이다.
ㄴ. 자연 선택에 의해서 말라리아가 자주 발생하는 지역에서는 낫 모양 적혈구 유전자를 가진 사람의 비율이 높다.
ㄷ. (나)에서 Hb^AHb^A의 출현 빈도가 낮은 것은 말라리아 감염 때문이다.

① ㄱ ② ㄷ ③ ㄱ, ㄴ
④ ㄱ, ㄷ ⑤ ㄱ, ㄴ, ㄷ

항생제 내성 세균의 자연 선택

1029 (하)(중)(상)

그림은 어떤 생물 집단에서 진화가 일어나는 과정을 나타낸 것이다.

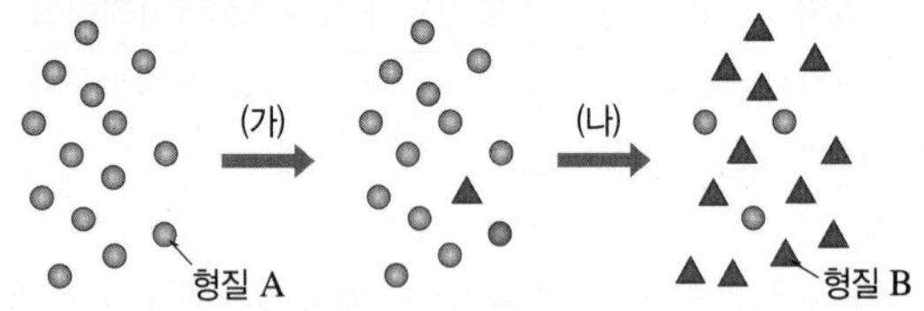

이에 대한 설명으로 옳은 것만을 〈보기〉에서 있는 대로 고른 것은?

〈 보기 〉

ㄱ. (가) 과정에서 유전적 변이가 일어났다.
ㄴ. (나) 과정에서 자연 선택이 일어났다.
ㄷ. (나) 과정이 진행되는 동안 형질 A를 가진 개체보다 형질 B를 가진 개체가 생존에 더 유리하였다.

① ㄱ ② ㄷ ③ ㄱ, ㄴ
④ ㄴ, ㄷ ⑤ ㄱ, ㄴ, ㄷ

1030 (하)(중)(상)

그림은 항생제 내성 세균 집단이 형성되는 과정을 나타낸 것이다.

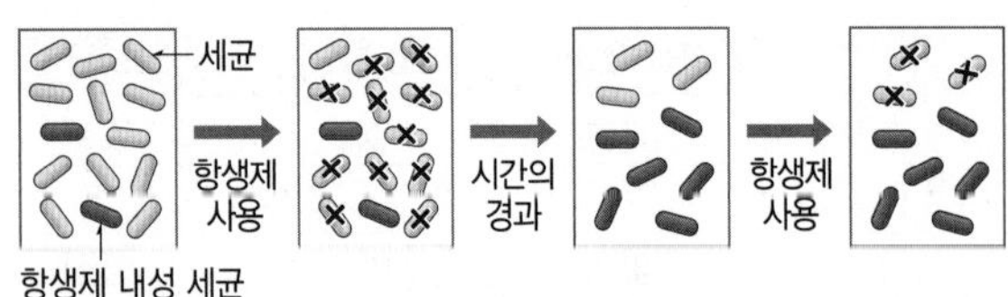

이에 대한 설명으로 옳은 것만을 〈보기〉에서 있는 대로 고른 것은?

〈 보기 〉

ㄱ. 항생제 내성 유전자는 항생제 사용으로 인해 나타났다.
ㄴ. 항생제 사용에 의해 항생제 내성 세균이 자연 선택되었다.
ㄷ. 항생제 사용을 멈추면 항생제 내성 세균은 모두 사라진다.
ㄹ. 항생제 내성을 가지는 변이는 세균이 번식할 때 자손에게 유전된다.

① ㄱ, ㄴ ② ㄴ, ㄹ ③ ㄷ, ㄹ
④ ㄱ, ㄴ, ㄷ ⑤ ㄴ, ㄷ, ㄹ

1031 (하)(중)(상)

대표문제 (多) 보기

그림은 어떤 세균 집단의 진화 과정을 나타낸 것이다.

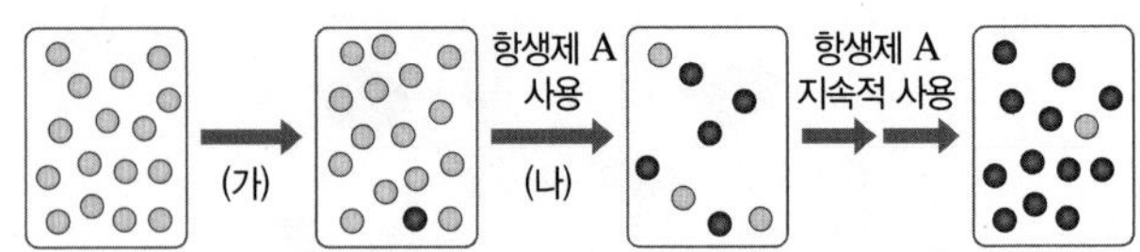

이에 대한 설명으로 옳은 것은?

① 항생제 사용은 자연 선택의 요인으로 작용하지 않는다.
② (가) 과정에서 돌연변이가 일어났다.
③ (나) 과정에서 항생제 A에 내성이 없는 세균이 생존에 유리하였다.
④ (나) 과정에서 항생제 A에 내성이 있는 세균이 내성이 없는 세균으로 전환되었다.
⑤ 항생제 A를 지속적으로 사용하면 항생제 A에 내성이 없는 세균의 비율이 증가한다.

1032 (하)(중)(상)

그림은 항생제 내성 세균의 출현과 진화 과정을 나타낸 것이다.

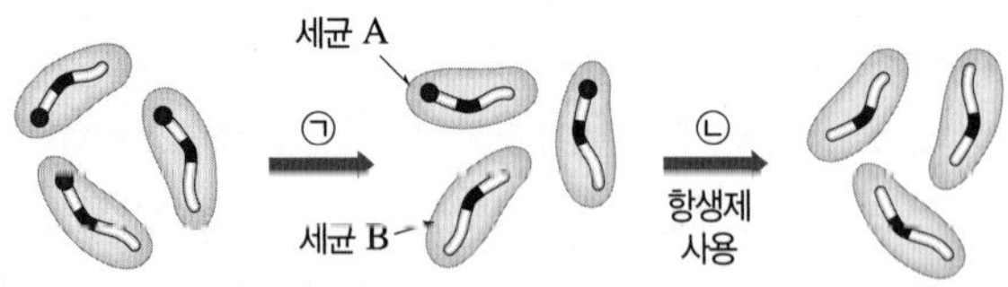

이에 대한 설명으로 옳은 것만을 〈보기〉에서 있는 대로 고른 것은?

〈 보기 〉

ㄱ. 세균 A는 항생제 내성 세균이다.
ㄴ. ㉠ 과정에서 유전적 다양성이 증가하였다.
ㄷ. 세균 A와 세균 B의 형질 차이는 유전자의 차이로 나타난다.
ㄹ. 항생제를 지속적으로 사용하는 환경에서는 세균 A가 세균 B보다 생존에 유리하다.

① ㄱ, ㄴ ② ㄱ, ㄷ ③ ㄱ, ㄹ
④ ㄴ, ㄷ ⑤ ㄷ, ㄹ

1033 하 중 상

다음은 항생제 내성 세균에 대한 모의실험이다.

(가) 항생제 역할을 하는 벨크로 테이프와 세균 모형 A와 B를 준비한다. A와 B 중 하나는 항생제 내성 세균 모형이고, 다른 하나는 항생제 비내성 세균 모형이다.
(나) 쟁반에 A를 36개, B를 4개 넣어 1세대를 만든다.
(다) 벨크로 테이프로 세균 모형을 찍어 내어 20개를 제거한다.
(라) 쟁반에 남은 것과 같은 종류의 모형을 각각의 수만큼 더 해 2세대를 만든다.
(마) 과정 (다)~(라)를 반복하여 3세대와 4세대를 만든다.

[실험 결과]

구분	1세대	2세대	3세대	4세대
A	36개	32개	24개	8개
B	4개	8개	16개	32개

이에 대한 설명으로 옳은 것만을 〈보기〉에서 있는 대로 고른 것은?

〈 보기 〉
ㄱ. B는 항생제 내성 세균 모형이다.
ㄴ. 4세대까지 항생제를 처리하는 과정은 총 4번 진행되었다.
ㄷ. 세대가 거듭될수록 항생제 내성 세균 모형의 비율이 증가한다.

① ㄱ ② ㄴ ③ ㄷ ④ ㄱ, ㄷ ⑤ ㄴ, ㄷ

자연 선택의 또 다른 예

1034 하 중 상

그림은 어떤 지역에서 살충제를 살포하였을 때 살충제 내성 모기의 비율 변화를 나타낸 것이다.

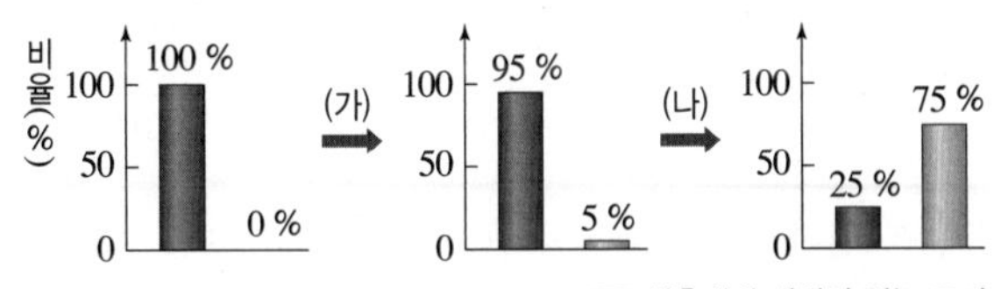

이에 대한 설명으로 옳은 것만을 〈보기〉에서 있는 대로 고른 것은? (단, (가)와 (나) 중 한 과정에서만 살충제를 살포하였다.)

〈 보기 〉
ㄱ. (가) 과정에서 살충제를 살포하였다.
ㄴ. (나) 과정에서 살충제 내성 모기가 자연 선택되었다.
ㄷ. 생존에 유리한 형질을 가진 개체가 자연 선택되어 진화한다는 것을 알 수 있다.

① ㄱ ② ㄴ ③ ㄷ ④ ㄱ, ㄷ ⑤ ㄴ, ㄷ

1035 하 중 상

그림은 살충제 살포에 따라 해충 집단이 변화하는 과정을 나타낸 것이다.

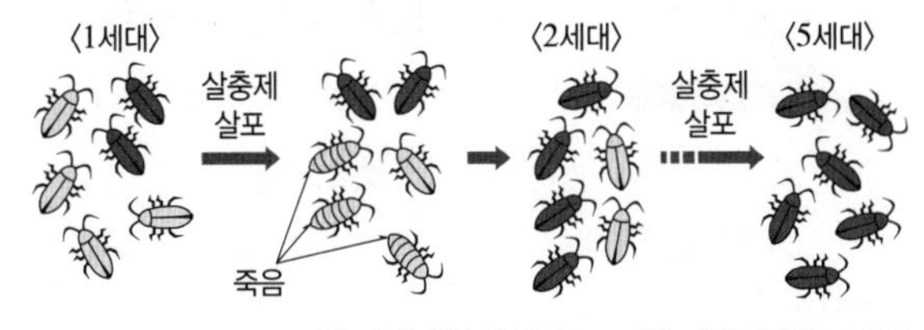

이에 대한 설명으로 옳은 것만을 〈보기〉에서 있는 대로 고른 것은?

〈 보기 〉
ㄱ. ㉠과 ㉡은 유전적으로 동일하다.
ㄴ. 살충제 살포는 ㉡의 환경 적응력을 높여주었다.
ㄷ. 2세대 이후 살충제 살포를 중지하고 색이 진한 개체의 천적이 나타난다면 ㉡의 비율이 증가할 것이다.

① ㄱ ② ㄷ ③ ㄱ, ㄴ
④ ㄴ, ㄷ ⑤ ㄱ, ㄴ, ㄷ

1036 하 중 상

그림은 어느 지역에서 산업 혁명 전과 후, 대기 오염 규제 전과 후 환경 변화에 따른 흰색 나방과 검은색 나방의 빈도 변화를 나타낸 것이다.

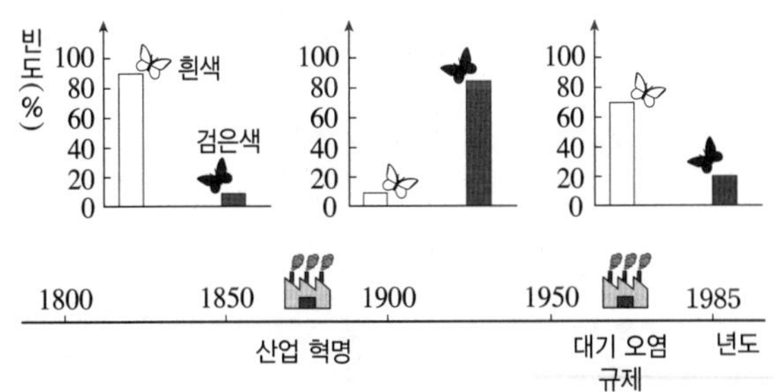

이에 대한 설명으로 옳은 것만을 〈보기〉에서 있는 대로 고른 것은?

〈 보기 〉
ㄱ. 산업 혁명 이전에는 흰색 나방이 검은색 나방보다 생존에 유리하였다.
ㄴ. 대기 오염 규제로 대기의 질이 좋아지면 검은색 나방의 빈도가 증가한다.
ㄷ. 흰색 나방과 검은색 나방의 빈도 변화는 환경 변화에 따른 자연 선택의 결과로 설명할 수 있다.

① ㄱ ② ㄷ ③ ㄱ, ㄴ
④ ㄱ, ㄷ ⑤ ㄱ, ㄴ, ㄷ

생물 다양성과 보전

Ⓐ 생물 다양성

1 생물 다양성 일정한 생태계에 존재하는 생물의 다양한 정도를 의미하며, 생물의 유전적 다양성, ❶□ □□□, 생태계 다양성을 모두 포함한다.

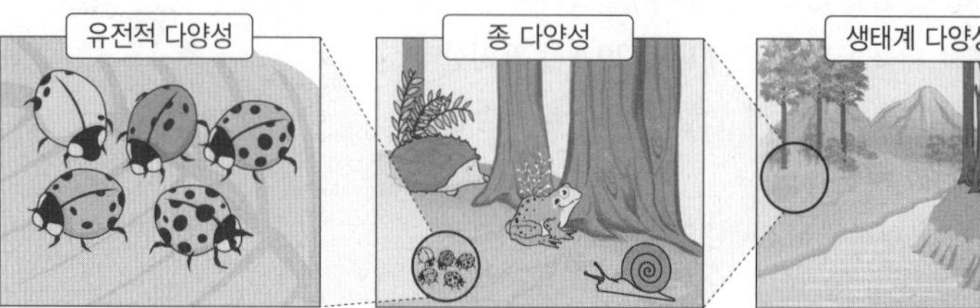

유전적 다양성

- 같은 생물종이라도 하나의 형질을 결정하는 유전자에 차이가 있어 형질이 다양하게 나타나는 것을 의미한다. ➔ 같은 종에서 개체마다 모양, 크기, 색 등이 다르게 나타난다.
  예 • 채프먼얼룩말은 털 줄무늬가 개체마다 다르다.
  • 유럽정원달팽이는 껍데기의 무늬와 색이 개체마다 다르다.
  • 아시아무당벌레는 겉날개의 색과 반점 무늬가 개체마다 다르다.
- 하나의 형질을 결정하는 유전자가 다양할수록, ❷□□가 다양할수록 유전적 다양성이 높다.

종 다양성

- 일정한 지역에 얼마나 많은 생물종이 얼마나 고르게 서식하는지를 의미한다.
  예 숲에는 무당벌레, 개구리, 참나무 등 다양한 생물종이 살고 있다.
- 생물종의 수가 ❸□□수록, 각 생물종의 분포 비율이 ❹□□할수록 종 다양성이 높다.

[종 다양성 비교]

(가) 식물종 수: 4종

(나) 식물종 수: 4종

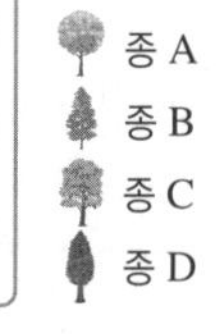

구분	개체 수				
	종 A	종 B	종 C	종 D	
(가)	4	4	4	3	15개체
(나)	10	1	1	3	15개체

① (가)와 (나) 지역에 서식하는 식물종 수는 모두 4종이고, 총 개체 수는 15개체로 같다.
② (가)는 (나)에 비해 각 식물종이 고르게 분포한다. ➔ (가)가 (나)보다 종 다양성이 ❺□다.

생태계 다양성

- 어느 지역에 존재하는 생태계의 다양한 정도를 의미한다. ⟶ 지구의 여러 지역에는 환경의 차이로 다양한 생태계가 존재한다.
- 생태계에 따라 환경이 다르므로 서식하는 생물의 종과 개체 수도 달라진다.
- 생태계의 종류: 열대 우림, 삼림, 초원, 갯벌, 습지, 해양, 사막, 농경지 등

기출 Tip Ⓐ-1

유전적 다양성
- 같은 종에서 유전자의 차이에 의해 개체마다 모양, 크기, 색 등이 다르게 나타나는 것이다.
- 유전적 다양성이 높을수록 급격한 환경 변화에서 살아남을 가능성이 높다.

종 다양성 비교
두 지역에서 생물종의 수가 같을 때 각 생물종이 더 고르게 분포한 곳이 종 다양성이 높다.

2 생물 다양성의 중요성

유전적 다양성

유전적 다양성이 ❻□은 생물종은 변이가 다양하게 나타나므로 급격한 환경 변화에도 적응하여 살아남는 개체가 있을 가능성이 높다. 반면, 유전적 다양성이 낮은 생물종은 급격한 환경 변화에 의해 멸종될 가능성이 높다.
예 씨가 있는 야생 바나나는 유성 생식으로 번식하여 유전적 다양성이 높지만, 씨가 없는 바나나는 무성 생식으로 번식하여 유전적 다양성이 매우 낮다. 따라서 씨가 없는 바나나는 전염병 등 급격한 환경 변화가 일어났을 때 멸종될 가능성이 높다.

종 다양성

종 다양성이 높을수록 복잡한 먹이 사슬을 형성하여 생태계가 안정적으로 유지된다.
예 종 다양성이 높은 생태계는 어떤 생물종이 사라지더라도 대체할 수 있는 다른 생물종이 있어 생태계 평형이 잘 깨지지 않는다.

생태계 다양성

생태계 다양성이 높을수록 종 다양성과 유전적 다양성이 높아진다.
예 갯벌과 습지는 다양한 생태계가 어우러져 두 생태계의 자원을 이용하는 생물종이 공존하여 종 다양성이 높다. ⟶ 갯벌과 습지는 육상 생태계와 수생태계를 잇는 완충 지역이다.

기출 Tip Ⓐ-2

무성 생식과 유전적 다양성
무성 생식으로 번식할 경우 개체들은 모두 유전적으로 동일하다. 따라서 생물 다양성이 매우 낮고, 어떤 전염병에 대해 개체들이 모두 취약하여 멸종될 수 있다.

3 생물 다양성과 생물 자원 생물 다양성이 높을수록 생물 자원이 풍부해진다.

의식주 재료	• 목화(면섬유), 누에(비단) – 의복 원료 • 벼, 콩, 옥수수 – 식량 • 나무, 풀 – 주택 재료
의약품 원료	• 주목 열매 – 항암제 원료 • 청자고둥 – 진통제 원료 • 버드나무 껍질 – ❼ □□□□ 원료 • 푸른곰팡이 – 페니실린 원료
생물 유전자 자원	병충해 저항성 유전자 등을 이용하여 새로운 농작물을 개발한다.
사회적·심미적 가치	휴식 장소, 여가 활동 장소, 생태 관광 장소 등을 제공한다.

Ⓑ 생물 다양성의 감소 원인과 보전

1 생물 다양성의 감소 원인

서식지 파괴	삼림의 벌채, 습지의 매립 등으로 서식지가 파괴되면 서식지 면적이 줄어들어 생물종 수가 급격히 감소한다. ➡ 생물 다양성 감소의 가장 큰 원인이다.
서식지 ❽ □□□	도로나 철도 건설 등으로 하나의 생태계가 여러 개로 분리되면, 서식지 면적이 줄어들고 생물종의 이동이 제한되어 생물 다양성이 감소한다.
불법 포획과 남획	야생 생물을 불법으로 포획하거나 남획하면 특정 생물종의 멸종을 초래할 수 있다.
외래종 도입	• 일부 외래종은 천적이 없어 대량으로 번식하여 토종 생물의 서식지를 차지하고 생존을 위협하여 생물 다양성을 감소시킨다. • 우리나라의 외래종: 가시박, 뉴트리아, 큰입배스 등
환경 오염	쓰레기와 폐수의 배출 등으로 환경이 오염되면 생물 다양성이 감소한다.

환경 오염은 깨끗한 환경에서만 사는 생물에게 더 큰 영향을 준다.

2 생물 다양성 보전 방안

개인적 노력	쓰레기 분리 배출 및 자원의 재활용, 저탄소 제품의 사용
사회적·국가적 노력	• 서식지가 분리되는 것을 막기 위한 ❾ □□ □□ 설치 • 야생 생물과 그 서식지를 보호하기 위한 법률 제정 • 생물 다양성이 높은 지역을 국립 공원으로 지정 • 멸종 위기종을 자생지에 방사하는 복원 사업과 종자 은행 운영
국제적 노력 생물 다양성에 관한 국제 협약 체결	• 생물 다양성 협약: 다양한 생물종을 보전하기 위해 유엔 환경 개발 회의에서 체결 • 람사르 협약: 물새 서식지로 중요한 습지를 보전하기 위해 체결 • 런던 협약: 산업 폐기물로 인한 해양 오염의 방지를 위해 체결

생태 통로

기출 Tip Ⓑ-1

서식지 단편화의 영향

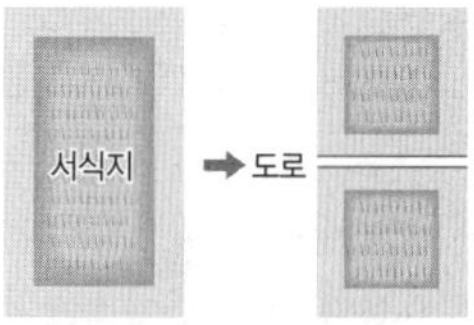

• 서식지의 면적이 줄어들어 중심부에 살던 생물종의 일부가 멸종될 수 있다.
• 야생 생물이 도로를 건너다 차에 치여 죽는 로드킬이 발생할 확률이 높아진다.
➡ 서식지 단편화를 막기 위해 생태 통로를 설치한다.

답 ❶ 종 다양성 ❷ 변이 ❸ 많을 ❹ 균등 ❺ 높 ❻ 높 ❼ 아스피린 ❽ 단편화 ❾ 생태 통로

빈출 자료 보기

정답과 해설 94쪽

1037 그림은 생물 다양성의 세 가지 의미를 나타낸 것이다.

(가) (나) (다)

이에 대한 설명으로 옳은 것은 ○, 옳지 않은 것은 ×로 표시하시오.

(1) (가)는 종 다양성, (나)는 유전적 다양성, (다)는 생태계 다양성을 의미한다. ( )
(2) (가)는 일정한 지역에 사는 생물종의 다양한 정도를 의미한다. ( )
(3) 같은 생물종 내에서 변이가 다양할수록 (가)가 높아진다. ( )
(4) (가)가 높을수록 환경 변화에 의한 멸종 가능성이 높다. ( )
(5) (나)가 높을수록 생태계가 비교적 안정하다. ( )
(6) (다)가 높을수록 (가)와 (나)도 높아진다. ( )

A 생물 다양성

1038 하중상

다음은 생물 다양성의 세 가지 의미 중 무엇에 해당하는 예시인지 쓰시오.

- 고양이는 털 무늬가 개체마다 다르다.
- 유럽정원달팽이는 껍데기의 무늬와 색이 개체마다 다르다.
- 아시아무당벌레는 겉날개의 색과 반점 무늬가 개체마다 다르다.

[1039~1040] 다음은 생물 다양성에 대한 자료이다.

(가) 같은 부모에게서 태어난 자녀의 얼굴 모습이 서로 다르다.
(나) 숲에는 무당벌레, 고슴도치, 개구리, 참나무 등이 살고 있다.
(다) 갯벌은 하천, 해양, 습지 등 다양한 생태계가 어우러진 지형이다.

1039 하중상

(가)~(다)에 해당하는 생물 다양성을 옳게 짝 지은 것은?

	(가)	(나)	(다)
①	종 다양성	생태계 다양성	유전적 다양성
②	종 다양성	유전적 다양성	생태계 다양성
③	유전적 다양성	생태계 다양성	종 다양성
④	유전적 다양성	종 다양성	생태계 다양성
⑤	생태계 다양성	유전적 다양성	종 다양성

1040 하중상

이에 대한 설명으로 옳은 것만을 〈보기〉에서 있는 대로 고른 것은?

〈 보기 〉
ㄱ. 생태계 다양성이 높아지면 (가)와 (나) 모두 높아진다.
ㄴ. (가)가 높을수록 환경이 급격히 변화했을 때 적응하여 살아남는 개체가 있을 가능성이 높다.
ㄷ. (나)가 높아지면 복잡한 먹이 사슬을 형성한다.

① ㄱ ② ㄷ ③ ㄱ, ㄴ ④ ㄴ, ㄷ ⑤ ㄱ, ㄴ, ㄷ

1041 하중상

표는 생물 다양성의 세 가지 의미를 설명한 것이다. (가)~(다)는 각각 유전적 다양성, 종 다양성, 생태계 다양성 중 하나이다.

구분	의미
(가)	삼림, 초원, 사막, 습지 등 생태계가 다양하게 형성되는 것을 의미한다.
(나)	어떤 생태계에 존재하는 생물종의 다양한 정도를 의미한다.
(다)	같은 생물종이라도 형질이 각 개체 간에 다르게 나타나는 것을 의미한다.

이에 대한 설명으로 옳은 것만을 〈보기〉에서 있는 대로 고른 것은?

〈 보기 〉
ㄱ. (가)는 생태계 다양성이다.
ㄴ. 같은 종에서 개체마다 모양, 크기, 색 등이 다른 것은 (나)에 해당한다.
ㄷ. 종의 수가 많고, 종의 분포 비율이 고를수록 (다)가 높다.

① ㄱ ② ㄴ ③ ㄷ ④ ㄱ, ㄷ ⑤ ㄴ, ㄷ

1042 하중상

다음은 생물 다양성에 대해 학생 A~C가 발표한 내용이다.

- A: 종의 수가 많을수록 종 다양성이 높고, 종의 분포 비율이 균등할수록 종 다양성이 낮아.
- B: 생태계 다양성은 한 생태계에 존재하는 생물종의 다양한 정도를 의미해.
- C: 유전적 다양성이 높은 종은 환경이 급격하게 변하거나 전염병이 발생했을 때 살아남을 확률이 높아.

발표한 내용이 옳은 학생만을 있는 대로 고른 것은?

① A ② B ③ C ④ A, B ⑤ B, C

빈출 1043 하중상

생물 다양성에 대한 설명으로 옳지 않은 것은?

① 생물 다양성은 유전적 다양성, 종 다양성, 생태계 다양성을 모두 포함한다.
② 종 다양성이 높으면 생태계 평형이 깨지기 쉽다.
③ 바다와 육지가 만나는 갯벌처럼 두 생태계의 경계 지역은 다른 지역보다 생물 다양성이 높다.
④ 식량 자원을 비롯해 약품 개발에 필요한 원료를 확보하기 위해서 생물 다양성은 보전되어야 한다.
⑤ 어떤 생물종 집단에서 유전적 다양성이 낮으면 급격한 환경 변화에 의해 멸종될 수 있다.

1044 하 중 상

대표문제 多 보기

그림은 생물 다양성의 세 가지 의미를 나타낸 것이다.

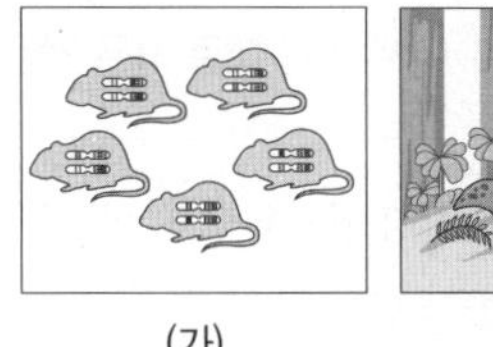
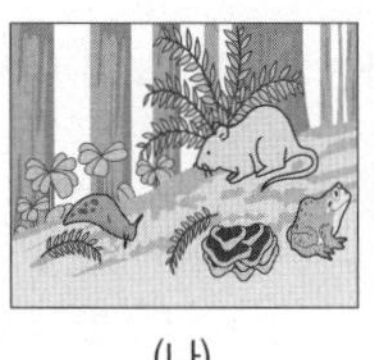

(가) (나) (다)

이에 대한 설명으로 옳지 않은 것은?

① (가)를 통해 같은 생물종이라도 개체마다 유전 정보가 다르다는 것을 알 수 있다.
② (나)는 같은 생물종이라도 각 개체 간에 형질이 다르게 나타난다는 것을 의미한다.
③ (가)가 낮을수록 환경 변화에 의한 멸종 가능성이 높다.
④ (나)가 높을수록 생태계가 안정적으로 유지된다.
⑤ (다)가 높을수록 (나)도 높게 나타난다.

1045 하 중 상

그림은 같은 면적의 두 지역 (가)와 (나)에서 서식하는 식물종의 분포를, 표는 각 식물종 A~D의 개체 수를 나타낸 것이다.

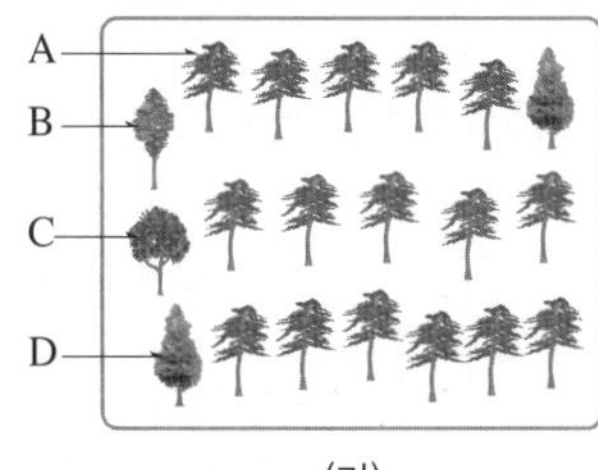

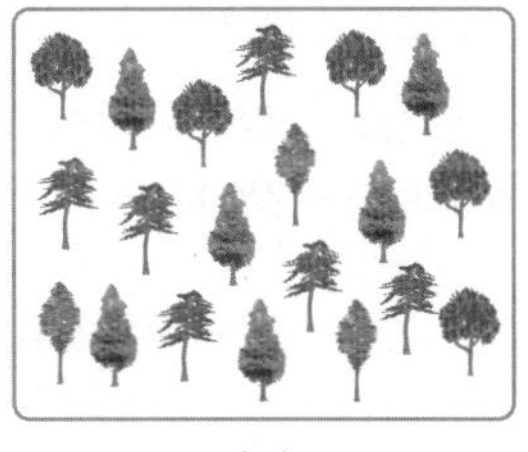

(가) (나)

구분	A	B	C	D
(가)	16	1	1	2
(나)	6	3	5	6

이에 대한 설명으로 옳은 것만을 〈보기〉에서 있는 대로 고른 것은? (단, A~D 이외의 종은 고려하지 않는다.)

〈 보기 〉
ㄱ. (가)와 (나) 지역의 식물 개체 수는 같다.
ㄴ. (가)와 (나) 지역에 서식하는 식물종 수는 같다.
ㄷ. (나)는 (가)보다 종 다양성이 높다.
ㄹ. 식물종 A의 분포 비율은 (나)가 (가)보다 높다.

① ㄱ, ㄴ ② ㄴ, ㄷ ③ ㄷ, ㄹ
④ ㄱ, ㄴ, ㄷ ⑤ ㄴ, ㄷ, ㄹ

1046 하 중 상

서술형

그림은 면적이 같은 서로 다른 지역 (가)와 (나)에서 서식하는 식물종 ㉠~㉣을 나타낸 것이다.

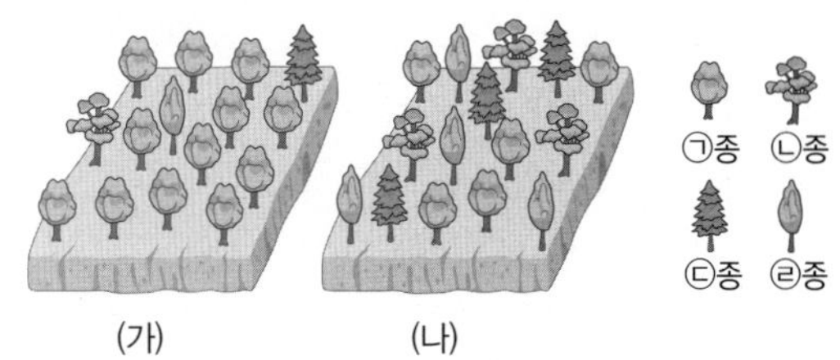

(가)와 (나) 중 종 다양성이 높은 지역을 쓰고, 그렇게 판단한 까닭을 서술하시오. (단, 종 다양성이 높은 두 가지 조건을 모두 포함하여 서술하시오.)

1047 하 중 상

다음은 바나나의 번식에 대한 설명이다.

> (가) 씨가 있는 야생 바나나는 씨를 통해 번식하지만, 우리가 흔히 먹는 (나) 씨 없는 바나나는 뿌리를 잘라 옮겨 심어 번식시킨다.

이에 대한 설명으로 옳은 것만을 〈보기〉에서 있는 대로 고른 것은?

〈 보기 〉
ㄱ. (가)는 다양한 변이가 나타난다.
ㄴ. (가)는 (나)보다 유전적 다양성이 높다.
ㄷ. 급격한 환경 변화가 일어났을 때 (나)는 (가)보다 생존할 가능성이 높다.

① ㄱ ② ㄷ ③ ㄱ, ㄴ
④ ㄴ, ㄷ ⑤ ㄱ, ㄴ, ㄷ

1048 하 중 상

서술형

다음은 바나나에 대한 설명이다.

> 바나나 야생종은 씨가 있어 식용으로 적당하지 않아 씨가 없는 종으로 개량되었다. 무성 생식의 방법으로 재배하는 단일 품종의 바나나 중 그로미셸 품종은 과거에 파나마병의 유행으로 멸종되었고, 현재는 캐번디시 품종을 재배하고 있으나 신종 파나마병으로 멸종 위기에 처해 있다.

씨가 없는 바나나가 멸종 위기에 처한 까닭을 생물 다양성의 한 요소와 관련하여 서술하시오.

1049 하 중 상

생물 자원과 그 이용 방법을 짝 지은 것으로 옳지 않은 것은?

① 나무 – 주택 재료
② 목화, 누에 – 의복 원료
③ 주목 열매 – 페니실린 원료
④ 울창한 숲 – 생태 관광 장소
⑤ 버드나무 껍질 – 아스피린 원료

1050 하 중 상

생물 자원에 대한 설명으로 옳은 것만을 〈보기〉에서 있는 대로 고른 것은?

〈 보기 〉
ㄱ. 생물 다양성이 높을수록 생물 자원이 풍부해진다.
ㄴ. 생물의 유전자는 생물 자원에 포함되지 않는다.
ㄷ. 잘 보전된 생태계의 아름다운 경관으로부터 심리적 안정을 얻는 것도 생물 자원의 이용에 해당한다.

① ㄱ ② ㄴ ③ ㄷ
④ ㄱ, ㄷ ⑤ ㄴ, ㄷ

1051 하 중 상

그림 (가)는 생물 다양성의 세 가지 의미를, (나)는 같은 종의 쥐 집단에서 서로 다른 털 무늬를 나타낸 것이다. (나)는 A보다 B와 관련이 깊다.

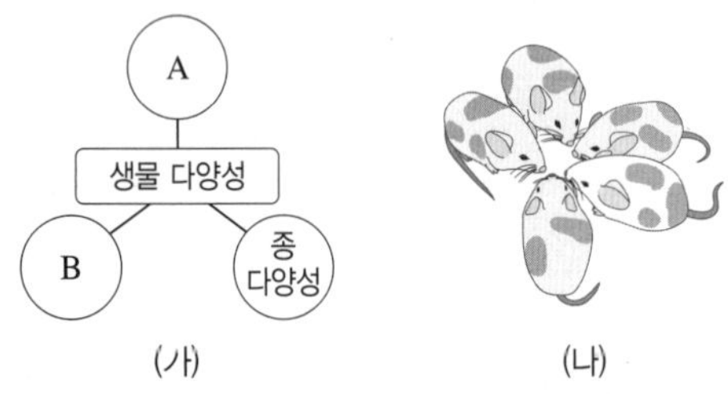

(가)

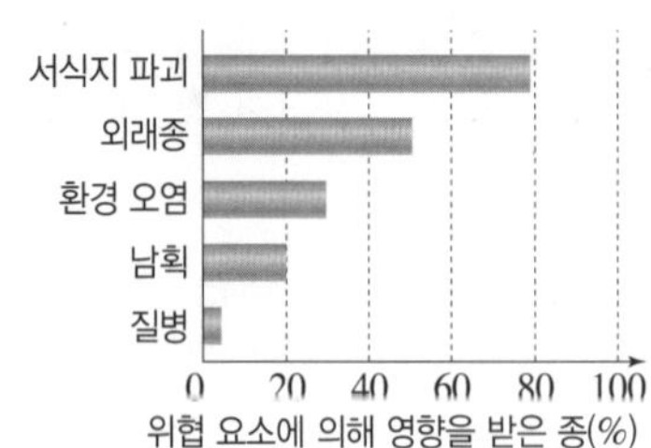
(나)

이에 대한 설명으로 옳은 것만을 〈보기〉에서 있는 대로 고른 것은?

〈 보기 〉
ㄱ. A는 일정 지역에 서식하는 생물종의 다양한 정도이다.
ㄴ. 생물종 내에서 변이가 많을수록 B가 높아진다.
ㄷ. B가 높은 생물종은 전염병이 발생했을 때 살아남을 확률이 높다.
ㄹ. (나)에서 개체마다 털 무늬가 다른 것은 개체마다 가지고 있는 유전자 구성이 다르기 때문이다.

① ㄱ, ㄴ ② ㄴ, ㄷ ③ ㄷ, ㄹ
④ ㄱ, ㄴ, ㄷ ⑤ ㄴ, ㄷ, ㄹ

B 생물 다양성의 감소 원인과 보전

1052 하 중 상

생물 다양성을 감소시키는 요인을 〈보기〉에서 있는 대로 고른 것은?

〈 보기 〉
ㄱ. 불법 포획 ㄴ. 서식지 단편화
ㄷ. 국립 공원 지정 ㄹ. 종자 은행 운영

① ㄱ, ㄴ ② ㄴ, ㄷ ③ ㄷ, ㄹ
④ ㄱ, ㄴ, ㄷ ⑤ ㄴ, ㄷ, ㄹ

1053 하 중 상

생물 다양성이 감소하는 경우에 대한 설명으로 옳지 않은 것은?

① 우수한 품종의 작물을 대규모로 재배한다.
② 쓰레기와 폐수의 배출이 증가하여 환경이 오염된다.
③ 도로가 건설되어 하나의 생태계가 여러 개로 분리된다.
④ 외래종이 대량으로 번식하여 토종 생물의 서식지를 차지한다.
⑤ 국립 공원에서 일부 지역의 출입을 통제하는 자연휴식년제를 실시한다.

1054 하 중 상

그림은 생물 다양성을 감소시키는 원인에 따라 영향을 받는 종의 비율을 나타낸 것이다.

서식지 파괴
외래종
환경 오염
남획
질병
0 20 40 60 80 100
위협 요소에 의해 영향을 받은 종(%)

이에 대한 설명으로 옳지 않은 것은?

① 생물 다양성 감소에 가장 큰 영향을 주는 것은 서식지 파괴이다.
② 외래종 유입보다 환경 오염이 생물 다양성 감소에 더 큰 영향을 준다.
③ 환경 오염은 깨끗한 환경에서만 사는 생물들에게 더 큰 영향을 준다.
④ 무분별한 남획으로 특정 생물종의 멸종을 초래할 수 있다.
⑤ 유전적 다양성이 낮은 종일수록 질병의 영향을 더 많이 받을 수 있다.

1055 하 중 상

다음은 우리나라 생태계를 교란하고 있는 외래종을 나타낸 것이다.

• 가시박 • 뉴트리아 • 큰입배스 • 황소개구리

이에 대한 설명으로 옳은 것만을 〈보기〉에서 있는 대로 고른 것은?

〈 보기 〉
ㄱ. 생물 다양성에 영향을 준다.
ㄴ. 새로운 환경에 적응하지 못하고 도태된다.
ㄷ. 먹이 사슬을 구성하는 생물종 수를 증가시켜 생태계 평형이 더 잘 유지될 수 있다.

① ㄱ ② ㄷ ③ ㄱ, ㄴ
④ ㄴ, ㄷ ⑤ ㄱ, ㄴ, ㄷ

[1056~1057] 그림은 서식지가 철도와 도로에 의해 분리되었을 때의 서식지 면적 변화를 나타낸 것이다.

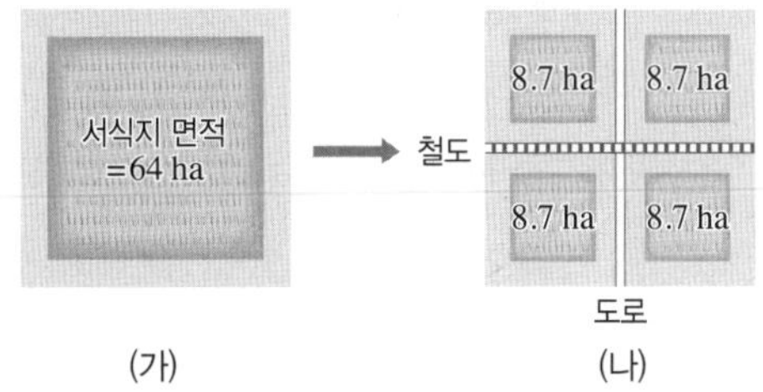

(가) (나)

1056 하 중 상

생물 다양성 감소 원인 중 이와 같은 경우를 ㉠무엇이라고 하며, 야생 동물의 안전한 이동을 위하여 ㉡무엇을 설치해야 하는지 쓰시오.

1057 하 중 상

이에 대한 설명으로 옳은 것은?

① 서식지의 총 면적이 증가한다.
② 생태계가 다양해져 생물 다양성이 높아진다.
③ 생물종의 이동이 제한되어 생물 다양성이 감소한다.
④ 서식지의 중심부에 살던 생물종일수록 영향을 적게 받는다.
⑤ 생태 통로를 설치하여 단편화된 생태계를 연결하면 로드킬이 발생할 확률이 높아진다.

1058 하 중 상

생물 다양성을 보전하기 위한 방안으로 옳지 않은 것은?

① 도로 건설로 나뉜 서식지를 연결하는 생태 통로를 설치한다.
② 생물 다양성이 높은 지역을 국립 공원으로 지정하여 관리한다.
③ 종 다양성 보전을 위해 천연기념물 식물의 종자를 따로 관리한다.
④ 여우, 반달가슴곰 등 멸종 위기종을 증식하여 자생지에 방사한다.
⑤ 숲을 개간하여 농경지로 만들고 친환경 농법으로 작물을 재배한다.

1059 하 중 상

다음은 생물 다양성 보전을 위한 여러 국제 협약을 설명한 것이다.

(가)	선진 공업국이 산업 폐기물을 바다에 버려 발생한 해양 오염의 방지를 위해 채택하였다.
(나)	물새 서식지로 중요한 습지를 보전하기 위해 채택하였다.
(다)	지구의 다양한 생물종을 보호하기 위해 유엔 환경 개발 회의에서 채택하였다. 생물 자원의 주체적 이용을 제한하고, 국가별 지침을 별도로 마련해 실천하도록 하고 있다.

(가)~(다)에 해당하는 국제 협약의 명칭을 각각 쓰시오.

1060 하 중 상

그림은 바위에 덮인 이끼층 (가)~(다)를, 표는 (가)~(다)에서 6개월 후에 사라진 소형 동물의 종 수 변화를 나타낸 것이다.

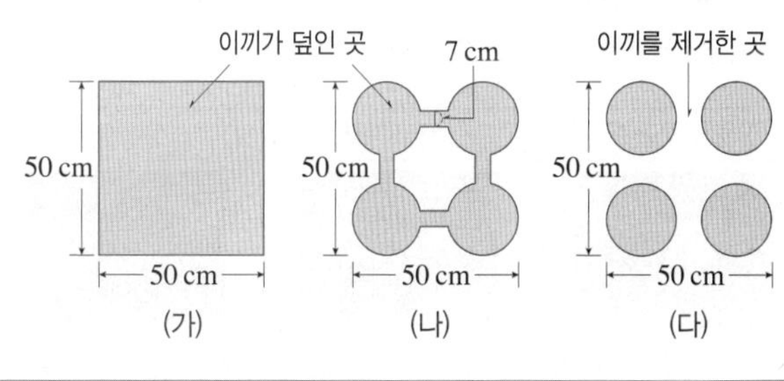

(가) (나) (다)

구분	(가)	(나)	(다)
사라진 비율(%)	0	14	41

이에 대한 설명으로 옳은 것만을 〈보기〉에서 있는 대로 고른 것은?

〈 보기 〉
ㄱ. 6개월 후 생물 다양성은 (나)가 (다)보다 높다.
ㄴ. 생태 통로를 설치하면 서식지 단편화로 인한 종 다양성의 감소를 줄일 수 있다.
ㄷ. 산을 관통하는 도로를 만들 때 터널 방식보다는 절개 방식이 종 다양성 보전에 도움이 된다.

① ㄱ ② ㄷ ③ ㄱ, ㄴ
④ ㄴ, ㄷ ⑤ ㄱ, ㄷ

1061

그림은 어느 지역에서 지층의 단면과 지층에서 발견된 화석을 나타낸 것이다.

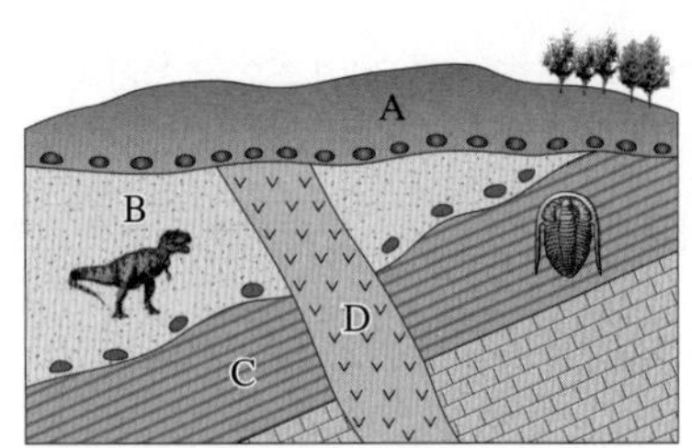

이에 대한 설명으로 옳은 것만을 <보기>에서 있는 대로 고른 것은?

〈 보기 〉

ㄱ. 지층의 생성 순서는 C → B → D → A 순이다.
ㄴ. B는 중생대에, C는 고생대에 퇴적되었다.
ㄷ. B와 C가 퇴적되는 동안 이 지역은 육지 환경에서 바다 환경으로 변하였다.
ㄹ. 이 지역은 적어도 3번의 융기와 2번의 침강이 있었다.

① ㄱ, ㄴ　② ㄱ, ㄷ　③ ㄷ, ㄹ
④ ㄱ, ㄴ, ㄹ　⑤ ㄴ, ㄷ, ㄹ

1062

표는 우리나라의 지질 명소를 나타낸 것이다.

태백 구문소	제주도 수월봉	고성 덕명리
물결 모양의 퇴적 구조와 ㉠ 고생대 회석이 발견되었다.	신생대 화산 폭발로 분출한 ㉡ 화산재가 쌓여 지층을 이루었다.	해안가에서 새 발자국과 ㉢ 공룡 발자국이 다수 발견되었다.

이에 대한 설명으로 옳은 것만을 <보기>에서 있는 대로 고른 것은?

〈 보기 〉

ㄱ. ㉠의 화석에 삼엽충이 포함된다.
ㄴ. ㉡의 지층에서 방추충 화석이 발견될 수 있다.
ㄷ. ㉢은 ㉡보다 먼저 생성되었다.
ㄹ. ㉢이 생성된 지질 시대에 현재와 비슷한 수륙 분포가 형성되었다.

① ㄱ, ㄷ　② ㄱ, ㄹ　③ ㄴ, ㄹ
④ ㄱ, ㄴ, ㄷ　⑤ ㄴ, ㄷ, ㄹ

1063

그림은 갈라파고스 군도의 어느 섬에서 극심한 가뭄 전과 후 핀치의 부리 크기에 따른 개체 수를 나타낸 것이다. 가뭄 시에 씨의 총 수는 감소하였고, 작고 연한 씨는 적어지고 크고 딱딱한 씨가 많아지는 먹이 환경의 변화가 있었다.

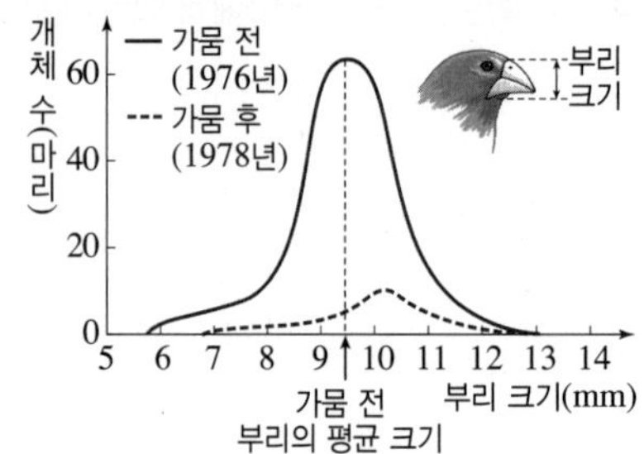

이 핀치 집단에 대한 설명으로 옳은 것만을 <보기>에서 있는 대로 고른 것은?

〈 보기 〉

ㄱ. 가뭄 시에 개체들 사이에서 생존 경쟁이 있었다.
ㄴ. 환경의 변화는 자연 선택의 방향에 영향을 미친다.
ㄷ. 크고 딱딱한 씨를 계속 먹은 결과 핀치 부리가 크게 발달하였다.

① ㄱ　② ㄴ　③ ㄱ, ㄴ
④ ㄴ, ㄷ　⑤ ㄱ, ㄴ, ㄷ

1064

다음은 안데스산맥 원주민의 미맹 빈도(7 %)가 인류 전체의 미맹 빈도(30 %)보다 낮은 원인에 대해 조사한 자료이다.

- 미맹은 자손에게 전달된다.
- 미맹인 사람은 물질 X의 쓴맛을 느끼지 못한다.
- 미맹이 아닌 사람은 물질 X가 들어 있는 채소를 먹지 않는다.
- 원주민이 재배하는 채소 중 일부에 물질 X가 들어 있다.
- 물질 X는 특정 영양소가 갑상샘으로 흡수되는 것을 방해하여 ㉠ 갑상샘이 부어오르는 질병을 일으킨다.

이에 대한 설명으로 옳은 것만을 <보기>에서 있는 대로 고른 것은?

〈 보기 〉

ㄱ. 안데스산맥 원주민 집단은 변이가 존재하지 않는다.
ㄴ. 미맹인 사람이 안데스산맥에 가면 정상이 될 가능성이 높다.
ㄷ. 안데스산맥 원주민 집단에서는 미맹이 아닌 사람은 ㉠에 걸릴 확률이 낮아 자연 선택되었다.

① ㄱ　② ㄷ　③ ㄱ, ㄴ
④ ㄴ, ㄷ　⑤ ㄱ, ㄴ, ㄷ

1065

그림은 바다가 형성되어 분리된 후, 어떤 나비 집단의 진화 과정을 나타낸 것이다. A～C는 서로 다른 날개 형질을 가진 나비이며, (가)와 (나)는 각각 돌연변이와 자연 선택 중 하나이다.

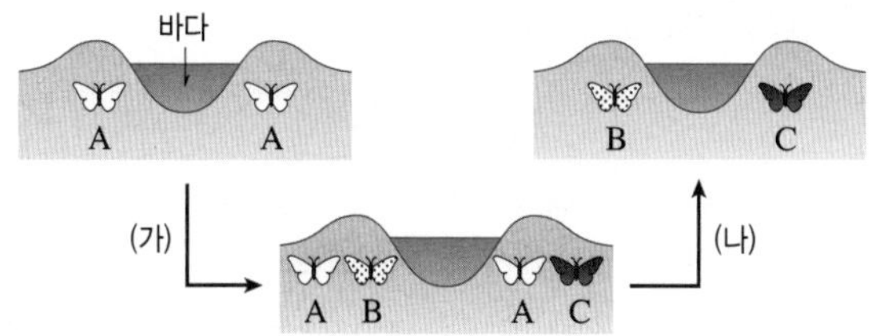

이에 대한 설명으로 옳은 것만을 〈보기〉에서 있는 대로 고른 것은? (단, 나비의 날개 형질만을 고려한다.)

〈 보기 〉
ㄱ. B와 C는 돌연변이로 나타났다.
ㄴ. (가)는 자연 선택, (나)는 돌연변이이다.
ㄷ. (가)로 인해 나비의 날개 형질이 다양해졌다.

① ㄱ ② ㄷ ③ ㄱ, ㄷ
④ ㄴ, ㄷ ⑤ ㄱ, ㄴ, ㄷ

1066

그림은 생물 다양성의 세 가지 의미를 나타낸 것이다.

(가) (나) (다)

이에 대한 설명으로 옳지 않은 것만을 모두 고르면?(2개)

① (가)는 생물적 요인과 비생물적 요인의 관계를 포함한다.
② (나)는 일정 지역에 분포하는 생물의 개체 수가 많음을 의미한다.
③ (다)에서 개체 간의 형질 차이는 유성 생식 과정에서 발생한다.
④ 호랑이, 치타, 표범은 (다)의 사례로 들 수 있다.
⑤ 갈라파고스 군도의 핀치는 (나)가 증가한 사례이다.

1067

그림은 영양염류가 유입된 호수의 식물 플랑크톤 군집에서 전체 개체 수, 종 수, 종 다양성과 영양염류 농도를 시간에 따라 나타낸 것이며, 표는 종 다양성에 대한 자료이다.

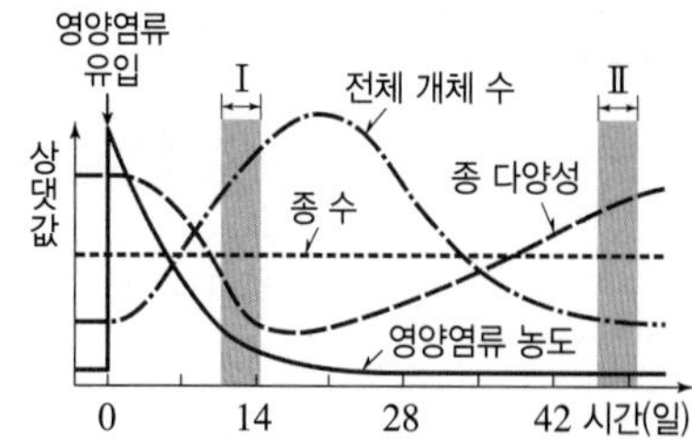

• 종 다양성은 종 수가 많을수록 높아진다.
• 종 다양성은 전체 개체 수에서 각 종이 차지하는 비율이 균등할수록 높아진다.

이에 대한 설명으로 옳은 것만을 〈보기〉에서 있는 대로 고른 것은? (단, 식물 플랑크톤 군집은 여러 종의 식물 플랑크톤으로만 구성되며, 제시된 조건 이외는 고려하지 않는다.)

〈 보기 〉
ㄱ. 구간 Ⅰ에서 개체 수가 증가하는 종이 있다.
ㄴ. 전체 개체 수에서 각 종이 차지하는 비율은 구간 Ⅱ에서가 구간 Ⅰ에서보다 균등하다.
ㄷ. 종 다양성은 같은 생물종에서 형질이 각 개체 간에 다르게 나타나는 것을 의미한다.

① ㄱ ② ㄷ ③ ㄱ, ㄴ
④ ㄱ, ㄷ ⑤ ㄱ, ㄴ, ㄷ

1068

그림 (가)는 아메리카 대륙의 위도를, (나)와 (다)는 아메리카 대륙의 위도에 따른 개미의 종 수와 개미를 먹는 새의 종 수를 각각 나타낸 것이다.

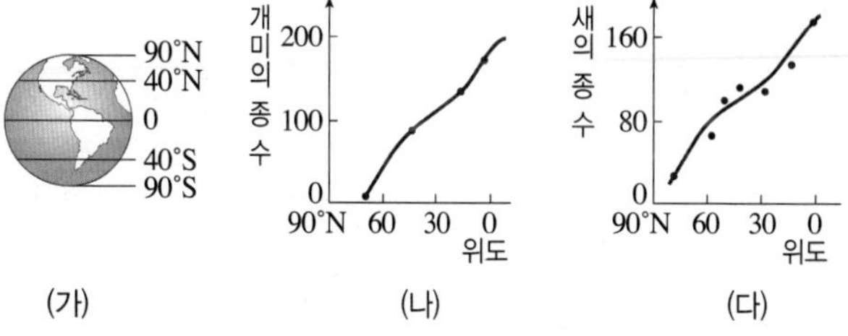

(가) (나) (다)

이에 대한 설명으로 옳은 것만을 〈보기〉에서 있는 대로 고른 것은?

〈 보기 〉
ㄱ. (나)에서 생물 다양성은 적도 지방으로 갈수록 낮아진다.
ㄴ. 피식자의 종 수 증가는 포식자의 종 다양성을 증가시킨다.
ㄷ. (다)는 생물 다양성 중 유전적 다양성에 해당한다.

① ㄱ ② ㄴ ③ ㄷ ④ ㄱ, ㄴ ⑤ ㄴ, ㄷ

생태계 구성 요소와 환경

Ⓐ 생태계 구성

1 생태계 생물과 환경이 서로 영향을 주고받는 하나의 커다란 체계이다.

개체	<	❶ □□□	<	군집	<	생태계
하나의 생명체		일정한 지역에서 같은 종의 개체들이 모여 사는 무리		일정한 지역에서 여러 개체군이 관계를 맺고 살아가는 집단		생물과 환경이 밀접한 관계를 맺으며 서로 영향을 주고받는 체계

└• 같은 종의 개체들이 모여 개체군을 형성하고, 여러 개체군이 모여 군집을 형성한다.

기출 Tip Ⓐ-1

개체군과 종

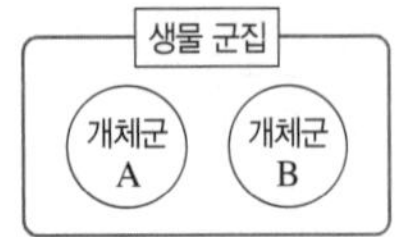

개체군 A는 한 종으로만 구성되어 있으며, 개체군 A와 B는 서로 다른 종으로 이루어져 있다.

2 생태계 구성 요소 생태계는 비생물적 요인과 생물적 요인으로 구성된다.

비생물적 요인		생물을 둘러싸고 있는 환경 요인	예 빛, 온도, 물, 토양 등
생물적 요인	생산자	❷□□□을 하여 스스로 양분을 만드는 생물	예 식물, 식물 플랑크톤
	소비자	다른 생물을 먹이로 하여 양분을 얻는 생물	예 동물, 동물 플랑크톤
	분해자	생물의 사체나 배설물을 분해하여 양분을 얻는 생물	예 세균, 곰팡이, 버섯

기출 Tip Ⓐ-2

생산자의 광합성

생산자는 광합성을 통해 무기물로부터 유기물을 합성한다.

소비자의 구분

- 1차 소비자: 생산자를 먹이로 하는 초식 동물이다.
- 2차, 3차 소비자: 각각 1차 소비자와 2차 소비자를 먹이로 하는 육식 동물이다.

3 생태계 구성 요소 간의 관계 생태계는 비생물적 요인과 생물적 요인의 상호 관계로 유지된다.

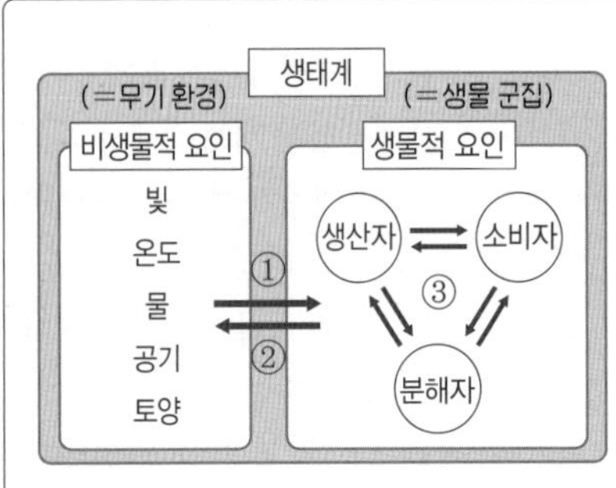

① 작용: 비생물적 요인이 생물에 영향을 주는 것
  예 가을에 기온이 낮아지면 은행나무의 잎이 노랗게 변한다.

② ❸□□□: 생물이 비생물적 요인에 영향을 주는 것
  예 • 낙엽이 쌓여 분해되면 토양이 비옥해진다.
  • 지렁이에 의해 토양의 통기성이 높아진다.

③ 생물들 간에 서로 영향을 주고받는 것
  예 개구리의 수가 증가하자 메뚜기의 수가 감소하였다.

Ⓑ 생물과 환경의 관계

1 빛과 생물

빛의 세기	• 양지 식물과 음지 식물: 숲의 위쪽에는 강한 빛에 적응한 양지 식물이 잘 자라고, 숲의 아래쪽에는 약한 빛에 적응한 음지 식물이 잘 자란다. • 양엽과 음엽: 한 식물에서도 강한 빛을 받는 양엽은 ❹□□□ □□이 발달되어(• 광합성이 활발하게 일어난다.) 잎이 두껍고, 약한 빛을 받는 음엽은 빛을 효율적으로 흡수하기 위해 잎이 넓고 얇다.
빛의 파장	바다의 깊이에 따라 도달하는 빛의 파장과 양이 다르기 때문에 바다의 깊이에 따라 서식하는 해조류의 종류가 다르다. ➡ 얕은 바다에는 광합성에 파장이 긴 적색광을 주로 이용하는 녹조류가 많이 분포하고, 깊은 바다에는 파장이 짧은 청색광을 주로 이용하는 ❺□□□가 많이 분포한다. (그래프: 해수면, 녹조류, 갈조류, 홍조류, 수심(m) 20, 40 / 도달하는 빛의 양(%) 0 → 100 / 빛의 파장이 짧을수록 수심이 깊은 곳까지 투과한다. / — 적색광(660 nm) ---- 황색광(600 nm) —-- 청색광(470 nm))
일조 시간	• 장일 식물과 단일 식물: 장일 식물인 붓꽃, 시금치는 일조 시간이 길어지는 봄과 초여름에 꽃이 피고, 단일 식물인 국화, 나팔꽃, 코스모스는 일조 시간이 짧아지는 가을에 꽃이 핀다. • 꾀꼬리나 종달새는 일조 시간이 길어지는 봄에 번식하고, 송어와 노루는 일조 시간이 짧아지는 가을에 번식한다.

기출 Tip Ⓑ-1

양지 식물과 양엽

양지 식물과 양엽은 모두 강한 빛에 적응한 것으로, 음지 식물과 음엽에 비해 광합성량이 많다.

해조류의 종류

- 녹조류: 파래, 청각
- 갈조류: 미역, 다시마
- 홍조류: 김, 우뭇가사리

식물의 개화와 일조 시간

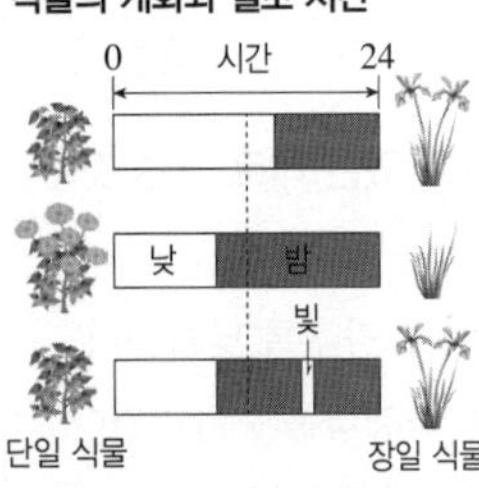

식물의 개화는 지속적인 암기의 길이에 영향을 받는다.

2 온도와 생물

<table>
<tr><td>동물의 적응</td><td>• 개구리, 곰 등은 추운 겨울이 오면 ⑥   을 잔다.
• 기러기와 같은 철새는 계절에 따라 적합한 온도의 지역으로 이동한다.
• 북극여우는 몸집이 크고 몸의 말단부가 작아 열 방출이 적지만, 사막여우는 몸집이 ⑦   고 몸의 말단부가 ⑧   서 열을 잘 방출한다. → 부피에 대한 표면적의 비가 커지므로 표면을 통한 열 방출량이 커진다.

▲ 북극여우 추운 곳 서식   ▲ 온대여우   ▲ 사막여우 더운 곳 서식</td></tr>
<tr><td>식물의 적응</td><td>• 기온이 매우 낮은 툰드라에 사는 털송이풀은 잎이나 꽃에 털이 나 있다.
• 낙엽수는 기온이 낮아지면 단풍이 들고 잎을 떨어뜨린다.
• 상록수는 잎의 큐티클층이 두꺼워 잎을 떨어뜨리지 않고 겨울을 난다.
→ 큐티클층: 식물의 표피 세포 바깥쪽을 싸고 있는 얇은 막</td></tr>
</table>

3 물과 생물

<table>
<tr><td>동물의 적응</td><td>• 파충류는 몸 표면이 비늘로 덮여 있다.
• 조류와 파충류의 알은 단단한 껍데기로 싸여 있다.
• 곤충은 몸 표면이 키틴질로 되어 있다.
→ (위 세 가지) 수분 증발 방지
• 사막에 사는 낙타는 농도가 진한 오줌을 배설하여 오줌으로 나가는 수분량을 줄인다. → 수분 손실 최소화</td></tr>
<tr><td>식물의 적응</td><td>• 건조한 지역에 사는 선인장(건생 식물)은 뿌리와 저수 조직(물을 저장하는 조직)이 발달하였고, 잎이 가시로 변해 수분 증발을 막는다.
• 물에 사는 수련(수생 식물)은 뿌리가 잘 발달하지 않으며, 통기 조직(공기가 이동할 수 있도록 세포 사이의 틈이 많은 조직)이 발달하였다.</td></tr>
</table>

4 토양과 생물

① 공기를 많이 포함한 토양 표면은 호기성 세균이, 공기를 적게 포함한 토양 깊은 곳은 혐기성 세균이 살기에 적합하다. → 따라서 토양의 깊이에 따라 분포하는 세균의 종류가 달라진다.

② 지렁이는 토양을 돌아다니며 토양의 통기성을 높인다.

③ 토양 속 미생물은 동식물의 사체나 배설물을 분해하여 토양의 양분을 증가시킨다.

5 공기와 생물 공기가 희박한 고산 지대에 사는 사람은 혈액 속 적혈구 수가 많아 산소를 효율적으로 운반한다.

기출 Tip B-2

북극여우와 사막여우

• 북극여우는 몸집이 크고 귀가 작다. ➜ 열 방출이 적어 추운 곳에서 체온을 유지하는 데 유리하다.

• 사막여우는 몸집이 작고 귀가 크다. ➜ 더운 곳에서 열을 방출하는 데 효과적이다.

답 ❶ 개체군 ❷ 광합성 ❸ 반작용 ❹ 울타리 조직 ❺ 홍조류 ❻ 겨울잠 ❼ 작 ❽ 커

빈출 자료 보기

정답과 해설 97쪽

1069 그림은 생태계 구성 요소 사이의 관계를 나타낸 것이다.

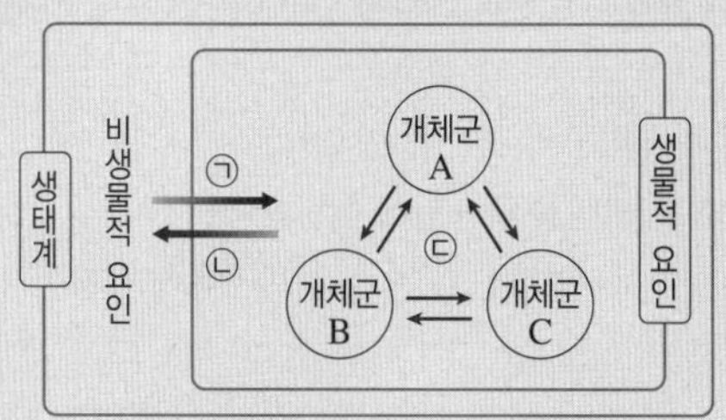

이에 대한 설명으로 옳은 것은 ○, 옳지 않은 것은 ×로 나타내시오.

(1) ㉠은 작용, ㉡은 반작용이다. ( )

(2) 공기, 토양은 비생물적 요인에 속한다. ( )

(3) 분해자는 생물적 요인에 속하지 않는다. ( )

(4) 개체군 A는 여러 종으로 구성되어 있다. ( )

(5) 빛이 식물의 생장에 영향을 주는 것은 ㉠에 해당한다. ( )

(6) 낙엽이 쌓여 썩으면 토양이 비옥해지는 것은 ㉢에 해당한다. ( )

(7) 늑대의 수가 감소하자 사슴의 수가 증가하는 것은 ㉡에 해당한다. ( )

 생태계 구성

생태계 구성 요소

1070 (하)

표는 생태계를 구성하는 생물적 요인 (가)~(다)에 속하는 생물을 나타낸 것이다. (가)~(다)는 각각 생산자, 소비자, 분해자 중 하나이다.

구분	생물
(가)	송이버섯, 푸른곰팡이
(나)	다람쥐, 뱀, 호랑이
(다)	은행나무, 벼, 고사리

(가)~(다)는 각각 무엇인지 쓰시오.

1071 (중)

다음은 어떤 생태계의 구성 요소를 나타낸 것이다.

물벼룩, 송사리, 세균, 식물 플랑크톤

이에 대한 설명으로 옳은 것만을 〈보기〉에서 있는 대로 고른 것은?

〈 보기 〉
ㄱ. 세균은 분해자에 속한다.
ㄴ. 식물 플랑크톤은 1차 소비자이다.
ㄷ. 생태계를 구성하는 요소가 모두 포함되어 있다.

① ㄱ ② ㄴ ③ ㄷ
④ ㄱ, ㄴ ⑤ ㄴ, ㄷ

빈출 1072 (중)

대표문제 多 보기

생태계에 대한 설명으로 옳은 것은?

① 생태계는 생산자, 소비자, 분해자로 구성된다.
② 같은 종의 개체들이 모여 군집을 형성한다.
③ 미생물은 비생물적 요인에 속한다.
④ 빛과 온도는 생태계 구성 요소가 아니다.
⑤ 생태계는 개체 < 군집 < 개체군의 위계를 가지고 있다.
⑥ 생태계는 생물과 환경이 서로 영향을 주고받는 체계이다.

1073 (중)

그림은 생태계를 구성하는 요소 A~C의 공통점과 차이점을, 표는 특징 ㉠과 ㉡을 순서 없이 나타낸 것이다. A~C는 각각 생산자, 소비자, 분해자 중 하나이다.

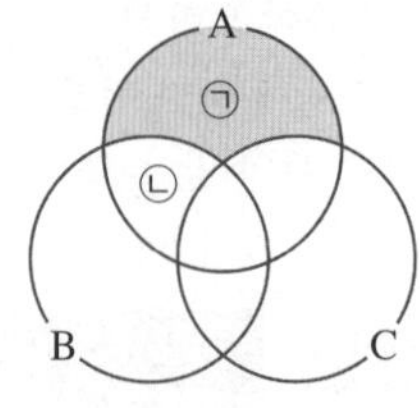

특징 ㉠과 ㉡
• 광합성을 할 수 없다. • 생물의 사체나 배설물을 분해한다.

이에 대한 설명으로 옳은 것만을 〈보기〉에서 있는 대로 고른 것은?

〈 보기 〉
ㄱ. A는 분해자이다.
ㄴ. B는 무기물로부터 유기물을 합성할 수 있다.
ㄷ. A~C는 모두 생물적 요인에 해당한다.

① ㄱ ② ㄷ ③ ㄱ, ㄴ
④ ㄱ, ㄷ ⑤ ㄴ, ㄷ

생태계 구성 요소 간의 관계

1074 (중)

다음은 어느 강 생태계에 대한 설명이다.

강의 유속이 느려지고 수온이 상승하면서 강에 서식하는 ㉠식물성 조류의 개체 수가 급격하게 증가하였다. 초록색의 광합성 색소를 가진 조류의 증식으로 강의 색이 초록색으로 변하였고, 조류의 증식은 강에 서식하는 ㉡물고기들의 생존에 악영향을 주었다.

이에 대한 설명으로 옳은 것만을 〈보기〉에서 있는 대로 고른 것은?

〈 보기 〉
ㄱ. ㉠은 생산자이다.
ㄴ. 수온은 비생물적 요인에 해당한다.
ㄷ. ㉠이 ㉡에 영향을 주는 것은 반작용에 해당한다.

① ㄱ ② ㄷ ③ ㄱ, ㄴ
④ ㄴ, ㄷ ⑤ ㄱ, ㄴ, ㄷ

1075 하중상

다음은 생태계 구성 요소 간의 관계에 대한 예를 나타낸 것이다.

(가) 족제비의 수가 증가하자 토끼의 수가 감소하였다.
(나) 가을에 토끼가 털갈이를 한다.
(다) 지렁이는 이리저리 다니면서 흙 속에 구멍을 뚫어 토양에 공기가 잘 통하게 해 준다.

이에 대한 설명으로 옳은 것만을 〈보기〉에서 있는 대로 고른 것은?

〈 보기 〉

ㄱ. (가)는 비생물적 요인이 생물에 영향을 미치는 경우에 해당한다.
ㄴ. 가을에 기온이 낮아져 은행나무의 잎이 노랗게 변하는 것은 (나)와 같은 예에 해당한다.
ㄷ. 식물의 광합성이 활발하게 일어나 공기 중의 산소 농도가 높아지는 것은 (다)와 같은 예에 해당한다.

① ㄱ ② ㄷ ③ ㄱ, ㄴ
④ ㄴ, ㄷ ⑤ ㄱ, ㄴ, ㄷ

빈출

1076 하중상

대표문제 多 보기

그림은 생태계를 구성하는 요소 사이의 상호 관계를 나타낸 것이다.

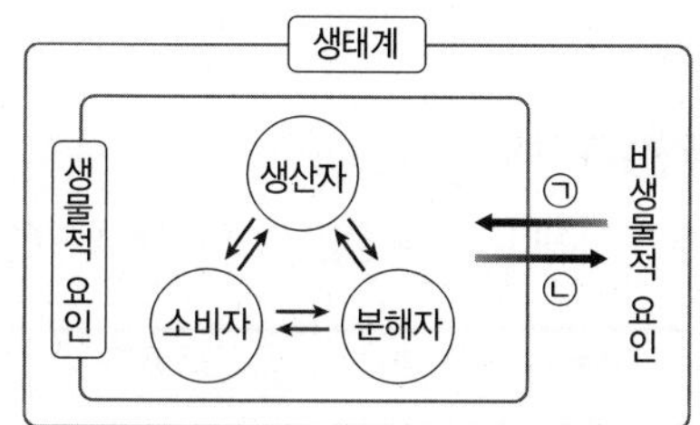

이에 대한 설명으로 옳은 것만을 〈보기〉에서 있는 대로 고른 것은?

〈 보기 〉

ㄱ. ㉠은 반작용이다.
ㄴ. 빛, 물, 공기, 토양은 비생물적 요인에 속한다.
ㄷ. 광합성을 통해 양분을 만드는 생물은 생산자이다.
ㄹ. 지렁이에 의해 토양의 통기성이 높아지는 것은 ㉡에 해당한다.

① ㄱ, ㄴ ② ㄴ, ㄷ ③ ㄷ, ㄹ
④ ㄱ, ㄴ, ㄷ ⑤ ㄴ, ㄷ, ㄹ

1077 하중상

그림은 생태계를 구성하는 요소들 간의 관계를 나타낸 것이다.

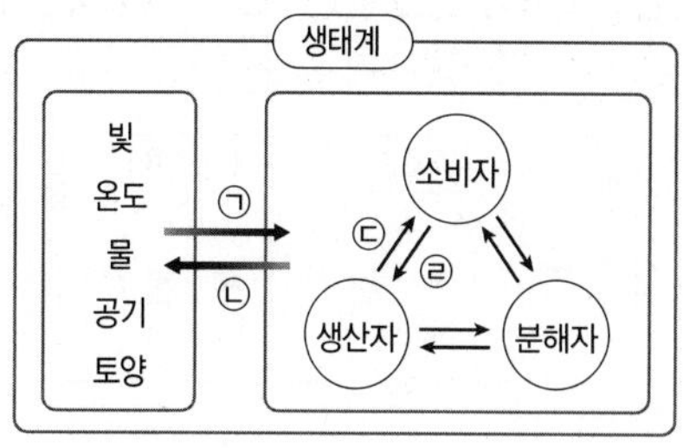

이에 대한 설명으로 옳은 것만을 〈보기〉에서 있는 대로 고른 것은?

〈 보기 〉

ㄱ. 소비자는 같은 종의 개체군으로만 구성되어 있다.
ㄴ. 추운 겨울에 개구리가 겨울잠을 자는 것은 ㉠에 해당한다.
ㄷ. 늑대가 토끼를 잡아먹는 것은 ㉣에 해당한다.

① ㄱ ② ㄴ ③ ㄷ
④ ㄱ, ㄴ ⑤ ㄴ, ㄷ

빈출

1078 하중상

그림은 생태계를 구성하는 요소 사이의 관계를 나타낸 것이다.

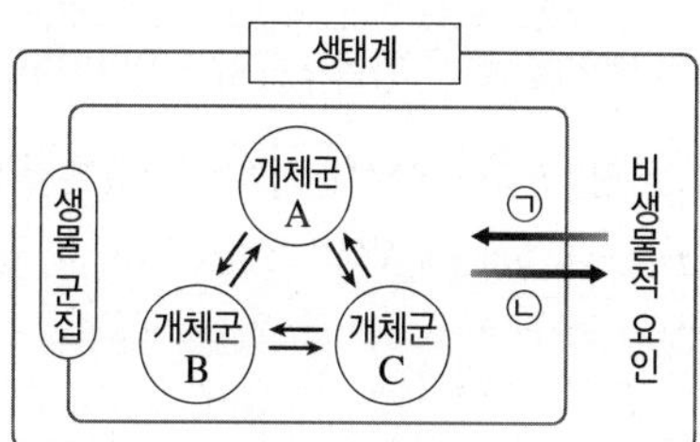

이에 대한 설명으로 옳은 것만을 〈보기〉에서 있는 대로 고른 것은?

〈 보기 〉

ㄱ. 개체군 A와 개체군 B는 서로 다른 종으로 이루어져 있다.
ㄴ. 위도에 따라 식물 군집의 분포가 달라지는 현상은 ㉠에 해당한다.
ㄷ. 지렁이가 영양 물질이 많은 배설물을 생성하여 토양이 비옥해지는 것은 ㉡에 해당한다.

① ㄱ ② ㄷ ③ ㄱ, ㄴ
④ ㄴ, ㄷ ⑤ ㄱ, ㄴ, ㄷ

빈출

1079 하/중/상

그림은 생태계를 구성하는 요소 사이의 관계를 나타낸 것이다.

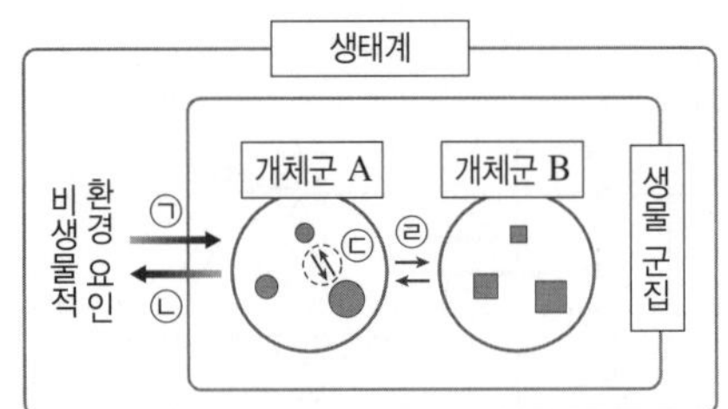

이에 대한 설명으로 옳은 것만을 <보기>에서 있는 대로 고른 것은?

〈 보기 〉

ㄱ. 개체군 A는 한 종의 생물로만 구성된다.
ㄴ. 가뭄으로 벼 수확량이 감소하는 것은 ㉡에 해당한다.
ㄷ. 스라소니가 눈신토끼를 잡아먹는 것은 ㉢에 해당한다.
ㄹ. 황소개구리의 개체 수 증가로 토종 어류의 종류가 감소하는 것은 ㉣에 해당한다.

① ㄱ, ㄴ ② ㄱ, ㄹ ③ ㄴ, ㄷ
④ ㄴ, ㄹ ⑤ ㄷ, ㄹ

빈출

1080 하/중/상

그림은 어느 생태계의 구성 요소 간에 일어나는 상호 작용을 나타낸 것이다. (가)~(라)는 생물적 요인이고, ㉠과 ㉡은 무기 환경과 생물 군집 간의 영향을, 점선 화살표는 유기물의 이동을 나타낸 것이다.

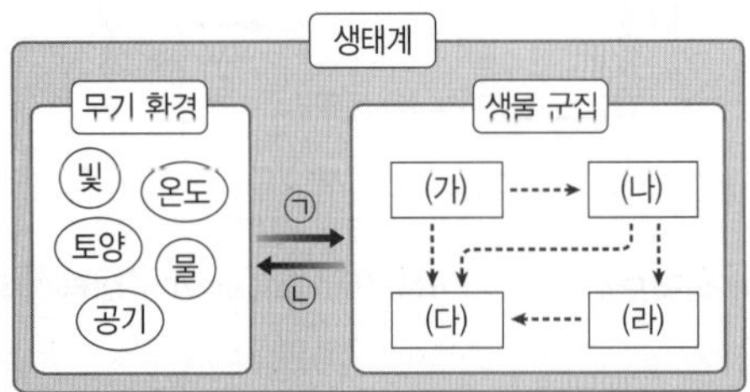

이에 대한 설명으로 옳지 않은 것만을 모두 고르면?(2개)

① (가)는 무기물로부터 유기물을 합성할 수 있다.
② 육식 동물은 (나)에 속한다.
③ 버섯, 곰팡이는 (다)에 속한다.
④ (나)와 (라)는 같은 개체군에 속한다.
⑤ '낙엽이 쌓여 분해되면 토양이 비옥해진다.'는 ㉡의 예가 될 수 있다.

B 생물과 환경의 관계

빛과 생물

빈출

1081 하/중/상

그림은 한 식물에서 서로 다른 위치에 달린 두 잎의 단면을 나타낸 것이다.

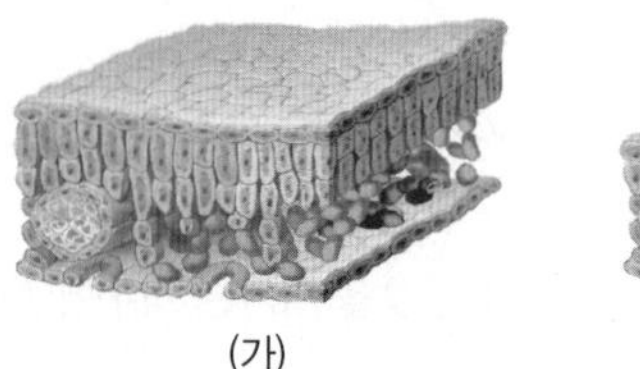
(가)

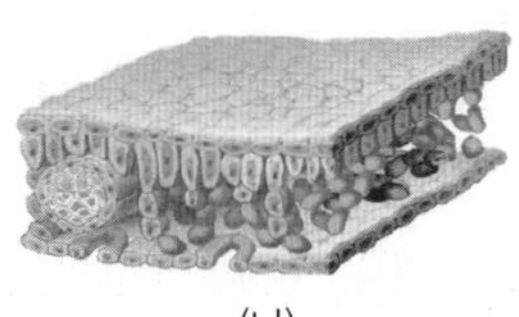
(나)

이에 대한 설명으로 옳지 않은 것은?

① (가)는 양엽, (나)는 음엽이다.
② 강한 빛을 받는 곳의 잎은 (가)이다.
③ (나)보다 (가)에서 광합성이 더 활발하게 일어난다.
④ (가)는 (나)보다 울타리 조직이 발달하여 잎이 두껍다.
⑤ (가)와 (나)의 잎의 구조 차이에 가장 큰 영향을 준 환경 요인은 빛의 파장이다.

1082 하/중/상

다음은 소나무와 서어나무의 특징을 읽고 학생 A~C가 추론한 내용이다.

> 소나무는 강한 빛을 받아야 잘 자라고, 서어나무는 약한 빛에서도 잘 자란다.

> • A: 숲의 아래쪽에서는 소나무보다 서어나무가 잘 자랄 거야.
> • B: 잎의 넓이는 소나무가 서어나무보다 넓을 거야.
> • C: 서어나무는 양지 식물일 거야.

소나무와 서어나무의 특징을 옳게 설명한 학생은?

① A ② B ③ C
④ A, B ⑤ B, C

빈출

1083 하중상

대표문제 多 보기

그림은 바다의 깊이에 따라 도달하는 빛의 파장과 해조류의 분포를 나타낸 것이다.

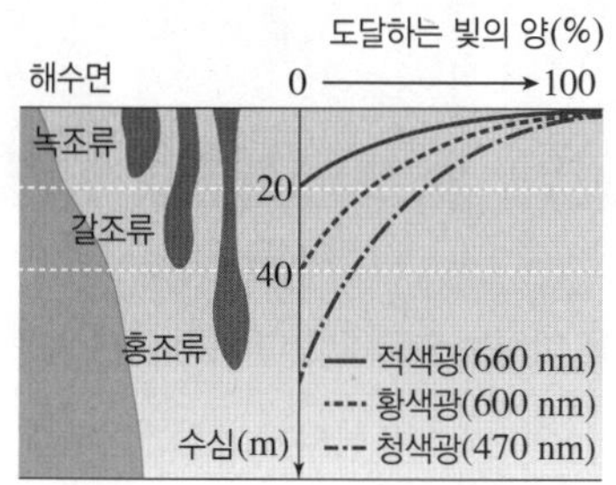

이에 대한 설명으로 옳은 것만을 〈보기〉에서 있는 대로 고른 것은?

〈 보기 〉
ㄱ. 빛의 파장이 짧을수록 수심이 깊은 곳까지 투과한다.
ㄴ. 홍조류는 광합성에 적색광을 주로 이용한다.
ㄷ. 해조류의 분포는 빛의 파장에 영향을 받는다.

① ㄱ ② ㄷ ③ ㄱ, ㄴ
④ ㄱ, ㄷ ⑤ ㄱ, ㄴ, ㄷ

1084 하중상

그림은 수심에 따른 해조류 A와 B의 분포 범위와 빛 ㉠과 ㉡의 도달량을 나타낸 것이다. A와 B는 각각 녹조류와 홍조류 중 하나이고, ㉠과 ㉡은 각각 적색광과 청색광 중 하나이다.

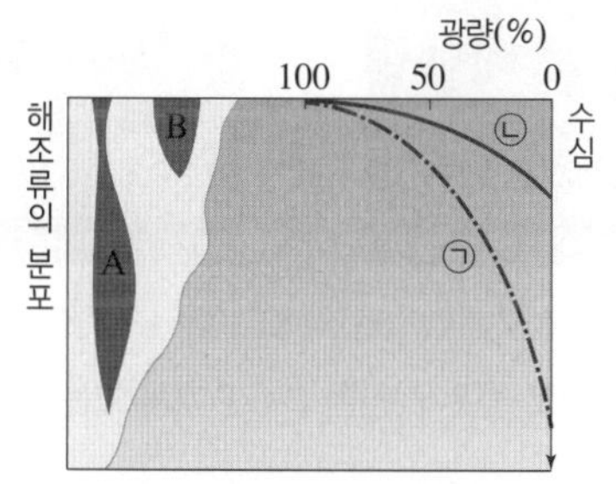

이에 대한 설명으로 옳은 것만을 〈보기〉에서 있는 대로 고른 것은?

〈 보기 〉
ㄱ. A의 예로 미역, 다시마가 있다.
ㄴ. B는 ㉠을 주로 광합성에 이용한다.
ㄷ. 바다의 깊이에 따라 서식하는 해조류의 분포가 다르다.

① ㄱ ② ㄴ ③ ㄷ
④ ㄱ, ㄴ ⑤ ㄴ, ㄷ

빈출

1085 하중상

그림은 하루 중 낮과 밤의 길이에 따른 식물 A와 B의 개화 여부를 나타낸 것이다.

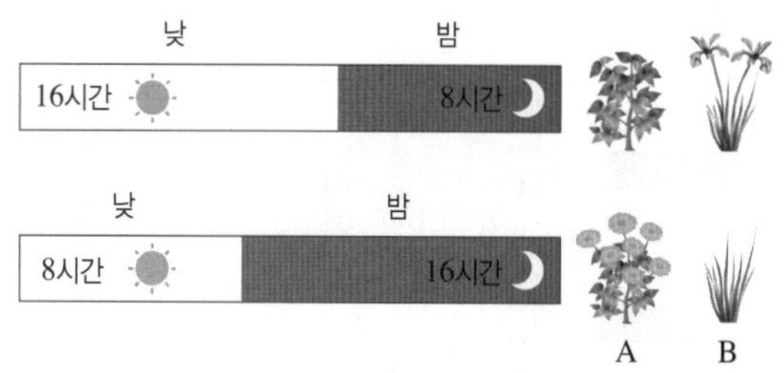

이에 대한 설명으로 옳은 것만을 〈보기〉에서 있는 대로 고른 것은?

〈 보기 〉
ㄱ. A는 봄이나 초여름에, B는 가을에 꽃이 핀다.
ㄴ. A와 B의 개화에 영향을 미치는 환경 요인은 빛의 파장이다.
ㄷ. 코스모스는 A에, 시금치는 B에 속한다.

① ㄱ ② ㄴ ③ ㄷ
④ ㄱ, ㄴ ⑤ ㄴ, ㄷ

1086 하중상

그림은 시간에 따른 하루 중 낮의 길이 및 A와 B의 개화가 시작되는 시점을 나타낸 것이다. A와 B는 각각 장일 식물과 단일 식물 중 하나이다.

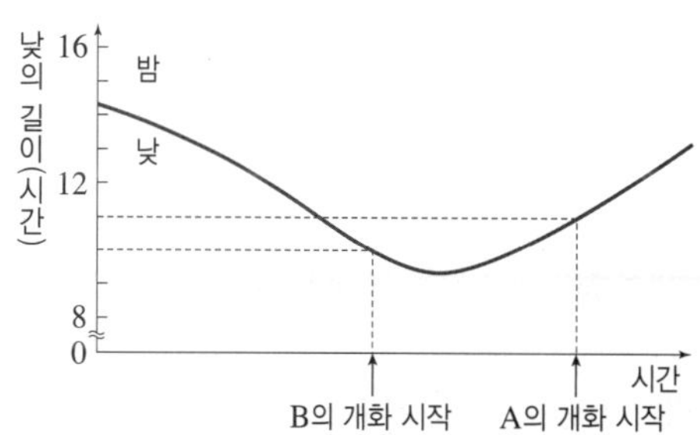

이에 대한 설명으로 옳은 것만을 〈보기〉에서 있는 대로 고른 것은?

〈 보기 〉
ㄱ. A는 단일 식물이다.
ㄴ. A는 일조 시간이 길어질 때 개화한다.
ㄷ. B는 주로 가을에 꽃이 피는 식물인 코스모스, 나팔꽃 등이다.

① ㄱ ② ㄷ ③ ㄱ, ㄴ
④ ㄴ, ㄷ ⑤ ㄱ, ㄴ, ㄷ

1087 (하)(중)(상)

그림 (가)는 하루 중 낮의 길이와 밤의 길이에 따른 식물 A의 개화 여부를, (나)와 (다)는 일조 시간에 따른 식물 B와 C의 개화 정도를 나타낸 것이다.

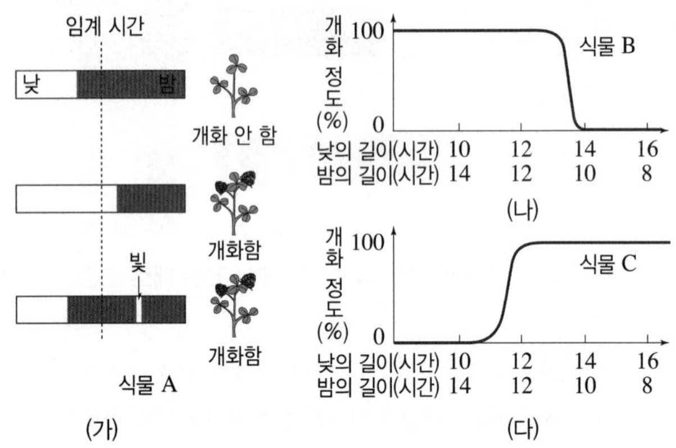

이에 대한 설명으로 옳은 것만을 〈보기〉에서 있는 대로 고른 것은?

〈 보기 〉

ㄱ. 식물 A는 단일 식물이다.

ㄴ. 식물 B는 밤의 길이가 길어질 때, 식물 C는 밤의 길이가 짧아질 때 개화한다.

ㄷ. 식물 A는 봄에, 식물 B는 가을에 꽃이 필 것이다.

ㄹ. (가)로 보아 식물의 개화에 영향을 미치는 요인은 지속적인 암기의 길이이다.

① ㄱ, ㄴ ② ㄴ, ㄷ ③ ㄷ, ㄹ
④ ㄱ, ㄴ, ㄷ ⑤ ㄴ, ㄷ, ㄹ

온도와 생물

1088 (하)(중)(상)

다음은 생물이 환경에 적응한 예이다.

- 개구리는 겨울이 오면 겨울잠을 잔다.
- 온대 활엽수는 가을이 되면 낙엽이 진다.

이 환경 요인과 동일한 요인에 의한 현상으로 옳은 것은?

① 국화는 가을에 꽃이 핀다.
② 사슴과 노루는 가을에 주로 번식한다.
③ 선인장은 잎이 가시 형태로 되어 있다.
④ 아열대 지방보다 극지방에 서식하는 곰이 몸집이 더 크다.
⑤ 고산 지대에 사는 사람은 평지에 사는 사람보다 적혈구 수가 더 많다.

1089 (하)(중)(상)

그림은 환경 요인이 생물에게 영향을 준 사례를 나타낸 것이다.

북극여우 온대여우 사막여우

생물에게 영향을 미치는 환경 요인이 이와 다른 것은?

① 철새는 계절에 따라 이동한다.
② 곰은 추운 겨울이 오면 겨울잠을 잔다.
③ 온대 지방의 낙엽수는 단풍이 들고 잎을 떨어뜨린다.
④ 양엽은 음엽에 비해 울타리 조직이 두껍게 발달한다.
⑤ 툰드라에 사는 털송이풀은 잎이나 꽃에 털이 나 있다.

1090 (하)(중)(상)

대표문제 多 보기

그림 (가)와 (나)는 서로 다른 지역에 서식하는 여우의 생김새를 나타낸 것이다.

(가)

(나)

이에 대한 설명으로 옳은 것만을 〈보기〉에서 있는 대로 고른 것은?

〈 보기 〉

ㄱ. (가)는 (나)보다 추운 지역에 서식한다.

ㄴ. (가)는 몸의 말단부가 커서 열을 방출하는 데 유리하다.

ㄷ. (나)는 몸집이 크고 몸의 말단부가 작아 열 방출이 적다.

ㄹ. (가)와 (나)의 몸집과 말단부의 크기가 다른 것은 온도에 적응한 결과이다.

① ㄱ, ㄴ ② ㄴ, ㄷ ③ ㄷ, ㄹ
④ ㄱ, ㄴ, ㄷ ⑤ ㄴ, ㄷ, ㄹ

물과 생물

1091 하중상

다음은 사막에 사는 도마뱀에 대한 내용이다.

샌드피시(sandfish)라는 도마뱀은 사막과 같은 건조한 환경에 서식한다. 샌드피시는 쐐기형으로 생긴 코를 가지며, 몸 전체는 매끈한 비늘로 덮여 있어서 모래 속으로 파고들어 건조한 날씨를 견디기에 적합하다.

이와 관련된 환경 요인에 의해 나타나는 현상으로 옳은 것을 모두 고르면?(2개)

① 가을이 되면 단풍이 든다.
② 매미의 몸 표면은 키틴질로 되어 있다.
③ 바다의 깊이에 따라 해조류의 분포가 다르다.
④ 선인장은 물을 저장하는 조직이 발달해 있다.
⑤ 장일 식물과 단일 식물의 꽃이 피는 시기가 다르다.

1092 하중상

••서술형

다음은 건생 식물과 수생 식물의 차이점을 나타낸 것이다.

선인장은 수분이 적은 사막에 서식하는 건생 식물이다. 반면 수련 등의 수생 식물은 물속이나 수면 위에서 서식한다. 이러한 서식 환경의 차이로 건생 식물과 수생 식물의 조직이나 기관은 서로 다른 특징을 나타낸다.

선인장

수련

밑줄 친 부분에 해당하는 선인장과 수련의 특징을 각각 구체적인 조직과 기관의 명칭을 언급하여 두 가지씩 서술하시오.

(1) 선인장의 특징

(2) 수련의 특징

각 환경 요인과 생물

빈출 1093 하중상

다음은 생물과 환경 요인의 상호 관계를 나타낸 예이다.

(가) 추운 지역에 사는 동물은 몸집이 크고 몸의 말단부의 크기가 작다.
(나) 고산 지대에 사는 사람들은 혈액 속 적혈구 수가 많아 산소를 효율적으로 운반한다.
(다) 토양 미생물은 생물의 사체나 배설물을 분해하여 토양 속 양분을 증가시킨다.

이에 대한 설명으로 옳은 것만을 〈보기〉에서 있는 대로 고른 것은?

〈 보기 〉
ㄱ. (가)와 관련된 주된 비생물적 요인은 온도이다.
ㄴ. (나)와 관련된 주된 비생물적 요인은 일조 시간이다.
ㄷ. (다)는 분해자의 활동이 토양에 미치는 영향이다.

① ㄱ ② ㄴ ③ ㄱ, ㄷ
④ ㄴ, ㄷ ⑤ ㄱ, ㄴ, ㄷ

1094 하중상

생물에 영향을 미치는 환경 요인을 옳게 짝 지은 것은?

① 파충류와 조류의 알은 단단한 껍질로 싸여 있다. – 온도
② 가을에는 국화, 코스모스, 나팔꽃 같은 꽃이 핀다. – 빛의 파장
③ 한 식물에서도 위치에 따라 양엽과 음엽이 존재한다. – 일조 시간
④ 사막의 낙타는 농도가 진한 오줌을 배설하여 오줌량을 줄인다. – 물
⑤ 철새는 계절에 따라 자신에게 맞는 서식지로 이동한다. – 빛의 세기

1095 하중상

생물과 환경의 상호 관계에 대한 설명으로 옳은 것만을 〈보기〉에서 있는 대로 고른 것은?

〈 보기 〉
ㄱ. 건생 식물은 뿌리와 저수 조직이 발달해 있다.
ㄴ. 북극에 사는 여우는 사막에 사는 여우보다 몸집이 작고 귀가 크다.
ㄷ. 공기를 많이 포함한 토양 표면은 호기성 세균이, 공기를 적게 포함한 토양 깊은 곳은 혐기성 세균이 살기에 적합하다.

① ㄱ ② ㄷ ③ ㄱ, ㄷ
④ ㄴ, ㄷ ⑤ ㄱ, ㄴ, ㄷ

Ⅳ

Ⅳ. 환경과 에너지

생태계 평형

Ⓐ 먹이 관계와 생태 피라미드

1 생태계에서의 먹이 관계

① 먹이 사슬: 생산자부터 최종 소비자까지 먹고 먹히는 관계를 사슬 모양으로 나타낸 것

② ❶ □□ □□: 여러 개의 먹이 사슬이 복잡하게 얽혀 그물처럼 나타나는 것

기출 Tip Ⓐ-1

먹이 그물에서 영양 단계의 구분

- 먹이 사슬이 처음 시작되는 생물이 생산자이고, 화살표 방향 순서대로 1차 소비자, 2차 소비자, 3차 소비자이다.
- 먹이 그물에서 어떤 생물은 2차 소비자이면서 3차 소비자가 될 수 있다.

(생태계의 먹이 그물)

나비 / 거미 / 꿩 / 수리부엉이 / 애벌레 / 청설모 / 나무 / 쥐 / 개구리 / 뱀 / 족제비

- 생산자(나무) → 1차 소비자(나비) → 2차 소비자(거미) → 3차 소비자(꿩) … → 최종 소비자(수리부엉이)
- 뱀은 2차 소비자이면서 3차 소비자이다.
- 뱀이 사라져도 족제비는 다른 먹이를 먹고 살아갈 수 있다.
- 족제비의 개체 수가 감소하면 뱀의 개체 수가 일시적으로 증가한다.

2 생태계에서의 에너지 흐름

기출 Tip Ⓐ-2

분해자의 에너지

각 영양 단계에서 에너지의 일부는 분해자로 전달된다.

① 생태계에서 에너지는 먹이 사슬을 통해 유기물의 형태로 상위 영양 단계로 이동한다.

② 유기물에 저장된 에너지는 각 영양 단계에서 생명 활동을 통해 열에너지로 방출되고 남은 것이 상위 영양 단계로 이동한다. ➧ 상위 영양 단계로 갈수록 에너지양이 ❷ □□한다.

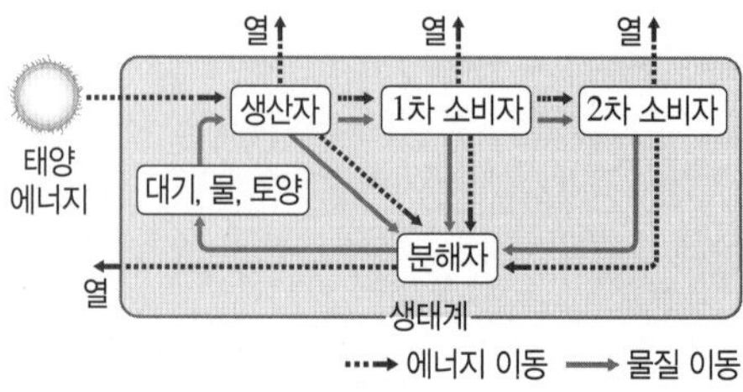

▲ 생태계에서 물질 순환과 에너지 흐름

③ 생태계에서 에너지는 한 방향으로 흐르다가 생태계 밖으로 빠져나간다. ➧ 생태계가 유지되려면 태양으로부터 빛에너지가 계속 공급되어야 한다.

3 생태 피라미드

생태 피라미드 먹이 사슬에서 각 영양 단계에 속하는 생물의 개체 수, 생물량(일정한 공간에 서식하는 생물 전체의 무게), 에너지양을 하위 영양 단계부터 상위 영양 단계로 쌓아올린 것 ➧ 안정된 생태계에서는 상위 영양 단계로 갈수록 개체 수, 생물량, 에너지양이 ❸ □□한다.

기출 Tip Ⓐ-3

생태 피라미드에서 영양 단계의 구분

맨 아래에 있는 생물이 생산자이고, 위로 올라가면서 1차 소비자, 2차 소비자, 3차 소비자 순이다.

에너지 효율

한 영양 단계에서 다음 영양 단계로 이동한 에너지의 비율(%)로, $\frac{\text{현 영양 단계의 에너지양}}{\text{전 영양 단계의 에너지양}} \times 100$으로 구한다.

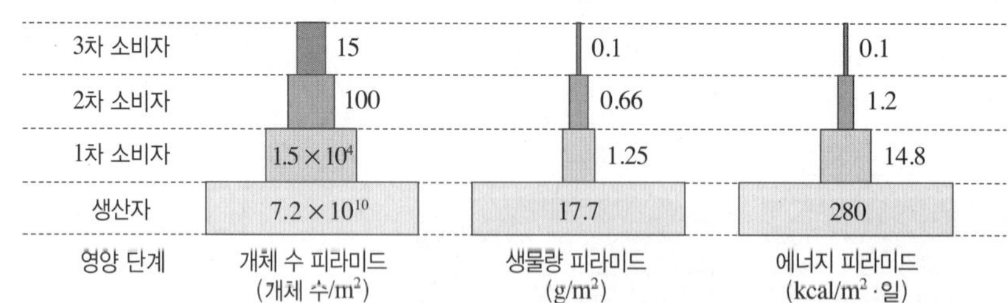

Ⓑ 생태계 평형

1 먹이 관계와 생태계 평형

먹이 관계와 생태계 평형 생물종이 다양하여 먹이 그물이 복잡할수록 생태계 평형(생태계를 구성하는 생물의 종류와 개체 수, 에너지의 흐름이 안정적으로 유지되는 상태)이 잘 유지된다.

기출 Tip Ⓑ-1

생물종이 적은 생태계

- 종 다양성이 낮고 먹이 그물이 단순하다.
- 특정 생물종이 사라졌을 때 다른 생물종도 사라질 확률이 크므로 생태계 평형이 깨지기 쉽다.

종 다양성이 낮은 생태계	종 다양성이 높은 생태계
• 먹이 그물이 ❹ □□하다. • 특정 생물종이 사라지면 그 생물종을 먹고 사는 생물종도 사라질 수 있다. ➧ 생태계 평형이 깨지기 쉽다.	• 먹이 그물이 ❺ □□하다. • 특정 생물종이 사라져도 대신 먹이로 할 수 있는 다른 생물종이 있다. ➧ 생태계 평형이 잘 깨지지 않는다.

2 생태계 평형이 유지되는 원리 안정된 생태계는 환경이 변해 일시적으로 평형이 깨지더라도 시간이 지나면 먹이 사슬에 의해 대부분 생태계 평형이 회복된다.

(생태계 평형이 회복되는 과정)

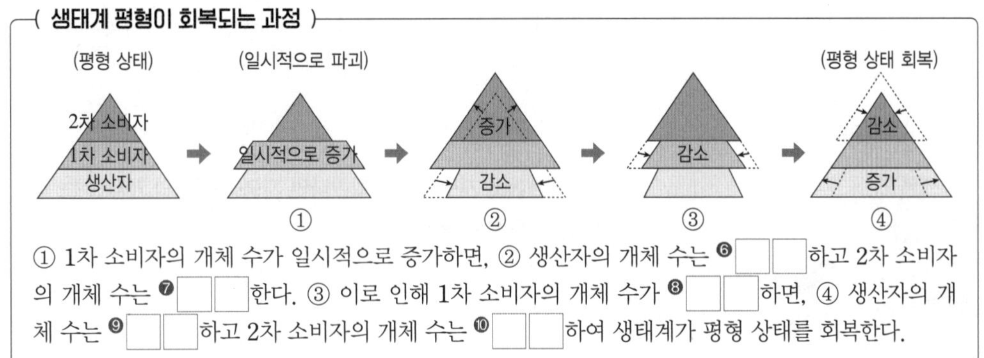

① 1차 소비자의 개체 수가 일시적으로 증가하면, ② 생산자의 개체 수는 ❻☐☐하고 2차 소비자의 개체 수는 ❼☐☐한다. ③ 이로 인해 1차 소비자의 개체 수가 ❽☐☐하면, ④ 생산자의 개체 수는 ❾☐☐하고 2차 소비자의 개체 수는 ❿☐☐하여 생태계가 평형 상태를 회복한다.

기출 Tip Ⓑ-2

생태계 평형이 깨졌을 때 개체 수 변화

포식자가 증가하면 피식자는 감소하고, 피식자가 증가하면 포식자도 증가한다.

Ⓒ 환경 변화와 생태계

1 생태계 평형을 깨뜨리는 요인

① 자연재해: 홍수, 지진, 산불, 화산 폭발 등으로 생물의 서식지가 사라지고 먹이 그물에 변화가 생겨 생태계 평형이 깨진다.

② 인간의 활동: 무분별한 벌목, 도로와 도시 건설, 경작지 개발, 농약 살포, 화석 연료의 과다 사용 등으로 생물의 서식지가 사라지고 환경이 오염되어 생태계 평형이 깨진다.

(인간의 활동으로 생태계 평형이 깨진 예)

그림은 1905년 카이바브 고원에서 사슴을 보호하기 위해 늑대 사냥을 허가한 이후 사슴과 늑대의 개체 수, 초원의 생산량 변화를 나타낸 것이다.

- 카이바브 고원의 먹이 사슬: 풀 → 사슴 → 늑대
- 늑대 사냥이 허가된 직후의 변화: 늑대의 개체 수가 감소하여 사슴의 개체 수가 급격히 증가하였다.
- 1920년대 초반 이후의 변화: 초원의 생산량 감소로 먹이가 부족하여 사슴의 개체 수가 급격히 감소하였다.

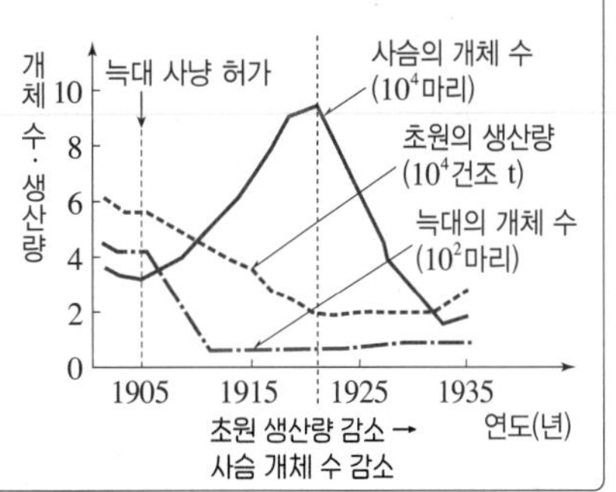

2 생태계 보전을 위한 노력

① 멸종 위기에 처한 생물을 천연기념물로 지정한다.

② 도시의 열섬 현상을 완화하기 위해 옥상 정원을 가꾼다.

③ 생물의 서식 환경이 훼손된 하천을 복원하기 위해 생태 하천 복원 사업을 실시한다.

④ 도로나 철도 건설 등으로 분리된 서식지를 연결하는 ⓫☐☐ ☐☐를 설치한다.

답 ❶ 먹이 그물 ❷ 감소 ❸ 감소 ❹ 단순 ❺ 복잡 ❻ 감소 ❼ 증가 ❽ 감소 ❾ 증가 ❿ 감소 ⓫ 생태 통로

빈출 자료 보기

정답과 해설 99쪽

1096 그림은 어떤 생태계에서 생산자, 1차 소비자, 2차 소비자, 3차 소비자의 에너지양을 상댓값으로 나타낸 것이다. 이에 대한 설명으로 옳은 것은 ○, 옳지 않은 것은 ×로 표시하시오.

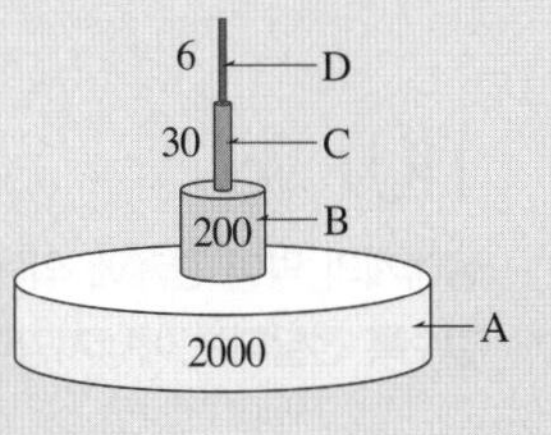

(1) 상위 영양 단계로 갈수록 에너지양이 증가한다. ( )

(2) 상위 영양 단계로 갈수록 전달되는 에너지양은 감소한다. ( )

(3) B의 에너지양은 A의 10 %이다. ( )

(4) C는 2차 소비자이다. ( )

(5) C의 개체 수가 일시적으로 증가하면 D의 개체 수는 감소한다. ( )

(6) D의 에너지 효율은 5 %이다. ( )

A 먹이 관계와 생태 피라미드

먹이 관계와 에너지 흐름

빈출
1097 하 중 상

그림은 어떤 생태계에서의 먹이 관계를 나타낸 것이다.

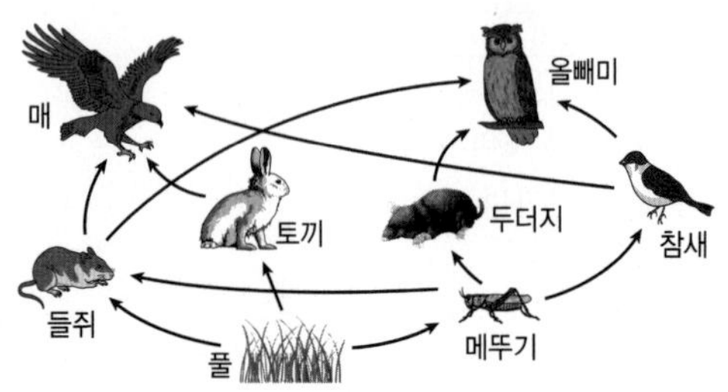

이에 대한 설명으로 옳은 것만을 〈보기〉에서 있는 대로 고른 것은? (단, 포식과 피식 이외의 다른 개체 수 변화 요인은 없다.)

〈 보기 〉
ㄱ. 풀은 생산자이다.
ㄴ. 토끼는 2차 소비자이다.
ㄷ. 들쥐가 사라지면 매가 사라진다.
ㄹ. 올빼미의 개체 수가 감소하면 참새의 개체 수가 일시적으로 증가한다.

① ㄱ, ㄴ ② ㄱ, ㄹ ③ ㄴ, ㄷ
④ ㄱ, ㄴ, ㄷ ⑤ ㄴ, ㄷ, ㄹ

1098 하 중 상

그림은 어떤 안정된 생태계의 먹이 그물을 나타낸 것이다. A～J는 서로 다른 생물종이고, A와 B는 식물 플랑크톤이다.

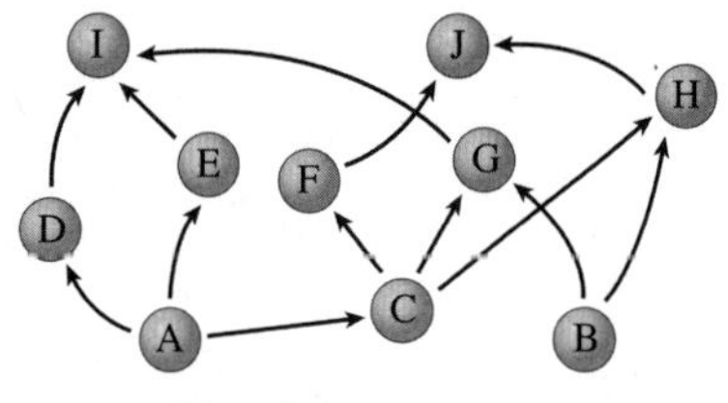

이에 대한 설명으로 옳은 것만을 〈보기〉에서 있는 대로 고른 것은? (단, A～J 외의 다른 생물종은 고려하지 않으며, 그림의 화살표는 물질의 이동 방향을 나타낸 것이다.)

〈 보기 〉
ㄱ. B～J는 소비자이다.
ㄴ. A는 광합성을 통해 유기물을 생산한다.
ㄷ. A가 멸종되었을 때 다른 생물종은 영향을 받지 않는다.

① ㄱ ② ㄴ ③ ㄷ
④ ㄱ, ㄴ ⑤ ㄴ, ㄷ

1099 하 중 상 ••서술형

그림은 어떤 생태계의 먹이 그물을 나타낸 것이다.

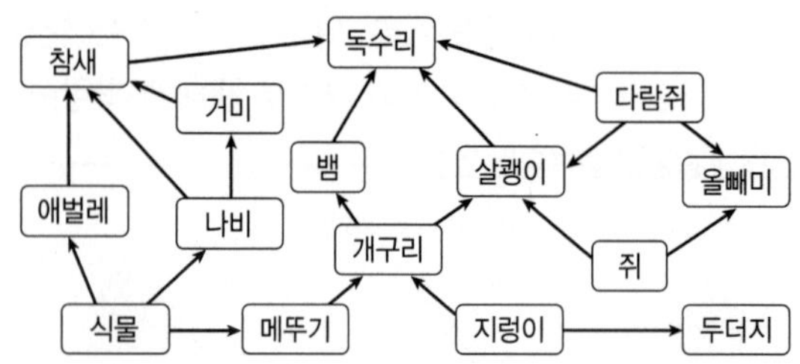

이 생태계에서 개구리를 남획한다면 지렁이와 뱀의 개체 수는 각각 어떻게 변할지 서술하시오.

1100 하 중 상

그림은 어떤 안정된 생태계에서 일어나는 물질 순환과 에너지 흐름을 나타낸 것이다.

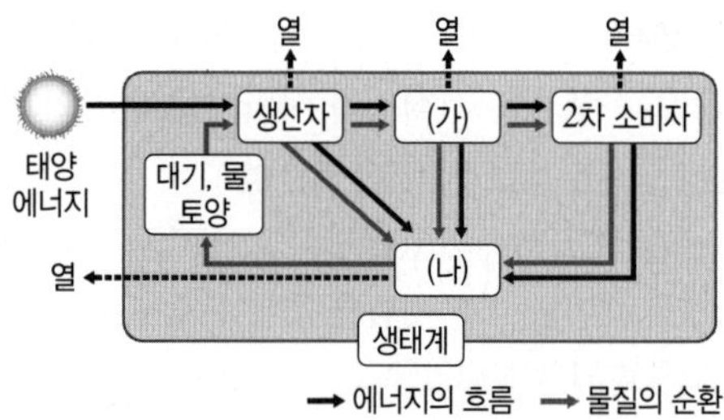

이에 대한 설명으로 옳은 것만을 〈보기〉에서 있는 대로 고른 것은?

〈 보기 〉
ㄱ. (가)는 1차 소비자, (나)는 분해자이다.
ㄴ. 2차 소비자로 이동한 에너지 중 생명 활동에 이용되고 남은 것은 모두 열에너지로 방출된다.
ㄷ. 이 생태계가 유지되려면 태양으로부터 빛에너지가 계속 공급되어야 한다.

① ㄱ ② ㄷ ③ ㄱ, ㄴ
④ ㄱ, ㄷ ⑤ ㄱ, ㄴ, ㄷ

1101 하 중 상 ••서술형

생태계의 먹이 관계에 의해 에너지가 전달될 때 상위 영양 단계로 갈수록 전달되는 에너지양이 감소한다. 그 까닭을 서술하시오.

1102 (하)(중)(상)

그림은 어떤 안정된 생태계에서 일어나는 에너지의 흐름을 나타낸 것이다. A~C는 모두 생물적 요인에 속한다.

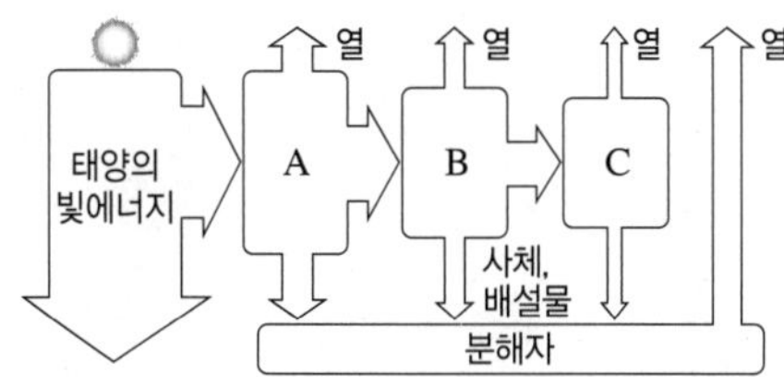

이에 대한 설명으로 옳은 것만을 〈보기〉에서 있는 대로 고른 것은?

〈 보기 〉
ㄱ. A는 C보다 생물량이 더 많다.
ㄴ. 에너지는 A → B → C 방향으로 흐른다.
ㄷ. B가 가지고 있는 에너지는 모두 C에게 전달된다.

① ㄱ ② ㄷ ③ ㄱ, ㄴ ④ ㄴ, ㄷ ⑤ ㄱ, ㄴ, ㄷ

생태 피라미드

1103 (하)(중)(상)

그림은 어떤 안정된 생태계에서의 생태 피라미드를 나타낸 것이다.

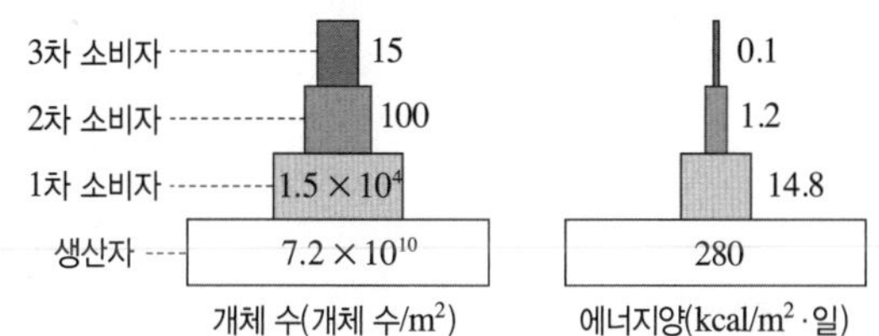

이에 대한 설명으로 옳은 것만을 〈보기〉에서 있는 대로 고른 것은?

〈 보기 〉
ㄱ. 생산자의 개체 수가 가장 많다.
ㄴ. 미생물과 버섯은 3차 소비자에 해당한다.
ㄷ. 생물량도 이와 같은 피라미드 형태를 나타낸다.

① ㄱ ② ㄴ ③ ㄷ ④ ㄱ, ㄷ ⑤ ㄴ, ㄷ

빈출 1104 (하)(중)(상)

대표문제 多 보기

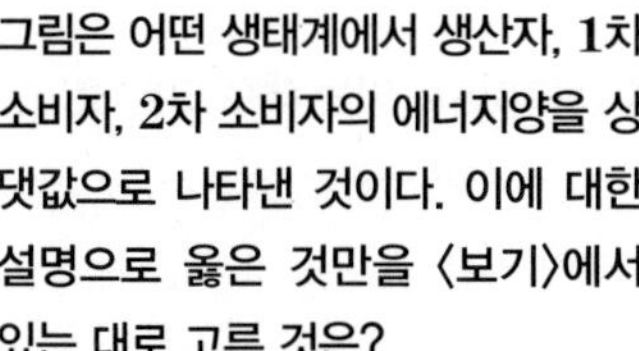

그림은 어떤 생태계에서 생산자, 1차 소비자, 2차 소비자의 에너지양을 상댓값으로 나타낸 것이다. 이에 대한 설명으로 옳은 것만을 〈보기〉에서 있는 대로 고른 것은?

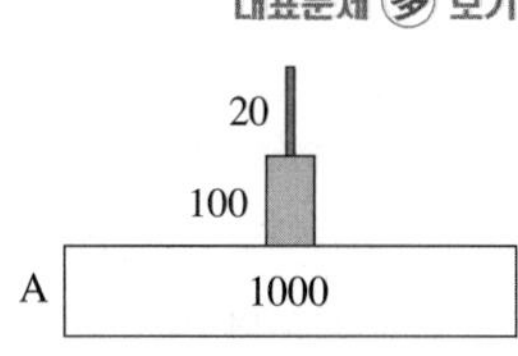

〈 보기 〉
ㄱ. A는 생산자이다.
ㄴ. 상위 영양 단계로 갈수록 에너지양이 감소한다.
ㄷ. 2차 소비자의 에너지양은 1차 소비자의 20 %이다.

① ㄱ ② ㄷ ③ ㄱ, ㄴ ④ ㄴ, ㄷ ⑤ ㄱ, ㄴ, ㄷ

1105 (하)(중)(상)

표는 어떤 안정된 생태계에서 영양 단계 A~D의 생물량, 에너지양을 나타낸 것이다. A~D는 각각 생산자, 1차 소비자, 2차 소비자, 3차 소비자 중 하나이다.

영양 단계	생물량(상댓값)	에너지양(상댓값)
A	11	30
B	809	2000
C	1.5	6
D	37	200

이에 대한 설명으로 옳은 것만을 〈보기〉에서 있는 대로 고른 것은?

〈 보기 〉
ㄱ. C는 1차 소비자이다.
ㄴ. 상위 영양 단계로 갈수록 생물량은 감소한다.
ㄷ. A의 개체 수가 증가하면 D의 개체 수가 일시적으로 증가한다.

① ㄱ ② ㄴ ③ ㄷ
④ ㄱ, ㄴ ⑤ ㄴ, ㄷ

빈출 1106 (하)(중)(상)

그림은 어떤 생태계에서 A~D의 에너지양을 상댓값으로 나타낸 것이다. A~D는 각각 생산자, 1차 소비자, 2차 소비자, 3차 소비자 중 하나이다.

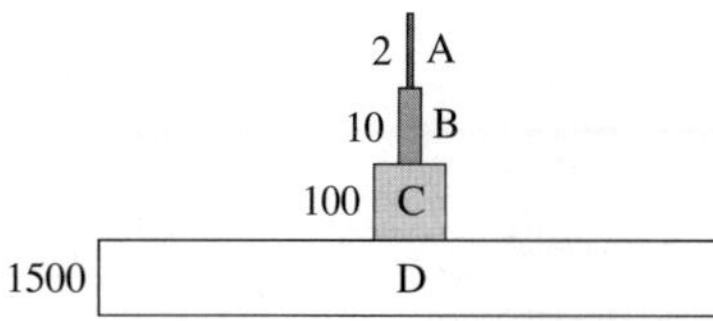

이에 대한 설명으로 옳은 것은? (단, 에너지 효율은 다음 영양 단계로 이동한 에너지의 비율(%)로 $\frac{\text{현 영양 단계의 에너지양}}{\text{전 영양 단계의 에너지양}} \times 100$으로 구한다.)

① C는 대부분 육식 동물이다.
② D는 빛에너지를 이용하여 무기물로부터 유기물을 합성한다.
③ B의 에너지 효율은 20 %이다.
④ A~C 중 에너지 효율이 가장 높은 것은 C이다.
⑤ 상위 영양 단계로 갈수록 에너지 효율이 낮아진다.

1107 하 중 상

그림 (가)는 어떤 안정된 생태계의 먹이 그물을, (나)는 이 생태계의 에너지양을 상댓값으로 나타낸 것이다. ㉠~㉣은 각각 생산자, 1차 소비자, 2차 소비자, 최종 소비자 중 하나이다.

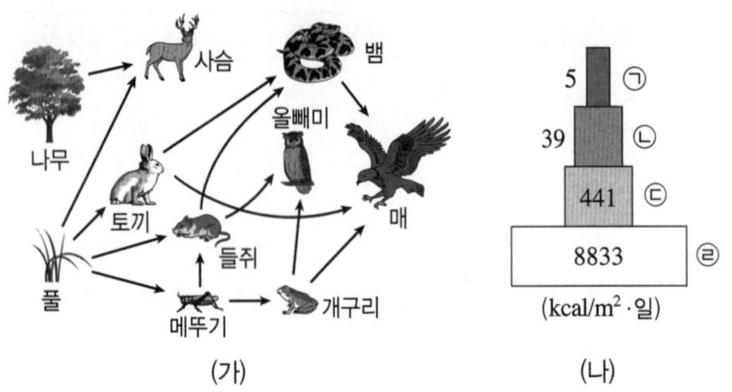

(가) (나)

이에 대한 설명으로 옳은 것만을 〈보기〉에서 있는 대로 고른 것은?

〈 보기 〉

ㄱ. (가)에서 뱀과 매는 모두 ㉠에 해당한다.

ㄴ. (나)에서 에너지 효율은 1차 소비자가 2차 소비자보다 높다.

ㄷ. 생물량과 개체 수도 (나)와 같은 형태를 나타낼 것이다.

ㄹ. (가)에서 메뚜기의 개체 수가 감소하면 개구리의 개체 수도 일시적으로 감소한다.

① ㄱ, ㄴ ② ㄴ, ㄷ ③ ㄷ, ㄹ
④ ㄱ, ㄴ, ㄷ ⑤ ㄴ, ㄷ, ㄹ

B 생태계 평형

1108 하 중 상

그림은 안정된 생태계에서 어떤 원인에 의해 1차 소비자의 개체 수가 일시적으로 감소했을 때의 모습을 나타낸 것이다.

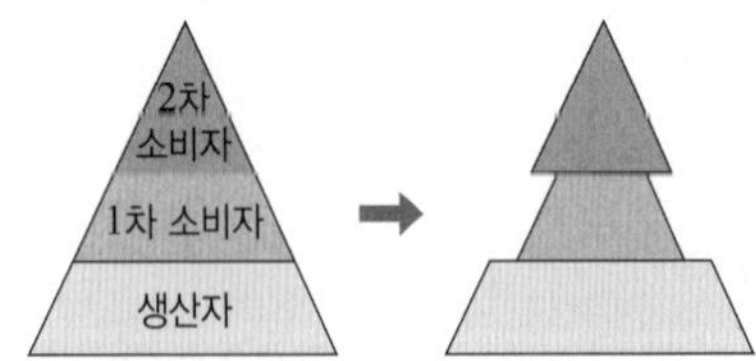

이후에 나타나는 생산자와 2차 소비자의 개체 수 변화를 옳게 짝지은 것은?

	생산자 수	2차 소비자 수
①	증가한다.	증가한다.
②	감소한다.	감소한다.
③	증가한다.	감소한다.
④	감소한다.	증가한다.
⑤	증가한다.	변화 없다.

1109 하 중 상

대표문제 多 보기

그림은 두 종류의 생태계 (가)와 (나)에서의 먹이 그물을 나타낸 것이다.

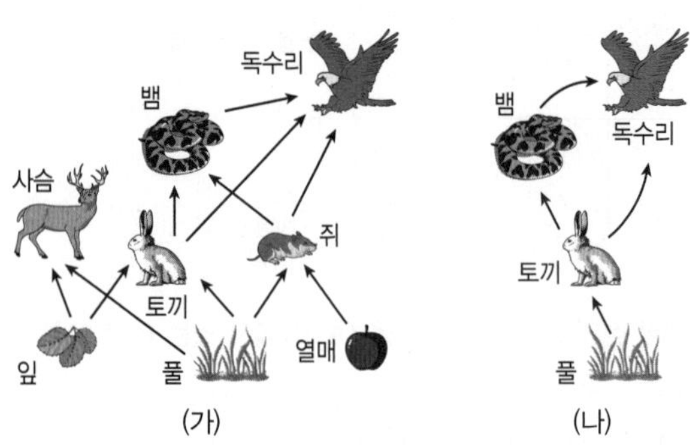

(가) (나)

이에 대한 설명으로 옳은 것만을 〈보기〉에서 있는 대로 고른 것은?

〈 보기 〉

ㄱ. 종 다양성은 (나)보다 (가)에서 높다.

ㄴ. (가)보다 (나)에서 생태계 평형이 더 안정적으로 유지된다.

ㄷ. 토끼가 사라지면 (가)와 (나)에서 모두 뱀이 사라진다.

① ㄱ ② ㄴ ③ ㄷ
④ ㄱ, ㄴ ⑤ ㄴ, ㄷ

1110 하 중 상

그림은 두 생태계 (가)와 (나)에 서식하는 생물의 먹이 관계를 나타낸 것이다.

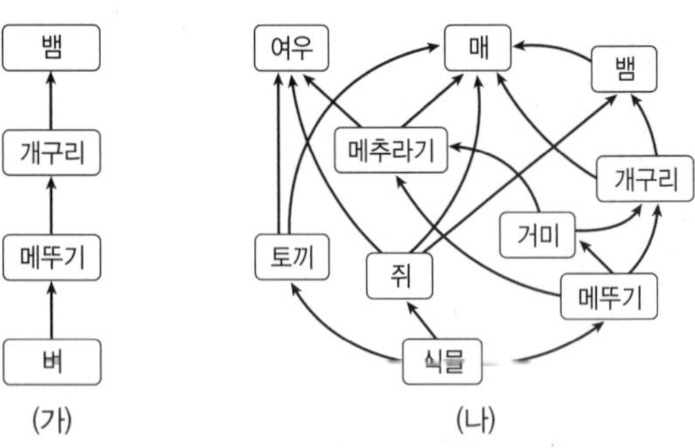

(가) (나)

이에 대한 설명으로 옳은 것만을 〈보기〉에서 있는 대로 고른 것은?

〈 보기 〉

ㄱ. (가)는 (나)보다 생물 다양성이 낮다.

ㄴ. (나)는 (가)보다 생태계 평형이 깨지기 쉽다.

ㄷ. 뱀은 (가)와 (나)에서 모두 최종 소비자이다.

ㄹ. 개구리를 남획할 경우 뱀이 멸종될 확률은 (가)가 (나)보다 높다.

① ㄱ, ㄴ ② ㄱ, ㄷ ③ ㄱ, ㄹ
④ ㄴ, ㄷ ⑤ ㄷ, ㄹ

1111 하 중 상 대표문제 多 보기

그림 (가)~(다)는 안정된 생태 피라미드를 이루고 있던 생태계에서 1차 소비자의 개체 수가 일시적으로 증가하였다가 다시 평형이 회복되는 과정에서 나타나는 변화의 일부를 순서 없이 나열한 것이다.

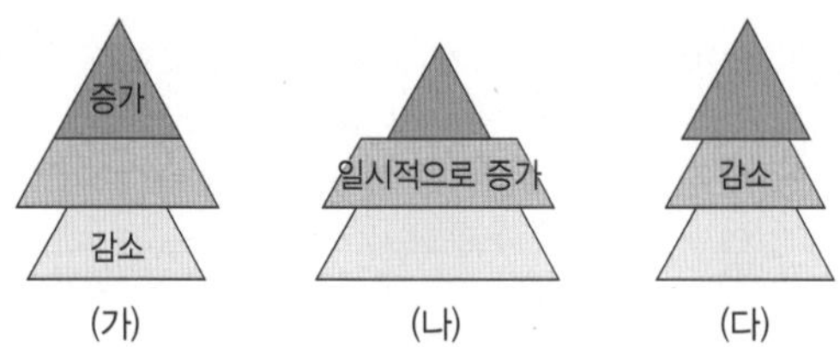

생태계가 평형을 이루는 과정을 1차 소비자의 개체 수가 증가한 때부터 시간 순서대로 옳게 나열한 것은?

① (가) → (나) → (다) ② (가) → (다) → (나)
③ (나) → (가) → (다) ④ (나) → (다) → (가)
⑤ (다) → (나) → (가)

1112 하 중 상 서술형

그림은 어떤 안정된 생태계에서 B의 개체 수 증가로 생태계 평형이 깨진 것을 나타낸 것이다.

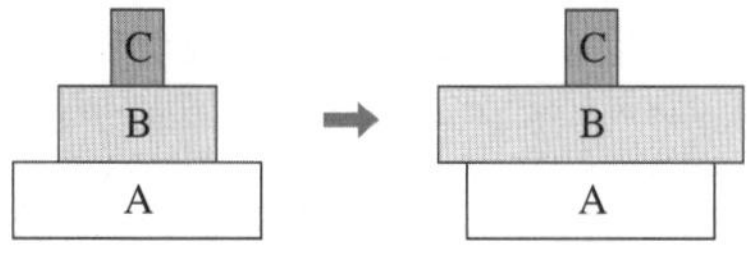

이 생태계가 다시 평형을 회복하는 과정을 A와 C의 개체 수 변화로 서술하시오.

1113 하 중 상

그림은 생태계 평형이 일시적으로 깨졌을 때 생태계가 평형을 회복하는 과정을 나타낸 것이다.

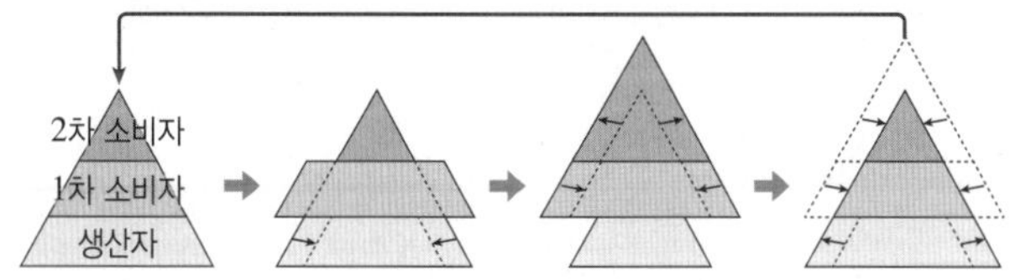

이에 대한 설명으로 옳은 것만을 〈보기〉에서 있는 대로 고른 것은?

〈 보기 〉
ㄱ. 생산자의 개체 수가 감소하면 1차 소비자의 개체 수도 감소한다.
ㄴ. 생태계 평형의 회복은 먹이 사슬의 영향을 받는다.
ㄷ. 2차 소비자의 개체 수는 1차 소비자의 개체 수 증감보다 생산자의 개체 수 증감에 더 영향을 받는다.

① ㄱ ② ㄷ ③ ㄱ, ㄴ
④ ㄴ, ㄷ ⑤ ㄱ, ㄴ, ㄷ

1114 하 중 상

다음은 2차 소비자까지 있는 안정된 생태계에서 2차 소비자의 개체 수가 일시적으로 증가했을 때 생태계 평형이 회복되는 과정을 순서 없이 나타낸 것이다.

(가) 2차 소비자의 개체 수 감소
(나) 1차 소비자의 개체 수 감소, 생산자의 개체 수 증가
(다) 1차 소비자의 개체 수 (㉠), 생산자의 개체 수 감소

이에 대한 설명으로 옳은 것만을 〈보기〉에서 있는 대로 고른 것은?

〈 보기 〉
ㄱ. ㉠은 '증가'이다.
ㄴ. (나) → (가) → (다)의 순서로 일어난다.
ㄷ. (나)에서 생산자의 개체 수 증가는 1차 소비자의 개체 수 감소와 관련이 있다.

① ㄱ ② ㄷ ③ ㄱ, ㄴ ④ ㄴ, ㄷ ⑤ ㄱ, ㄴ, ㄷ

C 환경 변화와 생태계

1115 하 중 상

생태계 보전을 위해 인간이 할 수 있는 노력으로 옳지 않은 것은?

① 열섬 현상을 완화하기 위해 옥상 정원을 가꾼다.
② 멸종 위기에 처한 생물을 천연기념물로 정하여 보호한다.
③ 훼손된 하천을 회복하기 위해 생태 하천 복원 사업을 실시한다.
④ 식량을 대량 생산하기 위해 대평원을 경작지로 개발한다.
⑤ 도로 건설로 분리된 서식지를 연결하는 생태 통로를 설치한다.

1116 하 중 상

그림은 1905년 늑대 사냥을 허가한 이후 약 30년 동안 사슴과 늑대의 개체 수 및 초원의 생산량 변화를 나타낸 것이다.

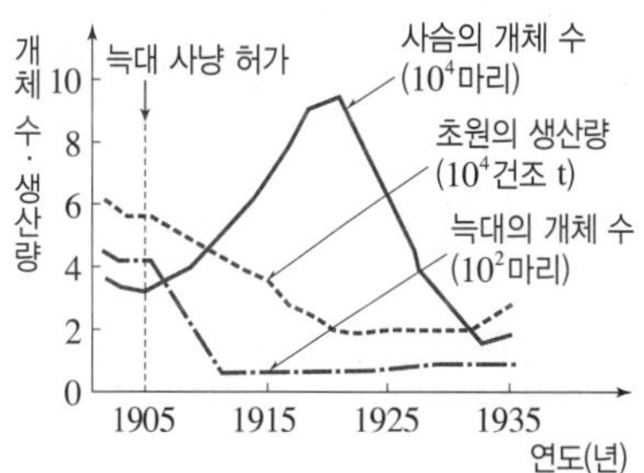

이에 대한 설명으로 옳은 것만을 〈보기〉에서 있는 대로 고른 것은?

〈 보기 〉
ㄱ. 1920년 이후 사슴의 개체 수가 급격히 감소한 것은 먹이 부족 때문이다.
ㄴ. 늑대의 개체 수가 감소하면 초원의 생산량이 감소한다.
ㄷ. 포식자를 제거하면 생태계의 안정성을 높일 수 있다.

① ㄱ ② ㄴ ③ ㄷ ④ ㄱ, ㄴ ⑤ ㄴ, ㄷ

Ⅳ

지구 환경 변화와 인간 생활

Ⓐ 기후 변화와 지구 온난화

1 기후 변화

① 기후: 일정 지역에서 오랜 기간에 걸쳐 나타나는 평균적인 대기의 상태 (→ 기후 요소에는 기온, 강수량, 바람, 습도 등이 있으며, 기후 인자(위도, 해륙 분포, 토지 성질 등)의 영향을 받는다.)

② 기후 변화의 원인: 지구 내적 원인과 지구 외적 원인(천문학적 원인)으로 구분한다.

지구 내적 원인	• 대기 투과율 변화 예 화산 폭발로 화산재 방출 → 태양 에너지의 대기 투과율 감소 → 기온 하강 • 대기 조성 변화 예 화산 폭발로 이산화 탄소 방출 → 온실 효과 증대 → 기온 상승 • 지표의 반사율 변화 예 빙하 면적 감소 → 지표의 태양 에너지 반사율 감소 → 기온 ❶ □□ • 삼림 면적 변화 예 삼림 파괴 → 광합성량 감소 → 대기 중 이산화 탄소 농도 증가 → 기온 상승 • 수륙 분포 변화로 인한 해류의 변화 예 대륙의 분리 → 해양성 기후 지역 증가
지구 외적 원인	• 지구 자전축의 기울기 변화: 자전축의 기울기가 현재보다 커지면, 북반구는 기온의 연교차가 커진다. • 지구 자전축의 기울기 방향 변화(세차 운동): 기울기가 현재와 반대가 되면, 북반구는 공전 궤도상에서 여름이 되는 위치와 겨울이 되는 위치가 바뀌고, 기온의 연교차가 커진다. • 지구 공전 궤도 모양 변화(이심률 변화): 공전 궤도 모양이 원에 가까워지면, 북반구 기온의 연교차가 커진다. • 태양 표면의 활동 변화

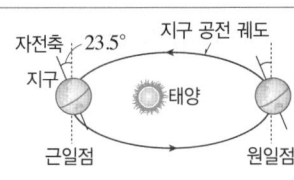

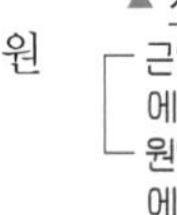

▲ 지구 공전 궤도와 자전축(현재)

- 근일점에서 북반구: 단위 면적당 태양 에너지양 적음 ➔ 겨울
- 원일점에서 북반구: 단위 면적당 태양 에너지양 많음 ➔ 여름

③ 기후 연구 방법

기상 관측	고문서 등 사람이 관측한 기록을 연구한다. ➔ 수백 년 전의 기후 유추 가능
나무의 나이테	기온이 ❷ □□수록 나이테 간격이 넓고, 밀도가 낮다.(→ 세포의 생장 속도가 빠르기 때문) ➔ 수천 년 전의 기후 유추 가능
빙하 코어	빙하에 갇힌 공기 방울로 과거 ❸ □□ 조성을 알 수 있고, 기온이 높을수록 빙하를 이루는 물 분자의 산소 동위 원소비($^{18}O/^{16}O$)가 높다. ➔ 수십만 년 전의 기후 유추 가능
산호 화석	따뜻한 바다에서 산호초가 잘 성장한다.
고토양	토양의 종류와 분포는 기후대, 식물 분포와 관계가 있으므로 과거 기후를 유추할 수 있다.

④ 과거의 기후: 지질 시대 동안 온난한 기후와 한랭한 기후가 반복되어 나타났다.

기출 Tip Ⓐ-1

지구 내적 원인과 기온 변화

원인	변화
• 화산 폭발로 방출된 이산화 탄소 • 빙하 면적 감소 • 삼림 파괴로 광합성량 감소	기온 상승
• 화산 폭발로 방출된 화산재 • 빙하 면적 증가	기온 하강

지구 외적 원인에서 현재보다 북반구 연교차가 커지는 경우
- 지구 자전축 기울기가 커질 때
- 기울기가 현재와 반대가 될 때
- 공전 궤도가 원에 가까워질 때

기후 연구 방법에서 기후가 온난할 때의 특징
- 나무의 나이테 간격이 넓다.
- 나무의 나이테 밀도가 낮다.
- 빙하 속 물 분자의 $^{18}O/^{16}O$가 높다.
- 해양 생물 속의 $^{18}O/^{16}O$가 낮다.
- 산호초가 넓게 생성된다.

2 지구 온난화 대기 중 온실 기체의 양이 증가하여 지구의 평균 기온이 상승하는 현상

① 온실 기체: 온실 효과를 일으키는 기체 → 예 수증기, 이산화 탄소, 메테인, 오존, 산화 이질소, 클로로플루오로탄소(CFC)

② 온실 효과: 지구 대기가 지구 복사 에너지(적외선 영역)를 흡수하였다가 재방출하여 대기가 없을 때보다 온도가 높은 상태로 복사 평형을 이루는 효과

③ 지구 온난화의 원인, 영향, 대책

원인	❹ □□ 연료 사용 증가로 인한 대기 중 ❺ □□□ □□ 농도 증가 (→ 지구 온난화의 주요 원인이다. 그 밖에 삼림 벌채나 가축의 사육도 대기 중 온실 기체의 농도를 증가시켜 지구 온난화의 원인이 된다.)
영향	• 기온 상승 → 해수의 열팽창, 빙하의 융해 → 해수면 ❻ □□ → 육지 면적 감소 • 홍수, 가뭄 등 기상 이변 발생, 대규모 태풍 발생, 생태계의 변화, 열대성 질병 확대 등
대책	• 에너지 절약, 화석 연료 사용 억제, 신재생 에너지 개발 등으로 온실 기체 배출량을 줄인다. • 나무 심기, 무분별한 개발 자제 등으로 숲의 면적을 늘려 대기 중 이산화 탄소 농도를 낮춘다.

(한반도의 기후 변화)

지구 온난화로 한반도의 평균 기온이 상승하고 있으며, 이에 따른 여러 변화가 나타나고 있다.
- 봄꽃의 개화 시기가 빨라지고 있다.
- 사과의 재배지가 북상하고, 난류성 어종이 증가한다.
- 여름이 길어지고, 겨울은 짧아지고 있다.
- 아열대 기후구가 북쪽으로 확대될 것으로 전망된다.

기출 Tip Ⓐ-2

지구의 복사 평형
- 지구는 흡수하는 태양 복사 에너지양만큼 지구 복사 에너지를 방출하여 복사 평형을 이룬다. ➔ 연평균 기온 일정
- 지구로 들어오는 태양 복사 에너지양을 100이라고 할 때 30은 지표와 대기에 의해 반사되고, 70은 흡수된다. 이에 따라 흡수한 70만큼 지구 복사 에너지를 방출한다.

지구 온난화와 CO_2 용해도
수온이 낮을수록 기체의 용해도가 증가하는데, 지구 온난화로 해수 온도가 상승하면 이산화 탄소(CO_2)의 용해도가 감소한다.

B 대기와 해수의 순환

1 위도별 에너지 불균형 → 지구 전체적으로는 에너지 균형을 이룬다.

① 38°보다 저위도: 태양 복사 에너지 입사량 > 지구 복사 에너지 방출량 ➜ 에너지 과잉

② 38°보다 고위도: 태양 복사 에너지 입사량 < 지구 복사 에너지 방출량 ➜ 에너지 부족

③ 에너지 이동: 대기와 해수가 순환하면서 저위도의 남는 에너지를 고위도로 운반하여 에너지 불균형이 해소된다.

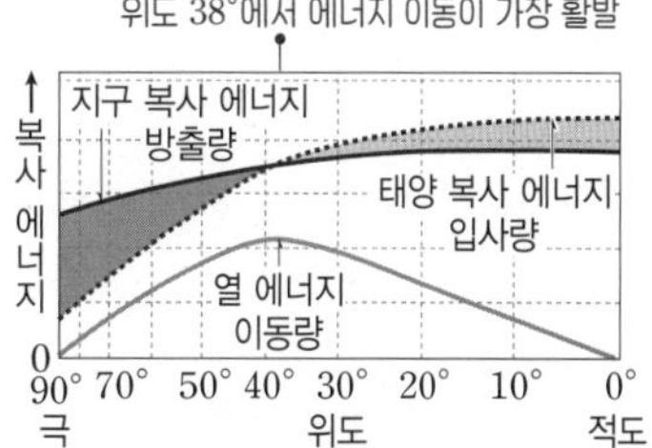

▲ 위도별 복사 에너지양 분포

2 대기 대순환 적도에서 가열된 공기가 상승하고 극에서 냉각된 공기가 하강하여 순환을 이루며, 지구 자전의 영향으로 각 반구에서 3개의 순환으로 나뉜다.

해들리 순환	적도에서 가열된 공기가 상승하고 위도 30° 부근에서 하강하여 순환 ➜ 직접 순환, 지상에서 ❼ □□□
페렐 순환	위도 30° 부근에서 하강한 공기와 위도 60° 부근에서 상승한 공기가 순환 ➜ 간접 순환, 지상에서 편서풍
극순환	극에서 냉각된 공기가 하강하고 위도 60° 부근에서 상승하여 순환 ➜ ❽ □□ 순환, 지상에서 극동풍

▲ 대기 대순환

3 해수의 표층 순환 해수면에서 지속적으로 부는 바람에 의해 표층 해류가 발생한다.

(해수의 표층 순환과 대기 대순환)

아열대 순환 방향이 북반구(시계 방향)와 남반구(시계 반대 방향)에서 대칭을 이룬다.

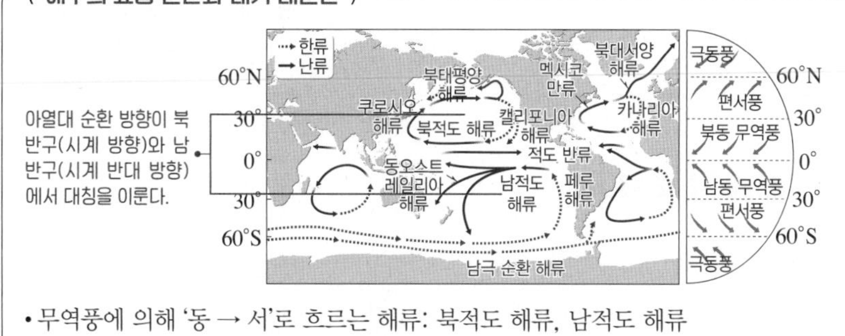

- 무역풍에 의해 '동 → 서'로 흐르는 해류: 북적도 해류, 남적도 해류
- ❾ □□□에 의해 '서 → 동'으로 흐르는 해류: 북태평양 해류, 북대서양 해류, 남극 순환 해류
- 난류: '저위도 → 고위도'로 흐르는 해류 예 쿠로시오 해류, 멕시코만류, 동오스트레일리아 해류
- 한류: '고위도 → 저위도'로 흐르는 해류 예 캘리포니아 해류, 카나리아 해류, 페루 해류
  - → 한류는 난류에 비해 수온과 염분이 낮고, 용존 산소량과 영양 염류가 많다.

C 사막화와 엘니뇨

1 사막화 사막 주변 지역의 토지가 황폐해져 점차 사막으로 변하는 현상

사막	주로 위도 ❿ □□° 부근에 분포
원인	• 지구 온난화에 의한 가뭄 지속, 과도한 가축의 방목과 토지의 경작 등 인위적 원인 • 대기 대순환 변화에 의한 가뭄 지속 자연적 원인
피해	식량 부족, 황사 일수 증가 등
대책	숲의 면적 늘리기, 토양 유실 방지 등

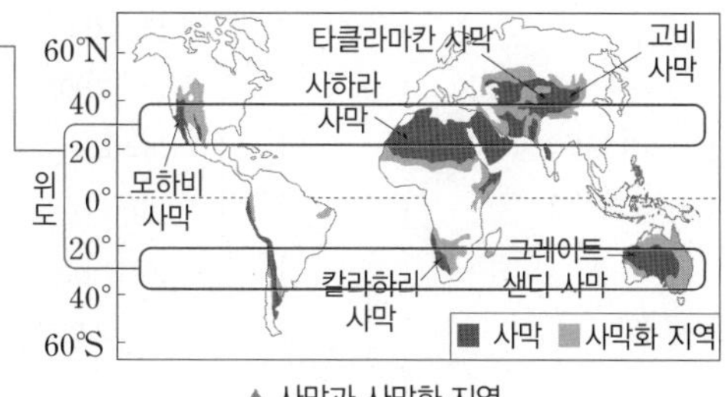

▲ 사막과 사막화 지역

기출 Tip B-1

위도별 에너지 불균형의 원인
지구가 둥글어 고위도로 갈수록 단위 면적당 지표면이 받는 태양 복사 에너지양이 적어지기 때문이다.

기출 Tip B-2

대기 대순환과 기후
적도, 위도 30°, 위도 60°, 극에서 상승 기류나 하강 기류에 의한 저압대나 고압대가 형성된다.

위도	기류	기압대
극	하강	극 고압대
60° 부근	상승	아한대 저압대 (한대 전선대)
30° 부근	하강	아열대 고압대
적도	상승	열대 저압대

➜ 위도 30° 부근에 고압대가 형성되므로 증발량이 강수량보다 많아 사막이 주로 분포하고, 적도 부근에는 저압대가 형성되므로 강수량이 많아 열대 우림이 분포한다.

기출 Tip B-3

북태평양의 아열대 순환
- 무역풍에 의해 동에서 서로 북적도 해류가 흐른다. → 난류인 쿠로시오 해류가 흐른다. → 편서풍에 의해 서에서 동으로 북태평양 해류가 흐른다. → 한류인 캘리포니아 해류가 흐른다.
- 쿠로시오 해류는 캘리포니아 해류에 비해 수온과 염분이 높고, 용존 산소량과 영양 염류가 적다.

기출 Tip C-1

숲의 파괴와 사막화
숲의 파괴 → 지표의 반사율 증가 → 지표면 냉각 → 하강 기류 → 사막화 촉진

답 ❶ 상승 ❷ 높을 ❸ 대기 ❹ 화석 ❺ 이산화 탄소 ❻ 상승 ❼ 무역풍 ❽ 직접 ❾ 편서풍 ❿ 30

2 엘니뇨와 라니냐 → 기권과 수권의 상호 작용

① 평상시: 무역풍의 영향으로 적도 부근의 따뜻한 해수가 서쪽으로 이동하고, 동태평양에서 찬 해수의 용승이 일어나 동태평양의 표층 수온이 서태평양에 비해 낮다. (→ 어획량 풍부)

② ⑪ □□□: 무역풍이 약화되어 적도 부근 동태평양 해역의 표층 수온이 평상시보다 높은 상태가 지속되는 현상

③ ⑫ □□□: 무역풍이 강화되어 적도 부근 동태평양 해역의 표층 수온이 평상시보다 낮은 상태가 지속되는 현상

구분	평상시		엘니뇨 발생 시		라니냐 발생 시	
모식도	표층 해수의 이동, 강수, 무역풍, 따뜻한 해수, 찬 해수, 서, 동		표층 해수의 이동, 강수, 무역풍 약화, 따뜻한 해수, 찬 해수, 서, 동		표층 해수의 이동, 강수, 무역풍 강화, 따뜻한 해수, 찬 해수, 서, 동	
해역	서태평양	동태평양	서태평양	동태평양	서태평양	동태평양
바람	무역풍		무역풍 ⑬ □□		무역풍 ⑭ □□	
해양	따뜻한 해수층 두께가 두껍고, 표층 수온이 높음.	따뜻한 해수층 두께가 얇고, 용승이 일어나 표층 수온이 낮음.	따뜻한 해수층 두께 감소, 표층 수온 하강	따뜻한 해수층 두께 증가, 용승 약화, 표층 수온 ⑮ □□	따뜻한 해수층 두께 증가, 표층 수온 상승	따뜻한 해수층 두께 감소, 용승 강화, 표층 수온 ⑯ □□
대기	기압이 낮고, 강수량 많음.	기압이 높고, 강수량 적음.	기압 상승, 강수량 감소 (⑰ □□)	기압 하강, 강수량 증가 (홍수)	기압 하강, 강수량 증가 (⑱ □□)	기압 상승, 강수량 감소 (가뭄)

기출 Tip C-2

동태평양 해역의 어획량
용승하는 찬 해수에는 플랑크톤의 먹이가 되는 영양 염류가 풍부하므로 평상시 용승이 일어나는 적도 부근 동태평양 해역은 어획량이 풍부하지만, 엘니뇨가 발생하여 용승이 약해지면 어획량이 감소한다.

엘니뇨 발생 시 해양과 대기의 변화 과정
무역풍이 약화되어 적도 부근에서 서쪽으로 이동하는 따뜻한 해수의 흐름이 약해지거나 동쪽으로 이동한다. → 이에 따라 동태평양 해역에서 따뜻한 해수층이 두꺼워지고, 용승이 약해져 표층 수온이 상승한다. → 수온이 상승하면 대기에서는 상승 기류가 발달하고 기압이 낮아지므로 구름이 잘 발생하여 강수량이 증가한다.

서태평양과 동태평양의 표층 수온 차이
엘니뇨 < 평상시 < 라니냐

답 ⑪ 엘니뇨 ⑫ 라니냐 ⑬ 약화 ⑭ 강화 ⑮ 상승 ⑯ 하강 ⑰ 가뭄 ⑱ 홍수

빈출 자료 보기

정답과 해설 100쪽

1117 그림 (가)는 위도별 복사 에너지 분포를, (나)는 대기 대순환의 모형을 나타낸 것이다.

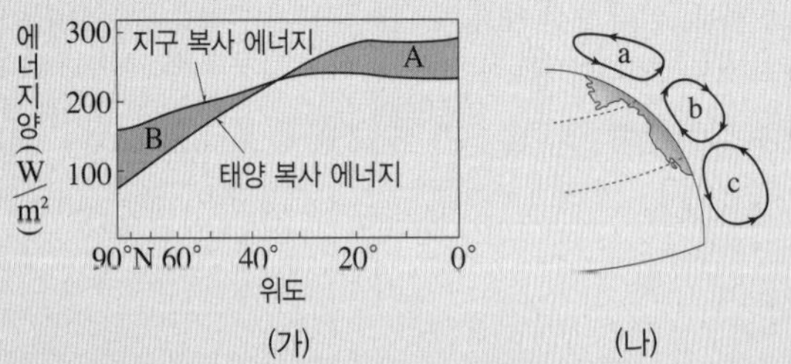

(가) (나)

이에 대한 설명으로 옳은 것은 ○, 옳지 않은 것은 ×로 나타내시오.

(1) 지구가 구형이기 때문에 위도별로 햇빛이 입사하는 각도가 달라 위도별 에너지 불균형이 일어난다. ( )
(2) 태양 복사 에너지 입사량은 고위도로 갈수록 감소한다. ( )
(3) A는 부족한 에너지의 양이고, B는 남는 에너지의 양이다. ( )
(4) (나)의 순환은 (가)에서 A를 고위도로 이동시킨다. ( )
(5) a는 해들리 순환이다. ( )
(6) a와 b는 가열과 냉각에 의한 직접 순환이다. ( )
(7) c의 지상에서는 무역풍이 분다. ( )

1118 그림은 평상시와 엘니뇨 시기의 적도 부근 태평양 해역의 대기와 해수의 순환을 순서 없이 나타낸 것이다.

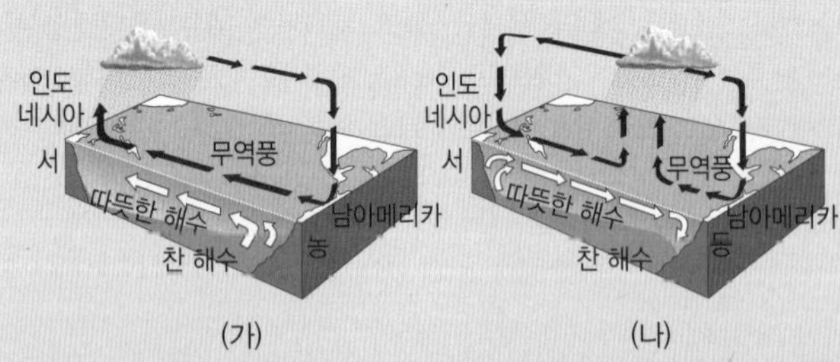

(가) (나)

이에 대한 설명으로 옳은 것은 ○, 옳지 않은 것은 ×로 나타내시오.

(1) 엘니뇨가 발생한 시기는 (가)이다. ( )
(2) (가)에서 남아메리카 연안은 용승에 의해 어획량이 많다. ( )
(3) (가)에서 인도네시아 연안에 저기압이 형성된다. ( )
(4) (나)는 (가)보다 무역풍의 세기가 강하다. ( )
(5) (나)는 (가)보다 남아메리카 연안의 표층 수온이 높다. ( )
(6) (나)는 (가)보다 적도 부근 서태평양 해역의 따뜻한 해수층의 두께가 두껍고, 해수면이 높다. ( )
(7) (나)에서 인도네시아 연안에 가뭄 피해가 발생할 수 있다. ( )

난이도별 필수 기출

상 13문항 중 30문항 하 13문항

정답과 해설 100쪽

A 기후 변화와 지구 온난화

기후 변화

1119 하 중 상

기후 변화에 대한 설명으로 옳지 않은 것은?

① 오랜 기간에 걸친 평균적인 대기 상태를 기후라고 한다.
② 기후 변화는 인간 활동에 의해서만 나타난다.
③ 나무의 나이테로 수천 년 전의 기후를 알 수 있다.
④ 기상 관측 자료를 통해 수백 년 전의 기후를 알 수 있다.
⑤ 북극의 빙하를 연구하여 과거의 대기 성분을 알 수 있다.

1120 하 중 상 ••서술형

기후를 변화시키는 지구 내적 원인을 두 가지만 서술하시오.

빈출
1121 하 중 상

기후 변화의 다양한 원인 중 지구 기온을 상승시키는 것만을 〈보기〉에서 있는 대로 고른 것은?

〈 보기 〉
ㄱ. 삼림 파괴로 인한 광합성량 감소
ㄴ. 화산이 폭발하면서 방출된 화산재
ㄷ. 화산이 폭발하면서 방출된 이산화 탄소
ㄹ. 극지방의 빙하 면적 감소로 인한 반사율 변화

① ㄱ, ㄴ ② ㄱ, ㄷ ③ ㄴ, ㄹ
④ ㄱ, ㄷ, ㄹ ⑤ ㄴ, ㄷ, ㄹ

1122 하 중 상

기후 변화의 원인 중 세차 운동에 대한 설명으로 옳은 것만을 〈보기〉에서 있는 대로 고른 것은?

〈 보기 〉
ㄱ. 지구의 자전축 기울기 방향이 변하는 현상이다.
ㄴ. 기후 변화의 지구 내적 원인에 해당한다.
ㄷ. 화산 분출에 의한 기후 변화보다 빠르게 기후가 변한다.

① ㄱ ② ㄴ ③ ㄱ, ㄷ
④ ㄴ, ㄷ ⑤ ㄱ, ㄴ, ㄷ

1123 하 중 상

표는 지구 기후 변화의 원인 두 가지를 나타낸 것이다.

(가)	빙하의 면적이 증가하면, 지표면에서 반사하는 태양 복사 에너지양이 증가한다.
(나)	지구의 공전 궤도 모양이 원에 가까워지면, 북반구는 여름철 태양 복사 에너지의 입사량이 증가하고 겨울철 태양 복사 에너지의 입사량이 감소한다.

이에 대한 설명으로 옳은 것만을 〈보기〉에서 있는 대로 고른 것은?

〈 보기 〉
ㄱ. (가)일 때, 지구의 기온은 하강한다.
ㄴ. (나)일 때, 우리나라의 기온의 연교차는 커진다.
ㄷ. 기후 변화의 지구 내적 원인에 해당하는 것은 (가)이다.

① ㄱ ② ㄴ ③ ㄱ, ㄷ
④ ㄴ, ㄷ ⑤ ㄱ, ㄴ, ㄷ

빈출
1124 하 중 상

다음은 과거의 기후를 추정하는 데 이용한 자료이다.

(가) 빙하 코어 (나) 산호 화석 (다) 나무의 나이테

이에 대한 설명으로 옳지 않은 것은?

① (가)를 연구하면 지질 시대의 대기 성분을 알 수 있다.
② (가)의 $^{18}O/^{16}O$가 높은 시기에 대륙 빙하의 면적이 넓었다.
③ (나)가 산출되는 지역은 과거에 따뜻한 바다 환경이었다.
④ 온난 다습한 지역은 (다)의 밀도가 낮고 간격이 넓다.
⑤ (가)는 (다)에 비해 오래된 과거의 기후를 알 수 있다.

빈출
1125 하 중 상

그림은 남극 빙하 코어를 분석하여 알아낸 과거 40만 년 동안의 지구 기온 편차(=당시 기온−현재 기온)와 대기 중 CO_2 농도이다.

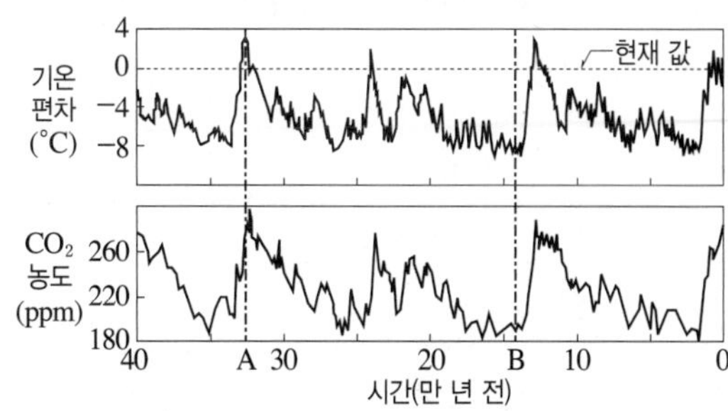

이에 대한 설명으로 옳지 않은 것은?

① 과거 40만 년 동안의 기온은 현재보다 대체로 낮았다.
② 지구 기온이 높을 때 대기 중 CO_2 농도도 높았다.
③ 극지방의 지표 반사율은 A 시기가 B 시기보다 작았을 것이다.
④ 화석 연료의 사용량이 증가하면 지구 기온은 하강할 것이다.
⑤ 깊은 곳을 시추할수록 더 오래 전의 대기 성분을 알 수 있다.

1126 하 중 상

그림 (가)와 (나)는 서로 다른 시기의 지구 자전축의 기울기 방향과 자전축의 기울기(경사각)를 나타낸 것이다. (단, 지구 자전축의 기울기 방향과 기울기 이외의 원인은 고려하지 않는다.)

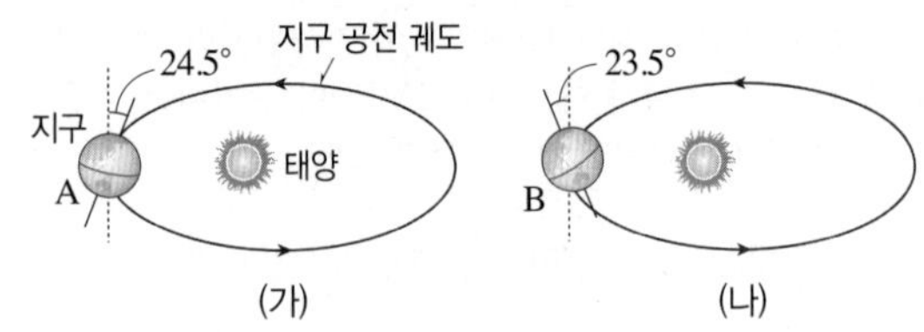

이에 대한 설명으로 옳은 것만을 <보기>에서 있는 대로 고른 것은?

<보기>
ㄱ. 우리나라는 A일 때 여름철이고, B일 때 겨울철이다.
ㄴ. 우리나라의 여름철 평균 기온은 (가)가 (나)보다 높다.
ㄷ. 우리나라 기온의 연교차는 (가)가 (나)보다 크다.

① ㄱ ② ㄴ ③ ㄱ, ㄷ
④ ㄴ, ㄷ ⑤ ㄱ, ㄴ, ㄷ

1127 하 중 상

그림은 고생대 이후 지구의 평균 기온을 나타낸 것이다.

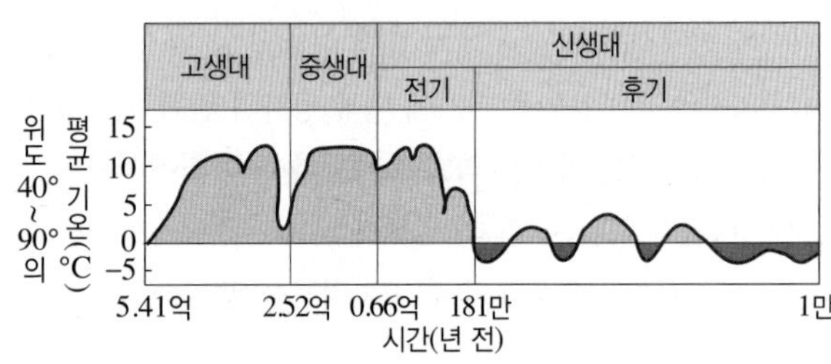

이에 대한 설명으로 옳은 것만을 <보기>에서 있는 대로 고른 것은?

<보기>
ㄱ. 신생대에는 4번의 빙하기가 있었다.
ㄴ. 빙하 속 물 분자의 $^{18}O/^{16}O$는 간빙기보다 빙하기에 높다.
ㄷ. 해양 생물 화석의 $^{18}O/^{16}O$는 중생대가 신생대 후기보다 높다.

① ㄱ ② ㄴ ③ ㄱ, ㄷ
④ ㄴ, ㄷ ⑤ ㄱ, ㄴ, ㄷ

지구 온난화

1128 하 중 상

온실 기체에 해당하지 않는 것은?

① 질소 ② 메테인 ③ 수증기
④ 산화 이질소 ⑤ 이산화 탄소

1129 하 중 상

다음은 대기 중 이산화 탄소의 농도가 증가할 때 나타나는 현상을 설명한 것이다. ㉠~㉢에 알맞은 말을 쓰시오.

지구의 평균 기온이 (㉠)하여 해수의 부피가 팽창하고 극지방의 빙하 면적이 (㉡)한다. 이에 따라 해수면이 (㉢)한다.

빈출

1130 하 중 상

지구 온난화가 지구 환경 변화에 미치는 영향으로 옳지 않은 것은?

① 고산 지대의 빙하가 감소한다.
② 극지방의 생물들이 서식처를 잃는다.
③ 각 지역의 기후가 변하여 분포하는 식생이 변한다.
④ 해수면이 낮아지면서 섬의 면적이 넓어진다.
⑤ 전 세계적으로 기상 이변이 증가한다.

1131 하 중 상

지구 온난화와 같은 기후 변화의 대응 방안으로 옳지 않은 것은?

① 에너지 효율이 높은 전기 기기를 사용한다.
② 기후 변화에 강한 농작물을 개발하여 식량을 확보한다.
③ 신재생 에너지를 개발하여 화석 연료의 사용을 줄인다.
④ 기후 변화에 약한 동물을 제거하여 생태계를 강화시킨다.
⑤ 기후 변화 협약에 참여한 나라에 온실 기체 감축의 의무를 부여한다.

1132 하 중 상

다음은 어떤 지구 환경 변화에 대한 설명이다.

지구의 평균 기온이 상승하는 현상이다. 자연적인 원인에 의해 일어나기도 하지만, 인간의 활동에 의해 화석 연료의 사용이 늘어나면서 대기 중에 이산화 탄소 등의 (㉠)가 증가하여 일어나기도 한다.

이에 대한 설명으로 옳은 것만을 <보기>에서 있는 대로 고른 것은?

<보기>
ㄱ. 사막화에 대한 설명이다.
ㄴ. ㉠의 예로 메테인, 클로로플루오로탄소(CFC) 등이 있다.
ㄷ. 지나친 삼림 벌채나 가축 사육이 원인이 될 수 있다.

① ㄱ ② ㄴ ③ ㄱ, ㄷ
④ ㄴ, ㄷ ⑤ ㄱ, ㄴ, ㄷ

빈출

1133 하중상

대표문제 多 보기

그림은 대기 중 이산화 탄소 평균 농도와 지구 평균 기온 변화를 나타낸 것이다. (단, 1951~1980년 평균 기온에 대한 기온 변화이다.)

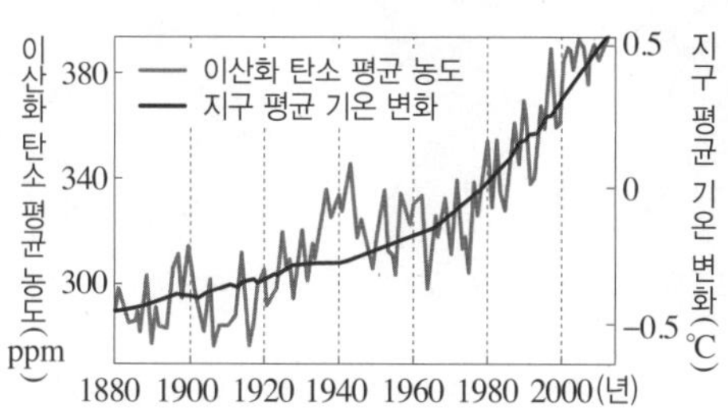

이에 대한 설명으로 옳은 것만을 〈보기〉에서 있는 대로 고른 것은?

〈 보기 〉

ㄱ. 지구 평균 기온 변화는 대기 중 이산화 탄소 평균 농도와 밀접한 관련이 있다.
ㄴ. 최근의 이산화 탄소 평균 농도 증가는 자연적인 현상이다.
ㄷ. 기온 상승률은 1880년 이후 100년 동안이 최근 30년 동안보다 컸다.

① ㄱ ② ㄷ ③ ㄱ, ㄴ
④ ㄴ, ㄷ ⑤ ㄱ, ㄴ, ㄷ

1134 하중상

그림은 남극 빙하 코어로 알아낸 과거 대기 성분과 기온 변화이다.

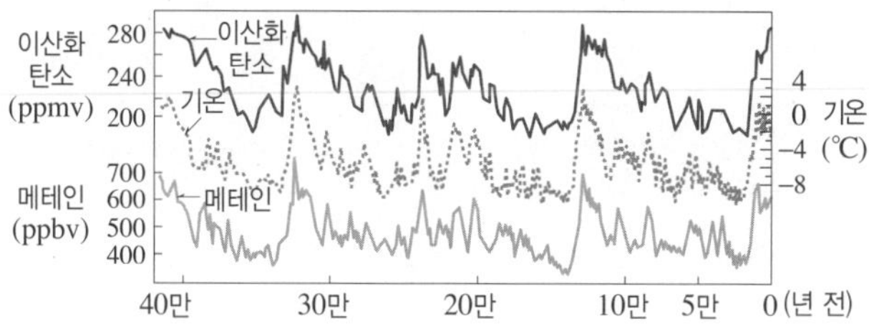

이에 대한 설명으로 옳지 않은 것은?

① 대기 중 이산화 탄소, 메테인의 농도 변화와 기온 변화의 경향은 대체로 일치한다.
② 메테인과 이산화 탄소는 온실 기체이다.
③ 화석 연료 사용이 증가하면 이산화 탄소 농도가 증가한다.
④ 대기 중 메테인의 농도 변화는 인간 활동에만 영향을 받는다.
⑤ 대기 중 이산화 탄소 농도가 높아지면 해수면은 상승한다.

1135 하중상

서술형

다음은 지구 온난화로 일어나는 현상을 설명한 것이다.

㉠해수면 상승으로 피사의 사탑을 비롯한 세계문화유산이 이번 세기 안에 침수될 수 있다는 연구 결과가 나왔다.

지구 온난화로 ㉠이 일어나는 까닭 두 가지를 서술하고, 이러한 현상을 줄이기 위해 개인이 할 수 있는 노력을 한 가지만 서술하시오.

빈출

1136 하중상

그림은 지구 온난화의 과정과 영향을 나타낸 것이다.

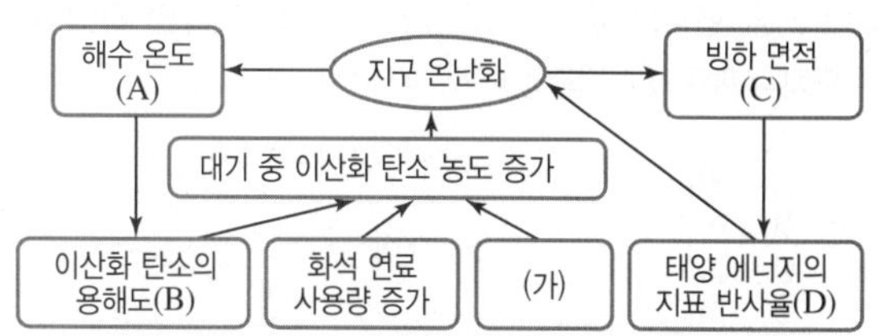

이에 대한 설명으로 옳은 것만을 〈보기〉에서 있는 대로 고른 것은?

〈 보기 〉

ㄱ. 지구 온난화가 발생하면 A는 상승하고, B는 증가한다.
ㄴ. C가 감소하면 D도 감소한다.
ㄷ. 식물의 광합성량 증가는 (가)에 해당한다.

① ㄱ ② ㄴ ③ ㄱ, ㄷ
④ ㄴ, ㄷ ⑤ ㄱ, ㄴ, ㄷ

1137 하중상

그림은 북극해의 얼음 분포 변화를 나타낸 것이다.

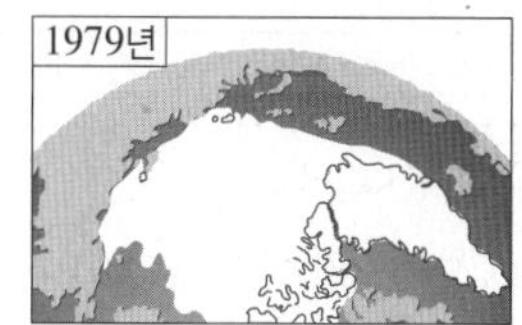

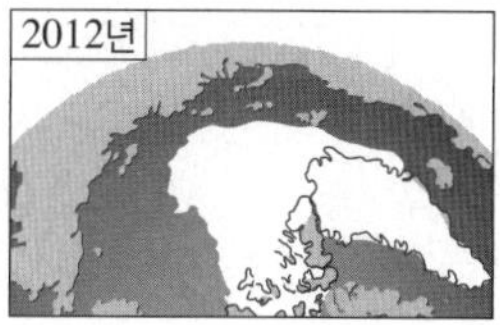

이에 대한 설명으로 옳지 않은 것은?

① 북극해 주변의 기온이 높아졌을 것이다.
② 얼음 분포 변화의 주요 원인은 화석 연료의 사용 급증이다.
③ 북극해의 평균 해수면 높이는 점차 하강하였을 것이다.
④ 멸종 위기 생물이 증가하였을 것이다.
⑤ 선박의 북극 항로를 개척할 수 있었을 것이다.

1138 하중상

그림은 1990년 이후 겨울철 북극의 기온과 북극해의 얼음 면적을 나타낸 것이다. 이에 대한 설명으로 옳은 것만을 〈보기〉에서 있는 대로 고른 것은?

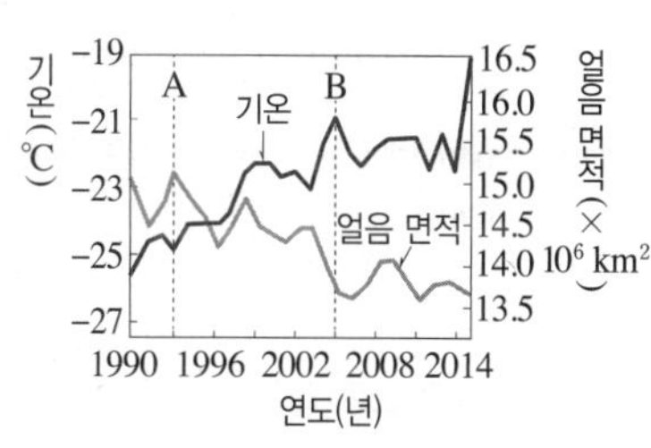

〈 보기 〉

ㄱ. 겨울철 북극의 기온은 B 시기가 A 시기보다 높다.
ㄴ. 북극해의 반사율은 B 시기가 A 시기보다 높다.
ㄷ. 북극해의 해수면 높이는 B 시기가 A 시기보다 높다.

① ㄱ ② ㄴ ③ ㄱ, ㄷ
④ ㄴ, ㄷ ⑤ ㄱ, ㄴ, ㄷ

1139 하중상

그림 (가)는 지구 전체의 대기 중 이산화 탄소 농도를, (나)는 지구 전체의 기온 편차와 우리나라의 기온 편차를 나타낸 것이다. (단, 기온 편차=관측값−평균값)

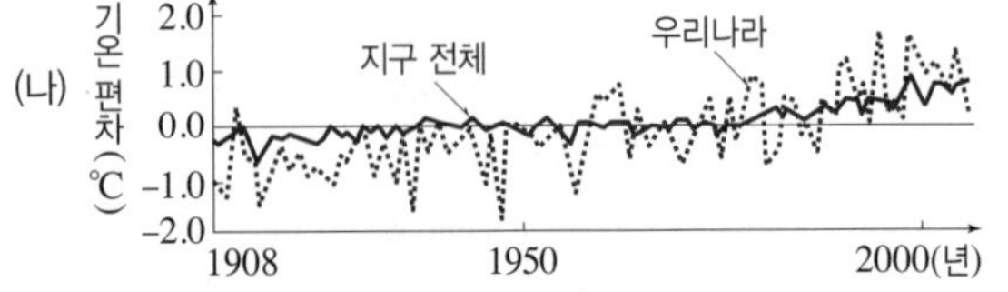

이에 대한 설명으로 옳은 것만을 〈보기〉에서 있는 대로 고른 것은?

〈보기〉

ㄱ. (가)는 (나)에서 지구 전체의 기온 변화에 영향을 주었다.
ㄴ. 이 기간 동안 지구의 평균 해수면은 점차 높아졌을 것이다.
ㄷ. 우리나라의 기온은 지구 전체의 기온보다 느리게 상승하고 있다.

① ㄱ ② ㄷ ③ ㄱ, ㄴ
④ ㄴ, ㄷ ⑤ ㄱ, ㄴ, ㄷ

1140 하중상

그림 (가)는 지구의 실제 기온 변화 및 기온 변화 예측치를, (나)는 우리나라의 계절 길이 변화의 전망을 나타낸 것이다.

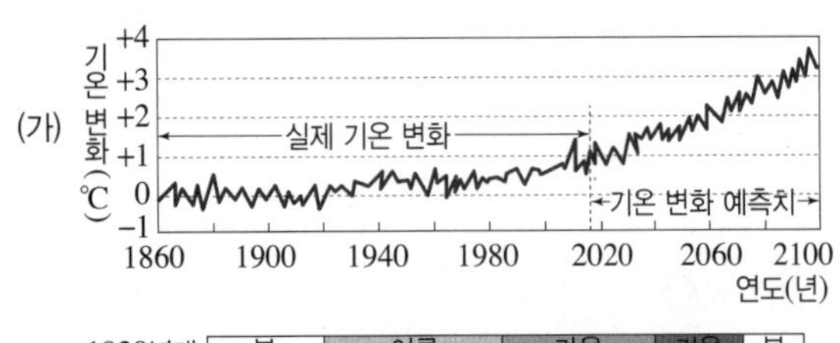

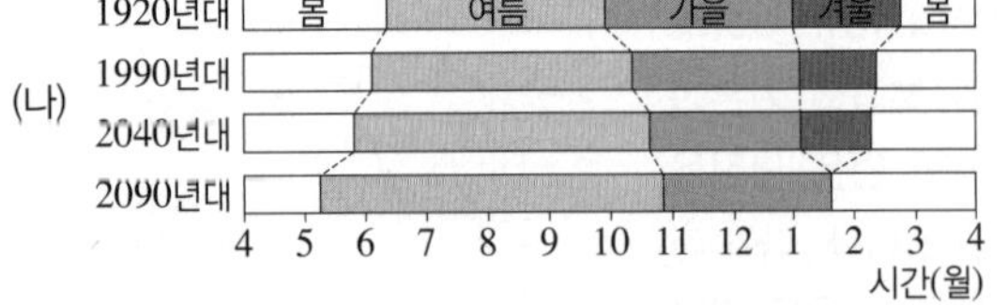

이에 대한 설명으로 옳은 것만을 〈보기〉에서 있는 대로 고른 것은?

〈보기〉

ㄱ. (가)와 (나)에서 시간이 지날수록 대기 중 이산화 탄소의 농도는 증가할 것으로 예측하였다.
ㄴ. 2090년에 봄꽃의 개화 시기는 더욱 빨라질 것이다.
ㄷ. 사계절의 구분은 점점 뚜렷해질 것이다.

① ㄱ ② ㄷ ③ ㄱ, ㄴ
④ ㄴ, ㄷ ⑤ ㄱ, ㄴ, ㄷ

1141 하중상

그림은 우리나라의 기온 변화를 예측하여 나타낸 것이다.

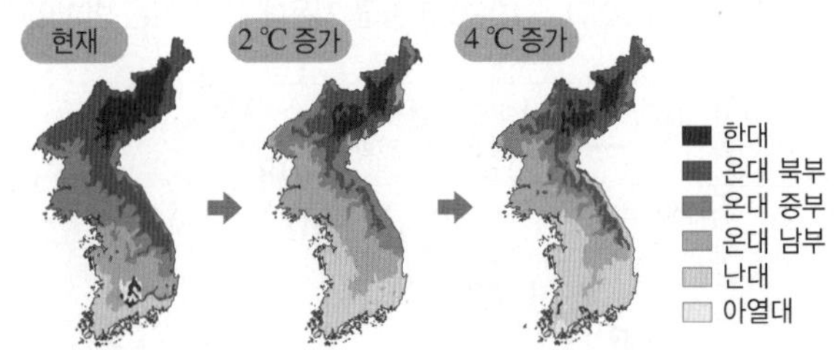

지구 온난화가 지속될 경우 우리나라에서 나타나는 현상으로 옳지 않은 것은?

① 태풍의 강도가 증가할 것이다.
② 아열대 기후 지역이 북쪽으로 확대될 것이다.
③ 열대야 일수와 폭염 발생 일수가 증가할 것이다.
④ 동해에서 난류성 어종의 어획량이 증가할 것이다.
⑤ 우리나라 주변 해역의 용존 산소량이 증가할 것이다.

1142 하중상 •서술형

그림은 지구가 태양 복사 에너지를 흡수하고, 지구 복사 에너지를 방출하는 과정을 나타낸 것이다. (단, 지구는 복사 평형 상태에 있다.)

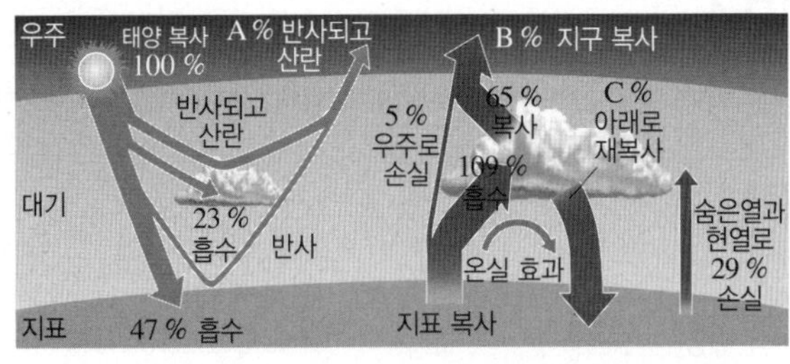

A, B, C에 해당하는 숫자를 각각 풀이 과정과 함께 구하시오.

1143 하중상

그림은 대기 중 이산화 탄소의 농도가 현재의 2배가 될 때 기온이 상승하는 정도(℃)를 예측하여 나타낸 것이다.

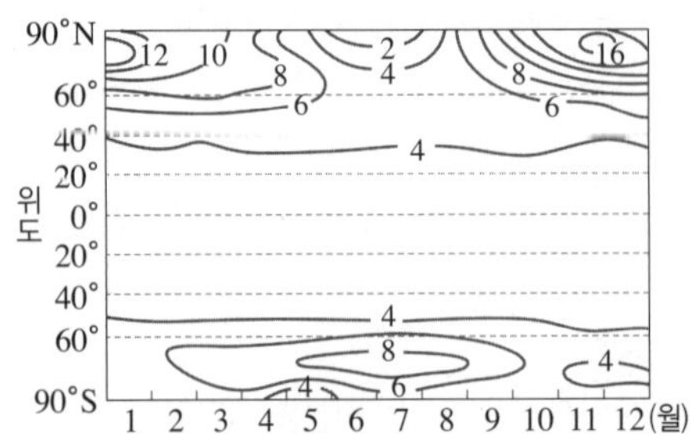

이에 대한 설명으로 옳지 않은 것은?

① 지구의 평균 해수면은 상승할 것이다.
② 60°N의 기온의 연교차는 현재보다 커질 것이다.
③ 북반구가 남반구보다 온실 효과의 영향이 대체로 크다.
④ 여름철보다 겨울철에 기온 변화량이 크다.
⑤ 겨울철에 극지방의 기온 변화량은 북반구가 남반구보다 크다.

B 대기와 해수의 순환

위도별 에너지 불균형

1144 하 중 상 ••서술형

지구에서 위도별 에너지 불균형이 일어나는 까닭을 지구의 모양과 태양 복사 에너지를 포함하여 서술하시오.

빈출 **1145** 하 중 상 대표문제 多 보기

그림은 위도에 따른 태양 복사 에너지 입사량과 지구 복사 에너지 방출량을 나타낸 것이다.

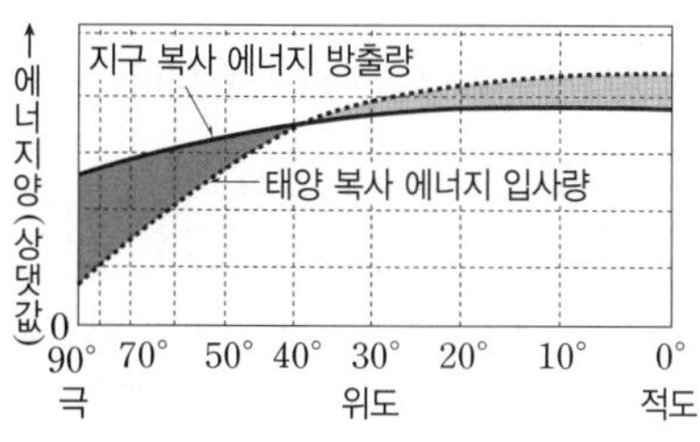

이에 대한 설명으로 옳은 것은?

① 위도에 따라 태양 복사 에너지 입사량이 차이 나는 까닭은 지구 자전축이 기울어져 있기 때문이다.
② 지구 복사 에너지 방출량은 저위도보다 고위도에서 더 많다.
③ 위도에 따른 지구 복사 에너지 방출량 차이는 태양 복사 에너지 입사량 차이보다 크다.
④ 열에너지는 저위도에서 고위도로 운반된다.
⑤ 남북 방향의 에너지 이동량은 위도 38° 부근에서 가장 적다.

1146 하 중 상

그림 (가)는 지구에 햇빛이 입사하는 모습을, (나)는 위도에 따른 태양 복사 에너지양과 지구 복사 에너지양을 나타낸 것이다.

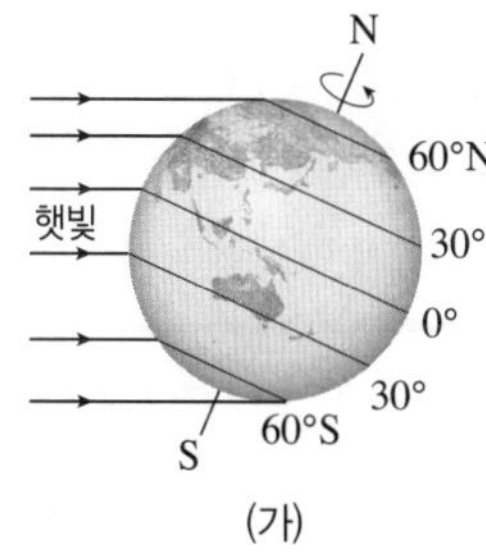

(가)

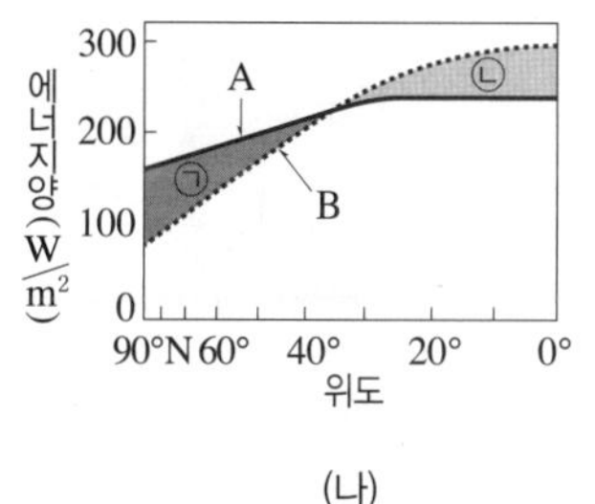

(나)

이에 대한 설명으로 옳은 것은?

① (가)에서 고위도로 갈수록 대체로 태양의 남중 고도가 낮아져 단위 면적당 지표면이 받는 태양 복사 에너지양이 증가한다.
② (나)에서 A는 태양 복사 에너지, B는 지구 복사 에너지이다.
③ 위도 38° 지역은 태양 복사 에너지 흡수량과 지구 복사 에너지 방출량이 거의 같아서 에너지 수송이 일어나지 않는다.
④ 지구는 ㉠과 ㉡이 같아 전체적으로는 에너지 균형을 이룬다.
⑤ 태풍은 고위도에서 저위도로 열과 에너지를 이동시킨다.

대기 대순환

빈출 **1147** 하 중 상 ••서술형

그림은 대기 대순환을 모식적으로 나타낸 것이다.

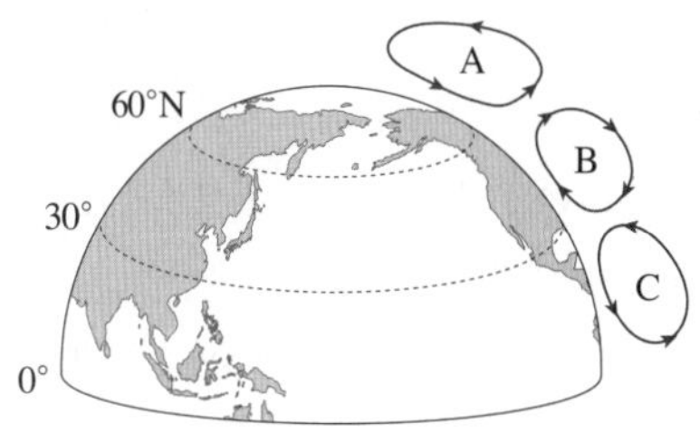

(1) A∼C 대기 순환의 명칭을 각각 쓰시오.

(2) 3개의 순환 세포가 형성되는 까닭을 서술하고, 지구가 자전하지 않을 때 대기 대순환 모형을 서술하시오.

(3) 위 그림에 0°∼30°N, 30°N∼60°N, 60°N∼북극의 지상에 부는 바람의 방향을 그리고, 각 바람의 명칭을 쓰시오.

[1148~1149] 그림은 대기 대순환의 모형을 나타낸 것이다.

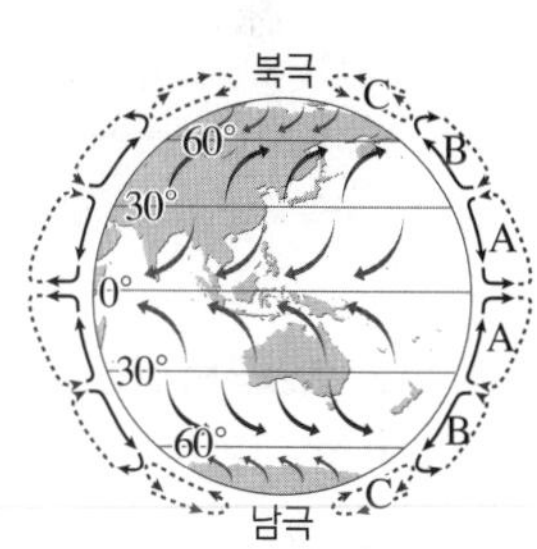

빈출 **1148** 하 중 상 대표문제 多 보기

이에 대한 설명으로 옳지 않은 것은?

① A는 해들리 순환으로, 지상에서 무역풍이 분다.
② B 순환은 가열과 냉각에 의해 형성된 직접 순환이다.
③ B와 C 순환 사이에 저압대가 발달하다.
④ 위도 30° 지역은 (증발량−강수량) 값이 적도 지역보다 크다.
⑤ 위도 60° 지역은 북쪽에서 오는 찬 공기와 남쪽에서 오는 따뜻한 공기가 만나 전선이 형성되는 곳이다.

1149 하 중 상

이에 대한 설명으로 옳은 것만을 〈보기〉에서 있는 대로 고른 것은?

〈 보기 〉
ㄱ. 북태평양 해류는 A 순환의 지표에서 부는 바람에 의해 발생한다.
ㄴ. 엘니뇨는 B 순환의 지표에서 부는 바람에 의해 발생한다.
ㄷ. 지구가 자전하지 않는다면 우리나라에서는 북풍이 분다.

① ㄱ ② ㄴ ③ ㄷ
④ ㄱ, ㄴ ⑤ ㄴ, ㄷ

1150 하/중/상

그림은 해들리 순환을 나타낸 모식도이다. A~C 지점에 대한 설명으로 옳은 것만을 〈보기〉에서 있는 대로 고른 것은?

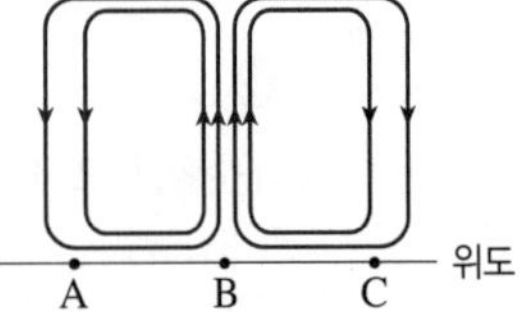

〈 보기 〉

ㄱ. 지상에서는 A에서 B 방향으로 편서풍이 분다.
ㄴ. B에서는 저압대가 형성된다.
ㄷ. A와 B 사이에 간접 순환이, B와 C 사이에 직접 순환이 형성된다.

① ㄱ ② ㄴ ③ ㄱ, ㄷ
④ ㄴ, ㄷ ⑤ ㄱ, ㄴ, ㄷ

1151 하/중/상

그림은 북반구에서 남북 방향의 대기 대순환을 나타낸 모식도이다.

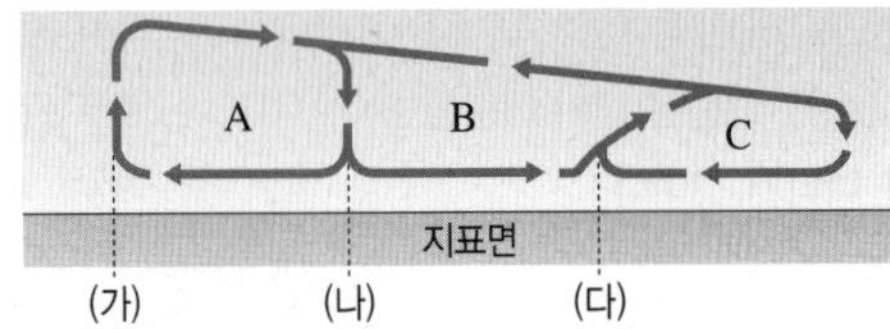

이에 대한 설명으로 옳은 것만을 〈보기〉에서 있는 대로 고른 것은?

〈 보기 〉

ㄱ. A는 극순환, B는 페렐 순환, C는 해들리 순환이다.
ㄴ. 지상에서 극동풍을 형성하는 순환은 A이다.
ㄷ. 지구가 자전하지 않는다면 B는 형성되지 않을 것이다.
ㄹ. (가) 지역에서는 열대 우림이 발달한다.

① ㄱ, ㄴ ② ㄴ, ㄷ ③ ㄷ, ㄹ
④ ㄱ, ㄴ, ㄹ ⑤ ㄱ, ㄷ, ㄹ

해수의 표층 순환

1152 하/중/상

해수의 표층 순환에 대한 설명으로 옳은 것만을 〈보기〉에서 있는 대로 고른 것은?

〈 보기 〉

ㄱ. 대기 대순환에 의해 해수면에서 지속적으로 부는 바람의 영향으로 해류가 형성된다.
ㄴ. 저위도의 남는 에너지를 고위도로 수송하는 역할을 한다.
ㄷ. 북반구 아열대 해역에서는 시계 방향으로 순환이 형성된다.

① ㄱ ② ㄷ ③ ㄱ, ㄴ
④ ㄴ, ㄷ ⑤ ㄱ, ㄴ, ㄷ

1153 하/중/상

표층 해류가 흐르는 방향을 옳게 짝 지은 것은?

	표층 해류	흐르는 방향
①	북적도 해류	서 → 동
②	북태평양 해류	서 → 동
③	남극 순환 해류	동 → 서
④	북대서양 해류	동 → 서
⑤	쿠로시오 해류	북 → 남

대표문제 多 보기

그림은 표층 해류의 순환과 대기 대순환을 나타낸 것이다.

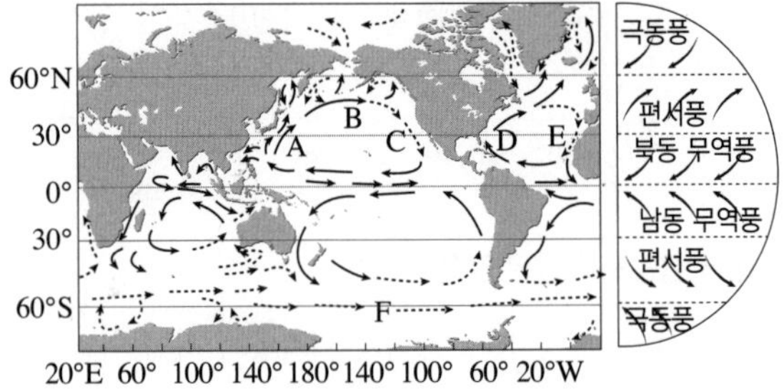

이에 대한 설명으로 옳지 않은 것은?

① 태평양의 아열대 순환은 북반구와 남반구에서 대칭을 이룬다.
② B와 F는 편서풍에 의해 형성된 해류이다.
③ A와 D는 저위도에서 고위도로 흐르는 한류이다.
④ 표층 해류의 용존 산소량은 C가 A보다 많다.
⑤ 고위도로의 열 수송량은 D가 E보다 많다.

그림은 북태평양의 표층 해류 A~D를 나타낸 것이다.

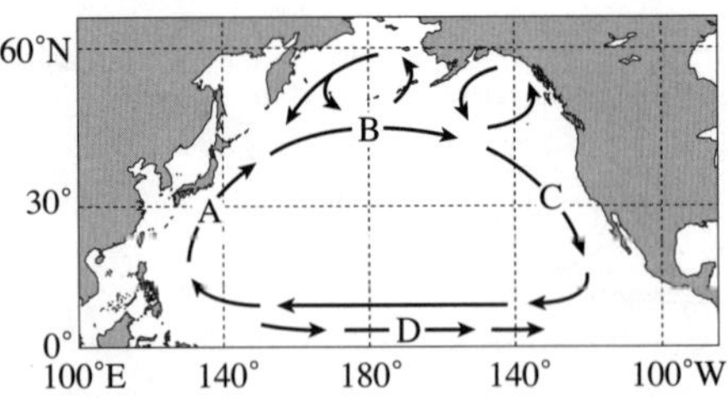

이에 대한 설명으로 옳은 것만을 〈보기〉에서 있는 대로 고른 것은?

〈 보기 〉

ㄱ. A는 C보다 염분은 높으나, 영양 염류는 적다.
ㄴ. B는 편서풍을 따라, D는 무역풍을 따라 형성된 해류이다.
ㄷ. C가 흐르는 해역은 같은 위도의 A가 흐르는 해역보다 연평균 기온이 낮다.

① ㄱ ② ㄴ ③ ㄱ, ㄷ
④ ㄴ, ㄷ ⑤ ㄱ, ㄴ, ㄷ

1156 하 중 상

그림은 남태평양의 아열대 순환을 나타낸 것이다.

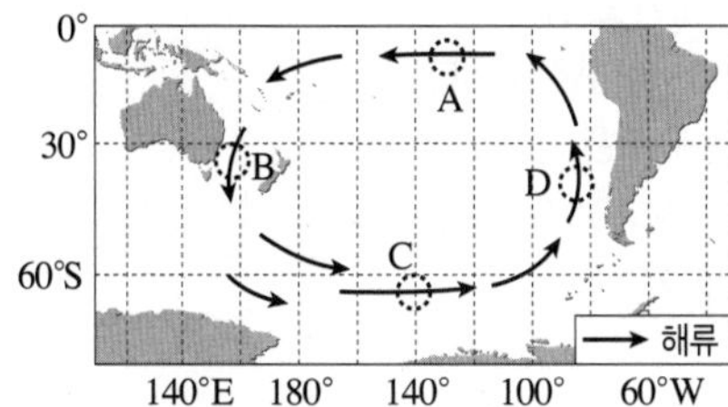

이에 대한 설명으로 옳은 것은?

① 남태평양에서 아열대 순환은 시계 방향으로 나타난다.
② A는 무역풍에 의해 형성된 해류이다.
③ C는 남적도 해류이다.
④ 표층 해수의 수온과 염분은 D가 B보다 높다.
⑤ 해수의 밀도 차에 의해 발생한 순환이다.

1157 하 중 상

그림은 주요 표층 해류가 흐르는 세 지점 A~C를 나타낸 것이다. 이에 대한 설명으로 옳은 것만을 〈보기〉에서 있는 대로 고른 것은?

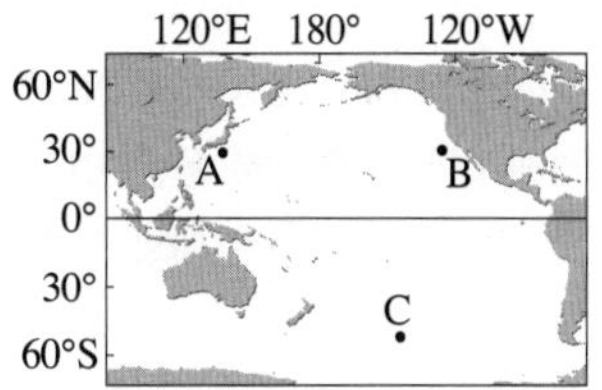

〈 보기 〉
ㄱ. A 지점에는 고위도에서 저위도로 해류가 흐른다.
ㄴ. B 지점에 흐르는 해류는 주위로부터 열을 흡수한다.
ㄷ. C 지점에는 극동풍의 영향을 받아 해류가 흐른다.
ㄹ. 북반구 저위도의 표층 순환 방향은 시계 반대 방향이다.

① ㄱ, ㄷ ② ㄴ, ㄷ ③ ㄴ, ㄹ
④ ㄱ, ㄴ, ㄹ ⑤ ㄱ, ㄷ, ㄹ

1158 하 중 상

그림은 지표 부근의 풍향 분포를 나타낸 것이다. 이에 대한 설명으로 옳은 것만을 〈보기〉에서 있는 대로 고른 것은?

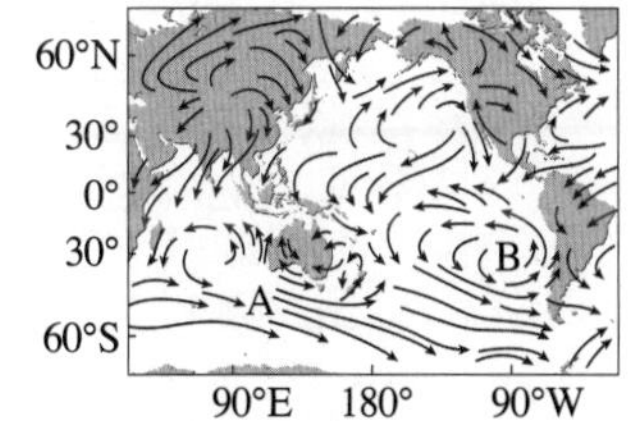

〈 보기 〉
ㄱ. A 해역에는 표층 해류가 동에서 서로 흐른다.
ㄴ. B 지역에서는 해들리 순환의 하강 기류에 의해 고기압이 형성된다.
ㄷ. 열과 에너지가 이동하여 에너지 불균형이 해소된다.

① ㄱ ② ㄷ ③ ㄱ, ㄴ
④ ㄴ, ㄷ ⑤ ㄱ, ㄴ, ㄷ

C 사막화와 엘니뇨

사막화

1159 하 중 상

사막화의 원인으로 가장 적합하지 않은 것은?

① 가축의 과도한 방목 ② 토지의 과다한 경작
③ 무분별한 삼림 파괴 ④ 화석 연료 사용 감소
⑤ 하강 기류 발달에 의한 가뭄 지속

1160 하 중 상 ••서술형

대기 대순환의 변화에 의해 사막화가 가속화되는 것은 지구 시스템의 어느 권과 어느 권의 상호 작용인지 서술하시오.

1161 하 중 상

사막화에 대한 설명으로 옳지 않은 것은?

① 사막은 주로 위도 30° 부근에 분포한다.
② 과도한 방목은 사막화가 일어나는 인위적인 원인이다.
③ 사막이 주변의 초원 지대까지 확대되는 현상은 사막화이다.
④ 숲이 사라지면 지표가 더 많은 태양 에너지를 반사해 온도가 내려가 사막화를 촉진시킨다.
⑤ 중국 지역의 사막화는 우리나라에 영향을 미치지 않는다.

빈출

1162 하 중 상 대표문제 多 보기

그림은 사막과 사막화 지역을 나타낸 것이다.

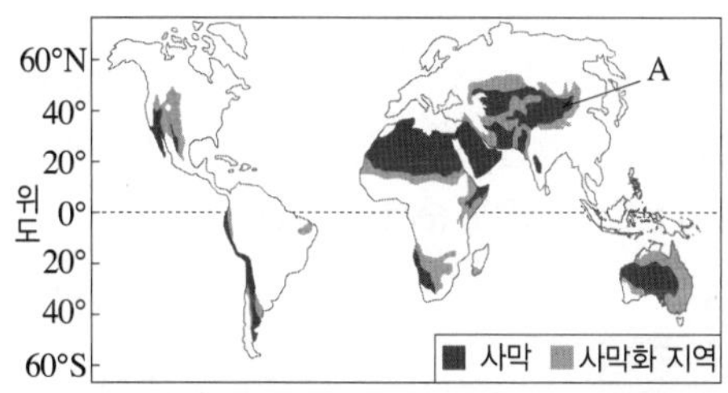

이에 대한 설명으로 옳지 않은 것만을 모두 고르면?(3개)

① 대부분의 사막은 아열대 고압대에 분포한다.
② 위도 30° 부근에 건조 기후 지역이 나타나는 것은 고기압이 형성되기 때문이다.
③ A 사막이 확장되면 우리나라의 황사 피해가 감소할 것이다.
④ 사막화는 인위적 원인으로만 발생한다.
⑤ 지구 온난화는 대기 대순환을 변화시켜 사막화를 촉진한다.
⑥ 대기 대순환의 변화로 연 강수량이 연 증발량보다 적은 지역은 사막화 가능성이 높다.
⑦ 사막이 확대되면 지표의 반사율이 증가하여 지표면 냉각에 의해 상승 기류가 발달하므로 사막화가 가속화될 것이다.

엘니뇨와 라니냐

1163 하 중 상

다음은 평상시와 엘니뇨 발생 시 적도 부근 태평양에서 나타나는 해수와 대기의 특징을 설명한 것이다.

> 평상시 적도 부근 태평양에서는 남동 무역풍이 불어 표층의 따뜻한 해수가 (㉠)쪽으로 이동한다. 그 결과 서태평양은 표층 수온이 동태평양에 비해 (㉡)고, 저기압이 분포하여 강수량이 (㉢)다. 몇 년에 한 번씩 남동 무역풍이 약해지면, 적도 부근 따뜻한 해수의 이동이 약해져 동태평양의 표층 수온이 평상시에 비해 (㉣)지고, 저기압의 위치가 (㉤)쪽으로 이동한다.

( ) 안에 알맞은 말을 쓰시오.

1164 하 중 상

다음은 무역풍의 변화로 나타나는 기상 이변을 설명한 것이다.

> (가) 서태평양 해역의 인도네시아에서 가뭄으로 인해 산불이 발생하였다.
> (나) 동태평양 해역의 페루 연안에서 가뭄과 냉해가 발생하였다.

(가)와 (나)는 엘니뇨와 라니냐 중 어느 시기에 대한 설명인지 각각 쓰시오.

1165 하 중 상

대표문제 多 보기

그림 (가)와 (나)는 평상시와 엘니뇨 발생 시 적도 부근 태평양의 해수와 대기 순환의 모습을 순서 없이 나타낸 것이다.

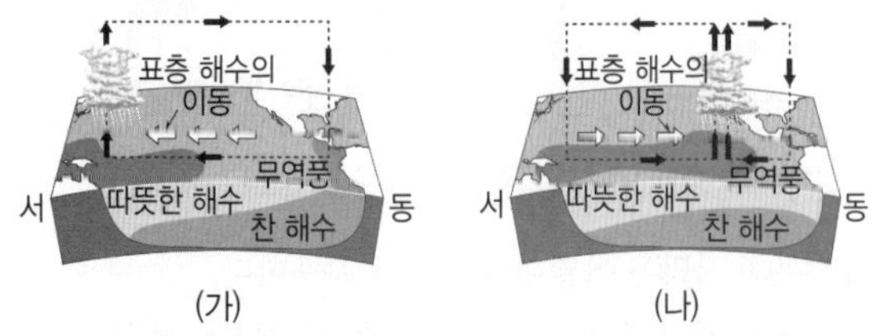

이에 대한 설명으로 옳지 않은 것만을 모두 고르면?(2개)

① (가)는 평상시, (나)는 엘니뇨 발생 시이다.
② 무역풍은 (가)보다 (나)일 때 강하다.
③ 동태평양 적도 해역의 표층 수온은 (가)보다 (나)일 때 높다.
④ 동태평양 해역의 용승은 (가)보다 (나)일 때 약하다.
⑤ 동태평양 적도 부근의 기압은 (가)보다 (나)일 때 높다.
⑥ 서태평양에서는 (나)일 때 가뭄 피해가 발생할 수 있다.
⑦ 엘니뇨는 기권과 수권의 상호 작용으로 나타난다.

1166 하 중 상

그림은 엘니뇨 시기에, 태평양 적도 부근의 대기 순환과 해수의 연직 단면을 나타낸 것이다. A와 B 해역에 대한 설명으로 옳은 것만을 〈보기〉에서 있는 대로 고른 것은?

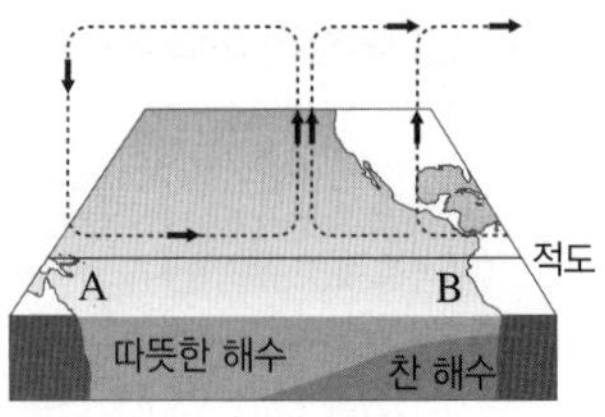

〈 보기 〉
ㄱ. A 부근에서 산불이, B 부근에서 폭우가 자주 발생한다.
ㄴ. B 해역에서는 평상시보다 어획량이 줄어든다.
ㄷ. B 해역의 따뜻한 해수층의 두께가 평상시보다 두꺼워진다.

① ㄱ ② ㄷ ③ ㄱ, ㄴ
④ ㄴ, ㄷ ⑤ ㄱ, ㄴ, ㄷ

1167 하 중 상

그림은 동태평양 적도 부근 해역의 관측 수온과 평년 수온을 나타낸 것이다. A 시기에 이 해역에 대한 설명으로 옳은 것만을 〈보기〉에서 있는 대로 고른 것은?

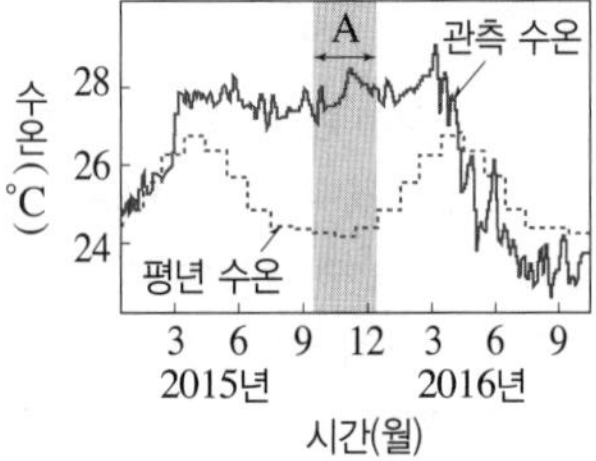

〈 보기 〉
ㄱ. 평상시에 비해 무역풍이 강해졌다.
ㄴ. 상승 기류가 우세해짐에 따라 강수량이 많아졌다.
ㄷ. 용승이 약해지면서 영양 염류가 감소하여 어획량이 줄었다.

① ㄱ ② ㄷ ③ ㄱ, ㄴ
④ ㄴ, ㄷ ⑤ ㄱ, ㄴ, ㄷ

1168 하 중 상

그림은 어느 해 일정 기간 동안 관측한 태평양 적도 부근 해역의 수온 편차(관측값−평년값)를 나타낸 것이다.

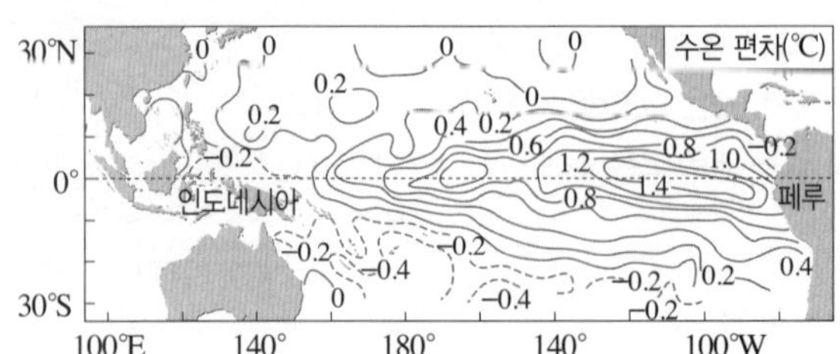

평년과 비교하여 이 시기에 대한 설명으로 옳지 않은 것은?

① 남동 무역풍의 세기가 약해졌다.
② 서태평양의 따뜻한 해수층의 두께가 얇아졌다.
③ 인도네시아 부근에서 가뭄이 자주 발생한다.
④ 페루 연안에서는 폭우가 자주 발생한다.
⑤ 서태평양과 동태평양의 수온 차이가 커졌다.

1169 하 중 상 ••서술형

그림은 평상시와 엘니뇨 시기의 적도 부근 태평양의 해수와 대기의 모습을 순서 없이 나타낸 것이다.

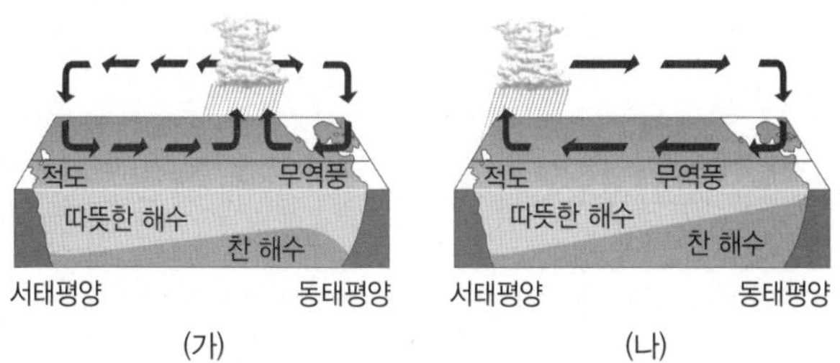

(가) (나)

(1) (가)와 (나) 중 엘니뇨 시기를 고르고, 엘니뇨 시기에 서태평양과 동태평양의 기압과 강수량 변화를 각각 서술하시오.

(2) 평상시와 비교하여 엘니뇨 시기에 동태평양과 서태평양의 표층 수온 차이 변화를 다음 요소를 포함하여 서술하시오.

무역풍의 세기, 동서 방향 따뜻한 해수의 이동, 용승

1170 하 중 상

그림은 평상시와 엘니뇨 발생 시 태평양 해수면의 수온 분포를 순서 없이 나타낸 것이다.

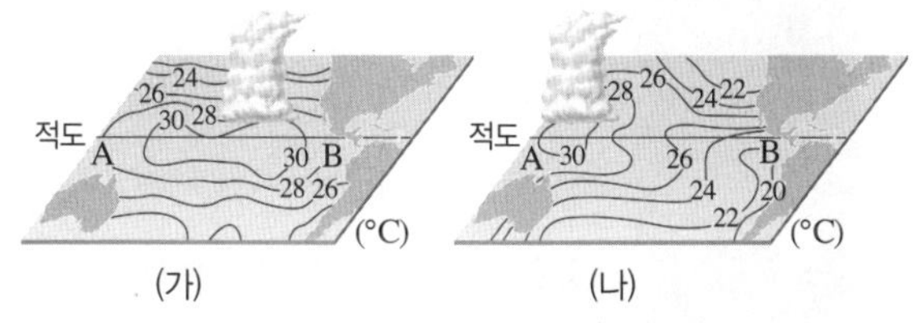

(가) (나)

이에 대한 설명으로 옳은 것만을 〈보기〉에서 있는 대로 고른 것은?

〈 보기 〉
ㄱ. (가)는 엘니뇨 발생 시의 모습이다.
ㄴ. A 해역의 강수량은 (가)가 (나)보다 많다.
ㄷ. A와 B 해역의 수온 차이는 (가)가 (나)보다 크다.

① ㄱ　② ㄷ　③ ㄱ, ㄴ
④ ㄴ, ㄷ　⑤ ㄱ, ㄴ, ㄷ

1171 하 중 상 ••서술형

라니냐가 발생한 시기에 무역풍의 세기, 적도 부근 동태평양 해역의 용승과 따뜻한 해수층의 두께를 서술하시오.

빈출

1172 하 중 상

그림은 1990년부터 2017년까지 동태평양 적도 부근 해역의 표층 수온 편차(관측값−평년값)를 나타낸 것이다.

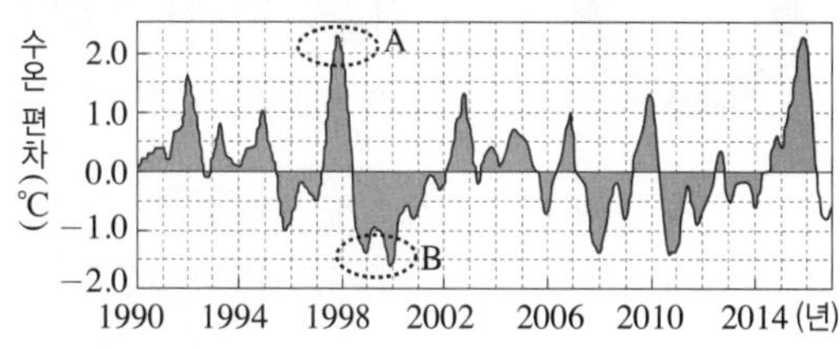

이에 대한 설명으로 옳은 것만을 〈보기〉에서 있는 대로 고른 것은?

〈 보기 〉
ㄱ. A는 엘니뇨 시기, B는 라니냐 시기이다.
ㄴ. 무역풍의 세기는 A가 B보다 강했다.
ㄷ. B 시기에 적도 부근 동태평양은 건조한 기후가 나타난다.
ㄹ. A 시기에는 평상시에 비해 적도 부근 서태평양 해역과 동태평양 해역의 기압 차이가 증가한다.

① ㄱ, ㄷ　② ㄴ, ㄷ　③ ㄴ, ㄹ
④ ㄱ, ㄴ, ㄹ　⑤ ㄱ, ㄷ, ㄹ

1173 하 중 상 ••서술형

그림은 남태평양 적도 부근의 해수면 높이를 나타낸 것이다. 엘니뇨와 라니냐 중 어느 시기인지 쓰고, A와 B 지역의 기압 편차(관측값−평년값)를 각각 (+), (−) 부호로 서술하시오.

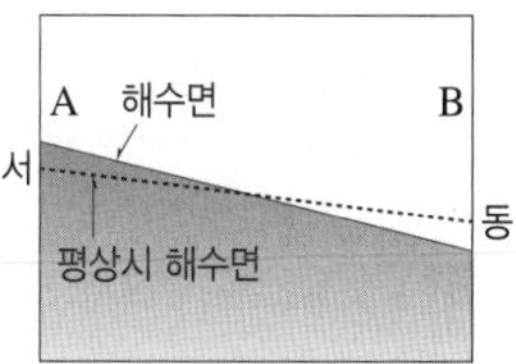

1174 하 중 상

그림 (가)는 동태평양 해역의 수온 편차(관측 수온−평균 수온) 변화를, (나)는 태평양 적도 부근의 두 해역 ㉠, ㉡을 나타낸 것이다.

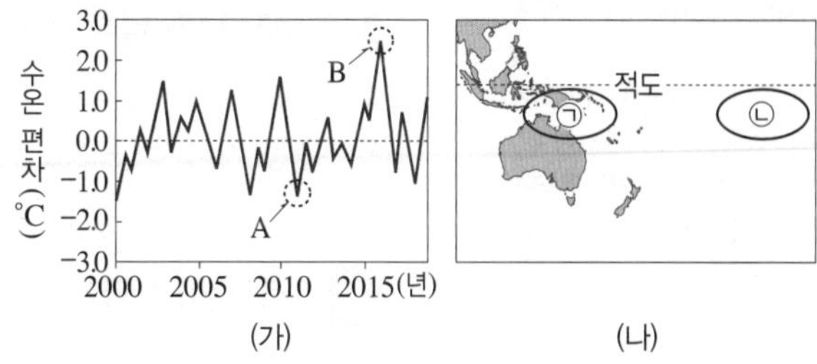

(가) (나)

이에 대한 설명으로 옳은 것만을 〈보기〉에서 있는 대로 고른 것은?

〈 보기 〉
ㄱ. A 시기에 ㉡ 해역은 평상시보다 기압이 낮았다.
ㄴ. B 시기에 ㉠ 해역의 기압 편차는 (+)이다.
ㄷ. 남적도 해류는 A 시기보다 B 시기에 강했을 것이다.

① ㄴ　② ㄷ　③ ㄱ, ㄴ
④ ㄱ, ㄷ　⑤ ㄱ, ㄴ, ㄷ

Ⅳ

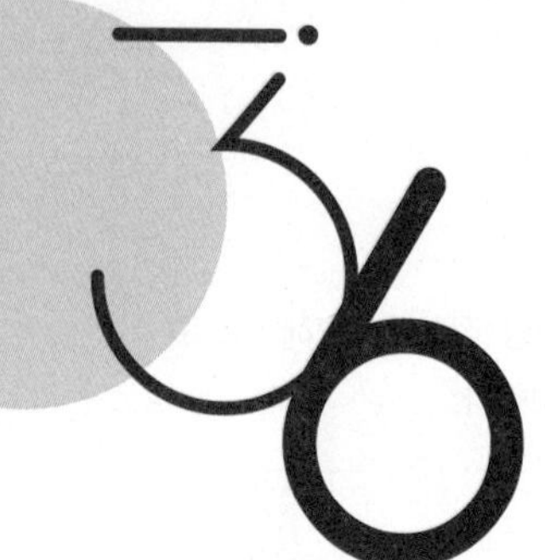

에너지 전환과 효율적 이용

Ⓐ 에너지 전환과 보존

1 에너지 일을 할 수 있는 능력

운동 에너지	운동하는 물체가 가지는 에너지	➡ 운동 에너지와 퍼텐셜 에너지의 합을 역학적 에너지라고 한다.
퍼텐셜 에너지	물체가 위치에 따라 가지는 에너지	
❶ □ 에너지	원자의 진동이나 분자 운동에 의한 에너지 ➡ 물체의 온도를 변화시키는 에너지	
화학 에너지	화학 결합에 의해 물질 속에 저장되어 있는 에너지 → 화학 물질, 음식물, 생명체 등에 포함된다.	
❷ □□ 에너지	전하의 이동에 의해 발생하는 에너지 → 전기 제품에 전류가 흐를 때 사용된다.	
핵에너지	원자핵이 융합하거나 분열할 때 발생하는 에너지	
파동 에너지	소리나 파도와 같은 파동이 가지는 에너지	
빛에너지	빛의 형태로 전달되는 에너지	

기출 Tip Ⓐ-2

에너지 전환의 예

구분	에너지 전환
건전지	화학 → 전기
인체	화학 → 열, 운동
광합성	빛 → 화학
선풍기	전기 → 운동
자동차 엔진	화학 → 열 → 운동

2 에너지 전환 한 형태의 에너지는 다른 형태의 에너지로 변할 수 있다.

역학적 에너지 ← 증기 기관 ← 열에너지
역학적 에너지 → 마찰 → 열에너지
핵에너지 → 원자로 → 열에너지
핵에너지 → 태양 → 빛에너지
화학 에너지 → 근육 운동 → 역학적 에너지
역학적 에너지 → 수력 발전 → 전기 에너지
전기 에너지 → 전동기 → 역학적 에너지
열에너지 → 열전 발전 → 전기 에너지
전기 에너지 → 전열기 → 열에너지
빛에너지 → 복사선 → 열에너지
전기 에너지 → 충전기 → 화학 에너지
화학 에너지 → 화력 발전 → 전기 에너지
빛에너지 → 태양 전지 → 전기 에너지
전기 에너지 → 전등 → 빛에너지

휴대 전화에서 일어나는 에너지 전환의 예

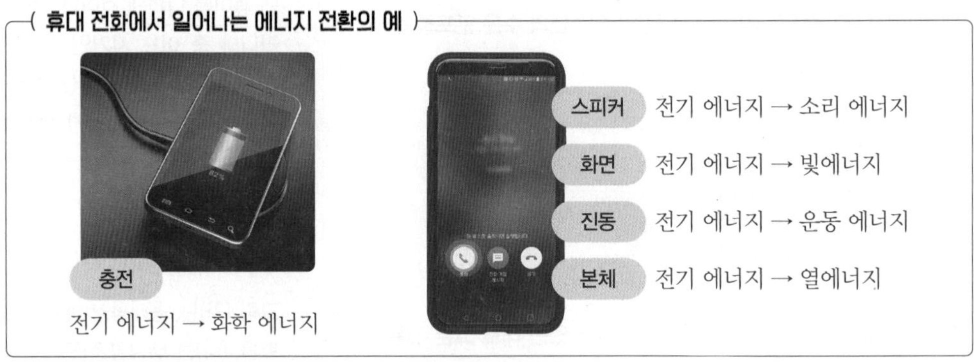

충전
전기 에너지 → 화학 에너지
스피커 전기 에너지 → 소리 에너지
화면 전기 에너지 → 빛에너지
진동 전기 에너지 → 운동 에너지
본체 전기 에너지 → 열에너지

기출 Tip Ⓐ-3

에너지를 절약해야 하는 까닭

에너지는 보존되지만 에너지 전환 과정에서 항상 열에너지가 발생하며, 이 에너지는 유용하게 쓰이지 못하고 버려진다. 따라서 유용하게 사용할 수 있는 에너지는 점점 줄어든다.

3 에너지 보존 법칙 에너지가 전환되는 과정에서 에너지는 새로 생겨나거나 소멸되지 않으며 전체 양은 항상 일정하게 ❸ □□된다. 예 휴대 전화에 공급된 전기 에너지의 양은 소리, 빛, 열, 운동 에너지 등으로 전환된 에너지의 총합과 같다.

Ⓑ 열기관의 열효율

기출 Tip Ⓑ-1

열에너지의 이동

- 열에너지는 온도가 높은 물체에서 낮은 물체 쪽으로 이동한다.
- 열에너지는 항상 고열원에서 저열원으로 이동하므로 $Q_1 > Q_2$이다.
- 고온에서 저온으로의 열의 이동은 막을 수 없으므로 Q_2가 0이고 열효율이 1인 열기관은 제작할 수 없다.

1 열기관 열에너지를 일로 전환하는 장치

① 구조: 높은 온도의 열원(고열원)으로부터 Q_1의 열을 흡수하여 외부에 W의 ❹ □을 하고, 낮은 온도의 열원(저열원)으로 Q_2의 열을 방출한다. ➡ $Q_1 = W + Q_2$ → 에너지 보존 법칙의 적용

② 열효율: 열기관에 공급한 ❺ □에너지 중 열기관이 한 일의 비율

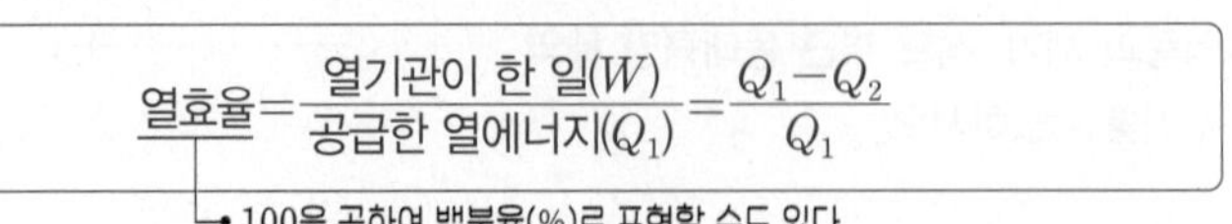

$$\text{열효율} = \frac{\text{열기관이 한 일}(W)}{\text{공급한 열에너지}(Q_1)} = \frac{Q_1 - Q_2}{Q_1}$$

→ 100을 곱하여 백분율(%)로 표현할 수도 있다.

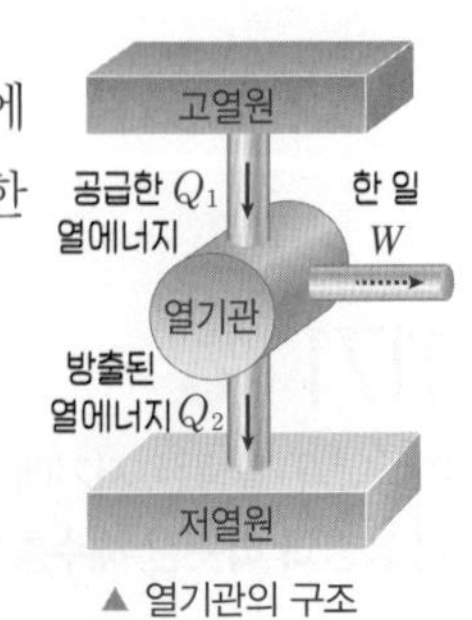

▲ 열기관의 구조

[예제] 고열원에서 열기관에 $4Q$의 에너지를 공급하였더니 일을 한 후, 저열원으로 Q의 에너지가 방출되었다. 이때 열기관의 열효율을 구하시오.

[풀이] 열기관이 한 일=공급한 에너지−방출된 에너지$=4Q-Q=3Q$, 열효율$=\frac{\text{열기관이 한 일}}{\text{공급한 열에너지}}=\frac{3Q}{4Q}=0.75$

답 0.75

C 에너지 효율

1 에너지 효율 공급한 에너지 중에서 유용하게 사용된 에너지의 비율(%)

$$\text{에너지 효율(\%)}=\frac{\text{유용하게 사용된 에너지의 양}}{\text{공급한 에너지의 양}}\times 100$$

2 에너지의 절약과 효율적 이용

① LED 전구: 백열전구, 형광등에 비해 전기 에너지를 빛에너지로 전환하는 효율이 높다.

② 하이브리드 자동차: 운행 중 버려지는 에너지의 일부를 전기 에너지로 전환하여 다시 사용하므로 일반 자동차보다 에너지 효율이 ❻☐☐.

③ 에너지 제로 하우스: 필요한 에너지를 태양, 지열, 풍력 등의 재생 에너지를 통해 얻고, 단열로 외부와의 열 출입을 차단하는 미래형 주택이다.

④ 에너지 소비 효율 등급 표시: 가전제품별로 에너지 소비 효율을 5개의 등급으로 나누어 정한 것으로 ❼☐등급이 가장 효율이 높은 에너지 절약형 제품이다.

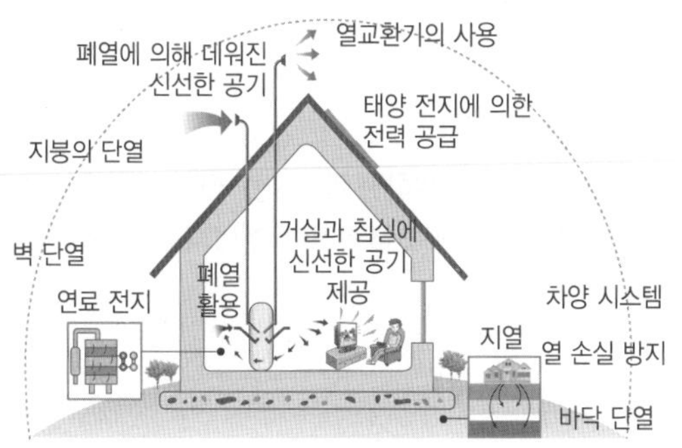

▲ 에너지 제로 하우스

▲ 에너지 소비 효율 등급

기출 Tip C-2

에너지 소비 효율 등급의 해석
- 월간 소비 전력량의 값이 작을수록 적은 전력을 소비하는 제품이다.
- CO_2는 제품을 사용할 때 배출하는 이산화 탄소의 양이므로 값이 작을수록 친환경 제품이다.

답 ❶ 열 ❷ 전기 ❸ 보존 ❹ 일 ❺ 열 ❻ 높다 ❼ 1

빈출 자료 보기

정답과 해설 105쪽

1175 그림은 열기관에서의 에너지 흐름을 나타낸 것이다.

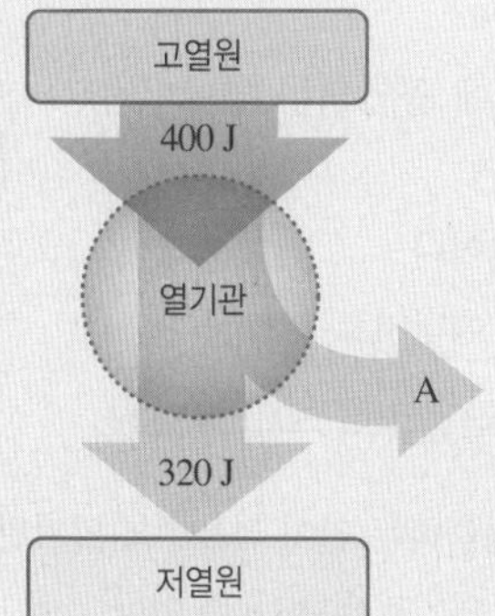

이에 대한 설명으로 옳은 것은 ○, 옳지 않은 것은 ×로 표시하시오.

(1) 열에너지는 고열원에서 저열원으로 이동한다. ( )

(2) 열기관에 공급된 에너지는 320 J이다. ( )

(3) 열기관이 외부에 한 일의 양 A는 80 J이다. ( )

(4) 열기관의 열효율은 0.2이다. ( )

(5) 열효율이 같은 열기관에 500 J의 에너지를 공급하면 저열원으로 방출되는 에너지는 320 J이다. ( )

(6) 고열원에서 공급한 에너지와 저열원으로 방출된 에너지의 차이가 작을수록 열효율이 높은 열기관이다. ( )

(7) 이와 같은 열기관의 대표적인 장치로 자동차 엔진이 있다. ( )

상 6문항
중 10문항
하 3문항

A 에너지 전환과 보존

1176 하중상

에너지 전환 과정으로 옳지 않은 것은?

① 형광등: 전기 에너지 → 빛에너지
② 광합성: 빛에너지 → 화학 에너지
③ 전열기: 열에너지 → 전기 에너지
④ 선풍기: 전기 에너지 → 운동 에너지
⑤ 자동차 엔진: 화학 에너지 → 운동 에너지

1177 하중상

대표문제 多 보기

에너지에 대한 설명으로 옳지 않은 것은?

① 에너지는 새로 생기거나 소멸되지 않는다.
② 에너지는 한 형태에서 다른 형태로 변할 수 있다.
③ 에너지가 전환되기 전과 후의 총량은 항상 보존된다.
④ 파동 에너지는 소리나 파도가 가지는 에너지이다.
⑤ 빛에너지는 열에너지와 같이 분자의 운동에 의한 에너지이다.
⑥ 식물의 광합성은 빛에너지가 화학 에너지로 전환되는 과정이다.

1178 하중상

그림은 여러 가지 에너지 전환 과정을 모식적으로 나타낸 것이다.

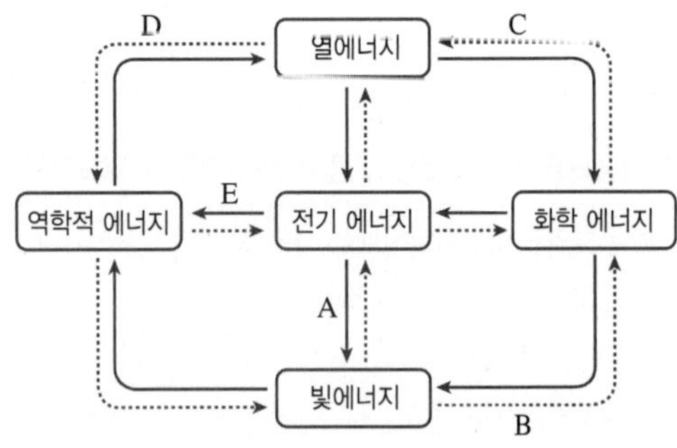

A~E의 에너지 전환에 해당하는 예를 옳게 짝 지은 것은?

① A - 태양 전지
② B - 식물의 호흡
③ C - 건전지의 충전
④ D - 열기관
⑤ E - 수력 발전

1179 하중상

그림은 휴대 전화에서 일어나는 에너지 전환을 나타낸 것이다.

이에 대한 설명으로 옳은 것만을 〈보기〉에서 있는 대로 고른 것은?

〈 보기 〉
ㄱ. 휴대 전화의 사용 중 발생한 열에너지는 다시 이용하기 어렵다.
ㄴ. 휴대 전화의 배터리를 충전할 때 화학 에너지가 전기 에너지로 전환된다.
ㄷ. 휴대 전화를 사용할 때 전기 에너지는 빛에너지, 소리 에너지, 운동 에너지 등으로 전환된다.
ㄹ. 휴대 전화에서 전환된 에너지의 총량은 보존되지 않는다.

① ㄱ, ㄴ ② ㄱ, ㄷ ③ ㄴ, ㄷ
④ ㄴ, ㄹ ⑤ ㄷ, ㄹ

1180 하중상

서술형

에너지 보존 법칙에 의하면 에너지는 전환 과정에서 총합이 일정하게 보존된다. 그럼에도 불구하고 에너지를 절약해야 하는 까닭을 서술하시오.

B 열기관의 열효율

1181 하중상

대표문제 多 보기

그림은 열기관에서의 에너지 흐름을 모식적으로 나타낸 것이다. 이에 대한 설명으로 옳지 않은 것만을 모두 고르면?(2개)

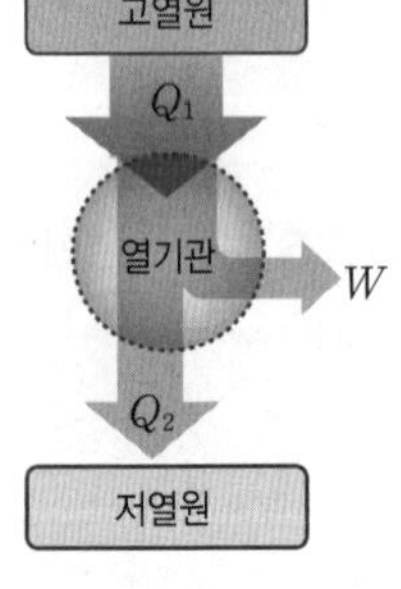

① 열은 고열원에서 저열원으로 이동한다.
② Q_1은 열기관에 공급되는 열에너지이다.
③ $W=Q_1+Q_2$이다.
④ Q_2는 역학적 에너지로 전환된다.
⑤ 이 열기관의 열효율은 $\frac{Q_1-Q_2}{Q_1}$이다.
⑥ 저열원으로 방출하는 열이 적을수록 열기관의 열효율이 높다.
⑦ 열효율이 1인 열기관은 만들 수 없다.

1182 하 중 상

그림과 같이 열기관의 고열원에 **1000 J**의 열에너지를 공급해 주었더니 외부에 W의 일을 하고 **650 J**의 열에너지가 저열원 쪽으로 빠져나갔다.

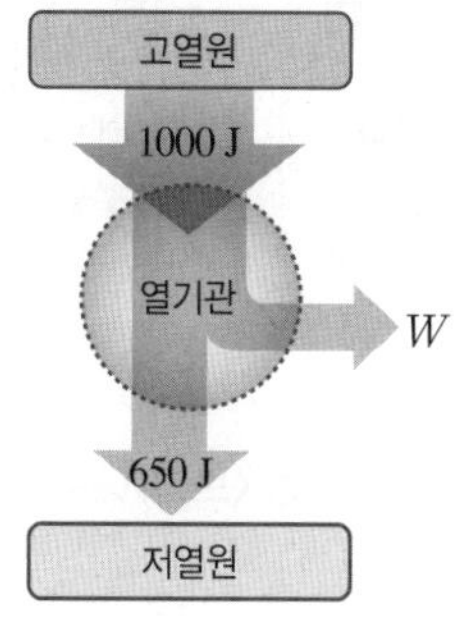

이에 대한 설명으로 옳은 것만을 〈보기〉에서 있는 대로 고른 것은?

〈 보기 〉
ㄱ. 이 열기관의 열효율은 0.65이다.
ㄴ. 외부에 한 일의 양은 350 J이다.
ㄷ. 열에너지가 다른 에너지로 전환되어도 에너지의 총량은 변하지 않는다.

① ㄱ ② ㄴ ③ ㄱ, ㄷ
④ ㄴ, ㄷ ⑤ ㄱ, ㄴ, ㄷ

빈출

1183 하 중 상

그림은 열기관에서의 에너지 흐름을 나타낸 것이고, 표는 열기관 A, B에 공급한 열에너지, 한 일의 양, 열효율을 나타낸 것이다.

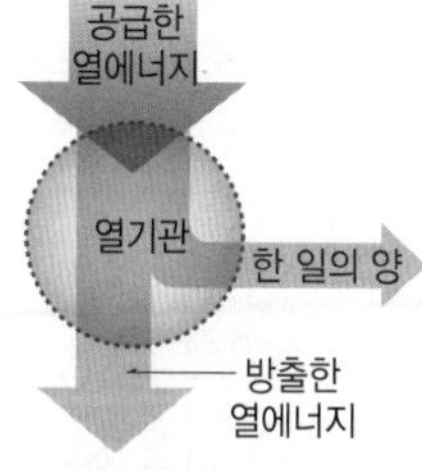

구분	A	B
공급한 열에너지(J)	100	150
한 일의 양(J)	30	(㉡)
열효율	(㉠)	0.2

이에 대한 설명으로 옳은 것만을 〈보기〉에서 있는 대로 고른 것은?

〈 보기 〉
ㄱ. ㉠은 0.3이다.
ㄴ. 열효율은 B가 A보다 크다.
ㄷ. A가 B보다 한 일의 양이 많다.
ㄹ. 방출한 열에너지는 B가 A보다 많다.

① ㄱ, ㄴ ② ㄱ, ㄷ ③ ㄱ, ㄹ
④ ㄷ, ㄹ ⑤ ㄱ, ㄷ, ㄹ

1184 하 중 상

••서술형

그림과 같이 어떤 열기관이 고열원으로부터 **500 J**의 열에너지를 공급받아 **260 J**의 일을 하고 남은 열에너지를 저열원으로 방출하였다.

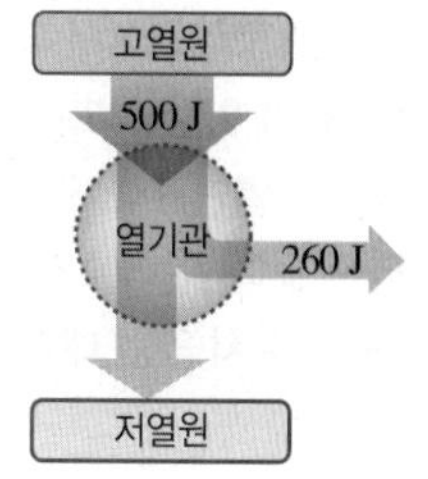

(1) 열기관이 저열원으로 방출한 열에너지를 구하시오.

(2) 이 열기관의 열효율을 풀이 과정과 함께 서술하시오.

1185 하 중 상

그림 (가)는 열기관에서의 에너지 흐름을 나타낸 것이고, (나)는 열기관 A~D에 공급한 열에너지와 방출된 열에너지를 나타낸 것이다.

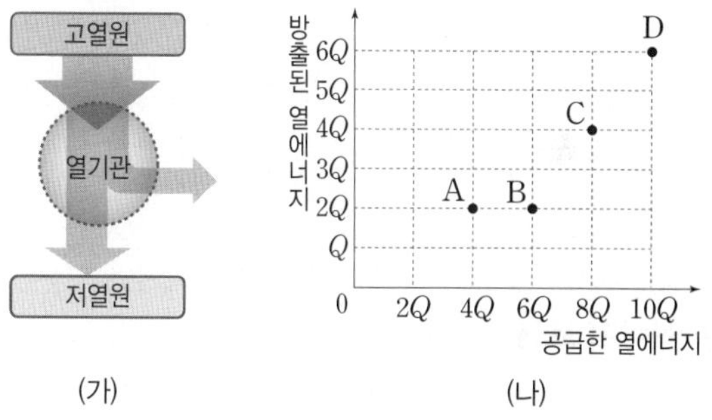

열기관 A~D의 열효율의 크기를 옳게 비교한 것은?

① A=B>C>D ② A>B>C>D
③ B>A=C>D ④ C=A>B>D
⑤ D>C>A>B

1186 하 중 상

그림은 열효율이 0.2인 열기관이 고열원에서 **50 kJ**의 열을 흡수하여 일을 하고 저열원으로 Q의 열을 방출하는 모습을 나타낸 것이다. 이에 대한 설명으로 옳은 것만을 〈보기〉에서 있는 대로 고른 것은?

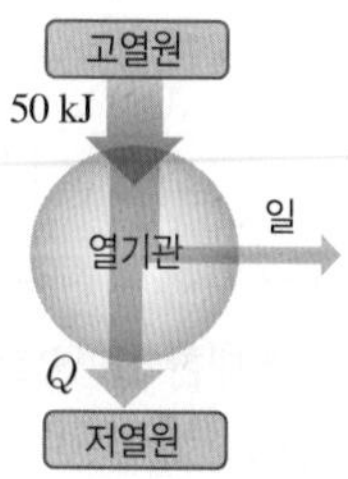

〈 보기 〉
ㄱ. 열기관이 한 일의 양은 10 kJ이다.
ㄴ. 저열원으로 방출하는 열 Q는 60 kJ이다.
ㄷ. 이 열기관에 100 kJ의 열을 공급하면 저열원으로 방출하는 열 Q는 90 kJ이 된다.

① ㄱ ② ㄴ ③ ㄱ, ㄴ
④ ㄱ, ㄷ ⑤ ㄴ, ㄷ

Ⅳ

1187 하 중 상

그림은 고열원에서 Q_1의 열을 흡수하여 외부에 W의 일을 하고, 저열원으로 Q_2의 열을 방출하는 열기관의 에너지 흐름을 모식적으로 나타낸 것이다. 이에 대한 설명으로 옳은 것만을 〈보기〉에서 있는 대로 고른 것은?

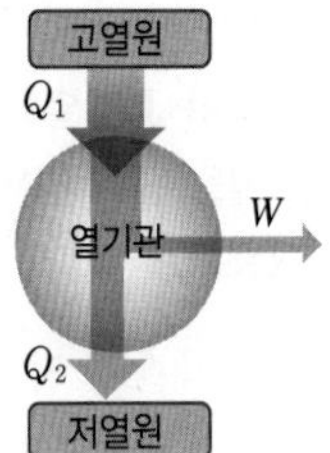

〈 보기 〉

ㄱ. 열기관의 열효율은 $\frac{Q_2}{Q_1}$이다.

ㄴ. $Q_1=W$인 열기관을 만들 수 있다.

ㄷ. W의 양이 커질수록 에너지 효율 등급의 숫자가 작아진다.

① ㄱ　② ㄴ　③ ㄷ　④ ㄴ, ㄷ　⑤ ㄱ, ㄴ, ㄷ

C 에너지 효율

1188 하 중 상

그림은 어떤 가전제품의 에너지 소비 효율 등급을 나타낸 것이다.

이에 대한 설명으로 옳은 것만을 〈보기〉에서 있는 대로 고른 것은?

〈 보기 〉

ㄱ. A의 숫자가 클수록 에너지 효율이 높다.

ㄴ. 성능이 비슷한 제품이라면 B의 값이 작을수록 전기 절약에 도움이 된다.

ㄷ. C의 값이 35라면 이 가전제품은 1년에 35 g의 이산화탄소를 배출한다.

① ㄱ　② ㄴ　③ ㄱ, ㄷ　④ ㄴ, ㄷ　⑤ ㄱ, ㄴ, ㄷ

1189 하 중 상

그림 (가), (나)는 냉장고의 에너지 소비 효율 등급을 나타낸 것이다.

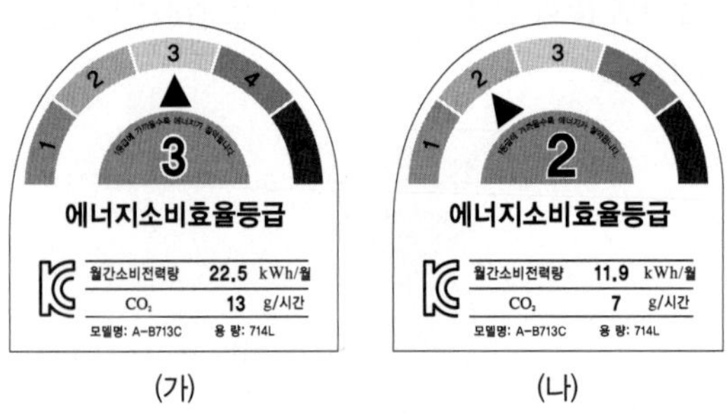

(가)　(나)

이에 대한 설명으로 옳은 것만을 〈보기〉에서 있는 대로 고른 것은?

〈 보기 〉

ㄱ. 에너지 효율은 (나)가 (가)보다 더 높다.

ㄴ. 소비 전력량은 (나)가 더 적다.

ㄷ. 같은 시간 동안 사용하면 (가)가 (나)보다 지구 온난화를 예방하는 데 더 도움이 된다.

① ㄱ　② ㄴ　③ ㄱ, ㄴ　④ ㄱ, ㄷ　⑤ ㄱ, ㄴ, ㄷ

빈출 1190 하 중 상

대표문제 多 보기

표는 두 전구 A, B의 에너지 효율을 나타낸 것이다.

전구	A	B
에너지 효율	40 %	8 %

이에 대한 설명으로 옳은 것만을 〈보기〉에서 있는 대로 고른 것은? (단, 전구에서 전기 에너지는 빛에너지와 열에너지로만 전환된다.)

〈 보기 〉

ㄱ. 같은 양의 전기 에너지를 공급한다면 A가 B보다 밝다.

ㄴ. 같은 밝기라면 A에 공급한 전기 에너지는 B의 5배이다.

ㄷ. 같은 양의 전기 에너지를 공급한다면 열에너지 방출량은 B가 A보다 많다.

① ㄱ　② ㄴ　③ ㄱ, ㄷ　④ ㄴ, ㄷ　⑤ ㄱ, ㄴ, ㄷ

1191 하 중 상

그림은 자동차에서의 에너지 전환 과정을 나타낸 것이다.

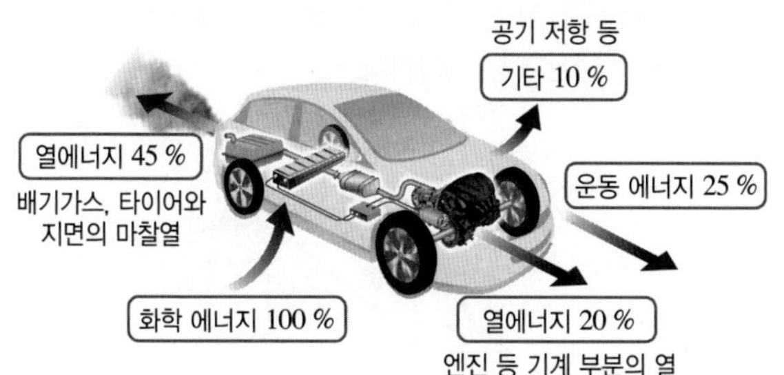

이에 대한 설명으로 옳은 것만을 〈보기〉에서 있는 대로 고른 것은?

〈 보기 〉

ㄱ. 자동차의 엔진에서는 화석 연료가 가진 화학 에너지가 운동 에너지로 전환된다.
ㄴ. 자동차의 에너지 효율은 25 %이다.
ㄷ. 자동차에 공급된 에너지 중 열에너지로 전환되는 에너지가 가장 많다.

① ㄱ ② ㄷ ③ ㄱ, ㄴ
④ ㄴ, ㄷ ⑤ ㄱ, ㄴ, ㄷ

1192 하 중 상

그림은 에너지 이용 효율을 높이기 위해 여러 기술이 적용된 건물의 모습을 모식적으로 나타낸 것이다.

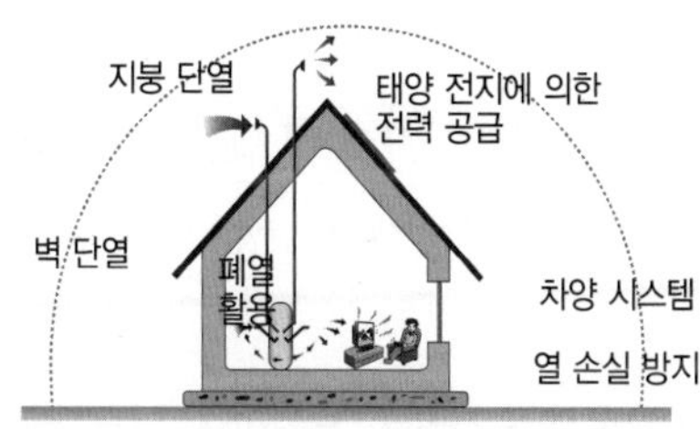

이에 대한 설명으로 옳은 것만을 〈보기〉에서 있는 대로 고른 것은?

〈 보기 〉

ㄱ. 이러한 건물을 에너지 제로 하우스라고 부른다.
ㄴ. 탄소 배출량이 증가한다는 단점이 있다.
ㄷ. 신재생 에너지를 이용하여 에너지를 얻는다.
ㄹ. 단열 시스템을 이용하여 열의 이동을 차단한다.

① ㄱ, ㄴ ② ㄱ, ㄷ ③ ㄴ, ㄹ
④ ㄱ, ㄷ, ㄹ ⑤ ㄴ, ㄷ, ㄹ

1193 하 중 상

표는 백열등, 형광등, LED 전등을 사용할 때의 에너지 사용을 나타낸 것이다.

조명 기구	1초 동안 사용한 전기 에너지(J)	1초 동안 발생한 에너지(J)		
		빛	열	기타
백열등	30	1.5	28.2	0.3
형광등	25	5	19.4	0.6
LED 전등	17	10.2	6.3	0.5

이에 대한 설명으로 옳은 것만을 〈보기〉에서 있는 대로 고른 것은?

〈 보기 〉

ㄱ. 형광등의 에너지 효율은 25 %이다.
ㄴ. 에너지 효율을 비교하면 LED 전등 > 형광등 > 백열등이다.
ㄷ. 백열등과 형광등이 사용한 전기 에너지가 150 J로 같다면 발생한 빛에너지는 형광등이 백열등의 4배이다.

① ㄱ ② ㄴ ③ ㄱ, ㄴ
④ ㄴ, ㄷ ⑤ ㄱ, ㄴ, ㄷ

1194 하 중 상 ••서술형

표는 각 에너지 이용 분야의 에너지 효율을 구하기 위한 자료이다.

에너지 이용 분야	공급한 에너지(J)	유용하게 사용한 에너지(J)	발생한 열에너지(J)
화력 발전	200	80	120
송전	100	95	5
전기 자동차	250	200	50
가솔린 자동차	300	75	225

(1) 가솔린 자동차의 에너지 효율(%)을 구하시오. (단, 표에 주어진 것 이외의 에너지 전환은 없다.)

(2) 화력 발전을 통해 생산된 전기 에너지가 송전 과정을 거쳐 전기 자동차의 운행에 사용되기까지의 전 과정을 고려했을 때 전기 자동차의 실제 에너지 효율(%)을 구하시오. (단, 표에 주어진 것 이외의 에너지 전환은 없다.)

(3) 전기 자동차와 가솔린 자동차 중 어떤 자동차를 사용하는 것이 에너지 사용 측면에서 유리한지 까닭과 함께 서술하시오.

1195

그림 (가)는 어떤 식물의 하나의 잎에서 측정한 빛의 세기에 따른 광합성량을, (나)는 이 잎의 세포에서 세포막(㉠)과 엽록체 막(㉡)을 통한 물질의 이동 방향 Ⅰ~Ⅳ를 나타낸 것이다.

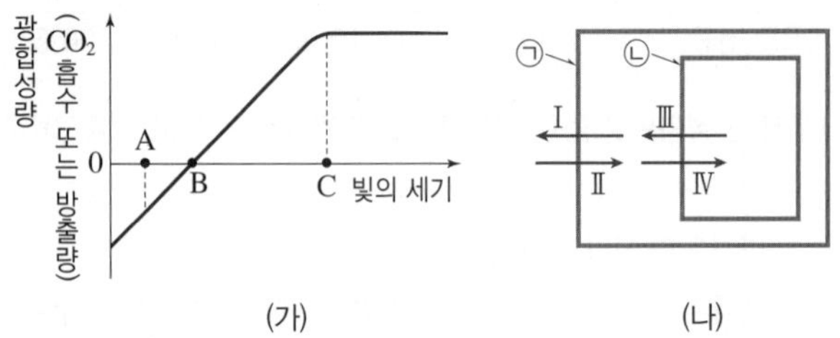

이에 대한 설명으로 옳은 것만을 <보기>에서 있는 대로 고른 것은? (단, (나)에서 세포의 보상점과 광포화점은 (가)에서와 같다.)

〈 보기 〉

ㄱ. 빛의 세기가 A일 때 광합성을 통해 생성된 O_2는 ㉡을 통해 Ⅲ 방향으로 이동한다.

ㄴ. 빛의 세기가 B일 때 ㉡을 통해 Ⅳ 방향으로 이동하는 CO_2는 없다.

ㄷ. 빛의 세기가 C일 때 ㉠을 통해 이동하는 O_2의 양은 Ⅱ 방향보다 Ⅰ 방향에서 더 많다.

① ㄱ ② ㄴ ③ ㄱ, ㄷ ④ ㄴ, ㄷ ⑤ ㄱ, ㄴ, ㄷ

1196

그림은 사철나무 잎 세포에서 탄수화물인 녹말과 포도당의 함량 및 삼투압 변화를 월별로 나타낸 것이다.

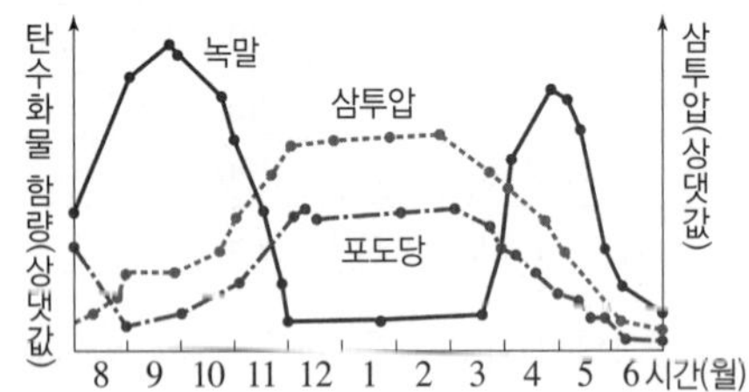

사철나무 잎 세포에 대한 설명으로 옳은 것만을 <보기>에서 있는 대로 고른 것은?

〈 보기 〉

ㄱ. 겨울에 잎 세포는 녹말의 분해로 삼투압이 높게 유지된다.

ㄴ. 사철나무는 기온이 내려가면 잎 세포의 포도당 함량을 높여 어는점을 높인다.

ㄷ. 계절에 따라 잎 세포의 삼투압이 변하는 것은 물에 대한 적응 현상이다.

① ㄱ ② ㄷ ③ ㄱ, ㄴ ④ ㄴ, ㄷ ⑤ ㄱ, ㄴ, ㄷ

1197

그림은 평형 상태의 어떤 안정된 생태계에서 먹이 사슬을 따라 이동하는 에너지양을 상댓값으로 나타낸 것이다. ㉠~㉢은 각각 소비자, 분해자, 생산자 중 하나이다.

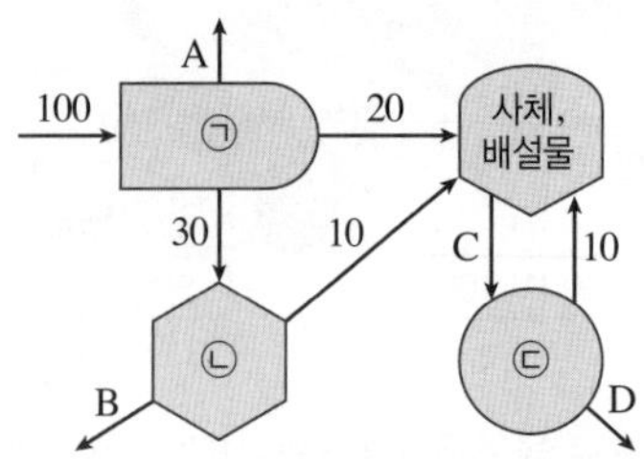

이에 대한 설명으로 옳은 것만을 <보기>에서 있는 대로 고른 것은?

〈 보기 〉

ㄱ. ㉡은 소비자이다.

ㄴ. 에너지양의 크기는 A+C=B+D이다.

ㄷ. 분해자의 에너지양은 생산자의 에너지양보다 크다.

① ㄱ ② ㄷ ③ ㄱ, ㄴ
④ ㄴ, ㄷ ⑤ ㄱ, ㄴ, ㄷ

1198

그림 (가)는 사람이 옥수수를 식량으로 하는 경우를, (나)는 같은 양의 옥수수로 소를 키워 쇠고기를 식량으로 하는 경우를 에너지 피라미드로 나타낸 것이다.

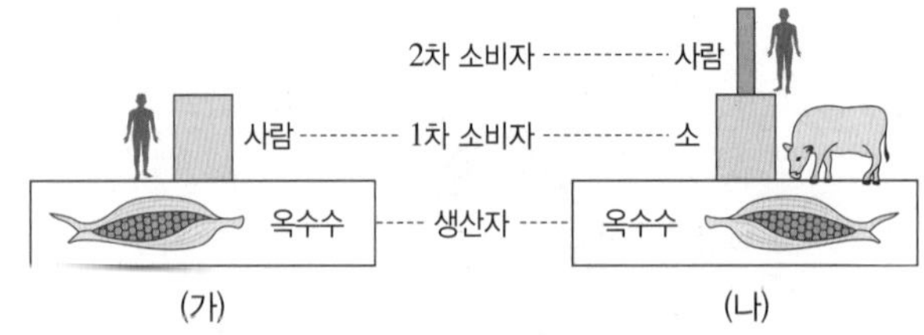

이에 대한 설명으로 옳은 것만을 <보기>에서 있는 대로 고른 것은?

〈 보기 〉

ㄱ. 상위 영양 단계로 갈수록 전달되는 에너지양은 감소한다.

ㄴ. (가)보다 (나)에서 사람이 획득할 수 있는 에너지양이 더 많다.

ㄷ. 식량난을 겪는 나라는 육식을 주식으로 하는 것이 에너지 이용 측면에서 유리하다.

① ㄱ ② ㄴ ③ ㄷ
④ ㄱ, ㄴ ⑤ ㄴ, ㄷ

1199

그림 (가)는 현재의 지구 공전 궤도와 자전축 방향을, (나)는 지구 공전 궤도의 이심률 변화를 나타낸 것이다. 지구 자전축이 회전하는 세차 운동의 주기는 약 26000년이며, 이심률이 0에 가까워질수록 공전 궤도의 모양은 원에 가까워진다.

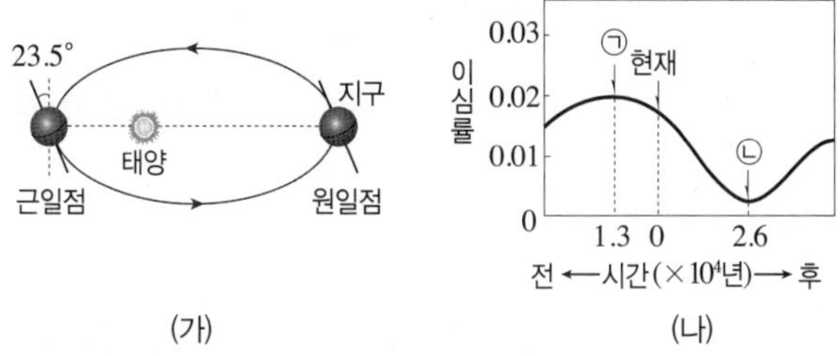

(가) (나)

이에 대한 설명으로 옳지 않은 것은? (단, 세차 운동과 지구 공전 궤도 이심률 이외의 요인은 변하지 않는다고 가정한다.)

① 현재 북반구는 근일점일 때 겨울, 원일점일 때 여름이다.
② ㉠ 시기에는 세차 운동으로 지구 자전축 방향이 반대가 된다.
③ ㉠ 시기에 북반구는 근일점에서 여름이 된다.
④ ㉠ 시기에 북반구 기온의 연교차는 현재보다 커진다.
⑤ ㉡ 시기에 북반구 겨울철의 기온은 현재보다 상승한다.

1200

그림은 엘니뇨 또는 라니냐가 발생한 어느 시기의 적도 부근 태평양에서 관측한 해수면 높이 편차(관측값−평년값)를 나타낸 것이다.

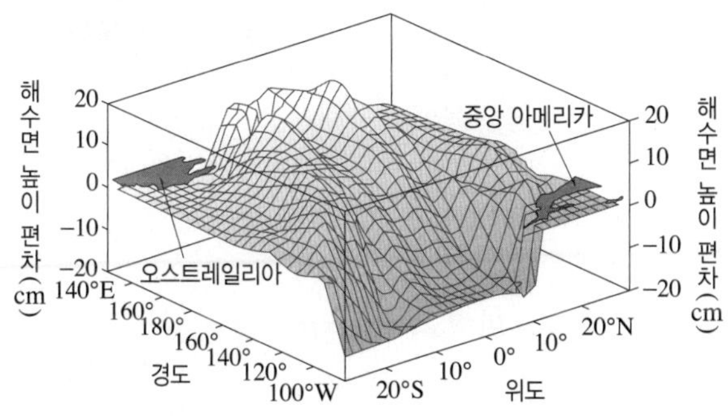

이에 대한 설명으로 옳은 것만을 <보기>에서 있는 대로 고른 것은?

〈 보기 〉
ㄱ. 평상시보다 무역풍이 약한 시기이다.
ㄴ. 서태평양의 강수량은 평상시보다 많아진다.
ㄷ. 동태평양 해역의 표층 수온은 평상시보다 높아진다.

① ㄴ ② ㄷ ③ ㄱ, ㄴ
④ ㄱ, ㄷ ⑤ ㄱ, ㄴ, ㄷ

1201

그림은 고열원에서 열을 공급받아 $4W$의 일을 하고 저열원으로 Q_0의 열을 방출하는 열기관 A와 고열원에서 Q_0의 열을 공급받아 $3W$의 일을 하고 저열원으로 열을 방출하는 열기관 B를 각각 나타낸 것이다.

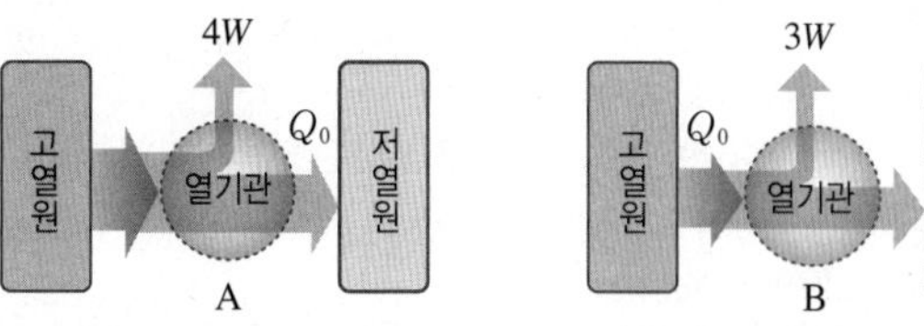

두 열기관의 열효율이 같을 때, 열기관 A의 고열원에서 공급받은 열의 양과 두 열기관의 열효율을 옳게 짝 지은 것은?

	공급받은 열의 양	열효율
①	$12W$	0.2
②	$12W$	0.25
③	$16W$	0.16
④	$16W$	0.25
⑤	$20W$	0.25

1202

••서술형

다음은 하이브리드 자동차의 모습과 각 주행 구간에서 자동차의 작동을 설명한 것이다.

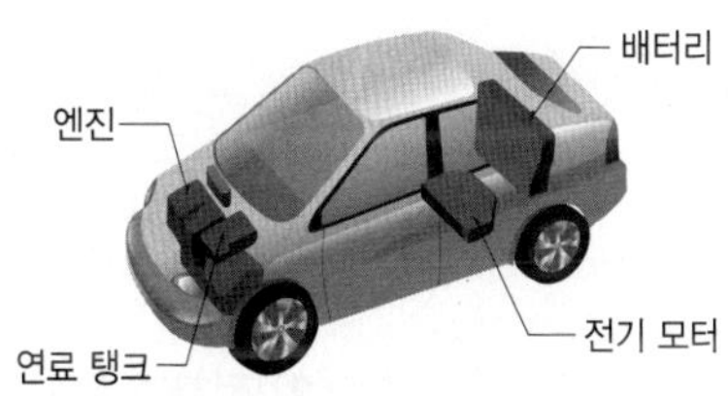

- 가속/오르막 구간: 전기 모터가 엔진의 동력을 보조하여 연료 소모를 줄인다.
- 정속 주행 구간: 엔진 효율이 좋은 구간으로, 전기 모터는 작동하지 않고 엔진만으로 주행한다.
- 감속/내리막 구간: 연료 공급이 중단되고, 배터리가 충전된다.

(가) 정속 주행 구간과 (나) 감속/내리막 구간에서 일어나는 에너지 전환을 서술하시오.

전기 에너지의 생산과 수송

Ⓐ 전자기 유도

1 전자기 유도 자석이나 코일이 움직여서 코일을 통과하는 ❶[ ][ ][ ]이 변할 때 코일에 전류가 유도되어 흐르는 현상

2 유도 전류 전자기 유도에 의해 코일에 흐르는 전류 ➡ 코일을 통과하는 자기장이 변할 때만 흐른다.

① 유도 전류의 방향: 코일을 통과하는 자기장의 변화를 방해하는 방향으로 흐른다. (→ 자석의 움직임을 방해하는 방향과 같다.)

(⟶ : 자석에 의한 자기장, ⋯➝ : 유도 전류에 의한 자기장)

구분	N극을 가까이 할 때	N극을 멀리 할 때	S극을 가까이 할 때	S극을 멀리 할 때
코일 내부의 자기장의 변화	(N, 가까이 한다., N, S, A, G, I, B) 아래쪽으로 증가	(N, 멀리 한다., S, N, A, G, I, B) 아래쪽으로 감소	(S, 가까이 한다., S, N, A, G, I, B) 위쪽으로 증가	(S, 멀리 한다., N, S, A, G, I, B) 위쪽으로 감소
자석과 코일 사이의 힘	코일 위쪽에 N극이 형성 ➡ 척력 작용	코일 위쪽에 S극이 형성 ➡ 인력 작용	코일 위쪽에 S극이 형성 ➡ 척력 작용	코일 위쪽에 N극이 형성 ➡ 인력 작용
유도 전류	B → Ⓖ → A	A → Ⓖ → B	A → Ⓖ → B	B → Ⓖ → A

② 유도 전류의 세기: 자석의 세기가 ❷[ ]수록, 자석을 ❸[ ][ ][ ] 움직일수록, 코일의 감은 수가 ❹[ ][ ]수록 유도 전류의 세기가 세다. → 패러데이 전자기 유도 법칙

전자기 유도 실험

자석의 운동		검류계 바늘
N극을 움직일 때	가까이	오른쪽으로 움직인다.
	멀리	왼쪽으로 움직인다.
S극을 움직일 때	가까이	왼쪽으로 움직인다.
	멀리	오른쪽으로 움직인다.
자석을 빠르게 움직일 때		크게 움직인다.
자석이 정지해 있을 때		움직이지 않는다. → 유도 전류가 흐르지 않는다.

• 유도 전류의 방향: 자석의 운동 방향을 반대로 하거나 자석의 극을 바꾸면 전류의 방향이 반대가 된다.
• 유도 전류의 세기: 자석을 빠르게 움직일수록 전류의 세기가 세다.

3 전자기 유도의 이용 발전기, 변압기, 금속 탐지기, 마이크, 교통카드, 도난 방지 장치, 무선 충전기, 인덕션 레인지 등

기출 Tip Ⓐ-2

패러데이 전자기 유도 법칙
코일에 유도된 전류의 세기는 코일의 감은 수와 단위시간당 코일을 통과하는 자기장 변화에 비례한다.

자석이 코일 근처에 정지해 있을 때의 유도 전류
코일 내부를 통과하는 자기장이 변하지 않기 때문에 유도 전류가 흐르지 않는다.

Ⓑ 발전기

1 발전기 전자기 유도를 이용하여 전기 에너지를 생산하는 장치

① 원리: 자석 사이에서 코일이 회전하면 코일을 통과하는 자기장이 변하여 전자기 유도에 의해 ❺[ ][ ] [ ][ ]가 흐른다. ➡ 코일의 회전에 따라 전류의 세기와 방향이 계속해서 바뀌는 교류 전류가 발생한다.

② 발전기에서의 에너지 전환: 운동 에너지 → 전기 에너지

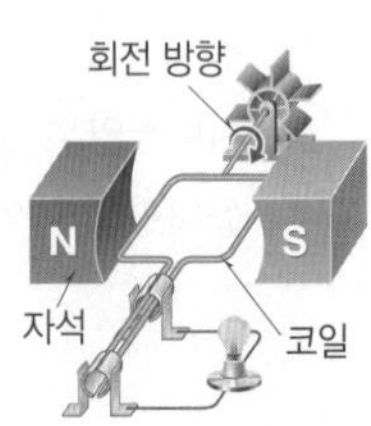

▲ 발전기의 구조

기출 Tip Ⓑ-1

교류와 직류
전류의 세기와 방향이 계속 바뀌는 전류를 교류, 전류의 세기와 방향이 일정한 전류를 직류라고 한다.

발전기 속 코일의 회전 방향
코일의 회전 방향과 관계없이 자기장이 통과하는 코일의 면적이 변하면 유도 전류가 흐른다.

(발전기의 원리)

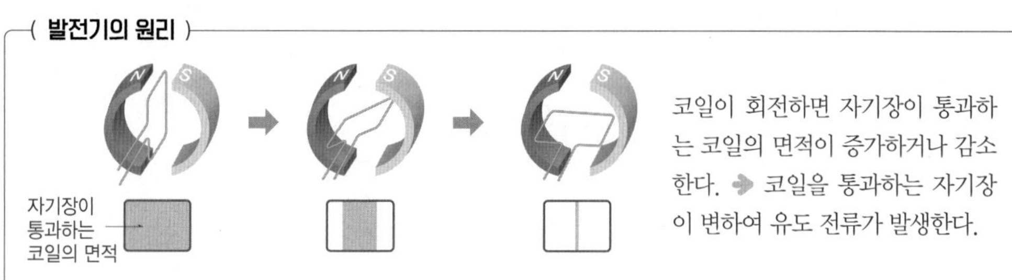

코일이 회전하면 자기장이 통과하는 코일의 면적이 증가하거나 감소한다. ➜ 코일을 통과하는 자기장이 변하여 유도 전류가 발생한다.

2 발전기를 이용한 발전 방식 → 터빈을 돌리는 에너지원에 따라 구분한다.

발전 방식	원리	에너지 전환
화력 발전	화석 연료를 연소시켜 얻은 열로 물을 끓이고, 이때 나온 증기로 터빈을 회전시킨다.	❻ □□ 에너지 → 열에너지 → 운동 에너지 → 전기 에너지
핵발전	원자로에서 핵반응을 통해 얻은 열로 물을 끓이고, 이때 나온 증기로 터빈을 회전시킨다.	핵에너지 → 열에너지 → 운동 에너지 → 전기 에너지
❼ □□ 발전	높은 곳에 있는 물이 낮은 곳으로 내려오면서 터빈을 회전시킨다.	퍼텐셜 에너지 → 운동 에너지 → 전기 에너지

기출 Tip Ⓑ-2

발전 방식에 따른 에너지원

- 화력 발전: 화석 연료의 화학 에너지
- 핵발전: 핵 연료의 핵에너지
- 수력 발전: 물의 퍼텐셜 에너지

세 가지 발전 방식의 공통점

발전기에서 전자기 유도를 이용하여 전기 에너지를 생산한다. 즉, 터빈을 돌리는 운동 에너지가 전기 에너지로 전환된다.

Ⓒ 전력 수송

1 전력(P) 단위시간 동안 생산 또는 사용하는 전기 에너지

$$\text{전력}=\frac{\text{전기 에너지}}{\text{시간}}=\text{전압}\times\text{전류},\ P=\frac{E}{t}=VI\ \ [\text{단위: W(와트), J/s}]$$

2 변압기 전자기 유도를 이용하여 전압을 변화시키는 장치 → 1차 코일과 2차 코일의 감은 수를 조절하여 전압을 변화시킨다.

(변압기의 구조와 원리)

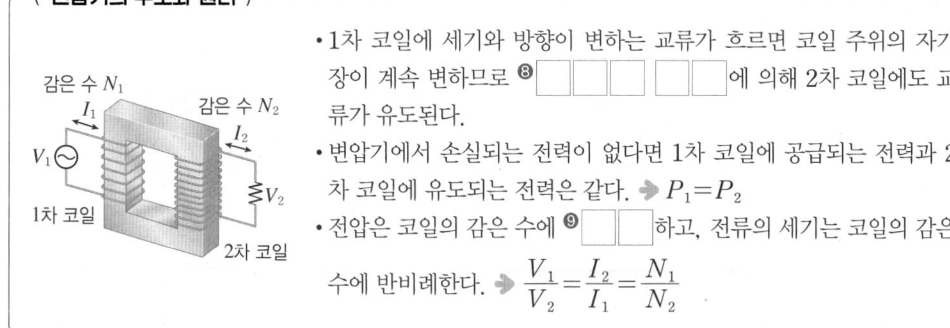

- 1차 코일에 세기와 방향이 변하는 교류가 흐르면 코일 주위의 자기장이 계속 변하므로 ❽ □□□ □□에 의해 2차 코일에도 교류가 유도된다.
- 변압기에서 손실되는 전력이 없다면 1차 코일에 공급되는 전력과 2차 코일에 유도되는 전력은 같다. ➜ $P_1=P_2$
- 전압은 코일의 감은 수에 ❾ □□하고, 전류의 세기는 코일의 감은 수에 반비례한다. ➜ $\frac{V_1}{V_2}=\frac{I_2}{I_1}=\frac{N_1}{N_2}$

기출 Tip Ⓒ-2

변압기에서의 전압과 전류

1차 코일의 전압, 전류, 감은 수를 각각 V_1, I_1, N_1, 2차 코일의 전압, 전류, 감은 수를 각각 V_2, I_2, N_2라 할 때, 다음과 같은 관계가 성립한다.

- $N_1 : N_2 = V_1 : V_2$
- $N_1 : N_2 = I_2 : I_1$

3 전력 수송 과정 발전소에서 생산한 전기 에너지는 초고압 변전소에서 ❿ □□을 높여 수송하며 1차 변전소, 2차 변전소, 주상 변압기를 거쳐 전압을 낮춘 후 소비지로 공급된다.

- 송전: 발전소에서 생산한 전력을 가정이나 공장으로 수송하는 과정

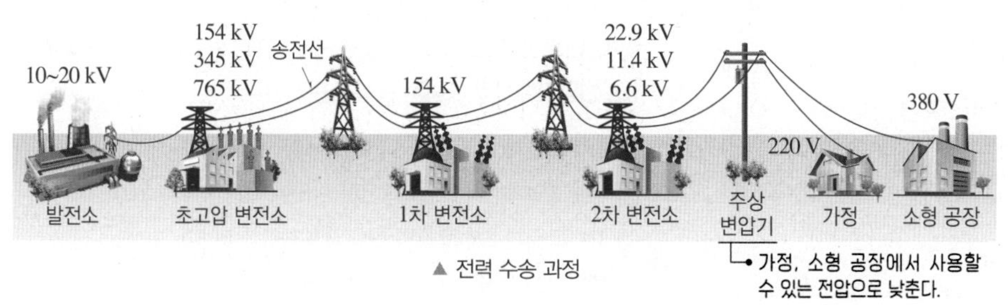

▲ 전력 수송 과정

주상 변압기 → 가정, 소형 공장에서 사용할 수 있는 전압으로 낮춘다.

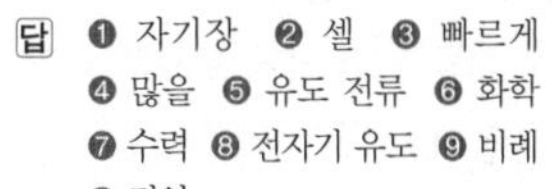
답 ❶ 자기장 ❷ 셀 ❸ 빠르게 ❹ 많을 ❺ 유도 전류 ❻ 화학 ❼ 수력 ❽ 전자기 유도 ❾ 비례 ❿ 전압

4 전력 손실 송전 과정에서 송전선의 저항에 의해 ⑪ ☐이 발생하여 전력의 일부가 손실된다. (→ 전기 에너지의 일부가 열에너지로 전환된다.)

① 손실 전력의 크기: 저항이 R인 송전선에 I의 전류가 흐를 때 손실되는 전력 $P_{손실}$은 송전선의 전류의 제곱에 비례하고, 저항에 비례한다.

손실 전력의 크기=(전류)^2×저항, $P_{손실}=I^2R$ [단위: W(와트), J/s]

② 손실 전력을 줄이는 방법

전류의 세기를 줄이는 방법	송전 전력이 일정할 때 송전 전압을 높인다. ➜ 일정한 전력 P를 송전할 때 송전 전압이 n배가 되면 전류는 $\frac{1}{n}$배가 되어 손실 전력은 $\frac{1}{n^2}$배로 감소한다.
⑫ ☐☐의 크기를 줄이는 방법	• 송전선을 짧게 만들어 사용한다. • 송전선을 굵게 만들어 사용한다. • 전기 저항이 작은 재질의 송전선을 사용한다.

5 효율적이고 안전한 전력 수송

전력 수송 방법	특징
고전압 송전	송전선에 흐르는 전류를 감소시켜 ⑬ ☐☐ ☐☐을 줄인다.
거미줄 같은 송전 전력망	• 송전 과정에서 문제가 생기면 우회하여 송전한다. • 전력을 수송하는 거리를 줄여 송전선에서 손실되는 전력을 줄인다.
지능형 전력망 (스마트 그리드)	• 소비자와 공급자 간의 실시간 양방향 통신으로 수요에 맞게 전력을 공급한다. • 개인 정보 유출의 위험성이 있다.
초고압 직류 송전	• 기존 방식에 비해 손실 전력을 줄일 수 있고, 전자파의 노출 위험이 적다. • 진도-제주 간 해저 케이블을 설치하여 사용 중이다.
전선 지중화	• 도시 미관 개선, 통행 불편 해소, 사고의 위험으로부터 보호한다. • 건설 비용이 많이 들고 문제 발생 시 관리가 어렵다.
송전선 주변 안전장치 설치	• 송전탑을 인적이 드문 지역에 높게 설치한다. → 송전 전압이 클수록 안전을 위하여 송전탑을 높게 설치한다. • 송전탑과 송전선을 절연체로 연결한다.

기출 Tip Ⓒ-4
옴의 법칙
도선에 걸리는 전압 V는 저항 R와 전류 I에 비례한다는 옴의 법칙을 따른다. → $V=IR$

기출 Tip Ⓒ-5
초고압 직류 송전
같은 양의 전력을 송전할 때 초고압 직류 송전이 교류 송전 방식보다 전압의 최대치가 낮아 송전 철탑의 크기를 줄일 수 있다.

답 ⑪ 열 ⑫ 저항 ⑬ 손실 전력

빈출 자료 보기

정답과 해설 108쪽

1203 그림은 코일의 왼쪽에서 자석의 N극이 멀어지고 있는 모습을 나타낸 것이다.

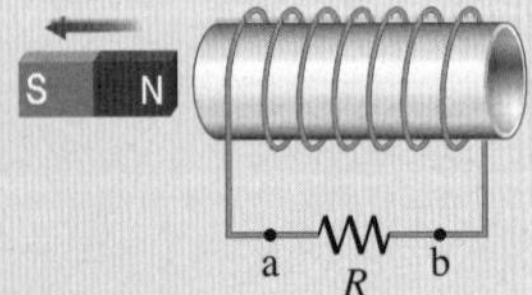

이에 대한 설명으로 옳은 것은 ○, 옳지 않은 것은 ×로 표시하시오.

(1) 코일을 통과하는 자기장의 세기가 증가한다. ( )
(2) 코일에 흐르는 유도 전류의 방향은 a → R → b이다. ( )
(3) 자석과 코일 사이에는 척력이 작용한다. ( )
(4) 전류를 더 세게 흐르게 하기 위해서는 자석을 더 빠르게 이동시키면 된다. ( )

1204 그림은 변압기의 구조를 나타낸 것이다. 1차 코일과 2차 코일의 감은 수의 비는 1 : 5이다.

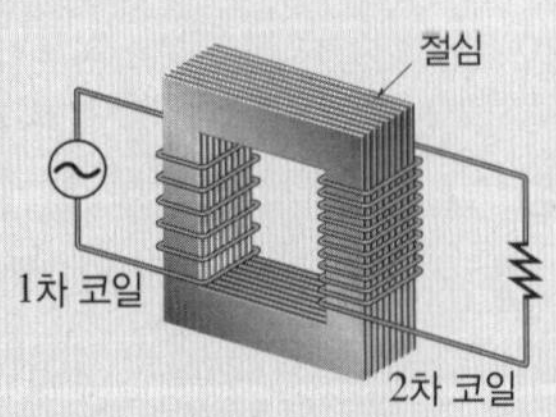

이에 대한 설명으로 옳은 것은 ○, 옳지 않은 것은 ×로 표시하시오. (단, 변압기에서의 에너지 손실은 무시한다.)

(1) 1차 코일과 2차 코일의 전압의 비는 1 : 5이다. ( )
(2) 1차 코일과 2차 코일의 전력의 비는 5 : 1이다. ( )
(3) 1차 코일과 2차 코일의 전류의 비는 1 : 5이다. ( )
(4) 변압기는 전자기 유도 현상을 이용한다. ( )

정답과 해설 108쪽

A 전자기 유도

1205 하중상

그림 (가)와 (나)는 검류계가 연결된 코일에 자석의 N극을 가까이 하는 모습과 멀리 하는 모습을 각각 나타낸 것이다.

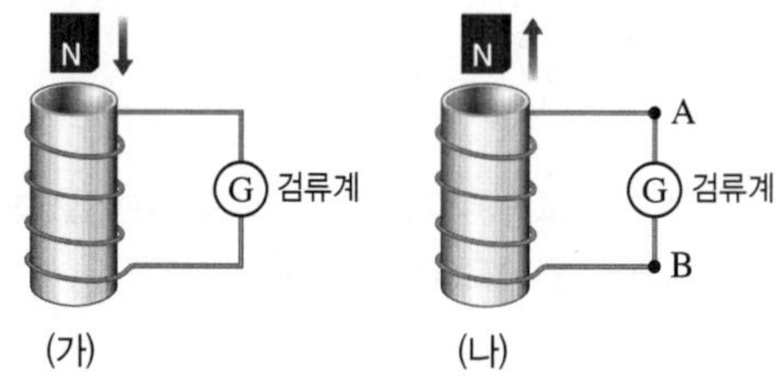

이에 대한 설명으로 옳은 것만을 〈보기〉에서 있는 대로 고른 것은?

〈 보기 〉
ㄱ. (가)에서 코일을 통과하는 자기장의 세기가 증가한다.
ㄴ. (나)에서는 A → 검류계 → B 방향으로 전류가 흐른다.
ㄷ. (가)와 (나)에서 검류계에 흐르는 전류의 방향은 같다.

① ㄱ ② ㄷ ③ ㄱ, ㄴ
④ ㄴ, ㄷ ⑤ ㄱ, ㄴ, ㄷ

1206 하중상

전자기 유도 현상을 이용하는 예가 아닌 것은?

① 전자석 ② 변압기 ③ 발전기
④ 마이크 ⑤ 금속 탐지기

1207 하중상 대표문제 多 보기

그림과 같이 검류계가 연결된 코일에 자석의 N극을 a 방향으로 움직였더니 검류계의 바늘이 오른쪽으로 움직였다. 이에 대한 설명으로 옳지 않은 것만을 모두 고르면?(2개)

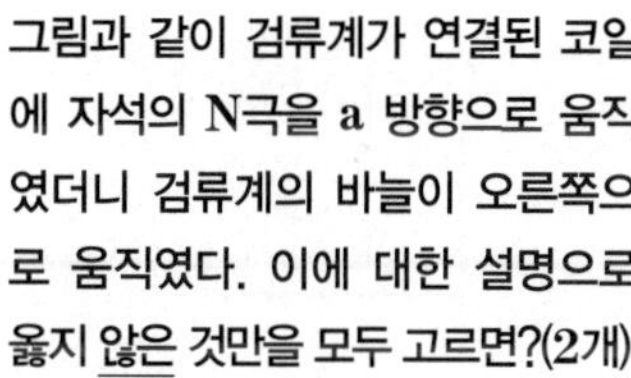
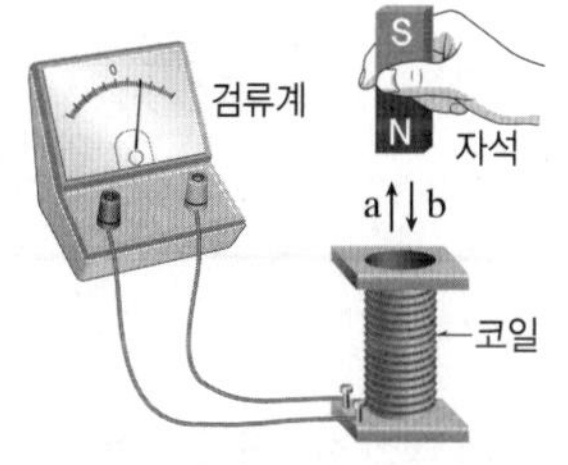

① 패러데이의 법칙으로 설명할 수 있다.
② 자석과 코일 사이에는 인력이 작용한다.
③ 자석을 b 방향으로 움직이면 바늘이 왼쪽으로 움직인다.
④ 자석을 코일에 넣을 때와 뺄 때 코일에 흐르는 전류의 방향은 같다.
⑤ 자석을 천천히 움직이면 바늘이 지금보다 작게 움직인다.
⑥ 코일의 감은 수가 많을수록 바늘이 작게 움직인다.
⑦ 자석의 세기가 센 자석으로 바꾸면 코일에 흐르는 전류의 세기가 세진다.

빈출

1208 하중상

그림과 같이 검류계가 연결된 코일에 자석의 N극을 가까이 하였다.

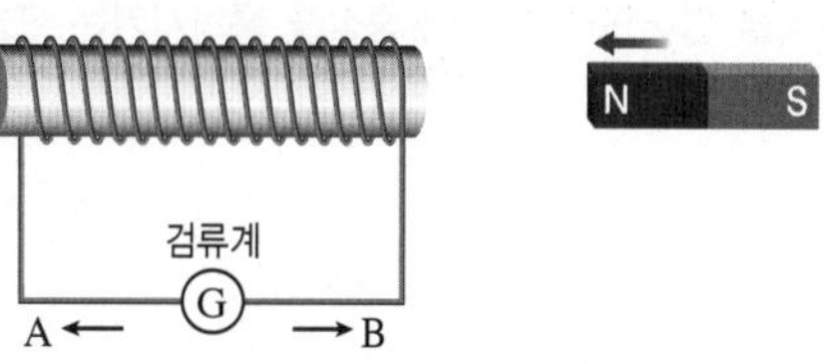

이에 대한 설명으로 옳지 않은 것은?

① 코일의 오른쪽이 N극을 띠게 된다.
② A 방향으로 유도 전류가 흐른다.
③ 자석의 S극을 코일에 가까이 할 때도 같은 방향으로 유도 전류가 흐른다.
④ 자석을 멀리 할 때는 자석과 코일 사이에 인력이 작용한다.
⑤ 자석을 더 빠르게 움직이면 더 센 유도 전류가 흐른다.

1209 하중상 서술형

코일 위에 자석의 S극을 가까이 한 상태로 멈춰 있을 때 코일에 전류가 흐르는지 흐르지 않는지를 쓰고, 그 까닭을 서술하시오.

1210 하중상 서술형

코일에 검류계를 연결하고 코일 주위에서 자석의 N극을 가까이 하거나 멀리 하였더니 전류가 흘렀다. 이때 코일에 흐르는 전류의 세기를 더 세게 하는 방법을 세 가지 서술하시오.

1211 하중상

그림은 동일한 자석이 코일 A, B의 중심축을 따라 같은 속도로 다가가고 있는 모습을 나타낸 것이다.

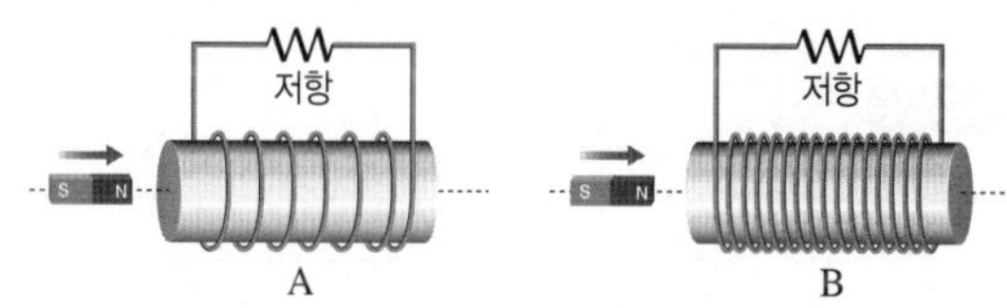

이에 대한 설명으로 옳은 것만을 〈보기〉에서 있는 대로 고른 것은?

〈 보기 〉
ㄱ. 유도 전류에 의한 자기장의 방향은 A와 B에서 오른쪽으로 서로 같다.
ㄴ. B에 연결된 저항에는 오른쪽 방향으로 전류가 흐른다.
ㄷ. 자석이 코일에 들어가는 순간 A보다 B에 더 센 전류가 흐른다.

① ㄴ ② ㄷ ③ ㄱ, ㄴ
④ ㄴ, ㄷ ⑤ ㄱ, ㄴ, ㄷ

1212 하/중/상

그림은 검류계가 연결된 코일을 스탠드에 고정시키고 높이가 h인 곳에서 자석을 떨어뜨려 코일의 중심을 통과시키는 모습을 나타낸 것이다.

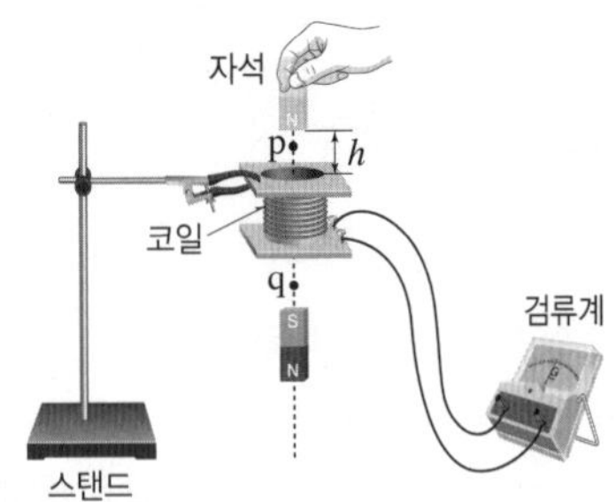

이에 대한 설명으로 옳은 것만을 〈보기〉에서 있는 대로 고른 것은? (단, 자석은 회전하지 않고 자석의 크기는 무시한다.)

〈 보기 〉

ㄱ. 자석이 p점을 지날 때 코일 내부를 통과하는 자기장의 세기는 증가한다.

ㄴ. h보다 높은 곳에서 자석을 떨어뜨리면 검류계에 더 센 전류가 흐른다.

ㄷ. 자석이 p점과 q점을 지날 때 검류계 바늘이 같은 방향으로 움직인다.

ㄹ. 자석이 p점과 q점을 지날 때 받는 자기력의 방향은 같다.

① ㄱ, ㄴ ② ㄱ, ㄹ ③ ㄴ, ㄷ
④ ㄷ, ㄹ ⑤ ㄱ, ㄴ, ㄹ

1213 하/중/상

그림 (가)는 검류계가 연결된 코일 가까이에서 자석을 좌우로 움직이는 모습을, 그림 (나)는 코일과 자석 사이의 간격을 시간에 따라 나타낸 것이다.

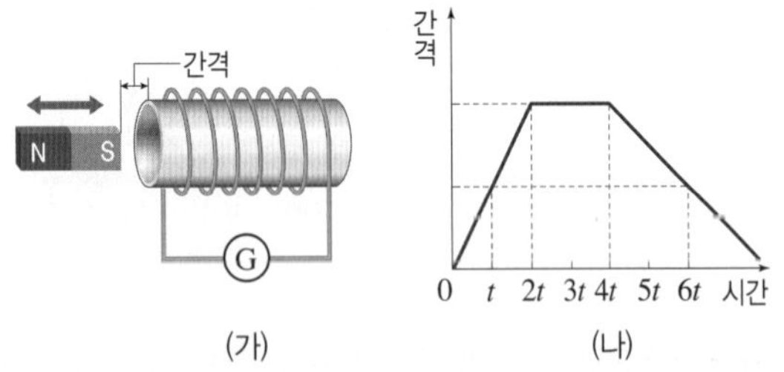

(가) (나)

이에 대한 설명으로 옳은 것만을 〈보기〉에서 있는 대로 고른 것은?

〈 보기 〉

ㄱ. t일 때와 $6t$일 때, 검류계에 흐르는 전류의 방향은 서로 반대이다.

ㄴ. $3t$일 때 검류계에 흐르는 전류의 세기가 최대이다.

ㄷ. t일 때가 $6t$일 때보다 검류계에 흐르는 전류의 세기가 세다.

① ㄱ ② ㄴ ③ ㄱ, ㄷ
④ ㄴ, ㄷ ⑤ ㄱ, ㄴ, ㄷ

1214 하/중/상

그림과 같이 코일 위의 O점에 자석을 매달고 A점까지 들어 올렸다가 가만히 놓았다.

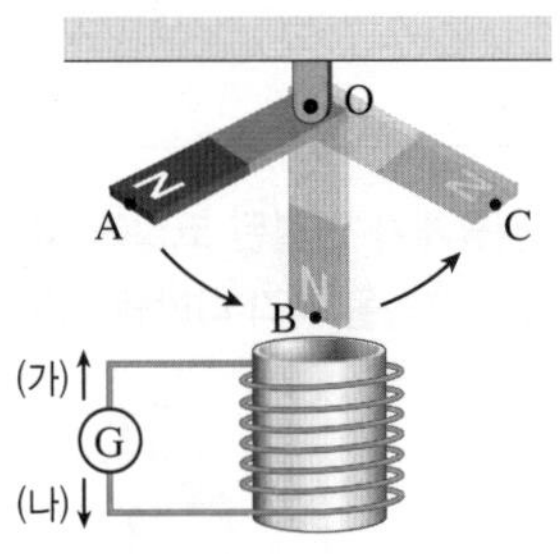

자석이 A → B → C로 움직이는 동안, 이에 대한 설명으로 옳은 것만을 〈보기〉에서 있는 대로 고른 것은?

〈 보기 〉

ㄱ. A → B로 움직일 때 코일 내부를 지나는 자기장의 세기가 증가한다.

ㄴ. B → C로 움직일 때 유도 전류는 (나) 방향으로 흐른다.

ㄷ. A → C로 움직이는 동안 유도 전류의 방향은 변하지 않는다.

① ㄱ ② ㄷ ③ ㄱ, ㄴ
④ ㄱ, ㄷ ⑤ ㄴ, ㄷ

1215 하/중/상

그림 (가)와 (나)는 종이 면에 수직으로 들어가는 방향의 균일한 자기장 영역에 같은 크기의 직사각형 모양의 도선이 일정한 속력 v로 이동하는 어느 순간의 모습을 나타낸 것이다.

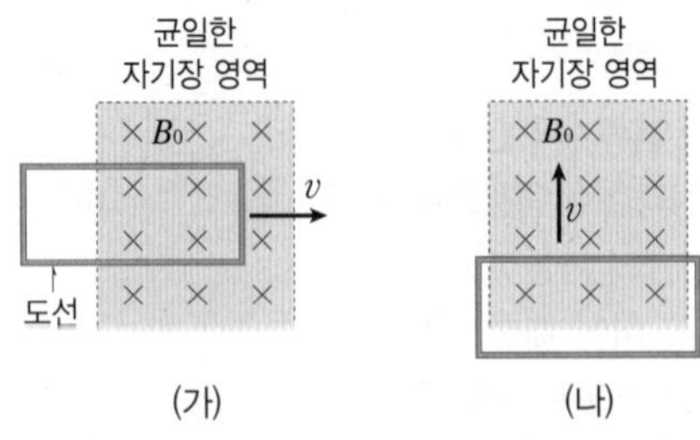

(가) (나)

이에 대한 설명으로 옳은 것만을 〈보기〉에서 있는 대로 고른 것은?

〈 보기 〉

ㄱ. (가)에서 도선에는 시계 반대 방향으로 유도 전류가 흐른다.

ㄴ. 그림의 순간 (나)에 흐르는 유도 전류의 세기가 (가)에서보다 더 세다.

ㄷ. (나)에서 자기장 영역을 다 지날 때까지 도선에 흐르는 전류의 세기는 일정하다.

① ㄱ ② ㄷ ③ ㄱ, ㄴ
④ ㄴ, ㄷ ⑤ ㄱ, ㄴ, ㄷ

B 발전기

1216 하 중 상

그림은 발전기를 이용하는 여러 가지 발전 방식을 나타낸 것이다.

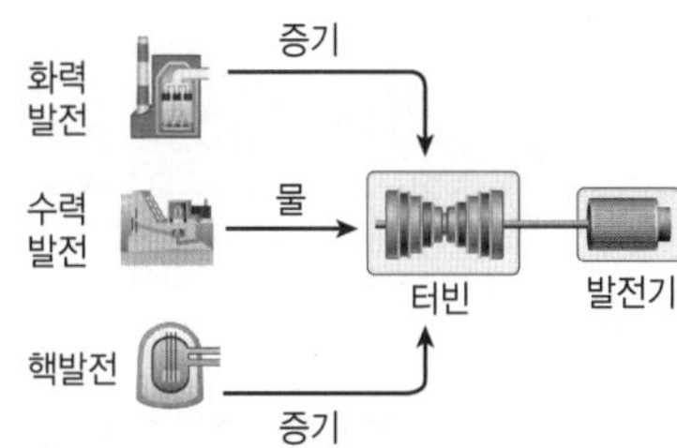

세 가지 발전 방식의 공통점으로 옳은 것만을 〈보기〉에서 있는 대로 고른 것은?

〈 보기 〉
ㄱ. 물의 상태 변화를 이용한 발전 방식이다.
ㄴ. 열에너지로 터빈을 돌려 운동 에너지로 전환한다.
ㄷ. 전자기 유도 현상을 이용하여 전기 에너지를 생산한다.

① ㄴ ② ㄷ ③ ㄱ, ㄴ
④ ㄴ, ㄷ ⑤ ㄱ, ㄴ, ㄷ

1217 하 중 상

대표문제 多 보기

그림은 영구 자석 사이에 놓여 있는 코일이 선분 PQ를 축으로 일정한 속력으로 회전하고 있는 모습을 나타낸 것이다.

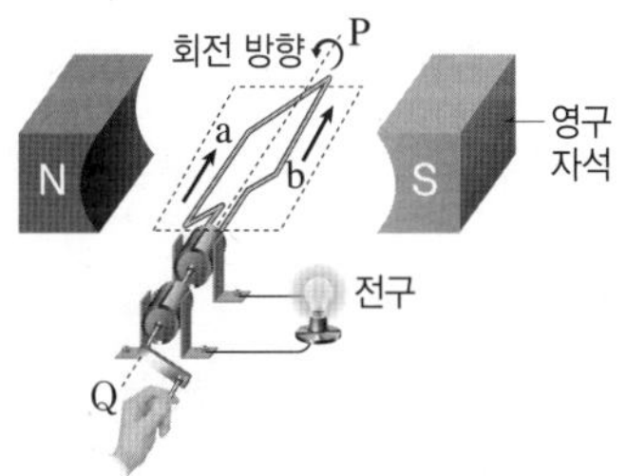

코일이 바닥과 평행한 점선의 위치에서 현재 그림의 위치로 회전하는 동안에 대한 설명으로 옳지 않은 것만을 모두 고르면?(2개)

① 전자기 유도 현상이 나타난다.
② 유도 전류는 b 방향으로 흐른다.
③ 운동 에너지가 전기 에너지로 전환된다.
④ 코일의 감은 수가 많을수록 더 센 전류가 흐른다.
⑤ 코일이 더 빨리 회전할수록 전구의 밝기가 밝아진다.
⑥ 코일이 1회전 하는 동안 코일에는 전류의 세기가 일정한 직류 전류가 흐른다.
⑦ 코일을 반대 방향으로 회전시키면 전구에 불이 들어오지 않는다.

1218 하 중 상

그림은 자전거 발전기의 구조를 나타낸 것이다.

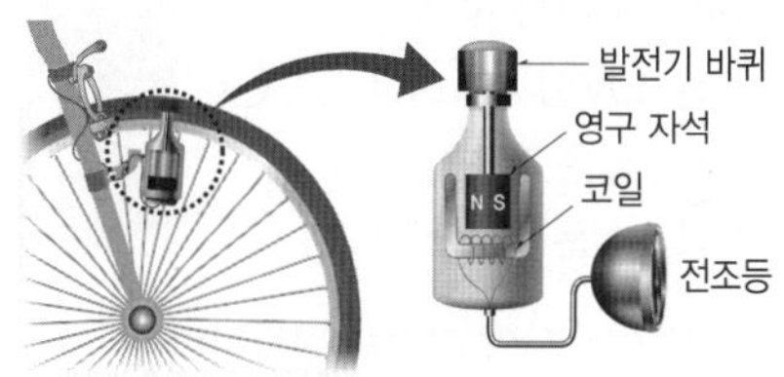

이에 대한 설명으로 옳지 않은 것은?

① 바퀴가 회전하는 동안에만 전조등에 불이 켜진다.
② 바퀴가 회전하는 속력이 빠를수록 불이 더 밝아진다.
③ 발전기에서 운동 에너지가 전기 에너지로 전환된다.
④ 바퀴를 반대 방향으로 회전시키면 불이 켜지지 않는다.
⑤ 바퀴가 회전하면 코일을 통과하는 자기장의 변화를 방해하는 방향으로 전류가 흐른다.

1219 하 중 상

그림은 자석 사이에 코일을 넣고 터빈을 이용하여 시계 방향으로 회전시키는 것을 나타낸 것이다.

(가) 0 ° 일 때 (나) 45 ° 회전 (다) 90 ° 회전

이에 대한 설명으로 옳은 것만을 〈보기〉에서 있는 대로 고른 것은?

〈 보기 〉
ㄱ. (가) → (나)로 진행할 때 자기장이 통과하는 코일 내부의 면적이 증가한다.
ㄴ. (나) → (다)로 진행할 때 코일 내부를 통과하는 자기력선의 수가 많아진다.
ㄷ. (나)에서는 b 방향으로 전류가 흐른다.

① ㄱ ② ㄷ ③ ㄱ, ㄴ ④ ㄴ, ㄷ ⑤ ㄱ, ㄴ, ㄷ

C 전력 수송

변압기

1220 하 중 상

그림과 같은 변압기에서 1차 코일의 전압은 200 V, 1차 코일에 흐르는 전류의 세기는 12 A이다. 2차 코일의 감은 수가 1차 코일의 4배일 때 2차 코일에 유도되는 전류의 세기는 몇 A인지 구하시오.

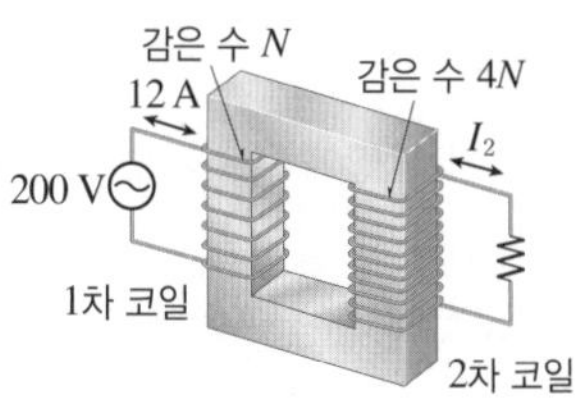

IV

1221 (하)(중)(상)

대표문제 (多) 보기

그림은 변압기의 구조를 나타낸 것이다. 1차 코일의 감은 수는 N, 2차 코일의 감은 수는 $2N$일 때, 이에 대한 설명으로 옳지 않은 것은? (단, 변압기에서의 전력 손실은 무시한다.)

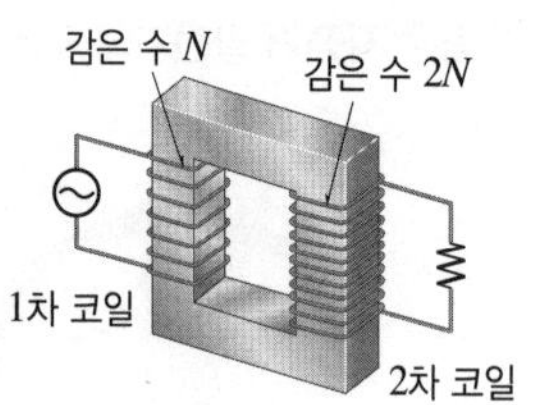

① 전자기 유도를 이용하여 전압을 변화시킨다.
② 1차 코일의 전압이 2차 코일의 전압보다 작다.
③ 1차 코일의 전류의 세기는 2차 코일의 전류의 2배이다.
④ 1차 코일의 전력보다 2차 코일의 전력이 더 크다.
⑤ 1차 코일에서 500 W의 전력을 공급하면 2차 코일에서 5초 동안 소비하는 전기 에너지는 2500 J이다.

1222 (하)(중)(상)

그림과 같이 1차 코일과 2차 코일의 감은 수가 각각 N번, 500번인 변압기의 2차 코일에 저항값이 50 Ω인 저항이 연결되어 있다.

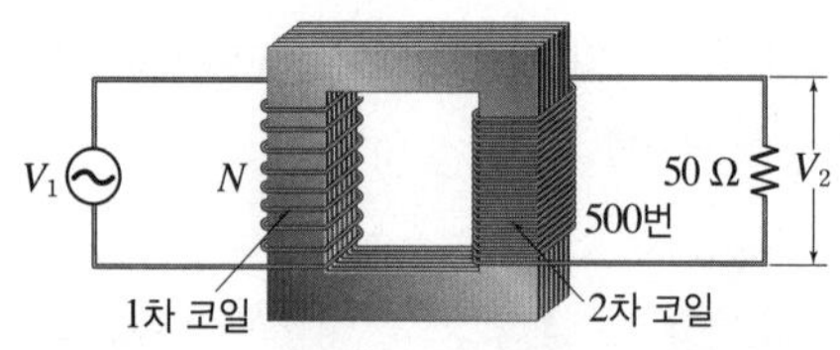

1차 코일의 전압 V_1과 2차 코일의 저항에 걸리는 전압 V_2의 비가 1 : 2일 때, 이에 대한 설명으로 옳은 것만을 〈보기〉에서 있는 대로 고른 것은? (단, 변압기에서의 전력 손실은 무시한다.)

〈 보기 〉
ㄱ. N은 250이다.
ㄴ. V_1이 100 V이면 저항에 흐르는 전류의 세기는 4 A이다.
ㄷ. V_1이 100 V이면 저항이 소비하는 전력은 800 W이다.

① ㄱ ② ㄴ ③ ㄱ, ㄴ
④ ㄴ, ㄷ ⑤ ㄱ, ㄴ, ㄷ

1223 (하)(중)(상)

그림은 1차 코일과 2차 코일의 감은 수의 비가 1 : 5인 변압기의 구조를 나타낸 것이다. 1차 코일에는 400 V의 교류 전압이 걸려 있고, 2차 코일에는 저항값이 80 Ω인 저항이 연결되어 있다. (단, 변압기에서의 전력 손실은 무시한다.)

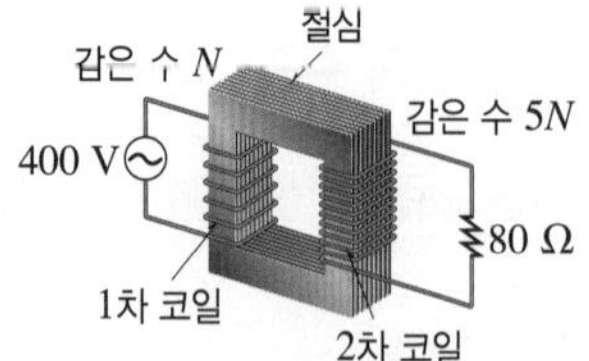

(1) 2차 코일에 유도되는 전압의 크기는 몇 V인지 구하시오.

(2) 저항에 흐르는 전류의 세기는 몇 A인지 구하시오.

(3) 1차 코일에 공급한 전력의 크기는 몇 kW인지 구하시오.

1224 (하)(중)(상)

그림 (가)는 전압이 V로 일정한 교류 전원에 저항값이 R인 저항을 연결한 회로를, (나)는 변압기의 1차 코일에 $3V$의 교류 전원을, 2차 코일에 $4R$인 저항을 연결한 회로를 나타낸 것이다.

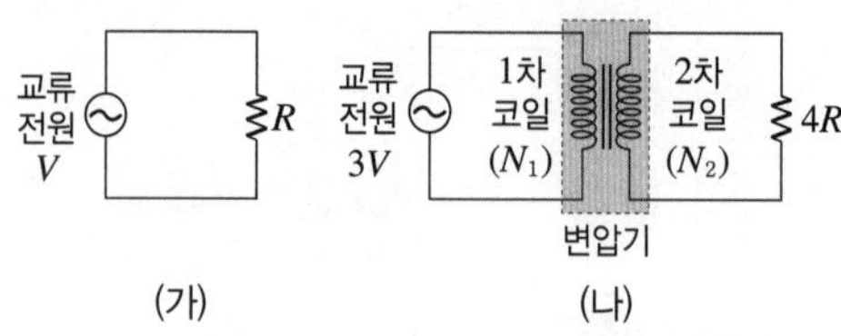

(가)의 저항에서 소비되는 전력이 (나)의 저항에서 소비되는 전력의 4배일 때 변압기의 1차 코일과 2차 코일의 감은 수의 비 $N_1 : N_2$를 구하시오. (단, 변압기에서의 전력 손실은 무시한다.)

전력 수송 과정

1225 (하)(중)(상)

표는 변전소에서 송전선 A, B를 통해 송전하는 전력과 전압을 나타낸 것이다.

송전선	송전 전력	전압
A	$2P$	V
B	P	$2V$

(1) 송전선 A와 B에 흐르는 전류의 세기의 비 $I_A : I_B$를 구하시오.

(2) 송전선에서의 손실 전력이 A에서가 B에서의 4배일 때, A와 B의 저항값의 비 $R_A : R_B$를 구하시오.

1226 (하)(중)(상)

대표문제 (多) 보기

전력 수송에 대한 설명으로 옳지 않은 것만을 모두 고르면?(2개)

① 전력은 단위시간 동안 생산 또는 사용하는 전기 에너지의 양이다.
② 발전소에서 변전소까지 전력을 전달하는 과정을 송전이라고 한다.
③ 발전소에서 생산된 전기가 가정으로 공급되는 과정에서 전압은 변하지 않는다.
④ 발전소에서 생산된 전기는 송전선에서의 열손실을 줄이기 위해 전압을 높여 준다.
⑤ 손실 전력의 단위는 W(와트)를 사용한다.
⑥ 송전선을 굵게 만들면 손실 전력이 감소한다.
⑦ 전압을 높여 송전하면 송전선에 흐르는 전류가 증가하고 손실 전력이 감소한다.

1227 (하)(중)(상)

그림은 발전소에서 생산한 전력을 가정에 공급하는 과정을 나타낸 것이다.

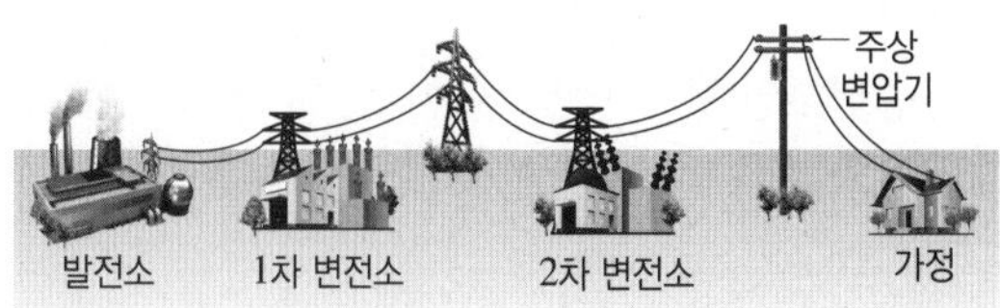

이에 대한 설명으로 옳지 않은 것은?

① 송전선에는 세기가 일정한 전류가 흐른다.
② 주상 변압기에서 전압을 낮춰 가정에 전력을 공급한다.
③ 송전선의 굵기가 굵을수록 손실 전력이 감소한다.
④ 손실 전력을 줄이기 위해서는 송전 전압을 높여야 한다.
⑤ 송전선에서 발생하는 손실 전력은 전류의 세기의 제곱에 비례한다.

1228 (하)(중)(상)

발전소에서 생산한 전력의 변화 없이 송전 전압만 10배 증가시켰을 때에 대한 설명으로 옳은 것만을 〈보기〉에서 있는 대로 고른 것은?

〈 보기 〉
ㄱ. 송전선의 저항이 $\frac{1}{10}$배로 감소한다.
ㄴ. 송전선에 흐르는 전류가 10배로 증가한다.
ㄷ. 송전선에서의 손실 전력이 $\frac{1}{100}$배로 감소한다.

① ㄱ ② ㄴ ③ ㄷ
④ ㄱ, ㄴ ⑤ ㄴ, ㄷ

1229 (하)(중)(상)

그림 (가)와 (나)는 변전소 X와 Y에서 가정에 같은 전력 $30P$를 공급하는 과정을 나타낸 것이다. X와 Y에서 송전하는 전압은 각각 V와 $2V$이고, 송전선 A와 B의 저항은 같다.

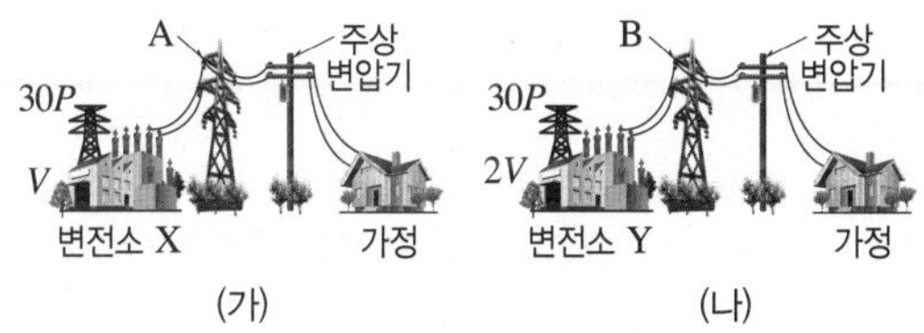

(가) (나)

이에 대한 설명으로 옳은 것만을 〈보기〉에서 있는 대로 고른 것은?

〈 보기 〉
ㄱ. 전류의 세기는 A에서가 B에서의 2배이다.
ㄴ. 주상 변압기는 전압을 높이는 역할을 한다.
ㄷ. 손실되는 전력은 A에서가 B에서의 4배이다.

① ㄱ ② ㄴ ③ ㄱ, ㄷ
④ ㄴ, ㄷ ⑤ ㄱ, ㄴ, ㄷ

빈출

1230 (하)(중)(상)

••서술형

발전소에서 가정까지 송전하는 과정에서 손실되는 전력을 줄이는 방법을 두 가지 서술하시오.

1231 (하)(중)(상)

대표문제 多 보기

효율적이고 안전한 전력 수송 방안에 대한 설명으로 옳지 않은 것만을 모두 고르면?(3개)

① 송전 전력망을 거미줄같이 만들면 송전 선로에 이상이 발생할 경우 대처하기 쉽다.
② 거미줄 같은 송전 전력망은 전력을 수송하는 거리가 늘어나는 단점이 있다.
③ 초고압 직류 송전을 하면 같은 양의 전력을 송전하더라도 교류 송전 방식보다 철탑의 크기가 작다.
④ 초고압 직류 송전을 하면 전자파의 영향이 상대적으로 크다.
⑤ 전력 공급자와 소비자 사이의 정보 교환을 통해 적절하게 전력을 공급하는 시스템을 스마트 그리드라고 한다.
⑥ 전선을 땅속에 묻으면 감전의 위험성을 줄일 수 있다.
⑦ 송전선을 지하에 묻으면 전봇대를 세우는 것보다 비용이 적게 들고 유지와 보수가 쉽다.

1232 (하)(중)(상)

그림 (가)는 변전소에서 송전 전력 P_0, $2P_0$을 송전선 A, B를 통해 각각 송전하는 모습을 나타낸 것이다. 그림 (나)는 A, B에서 손실되는 전력을 송전선에 흐르는 전류에 따라 순서 없이 나타낸 것이다. 저항값은 A가 B의 2배이다.

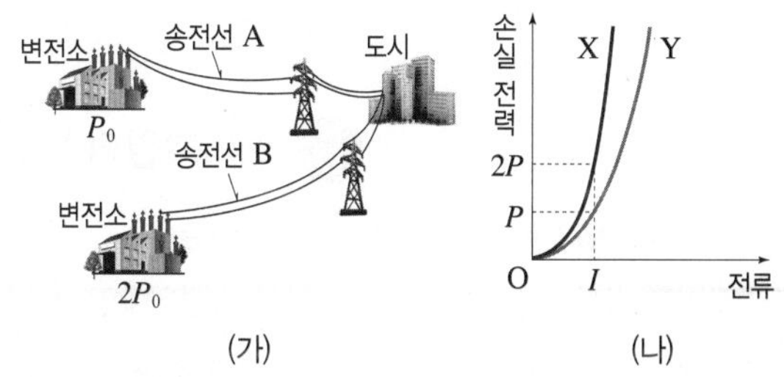

(가) (나)

이에 대한 설명으로 옳은 것만을 〈보기〉에서 있는 대로 고른 것은?

〈 보기 〉
ㄱ. 송전 전력이 일정할 때, 송전선에 흐르는 전류의 세기가 작을수록 도시에 더 많은 전력을 공급할 수 있다.
ㄴ. A의 그래프는 Y이다.
ㄷ. 동일한 전압으로 송전할 때, 송전선의 손실 전력은 B가 A의 4배이다.

① ㄱ ② ㄴ ③ ㄱ, ㄷ
④ ㄴ, ㄷ ⑤ ㄱ, ㄴ, ㄷ

Ⅳ

현재와 미래의 에너지

기출 Tip Ⓐ-1

태양의 환경

태양의 중심부는 약 1500만 K인 초고온 상태로, 수소와 헬륨은 원자핵과 전자가 분리된 플라스마 상태로 존재한다. 중심부에서 대류층으로 갈수록 온도가 낮아지며 표면 온도는 약 6000 K 정도이다.

핵융합 반응

핵융합 반응을 지구에서 일으키기 위해서는 수십 억 도의 초고온의 상태를 유지해야 한다. 따라서 초고온 이온 상태로 존재할 때 반응이 일어난다.

기출 Tip Ⓐ-2

태양 에너지가 원인이 아닌 현상

- 화산
- 지진
- 밀물과 썰물
- 우라늄의 핵분열 반응

기출 Tip Ⓑ-1

화석 연료의 사용

현재 전 세계적으로 석탄, 석유, 천연가스 등의 화석 연료를 주 에너지원으로 사용하고 있다.

Ⓐ 태양 에너지와 순환

1 태양 에너지의 생성 태양 에너지는 태양 중심부인 ❶☐에서 일어나는 수소 핵융합 반응을 통해 생성된다.

(태양에서의 수소 핵융합 반응)

수소 원자핵 ❷☐개가 융합하여 ❸☐☐ 원자핵 1개로 변하는 수소 핵융합 반응이 일어날 때 질량이 감소하는데, 감소한 질량에 해당하는 에너지가 태양 에너지이다.

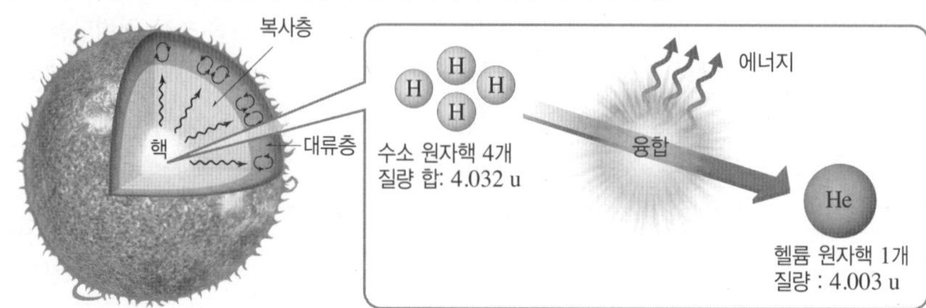

➡ 핵반응 전과 후의 질량의 차이를 질량 결손이라고 하며, 질량 결손에 의해 에너지가 방출된다. 즉, 질량은 에너지로, 에너지는 질량으로 서로 전환될 수 있다. → **질량 결손이 Δm이면 방출되는 에너지 E의 크기는 $E = \Delta mc^2$(c: 빛의 속력)이다.**

2 태양 에너지의 전환과 순환

① 태양 에너지의 전환: 태양 에너지는 지구에서 직접 다른 에너지로 전환되기도 하고, 전환되어 축적된 후 다른 에너지로 전환되기도 한다. 이 과정에서 여러 가지 순환을 일으켜 지구에서 일어나는 에너지 순환의 근원이 된다.

② 지구에서 태양 에너지의 순환: 지구의 대기와 해수의 순환, 탄소의 순환을 통해 태양 에너지가 순환한다.

③ 태양 에너지의 전환과 이용

- 생명체의 광합성: 빛에너지 → ❹☐☐ 에너지
- 화석 연료: 빛에너지 → 화학 에너지
- 기상 현상: 열에너지 → 물의 역학적 에너지
- 태양광 발전: 빛에너지 → 전기 에너지

Ⓑ 에너지원의 변화

1 화석 연료

① 생성 과정: 태양 에너지가 화학 에너지로 저장된 생명체의 유해가 땅속에 오랫동안 묻힌 후 높은 열과 압력을 받아 만들어진다. 예 석탄, 석유, 천연가스 등

② 문제점: 지구 온난화로 인한 기후 변화와 대기 오염과 같은 환경 문제를 일으키고, 매장량에 한계가 있어 언젠가는 ❺☐☐될 에너지 자원이다.

2 핵발전 ❻☐☐☐ 원자핵이 핵분열할 때 발생하는 열에너지를 이용하여 터빈을 돌려 전기 에너지를 생산한다. → **핵반응 전후 질량 결손에 의해 에너지가 방출된다.**

① 핵발전의 원리

❶ 원자로 안에서 우라늄 원자핵에 느린 중성자를 충돌시키면 에너지와 함께 2개~3개의 중성자가 방출된다.	➡	❷ 중성자들이 다른 우라늄 원자핵에 충돌하는 연쇄 반응이 일어나고 이 과정에서 막대한 양의 에너지가 방출된다.	➡	❸ 핵분열 과정에서 발생한 열에너지로 물을 끓이고 이때 나온 증기로 터빈을 돌려 전기 에너지를 생산한다.

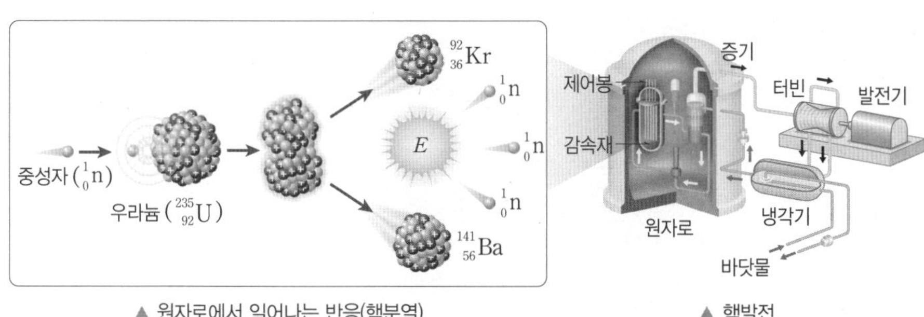

▲ 원자로에서 일어나는 반응(핵분열) ▲ 핵발전

② 제어봉과 감속재

- 제어봉: 연쇄 반응에서 기하급수적으로 증가하는 중성자를 흡수하여 연쇄 반응 ❼ ☐☐를 조절한다. ⟶ 연쇄 반응 속도를 조절하면 에너지 방출량을 조절할 수 있다.
- 감속재: ❽ ☐☐☐의 속력을 느리게 하여 연쇄 반응이 잘 일어나도록 한다.

③ 핵발전의 특징

- 환경 문제를 일으키는 이산화 탄소를 거의 배출하지 않으므로 화력 발전을 대체할 수 있다.
- 에너지 효율이 높아 대용량 발전이 가능하다.
- 우라늄과 같은 핵연료의 매장량이 한정되어 있어 자원 고갈의 위험이 있다.

기출 Tip B-2

핵발전의 입지 조건과 단점

- 물이 많이 필요하므로 주로 바닷가에 건설한다.
- 방사능 유출의 위험이 있고 발전 과정에서 발생하는 방사성 폐기물을 처리하기 어렵다.

C 신재생 에너지

1 신재생 에너지 신에너지와 재생 에너지의 합성어로, 기존의 화석 연료를 변환하여 이용하거나 햇빛, 바다, 바람 등의 ❾ ☐☐ 가능한 에너지를 변환하여 이용하는 에너지이다. ➡ 지속적인 에너지 공급을 할 수 있다.

① 신에너지: 수소, 연료 전지, 석탄의 액화 및 가스화

② 재생 에너지: 태양광, 태양열, 풍력, 수력, 해양, 지열, 폐기물, 바이오

③ 특징

- 친환경적이고 화석 연료와 같은 자원 고갈의 염려가 없으며 지속적인 발전을 할 수 있다.
- 기존 에너지원에 비해 초기 투자 비용이 많이 든다.
- 화석 연료를 이용한 화력 발전보다 효율이 낮아 지속적인 개발이 필요하다.

기출 Tip C-1

지열 발전

지열 발전은 지하에 있는 고온의 지하수나 수증기를 끌어 올려서 터빈을 돌려 전기를 생산한다.

2 태양광 발전과 풍력 발전

구분	태양광 발전	풍력 발전
원리	태양광 / 전류 / 태양 전지 ❿ ☐☐☐로 만든 태양 전지를 이용하여 태양의 빛에너지를 직접 전기 에너지로 전환	날개의 길이가 길수록 전기 생산량이 증가한다. / 바람 / 날개 / 발전기 풍력 발전기를 이용하여 바람의 운동 에너지를 전기 에너지로 전환
특징	• 전자기 유도 현상을 이용하지 않는다. • 날씨의 영향을 많이 받는다. • 1개의 태양 전지에서 생산되는 전력이 매우 작아 여러 개를 연결한 태양 전지판을 사용하여 발전을 한다. (태양 전지판을 사용 → 넓은 설치 면적이 필요하다.)	• 바람을 이용하므로 발전기를 설치할 수 있는 지역이 한정적이다. • 발전기 주변에서는 소음 피해가 발생한다. • 바람의 방향과 세기가 일정하지 않아 발전량을 ⓫ ☐☐하기 어렵다.

기출 Tip C-2

태양광 발전과 태양열 발전

태양광 발전은 반도체를 이용한 태양 전지로 발전하므로 빛에너지를 전기 에너지로 직접 전환한다. 태양열 발전은 태양의 열에너지로 물을 끓여 터빈을 돌려서 전기 에너지를 생산한다.

답 ❶ 핵 ❷ 4 ❸ 헬륨 ❹ 화학 ❺ 고갈 ❻ 우라늄 ❼ 속도 ❽ 중성자 ❾ 재생 ❿ 반도체 ⓫ 예측

Ⅳ

3 조력 발전과 파력 발전 → 해양 에너지를 이용한 발전 방식

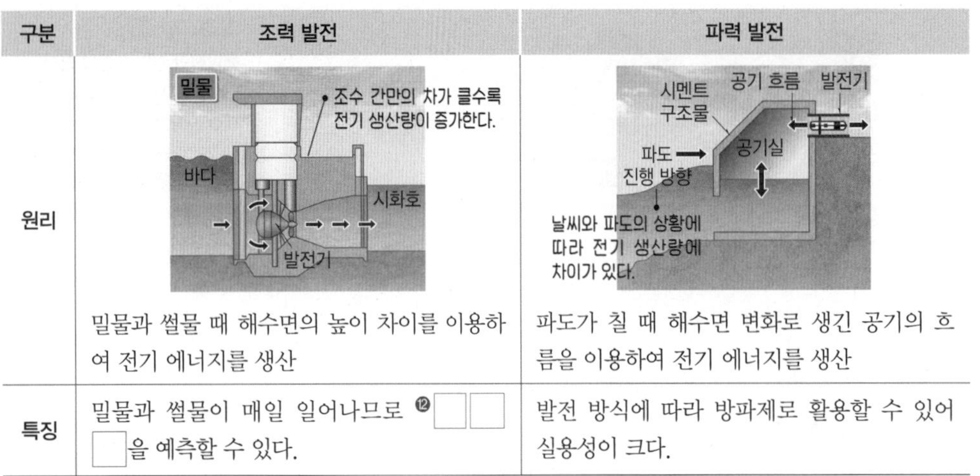

구분	조력 발전	파력 발전
원리	밀물과 썰물 때 해수면의 높이 차이를 이용하여 전기 에너지를 생산	파도가 칠 때 해수면 변화로 생긴 공기의 흐름을 이용하여 전기 에너지를 생산
특징	밀물과 썰물이 매일 일어나므로 ⑫ □□□을 예측할 수 있다.	발전 방식에 따라 방파제로 활용할 수 있어 실용성이 크다.

4 연료 전지 연료의 ⑬ □□ 에너지를 직접 전기 에너지로 전환하는 장치

구분	내용
원리	❶ (−)극에서 수소가 산화되어 수소 이온과 전자 발생 ❷ 수소 이온은 전해질을 통해 (+)극으로 이동하고, 전자는 외부 회로를 통해 (+)극으로 이동하여 전류 흐름 ❸ ⑭ □극에서 산소가 환원되면서 수소 이온과 반응하여 물 생성 ➔ 이때 전기 에너지와 열에너지 발생 • (−)극: $2H_2 \longrightarrow 4H^+ + 4e^-$(수소의 산화 반응) • (+)극: $O_2 + 4H^+ + 4e^- \longrightarrow 2H_2O$(산소의 환원 반응) ➔ 전체 반응: $2H_2 + O_2 \longrightarrow 2H_2O$
특징	• 최종 생성물로 ⑮ □만 생성되므로 환경오염 문제가 없다. • 화학 반응을 통해 전기 에너지를 직접 생산하므로 에너지 효율이 높다.

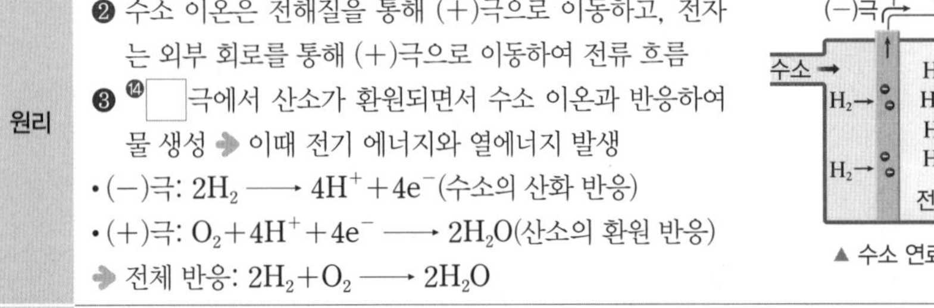

▲ 수소 연료 전지의 원리

D 지속 가능한 발전

1 친환경 에너지 도시 지역 환경에 맞는 신재생 에너지를 활용하여 에너지와 환경 문제를 함께 해결할 수 있는 도시이다.

2 ⑯ □□ 기술 기술이 사용되는 사회의 필요 및 환경 조건을 고려하여 해당 지역에서 지속적인 생산과 소비를 할 수 있는 기술로, 대규모 사회 기반 시설이 필요하지 않고 친환경적이다.
예 생명 빨대, 큐 드럼, 페트병 전구, 항아리 냉장고, 페달 세탁기, 와카 워터 탑 등

기출 Tip C-3

조력 발전의 설치
우리나라에서 조력 발전은 조수 간만의 차가 큰 서해안에 설치하는 것이 적합하다.

기출 Tip C-4

발전 방식과 전류의 종류
• 태양광 발전과 연료 전지는 전자기 유도 현상을 이용하지 않고, 각각 빛에너지와 화학 에너지를 직접 전기 에너지로 전환한다. ➔ 직류 전류 발생
• 풍력 발전과 조력 발전, 파력 발전은 전자기 유도 현상을 이용한 발전기를 사용하며, 터빈의 운동 에너지가 전기 에너지로 전환된다. ➔ 교류 전류 발생

물의 전기 분해와 연료 전지
물을 전기 분해할 때 (+)극과 (−)극에서 일어나는 반응과 연료 전지의 (+)극과 (−)극에서 일어나는 반응은 서로 반대이다.

답 ⑫ 발전량 ⑬ 화학 ⑭ (+) ⑮ 물 ⑯ 적정

빈출 자료 보기

정답과 해설 110쪽

1233 그림은 다양한 에너지원을 이용한 발전 방식을 나타낸 것이다.

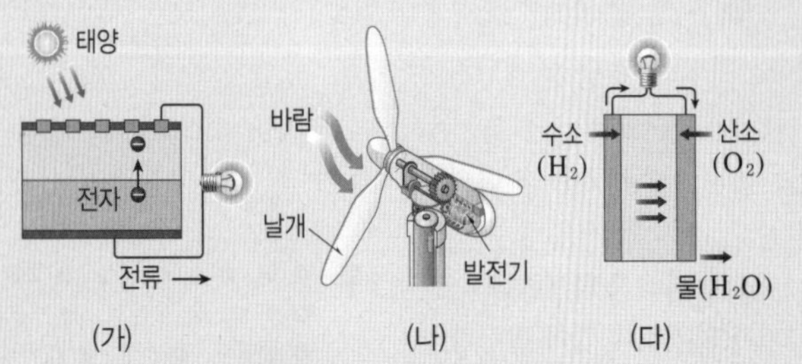

이에 대한 설명으로 옳은 것은 ○, 옳지 않은 것은 ×로 표시하시오.

(1) (가)는 태양광 발전으로 날씨와 일조량에 영향을 받아 발전량이 일정하지 않다. ( )

(2) (나)는 파도가 칠 때 해수면의 움직임을 이용하여 전기 에너지를 생산한다. ( )

(3) (다)의 (−)극에서 발생한 수소 이온은 전선을 타고 이동하여 전류를 흐르게 한다. ( )

(4) (가)~(다)는 모두 지속 가능한 에너지를 활용하며, 화력 발전에 비해 환경오염 물질의 배출이 적다. ( )

정답과 해설 110쪽

A 태양 에너지와 순환

1234 하 중 상

태양 에너지로 인해 나타나는 현상으로 옳은 것만을 〈보기〉에서 있는 대로 고른 것은?

〈 보기 〉
ㄱ. 강가에서 시원한 바람이 분다.
ㄴ. 지구 내부에 마그마를 생성한다.
ㄷ. 태풍이 발생하여 많은 비가 내린다.
ㄹ. 지진이 일어나 큰 피해가 발생한다.

① ㄱ, ㄴ ② ㄱ, ㄷ ③ ㄴ, ㄷ
④ ㄴ, ㄹ ⑤ ㄷ, ㄹ

1235 하 중 상 대표문제 多 보기

태양에서 일어나는 핵반응에 대한 설명으로 옳지 않은 것만을 모두 고르면?(2개)

① 태양의 중심부인 핵에서 일어나는 반응이다.
② 수소 원자핵이 헬륨 원자핵이 되는 핵분열 반응이 일어난다.
③ 핵반응을 위해서는 수소 원자핵 4개가 필요하다.
④ 핵반응 전의 질량이 반응 후의 질량보다 크다.
⑤ 핵반응 전과 후의 질량 차이만큼 에너지로 방출된다.
⑥ 이 반응이 일어나기 위해서는 초고온 상태가 필요하다.
⑦ 시간이 지날수록 태양의 질량은 증가한다.

1236 하 중 상

태양 에너지가 전환되어 이용되는 예로 옳은 것만을 〈보기〉에서 있는 대로 고른 것은?

〈 보기 〉
ㄱ. 바람: 태양 에너지 → 역학적 에너지
ㄴ. 화석 연료: 태양 에너지 → 화학 에너지
ㄷ. 태양광 발전: 태양 에너지 → 역학적 에너지

① ㄱ ② ㄷ ③ ㄱ, ㄴ
④ ㄴ, ㄷ ⑤ ㄱ, ㄴ, ㄷ

빈출 **1237** 하 중 상

그림은 태양에서 일어나는 핵반응을 나타낸 것이다. 이에 대한 설명으로 옳은 것만을 〈보기〉에서 있는 대로 고른 것은?

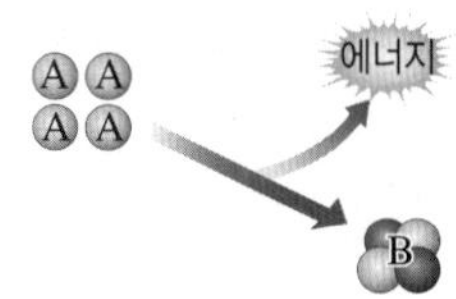

〈 보기 〉
ㄱ. 이와 같은 반응을 핵융합이라고 한다.
ㄴ. A는 수소 원자핵이고, B는 헬륨 원자핵이다.
ㄷ. A 4개의 질량은 B 1개의 질량보다 크다.

① ㄱ ② ㄷ ③ ㄱ, ㄴ
④ ㄴ, ㄷ ⑤ ㄱ, ㄴ, ㄷ

1238 하 중 상 서술형

그림은 태양의 내부 구조를 나타낸 것이다.

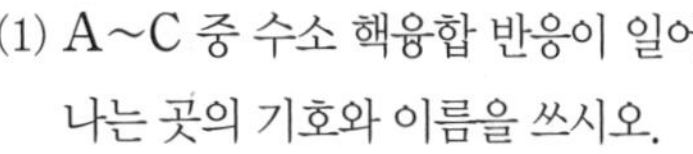

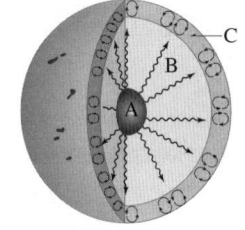

(1) A~C 중 수소 핵융합 반응이 일어나는 곳의 기호와 이름을 쓰시오.

(2) 수소 핵융합 반응으로 태양이 에너지를 생성하는 과정을 서술하시오.

1239 하 중 상

그림 (가)는 태양의 내부 구조를, (나)는 태양에서 일어나는 수소 핵융합 반응을 나타낸 것이다.

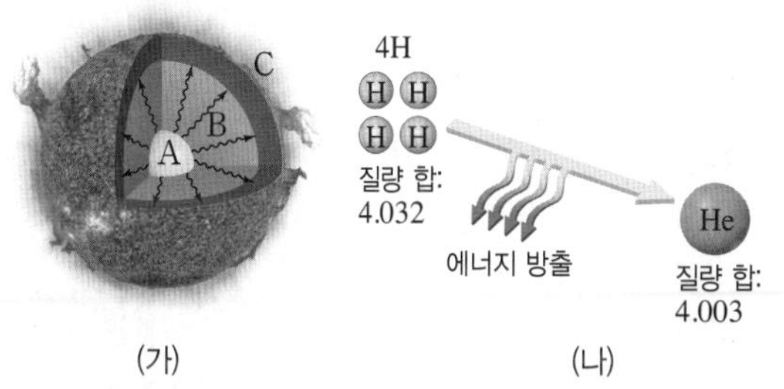

(가) (나)

이에 대한 설명으로 옳은 것만을 〈보기〉에서 있는 대로 고른 것은?

〈 보기 〉
ㄱ. A~C 중 온도가 가장 낮은 곳은 C이다.
ㄴ. 핵융합 반응은 B에서 일어난다.
ㄷ. 핵반응에서 결손된 질량만큼 에너지가 발생한다.
ㄹ. 질량은 에너지로 전환될 수 있지만, 에너지는 질량으로 전환될 수 없다.

① ㄱ, ㄴ ② ㄱ, ㄷ ③ ㄴ, ㄷ
④ ㄴ, ㄹ ⑤ ㄷ, ㄹ

B 에너지원의 변화

화석 연료

1240 하 중 상

화석 연료에 대한 설명으로 옳지 않은 것은?

① 생성에 긴 시간이 걸린다.
② 예시로 석유, 석탄, 천연가스가 있다.
③ 매장량이 한정되어 있어 고갈의 위험이 있다.
④ 사용 과정에서 환경오염 물질을 배출하지 않는다.
⑤ 태양 에너지가 화학 에너지로 전환된 에너지 자원이다.

핵발전

1241 하 중 상

핵발전에 대한 설명으로 옳지 않은 것은?

① 대부분 물을 얻기 쉬운 바닷가에 건설된다.
② 에너지 효율이 높고 자원을 다시 쓸 수 있다.
③ 연쇄적인 핵분열에 의해 에너지가 발생한다.
④ 반응물의 총 질량은 생성물의 총 질량보다 크다.
⑤ 전자기 유도 현상을 이용하여 전기 에너지를 생산한다.

1242 하 중 상

그림은 원자력 발전소의 원자로를 나타낸 것이다. 이에 대한 설명으로 옳은 것만을 〈보기〉에서 있는 대로 고른 것은?

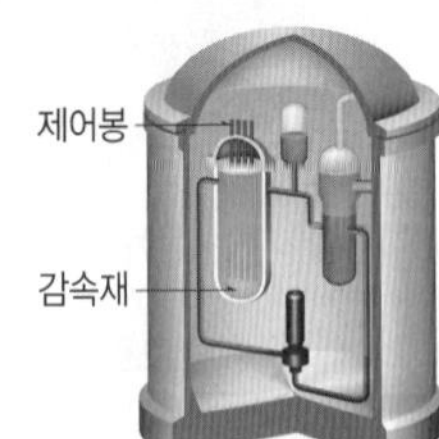

〈보기〉
ㄱ. 우라늄 원자핵에 속력이 빠른 중성자를 충돌시키면 핵분열이 잘 일어난다.
ㄴ. 제어봉은 핵반응에서 방출된 중성자를 흡수한다.
ㄷ. 감속재는 핵분열의 속도를 줄이기 위해 사용한다.

① ㄱ ② ㄴ ③ ㄱ, ㄷ
④ ㄴ, ㄷ ⑤ ㄱ, ㄴ, ㄷ

빈출 **1243** 하 중 상

그림은 핵발전소의 원자로에서 일어나는 우라늄($^{235}_{92}U$)의 핵분열 반응을 나타낸 것이다. 이에 대한 설명으로 옳은 것만을 〈보기〉에서 있는 대로 고른 것은?

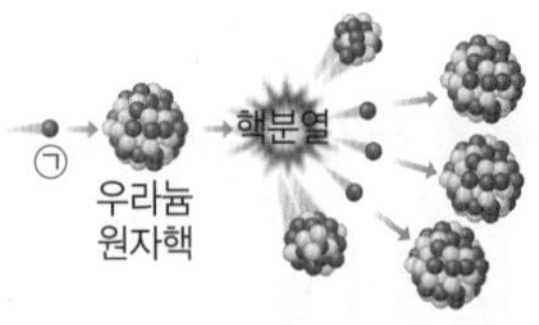

〈보기〉
ㄱ. ㉠은 양성자이다.
ㄴ. ㉠을 흡수하여 연쇄 반응 속도를 조절할 수 있다.
ㄷ. 핵분열 과정에서 질량 결손에 의해 에너지가 방출된다.

① ㄴ ② ㄷ ③ ㄱ, ㄴ
④ ㄴ, ㄷ ⑤ ㄱ, ㄴ, ㄷ

1244 하 중 상

그림은 화력 발전과 핵발전의 발전 과정을 모식적으로 나타낸 것이다.

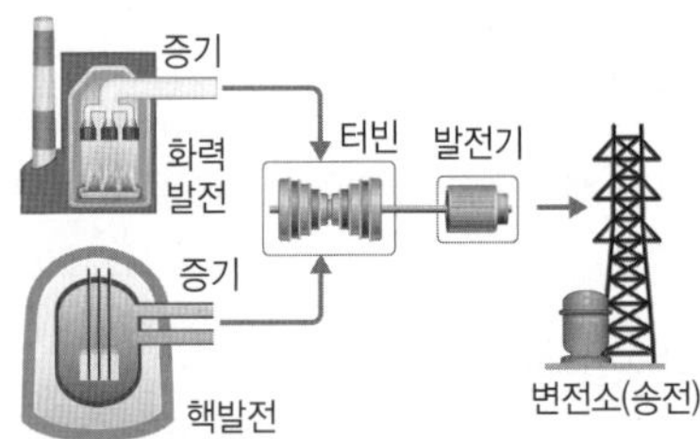

이에 대한 설명으로 옳은 것만을 〈보기〉에서 있는 대로 고른 것은?

〈보기〉
ㄱ. 핵발전에 사용되는 에너지원은 화석 연료이다.
ㄴ. 화력 발전 과정에서 빛에너지가 전기 에너지로 전환된다.
ㄷ. 화력 발전과 핵발전은 모두 물을 끓여 얻은 증기를 이용해 전기를 생산한다.
ㄹ. 핵발전이 화력 발전에 비해 이산화 탄소의 배출량이 적다.

① ㄱ, ㄴ ② ㄱ, ㄷ ③ ㄷ, ㄹ
④ ㄱ, ㄴ, ㄹ ⑤ ㄴ, ㄷ, ㄹ

C 신재생 에너지

1245 하 중 상

신재생 에너지원으로 옳지 않은 것은?

① 수소 ② 해양 ③ 바람
④ 태양광 ⑤ 우라늄

1246 하 중 상

전기 에너지를 생산하는 발전 방식 중 직류 전류를 생산하는 발전 방식은?

① 핵발전 ② 수력 발전 ③ 조력 발전
④ 파력 발전 ⑤ 태양광 발전

1247 하 중 상

신재생 에너지에 대한 설명으로 옳지 않은 것은?

① 화석 연료에 비해 에너지원의 고갈 염려가 없다.
② 지열 에너지는 지구 내부의 열에너지를 이용한다.
③ 태양광 에너지, 수소 에너지, 해양 에너지 등이 있다.
④ 현재 전 세계적으로 가장 많이 사용하고 있는 에너지이다.
⑤ 발전 과정에서 환경오염 물질을 거의 발생시키지 않는다.

빈출
1248 하 중 상

그림은 태양 전지에 빛을 비추면 전류가 흘러 전구에 불이 들어오는 모습을 나타낸 것이다. 이에 대한 설명으로 옳지 않은 것은?

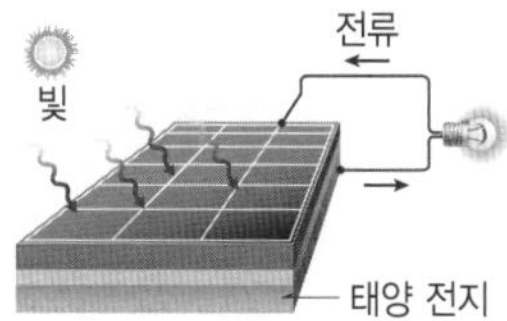

① 전자기 유도 현상을 이용한다.
② 반도체에 빛을 쪼이면 전류가 흐른다.
③ 자원 고갈의 염려가 없다.
④ 1개의 태양 전지에서 생산되는 전력이 작다.
⑤ 화력 발전에 비하여 필요 설치 면적이 넓고, 초기 비용이 많이 든다.

1249 하 중 상

그림 (가)는 태양광 발전을, (나)는 태양열 발전을 나타낸 것이다.

(가)

(나)

이에 대한 설명으로 옳은 것만을 〈보기〉에서 있는 대로 고른 것은?

〈 보기 〉
ㄱ. (가)는 태양의 열에너지를 이용한 발전 방식이다.
ㄴ. (나)는 열에너지가 운동 에너지로 전환되는 과정이 있다.
ㄷ. (가)와 (나)는 모두 날씨의 영향을 많이 받는다.

① ㄱ ② ㄴ ③ ㄱ, ㄷ
④ ㄴ, ㄷ ⑤ ㄱ, ㄴ, ㄷ

1250 하 중 상

풍력 발전에 대한 설명으로 옳지 않은 것은?

① 바람의 운동 에너지를 전기 에너지로 전환한다.
② 바람의 세기에 따라 전력 생산량이 변한다.
③ 발전량을 정확히 예측할 수 있어 원활한 전력 공급이 가능하다.
④ 날개가 돌아갈 때 소음 피해가 발생할 수 있어 마을에서 떨어진 곳에 설치한다.
⑤ 발전 과정에서 환경오염 물질이 거의 발생하지 않는다.

빈출
1251 하 중 상

그림은 해양 에너지를 이용하여 발전하는 방식 중 한 가지의 발전 원리를 나타낸 것이다.

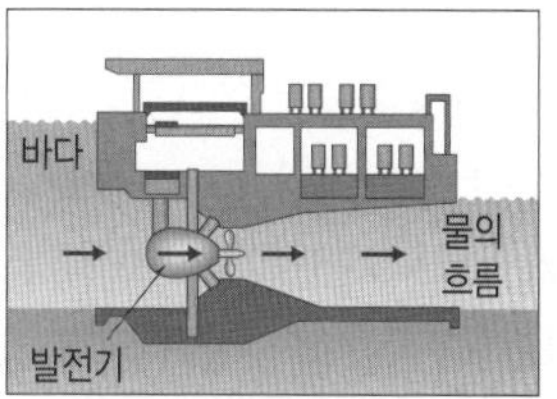

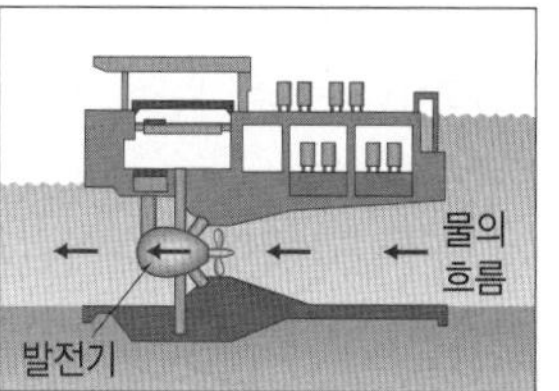

이에 대한 설명으로 옳은 것만을 모두 고르면?(2개)

① 파도가 칠 때 해수면 변화로 생긴 공기의 흐름을 이용하여 발전한다.
② 발전에 이용되는 물의 역학적 에너지는 태양 에너지가 전환된 것이다.
③ 조수 간만의 차를 알면 발전량을 예측할 수 있다.
④ 하루 동안 24시간 내내 발전기를 돌릴 수 있다.
⑤ 우리나라의 동해안보다 서해안에 설치하는 것이 적합하다.

1252 하 중 상

그림 (가)와 (나)는 조력 발전과 파력 발전의 발전 원리를 각각 나타낸 것이다.

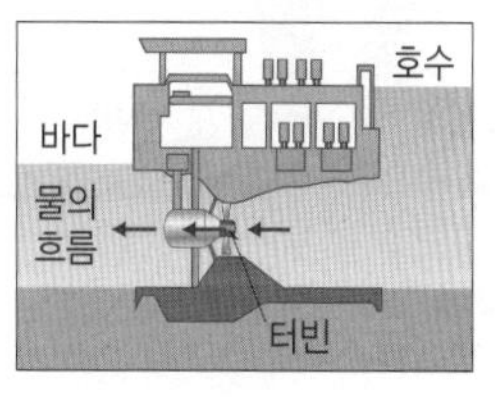

(가)

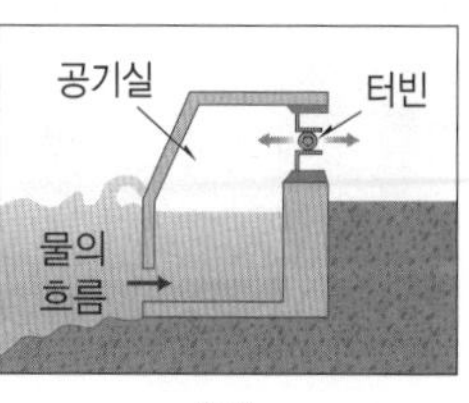

(나)

이에 대한 설명으로 옳은 것만을 〈보기〉에서 있는 대로 고른 것은?

〈 보기 〉
ㄱ. (가)는 썰물일 때의 모습을 나타낸 것이다.
ㄴ. (나)는 발전량을 예측하기 어렵다는 단점이 있다.
ㄷ. (나)는 파도의 역학적 에너지를 이용하는 발전 방식이다.

① ㄱ ② ㄷ ③ ㄱ, ㄴ
④ ㄴ, ㄷ ⑤ ㄱ, ㄴ, ㄷ

1253 하 중 상

대표문제 多 보기

그림은 수소 연료 전지의 구조를 나타낸 것이다.

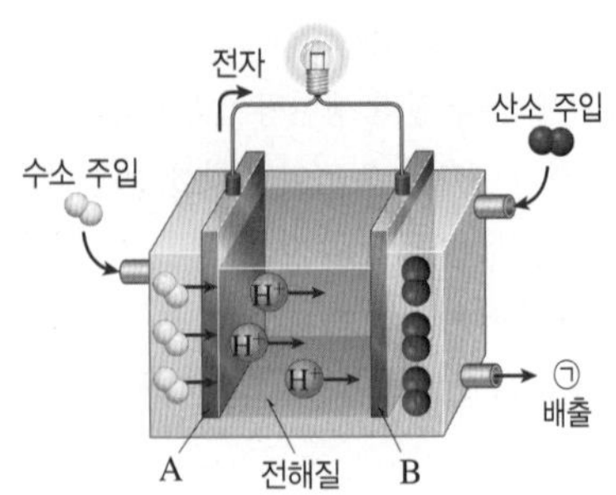

이에 대한 설명으로 옳지 <u>않은</u> 것만을 모두 고르면?(2개)

① ㉠은 H_2O이다.
② 전극 A는 (−)극이다.
③ 전극 B에서는 산소가 산화된다.
④ 전극 B에서는 이산화 탄소가 생성된다.
⑤ 전류는 B → 전구 → A 방향으로 흐른다.
⑥ 연료 전지를 통해 화학 에너지가 전기 에너지로 전환된다.
⑦ 연료 전지는 에너지 효율이 높으며 소음과 공해가 거의 발생하지 않는다.

1254 하 중 상

다음은 연료 전지를 만들기 위한 실험 과정이다.

(가) 한쪽을 알루미늄 포일로 감싼 백탄 2개를 수산화 나트륨 수용액에 담근 후 건전지에 연결한다.
(나) 10분 후에 건전지를 떼어 내고 발광 다이오드를 연결한다.

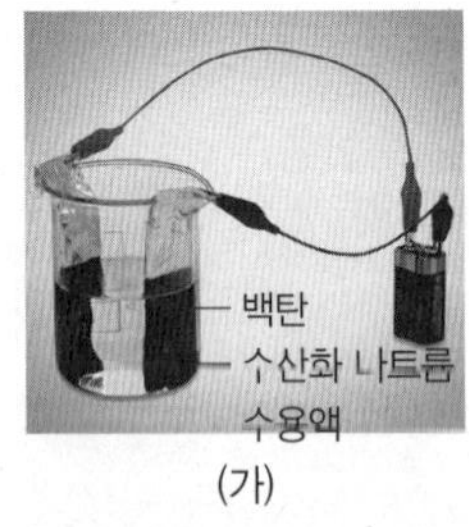

(가)

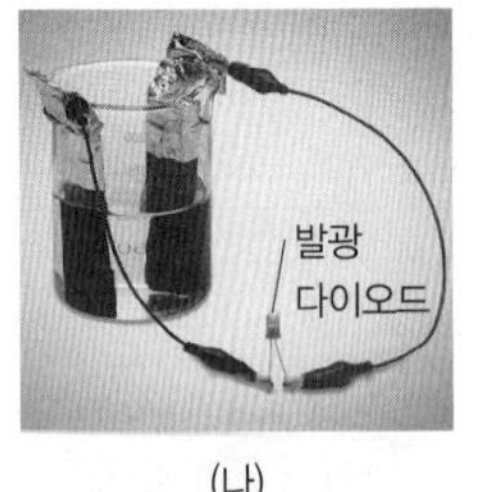

(나)

이에 대한 설명으로 옳은 것만을 〈보기〉에서 있는 대로 고른 것은?

〈 보기 〉
ㄱ. (가)에서는 수산화 나트륨을 전기 분해한다.
ㄴ. (가)의 (−)극에서는 산소 기체가 발생한다.
ㄷ. (나)에서 발광 다이오드에 불이 켜진다.
ㄹ. (가)와 (나)에서 일어나는 반응은 서로 반대의 반응이다.

① ㄱ, ㄴ ② ㄱ, ㄷ ③ ㄷ, ㄹ
④ ㄱ, ㄴ, ㄹ ⑤ ㄴ, ㄷ, ㄹ

1255 하 중 상

그림 (가)는 조력 발전의 구조를, (나)는 연료 전지의 구조를 나타낸 것이다.

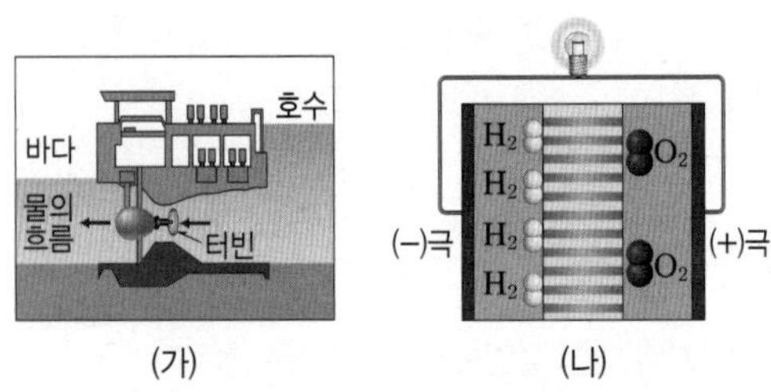

(가) (나)

(가)와 (나)의 공통점으로 옳은 것만을 〈보기〉에서 있는 대로 고른 것은?

〈 보기 〉
ㄱ. 신재생 에너지를 이용한 발전 방식이다.
ㄴ. 전자기 유도를 이용하여 전기 에너지를 생산한다.
ㄷ. 화학 에너지를 전기 에너지로 전환하는 발전 방식이다.

① ㄱ ② ㄴ ③ ㄱ, ㄷ
④ ㄴ, ㄷ ⑤ ㄱ, ㄴ, ㄷ

1256 하 중 상

그림은 전기를 생산하는 다양한 발전 방식 A, B, C의 원리를 간략하게 나타낸 것이다.

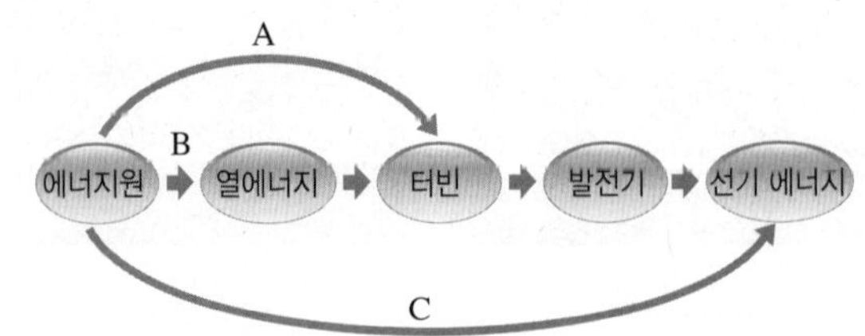

A, B, C에 해당하는 발전의 종류를 옳게 짝 지은 것은?

	A	B	C
①	핵발전	화력 발전	연료 전지
②	핵발전	화력 발전	태양광 발전
③	파력 발전	풍력 발전	조력 발전
④	조력 발전	핵발전	연료 전지
⑤	조력 발전	태양광 발전	풍력 발전

1257 하/중/상 ••서술형

그림은 수소 연료를 이용하여 전기 에너지를 얻는 연료 전지의 구조를 나타낸 것이다.

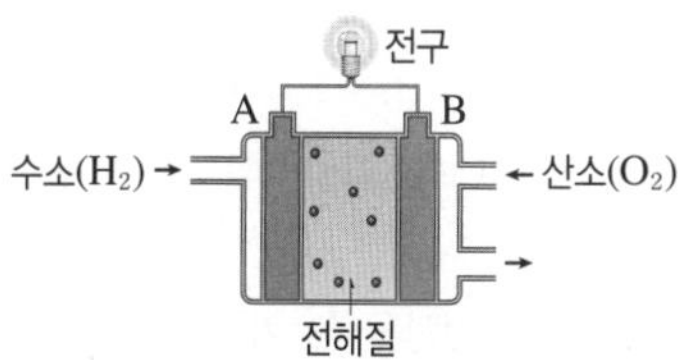

(1) A극과 B극에서 일어나는 화학 반응식을 쓰시오. (단, (+)극과 (−)극 사이에서 주고받은 전자의 수는 $4e^-$로 계산한다.)

• A극:

• B극:

(2) 이 발전 방식의 장점을 한 가지만 서술하시오.

1258 하/중/상

여러 가지 발전 방식에 대한 설명으로 옳은 것만을 〈보기〉에서 있는 대로 고른 것은?

〈 보기 〉

ㄱ. 파력 발전은 방파제로 활용할 수 있다.
ㄴ. 수력 발전은 전자기 유도 현상을 이용하지 않는다.
ㄷ. 조력 발전은 밀물과 썰물 때 해수면의 높이차를 이용한다.
ㄹ. 지열 발전은 지하에 있는 고온의 지하수나 수증기를 끌어 올려서 터빈을 돌려 전기를 생산한다.

① ㄱ, ㄴ ② ㄱ, ㄷ ③ ㄴ, ㄹ
④ ㄱ, ㄷ, ㄹ ⑤ ㄴ, ㄷ, ㄹ

1259 하/중/상

그림 (가)~(다)는 다양한 발전소의 모습을 나타낸 것이다.

(가)

(나)

(다)

이에 대한 설명으로 옳은 것만을 〈보기〉에서 있는 대로 고른 것은?

〈 보기 〉

ㄱ. (가)는 반도체를 이용하는 발전 방식이다.
ㄴ. (나)는 핵융합 반응을 통해 에너지를 생산한다.
ㄷ. (다)는 발전 시설을 설치할 수 있는 지역이 한정적이다.
ㄹ. (가), (나), (다) 모두 전력 생산량이 일정하다.

① ㄱ, ㄴ ② ㄱ, ㄷ ③ ㄴ, ㄹ
④ ㄱ, ㄷ, ㄹ ⑤ ㄴ, ㄷ, ㄹ

1260 하/중/상

그림은 신재생 에너지를 이용한 발전 방식을 분류한 것이다.

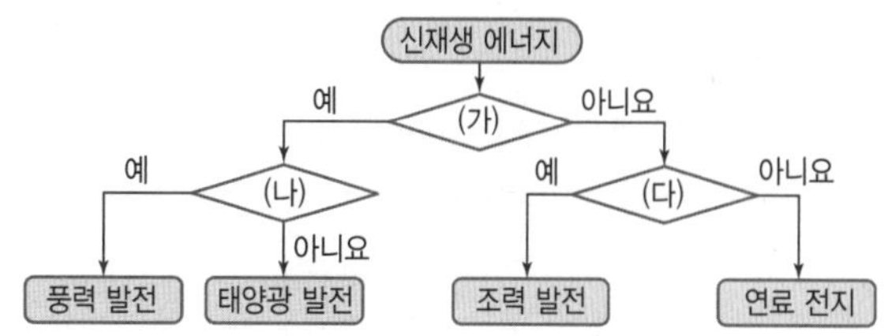

(가)~(다)에 들어갈 분류 기준을 〈보기〉에서 찾아 옳게 짝 지은 것은?

〈 보기 〉

ㄱ. 터빈을 이용한 발전 방식인가?
ㄴ. 열에너지를 이용한 발전 방식인가?
ㄷ. 해양 에너지를 이용한 발전 방식인가?
ㄹ. 에너지의 근원이 태양 에너지인가?
ㅁ. 발전 과정에서 역학적 에너지를 전기 에너지로 전환하는가?

	(가)	(나)	(다)
①	ㄱ	ㄴ	ㄹ
②	ㄴ	ㄷ	ㅁ
③	ㄴ	ㅁ	ㄹ
④	ㄹ	ㄱ	ㄷ
⑤	ㄹ	ㅁ	ㄴ

D 지속 가능한 발전

1261 하/중/상

친환경 에너지 도시에서 사용하는 기술의 예로 옳지 않은 것은?

① 빗물을 정화하여 화장실에서 사용한다.
② 가축의 분뇨를 이용하여 바이오 가스를 정제한다.
③ 풀로 뒤덮인 도로와 수로가 도시의 온도를 조절한다.
④ 주택의 지붕 위에 태양광 패널을 설치하여 이용한다.
⑤ 열병합 발전소에서 석탄을 소각하여 에너지를 생산한다.

1262 하/중/상

그림은 생명 빨대와 와카 워터 탑을 나타낸 것이다. (가)와 (나)에 사용된 기술에 대한 설명으로 옳은 것만을 〈보기〉에서 있는 대로 고른 것은?

(가) 생명 빨대

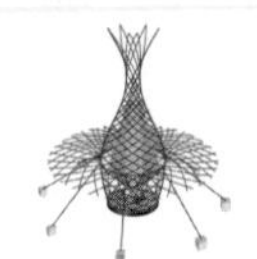
(나) 와카 워터 탑

〈 보기 〉

ㄱ. 사용하는 지역에 대규모의 사회 기반 시설이 있어야 한다.
ㄴ. 재료가 비싸기 때문에 전문가만이 이용할 수 있다.
ㄷ. 해당 지역에서 지속적인 생산과 소비가 가능해야 한다.

① ㄱ ② ㄷ ③ ㄱ, ㄴ
④ ㄴ, ㄷ ⑤ ㄱ, ㄴ, ㄷ

1263

그림은 코일의 중심축을 지나는 마찰이 없는 레일을 따라 내려온 자석이 운동하는 모습을 나타낸 것이다. p, q는 레일 위의 점이다.

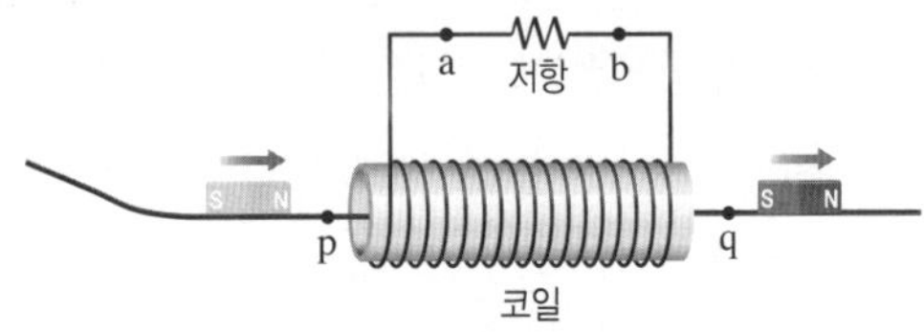

이에 대한 설명으로 옳은 것만을 〈보기〉에서 있는 대로 고른 것은? (단, 자석의 크기와 공기 저항은 무시한다.)

〈 보기 〉

ㄱ. p점을 지날 때와 q점을 지날 때 자석의 속력은 같다.

ㄴ. 자석이 q점을 지날 때 유도 전류는 b → 저항 → a 방향으로 흐른다.

ㄷ. 자석을 레일의 더 높은 곳에서 출발시키면 유도 전류의 세기가 더 세진다.

ㄹ. 자석의 역학적 에너지는 p점에서와 q점에서 서로 같다.

① ㄱ ② ㄴ ③ ㄱ, ㄹ
④ ㄴ, ㄷ ⑤ ㄴ, ㄷ, ㄹ

1264

그림 (가)는 변전소에서 P_0, $2P_0$의 전력을 송전선 A, B를 통해 송전하는 모습을, (나)는 송전선 A, B에서의 손실 전력을 송전 전류의 제곱에 따라 나타낸 것이다.

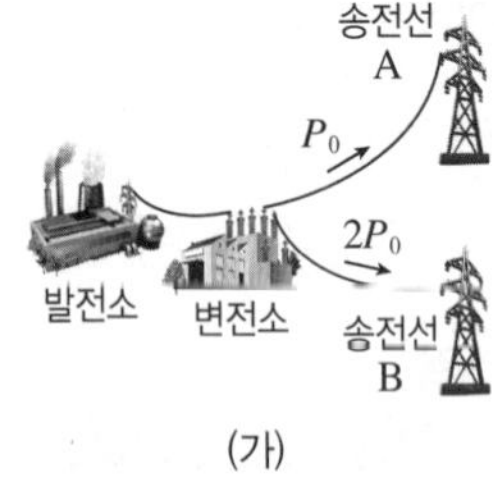

(가)

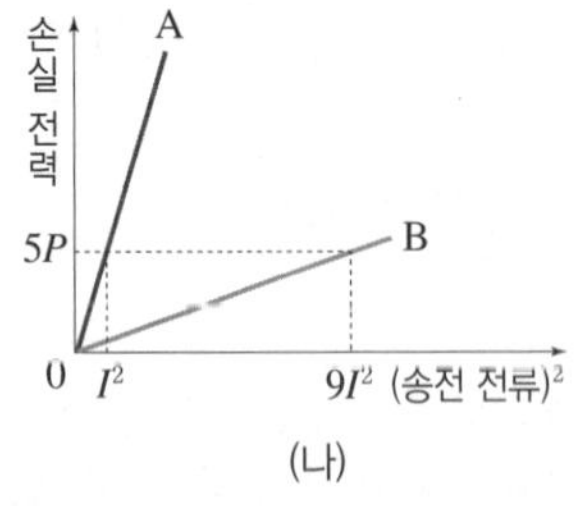

(나)

이에 대한 설명으로 옳은 것만을 〈보기〉에서 있는 대로 고른 것은?

〈 보기 〉

ㄱ. A, B에는 교류 전류가 흐른다.

ㄴ. 송전선의 저항은 A가 B의 3배이다.

ㄷ. A와 B에서 송전 전압이 같을 때 송전선에서 손실 전력은 A에서가 B에서의 4배이다.

① ㄱ ② ㄴ ③ ㄱ, ㄷ
④ ㄴ, ㄷ ⑤ ㄱ, ㄴ, ㄷ

1265

다음은 두 가지 핵반응식을 나타낸 것으로, A, B는 핵융합 또는 핵분열 반응식이다.

A: ${}^{2}_{1}H + {}^{3}_{1}H \longrightarrow {}^{4}_{2}He + {}^{1}_{0}n + 7.6\ MeV$

B: ${}^{235}_{92}U + {}^{1}_{0}n \longrightarrow {}^{141}_{56}Ba + {}^{92}_{36}Kr + 3$ ㉠ $+ 200\ MeV$

이에 대한 설명으로 옳은 것만을 〈보기〉에서 있는 대로 고른 것은?

〈 보기 〉

ㄱ. A는 태양 에너지가 생성되는 반응이다.

ㄴ. ㉠은 전하를 띠지 않는 물질이다.

ㄷ. B의 연쇄 반응이 일어나려면 ㉠의 속력을 증가시키는 물질이 필요하다.

ㄹ. A와 B에서 방출되는 에너지는 $E = \Delta m \times c^2$(Δm: 질량 결손, c: 빛의 속력)의 관계식을 만족한다.

① ㄱ, ㄴ ② ㄱ, ㄷ ③ ㄷ, ㄹ
④ ㄱ, ㄴ, ㄹ ⑤ ㄴ, ㄷ, ㄹ

1266

그림은 태양 전지에 빛을 비추면 전류가 흘러 전구에 불이 들어오는 모습을 나타낸 것이다.

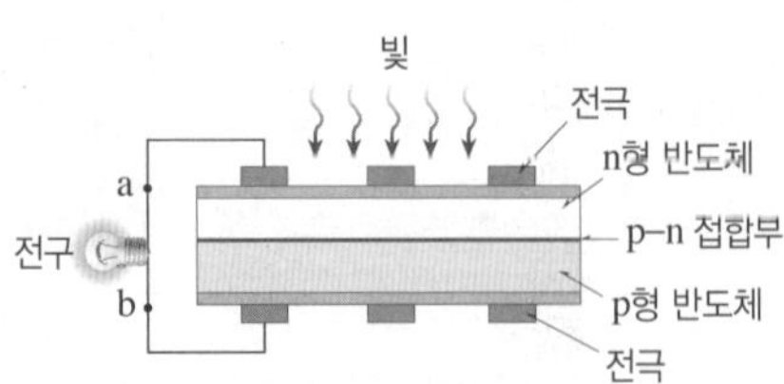

이에 대한 설명으로 옳은 것만을 〈보기〉에서 있는 대로 고른 것은?

〈 보기 〉

ㄱ. 전구에 흐르는 전류의 방향은 a → 전구 → b 방향이다.

ㄴ. 빛을 쪼이면 n형 반도체의 전자가 접합부 쪽으로 이동한다.

ㄷ. 태양 전지는 직류 전류를 생산한다.

① ㄱ ② ㄷ ③ ㄱ, ㄴ
④ ㄴ, ㄷ ⑤ ㄱ, ㄴ, ㄷ

빠른 정답 Check

01 우주의 원소 분포와 빅뱅 우주론

빈출 자료 보기 5쪽

1 (1) × (2) ○ (3) × (4) ○ (5) × (6) ○ (7) ○ (8) × (9) ○
2 (1) × (2) ○ (3) ○ (4) ○ (5) ○ (6) ○ (7) ○ (8) ×

난이도별 필수 기출 6~11쪽

3 연속 스펙트럼, 방출 스펙트럼, 흡수 스펙트럼 4 ③ 5 (가) 방출 스펙트럼 (나) 흡수 스펙트럼 6 ⑤ 7 ②, ⑤ 8 ① 9 ④ 10 흡수 스펙트럼, 별빛 중 일부 파장이 저온의 기체에 의해 흡수되어 검은색 흡수선이 보이는 스펙트럼이 나타난다. 11 ① 12 ① 13 ② 14 ② 15 ① 16 ③ 17 ② 18 수소와 헬륨, 수소와 헬륨의 스펙트럼에 별 X의 흡수선과 파장이 같은 방출선만 있기 때문이다. 19 ③ 20 ⑤ 21 ② 22 ③ 23 ③ 24 허블 법칙, 그래프 기울기의 역수가 우주의 나이를 의미한다. 25 ④ 26 ④ 27 빅뱅 우주론, 시간이 지남에 따라 우주의 질량은 일정하고, 밀도는 감소하며, 온도는 낮아진다. 28 ①, ⑥, ⑦ 29 ① 30 (1) 조지 가모프: 빅뱅 우주론, 우주의 온도와 밀도는 감소한다. 프레드 호일: 정상 우주론, 우주의 온도와 밀도는 일정하다. (2) 우주 배경 복사, 수소와 헬륨의 질량비 약 3 : 1 31 ③ 32 ⑤ 33 ② 34 ③ 35 • 공통점: 시간이 지남에 따라 우주의 크기가 커진다. • 차이점: 시간이 지남에 따라 우주의 밀도는 (가)에서 감소하고, (나)에서 일정하다. 우주의 온도는 (가)에서 감소하고, (나)에서 일정하다. 우주의 질량은 (가)에서 일정하고, (나)에서 증가한다. 36 ② 37 ⑤

02 빅뱅과 원소의 생성

빈출 자료 보기 13쪽

38 (1) × (2) × (3) × (4) × (5) ○ (6) ○

난이도별 필수 기출 14~19쪽

39 A: 전자, B: 양성자, C: 쿼크 40 ③, ⑥ 41 ④ 42 ① 43 (1) (가) 양성자 (나) 중성자 (2) 업 쿼크의 전하량: $+\frac{2}{3}$, 다운 쿼크의 전하량: $-\frac{1}{3}$ 44 ④ 45 ⑤ 46 A: 양성자, B: 중성자, C: 전자 47 ② 48 ④ 49 ② 50 ② 51 ③ 52 ③, ⑦ 53 ① 54 헬륨 원자핵이 생성되었다. 55 약 3000 K, 원자가 생성되었다. 우주 배경 복사가 생성되었다. 우주가 투명해졌다. 빛과 물질이 분리되었다. 56 ⑤ 57 ① 58 ② 59 ① 60 ② 61 ② 62 ④ 63 우주에 존재하는 수소와 헬륨의 질량비 약 3 : 1과 우주 배경 복사이다. 64 ③ 65 ②, ⑦ 66 (1) 7 : 1 (2) 12 : 1 (3) 약 3 : 1, 수소 원자핵과 헬륨 원자핵의 개수비가 12 : 1이고, 헬륨 원자핵 1개의 질량이 수소 원자핵 1개 질량의 약 4배이므로 수소 원자핵과 헬륨 원자핵의 질량비는 약 12 : 4 =약 3 : 1이 된다. (4) 다양한 별빛의 스펙트럼을 관찰하여 분석한다. 67 수소와 헬륨의 질량비는 약 3 : 1이다, 빅뱅 우주론으로 계산한 값과 실제로 관측한 값이 일치하므로 빅뱅 우주론의 증거가 된다. 68 ③ 69 ③ 70 ⑤, ⑧ 71 ③ 72 ② 73 (1) ㉠ 빅뱅, ㉡ 우주 배경 복사 (2) 온도가 높게 나타나는 곳에서는 과거에 물질의 밀도가 높아서 중력이 크게 작용하였을 것이다. (3) 우주 배경 복사가 빅뱅 후 약 38만 년에 생성되었기 때문에 그 이전의 우주의 모습은 관측으로 추정하기 어렵다. 74 ③

03 별의 진화와 원소의 생성

빈출 자료 보기 21쪽

75 (1) × (2) × (3) × (4) × (5) ○ (6) ○ (7) ○

난이도별 필수 기출 22~27쪽

76 ④ 77 수소 핵융합 반응, 수소가 반응하여 헬륨을 생성한다. 78 ②, ⑤ 79 ④ 80 ② 81 ③ 82 ① 83 ④ 84 (1) 주계열성, 내부 압력과 중력이 평형을 이루므로 별의 크기가 일정하게 유지된다. (2) 내부 압력<중력, 중심부가 중력에 의해 수축한다. 85 ② 86 ② 87 ③ 88 초신성 폭발 과정에서 생성된다. 89 ③, ⑥, ⑦ 90 별 내부에서 핵융합 반응에 의해 생성된다. 철 원자핵이 매우 안정하기 때문에 별 내부의 핵융합 반응으로는 철까지만 생성된다. 91 ⑤ 92 ③ 93 원시별 → 주계열성 → 적색 거성 → 행성상 성운과 백색 왜성 94 ④ 95 ③ 96 (1) 중력에 의해 수축하여 온도가 상승한다. (2) 별의 크기는 커지고, 표면 온도는 낮아진다. 97 ③ 98 ③ 99 (1) 초신성 (2) 구리, 납, 금, 우라늄 등, 초신성 폭발 과정에서 방출되는 엄청난 에너지로 철보다 무거운 원소를 만든다. 100 ③ 101 ⑤ 102 ① 103 ③ 104 ⑤ 105 ② 106 (1) A: 수소, B: 철 (2) 철의 원자핵이 매우 안정하기 때문이다. (3) 초신성 폭발 때 방출된다. 107 ⑤, ⑥ 108 ⑤ 109 ② 110 ①

04 태양계와 지구의 형성

빈출 자료 보기 29쪽

111 (1) ○ (2) ○ (3) ○ (4) × (5) ○ (6) ○ (7) × (8) ○ (9) ○ (10) ×

난이도별 필수 기출 30~35쪽

112 ③ 113 ㉠ 초신성, ㉡ 미행성체, ㉢ 원시행성, ㉣ 지구형, ㉤ 목성형 114 ② 115 ② 116 ⑤, ⑥ 117 ④ 118 ⑤ 119 ⑤ 120 ⑤ 121 ① 122 태양에 가까운 B는 온도가 높아서 녹는점이 높은 물질만 고체 상태로 남아 주로 금속과 암석 성분이 분포한다. 태양으로부터 멀리 떨어진 A는 온도가 낮아서 녹는점이 낮은 얼음 상태의 이산화 탄소, 메테인, 질소 등이 응축하여 분포한다. 123 ③ 124 ③ 125 ㉠, 지구는 원시 태양으로부터의 거리가 가까워 온도가 높은 환경에서 철, 니켈, 규소와 같은 녹는점이 높은 물질들이 남아 형성되었기 때문에 (나)와 같이 무거운 원소의 비율이 높다. 126 ③ 127 계속적인 미행성체의 충돌로 지구의 온도가 상승하여 액체 상태의 마그마 바다가 형성되었다. 마그마 바다 상태에서 물질의 이동이 일어나 핵과 맨틀의 분리가 일어났다. 이후 미행성체의 충돌이 줄어들면서 지표가 식어서 원시 지각을 형성하였고, 대기 중의 수증기가 응결하여 내린 비가 지각에 모여 원시 바다를 형성하였다. 128 ② 129 ⑤ 130 ③ 131 ⑥, ⑦ 132 ② 133 (가) → (다) → (나), 무거운 금속 성분(철, 니켈 등)이 가라앉아 핵을 형성하였고, 가벼운 물질(규소, 산소 등)은 위로 떠올라 맨틀을 형성하였다. 134 ① 135 (1) A: 이산화 탄소, B: 산소 (2) 지구에 바다가 형성되면서 이산화 탄소가 해수에 용해되었기 때문이다. (3) 생물의 광합성으로 산소가 생성되었기 때문이다. 136 ④ 137 ㉠ → ㉣ → ㉡ → ㉢ → ㉤ → ㉥ → ㉧ → ㉦ 138 ④ 139 ④ 140 ③ 141 ⑤ 142 ② 143 ③, ④, ⑥

최고수준 도전 기출 (01 ~ 04강) 36~37쪽

144 ③ 145 ① 146 ③ 147 ⑤ 148 ① 149 (1) 표에서 수소와 헬륨의 질량비는 73.9 % : 24.0 %이므로 약 3 : 1이다. 헬륨 원자핵 1개의 질량은 수소 원자핵 1개의 약 4배이므로 수소 원자핵과 헬륨 원자핵의 개수비는 12 : 1이다. (2) 수소 원자핵은 양성자 1개로 이루어져 있고, 헬륨 원자핵은 양성자 2개와 중성자 2개로 이루어져 있으므로 양성자와 중성자의 개수비는 14 : 2이므로 7 : 1이다. (3) 양성자는 업 쿼크 2개 + 다운 쿼크 1개로 구성되어 있고, 중성자는 업 쿼크 1개 + 다운 쿼크 2개로 구성되어 있으므로 총 업 쿼크 수는 $7\times2+1\times1=15$이고 다운 쿼크 수는 $7\times1+1\times2=9$이다. 따라서 업 쿼크와 다운 쿼크의 개수비는 15 : 9이므로 5 : 3이다. 150 ③ 151 ④ 152 ⑤

05 원소와 주기율표

빈출 자료 보기 39쪽

153 (1) ○ (2) ○ (3) × (4) ×
154 (1) × (2) × (3) × (4) ○
155 (1) ○ (2) ○ (3) ○ (4) × (5) ○ (6) × (7) × (8) ○

난이도별 필수 기출 40~43쪽

156 ①, ⑤ 157 ④ 158 ① 159 멘델레예프의 주기율표는 원소들을 원자량 순으로 배열하여 성질이 비슷한 원소가 주기적으로 나타나도록 만든 것이고, 모즐리의 주기율표는 원소들을 원자 번호 순으로 배열하여 성질이 비슷한 원소가 주기적으로 나타나도록 만든 것이다. 160 ⑤ 161 ② 162 ① 163 ④ 164 ③ 165 ③ 166 ④ 167 ⑤ 168 금속 원소는 열을 잘 통하고(열 전도성이 있고), 전기가 잘 통하며(전기 전도성이 있으며), 힘을 가하면 얇게 펴지거나 길게 늘어나는 성질이 있고, 특유의 광택이 있다. 중 세 가지 169 ②, ⑥ 170 ② 171 ④ 172 ⑤ 173 ③ 174 ⑤ 175 ③

06 알칼리 금속과 할로젠

빈출 자료 보기 45쪽

176 (1) ○ (2) ○ (3) × (4) ○ (5) ○
177 (1) × (2) ○ (3) ○ (4) × (5) ○ (6) ○

난이도별 필수 기출 46~49쪽

178 ④ 179 ④ 180 ② 181 알칼리 금속은 물이나 공기 중의 산소와 잘 반응하기 때문에 물이나 산소와 접촉하지 않게 하기 위함이다. 182 붉은색, 알칼리 금속과 물이 반응하면 수소 기체가 발생하고 용액은 염기성을 띠기 때문이다. 183 ② 184 ②, ⑤ 185 알칼리 금속은 1족 원소로, 같은 족 원소는 화학적 성질이 비슷하기 때문이다. 186 ② 187 ① 188 ④ 189 ②, ⑥ 190 ⑤ 191 $H_2 + I_2 \longrightarrow 2HI$ 192 ⑤ 193 ① 194 ④ 195 ① 196 ⑥ 197 ⑤

07 원자의 전자 배치

빈출 자료 보기 51쪽

198 (1) ○ (2) ○ (3) ○ (4) × (5) × (6) ○ (7) ○ (8) ○
199 (1) × (2) ○ (3) ○ (4) × (5) ○ (6) ○ (7) ○

난이도별 필수 기출 52~55쪽

200 ④ 201 ⑦ 202 ③ 203 ① 204 ④ 205 ⑤ 206 ③ 207 ④ 208 ②

209

질소(N)	마그네슘(Mg)
7+	12+

210 ② 211 Li, Na, 두 원소는 가장 바깥 전자 껍질에 들어 있는 전자 수(원자가 전자 수)가 같기 때문이다. 212 ② 213 ②, ④ 214 A와 B는 같은 주기 원소이므로 전자가 들어 있는 전자 껍질 수가 같고, 족이 서로 다르므로 원자가 전자 수가 다르다. 215 9 216 ⑤ 217 ① 218 ① 219 ⑤

08 화학 결합의 원리와 종류

빈출 자료 보기 57쪽

220 (1) ○ (2) × (3) ○ (4) ○ (5) ○ (6) ○ (7) × (8) ×

난이도별 필수 기출 58~67쪽

221 ② 222 ③, ④ 223 ⑤ 224 ③ 225 ⑥ 226 ⑤ 227 ⑤ 228 ④ 229 비활성 기체를 제외한 원자들은 전자를 주고받거나 전자를 공유하는 화학 결합을 하여 가장 바깥 전자 껍질에 전자를 모두 채운 안정한 전자 배치를 이루려고 하기 때문이다. 230 ㉠ 2, ㉡ 6, ㉢ 이온 231 ③ 232 ③ 233 (1) $MgCl_2$ (2) 마그네슘 원자에서 염소 원자로 전자가 이동하여 마그네슘은 양이온, 염소는 음이온을 형성하고, 이때 형성된 이온 사이의 정전기적 인력에 의해 이온 결합이 형성된다. 234 ⑤ 235 3주기 1족 원소인 나트륨(Na)은 다른 원자와 결합하여 비활성 기체와 같은 안정한 전자 배치를 이루기 위해 전자 1개를 잃고 나트륨 이온(Na^+)을 형성하므로 주로 이온의 형태로 존재한다. 236 ⑥ 237 ④ 238 ③ 239 ② 240 ③ 241 ⑤ 242 ③ 243 ⑤ 244 Li_2O, LiF, MgO, MgF_2
245 (1) 14 (2)

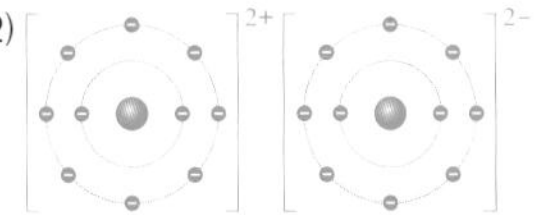

246 ③ 247 ④ 248 ⑤ 249 ② 250 ③ 251 ② 252 (1) 공유 결합, 수소(H)와 탄소(C)는 모두 비금속 원소이므로 화학 결합을 할 때 원자들이 전자쌍을 공유하여 결합을 형성한다. (2) 4개, 탄소 원자의 원자가 전자 수는 4이므로 옥텟 규칙을 만족하는 전자 배치를 가지려면 전자 4개가 필요하다. 이때 수소 원자에는 전자가 1개 있으므로 탄소 원자 1개는 총 4개의 수소 원자와 전자쌍을 공유하여 화합물을 생성한다. 253 ⑤ 254 ③ 255 ③ 256 ②
257 (1) 2 (2)

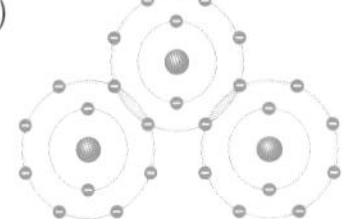

258 ④ 259 ①, ⑤ 260 ② 261 ③ 262 ② 263 ⑤ 264 ⑤, ⑦ 265 ② 266 ② 267 ④ 268 ④

09 우리 주변의 다양한 물질

빈출 자료 보기 69쪽

269 (1) ○ (2) ○ (3) × (4) ○ (5) ×

난이도별 필수 기출 70~75쪽

270 ②, ④ 271 ⑤ 272 이온 결합 물질에 힘을 가하면 힘을 받은 이온층이 밀려 같은 전하를 띤 이온들이 만나 반발력이 작용하므로 쉽게 쪼개진다. 273 ③ 274 ② 275 ⑥ 276 ③ 277 ⑤ 278 ③ 279 공유 결합 물질인 포도당은 물에 녹아 전기적으로 중성인 분자 상태로 존재하므로 전류가 흐르지 않는다. 280 ② 281 이온 결합 물질: (나), (라), (바), 공유 결합 물질: (가), (다), (마) 282 ③ 283 ② 284 ③ 285 ④ 286 ③ 287 ⑦ 288 ④ 289 ① 290 ⑤ 291 ④ 292 ④ 293 ② 294 ①

최고수준 도전 기출 (05~09강) 76~77쪽

295 ① 296 ⑤ 297 ⑤ 298 ③ 299 ④ 300 ② 301 ⑤ 302 ⑤

10 지각과 생명체 구성 물질의 결합 규칙성

빈출 자료 보기 79쪽

303 (1) × (2) ○ (3) ○ (4) ○ (5) × (6) ○ (7) ○ (8) ○
304 (1) × (2) × (3) × (4) × (5) × (6) ○ (7) ○

난이도별 필수 기출 80~87쪽

305 ③ 306 ② 307 ③ 308 ②, ④, ⑤ 309 ④ 310 ② 311 (1) A: 규소, B: 탄소 (2) 산소는 반응성이 커서 다른 원소들과 쉽게 결합하기 때문이다. 312 ③ 313 ② 314 ① 315 ③ 316 ③ 317 ③ 318 ④ 319 ③ 320 ②, ⑤ 321 ① 322 ② 323 규소 1개와 산소 4개가 공유 결합하여 규산염 사면체를 이룬다. 324 ② 325 (마), 규산염 사면체 사이에 공유하는 산소 원자의 수가 많을수록 결합을 끊는 데 필요한 에너지가 크기 때문이다. 326 ②, ⑤ 327 ⑤ 328 ㉠ 망상 구조, ㉡ 규산염 사면체의 규소 일부를 대신하여 알루미늄 등의 양이온이 결합되었기 때문이다. 329 ② 330 ③ 331 ③, ⑤ 332 (1) (가) 감람석 (나) 석영 또는 장석 (2) (가)<(나), 공유하는 산소의 수가 많아서 결합을 끊는 데 필요한 에너지가 크기 때문이다. 333 ④ 334 ③ 335 • 공통점: 규산염 사면체가 결합하여 만들어졌다. • 차이점: 흑운모는 규산염

15개정 교육과정

기출PICK

정답과 해설

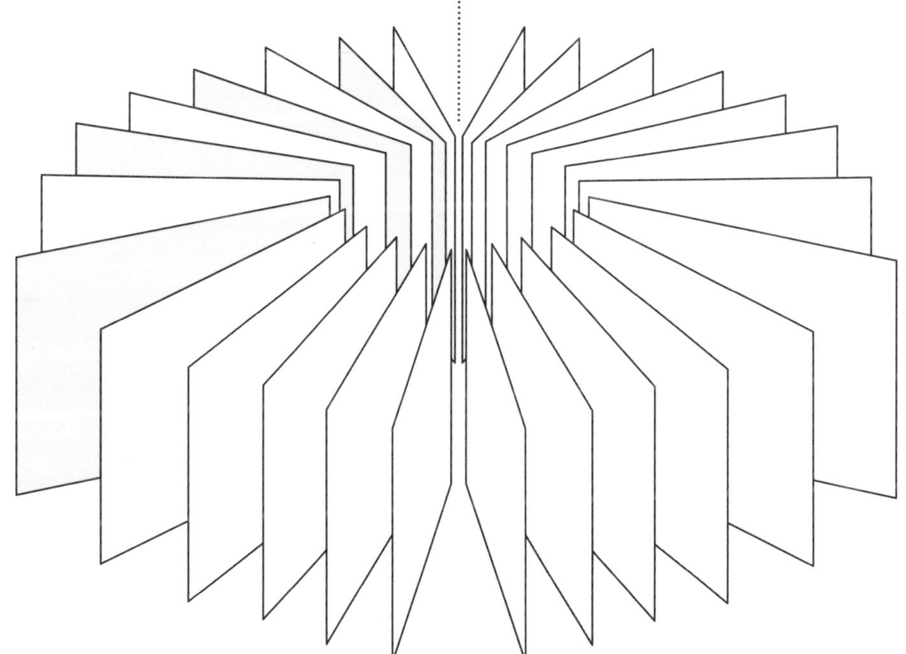

통합과학 1266제

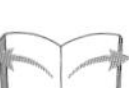

책 속의 가접 별책 (특허 제 0557442호)

'정답과해설'은 본책에서 쉽게 분리할 수 있도록 제작되었으므로
유통 과정에서 분리될 수 있으나 파본이 아닌 정상제품입니다.

visang

우리는 남다른 상상과 혁신으로
교육 문화의 새로운 전형을 만들어
모든 이의 행복한 경험과 성장에 기여한다

기출 PICK

정답과 해설

통합과학

정답과 해설

01 우주의 원소 분포와 빅뱅 우주론

빈출 자료 보기 5쪽

1 (1) × (2) ○ (3) × (4) ○ (5) × (6) ○ (7) ○ (8) × (9) ○
2 (1) × (2) ○ (3) ○ (4) ○ (5) ○ (6) ○ (7) ○ (8) ×

1 **바로알기** | (1) (가)는 연속 스펙트럼 위에 검은색 흡수선이 나타나는 흡수 스펙트럼이고, (나)는 검은 바탕에 밝은색 방출선이 나타나는 방출 스펙트럼이다.
(3) 분광기로 백열등을 관측하면 (다)와 같은 연속 스펙트럼이 나타난다.
(5) 별빛이 저온의 기체를 통과하면 특정 파장의 빛이 흡수되어 (가)와 같은 검은색 흡수선이 나타나는 흡수 스펙트럼이 관측된다.
(8) 스펙트럼에서 원소의 종류에 따라 선의 위치와 개수가 일정하지만, 선의 개수가 원소의 원자 번호와 동일하지는 않다.

2 **바로알기** | (1) (가)는 우주가 팽창함에 따라 밀도가 감소하므로 가모프가 주장한 빅뱅 우주론이다.
(8) (나) 정상 우주론에서는 시간이 지나도 우주의 온도가 일정하다.

난이도별 필수 기출 6~11쪽

3 연속 스펙트럼, 방출 스펙트럼, 흡수 스펙트럼					4 ③
5 (가) 방출 스펙트럼 (나) 흡수 스펙트럼				6 ⑤	7 ②, ⑤
8 ①	9 ④	10 해설 참조		11 ①	12 ①
13 ②	14 ②	15 ①	16 ③	17 ②	
18 해설 참조		19 ③	20 ⑤	21 ②	22 ③
23 ③	24 해설 참조		25 ④	26 ④	
27 해설 참조		28 ①, ⑥, ⑦		29 ①	
30 해설 참조		31 ③	32 ⑤	33 ②	34 ③
35 해설 참조		36 ②	37 ⑤		

3 스펙트럼의 종류에는 파장에 따라 연속적인 색의 띠가 나타나는 연속 스펙트럼, 연속 스펙트럼 위에 검은색의 흡수선이 나타나는 흡수 스펙트럼, 검은색 바탕에 밝은색 방출선이 나타나는 방출 스펙트럼이 있다.

4 빛을 프리즘에 통과시켰을 때 넓은 파장 범위에 걸쳐 연속적으로 나타나는 색의 띠를 연속 스펙트럼이라 하고, 고온의 별에서 방출된 빛이 저온의 기체를 통과하면 일부 파장의 빛이 흡수되면서 연속 스펙트럼 위에 검은색의 흡수선이 보이는 흡수 스펙트럼이 나타난다.

5 (가) 기체 방전관에 들어 있는 원소의 종류에 따라 스펙트럼에 선의 위치, 개수 등이 다르게 나타나기 때문에 이 스펙트럼을 이용하여 원소를 구분할 수 있다. 이와 같이 특정한 파장의 빛이 방출되면서 나타나는 스펙트럼을 방출 스펙트럼 또는 선 스펙트럼이라고 한다.
(나) 고온의 별에서 방출된 빛이 대기를 통과하면 대기를 구성하는 원소가 특정 파장의 빛을 흡수하기 때문에 여러 개의 검은색 선이 나타나는데, 이러한 스펙트럼을 흡수 스펙트럼이라고 한다.

6 ㄱ. 빛이 파장에 따라 분해되어 보이는 것을 스펙트럼이라고 한다.
ㄴ. 프리즘을 통과한 백색광은 무지개처럼 보이는 연속 스펙트럼으로 나타난다.
ㄷ. 빛의 파장이 짧을수록 굴절이 크게 일어나므로 백색광이 프리즘을 통과할 때 굴절이 작게 일어난 ⓐ 쪽은 파장이 긴 빨간색 빛이고, 굴절이 크게 일어난 ⓑ 쪽은 파장이 짧은 보라색 빛이다.

7 ③ 고온 저압의 기체에서 방출된 빛은 방출 스펙트럼(선 스펙트럼)으로 나타난다.
④ 원자를 이루는 전자가 빛을 흡수하여 높은 에너지 준위로 이동할 때 흡수 스펙트럼이 나타난다.
⑥ 원소의 종류에 따라 선의 위치와 개수가 다르고, 원소의 비율에 따라 선폭이 다르다.
바로알기 | ② 기체 방전관의 스펙트럼은 고온의 기체에서 특정한 파장의 빛이 방출되어 나타나는 방출 스펙트럼이다.
⑤ 스펙트럼에 나타나는 선의 개수는 원소마다 다르지만 원자 번호와 같지는 않다.

8 ㄱ. 백열전구와 같은 고온의 광원에서 나온 빛이 저온의 기체 시료를 통과하면 특정 파장의 빛이 기체에 흡수된다.
바로알기 | ㄴ. 빛의 파장이 짧을수록 굴절이 크게 일어난다.
ㄷ. (가)에서는 흡수 스펙트럼이 관측된다.

9 ㄴ. 연속 스펙트럼이 나타나는 고온의 광원의 빛에서 특정 파장의 빛이 흡수되면, 흡수된 파장에서 검은 선이 나타난다.
ㄷ. 스펙트럼에서 선의 위치와 개수는 원소의 종류에 따라 달라지므로 흡수선을 분석하면 저온의 기체 성분을 알 수 있다.
바로알기 | ㄱ. 고온의 별에서 나온 빛이 저온의 기체를 통과하면 특정 파장의 빛이 흡수되어 흡수 스펙트럼이 나타난다.

10 **모범 답안** 흡수 스펙트럼, 별빛 중 일부 파장이 저온의 기체에 의해 흡수되어 검은색 흡수선이 보이는 스펙트럼이 나타난다.

11 ㄱ. (가)는 연속 스펙트럼으로, 모든 파장에서 연속적인 색이 나타난다.
ㄴ. (나)는 흡수 스펙트럼으로, 빛이 기체를 통과할 때 일부 파장이 흡수되어야 하므로 기체는 저온의 기체일 것이다.
바로알기 | ㄷ. (다)는 방출 스펙트럼이다. 백열전구에서 관찰되는 스펙트럼은 (가)와 같은 연속 스펙트럼이다.
ㄹ. 고온의 별 주변에서 가열된 기체(고온 저압)가 빛을 방출할 때 나타나는 스펙트럼은 (다)와 같은 방출 스펙트럼이다.

12 ㄴ. 붉은색에 가까울수록 파장이 길고 보라색에 가까울수록 파장이 짧으므로 ㉡은 ㉠보다 파장이 길다.
바로알기 | ㄱ. 우주에 가장 많이 분포하는 원소는 수소이며, 검은색 바탕에 밝은색 선이 나타나므로 수소의 방출 스펙트럼이다.
ㄷ. 원소가 다르면 스펙트럼에서 선의 위치(파장)가 다르다.

13 ㄷ. 전자가 높은 에너지 준위로 이동할 때 특정한 파장의 빛을 흡수하므로 (나)와 같은 흡수 스펙트럼이 나타난다.
바로알기 | ㄱ. (가)는 검은색 바탕에 밝은 선이 나타나는 방출 스펙트럼으로, 선은 고온의 기체가 방출하는 특정한 파장의 빛이다.
ㄴ. (가)와 (나)는 스펙트럼 선의 위치가 다르므로 서로 다른 원소를 관측한 것이다.

14 ㄴ. (가)와 (나)는 스펙트럼 선의 위치가 같으므로 같은 원소에 의해 나타나는 스펙트럼이다.

바로알기 | ㄱ. (가)의 흡수선은 저온의 기체를 통과하면서 흡수된 빛이다. 고온의 기체가 방출하는 빛은 (나)의 방출선이다.

ㄷ. (나)는 검은색 바탕에 밝은색 선이 관측되는 방출 스펙트럼으로, 고온의 기체에서 특정 파장의 빛이 방출되어 나타난다. (다)의 스펙트럼이 나타나는 빛이 저온의 기체를 통과하면 (가)와 같은 스펙트럼이 나타난다.

15 ㄱ. 원소마다 스펙트럼에서 선의 위치, 개수가 다르다.

ㄴ. (가)에서 여러 개의 흡수선이 나타나므로 수소는 광원에서 나온 빛의 일부를 흡수한다.

바로알기 | ㄷ. (나)는 방출 스펙트럼으로, 기체의 온도가 높다고 해서 선의 개수가 많아지지는 않는다.

ㄹ. 수소와 헬륨의 방출 스펙트럼의 차이는 두 원소의 에너지 준위가 다르기 때문에 나타난다.

16 ㄴ, ㄷ. 별빛의 스펙트럼을 관측하면 선 스펙트럼을 분석하여 선의 개수와 위치로 별을 구성하는 원소의 종류를 알 수 있고, 선폭으로 구성 원소의 질량비를 알 수 있다.

바로알기 | ㄱ, ㄹ. 별빛의 스펙트럼을 분석하여 별의 핵융합 반응 속도를 알 수 없고, 별 주위를 공전하는 행성 수를 직접적으로 알 수 없다.

17

미지의 별
A
B
C
D
E
원소 A와 D의 방출선의 위치가 모두 미지의 별의 흡수선의 위치에 포함된다.

② 같은 원소에 의한 흡수선과 방출선의 파장은 같으므로, 미지의 별의 흡수 스펙트럼에 있는 흡수선과 파장이 같은 방출선만 있는 것이 이 별을 구성하는 원소의 스펙트럼이다. 따라서 A~E 중 이 별을 구성하는 원소는 A, D이다.

18

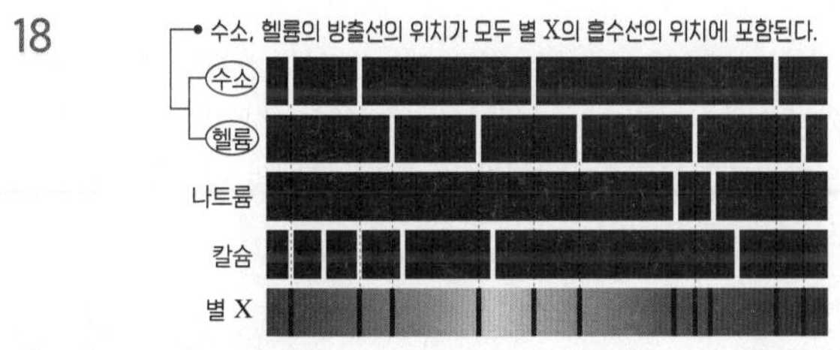
수소, 헬륨의 방출선의 위치가 모두 별 X의 흡수선의 위치에 포함된다.
수소
헬륨
나트륨
칼슘
별 X

모범 답안 수소와 헬륨, 수소와 헬륨의 스펙트럼에 별 X의 흡수선과 파장이 같은 방출선만 있기 때문이다.

19 ㄱ. A~D는 방출 스펙트럼이므로 기체 방전관에서 볼 수 있는 스펙트럼이다.

ㄴ. A~D는 방출선의 위치가 서로 다르므로 각각 다른 원소이다.

바로알기 | ㄷ. 별의 흡수선과 같은 파장의 방출선만 있는 것이 이 별에 존재하는 원소이다. A, C, D는 별의 흡수선과 같은 파장의 방출선만 나타나므로 별의 대기에 포함되어 있으나, B는 별의 흡수선과 다른 파장의 방출선이 나타나므로 이 별의 대기에 포함되어 있지 않다.

20 ㄱ. 태양의 스펙트럼은 흡수선이 나타나므로 흡수 스펙트럼이다.

ㄴ. 태양의 흡수선과 같은 파장의 방출선만 있는 B는 태양의 대기 성분에 포함되어 있으나 태양의 흡수선과 다른 파장의 방출선이 있는 A는 태양의 대기 성분에 포함되어 있지 않다.

ㄷ. 스펙트럼의 선폭을 분석하면 구성 원소의 질량비를 알 수 있다.

21 허블은 외부 은하를 관측하여 허블 법칙을 알아냈으며, 허블 법칙은 우주는 팽창의 중심이 없이 팽창한다는 것을 의미한다.

22 우주가 팽창한다는 것은 멀리 있는 은하일수록 더 빨리 멀어진다는 관측 사실로부터 밝혀졌다.

23 ① 은하 A의 스펙트럼에서는 흡수선의 파장이 정지 상태일 때보다 더 길어졌으므로 적색 편이가 나타난다.

② 은하 B는 적색 편이가 나타나므로 우리은하에서 멀어지고 있다.

④ 허블 법칙에서 후퇴 속도가 클수록 더 먼 거리에 있는 은하이므로, 은하 B는 은하 A보다 우리은하로부터 먼 거리에 있다.

⑤ 먼 거리에 있는 은하일수록 더 빨리 멀어지고 있다는 관측 결과로 허블은 우주의 팽창을 밝혀냈다.

바로알기 | ③ 은하 B의 적색 편이가 은하 A의 적색 편이보다 더 크게 나타나므로, 후퇴 속도는 은하 B가 은하 A보다 더 크다.

24 거리가 먼 은하일수록 후퇴 속도가 커지므로 허블 법칙을 나타낸 것이다. 우주의 나이는 허블 상수의 역수이고 그래프에서 직선의 기울기가 허블 상수이므로 우주의 나이는 직선의 기울기의 역수이다.

모범 답안 허블 법칙, 그래프 기울기의 역수가 우주의 나이를 의미한다.

25 빅뱅 우주론에서 우주가 팽창함에 따라 우주의 온도와 밀도는 감소한다.

26 ④ 빅뱅 우주론에서는 물질의 양은 일정한데 우주의 크기가 팽창하므로 우주의 밀도는 감소한다. 정상 우주론에서는 우주의 크기가 커지지만 물질이 계속 생성되면서 우주의 밀도는 일정하다.

바로알기 | ① 호일은 정상 우주론을, 가모프는 빅뱅 우주론을 주장하였다.

② 빅뱅 우주론이나 정상 우주론에서 모두 우주는 팽창한다.

③ 빅뱅 우주론에서는 시간이 지나도 우주의 질량은 일정하다. 정상 우주론에서는 빈 공간에 새로운 물질이 생겨 우주의 질량은 증가한다.

⑤ 정상 우주론에서는 우주의 온도가 일정하다.

27 그림은 우주가 팽창함에 따라 은하 사이의 거리가 멀어지고 빈 공간에서 새로운 물질이 생겨나지 않으므로 빅뱅 우주론의 모형이다.

모범 답안 빅뱅 우주론, 시간이 지남에 따라 우주의 질량은 일정하고, 밀도는 감소하며, 온도는 낮아진다.

28 ⑥ 펜지어스와 윌슨은 빅뱅 우주론의 증거인 우주 배경 복사를 관측하였다.

바로알기 | ② 빅뱅 우주론에서 우주는 팽창하므로 우주의 부피는 증가하였으나 질량은 일정하게 유지되었다.

③ 우주는 팽창하였으므로 과거의 우주 크기는 현재보다 작을 것이다.

④ 빅뱅 이후 우주의 온도는 계속 낮아지고 있다.

⑤ 우주가 팽창하면서 새로운 물질이 생성되지 않으므로 밀도는 작아졌다. 우주가 팽창하면서 밀도가 일정하게 유지되는 것은 정상 우주론의 내용이다.

29 ㄱ. (가)는 우주의 질량이 일정한 빅뱅 우주론이고, (나)는 새로운 물질이 생겨 질량이 증가하므로 정상 우주론이다.
바로알기 | ㄴ. 정상 우주론에 따르면, 우주는 과거와 현재가 동일한 상태를 유지하면서 팽창하므로 밀도는 일정하게 유지된다.
ㄷ. 빅뱅 우주론에서는 우주가 팽창함에 따라 우주의 온도가 감소한다고 생각하였고, 정상 우주론에서는 우주의 온도가 일정하다고 생각하였다. 따라서 ㉡은 '감소'이고, ㉢은 '일정'이다.

30 모범 답안 (1) 조지 가모프: 빅뱅 우주론, 우주의 온도와 밀도는 감소한다. 프레드 호일: 정상 우주론, 우주의 온도와 밀도는 일정하다.
(2) 우주 배경 복사, 수소와 헬륨의 질량비 약 3 : 1

31 가모프는 빅뱅 우주론을, 호일은 정상 우주론을 주장하였다.
ㄴ. 정상 우주론에서 우주의 밀도는 일정하다.
ㄹ. 우주 배경 복사는 빅뱅 우주론의 증거이다.
바로알기 | ㄱ. 빅뱅 우주론에서 우주의 질량은 일정하다.
ㄷ. ㉠ 중 가장 큰 질량비를 차지하는 것은 수소이다.

32 ㄴ, ㄹ. 빅뱅 우주론에 따르면, 우주는 한 점에서 팽창하여 질량은 일정한 반면, 부피는 계속 증가하므로 우주의 평균 밀도는 감소한다.
ㄷ. 우주가 팽창하면서 은하 사이의 거리는 점점 서로 멀어진다.
바로알기 | ㄱ. 그림은 우주가 팽창함에 따라 새로운 물질이 생겨나지 않으므로 빅뱅 우주론의 모형이다.

33 ㄷ. 우주 배경 복사는 빅뱅 우주론에서 예측한 것이 관측된 것이므로 빅뱅 우주론을 지지하는 증거이다.
바로알기 | ㄱ. (가)는 우주의 크기는 팽창하지만 빈 공간에 물질이 계속 생성되면서 우주의 밀도는 일정한 정상 우주론의 모형이다.
ㄴ. 빅뱅 우주론의 모형인 (나)에서는 빈 공간에 새로운 물질이 생성되지 않는다.

34 빅뱅 우주론과 정상 우주론은 공통적으로 우주가 팽창한다고 가정하므로 두 우주론에서 우주의 크기는 모두 커진다.

35 모범 답안 • 공통점: 시간이 지남에 따라 우주의 크기가 커진다.
• 차이점: 시간이 지남에 따라 우주의 밀도는 (가)에서 감소하고, (나)에서 일정하다. 우주의 온도는 (가)에서 감소하고, (나)에서 일정하다. 우주의 질량은 (가)에서 일정하고, (나)에서 증가한다.

36 우주는 팽창하므로 (가)가 (나)보다 오래 전의 우주 모형이다.
ㄴ. 우주가 팽창함에 따라 우주의 밀도는 감소하므로 밀도는 (가)에 해당하는 우주가 (나)보다 크다.
바로알기 | ㄱ. 우주 팽창에서 거리가 먼 은하일수록 후퇴 속도가 빠르므로 A로부터 멀어지는 속도는 B가 C보다 작다.
ㄷ. 빅뱅 우주론에서 우주가 팽창함에 따라 우주의 온도는 낮아지므로 우주 배경 복사의 온도는 (나)에 해당하는 우주가 (가)보다 낮다.

37 ㄴ. (가)에서 우주 팽창으로 멀어진 은하 사이의 빈 공간에 물질이 생성되므로 우주 전체의 질량은 증가한다.
ㄷ. 우주에서 수소와 헬륨의 질량비 약 3 : 1은 (나) 빅뱅 우주론의 증거이다.
ㄹ. 빅뱅 우주론은 우주 팽창을 설명하기 위해 도입한 이론이므로 우주가 팽창함에 따라 먼 은하가 빠르게 후퇴하여 적색 편이가 나타나는 것을 설명할 수 있다.
바로알기 | ㄱ. (가)는 정상 우주론이고, (나)는 빅뱅 우주론이다. 두 이론 모두 우주가 팽창하여 우주의 크기가 커진다.

02 빅뱅과 원소의 생성

빈출 자료 보기 13쪽

38 (1) × (2) × (3) × (4) × (5) ○ (6) ○

38 A는 기본 입자가 생성된 시기이고, B는 쿼크 3개가 결합하여 양성자와 중성자가 생성된 시기이다. C는 양성자와 중성자가 결합하여 헬륨 원자핵이 만들어진 시기이고, D는 원자가 생성된 시기이며, E는 은하와 별 등이 생성되는 시기이다.
바로알기 | (1) 빅뱅 이후 우주의 온도는 계속 낮아지므로 A에서 E로 시간이 흐를수록 우주의 온도는 낮아진다.
(2) A에서 최초로 만들어진 입자는 기본 입자인 쿼크와 전자이다.
(3) 빅뱅 후 약 3분이 되었을 때 C에서 양성자와 중성자가 결합하여 헬륨 원자핵이 생성되었다. B에서 쿼크가 결합하여 양성자와 중성자가 만들어지기 시작한 것은 빅뱅 후 3분 이전이다.
(4) C에서 헬륨 원자핵이 만들어졌을 때 우주의 온도는 약 10억 K이었다. 우주의 온도가 약 3000 K으로 낮아졌을 때는 원자핵과 전자가 결합하여 원자가 생성된 D이다.

난이도별 필수 기출 14~19쪽

39 A: 전자, B: 양성자, C: 쿼크 40 ③, ⑥ 41 ④ 42 ①
43 해설 참조 44 ④ 45 ⑤ 46 A: 양성자, B: 중성자, C: 전자 47 ② 48 ④ 49 ② 50 ②
51 ③ 52 ③, ⑦ 53 ① 54 해설 참조
55 해설 참조 56 ⑤ 57 ① 58 ② 59 ①
60 ② 61 ② 62 ④ 63 해설 참조 64 ③
65 ②, ⑦ 66 해설 참조 67 해설 참조 68 ③
69 ③ 70 ⑤, ⑧ 71 ③ 72 ② 73 해설 참조
74 ③

39 원자는 원자핵과 전자로 이루어져 있으며, 전자는 질량이 매우 작은 기본 입자이므로 A는 전자이다. 원자핵은 양성자와 중성자가 결합한 입자이므로 B는 양성자이다. 양성자는 3개의 쿼크가 결합한 입자이므로 C는 쿼크이다.

개념 보충

물질을 구성하는 기본 입자

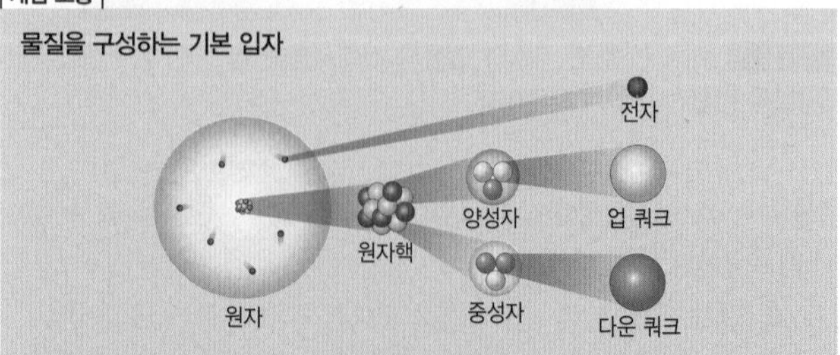

• **전자:** 질량이 작은 입자로, (−)전하를 띠고 있다.
• 쿼크의 종류 중 업 쿼크(u)와 다운 쿼크(d)는 양성자와 중성자를 구성하는 기본 입자로, 서로 같은 성질 2개와 다른 성질 1개가 양성자와 중성자 속에서 강한 핵력으로 결합되어 있다.

40 ⑦ 원자를 이루는 원자핵은 양성자와 중성자로 이루어져 있는데, 그중 양성자수에 따라 원자 번호가 달라진다.

바로알기 | ③ 쿼크는 전자와 같이 더 이상 분해할 수 없는 기본 입자이다. ⑥ 수소 원자핵은 양성자 1개로 되어 있으므로 양성자는 그 자체로 수소 원자핵이 된다.

41 A는 양성자와 중성자로 이루어진 원자핵, B는 쿼크로 이루어진 양성자나 중성자, C는 기본 입자인 쿼크이다.

ㄱ. 원자는 양성자수와 전자 수가 같으므로 전기적으로 중성이다.

ㄴ. 전자의 질량은 매우 작기 때문에 원자의 질량은 원자핵 A에 의해 결정된다.

ㄷ. B는 쿼크로 이루어진 양성자 또는 중성자이다.

바로알기 | ㄹ. C 3개가 결합하여 양성자나 중성자를 이루고 있으므로 C는 기본 입자인 쿼크이다.

42 ㄱ. A는 (+)전하를 띠고 있는 원자핵이고, B는 (−)전하를 띠고 있는 전자이다.

바로알기 | ㄴ. 원자핵은 양성자와 중성자로 이루어져 있고, C는 (+)전하를 띠므로 양성자, D는 전기적으로 중성이므로 중성자이다.

ㄷ. C 양성자와 D 중성자는 쿼크로 이루어져 있으나, B 전자는 기본 입자이므로 쿼크로 이루어져 있지 않다.

43 (1) (가)는 업 쿼크(u) 2개+다운 쿼크(d) 1개이므로 양성자이고, (나)는 업 쿼크(u) 1개+다운 쿼크(d) 2개이므로 중성자이다.

모범 답안 (1) (가) 양성자 (나) 중성자

(2) 업 쿼크의 전하량: $+\frac{2}{3}$, 다운 쿼크의 전하량: $-\frac{1}{3}$

44 ㄱ. (가)의 쿼크는 우주 초기에 만들어진 기본 입자이다.

ㄴ. 쿼크 3개가 결합하여 원자핵을 이루는 입자에는 양성자와 중성자가 있는데, (나)는 업 쿼크(u) 1개+다운 쿼크(d) 2개로 구성되어 있으므로 중성자이다.

바로알기 | ㄷ. 수소 원자핵은 양성자 입자 1개로 이루어져 있다.

45 (가)는 원자핵을 이루는 양성자가 1개이므로 수소 원자이고, (나)는 원자핵을 이루는 양성자가 2개이므로 헬륨 원자이다.

ㄱ. (가)는 양성자 1개와 전자 1개로 이루어진 수소 원자로, 수소는 우주에서 가장 많은 비율(약 74 %)을 차지하는 원소이다.

ㄴ. 원자핵인 A는 양전하를 띠고, 전자인 B는 음전하를 띤다.

ㄷ. (가)의 원자핵은 양성자 1개로 이루어져 있고, (나)의 원자핵은 양성자 2개와 중성자 2개로 이루어져 있다. 양성자와 중성자의 질량은 비슷하므로 A의 질량은 (나)가 (가)의 약 4배이다.

46 원자핵은 양성자와 중성자로 이루어져 있으므로 C는 전자이다. 양성자는 (+)전하를 띠고, 중성자는 전하를 띠지 않으므로 A는 양성자, B는 중성자이다.

47 A는 전자, B는 양성자, C는 중성자이다.

ㄴ. 원자는 음전하를 띠는 전자(A)와 양전하를 띠는 양성자(B)의 수가 같아서 전기적으로 중성이다.

바로알기 | ㄱ. A는 원자핵 주위에 분포하는 전자이고, B는 업 쿼크(u) 2개와 다운 쿼크(d) 1개로 구성되어 있으므로 양성자이다.

ㄷ. B 양성자의 전하량은 $u(+\frac{2}{3})+u(+\frac{2}{3})+d(-\frac{1}{3})=+1$이다.

C 중성자의 전하량은 $u(+\frac{2}{3})+d(-\frac{1}{3})+d(-\frac{1}{3})=0$이다.

48 원자는 (−)전하를 띠는 전자와 (+)전하를 띠는 원자핵으로 구성되어 있으므로 A는 원자핵이고, 원자핵을 이루는 입자 중 B는 (+)전하를 띠므로 양성자이며, C는 기본 입자인 업 쿼크(u)이다.

① 원자핵인 A는 모든 원자에서 (+)전하를 띤다.

② B는 (+)전하를 띠고 업 쿼크(u) 2개와 다운 쿼크(d) 1개로 구성되어 있으므로 양성자이다.

③ C는 업 쿼크로, 전하량은 $+\frac{2}{3}$이다.

⑤ 빅뱅 우주에서 쿼크, 전자 → 양성자, 중성자 → 원자핵 → 원자 순서로 생성되었다. 따라서 양성자인 B는 쿼크인 C보다 나중에 생성되었다.

바로알기 | ④ 양성자인 B가 1개인 원자는 수소 원자이다.

49 빅뱅이 일어난 후 우주의 온도가 낮아지면서 초기 입자들은 쿼크, 전자 → 양성자, 중성자 → 원자핵 → 원자 순서로 생성되었다. 따라서 (가) → (나) → (라) → (다) → (마) 순서로 생성되었다.

50 (가)는 중성자, (나)는 원자핵과 전자가 결합한 원자(중수소 원자핵과 전자가 결합한 중수소 원자), (다)는 양성자와 중성자가 결합한 원자핵(양성자 2개와 중성자 2개로 이루어진 헬륨 원자핵)이다. 초기 우주에서 입자들은 쿼크, 전자 → 양성자, 중성자 → 원자핵 → 원자 순서로 생성되었으므로 생성 순서는 (가) → (다) → (나)이다.

51 빅뱅 초기 우주의 진화 과정은 다음과 같다. ㄱ. 초고온, 초고밀도인 한 점에서 폭발이 일어나 우주가 팽창하면서 전자와 쿼크가 생성된다. → ㄹ. 쿼크가 결합하여 양성자와 중성자가 생성되었고, 우주 초기에는 양성자와 중성자가 거의 같은 수로 존재한다. → ㄷ. 빅뱅이 일어난 이후 1초가 지나며 중성자는 더 이상 생성되지 않으나 스스로 붕괴되면서 양성자로 바뀌었기 때문에 양성자의 수가 많아졌다. → ㅁ. 양성자와 중성자가 결합하여 헬륨 원자핵을 생성한다. → ㄴ. 우주의 온도가 3000 K까지 낮아지면서 원자가 생성된다.

52 ③ 쿼크, 전자 등의 기본 입자가 가장 먼저 생성되었다.

⑦ 빅뱅으로부터 약 38만 년 후에 우주의 온도가 3000 K까지 내려가면서 헬륨 원자와 수소 원자가 생성되었다.

바로알기 | ① 빅뱅 당시 우주의 온도와 압력은 현재보다 높았다.

② 우주 배경 복사는 빅뱅으로부터 약 38만 년 후에 원자가 생성되면서 우주 전체로 퍼져 나갔다.

④ 빅뱅 직후 우주의 온도는 아주 높아서 양성자와 중성자가 매우 빠르게 운동하였기 때문에 양성자와 중성자가 결합할 수 없었다.

⑤ 양성자와 중성자는 쿼크 3개가 결합하여 생성되었다.

⑥ 빅뱅 후 약 3분이 되었을 때 수소 원자핵과 헬륨 원자핵의 질량비는 약 3 : 1이 되었다.

53 ㄱ. 빅뱅은 모든 물질과 에너지가 모인 한 점에서 시작된다.

ㄴ. 빅뱅 이후 우주의 온도는 계속 낮아졌으므로 (나) 시기가 (다) 시기보다 우주의 온도가 높았다.

바로알기 | ㄷ. 우주 배경 복사는 전자가 원자핵과 결합하여 원자가 생성되면서 빛이 전자의 방해를 받지 않아 직진이 가능해진 (마) 시기에 만들어졌다.

ㄹ. 원자의 생성은 빅뱅 후 약 38만 년이 지났을 때 일어났다.

54 양성자와 중성자가 결합하여 헬륨 원자핵이 생성되었다.

모범 답안 헬륨 원자핵이 생성되었다.

55 모범 답안 약 3000 K, 원자가 생성되었다. 우주 배경 복사가 생성되었다. 우주가 투명해졌다. 빛과 물질이 분리되었다.

개념 보충

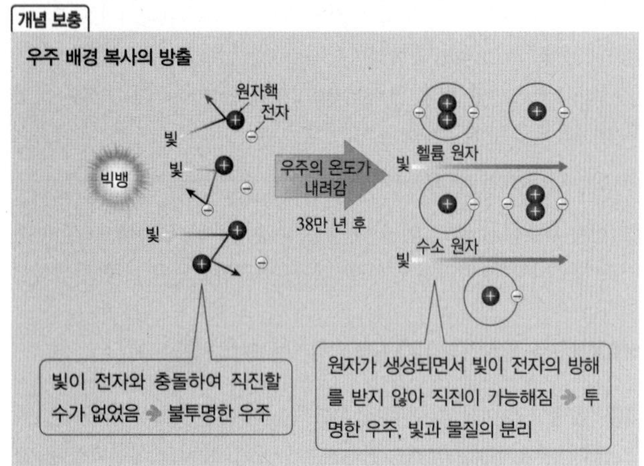
우주 배경 복사의 방출
원자핵
전자
빛
빅뱅
우주의 온도가 내려감
38만 년 후
헬륨 원자
수소 원자
빛이 전자와 충돌하여 직진할 수가 없었음 → 불투명한 우주
원자가 생성되면서 빛이 전자의 방해를 받지 않아 직진이 가능해짐 → 투명한 우주, 빛과 물질의 분리

56 A 시기는 헬륨 원자핵이 생성된 빅뱅 약 3분 후이고, B 시기는 원자가 생성된 빅뱅 약 38만 년 후이다.

⑤ B 시기에 전자가 원자핵에 붙잡혀 빛이 전자의 방해를 받지 않고 직진할 수 있게 되었고, 빛과 물질이 분리되어 우주가 투명해졌다.

바로알기 | ① 빅뱅 후 우주가 팽창하면서 우주의 밀도는 작아졌으므로 B 시기가 A 시기보다 우주의 밀도는 작았다.

② A 시기 직전(헬륨 원자핵이 생성되기 직전)에 양성자와 중성자의 개수비는 약 7 : 1로, 양성자의 수가 더 많았다.

③ A 시기에 양성자와 중성자가 결합하여 원자핵이 만들어졌다. 원자가 만들어진 시기는 B 시기이다.

④ A 시기는 빅뱅 후 약 3분이, B 시기는 빅뱅 후 약 38만 년이 지났을 때이다.

57 ㄱ. A 시기에는 전자나 쿼크 등의 기본 입자만 존재하였다.

바로알기 | ㄴ. B 시기는 원자핵이 생성된 시기이다. 우주 배경 복사가 우주 전역으로 퍼져 나간 것은 원자가 생성된 이후이므로 C 시기이다.

ㄷ. C 시기에 우주의 온도가 약 3000 K까지 낮아지면서 전자가 원자핵에 붙잡혀 원자가 생성될 수 있었다. 우주의 온도가 약 10억 K인 시기는 헬륨 원자핵이 생성된 B 시기이다.

58 ① 빅뱅 이후 우주는 계속 확장되어 갔으므로 우주의 크기는 A 시기가 B 시기보다 작았다.

바로알기 | ② 빅뱅 약 3분 후인 A 시기에 양성자 2개와 중성자가 결합하여 헬륨 원자핵을 생성하였다.

59 ㄱ. 전자가 원자핵과 결합하여 원자가 만들어지면서 빛이 방해 없이 직진하여 우주 전역으로 퍼져 나갔다.

바로알기 | ㄴ. 원자는 원자핵을 이루는 양성자수와 같은 수의 전자가 결합하여 중성을 띤다. 헬륨 원자핵은 양성자가 2개이므로 전자 2개와 결합하여 헬륨 원자가 만들어졌다.

ㄷ. 빅뱅 후 약 38만 년이 지났을 때 헬륨 원자와 수소 원자가 만들어졌다. 탄소는 수 억 년이 지나 별이 탄생한 후 별 내부에서 핵융합 반응으로 생성되었다.

60 ㄷ. 빅뱅 후 우주의 온도는 시간이 지날수록 낮아졌으며, (나)는 (가)보다 먼저이므로 우주의 온도는 (나)가 (가)보다 높다.

바로알기 | ㄱ. (가)는 원자가 생성된 시기이므로 빅뱅으로부터 약 38만 년이 지난 후이다.

ㄴ. (나)는 원자가 생성되기 전이므로 전자가 자유롭게 움직일 수 있었다. 따라서 빛은 전자의 방해로 모든 방향으로 퍼져 나가지 못했다.

61 ㄱ. A는 원자핵, B는 양성자, C는 전자이다. 원자핵과 양성자는 양전하를 띠고, 전자는 음전하를 띤다.

ㄹ. (가)에서 (나)로 갈수록 우주의 크기가 커지면서 밀도는 감소하였다.

바로알기 | ㄴ. C는 기본 입자인 전자로, (가) 시기 이전에 생성되었다.

ㄷ. (가)는 헬륨 원자핵이, (나)는 원자가 형성된 시기이다. (나) 시기에 우주로 퍼져 나간 우주 배경 복사는 현재도 우주의 전 공간에서 관측된다.

62 ④ 이 시기에는 양성자 14개와 중성자 2개의 개수비로 우주가 구성되어 있었으므로 양성자의 수 : 중성자의 수=7 : 1이다.

바로알기 | ① 그림은 빅뱅 약 3분 후에 중수소 원자핵을 재료로 양성자와 중성자가 결합하여 헬륨 원자핵이 생성되는 빅뱅 핵합성이다.

② 동위 원소는 양성자수는 같지만 중성자수가 달라서 질량수가 다른 원소들이다. (가)와 (나)는 양성자수가 다르므로 서로 다른 원소이며 동위 원소 관계가 아니다. (가)는 중수소이고, (나)는 헬륨−3이며, (나)는 (다)와 동위 원소 관계이다.

③ 양성자는 전하량이 +1이지만, 중성자는 전하량이 0이다. (다)는 (나)와 질량수는 다르지만 양성자수가 같으므로 전하량은 같다.

⑤ 우주 전역으로 빛이 퍼져 나간 것은 빅뱅 약 38만 년 후이다.

63 모든 물질과 에너지가 한 점에 모여 있다가 팽창하여 오늘날의 우주가 형성되었다는 이론은 빅뱅 우주론이다.

모범 답안 우주에 존재하는 수소와 헬륨의 질량비 약 3 : 1과 우주 배경 복사이다.

64 ㄱ, ㄴ. 별빛의 스펙트럼을 수소와 헬륨의 선 스펙트럼과 비교하여 수소와 헬륨을 구별할 수 있다.

바로알기 | ㄷ. 헬륨 원자핵 생성 직전 우주에 분포하는 양성자와 중성자의 개수비가 약 7 : 1이고, 수소와 헬륨의 질량비는 약 3 : 1이다.

65 (가)는 헬륨 원자핵이 생성되기 전이고, (나)는 생성된 후이다.

③ 헬륨 원자핵이 생성되기 직전에는 양성자의 수가 중성자의 수보다 약 7배 많았다. 따라서 A는 양성자, B는 중성자이다.

⑧, ⑨ 양성자와 중성자의 질량은 비슷하므로, 양성자 2개와 중성자 2개로 이루어진 헬륨 원자핵 1개의 질량은 양성자 1개로 이루어진 수소 원자핵 1개의 약 4배이다. 따라서 수소 원자핵 : 헬륨 원자핵의 개수비가 12 : 1일 때 질량비는 약 3 : 1이 된다.

바로알기 | ② 이 시기에 우주의 온도는 약 10억 K이다.

⑦ 양성자 1개는 그 자체로 수소 원자핵이고, 양성자 2개와 중성자 2개가 결합하여 헬륨 원자핵이 되므로 (나)에서 수소 원자핵과 헬륨 원자핵의 개수비는 12 : 1이다.

66 (1) 양성자와 중성자의 개수비는 14 : 2 = 7 : 1이다.

(2) 양성자 1개는 수소 원자핵이고, 양성자 2개와 중성자 2개가 헬륨 원자핵을 생성하므로 수소 원자핵과 헬륨 원자핵의 개수비는 12 : 1이다.

(4) 별빛의 스펙트럼에 나타나는 흡수선의 선폭을 비교하여 별을 구성하는 원소들의 질량비를 알 수 있고, 우주 전역에서 들어오는 별빛의 스펙트럼을 분석하여 수소와 헬륨의 질량비를 알아내었다.

모범 답안 (1) 7 : 1

(2) 12 : 1

(3) 약 3 : 1, 수소 원자핵과 헬륨 원자핵의 개수비가 12 : 1이고, 헬륨 원자핵 1개의 질량이 수소 원자핵 1개 질량의 약 4배이므로 수소 원자핵과 헬륨 원자핵의 질량비는 약 12 : 4=약 3 : 1이 된다.

(4) 다양한 별빛의 스펙트럼을 관찰하여 분석한다.

67 모범 답안 수소와 헬륨의 질량비는 약 3 : 1이다. 빅뱅 우주론으로 계산한 값과 실제로 관측한 값이 일치하므로 빅뱅 우주론의 증거가 된다.

68 그림은 양성자 2개와 중성자 2개가 결합하여 헬륨 원자핵 1개를 생성하는 과정이다. 양성자와 중성자의 개수비가 9 : 1(=18 : 2)일 때 이와 같은 과정으로 헬륨 원자핵이 생성되면, 수소 원자핵과 헬륨 원자핵의 개수비는 16 : 1이, 질량비는 약 16 : 4=약 4 : 1이 된다.

69 펜지어스와 윌슨은 사방에서 균일하게 들어오는 전파를 발견하였다. 이 전파는 빅뱅 우주론의 증거가 되는 우주 배경 복사이다.

70 ⑤ 빅뱅 후 우주의 온도는 계속 낮아졌다.
⑧ 우주 배경 복사는 빅뱅 우주론에서 예측한 것이므로 우주 배경 복사의 발견은 이 이론의 중요한 증거이다.
바로알기 | ① 원자가 생성되어 우주가 투명해졌을 때 우주 공간으로 퍼져 나간 빛이 우주 배경 복사이다.
② 우주 공간의 모든 방향에서 관측되는 빛이다.
③ 온도가 높은 물체일수록 방출하는 복사 에너지의 파장이 짧다. 시간이 지날수록 우주의 온도가 낮아져 우주 배경 복사의 파장이 길어졌다.
④, ⑥ 우주 배경 복사는 우주의 온도가 약 3000 K일 때 우주로 퍼져 나간 빛으로, 현재 우주 배경 복사의 온도는 약 2.7 K이다.
⑦ 우주 배경 복사는 전파 망원경으로 처음 확인하였다.

71 ㄴ. 우주 배경 복사는 마이크로파 영역(전파)에서 관측된다.
바로알기 | ㄷ. 우주 배경 복사는 모든 방향에서 거의 같은 세기로 관측된다.

72 **바로알기 |** ① 우주 배경 복사는 빅뱅 약 38만 년 후에 퍼져 나간 빛이다.
③ 우주 배경 복사의 분포가 완전히 균일하지는 않으므로 초기 우주의 물질이 불균일하게 분포하였음을 알 수 있다.
④ 우주 배경 복사는 펜지어스와 윌슨이 지상에서 전파 망원경으로 처음 관측하였다.
⑤ 우주 배경 복사는 빅뱅 우주론을 뒷받침하는 결정적인 증거이다. 우주가 항상 같은 상태로 존재한다는 우주론은 정상 우주론이다.

73 (1) 우주 배경 복사는 빅뱅 후 약 38만 년일 때 생성된 빛의 흔적이므로 과거 우주의 모습을 간접적으로 추정하는 데 도움을 준다.
모범 답안 (1) ㉠ 빅뱅, ㉡ 우주 배경 복사
(2) 온도가 높게 나타나는 곳에서는 과거에 물질의 밀도가 높아서 중력이 크게 작용하였을 것이다.
(3) 우주 배경 복사가 빅뱅 후 약 38만 년에 생성되었기 때문에 그 이전의 우주의 모습은 관측으로 추정하기 어렵다.

74 ㄱ. 시간이 지남에 따라 우주가 팽창하면서 온도가 낮아져 우주 배경 복사의 파장은 길어졌다.
ㄷ. 우주가 팽창하면서 우주의 온도가 낮아져 현재 우주 배경 복사는 2.7 K의 흑체 복사에 해당한다.
바로알기 | ㄴ. 시간이 지남에 따라 우주가 팽창하여 밀도는 감소한다.

개념 보충

흑체 복사
흑체는 입사되는 전자기파를 모두 흡수하고 모두 방출하는 이상적인 물체를 뜻하며, 우주 배경 복사가 2.7 K의 흑체 복사에 해당한다는 것은 우주 배경 복사의 온도가 약 2.7 K이라고 해석할 수 있다.

03 별의 진화와 원소의 생성

빈출 자료 보기 21쪽

75 (1) × (2) × (3) × (4) × (5) ○ (6) ○ (7) ○

75 **바로알기 |** (1) (가)와 (나)는 주계열성이므로 수소 핵융합 반응으로 헬륨이 생성된다.
(2) (가)는 백색 왜성으로 종말을 맞이하므로 중성자별이나 블랙홀로 종말을 맞이하는 (나)보다 질량이 작은 주계열성이다. 주계열성은 질량이 작을수록 수명이 길다.
(3) (가)가 적색 거성으로 진화하면 바깥층이 팽창하면서 표면 온도가 낮아진다.
(4) (나)가 진화한 초거성 내부에서는 헬륨 핵융합 반응이 일어날 수 있으므로 탄소가 생성될 수 있다.

난이도별 필수 기출 22~27쪽

76 ④ 77 해설 참조 78 ②, ⑤ 79 ④ 80 ②
81 ③ 82 ① 83 ④ 84 해설 참조 85 ②
86 ② 87 ③ 88 해설 참조 89 ③, ⑥, ⑦
90 해설 참조 91 ⑤ 92 ③ 93 원시별 → 주계열성 → 적색 거성 → 행성상 성운과 백색 왜성 94 ④ 95 ③
96 해설 참조 97 ③ 98 ③ 99 해설 참조
100 ③ 101 ⑤ 102 ① 103 ③ 104 ⑤ 105 ②
106 해설 참조 107 ⑤, ⑥ 108 ⑤ 109 ②
110 ①

76 별의 탄생 과정은 다음과 같다. (다) 수소와 헬륨 등이 모여 가스 구름인 성운 형성 → (가) 성운 내의 온도가 낮고 밀도가 높은 곳에서 물질이 모여서 원시별 형성 → (라) 원시별이 수축하면서 온도와 압력 상승 → (나) 중심에서 수소 핵융합 반응을 시작하여 스스로 빛을 방출하는 별의 탄생

77 모범 답안 수소 핵융합 반응, 수소가 반응하여 헬륨을 생성한다.

78 ① 성운을 이루는 기체의 주성분은 우주 공간에 가장 많이 분포하는 수소와 헬륨이다.
③ 성운이 중력에 의해 뭉쳐지면 밀도가 점점 커져 고밀도 기체 덩어리인 원시별이 형성된다.
④ 회전하는 성운이 중력에 의해 수축하면 회전 속도가 증가하면서 원반 모양이 된다.
⑥ 원시별의 중심 온도가 수소 핵융합 반응에 필요한 1000만 K에 이르면 핵융합 반응으로 에너지를 생성하여 빛을 내는 별이 된다.
바로알기 | ② 가스 구름이 수축하여 성운을 형성한다.
⑤ 원시별은 중력 수축으로 에너지를 얻어 내부 온도가 상승한다.

79 ㄱ. 성운의 밀도가 높은 곳을 중심으로 중력에 의해 수축이 계속 일어나 고밀도 기체 덩어리인 원시별이 형성된다.
ㄴ. 원시별의 에너지원은 중력 수축할 때 발생하는 에너지이다.
ㄹ. 주계열성은 수소 핵융합 반응으로 생성된 에너지를 빛의 형태로 방출하면서 빛난다.
바로알기 | ㄷ. 원시별이 중력에 의해 수축하여 발생한 열에 의해 중심부의 온도가 높아지다가 1000만 K 이상이 되면 수소 핵융합 반응이 일어나는 별이 된다.

80 ② 주계열성의 중심에서는 핵융합 반응 중 가장 낮은 온도에서 일어나는 수소 핵융합 반응이 일어난다.
바로알기 | ① 질량이 클수록 핵융합 반응이 빨리 일어나 수명이 짧다.
③ 별은 일생에서 대부분의 시간을 주계열 단계에서 보낸다.
④, ⑤ 주계열성은 중력과 내부 압력이 평형을 이루고 있으므로 핵융합 반응이 일어나는 동안 크기가 일정하게 유지되고, 안정한 상태이다.

81 ㄱ. 수소 원자핵 4개가 융합하여 헬륨 원자핵을 만드는 수소 핵융합 반응으로, 주계열성의 중심부에서 일어나는 반응이다.
ㄷ. 양성자 4개의 질량의 합은 헬륨 원자핵 1개의 질량보다 약간 크다. 핵융합 반응이 일어날 때 핵융합 과정에서 감소한 질량은 에너지로 전환되어 방출된다.
바로알기 | ㄴ. 중심부의 온도가 1000만 K 이상일 때 수소 핵융합 반응이 일어난다.

82 ㄱ. 수소 원자핵 4개가 융합하여 헬륨 원자핵을 만드는 수소 핵융합 반응으로, 별의 중심부 온도가 1000만 K 이상일 때 일어난다.
ㄴ. 핵융합 반응 후에 질량이 감소하므로 질량은 A가 B보다 크다.
바로알기 | ㄷ. 수소 핵융합 반응은 주계열성 중심부, 거성 단계의 껍질층에서 일어나므로 다양한 질량의 별의 내부에서 일어날 수 있다.
ㄹ. 별의 중심에서 수소가 모두 헬륨으로 변하면 별의 수명이 다할 수는 있지만, 이 정도에서 진화가 끝나는 별은 질량이 작아 블랙홀이 될 수 없다.

83 ④ 주계열성은 내부 압력과 중력이 평형을 이루고 있다.
바로알기 | ① 주계열성의 중심 온도는 약 1000만 K 이상이다.
② A는 내부 압력(기체압)이고, B는 중력이다.
③ B의 원인은 별 자체의 중력이고, 수소 핵융합 반응은 A의 원인이다.
⑤ 수소 핵융합 반응이 멈추면 내부 압력이 작아지므로 A가 B보다 작아질 것이다.

84 (1) 중심부에서 수소 핵융합 반응이 일어나는 별은 주계열성으로, 별의 크기가 일정하게 유지된다.
(2) 수소가 모두 헬륨으로 바뀌면 수소 핵융합 반응이 일어나지 않아 내부 압력이 중력보다 작아지므로 별의 중심부는 수축한다.
모범 답안 (1) 주계열성, 내부 압력과 중력이 평형을 이루므로 별의 크기가 일정하게 유지된다.
(2) 내부 압력<중력, 중심부가 중력에 의해 수축한다.

개념 보충

주계열성이 일정한 크기를 유지하는 까닭
별 내부의 수소 핵융합 반응에 의해 발생하는 에너지는 별을 이루는 기체 물질을 밖으로 밀어내는 기체압(내부 압력)을 생성시킨다. 그러나 별은 자체 중력이 있고 중력은 물질을 중심부로 끌어당기면서 수축하려고 한다. 이러한 기체압과 중력이 평형을 이루면서 주계열성은 크기가 일정하게 유지된다.

85 별의 내부에서 핵융합 반응으로는 철까지만 생성되므로 〈보기〉에서 별의 내부에서 핵융합 반응으로 생성되는 원소는 규소(ㄷ)와 탄소(ㄹ)이다.
바로알기 | 수소(ㅁ)는 빅뱅 우주 초기에 생성되었고, 철보다 무거운 금(ㄱ), 납(ㄴ), 우라늄(ㅂ)은 초신성 폭발 과정에서 생성되었다.

86 (가) 우주 초기에 일어난 빅뱅 핵합성으로 헬륨이 생성되었다.
(나) 별의 중심부에서 일어나는 핵융합 반응에 의해 헬륨, 탄소, 산소, 마그네슘 등 철보다 가벼운 원소들과 철이 생성되었다.
(다) 초신성 폭발에 의해 구리, 금, 납, 우라늄 같은 철보다 무거운 원소가 생성되었다.
바로알기 | 수소는 가장 가벼운 원소이므로 핵융합으로 생성되지 않는다.

87 태양과 질량이 비슷한 별은 중심부에서 헬륨 핵융합 반응으로 탄소(㉠)까지 생성한다. 태양보다 질량이 매우 큰 별은 중심부의 온도가 더 높아져 더 무거운 원소를 생성하는 핵융합 반응이 일어나 철(㉡)까지 생성한다. 철보다 무거운 원소는 핵융합 반응이 멈춘 후 초신성이 폭발할 때 생성된다.

88 별에서 철보다 무거운 원소는 질량이 큰 별의 진화의 마지막 단계에서 일어나는 초신성 폭발을 통해 생성된다.
모범 답안 초신성 폭발 과정에서 생성된다.

89 ① 주계열성에서는 수소 핵융합 반응의 결과로 헬륨이 생성된다.
② 별 중심부의 온도가 높을수록 핵융합에 더 많은 에너지를 필요로 하는 무거운 원소의 핵융합 반응이 일어난다.
④ 별의 내부에서 만들 수 있는 가장 무거운 원소는 철이다. 철은 원자핵이 매우 안정하므로 별 내부에서 철보다 무거운 원소를 만드는 핵융합 반응은 일어나지 않는다.
⑤ 초신성 폭발 시 온도와 압력은 별의 중심핵보다 매우 높으므로 많은 중성자가 생성되고 이 중성자가 원자핵과 융합하여 철보다 무거운 금이나 우라늄 같은 원소를 합성한다.
⑧ 태양 질량의 10배 이상인 별에서는 철이 만들어질 때까지 핵융합 반응이 진행되므로 헬륨 핵융합 반응으로 탄소가 만들어질 수 있다.
바로알기 | ③ 별의 질량이 클수록 무거운 원소가 생성될 수 있다.
⑥ 태양과 질량이 비슷한 별의 중심부에서는 탄소까지 만들어진다.
⑦ 태양과 질량이 비슷한 별은 행성상 성운 단계에서 우주 공간으로 내부에서 생성된 원소를 방출한다.

90 별의 내부에서 핵융합 반응에 의해 헬륨부터 철까지의 원소들이 생성된다. 철보다 무거운 원소는 불안정하므로 별 내부의 핵융합으로 생성될 수 없다.
모범 답안 별 내부에서 핵융합 반응에 의해 생성된다. 철 원자핵이 매우 안정하기 때문에 별 내부의 핵융합 반응으로는 철까지만 생성된다.

91 ㄱ. (가)는 수소 핵융합 반응으로, 주계열 단계를 거치는 모든 별에서 일어나며, 적색 거성이나 초거성의 핵을 둘러싼 껍질층에서도 일어난다.
ㄴ. (나)는 헬륨 핵융합 반응으로, 질량이 태양 정도인 별의 온도에서는 이 반응까지만 일어난다.
ㄷ. (다)는 철이 생성되는 규소 핵융합 반응으로, 별 내부에서 핵융합 반응 중 최종적으로 일어나는 반응이며 가장 높은 온도에서 일어난다.

92 (가) 우주에 존재하는 수소(H) 원자는 빅뱅 후 약 38만 년이 되어 우주 온도가 3000 K까지 낮아졌을 때 생성되었다.
(나) 모든 별에서 가장 가벼운 원소인 수소의 핵융합 반응이 처음으로 일어난다.
(마) 별의 중심부에서 철이 생성되면, 철은 안정하므로 핵융합 반응이 일어나더라도 다시 철이 될 것이므로 핵융합 반응은 더 이상 일어나지 않는다.
바로알기 | (다) 우주에 존재하는 대부분의 헬륨(He)은 빅뱅 핵합성으로 만들어진 헬륨 원자핵에 전자가 결합하면서 생성된 것이다.
(라) 질량이 태양의 10배 이상인 별은 질량이 태양 정도인 별보다 중심부의 온도가 높으므로 상대적으로 빠르게 수소 핵융합 반응이 끝난다.

93 태양과 질량이 비슷한 별은 주계열성에서 적색 거성을 거쳐 행성상 성운과 백색 왜성으로 일생을 마치는 진화 과정을 거친다.

94 ㄴ. 모든 별은 진화 과정 중 주계열성 단계에 가장 오래 머무른다.
ㄹ. 적색 거성의 중심에서 핵융합 반응이 끝나면 바깥층의 물질들은 서서히 우주 공간으로 방출되어 행성상 성운이 되고, 핵은 수축하여 밀도가 큰 백색 왜성이 된다.
바로알기 | ㄱ. 주계열성 → 적색 거성 → 행성상 성운, 백색 왜성 단계를 거치면서 진화하므로 태양과 질량이 비슷한 별의 진화 과정이다.
ㄷ. 태양과 질량이 비슷한 별은 내부에서 헬륨 핵융합 반응까지 일어나므로 핵융합으로 최종적으로 생성할 수 있는 가장 무거운 원소는 탄소나 산소이며, 철이 생성될 수 없다.

95 ㄱ. 그림은 백색 왜성으로 일생을 마치는 태양과 질량이 비슷한 별의 진화 과정으로 A는 적색 거성이고, B는 행성상 성운이다.
ㄷ. A → B 과정에서 바깥층의 물질들이 우주로 퍼져 나가면서 별 내부에서 생성된 원소가 우주 공간으로 방출된다.
바로알기 | ㄴ. 주계열성이 적색 거성으로 되는 과정에서 핵 주변의 껍질층에서 일어나는 수소 핵융합 반응에 의해 바깥층이 팽창하여 별의 표면 온도가 낮아진다.

96 (1) 원시별은 중력에 의해 수축이 일어나면서 중력 수축 에너지가 발생하여 온도가 상승한다.
(2) 주계열성에서 적색 거성이 되는 과정에서 별의 바깥층이 팽창하여 별의 크기는 커지고 표면 온도는 낮아져 붉게 보인다.
모범 답안 (1) 중력에 의해 수축하여 온도가 상승한다.
(2) 별의 크기는 커지고, 표면 온도는 낮아진다.

97 ㄷ. 생명체에는 산소와 탄소가 많다. 초신성이 폭발하면 별의 내부에서 만들어진 산소, 탄소 등이 우주 공간으로 방출된다.
ㄹ. 블랙홀은 질량이 매우 커서 빛조차 빠져나오지 못할 정도로 중력이 크며, 밀도가 가장 큰 단계이다.
바로알기 | ㄱ. 중성자별이나 블랙홀로 일생을 마치므로 질량이 태양의 10배 이상인 별의 진화 과정이다.
ㄴ. 철보다 무거운 원소는 (다) 초신성 폭발 과정에서 생성된다.

개념 보충

초신성 폭발과 무거운 원소의 생성
초신성 폭발 때 방출되는 에너지양은 별이 평생 핵융합을 통해 방출하는 에너지의 총량보다 크다. 초신성 폭발 시 온도와 압력은 별의 중심핵보다 높으므로 많은 중성자가 생성되고 이 중성자가 원자핵과 융합하여 더 무거운 금이나 우라늄 같은 원소를 합성하면서 철보다 무거운 원소가 생성된다.

98 그림은 태양보다 질량이 매우 큰 별의 진화 과정 중 일부이다.
ㄴ. (가) → (나) 과정에서 원시별이 형성되고 중력 수축으로 중심부의 온도가 높아진다.
ㄷ. 금, 우라늄과 같이 철보다 무거운 원소는 (다) 초신성 폭발 과정에서 생성된다.
바로알기 | ㄱ. 별은 성운 내부에서도 물질이 상대적으로 모이기 쉬운 온도가 낮고 밀도가 높은 영역에서 생성된다.
ㄹ. (가) → (라) 과정이 반복되면서 별의 내부에서 수소가 소진되고 수소는 핵융합으로는 생성되지 않으므로 우주에 존재하는 수소 원자의 양은 감소한다.

99 (1) 평소에 없던 밝은 별이 갑자기 나타났다 사라지는 과정은 급격한 폭발로 밝기가 매우 밝아졌다 점차 사라지는 초신성을 관측한 것이다.
모범 답안 (1) 초신성
(2) 구리, 납, 금, 우라늄 등, 초신성 폭발 과정에서 방출되는 엄청난 에너지로 철보다 무거운 원소를 만든다.

100 ㄷ. B는 초거성이고, B의 중심에서는 탄소핵이 생성된 후에도 온도가 상승하여 탄소 핵융합 반응이 일어날 수 있다.
ㄹ. C는 중성자별로, 중성자로 이루어진 별이다.
바로알기 | ㄱ. 진화의 마지막 단계에서 백색 왜성이 되는 별 (가)는 블랙홀이 되는 별 (나)보다 질량이 작다.
ㄴ. A는 적색 거성이고, A 중심에서는 헬륨 핵융합 반응이 일어난다. 수소 핵융합 반응은 주계열성 중심에서 일어난다.

101 ㄱ. 질량이 태양 정도인 별은 진화의 마지막 단계에서 백색 왜성이 생성되므로 (가) 과정으로 진화한다.
ㄴ. I 단계인 주계열성의 중심에서는 수소 핵융합 반응이 일어난다.
ㄷ. A는 초거성으로 중심에서는 최종적으로 철이 생성되고, B는 초신성으로 철보다 무거운 원소가 생성된다.

102 **바로알기 |** ㄱ. 그림은 태양과 질량이 비슷한 별이 진화하는 과정에서 형성되는 행성상 성운이다.
ㄷ. 철보다 무거운 원소가 방출되는 경우는 초신성 폭발이고, 행성상 성운에서는 별의 진화 과정에서 헬륨 핵융합 반응까지만 일어나므로 철보다 가벼운 원소(수소, 헬륨, 탄소, 산소)가 방출된다.

103 ① (가)는 행성상 성운이고 (나)는 초신성 잔해이므로, 주계열성일 때의 질량은 (가)가 (나)보다 작다.
② 태양과 질량이 비슷한 주계열성이 적색 거성 이후에 별의 바깥층이 방출되어 (가)와 같은 행성상 성운이 된다.
④ 철보다 무거운 원소는 (나)의 초신성 폭발 과정에서 만들어진다.
⑤ 초신성 폭발 후 중심에서는 중성자별이나 블랙홀이 만들어진다.
바로알기 | ③ 태양의 진화 과정의 마지막 단계는 (가)를 거쳐 백색 왜성이 된다.

104 ㄷ. B는 (나) 단계에서 철이 만들어질 때까지 핵융합 반응이 지속되면서 규소, 철 등을 생성한다.
ㄹ. 질량이 큰 별일수록 수명이 짧다. A는 B보다 질량이 작으므로 수명이 길어서 (가)와 (나) 단계에 머무는 기간이 길다.
바로알기 | ㄱ. A는 백색 왜성으로 진화가 끝나고, B는 블랙홀로 진화가 끝나므로 별의 질량은 A가 B보다 작다.
ㄴ. (가) 단계는 수소 핵융합 반응이 일어나는 주계열 단계로, 별의 일생 중 가장 길다. 따라서 적색 거성이나 초거성인 (나) 단계보다 길다.

105 ① 태양은 현재 주계열성이므로 중심핵인 A에서는 수소 핵융합 반응이 일어난다.
③ 시간이 지남에 따라 헬륨의 양은 수소 핵융합 반응으로 헬륨이 생성되면서 증가하다가 헬륨 핵융합 반응이 일어나면 점점 감소한다.
④ A에서 핵융합 반응이 멈추면 기체가 별 내부에서 밖으로 밀어내는 내부 압력이 줄어든다.
⑤ A에서 수소 핵융합 반응이 멈춘 후, 헬륨핵이 중력에 의해 수축하여 온도가 약 1억 K에 도달하면 헬륨 핵융합 반응이 시작된다.
바로알기 | ② 태양 중심부의 온도는 약 1000만 K 이상이고, 표면 온도는 약 5800 K이다.

106 (1) 별의 바깥층으로 갈수록 가벼운 원소가 분포하므로 A에는 수소가 분포하고, B에는 별 내부에서 핵융합 반응으로 생성되는 원소 중 가장 무거운 철이 분포한다.
(3) 철이 생성되면 핵융합 반응이 멈춘 후, 급격한 중력 수축으로 별이 폭발하여 초신성이 되면서 별 내부에서 생성된 원소가 우주로 방출된다.
모범 답안 (1) A: 수소, B: 철
(2) 철의 원자핵이 매우 안정하기 때문이다.
(3) 초신성 폭발 때 방출된다.

107 ⑤ 철에 해당하는 ㉡이 만들어지면 핵융합 반응은 더 이상 일어나지 않으므로 내부 압력이 작아져 중력에 의해 수축하기 시작한다.
⑥ 초신성 폭발이 일어날 때 ㉡인 철보다 무거운 원소가 생성된다.
바로알기 | ① ㉠은 헬륨 핵융합 반응의 생성물인 탄소이고, ㉡은 규소 핵융합 반응의 생성물인 철이다.
② 질량이 큰 별일수록 무거운 원소를 생성한다. (가)는 별의 중심 부근에 헬륨까지 생성되어 있고, (나)는 별의 중심 부근에 규소, 황이 생성되어 있으므로 별의 질량은 (가)가 (나)보다 작다.
③ 별 중심부의 온도는 질량이 상대적으로 큰 (나)가 더 높다.
④ 태양은 헬륨 핵융합 반응까지만 일어날 것으로 예상되므로 점차 (가)와 같은 구조로 진화할 것이다.
⑦ 별은 일생의 대부분을 주계열 단계에 머물러 있다. 이때 내부 구조는 (가), (나)와 다르게 중심에 수소 핵융합 반응으로 생성된 헬륨이 분포한다.

108 그림은 주계열성에서 적색 거성으로 진화하는 단계이다.
ㄴ. 별의 바깥층인 ㉠이 팽창하면서 표면 온도가 낮아져 표면이 붉게 보이는 적색 거성이 된다.
ㄷ. 중심핵인 ㉡이 중력에 의해 수축하면 중심부의 온도가 높아진다.
바로알기 | ㄱ. ㉠의 주요 성분은 별의 대부분을 구성하고 있는 수소이고, ㉡의 주요 성분은 수소 핵융합 반응으로 만들어진 헬륨이다.

109 ㄴ. (나)의 별이 태양 질량의 약 30배 이상이라면 별의 진화 과정에서 초신성 폭발이 일어나 철보다 무거운 우라늄이 만들어질 수 있다.
바로알기 | ㄱ. (가)에서 질량이 태양과 비슷한 별은 진화의 마지막 단계에서 백색 왜성이 되는 C의 경로로 진화한다.
ㄷ. 태양과 질량이 비슷한 별의 진화 과정인 C 경로의 적색 거성 단계에서는 (나)와 같이 중심부에서 철이 생성될 수 없다. (나)는 질량이 매우 큰 별의 초거성 단계에서 볼 수 있다.

110 ㄱ. 별이 적색 거성으로 진화하면 표면 온도는 낮아지므로 (가)는 (나)보다 별의 표면 온도가 높다.
바로알기 | ㄴ. (가)에서 별에 있는 수소 중 온도가 약 1000만 K 이상인 중심핵에 있는 수소만 핵융합 반응에 사용된다.
ㄷ. 적색 거성인 (나)의 중심에서는 헬륨 핵융합 반응이 일어나면서 탄소가 생성된다.

04 태양계와 지구의 형성

빈출 자료 보기 29쪽

111 (1) ○ (2) ○ (3) ○ (4) × (5) ○ (6) ○ (7) × (8) ○ (9) ○ (10) ×

111 바로알기 | (4) 마그마 바다 상태에서도 미행성체의 충돌은 계속되었으므로 지구의 질량은 증가하였다.
(7) C에서 미행성체의 충돌이 적어지면서 지구 표면의 온도가 낮아졌다.
(10) 원시 바다가 형성된 후 최초의 생명체는 자외선 등 유해한 우주선이 차단되는 바다에서 출현하였다.

난이도별 필수 기출 30~35쪽

112 ③ 113 ㉠ 초신성, ㉡ 미행성체, ㉢ 원시 행성, ㉣ 지구형, ㉤ 목성형 114 ② 115 ② 116 ⑤, ⑥ 117 ④ 118 ⑤
119 ⑤ 120 ⑤ 121 ① 122 해설 참조 123 ③
124 ③ 125 해설 참조 126 ③ 127 해설 참조
128 ② 129 ⑤ 130 ③ 131 ⑥, ⑦ 132 ②
133 해설 참조 134 ① 135 해설 참조 136 ④
137 ㉠ → ㉣ → ㉡ → ㉢ → ㉤ → ㉥ → ㉦ → ㉧ 138 ④
139 ④ 140 ③ 141 ⑤ 142 ② 143 ③, ④, ⑥

112 태양계의 형성 과정은 다음과 같다. (나) 태양계 성운의 형성 → (마) 태양계 성운의 수축 및 회전 → (라) 원시 태양과 원시 원반의 형성 → (다) 고리와 미행성체 형성 → (가) 원시 행성 형성

113 우리은하에 있던 초신성의 폭발로 인해 성운 내부의 밀도가 불균일해져 태양계 성운이 만들어졌고, 태양계 성운이 수축하면서 회전하기 시작하였다. 성운의 회전 속도가 증가하면서 원시 원반을 이루고, 대부분의 물질이 중심에 모여 원시 태양을 형성하였다. 원시 원반을 이루는 물질들이 뭉쳐 미행성체를 형성하였고, 미행성체가 서로 충돌하고 합쳐져 원시 행성을 형성하였다. 태양과 가까운 곳에서는 무거운 원소로 이루어진 지구형 행성이, 먼 곳에서는 가벼운 원소로 이루어진 목성형 행성이 형성되었다.

114 ① 태양계 성운이 수축하면서 회전 속도가 빨라져서 납작한 원반을 형성하였다.
③ 미행성체들이 충돌하여 서로 합쳐지면서 원시 행성이 형성되었다.
④ 성운의 중심부에 대부분의 물질이 모여서 원시 태양이 형성되었다. 원시 태양의 중력 수축으로 중심부의 온도가 상승하다가 수소 핵융합 반응이 일어나 스스로 빛을 방출하면서 태양이 되었다.
⑤ 태양과 가까운 곳은 온도가 높아서 녹는점이 높은 물질들만 남을 수 있었다. 따라서 태양에 가까운 곳에서 만들어진 행성은 녹는점이 높은 물질로 구성되었다.
바로알기 | ② 태양계 성운이 수축함에 따라 성운의 회전 반경이 작아지면서 회전 속도가 점차 빨라졌다.

115 ㄱ. 지금으로부터 약 50억 년 전에 태양계 부근에서 초신성이 폭발하여 밀도가 불균일해짐에 따라, 중력이 발생하여 가스와 먼지를 끌어당기면서 태양계 성운이 생성되어 회전하고 수축하기 시작하였다.
ㄹ. 성운의 중심부에서는 대부분의 물질이 모여서 원시 태양이 형성되었고, 원시 태양은 중력 수축으로 중심부의 온도가 높아져서 수소 핵융합 반응이 일어나면서 태양이 되었으므로 A → B → C에서 태양계 중심부의 밀도는 증가한다.
바로알기 | ㄴ. 태양계 성운의 질량이 집중된 중심부가 원시 태양이 된다. 미행성체는 원시 원반에서 충돌하고 합쳐져 원시 행성을 이룬다.
ㄷ. C에서 태양에 가까울수록 녹는점이 높은 물질들이 남아 무거운 원소가 포함된 행성이 만들어진다.

개념 보충

지구형 행성과 목성형 행성의 형성과 구성 물질 차이
- **지구형 행성**: 행성이 만들어질 때 태양과 가까운 곳은 온도가 높아서 녹는점이 높은 물질들만 남을 수 있었다. 그 결과 규소, 철, 니켈 등과 같은 무거운 물질들이 남아 응축한 후에 성장하였다. 이러한 무거운 원소들은 원래 태양계 성운 안에 매우 적은 양이 존재하여 행성들이 크게 성장하지 못하였는데, 이들이 수성, 금성, 지구, 화성과 같은 지구형 행성을 이루었다.
- **목성형 행성**: 태양으로부터 멀리 떨어진 곳은 온도가 낮아서 녹는점이 낮은 얼음이나 메테인 등이 응축하기 시작하였다. 이들은 태양계 가장자리로 밀려 나오거나 흩어져 있던 수소나 헬륨과 같은 가벼운 기체들을 중력으로 끌어당겨 크게 성장하였고, 목성, 토성, 해왕성, 천왕성과 같은 목성형 행성을 이루었다.

116 ⑤ 한 방향으로 회전하는 성운 내에서 미행성체와 원시 태양이 형성되었으므로 (다)에서 미행성체의 공전 방향은 원시 태양의 자전 방향과 같다.
⑥ 원시 행성이 형성되고 남은 주변의 기체와 티끌은 태양풍에 의해 태양계 바깥으로 보내졌다.
바로알기 | ① 태양계는 (나) → (가) → (다) → (라) 순으로 형성되었다.
② (가)에서 성운이 회전하면서 중력에 의해 수축하여 중심부의 온도와 압력이 높아졌다.
③ (나)의 성운을 구성하는 원소는 수소와 헬륨이 많지만 별의 내부에서 핵융합 반응 등으로 생성된 후 우주로 방출된 무거운 원소들도 포함되어 있다.
④ (나)에서 성운은 밀도가 높은 부분에서 물질을 끌어당기면서 이를 중심으로 수축한다.
⑦ (라)에서 태양으로부터 먼 곳에서는 기체 성분으로 이루어진 목성형 행성이 형성되었다.

117 ㄴ. 지구형 행성은 상대적으로 무거운 원소인 철과 규소의 함량이 높고, 목성형 행성은 가벼운 원소인 수소와 헬륨의 함량이 높다.
ㄹ. 지구형 행성과 목성형 행성의 구성 성분은 태양으로부터의 거리에 따라 행성이 형성될 당시에 분포하는 물질이 달랐기 때문에 다르다.
바로알기 | ㄱ. 지구형 행성은 목성형 행성보다 무거운 원소로 이루어져 있어 평균 밀도는 크지만, 크기가 매우 작기 때문에 질량은 작다.
ㄷ. 목성형 행성은 지구형 행성보다 태양으로부터 먼 거리(온도가 낮은 환경)에서 형성되었으므로 녹는점이 낮고 가벼운 물질로 이루어져 있다.

118 ㄴ. 지구형 행성은 목성형 행성보다 무거운 물질로 이루어져 있어서 평균 밀도가 크다.
ㄹ. 지구형 행성은 목성형 행성보다 자전 속도가 느리므로 자전 주기가 길다.
ㅅ, ㅇ. 지구형 행성은 목성형 행성보다 태양으로부터 가까운 거리의 온도가 높은 환경에서 형성되어 구성 물질의 녹는점이 높다.
바로알기 | ㄱ, ㄷ. 지구형 행성은 목성형 행성에 비해 크기가 매우 작고 위성이 없거나 적지만, 목성형 행성은 위성이 많다.
ㅁ, ㅂ. 목성형 행성은 지구형 행성에 비해 상대적으로 납작한 모양이어서 편평도가 크고, 태양으로부터 먼 거리에서 공전하므로 공전 주기가 길다.

119 A는 질량과 반지름이 작은 지구형 행성이고, B는 질량과 반지름이 큰 목성형 행성이다.
ㄴ. A는 B보다 태양에서 가까워 온도가 높은 환경에서 형성되었다.
ㄷ. 목성형 행성인 B는 온도가 낮은 환경에서 가벼운 기체들을 중력으로 쉽게 끌어당겨 크게 성장할 수 있었다.
바로알기 | ㄱ. 지구형 행성인 A는 목성형 행성인 B보다 태양으로부터 가까운 곳에서 형성되어 구성 물질의 녹는점이 높다.

120 ㄱ. 태양과 상대적으로 가까운 A에는 원시 지구가 포함되어 있으며 지구형 행성이 형성되었다. 태양으로부터 상대적으로 먼 B에서는 목성형 행성이 형성되었다.
ㄴ. A에서는 온도가 높으므로 녹는점이 높은 무거운 원소가 남아 지구형 행성이 형성되었다.
ㄷ. 녹는점이 낮은 물질은 B로 밀려나 행성을 이루었으므로, 구성 물질의 녹는점은 A보다 B에서 낮았다.

121 ㄱ. A에서는 미행성체가 수소, 헬륨 등을 끌어들여 크게 성장하여 주로 기체로 이루어진 목성형 행성이 되었다.
바로알기 | ㄴ. 태양으로부터의 거리가 가까워 온도가 높은 B에 분포하는 물질은 A에 분포하는 물질에 비해 녹는점이 높다.
ㄷ. 주로 암석 성분인 지구형 행성은 온도가 높고 금속 및 암석 물질이 많이 분포하는 B에서 만들어진다.

122 A는 태양으로부터 멀리 떨어진 곳에 위치하여 온도가 낮고 B는 태양으로부터 가까운 곳에 위치하여 온도가 높다.
모범 답안 태양에 가까운 B는 온도가 높아서 녹는점이 높은 물질만 고체 상태로 남아 주로 금속과 암석 성분이 분포한다. 태양으로부터 멀리 떨어진 A는 온도가 낮아서 녹는점이 낮은 얼음 상태의 이산화 탄소, 메테인, 질소 등이 응축하여 분포한다.

123 X는 지구형 행성이 목성형 행성보다 큰 물리량이고, Y는 목성형 행성이 지구형 행성보다 큰 물리량이다.
ㄴ. 질량은 지구형 행성보다 목성형 행성이 크므로 물리량 Y에 해당한다.
ㄷ. 지구형 행성은 목성형 행성보다 무거운 물질로 이루어져 있다.
바로알기 | ㄱ. 태양으로부터의 거리는 지구형 행성보다 목성형 행성에서 크므로 물리량 X에 적합하지 않다.
ㄹ. 화성은 지구형 행성에 속하고, 토성은 목성형 행성에 속한다.

124 (가)는 지구보다 반지름이 훨씬 크고 평균 밀도는 매우 작으므로 목성형 행성에 속하고, (나)는 목성보다 반지름이 매우 작고 평균 밀도는 훨씬 크므로 지구형 행성에 속한다.
ㄷ. 태양계 행성은 거의 같은 시기에 형성되어 나이가 비슷하다.
바로알기 | ㄱ. (가)는 (나)보다 평균 밀도가 훨씬 작으므로 가벼운 물질들로 이루어져 있다.
ㄴ. (가)는 (나)보다 가벼운 물질로 구성되어 있는 목성형 행성이므로 주요 구성 물질의 녹는점이 (나)보다 낮다.

125 ㉠은 원시 태양으로부터 가까운 곳에서 형성된 원시 행성들로, 지구형 행성이 된다. ㉡은 원시 태양으로부터 먼 곳에서 형성된 원시 행성들로, 목성형 행성이 된다.

모범 답안 **㉠, 지구는 원시 태양으로부터의 거리가 가까워 온도가 높은 환경에서 철, 니켈, 규소와 같은 녹는점이 높은 물질들이 남아 형성되었기 때문에 (나)와 같이 무거운 원소의 비율이 높다.**

126 원시 지구의 진화 과정의 순서는 다음과 같다. (가) 미행성체의 충돌 → (마) 마그마 바다의 형성 → (라) 핵과 맨틀의 분리 → (다) 원시 지각의 형성 → (나) 원시 바다의 형성 → (바) 최초의 생명체 출현

127 **모범 답안** 계속적인 **미행성체의 충돌**로 지구의 온도가 상승하여 액체 상태의 **마그마 바다**가 형성되었다. 마그마 바다 상태에서 물질의 이동이 일어나 **핵과 맨틀의 분리**가 일어났다. 이후 미행성체의 충돌이 줄어들면서 지표가 식어서 **원시 지각**을 형성하였고, 대기 중의 수증기가 응결하여 내린 비가 지각에 모여 **원시 바다**를 형성하였다.

128 ① 미행성체의 충돌에 의해 발생한 열로 지구의 온도가 상승하여 물질이 용융되어 마그마 바다가 형성되었다.
③ 마그마 바다에서 철, 니켈 등의 무거운 물질은 지구 중심부로 가라앉아 핵을 형성하였고, 규산염 물질 등의 상대적으로 가벼운 물질은 위로 떠올라 맨틀을 형성하였다.
⑤ 원시 바다가 형성된 이후 바다 속에서는 태양으로부터 오는 강한 자외선이 차단되므로 바다에서 최초의 생명체가 탄생하였다.
바로알기 | ② 원시 지각이 형성되기 전 지구 전체가 용융 상태인 마그마 바다에서 밀도 차에 의해 물질의 이동이 일어나 지구 내부가 핵과 맨틀로 분리되었다.

129 ① 빅뱅으로 우주에서 생성된 수소, 헬륨과 별 내부에서 핵융합 반응 등으로 만들어진 원소가 우주 공간으로 방출되어 태양계를 만드는 재료가 되었다.
② 태양계 성운이 수축하여 대부분의 성운 물질이 중심부에 모여서 원시 태양이 형성되었다.
바로알기 | ⑤ 지구 표면의 온도가 낮아져 원시 지각과 원시 바다가 형성된 후, 자외선이 차단되는 바다에서 최초의 생명체가 탄생하였다.

130 ㄱ. A 시기에 미행성체 충돌이 활발하여 미행성체 충돌에 의해 발생한 열로 인해 물질이 용융되어 마그마 바다가 형성되었다.
ㄴ. B 과정에서 밀도 차에 의해 밀도가 큰 물질은 가라앉고 밀도가 작은 물질은 떠올라 핵과 맨틀이 분리되었다.
바로알기 | ㄷ. C 과정에서 미행성체의 충돌이 줄어들면서 지구 표면의 온도는 하강하였다.

131 ① (가)에서 미행성체의 충돌이 계속되면서 지구의 온도와 질량은 증가하였다.
② (나)에서 지구 전체가 용융되어 마그마 바다를 이루었다.
③ 마그마 바다에서 물질의 이동이 일어나 핵과 맨틀이 분리되었다.
④ 마그마 바다에서 밀도가 큰 무거운 금속 성분(철, 니켈 등)이 지구 중심 쪽으로 가라앉아 핵을 형성하였다.
⑤ 마그마 바다가 형성된 이후 미행성체의 충돌이 줄어들어 지구 표면의 온도가 낮아지면서 표면이 식어 지각이 형성되었다.
바로알기 | ⑥ (다)에서 지각이 먼저 형성되고 이후에 내린 빗물이 지각의 낮은 곳에 모여서 바다가 형성되었다.
⑦ (다)와 (라) 사이에 오존층이 형성되지 않았으므로 최초의 생명체는 바다에서 탄생하였다. 오존층은 광합성 생물 출현 이후에 형성되었다.

132

무거운 철과 니켈이 가라앉아 핵을 이루고, 가벼운 규산염 물질은 위로 떠올라 맨틀을 이룸
원시 지구
마그마 바다의 형성
핵과 맨틀 형성
원시 지각, 원시 바다 형성
맨틀
지각
내핵
외핵
바다
대기
미행성체들이 충돌하면서 합쳐져서 지구의 질량이 증가하고 온도가 상승하여 마그마 바다를 형성
지표의 냉각으로 원시 지각이 형성된 후 원시 바다가 형성됨
(가)
(나)
(다)
(라)

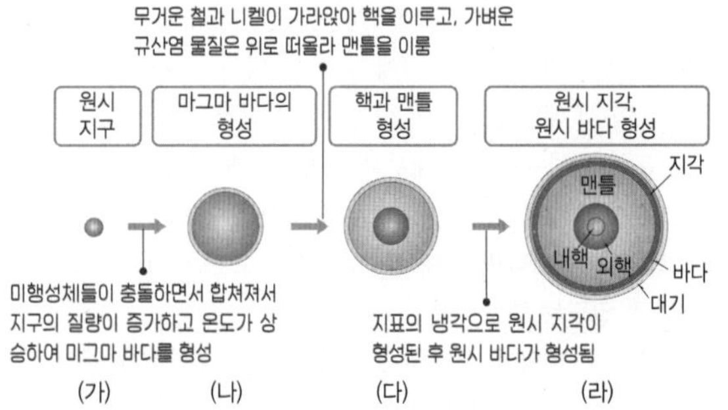

ㄴ. 마그마 바다가 형성된 이후에도 미행성체의 충돌은 일어났으므로 (나) → (다) 과정에서 지구의 질량은 증가하였다.
바로알기 | ㄱ. (가) → (라) 과정에서 지구 표면의 온도는 상승하다가 하강하였다.
ㄷ. (다)에서 무거운 물질이 중심부로 가라앉아 핵을 이루었으므로 (나)보다 (다)에서 지구 중심부의 밀도가 크다.

133 마그마 바다 상태인 (가)에서 밀도 차에 의해 물질이 이동하여 (다)와 같이 되었고, 이후 지표의 냉각으로 원시 지각이 형성되어 (나)와 같이 되었다.

모범 답안 **(가) → (다) → (나), 무거운 금속 성분(철, 니켈 등)이 가라앉아 핵을 형성하였고, 가벼운 물질(규소, 산소 등)은 위로 떠올라 맨틀을 형성하였다.**

134 ㄱ. 원시 지구 대기의 조성은 현재와 다르게 이산화 탄소의 분압이 매우 높았다.
바로알기 | ㄴ. 대기 중의 이산화 탄소가 감소한 주요 원인은 바다가 형성되면서 해수에 용해되었기 때문이다.
ㄷ. ㉠ 시기부터 산소가 대기에 축적되기 시작하였으므로 ㉠ 시기에는 아직 오존층이 형성되지 않았다. 성층권의 오존이 자외선을 차단하여 지상의 생물체를 보호한 것은 훨씬 이후인 고생대에 일어났다.

135 (1) A는 원시 대기에서 분압이 높았던 이산화 탄소이고, B는 지구 형성 약 20억 년부터 대기 중에 축적되기 시작하여 현재는 분압이 높아진 산소이다.
(2) 지구에 바다가 형성되면서 대기 중의 이산화 탄소가 해수에 용해되어 급격히 감소하였다.
(3) 남세균 같은 광합성을 하는 생물체의 출현으로 산소가 생성되기 시작하였고, 이후 대기 중의 산소 분압이 점점 높아졌다.

모범 답안 **(1) A: 이산화 탄소, B: 산소**
(2) 지구에 바다가 형성되면서 이산화 탄소가 해수에 용해되었기 때문이다.
(3) 생물의 광합성으로 산소가 생성되었기 때문이다.

136 바다에서 남세균 같은 광합성을 하는 생물이 출현하면서 광합성을 통해 산소가 생성되었고, 산소가 대기 중으로 늘어가면서 산소 기체의 분압이 커졌다. 오존층이 형성되어 자외선이 차단되면서 고생대에는 육지에서도 생물이 등장하였다.

137 빅뱅 이후에 수소가 생성(㉠)되고, 수소를 포함한 물질 등이 모여서 최초의 별(㉣)이 탄생하였다. 이후로 별 내부에서 핵융합 반응으로 탄소의 생성(㉡)이 일어났고 초신성 폭발(㉢)이 일어나면서 그 밖의 무거운 원소들이 생성되어 우주 공간으로 방출되었다. 이러한 원소들이 모여서 태양계 성운(㉤)이 형성되었고, 성운에서 태양계와 원시 지구가 형성(㉥)되었다. 이후로 원시 지구가 진화하는 과정에서 마그마 바다(㉦)가 형성되었고, 지구가 냉각되는 과정에서 원시 지각이 형성되고 대기 중 수증기의 응결로 내린 빗물이 모여서 원시 바다(㉧)가 형성되었다. 그후 자외선이 차단되는 바다에서 생명체가 탄생하였다.

138 우주에서 가장 많은 질량을 차지하는 것은 수소, 지구에서 가장 많은 질량은 차지하는 것은 철, 사람을 구성하는 원소 중 가장 많은 질량을 차지하는 것은 산소이다.

139 우주에서 수소 다음으로 가장 큰 질량비를 차지하는 것은 헬륨이고, 지구를 구성하는 물질 중 질량비가 큰 순서로 나열하면 철>산소>규소>마그네슘>기타 순이다.

140 ㄱ. 별빛의 스펙트럼 분석을 통해 조사해 보면 우주에 분포하는 원소들의 질량비는 수소가 약 74 %, 헬륨이 약 24 %를 차지하므로 수소와 헬륨은 약 3 : 1의 질량비로 분포한다.

바로알기 | ㄷ. 사람의 몸에서 물이 약 70 %를 차지하며 물은 수소와 산소로 이루어져 있다. 따라서 사람의 몸을 구성하는 원소 중 수소보다 무거운 산소가 가장 많은 질량비를 차지한다.

141 우주에서는 수소가 가장 많고, 그 다음으로 큰 질량비를 차지하는 것은 헬륨이므로 (가)는 수소, (나)는 헬륨이다. 지구를 구성하는 원소의 질량비는 철>산소>규소>마그네슘>기타 순이므로 (다)는 철, (라)는 산소, (마)는 규소이다.

ㄷ. 철인 (다)는 중심 온도가 높은 질량이 태양의 10배 이상인 별의 내부에서 만들어진다.

ㄹ. 산소인 (라)와 규소인 (마)는 지각에서 대부분 규산염 광물의 형태로 존재한다.

바로알기 | ㄱ. 사람의 몸에 가장 많은 원소는 산소인 (라)이다.

ㄴ. 수소(H)인 (가)와 산소(O)인 (라)가 결합하여 물(H_2O)이 되었고 물이 모여 지구에 바다가 형성되었다.

142 A는 산소, B는 탄소, C는 수소, D는 철, E는 산소이다.

ㄴ. 사람에 몸에 두 번째로 많은 원소는 탄소이다.

바로알기 | ㄱ. A는 산소이고, D는 철이다.

ㄷ. C는 수소로, 지구 대기의 주요 성분(질소, 산소)이 아니다. D는 철로, 지구 대기에 존재하지 않으며 지구 내부에 높은 비율로 존재한다.

143

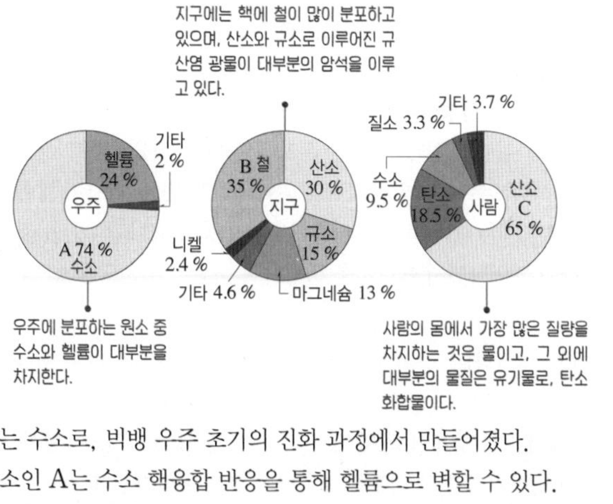

지구에는 핵에 철이 많이 분포하고 있으며, 산소와 규소로 이루어진 규산염 광물이 대부분의 암석을 이루고 있다.

우주: 헬륨 24 %, 기타 2 %, A 74 % 수소
지구: B 철 35 %, 산소 30 %, 규소 15 %, 마그네슘 13 %, 기타 4.6 %, 니켈 2.4 %
사람: 산소 C 65 %, 탄소 18.5 %, 수소 9.5 %, 질소 3.3 %, 기타 3.7 %

우주에 분포하는 원소 중 수소와 헬륨이 대부분을 차지한다.

사람의 몸에서 가장 많은 질량을 차지하는 것은 물이고, 그 외에 대부분의 물질은 유기물로, 탄소 화합물이다.

① A는 수소로, 빅뱅 우주 초기의 진화 과정에서 만들어졌다.

② 수소인 A는 수소 핵융합 반응을 통해 헬륨으로 변할 수 있다.

⑤ B는 철로, 철보다 무거운 원소는 초신성 폭발 과정에서 생성된다.

⑦ 지구 구성 물질은 철, 산소, 규소가 대부분을 차지하고 우주는 수소와 헬륨이 대부분을 차지하므로 지구는 우주보다 무거운 원소들의 비율이 높다.

⑧ 지구와 사람을 구성하는 주요 원소는 철, 산소, 탄소 등의 무거운 원소들이 많으며 이러한 원소들은 별의 진화 과정에서 생성되어 우주로 방출된 것들이다.

바로알기 | ③ 태양과 질량이 비슷한 별의 내부에서는 철(B)이 만들어질 때까지 핵융합 반응이 진행되지 않으므로 철이 만들어질 수 없다.

④ 철(B)은 초거성 단계에서 규소 핵융합 반응으로 생성된다.

⑥ 지구의 핵을 구성하는 금속 원소는 대부분 철이고 니켈이 조금 포함되어 있으며, 산소는 핵에 존재하지 않는다.

최고 수준 도전 기출 (01~04강)

36~37쪽

144 ③	145 ①	146 ③	147 ⑤	148 ①
149 해설 참조		150 ③	151 ④	152 ⑤

144 ③ 저온 기체관을 통과한 백열등 빛의 스펙트럼은 흡수 스펙트럼이므로 B에 해당한다. 저온 기체관에 수소 기체가 들어 있다면 수소의 방출 스펙트럼인 C와 흡수 스펙트럼인 B의 선의 개수와 위치가 같아야 하는데 서로 다르므로 저온 기체관에 들어 있는 기체는 수소가 아니다.

바로알기 | ① 수소 기체 방전관에서 나오는 빛의 스펙트럼은 검은색 바탕에 밝은 선이 보이는 방출 스펙트럼이므로 C에 해당한다.

② 백열등에서 나오는 빛의 스펙트럼은 연속 스펙트럼이므로 A이다.

④ 수소 원자의 에너지 준위는 불연속적이므로 스펙트럼에 일정한 개수의 스펙트럼 선만이 나타난다.

⑤ 흰색이 표현된 칼라 LCD 화면에서 나오는 빛은 빛의 삼원색인 빨강, 파랑, 초록이 나오는 것이고, 흰색은 이 세 가지의 빛을 모두 섞었을 때 나온다. 따라서 LCD 화면에서 나오는 빛의 스펙트럼은 세 가지 색이 밝게 나오는 D이다.

145 ㄱ. 우리은하로부터 거리가 먼 은하일수록 후퇴 속도가 빠르다.

ㄴ. 광원이 관측자로부터 멀어지면 적색 편이가 나타난다. 우리은하에서 관측할 때 은하 A~C는 모두 우리은하로부터 멀어지므로 적색 편이가 나타난다.

바로알기 | ㄷ. 은하 C의 후퇴 속도가 은하 B보다 크므로 은하 C에서 관측하면 은하 B는 2100 km/s로 멀어지고 있다.

ㄹ. 은하 A에 허블 법칙 $V=H \cdot r$(V: 후퇴 속도, H: 허블 상수, r: 거리)을 적용하면 허블 상수(H)는 70 km/s/Mpc이다.

3500 km/s$=H\times$50 Mpc, $H=$70 km/s/Mpc

146

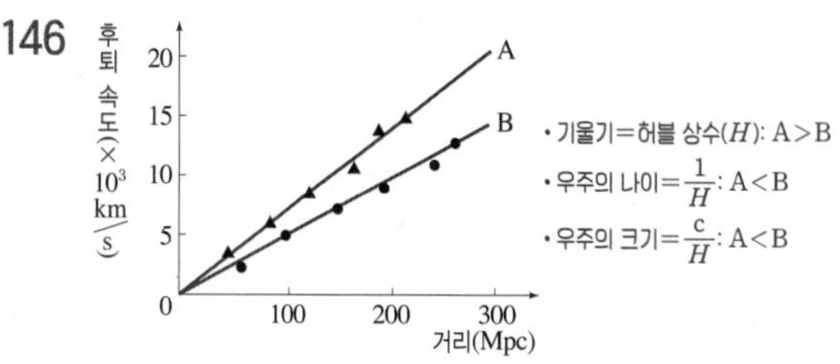

ㄱ. 허블 상수 $(H)=\frac{V}{r}$이므로 거리-속력 그래프에서 기울기에 해당한다. 따라서 A가 B보다 크다.

ㄷ. 그래프의 기울기가 클수록 즉, 허블 상수가 클수록 우주가 빠르게 팽창함을 의미한다. 따라서 우주의 팽창 속도는 허블 상수가 큰 A가 B보다 빠르다.

바로알기 | ㄴ. 우주의 나이는 허블 상수의 역수이므로 기울기가 작은 B가 A보다 우주의 나이가 많다.

개념 보충

허블 법칙에서 우주의 나이와 크기

- **우주의 나이(t)**: 우주가 일정한 속도로 팽창했다고 가정할 때 허블 법칙으로부터 우주의 나이는 $t=\frac{1}{H}$로, 허블 상수(H)의 역수이다.
- **우주의 크기(r)**: 관측 가능한 우주의 크기(r)는 빛의 속도(c)로 멀어지는 은하까지의 거리에 해당한다. $c=H\times r$에서 관측 가능한 우주의 크기는 $r=\frac{c}{H}$이다.

147 ㄱ. 우주 배경 복사는 빅뱅으로 팽창하는 우주에서 원자 형성 당시에 방출된 복사 에너지의 파장이 길어져서 현재 약 2.7 K인 흑체가 방출하는 복사 에너지의 파장과 같은 에너지 분포로 관측되는 것이다. 따라서 우주 배경 복사는 빅뱅 우주론의 증거가 된다.

ㄷ. 현재 우주 배경 복사에서 복사 강도가 최대인 파장은 우주 탄생 초기에 복사 강도가 최대였던 파장에 비하여 길다.

바로알기 | ㄴ. 우주 배경 복사가 방출되었던 시기에 우주의 온도는 약 3000 K으로 현재보다 매우 높았는데, 우주가 팽창하면서 파장이 길어져서 현재는 약 2.7 K 복사로 관측된다.

개념 보충

흑체 복사와 온도

- **흑체 복사**: 입사하는 모든 복사 에너지를 흡수하고, 흡수한 복사 에너지를 모두 방출하는 이상적인 물체
- **플랑크 곡선**: 흑체가 방출하는 파장에 따른 복사 에너지 세기를 나타낸 곡선
- **빈의 변위 법칙**: 흑체가 에너지를 최대 세기로 방출하는 파장(λ_{max})은 표면 온도(T)가 높을수록 짧다.

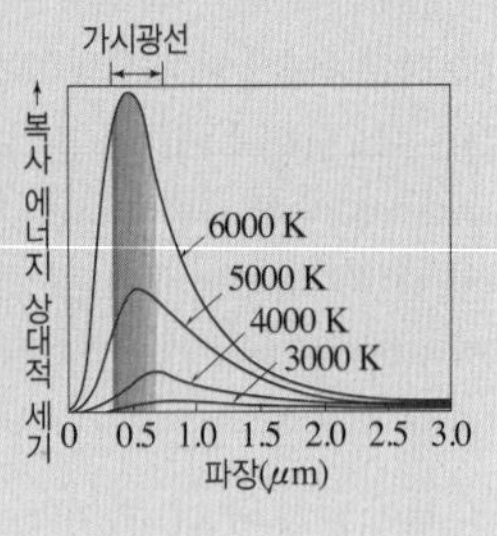

148

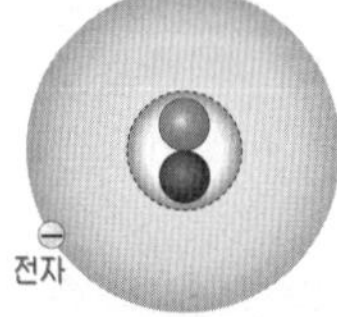

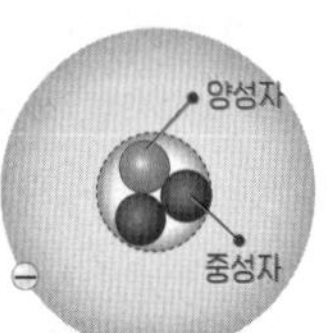

전자 수=양성자수=1
(가) 중수소 원자

전자 수=양성자수=1
(나) 삼중수소 원자

원자는 양성자수와 같은 수의 전자가 결합하여 전기적으로 중성을 띤다. 따라서 중성을 띠는 원자에서 전자 수는 양성자수와 같으므로 전자 수로 양성자를 알아낸 후, 양성자로 원자의 종류를 구별할 수 있다. 모형에서 음전하를 띠는 ⊖가 전자이므로 (나)에서 전자와 같은 수인 ●은 양성자이고, ●은 중성자이다.

② 원자에서 ●은 양성자이고, 양성자의 개수는 원자 번호와 같다.

③ (가)와 (나)는 질량수가 다르지만, 양성자수가 같은 동위 원소이다.

④ ● 입자는 중성자이므로 전하를 띠지 않는다.

⑤ ⊖은 기본 입자인 전자이므로 빅뱅 우주 초기에 가장 먼저 생성되었고, ●은 중성자이므로 전자보다 나중에 생성되었다.

바로알기 | ① (가)는 양성자 1개와 중성자 1개로 이루어진 중수소 원자이고, (나)는 양성자 1개와 중성자 2개로 이루어진 삼중수소 원자이다.

149

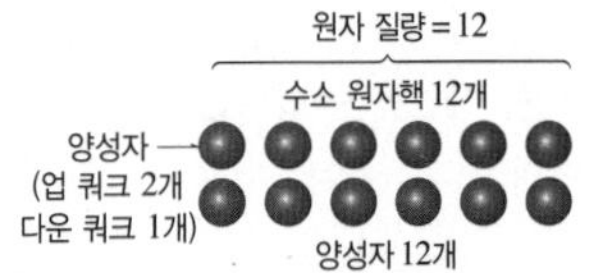

모범 답안 (1) 표에서 수소와 헬륨의 질량비는 73.9 % : 24.0 %이므로 약 3 : 1이다. 헬륨 원자핵 1개의 질량은 수소 원자핵 1개의 약 4배이므로 수소 원자핵과 헬륨 원자핵의 개수비는 12 : 1이다.

(2) 수소 원자핵은 양성자 1개로 이루어져 있고, 헬륨 원자핵은 양성자 2개와 중성자 2개로 이루어져 있으므로 양성자와 중성자의 개수비는 14 : 2이므로 7 : 1이다.

(3) 양성자는 업 쿼크 2개+다운 쿼크 1개로 구성되어 있고, 중성자는 업 쿼크 1개+다운 쿼크 2개로 구성되어 있으므로 총 업 쿼크 수는 $7\times2+1\times1=15$이고 다운 쿼크 수는 $7\times1+1\times2=9$이다. 따라서 업 쿼크와 다운 쿼크의 개수비는 15 : 9이므로 5 : 3이다.

150 주계열성인 태양이 적색 거성으로 진화하면 바깥층이 팽창하여 반지름이 커지고 표면 온도는 낮아지며, 절대 밝기(광도)는 커진다. 또한, 수소 핵융합 반응으로 수소가 소진되므로 수소의 함량은 적어진다.

개념 보충

별의 밝기(광도)

별이 단위 시간 동안 방출하는 에너지의 총량을 광도(L)라고 한다. 반지름이 R인 별의 광도는 별의 표면적과 별이 단위 시간 동안 단위 면적에서 방출하는 에너지양을 곱하여 얻을 수 있다. 즉, 별의 반지름이 클수록, 별의 표면 온도가 높을수록 밝기(광도)는 밝아진다. 별이 적색 거성으로 진화하면 표면 온도가 낮아지지만 반지름이 매우 커지기 때문에 밝기가 밝아진다.

151 그림은 별에서 에너지가 생성되는 두 가지 에너지원을 나타낸 것으로, (가)는 중력 수축에 의해, (나)는 수소 핵융합 반응에 의해 에너지가 생성되는 모습이다.

① 원시별의 에너지원은 (가)와 같은 중력 수축 에너지이다.

② 별의 중심부에서 핵융합 반응이 끝나면 중력이 내부 압력에 비해 커지므로 중력 수축이 일어나고, 중력 수축에 의해 방출되는 열에너지로 인해 별 중심부의 온도가 상승한다.

③ 태양은 현재 주계열성으로, 주로 (나)와 같은 수소 핵융합 반응으로 에너지를 생성한다.

⑤ 별의 질량이 클수록 중심 온도가 높아서 핵융합으로 에너지를 많이 생성하므로 수소가 빨리 소진되어 에너지 생성 기간이 짧아진다.

바로알기 | ④ 별의 중심핵에서 핵융합 반응이 끝나면 (가)와 같은 중력 수축이 일어나면서 에너지를 생성하여 중심부의 온도를 높인다.

152 ⑤ (나)는 중심에서 헬륨 핵융합 반응이 일어나는 거성 단계에 있는 별로, (가)의 진화 과정에서 B 단계에 해당한다.

바로알기 | ① 주계열성(A)에서 적색 거성(B)으로 진화하면서 표면 온도는 낮아지지만, 중심부는 수축하여 온도가 높아진다.

② 백색 왜성은 핵융합 반응이 끝난 후 헬륨핵이 수축하여 형성되었고, 적색 거성은 별이 팽창하여 형성되었으므로 백색 왜성인 D는 적색 거성인 B보다 별의 평균 밀도가 크다.

③ 철보다 무거운 원소는 질량이 큰 별의 진화 과정 중 초신성 폭발 과정에서 생성된다.

④ (나)의 중심에서 일어나는 헬륨 핵융합 반응은 헬륨 원자핵 3개가 핵융합하여 탄소 원자핵 1개를 생성한다.

05 원소와 주기율표

빈출 자료 보기 39쪽

153 (1) ○ (2) ○ (3) × (4) ×

154 (1) × (2) × (3) × (4) ○

155 (1) ○ (2) ○ (3) ○ (4) × (5) ○ (6) × (7) × (8) ○

153 **바로알기 |** (3) (다)는 모즐리의 업적을 나타낸 것이다.
(4) (가)는 되베라이너, (나)는 멘델레예프, (다)는 모즐리의 업적을 나타낸 것으로, 주기율표의 발견 과정은 (가)－(나)－(다) 순이다.

154 **바로알기 |** (1) 가로줄을 주기라고 하며, 1～7주기가 있다.
(2) 세로줄을 족이라고 하며, 1～18족이 있다.
(3) H, Li, Na은 같은 족 원소이지만, H는 비금속 원소이고 Li과 Na은 금속 원소이므로 화학적 성질이 다르다.

155 **바로알기 |** (4) (다) 영역에 속하는 원소들은 비금속 원소이다. 비금속 원소는 전자를 얻어 음이온이 되기 쉽다.(단, 18족 예외)
(6) (가) 영역에 속하는 금속 원소는 (다) 영역에 속하는 비금속 원소에 비해 열과 전기가 잘 통한다.
(7) (가) 영역에 속하는 금속 원소는 힘을 가할 때 부서지지 않고 얇게 펴지는 성질이 있다.

난이도별 필수 기출 40～43쪽

156 ①, ⑤	157 ④	158 ①	159 해설 참조		160 ⑤
161 ②	162 ①	163 ④	164 ③	165 ③	166 ④
167 ⑤	168 해설 참조		169 ②, ⑥	170 ②	171 ④
172 ⑤	173 ③	174 ⑤	175 ③		

156 ② 원소는 더 이상 다른 물질로 분해되지 않는다.
③, ④ 현재까지 알려진 110여 종의 원소가 다양한 방법으로 결합하여 화합물을 형성하므로 물질의 종류는 원소의 종류에 비해 매우 많다.
⑥ 원소는 전기 전도성, 열 전도성 등에 따라 금속 원소와 비금속 원소로 분류할 수 있다.
바로알기 | ① 물질을 이루는 기본 입자는 원자이다.
⑤ 물질은 한 가지 원소로 이루어진 물질과 두 가지 이상의 원소로 이루어진 화합물이 있다.

157 ④ 주기율의 발견과 관련된 과학자들을 시대 순으로 나열하면 되베라이너(1817년)－멘델레예프(1869년)－모즐리(1913년)이다.

158 ㄱ. 되베라이너는 성질이 비슷한 세 쌍 원소들의 원자량 사이에는 일정한 관계가 있다는 것을 발견하고 세 쌍 원소설을 제안하였다.
바로알기 | ㄴ. 멘델레예프는 당시까지 발견된 63종의 원소들을 원자량 순으로 배열하여 성질이 비슷한 원소가 주기적으로 나타나도록 하는 최초의 주기율표를 만들었다.
ㄷ. 모즐리는 원소의 화학적 성질이 원자 번호에 의해 나타나는 것을 발견하여 멘델레예프가 만든 주기율표에서 몇몇 원소들의 성질이 주기성에 벗어나는 문제점을 해결하였다.

159 멘델레예프는 원소들을 원자량 순으로 배열하여 성질이 비슷한 원소가 주기적으로 나타나는 주기율표를 만들었다. 멘델레예프의 주기율표는 몇몇 원소들의 성질이 주기성에 벗어나는 문제점이 있었는데, 모즐리는 원소들의 성질이 원자 번호에 의해 나타나는 것을 밝혀내고 원소들을 원자 번호 순으로 배열하여 현대의 주기율표를 만들었다.
모범 답안 멘델레예프의 주기율표는 원소들을 원자량 순으로 배열하여 성질이 비슷한 원소가 주기적으로 나타나도록 만든 것이고, 모즐리의 주기율표는 원소들을 원자 번호 순으로 배열하여 성질이 비슷한 원소가 주기적으로 나타나도록 만든 것이다.

160 ⑤ 멘델레예프는 원소들의 상대적 질량인 원자량 순으로 원소들을 배열하여 주기율표를 만들었다.
바로알기 | ① 라부아지에는 화학적 방법으로 더 이상 분해되지 않는 물질들을 원소라고 정의하고, 33종의 원소들을 성질에 따라 몇 가지로 분류하였다.
② 뉴랜즈는 원소들을 원자량 순으로 배열했을 때 화학적 성질이 비슷한 원소가 여덟 번째마다 나타남을 발견하였다.
③ 되베라이너는 화학적 성질이 비슷한 세 쌍 원소들의 원자량 사이에는 일정한 관계가 있음을 발견하였다.
④ 모즐리는 원소들을 원자 번호 순으로 배열하여 멘델레예프 주기율표의 문제점을 보완하였다.

161 ② 현대의 주기율표는 원소들을 원자 번호 순으로 나열하여 만든 것이다.
바로알기 | ① 멘델레예프의 주기율표는 원자량을 기준으로 원소들을 나열하여 만든 것이다.
③, ④, ⑤ 원자를 구성하는 중성자수나 원소를 발견한 순서, 원자의 크기는 주기율표를 만든 기준으로 사용되지 않았다.

162 ① 현대의 주기율표는 모즐리가 만든 것으로, 현대의 주기율표에서 가로줄을 주기, 세로줄을 족이라고 한다.

163 ① 현대의 주기율표는 원소들을 원자 번호 순으로 나열하여 화학적 성질이 비슷한 원소가 주기적으로 나타나도록 배열한 표이다.
②, ③ 현대의 주기율표는 7개의 주기와 18개의 족으로 구성된다. 같은 족에 속한 원소들은 화학적 성질이 비슷하다.
⑤, ⑥ 탄소는 2주기 14족 원소이고, 마그네슘과 염소는 같은 가로줄에 속하므로 같은 주기 원소이다.
바로알기 | ④ 주기율표의 왼쪽과 가운데에는 주로 금속 원소가, 오른쪽에는 비금속 원소가 위치한다.

164 ③ 플루오린(F)은 2주기 17족 원소이다. 3주기 17족 원소인 염소(Cl), 4주기 17족 원소인 브로민(Br)은 플루오린과 같은 족 원소이므로 화학적 성질이 비슷하다.
바로알기 | ①, ④ 수소(H), 리튬(Li), 나트륨(Na), 칼륨(K)은 모두 1족 원소이다.
② 탄소(C)와 질소(N)는 플루오린(F)과 같은 주기 원소이다.
⑤ 칼륨(K)은 1족 원소이고, 아이오딘(I)은 17족 원소이다.

165 ㄷ. B(F)와 C(Cl)는 같은 족 원소로, 화학적 성질이 비슷하다.
바로알기 | ㄱ. 주기율표의 세로줄에 해당하는 ㉠은 족, 가로줄에 해당하는 ㉡은 주기를 의미한다.
ㄴ. A는 주기율표의 왼쪽에 위치하지만 1주기 1족 원소는 비금속 원소인 수소(H)이다.

166 ④ 광택이 있고, 열 전도성과 전기 전도성이 있는 것은 금속 원소이다. 나트륨(Na)은 주기율표의 왼쪽에 위치하는 금속 원소이다.

바로알기 | ①, ②, ③, ⑤ 헬륨(He), 질소(N), 염소(Cl), 플루오린(F)은 주기율표의 오른쪽에 위치하는 비금속 원소로, 광택이 없고 열 전도성과 전기 전도성이 없다.

167 ⑤ 주기율표에서 H를 제외한 1족 원소와 2족 원소는 금속 원소이고, H와 16족에 속하는 O, S은 비금속 원소이다.

바로알기 | ① H는 비금속 원소이고, Mg은 금속 원소이다.
② H, S은 비금속 원소이고, Li, Mg은 금속 원소이다.
③ H, O, S은 비금속 원소이고, Li, Mg, K은 금속 원소이다.
④ O는 비금속 원소이고, K은 금속 원소이다.

168 모범 답안 금속 원소는 열을 잘 통하고(열 전도성이 있고), 전기가 잘 통하며(전기 전도성이 있으며), 힘을 가하면 얇게 펴지거나 길게 늘어나는 성질이 있고, 특유의 광택이 있다. 중 세 가지

169 ② 금속 원소는 비금속 원소보다 전기가 잘 통하는 성질이 있다.
⑥ 금속 원소는 힘을 가해도 부서지지 않고 얇게 펴지는 성질이 있어 알루미늄박 등을 만들어 사용한다.

바로알기 | ① 금속 원소의 수는 비금속 원소의 수보다 많다.
③ 금속 원소는 비금속 원소보다 열을 잘 전달하는 성질이 있어 주방 기구 등에 사용된다.
④ 금속 원소는 전자를 잃고 양이온이 되기 쉽다.
⑤ 비금속 원소는 실온에서 기체(수소, 산소, 질소 등), 액체(브로민), 고체(황, 인 등) 등으로 존재한다.
⑦ 브로민(Br)은 비금속 원소이다.

170 영역 Ⅰ에는 금속 원소가 위치하고, 영역 Ⅱ에는 비금속 원소가 위치한다.
ㄴ. 영역 Ⅰ에 위치하는 금속 원소는 실온에서 대부분 고체 상태로 존재한다.

바로알기 | ㄱ. 수소(H)는 비금속 원소이지만 원자 번호가 1번이므로 1주기 1족에 속한다. 따라서 수소는 영역 Ⅱ에 속한다.
ㄷ. 영역 Ⅱ에 속하는 원소들은 비금속 원소로, 열 전도성이나 전기 전도성이 없다.

171

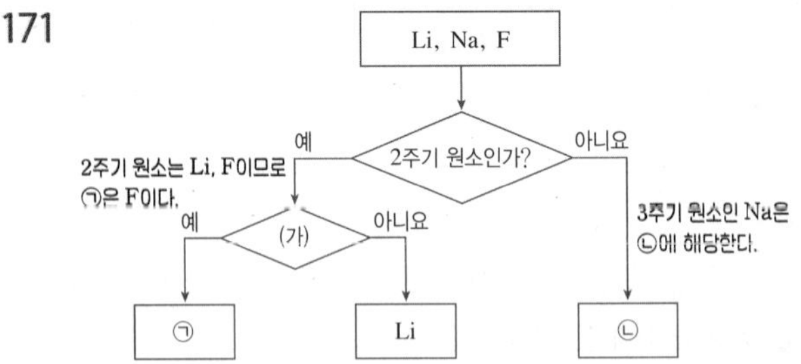

ㄱ. ㉠은 F으로 비금속 원소이고, Li은 금속 원소이다. 따라서 (가)는 '비금속 원소인가?'를 적용할 수 있다.
ㄷ. ㉡은 3주기 금속 원소인 Na으로, 전자를 잃고 양이온이 되기 쉽다.

바로알기 | ㄴ. ㉠은 F으로, 17족 원소이다. Li은 1족 원소이므로 ㉠과 Li은 서로 다른 족 원소이다.

172 A는 헬륨(He), B는 리튬(Li), C는 산소(O), D는 플루오린(F), E는 네온(Ne), F는 나트륨(Na), G는 알루미늄(Al)이다. (가)는 금속 원소, (나)는 비금속 원소이므로 분류 기준은 금속 원소와 비금속 원소의 성질이 적절하다.
ㄴ. (가)의 금속 원소는 광택이 있고, (나)의 비금속 원소는 광택이 없다. 따라서 광택의 유무는 (가)와 (나)로 분류하는 적절한 기준이다.
ㄷ. (가)의 금속 원소는 열과 전기가 잘 통하고, (나)의 비금속 원소는 열과 전기가 잘 통하지 않는다. 따라서 열과 전기가 잘 통하는지의 여부는 (가)와 (나)로 분류하는 적절한 기준이다.

바로알기 | ㄱ. 물에 녹는지의 여부는 금속 원소와 비금속 원소의 일반적인 성질이 아니라 원소의 개별적인 성질이므로 (가)와 (나)로 분류하는 적절한 기준이 아니다.

173 ㄱ. (가)와 (나)는 모두 금속 원소로, 실온에서 고체 상태이다.
ㄴ. (다)에 속하는 원소 중 브로민(Br)은 실온에서 액체 상태이다.

바로알기 | ㄷ. 금속 원소인 (가)와 (나)는 전자를 잃고 양이온이 되기 쉽고, 비금속 원소인 (다)는 전자를 얻어 음이온이 되기 쉽다. 18족 원소인 (라)는 안정하여 양이온이나 음이온이 되려는 경향이 거의 없다.

174 ① A는 2주기 15족 원소인 질소(N)이다. 질소는 공기의 성분이며, 반응성이 매우 작아 과자 봉지의 충전 기체로 이용된다.
② B는 2주기 16족 원소인 산소(O)이다. 산소는 공기의 성분이며, 생명체의 호흡에 이용된다.
③ C는 3주기 13족 원소인 알루미늄(Al)이다. 알루미늄은 외부에서 힘을 가하면 얇게 펴지는 성질이 있어 알루미늄박을 만들어 사용할 수 있다.
④ D는 3주기 15족 원소인 인(P)이다. 인은 비금속 원소로, 성냥 제조에 이용된다.

바로알기 | ⑤ E는 4주기 2족 원소인 칼슘(Ca)이다. 금속 원소인 칼슘은 전기가 잘 통하지만 반응성이 너무 커서 전선에 이용되지 않는다. 전선에는 전기가 잘 통하면서도 반응성이 비교적 작은 구리(Cu)가 주로 이용된다.

175 A~D 중 같은 족 원소는 같은 세로줄에 속하므로 A와 B는 각각 1주기 1족 원소인 수소(H)와 3주기 1족 원소인 나트륨(Na) 중 하나이다. 같은 주기 원소는 같은 가로줄에 속하므로 B와 C는 각각 3주기 원소이다. 이를 적용하여 주기율표에 A~D를 표시하면 다음과 같다.

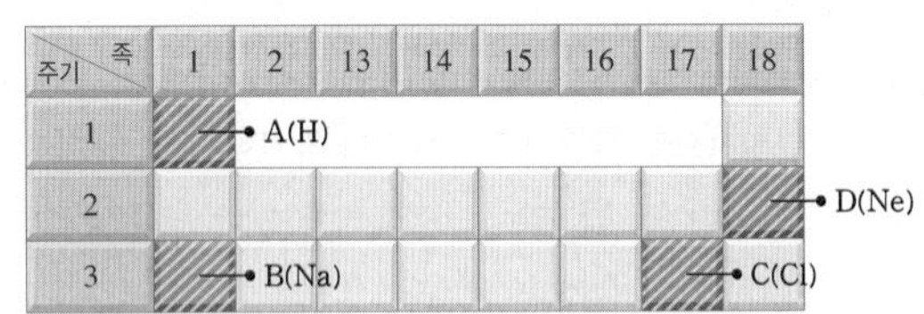

ㄱ. 1족에 속하는 A는 비금속 원소인 수소이므로 A~D 중 금속 원소는 B 한 가지이다.
ㄷ. A는 수소, B는 나트륨, C는 염소(Cl), D는 네온(Ne)이다.

바로알기 | ㄴ. A~D 중 원자 번호가 가장 큰 원소는 C이다.

06 알칼리 금속과 할로젠

빈출 자료 보기 45쪽

176 (1) ○ (2) ○ (3) × (4) ○ (5) ○

177 (1) × (2) ○ (3) ○ (4) × (5) ○ (6) ○

176 **바로알기 |** (3) 알칼리 금속은 물과 반응하여 수소 기체를 발생하는데 알칼리 금속의 반응성은 원자 번호가 클수록 커진다. 따라서 반응성은 리튬<나트륨<칼륨 순이다.

177 **바로알기 |** (1) 할로젠은 비금속 원소로, 전기가 잘 통하지 않는다. (4) 할로젠은 원자 번호가 작을수록 반응성이 크다.

난이도별 필수 기출

46~49쪽

178 ④	179 ④	180 ②	181 해설 참조	
182 해설 참조		183 ②	184 ②, ⑤	185 해설 참조
186 ②	187 ①	188 ④	189 ②, ⑥	190 ⑤
191 $H_2+I_2 \longrightarrow 2HI$		192 ⑤	193 ①	194 ④	195 ①
196 ⑥	197 ⑤			

178 ① 알칼리 금속은 1족 원소 중 수소(H)를 제외한 원소이다.
② 알칼리 금속은 다른 금속에 비해 밀도가 작아 리튬(Li), 나트륨(Na)은 물 위에 뜬다.
③ 알칼리 금속은 반응성이 커서 물과 반응하여 수소 기체를 발생한다.
⑤ 알칼리 금속은 원자 번호가 클수록 반응성이 커진다.
바로알기 | ④ 알칼리 금속은 반응성이 커서 공기 중의 산소, 물과 잘 반응하므로 공기나 물과 접촉하지 않도록 석유, 액체 파라핀 등에 넣어 보관한다.

179 ㄱ. (가)는 알칼리 금속으로, 실온에서 고체 상태로 존재한다.
ㄷ. 알칼리 금속은 반응성이 커서 공기 중의 산소와 빠르게 반응하여 산화물을 생성하므로 광택이 빠르게 사라진다.
바로알기 | ㄴ. 알칼리 금속은 전자를 잃고 양이온이 되기 쉽다.

180

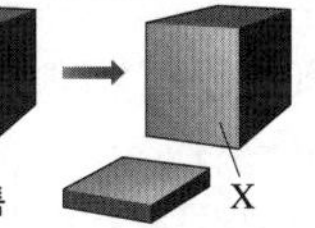
리튬(Li)은 알칼리 금속으로 광택이 있다.
자른 단면의 리튬이 공기 중의 산소와 빠르게 반응하므로 광택이 사라진다.
리튬
X

ㄱ. X는 리튬(Li)이 산소와 반응하여 생성된 물질이다.
ㄴ. 자른 단면의 광택이 사라지는 것으로 보아 리튬의 반응성이 크다는 것을 확인할 수 있다.
바로알기 | ㄷ. 이 현상으로 리튬이 산소와 반응하여 물질 X가 생성되는 것을 알 수 있지만, 다른 금속보다 밀도가 작은 것은 확인할 수 없다.

181 **모범 답안** 알칼리 금속은 물이나 공기 중의 산소와 잘 반응하기 때문에 물이나 산소와 접촉하지 않게 하기 위함이다.

182 **모범 답안** 붉은색, 알칼리 금속과 물이 반응하면 수소 기체가 발생하고 용액은 염기성을 띠기 때문이다.

183 ㄱ. 알칼리 금속 A~C와 물의 반응 정도가 A<B<C이므로, 알칼리 금속의 반응성은 A<B<C이다.
ㄴ. 알칼리 금속 A~C는 같은 족 원소로, 화학적 성질이 비슷하다. 즉 알칼리 금속은 물과 반응하여 모두 수소 기체를 발생하고 용액은 염기성을 띠므로, 반응 후 수용액의 색 변화는 모두 붉은색으로 같다.
바로알기 | ㄷ. 알칼리 금속의 반응성은 원자 번호가 클수록 크다. A~C는 2~4주기 알칼리 금속이고, 알칼리 금속의 반응성은 A<B<C이므로 A는 2주기 원소인 리튬(Li), B는 3주기 원소인 나트륨(Na), C는 4주기 원소인 칼륨(K)이다. 따라서 반응 후 수용액에는 나트륨 이온(Na^+)이 포함되어 있으므로 불꽃 반응 색은 노란색이다.

184 ① (가)에서 나트륨(Na) 금속을 칼로 잘랐을 때 단면을 쉽게 얻은 것으로 보아 칼로 자를 정도로 무른 금속임을 알 수 있다.
③ (나)에서 물에 나트륨 조각을 넣을 때 물 위에 떠서 반응하는 것으로 보아 나트륨은 물보다 밀도가 작다.
④ 나트륨과 물이 반응한 후 용액이 붉은색으로 변했으므로 용액은 염기성을 나타낸다.
바로알기 | ② 나트륨은 공기 중의 산소와 반응하여 화합물을 생성하므로 광택을 잃는다.
⑤ 알칼리 금속의 반응성은 원자 번호가 클수록 크다. 따라서 반응성은 칼륨(K)이 나트륨보다 크므로 (나)에서 나트륨 대신 칼륨을 사용하면 나트륨보다 빠르게 반응한다.

185 **모범 답안** 알칼리 금속은 1족 원소로, 같은 족 원소는 화학적 성질이 비슷하기 때문이다.

186 ② 세 금속은 산소와 반응하여 산화물을 만드는 성질, 물과 반응하여 기체를 발생시키는 등 화학적 성질이 비슷하다.
바로알기 | ① 알칼리 금속은 같은 족 원소이다.
③ 세 금속의 반응 정도를 비교할 때 산소와 반응하여 광택이 사라지는 정도와 물과 반응하는 정도는 칼륨이 가장 크다.
④ 세 금속과 물이 반응하면 수소 기체가 발생한다.
⑤ 알칼리 금속은 반응성이 커서 공기 중의 산소, 물과 반응을 잘 하므로 산소 또는 물의 접촉을 막기 위해 석유, 벤젠, 액체 파라핀 등에 넣어 보관한다.

187 ㄱ. 할로젠은 17족에 속하는 원소로, 모두 비금속 원소이다.
바로알기 | ㄴ. 할로젠 중 플루오린, 염소는 실온에서 기체 상태, 브로민은 액체 상태, 아이오딘은 고체 상태로 존재한다.
ㄷ. 할로젠은 반응성이 매우 커서 다른 원소와 잘 반응하여 화합물을 생성한다.

188 ①, ② 할로젠은 각각 특유의 색을 나타내며, 전자를 얻어 음이온이 되기 쉽다.
③ 실온에서는 원자 2개가 결합한 이원자 분자로 존재한다.
⑤ 할로젠이 수소와 결합한 화합물은 물에 녹아 산성을 띤다.
바로알기 | ④ 할로젠은 원자 번호가 작을수록 반응성이 크다.

189 2~4주기 할로젠은 각각 F_2, Cl_2, Br_2이며, 할로젠의 반응성은 원자 번호가 작을수록 크다. 따라서 나트륨, 수소와의 반응 정도로 볼 때 반응성이 가장 큰 A_2는 F_2이고, B_2는 Cl_2, C_2는 Br_2이다.
① 할로젠은 17족 원소이다.
③ 할로젠은 비금속 원소이므로 열과 전기가 잘 통하지 않는다.
④ A_2와 B_2의 끓는점은 실온(25 °C)보다 낮으므로 실온에서 기체 상태로 존재하고, C_2의 녹는점은 실온보다 낮고, 끓는점은 실온보다 높으므로 액체 상태로 존재한다.
⑤ 할로젠은 반응성이 커서 나트륨이나 수소와 반응하여 화합물을 생성한다.
바로알기 | ② 원자 번호는 반응성이 가장 큰 A_2가 가장 작고, 반응성이 가장 작은 C_2가 가장 크다. 즉 원자 번호는 A<B<C이다.
⑥ A~C가 수소와 결합한 할로젠화 수소는 물에 녹아 산성을 띠므로 페놀프탈레인 용액의 색을 변화시키지 않는다.

190 상처 소독약에 이용되는 (가)는 아이오딘이고, 수영장 물을 소독할 때 이용하는 (나)는 염소이며, 충치 예방을 위한 치약에 이용되는 (다)는 플루오린이다.

⑤ 할로젠의 반응성은 원자 번호가 작을수록 크다. 따라서 반응성은 (다)가 가장 크다.

바로알기 | ① 플루오린, 염소, 아이오딘은 모두 17족에 속하는 할로젠으로, 비금속 원소이다.

② 플루오린, 염소, 아이오딘은 각각 2주기, 3주기, 5주기에 속하는 원소이다.

③ 할로젠은 실온에서 원자 2개가 결합한 이원자 분자로 존재하는데, 분자들 사이의 힘은 원자 번호가 클수록 커서 원자 번호가 클수록 끓는점이 높다. 따라서 (가)~(다) 중 끓는점은 원자 번호가 가장 큰 (가)가 가장 높다.

④ 실온에서 (나)는 노란색을 띠는 기체이다.

191 아이오딘은 실온에서 보라색을 띠는 고체이며, 반응성이 커서 수소와 잘 반응하고, 수소와 결합한 물질은 물에 녹아 산성을 띤다. 아이오딘은 실온에서 이원자 분자로 존재한다.

192 A는 수소(H), B는 플루오린(F), C는 나트륨(Na), D는 염소(Cl)이다.

ㄴ. B와 D는 할로젠으로, 알칼리 금속인 C와 반응하여 화합물을 생성한다.

ㄷ. 할로젠은 원자 번호가 작을수록 반응성이 크므로, B는 D보다 수소와 더 빠르게 반응한다.

바로알기 | ㄱ. A는 비금속 원소인 수소이므로 물과 반응하지 않고, C는 알칼리 금속이므로 물에 넣으면 격렬하게 반응한다.

193 A는 리튬(Li), B는 플루오린(F), C는 네온(Ne), D는 나트륨(Na), E는 염소(Cl)이다.

① 알칼리 금속은 원자 번호가 증가할수록 반응성이 커진다. 따라서 물과의 반응성은 원자 번호가 작은 A가 D보다 작다.

바로알기 | ② B는 반응성이 큰 비금속 원소인 할로젠으로, 원자 2개가 결합한 이원자 분자로 존재한다.

③ C는 비활성 기체로, 원자 상태로도 안정하며 반응성이 거의 없다.

④ D는 알칼리 금속으로, 물과 반응하여 수소 기체를 발생한다.

⑤ E는 비금속 원소로, 실온에서 기체 상태로 존재한다. 칼로 쉽게 자를 수 있을 정도로 무른 금속은 알칼리 금속이다.

194 실온에서 고체 상태로 존재하는 A는 알칼리 금속이고, 기체 상태로 존재하는 B는 할로젠이다.

ㄱ. A는 실온에서 고체 상태로 존재하는 것으로 보아 2주기 알칼리 금속인 리튬(Li)이다. 즉 A는 금속 원소이다.

ㄴ. B는 할로젠이므로, 실온에서 이원자 분자로 존재한다.

바로알기 | ㄷ. 알칼리 금속인 A가 물과 반응한 후 용액은 염기성을 띠고, 할로젠의 수소 화합물은 물에 녹아 산성을 띤다. 따라서 ㉠은 염기성이고, ㉡은 산성이다.

195 ㄱ. 제시된 다섯 가지 원소 중 F, Cl, Ar은 비금속 원소이고, Li, Na은 금속 원소이다. 따라서 분류 기준 (가)에 '비금속 원소인가?'를 적용할 수 있다.

바로알기 | ㄴ. 제시된 다섯 가지 원소 중 3주기 원소는 Na, Cl, Ar이므로 ㉠에 해당하는 것은 Na, Cl, Ar이고, ㉡에 해당하는 것은 Li, F이다.

ㄷ. 제시된 다섯 가지 원소 중 F, Cl는 할로젠이므로 분류 기준 (나)에 '17족 원소인가?'를 적용할 수 있다.

196 ⑥ 할로젠인 B는 알칼리 금속인 C와 반응하여 화합물을 생성한다.

바로알기 | ① 휴대 전화의 배터리로 이용되는 원소는 알칼리 금속인 리튬이다. 리튬은 전자를 잃고 양이온이 되기 쉽다.

② B는 수영장 물의 소독제로 사용되는 염소이다. 염소는 17족 원소인 할로젠이다.

③ C는 알칼리 금속인 나트륨이다. A는 2주기 1족 원소이고, B는 3주기 17족 원소, C는 3주기 1족 원소이므로 원자 번호는 B가 가장 크다.

④ A는 알칼리 금속이고, B는 할로젠이므로 같은 족 원소가 아니다.

⑤ 알칼리 금속은 원자 번호가 클수록 반응성이 크므로 A는 C보다 반응성이 작다.

⑦ A와 C는 알칼리 금속이므로 실온에서 고체 상태로 존재하고, B는 실온에서 기체 상태로 존재한다.

197 전기 전도성이 있는 A는 알칼리 금속이고, 전기 전도성이 없는 C는 비금속 원소인 할로젠이다.

구분	A	B	C	D
전기 전도성	있음	(있음)	없음	(없음)
원자가 전자 수	$x=1$	1	$y=7$	7

원자가 전자 수가 1인 B는 알칼리 금속이고, 원자가 전자 수가 7인 D는 할로젠이다.

① B는 알칼리 금속이므로 전기 전도성이 있다. D는 할로젠으로 비금속 원소이므로 전기 전도성이 없다.

② A는 알칼리 금속이므로 원자가 전자 수 $x=1$이다. C는 할로젠이므로 원자가 전자 수 $y=7$이다. 따라서 $x+y=1+7=8$이다.

③ B는 원자가 전자 수가 1이므로 비금속 원소인 산소와 반응할 때 전자 1개를 잃고 양이온이 된다. 또 산소는 전자 2개를 얻어 음이온이 되므로 화합물의 화학식은 B_2O이다.

④ 할로젠은 이원자 분자로 존재한다. D가 나트륨(Na)과 반응할 때 Na은 전자 1개를 잃고 Na^+이 되고, D는 전자 1개를 얻어 D^-이 된다. Na^+과 D^-은 1 : 1의 개수비로 결합하므로 화학 반응식은 $2Na+D_2 \longrightarrow 2NaD$이다.

바로알기 | ⑤ A와 B, C와 D는 각각 같은 족 원소이므로 주기가 같을 수 없다.

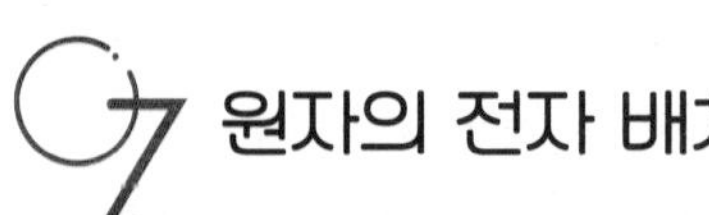

07 원자의 전자 배치

빈출 자료 보기 51쪽

198 (1) ○ (2) ○ (3) ○ (4) × (5) × (6) ○ (7) ○ (8) ○

199 (1) × (2) ○ (3) ○ (4) × (5) ○ (6) ○ (7) ○

198 **바로알기 |** (4) 원자 번호는 원자를 구성하는 양성자수(A)와 같다.

(5) C는 음전하를 띠는 전자이다.

199 **바로알기 |** (1) 전자가 들어 있는 전자 껍질 수는 A가 2이고, B가 3이다.

(4) B는 전자가 들어 있는 전자 껍질 수가 3이고, 가장 바깥 전자 껍질에 들어 있는 전자 수가 6이므로 3주기 16족 원소이다.

난이도별 필수 기출

52~55쪽

200 ④	201 ⑦	202 ③	203 ①	204 ④	205 ⑤
206 ③	207 ④	208 ②	209 해설 참조		210 ②
211 해설 참조		212 ②	213 ②, ④	214 해설 참조	
215 9	216 ⑤	217 ①	218 ①	219 ⑤	

200 ㄴ. 원자핵을 구성하는 중성자는 전하를 띠지 않는다.
ㄷ. 원자는 전기적으로 중성이며, 이는 원자를 구성하는 양성자수와 전자 수가 같기 때문이다.
바로알기 | ㄱ. 원자핵은 원자의 중심에 위치하며, 양전하를 띠는 양성자와 전하를 띠지 않는 중성자로 이루어져 있다.

201 ① 원자는 원자핵인 B와 전자인 A로 이루어져 있다.
② 원자에서 전자 A는 원자핵 B 주위를 돌고 있다.
③ 전자는 양성자나 중성자에 비해 질량이 매우 작으므로 원자핵 B는 원자 질량의 대부분을 차지한다.
④ 원자 번호는 원자를 구성하는 양성자 C의 수에 의해 결정된다.
⑤ 원자핵 B가 양전하를 띠는 까닭은 양성자 C 때문이다.
⑥ 전자 A와 양성자 C는 전하량의 크기가 같고 부호는 서로 반대이다.
⑧ 전기적으로 중성인 원자의 경우 양성자수와 전자 수가 같으므로 원자에서 전자 A의 수는 원자 번호와 같다.
⑨ 양성자 C의 수가 6이므로 이 원자는 원자 번호가 6인 탄소이다.
바로알기 | ⑦ C는 양성자이고, D는 중성자이다. 원자는 C와 A의 수가 같기 때문에 전기적으로 중성이다.

202 ㄱ. A와 B는 원자핵을 구성하는 입자이고, C는 전자이다. 원자핵을 구성하는 입자 중 +1의 상대적 전하량을 가지고 있는 A는 양성자이다.
ㄷ. 원자는 전기적으로 중성이므로 원자를 구성하는 양성자, 중성자, 전자가 가진 전하량의 합은 0이다.
바로알기 | ㄴ. 원자 번호는 원자를 구성하는 입자 중 양성자인 A의 수로 정한다.

203 원자는 전기적으로 중성이므로 원자를 구성하는 양성자수와 전자 수가 같다. 따라서 원자 A에서 그 수가 같은 (가)와 (다)는 각각 양성자와 전자 중 하나이다. (가)는 원자핵을 구성하는 입자이므로 양성자이고, (다)는 전자이다. 이로부터 (나)는 중성자임을 알 수 있다.
ㄱ. 원자 B에서 양성자인 (가)의 수가 6이므로 전자인 (다)의 수도 6이고, 원자 C에서 전자인 (다)의 수가 7이므로 양성자인 (가)의 수도 7이다. 따라서 $x=6$, $y=7$이므로 $x+y=13$이다.
바로알기 | ㄴ. (나)는 중성자, (다)는 전자이다.
ㄷ. B의 양성자수는 6이고, C의 양성자수는 7이다. 따라서 B는 2주기 14족 원소인 탄소(C)이고, C는 2주기 15족 원소인 질소(N)로 서로 다른 족 원소이다.

204 전자 수가 10인 A는 $\frac{\text{양성자수}}{\text{전자 수}}=1.2$이므로 양성자수가 12이다. B와 D는 $\frac{\text{양성자수}}{\text{전자 수}}=1$이므로 원자이다. 따라서 B는 양성자수와 전자 수가 모두 9이고, D는 양성자수와 전자 수가 모두 11이다. 전자 수가 10인 C는 $\frac{\text{양성자수}}{\text{전자 수}}=0.8$이므로 양성자수는 8이다. 이를 바탕으로 A~D를 구성하는 양성자수와 전자 수는 다음과 같다.

구분	A	B	C	D
양성자수	12	9	8	11
전자 수	10	9	10	11
원자 또는 이온	양이온	원자	음이온	원자

ㄱ, ㄷ. 양성자수는 A가 가장 크고, C는 원자가 전자 2개를 얻어 형성된 음이온이다.
바로알기 | ㄴ. B와 D는 양성자수가 다르므로 서로 다른 원소이고, 원자가 전자 수는 B가 7, D가 1이다. 따라서 B와 D는 화학적 성질이 다르다.

205 ㄱ. 제시된 원자는 양성자수가 8이므로 산소(O) 원자이다.
ㄴ, ㄷ. 전자가 들어 있는 전자 껍질 수가 2이고, 가장 바깥 전자 껍질에 들어 있는 전자 수가 6이므로 2주기 16족 원소이다.

206 ③ 원자핵에서 가까운 전자 껍질일수록 에너지 준위가 낮으므로, 전자는 원자핵에서 가까운 안쪽 껍질부터 차례대로 채워진다.
바로알기 | ①, ② 같은 주기 원소들은 전자가 들어 있는 전자 껍질 수가 같고, 같은 족 원소들은 원자가 전자 수가 같다.
④ 원자핵에서 가까운 전자 껍질일수록 더 안정하므로 에너지 준위가 낮다.
⑤ 첫 번째 전자 껍질에는 전자가 최대 2개 채워지고, 두 번째 전자 껍질에는 전자가 최대 8개 채워진다. 즉 각 전자 껍질에 배치될 수 있는 최대 전자 수는 항상 8이 아니다.

207 ①, ② 나트륨(Na)은 3주기 1족 원소이므로 원자가 전자 수가 1이다.
③ 전자 껍질의 에너지 준위는 원자핵에서 멀수록 크므로 에너지 준위는 A<B<C이다.
⑤ 원자에서 전자 수는 양성자수와 같다. 나트륨의 양성자수가 11이므로 각 전자 껍질에 들어 있는 총 전자 수는 11이다.
바로알기 | ④ 전자들은 원자핵에서 가까운 전자 껍질부터 차례대로 채워진다.

208 ① 전자가 들어 있는 전자 껍질 수는 A가 2이고, B가 3이므로 A는 2주기 원소이고, B는 3주기 원소이다.
③ 17족 원소인 A와 B는 비금속 원소로, 전자를 얻어 음이온이 되기 쉽다.
④ A는 플루오린(F), B는 염소(Cl)로, 실온에서 A_2와 B_2는 모두 기체 상태로 존재한다.
⑤, ⑥ A와 B는 할로젠으로, 반응성이 커서 수소, 금속과 쉽게 반응한다. 또한 할로젠의 반응성은 원자 번호가 작을수록 크므로 반응성은 A_2가 B_2보다 크다.
⑦ 플루오린은 충치 예방용 치약에 이용되고, 염소는 수영장 물의 소독에 이용된다.
바로알기 | ② A와 B는 전자가 들어 있는 전자 껍질 수가 다르므로 서로 다른 가로줄에 위치한다.

209 모범 답안

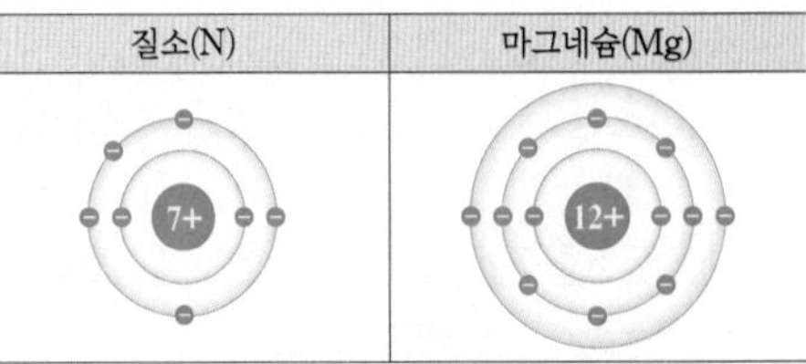

210 A는 질소(N), B는 알루미늄(Al), C는 인(P)이다.

ㄱ. A와 C는 가장 바깥 전자 껍질에 들어 있는 전자 수가 같으므로 화학적 성질이 비슷하다.

ㄹ. A와 C는 15족 원소이고, B는 13족 원소이다. 따라서 A와 C는 주기율표에서 오른쪽에 위치하는 비금속 원소이고, B는 주기율표에서 왼쪽에 위치하는 금속 원소이다.

바로알기 | ㄴ. B와 C는 전자가 들어 있는 전자 껍질 수가 같으므로 같은 주기 원소이다.

ㄷ. 가장 바깥 전자 껍질에 들어 있는 전자 수는 A 5, B 3, C 5이므로 B는 원자가 전자 수가 가장 작다.

211 가장 바깥 전자 껍질에 들어 있는 전자 수는 헬륨(He) 2, 리튬(Li) 1, 나트륨(Na) 1, 알루미늄(Al) 3이다.

모범 답안 Li, Na, 두 원소는 가장 바깥 전자 껍질에 들어 있는 전자 수(원자가 전자 수)가 같기 때문이다.

212 A는 수소(H), B는 리튬(Li), C는 나트륨(Na), D는 염소(Cl), E는 아르곤(Ar)이다.

ㄴ. C, D, E는 같은 주기 원소이므로 전자가 들어 있는 전자 껍질 수가 같다.

바로알기 | ㄱ. A, B, C는 모두 1족 원소이지만 A는 비금속 원소인 수소이고, B와 C는 알칼리 금속이다. 따라서 B와 C의 화학적 성질은 비슷하지만 A와는 다르다.

ㄷ. A, B, C는 원자가 전자 수가 1이고, D는 7이다. E는 가장 바깥 전자 껍질에 들어 있는 전자 수가 8이지만 화학 반응에 참여하는 전자가 없으므로 원자가 전자 수는 0이다. 따라서 원자가 전자 수가 가장 큰 원소는 D이다.

213 ② 원자 번호가 가장 큰 원소는 주기와 족 번호가 가장 큰 Ar이다.

④ Be, Na은 금속 원소로, 열과 전기가 잘 통한다.

바로알기 | ① Be과 F은 주기율표에서 서로 다른 세로줄에 위치하므로 원자가 전자 수가 다르다.

③ 전자가 들어 있는 전자 껍질 수가 2인 원소는 2주기 원소로, 모두 두 가지이다.

⑤ F, S, Ar은 모두 비금속 원소지만 Ar은 18족 원소이므로 전자를 잃거나 얻으려는 경향이 거의 없다. 따라서 F, S만 전자를 얻어 음이온이 되기 쉽다.

214 A는 베릴륨(Be), B는 플루오린(F)이다.

모범 답안 A와 B는 같은 주기 원소이므로 전자가 들어 있는 전자 껍질 수가 같고, 족이 서로 다르므로 원자가 전자 수가 다르다.

215 A, B, C는 금속 원소이므로 주기율표의 왼쪽에 위치하고, B는 원자가 전자 수가 1이므로 3주기 1족 원소이다. 이때 A와 D에서 전자가 들어 있는 전자 껍질 수의 합이 7이므로 D는 3주기 17족 원소이고, E는 2주기 18족 원소이다. 이로부터 A는 4주기 2족 원소이고, C는 3주기 13족 원소가 된다.

주기 \ 족	1	2	13	14	15	16	17	18
2								E(Ne)
3	B(Na)		C(Al)				D(Cl)	
4		A(Ca)						

원자가 전자 수는 A 2, D 7, E 0이므로 A, D, E의 원자가 전자 수의 합은 2+7+0=9이다.

216 A와 B는 같은 족 원소이므로 모두 17족 원소이다. C와 D 중 원자 번호는 D가 C보다 크므로 C는 2주기 1족, D는 3주기 13족 원소이다. 또 B와 D의 전자 껍질 수가 다르므로 이를 적용하여 주기율표에 A~D를 표시하면 다음과 같다.

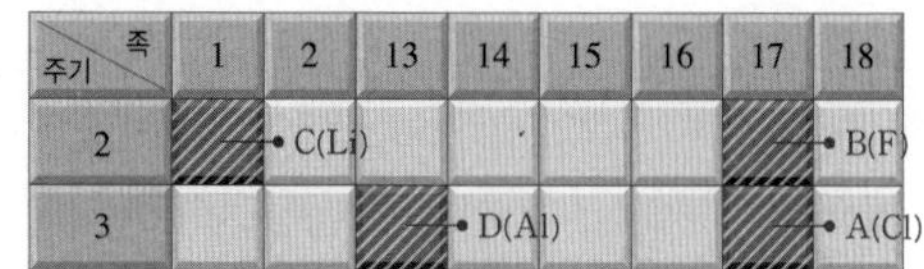

주기 \ 족	1	2	13	14	15	16	17	18
2	C(Li)						B(F)	
3			D(Al)				A(Cl)	

ㄱ. 원자 번호는 3주기 17족 원소인 A가 가장 크다.

ㄴ. B와 C는 같은 가로줄에 위치하므로, 같은 주기 원소이다.

ㄷ. A와 D는 같은 가로줄에 위치하므로, 전자가 들어 있는 전자 껍질 수가 같다.

217 원자에서 전자가 들어 있는 전자 껍질 수는 주기와 같고, 원자가 전자 수는 족의 일의 자리 수와 같다. 이로부터 A는 1주기 18족 원소인 헬륨(He), B는 2주기 1족 원소인 리튬(Li), C는 2주기 16족 원소인 산소(O), D는 3주기 17족 원소인 염소(Cl)이다.

① A는 원자 번호 2인 헬륨이므로 양성자수가 2이다.

바로알기 | ② A는 주기율표의 오른쪽에 위치하고, B는 주기율표의 왼쪽에 위치하므로 A는 비금속 원소이고, B는 금속 원소이다.

③ B와 C는 원자가 전자 수가 서로 다르므로 화학적 성질이 다르다.

④ C의 원자 번호는 8이고, D의 원자 번호는 17이다. 원자 번호는 원자의 양성자수와 같으므로 C와 D의 양성자수의 비는 8 : 17이다.

⑤ D는 할로젠으로, 할로젠의 수소 화합물은 물에 녹아 산성을 띤다.

218 A의 $\frac{\text{원자가 전자 수}}{\text{전자가 들어 있는 전자 껍질 수}}$의 값이 $\frac{1}{2}$이고, 원자가 전자 수는 2이므로 전자가 들어 있는 전자 껍질 수는 4이다.

➜ A는 4주기 2족 원소인 칼슘(Ca)이다.

B는 $\frac{\text{원자가 전자 수}}{\text{전자가 들어 있는 전자 껍질 수}}$의 값이 2이고, 원자가 전자 수는 6이므로 전자가 들어 있는 전자 껍질 수는 3이다.

➜ B는 3주기 16족 원소인 황(S)이다.

C는 $\frac{\text{원자가 전자 수}}{\text{전자가 들어 있는 전자 껍질 수}}$의 값이 $\frac{3}{2}$이므로 2주기 원소라면 원자가 전자 수가 3인 13족 원소이고, 4주기 원소라면 원자가 전자 수가 6인 원소인데 4주기 16족 원소의 원자 번호는 20보다 크다.

➜ C는 2주기 13족 원소인 붕소(B)이다.

ㄱ. A는 4주기 2족 원소이고, C는 2주기 13족 원소이므로 원자 번호는 C<A이다. 따라서 양성자수는 C<A이다.

바로알기 | ㄴ. B는 3주기 원소이다.

ㄷ. C는 2주기 13족 원소이므로, 주기율표의 족 번호는 13이다.

219 ㄱ. 첫 번째 전자 껍질에서 두 번째 전자 껍질로 전자가 이동할 때 에너지 준위가 높아진다. 따라서 (가)에서 전자는 더 높은 에너지 상태가 된다.

ㄴ. 두 번째 전자 껍질에서 첫 번째 전자 껍질로 전자가 이동할 때 에너지 준위가 낮아진다. 따라서 (나)에서 방출 스펙트럼이 나타난다.

ㄷ. 전자의 에너지 준위는 첫 번째 전자 껍질이 두 번째 전자 껍질보다 낮다. 에너지가 낮은 상태일수록 전자는 더 안정하므로 전자는 (가)보다 (나)에서 더 안정하다.

화학 결합의 원리와 종류

빈출 자료 보기 57쪽

220 (1) ○ (2) × (3) ○ (4) ○ (5) ○ (6) ○ (7) × (8) ×

220 A는 리튬(Li), B는 수소(H), C는 염소(Cl)이므로, (가)는 염화 리튬(LiCl), (나)는 염화 수소(HCl)이다.

바로알기 | (2) (가)에서 A는 양이온이 되기 쉬운 금속 원소이다.

(7) 물(H_2O), 이산화 탄소(CO_2) 등은 비금속 원소의 원자가 전자쌍을 공유하여 결합을 형성하는 공유 결합 물질이므로 (나)와 같은 결합을 형성한다.

(8) 나트륨(Na)은 금속 원소이고, 플루오린(F)은 비금속 원소이므로 나트륨과 플루오린으로 이루어진 물질은 (가)와 같은 이온 결합을 형성한다.

난이도별 필수 기출 58~67쪽

221 ②	222 ③, ④		223 ⑤	224 ③	225 ⑥
226 ⑤	227 ⑤	228 ④	229 해설 참조		
230 ㉠ 2, ㉡ 6, ㉢ 이온			231 ③	232 ③	
233 해설 참조		234 ⑤	235 해설 참조		236 ⑥
237 ④	238 ③	239 ②	240 ③	241 ⑤	242 ③
243 ⑤	244 Li_2O, LiF, MgO, MgF_2			245 해설 참조	
246 ③	247 ④	248 ⑤	249 ②	250 ③	251 ②
252 해설 참조		253 ⑤	254 ③	255 ③	256 ②
257 해설 참조		258 ④	259 ①, ⑤		260 ②
261 ③	262 ②	263 ⑤	264 ⑤, ⑦		265 ②
266 ②	267 ④	268 ④			

221 ㄱ. 비활성 기체는 주기율표의 18족에 속하는 원소이다.

ㄴ. 비활성 기체는 가장 바깥 전자 껍질에 전자를 최대로 채운 안정한 전자 배치를 이룬다.

바로알기 | ㄷ. 비활성 기체는 안정한 전자 배치를 이루고 있어 반응성이 거의 없다.

222 ①, ② 제시된 원소들은 모두 18족에 속하는 비활성 기체이다.

⑤ 비활성 기체는 반응성이 매우 작아 다른 원소와 잘 반응하지 않는다.

⑥ 헬륨(He)은 반응성이 작고 공기보다 가벼워 광고용 풍선 기구에 이용된다.

⑦, ⑧ 네온(Ne)은 광고판, 아르곤(Ar)은 형광등의 충전 기체로 사용된다.

바로알기 | ③ 비활성 기체는 비금속 원소로 구분되지만 전자를 얻으려는 경향이 거의 없어 음이온이 되기 어렵다.

④ 헬륨은 가장 바깥 전자 껍질에 전자 2개가 채워지고, 네온과 아르곤은 가장 바깥 전자 껍질에 각각 전자 8개가 채워진다.

223 ㄱ. 총 전자 수가 10이므로 양성자수는 10이다.

ㄴ. 가장 바깥 전자 껍질에 채워진 전자 수는 8이지만 화학 결합에 참여하는 전자가 없으므로 원자가 전자 수는 0이다.

ㄷ. 네온(Ne)은 안정한 전자 배치를 가지므로 다른 원자와 결합하지 않고 원자 상태로 존재한다.

224

원자 또는 이온	A^{2+}	B^-	C	D^{2+}
총 전자 수	10	10	10	18
양성자수	12	9	10	20

A는 양성자수가 12이므로 3주기 2족 원소, B는 양성자수가 9이므로 2주기 17족 원소, C는 양성자수가 10이므로 2주기 18족 원소, D는 양성자수가 20이므로 4주기 2족 원소이다.

ㄴ. A와 D는 모두 2족 원소이므로 화학적 성질이 비슷하다.

ㄷ. B는 전자 1개를 얻어 전자 수가 10이 되므로 C와 전자 배치가 같아진다.

바로알기 | ㄱ. 양성자수는 A가 B보다 크다.

ㄹ. C는 가장 바깥 전자 껍질에 전자가 8개 채워져 안정한 전자 배치를 가지므로 결합을 형성하지 않고 원자 상태로 존재한다.

225 (가)는 리튬(Li), (나)는 산소(O), (다)는 네온(Ne)이다.

① (가)~(다)는 모두 2주기 원소이다.

② (가)는 원자가 전자 수가 1이므로 1족에 속하는 금속 원소이다. (나)와 (다)는 원자가 전자 수가 각각 6, 8이므로 16족, 18족에 속하는 비금속 원소이다.

③ (가)는 전자 1개를 잃고, (나)는 전자 2개를 얻어 비활성 기체와 같은 전자 배치를 이룬다.

④ (다)는 비활성 기체로, 다른 원자와 화학 결합을 형성하지 않는다.

⑤ (나)가 전자 2개를 얻어 안정한 이온이 되면 (다)와 같은 전자 배치를 갖는다.

바로알기 | ⑥ (다)에서 화학 결합에 참여하는 전자가 없으므로 원자가 전자 수는 0이다. 따라서 원자가 전자 수는 (다)가 가장 작다.

226 A는 헬륨(He), B는 리튬(Li), C는 산소(O), D는 네온(Ne), E는 알루미늄(Al)이다.

ㄱ. B는 원자 번호 3번이므로 양성자수와 전자 수가 3이다. 따라서 B가 전자 1개를 잃어 형성된 B^+의 전자 수는 2이므로 원자 번호 2번인 A와 전자 수가 같다.

ㄴ. A와 D는 같은 족 원소이므로 원자가 전자 수가 같다.

ㄷ. C는 2주기 16족 원소이므로 전자 2개를 얻어 2주기 비활성 기체와 같은 전자 배치를 갖는다. 또 E는 3주기 13족 원소이므로 전자 3개를 잃어 2주기 비활성 기체와 같은 전자 배치를 갖는다.

227 A와 D는 같은 주기 원소이므로 각각 3주기 원소이다. 또 C와 D는 전자를 잃기 쉬우므로 주기율표의 왼쪽에 위치하는 금속 원소이다. 이를 적용하여 주기율표에 A~D를 표시하면 다음과 같다.

주기 \ 족	1	2	13	14	15	16	17	18
2						B(O)		
3		D(Mg)					A(Cl)	
4		C(Ca)						

ㄴ. 전자가 들어 있는 전자 껍질 수는 C가 가장 크다.

ㄷ. B는 전자 2개를 얻어 2주기 비활성 기체와 같은 전자 배치를 갖고, D는 전자 2개를 잃고 2주기 비활성 기체와 같은 전자 배치를 갖는다. 따라서 B와 D가 안정한 이온이 되면 총 전자 수가 같다.

바로알기 | ㄱ. A와 B는 서로 다른 족에 속하는 원소이므로 화학적 성질이 다르다.

228 A는 리튬(Li), B는 산소(O), C는 플루오린(F), D는 알루미늄(Al), E는 염소(Cl)이다.

ㄱ. A와 D는 주기율표의 왼쪽에 위치하는 금속 원소이고, B, C, E는 주기율표의 오른쪽에 위치하는 비금속 원소이다. 따라서 (가)에 '전자를 잃고 양이온이 되기 쉬운가?'를 적용할 수 있다.

ㄴ. (나)에 적용되는 원소는 C, E이므로 (나)에 '원자가 전자 수가 7인가?'를 적용할 수 있다.

바로알기 | ㄷ. 전자가 들어 있는 전자 껍질 수가 2인 원소는 2주기 원소이므로 ㉠은 A, B, C, ㉡은 D, E이다. 따라서 ㉠에 해당하는 원자의 수는 ㉡에 해당하는 원자의 수보다 크다.

229 **모범 답안** 비활성 기체를 제외한 원자들은 전자를 주고받거나 전자를 공유하는 화학 결합을 하여 가장 바깥 전자 껍질에 전자를 모두 채운 안정한 전자 배치를 이루려고 하기 때문이다.

230 칼슘(Ca)은 2족 원소로 전자 2개를 잃고 안정한 양이온이 되고, 산소(O)는 16족 원소로 전자 2개를 얻어 안정한 음이온이 된다. 양이온과 음이온은 정전기적 인력으로 화학 결합을 하는데 이러한 화학 결합을 이온 결합이라고 한다.

231 ㄱ, ㄴ, ㄷ, ㅁ. KI, LiF, $Ca(OH)_2$, NaCl은 금속 원소의 원자와 비금속 원소의 원자가 전자를 주고받아 양이온과 음이온을 형성하고, 이 이온들 사이의 정전기적 인력으로 결합한 이온 결합 물질이다.

바로알기 | ㄹ, ㅂ. CO_2와 CH_3OH은 비금속 원소의 원자들이 전자쌍을 공유하여 형성된 공유 결합 물질이다.

232 A는 수소(H), B는 리튬(Li), C는 산소(O)이다.

ㄷ. B와 C가 결합할 때 B는 전자를 잃고 양이온이 되고, C는 전자를 얻어 음이온이 되어 정전기적 인력으로 결합하는 이온 결합을 형성한다.

바로알기 | ㄱ. 금속 원소는 B인 리튬 한 가지이다.

ㄴ. B의 전자 배치에서 가장 바깥 전자 껍질에 들어 있는 전자 수는 1이므로 원자가 전자 수는 1이다.

233 (1) 마그네슘(Mg)은 원자가 전자 수가 2이므로 전자 2개를 잃고 마그네슘 이온(Mg^{2+})이 되어 비활성 기체인 네온(Ne)과 같은 전자 배치를 갖는다. 또 염소(Cl)는 원자가 전자 수가 7이므로 전자 1개를 얻어 염화 이온(Cl^-)이 되어 비활성 기체인 아르곤(Ar)과 같은 전자 배치를 갖는다. 마그네슘 이온과 염화 이온은 1 : 2의 개수비로 결합한다.

모범 답안 (1) $MgCl_2$

(2) 마그네슘 원자에서 염소 원자로 전자가 이동하여 마그네슘은 양이온, 염소는 음이온을 형성하고, 이때 형성된 이온 사이의 정전기적 인력에 의해 이온 결합이 형성된다.

234 A는 산소(O), B는 플루오린(F), C는 마그네슘(Mg)이다.

ㄴ. A의 원자가 전자 수는 6이므로 옥텟 규칙을 만족하는 수소 화합물을 형성할 때 수소 원자 2개와 결합해야 한다. 따라서 A의 안정한 수소 화합물은 H_2A이다.

ㄷ. B^-과 C^{2+}으로 이루어진 화합물은 전기적으로 중성이므로 C^{2+}과 B^-은 1 : 2의 개수비로 결합한다. 따라서 안정한 화합물의 화학식은 CB_2이다.

바로알기 | ㄱ. A는 2주기 16족 원소이고, B^-은 B 원자가 전자 1개를 얻어 형성된 음이온이므로 B 원자는 2주기 17족 원소이다. C^{2+}은 C 원자가 전자 2개를 잃어 형성된 양이온이므로 C 원자는 3주기 2족 원소이다.

235 **모범 답안** 3주기 1족 원소인 나트륨(Na)은 다른 원자와 결합하여 비활성 기체와 같은 안정한 전자 배치를 이루기 위해 전자 1개를 잃고 나트륨 이온(Na^+)을 형성하므로 주로 이온의 형태로 존재한다.

236 A는 나트륨(Na), B는 염소(Cl)이다.

⑥ 화합물 AB에서 A^+과 B^-은 서로 반대 전하를 띠고 있어 정전기적 인력에 의해 결합이 형성된다.

바로알기 | ① A와 B는 전자가 들어 있는 전자 껍질 수가 3이므로 모두 3주기 원소이다.

②, ③ 화학 결합을 형성할 때 A는 전자를 잃고 양이온이 되고, B는 전자를 얻어 음이온이 되므로 A는 금속 원소, B는 비금속 원소이다.

④ A^+은 네온(Ne), B^-은 아르곤(Ar)과 같은 전자 배치를 갖는다.

⑤ A가 이온이 될 때는 전자 껍질 수가 달라지지만, B가 이온이 될 때는 전자 껍질 수가 달라지지 않는다.

237 M은 마그네슘(Mg), X는 산소(O)이다.

ㄱ. M^{2+}은 M 원자가 전자 2개를 잃고 형성된 양이온이므로 원자 M에서 전자가 들어 있는 전자 껍질 수는 3이고, 원자가 전자 수는 2이다. X^{2-}은 X 원자가 전자 2개를 얻어 형성된 음이온이므로 원자 X에서 전자가 들어 있는 전자 껍질 수는 2이고, 원자가 전자 수는 6이다. 즉 전자 수는 M이 X보다 크므로 원자 번호는 M이 X보다 크다.

ㄷ. M과 X가 결합하여 MX를 생성할 때 M은 전자 2개를 잃고 M^{2+}이 되고, M이 내놓은 전자 2개를 X 원자가 얻어 X^{2-}이 된다.

바로알기 | ㄴ. 원자가 전자 수는 M이 2이고, X가 6이므로 원자가 전자 수는 X가 M보다 크다.

238 A는 마그네슘(Mg), B는 염소(Cl)이다.

① AB_2에서 A^{n+}과 B^-은 1 : 2의 개수비로 결합하여 화합물을 생성하므로 A^{n+}의 전하는 +2이다. 따라서 $n=2$이다.

② A^{2+}은 A 원자가 전자 2개를 잃고 형성된 양이온이므로 A 원자에서 전자가 들어 있는 전자 껍질 수는 3이다. 또 B^-은 B 원자가 전자 1개를 얻어 형성된 음이온이므로 B 원자에서 전자가 들어 있는 전자 껍질 수는 3이다. 따라서 A와 B는 같은 3주기 원소이다.

④ A^{2+}과 B^-이 1 : 2의 개수비로 결합하므로 AB_2는 전기적으로 중성이다.

⑤ AB_2를 이루는 이온들은 모두 비활성 기체와 같은 전자 배치를 가지므로 옥텟 규칙을 만족한다.

바로알기 | ③ AB_2는 이온 결합 물질이다.

239 ㄱ. X^+과 Y^{2-}이 전기적으로 중성인 화합물을 생성하므로 2 : 1의 개수비로 결합한다. 따라서 화합물의 화학식은 X_2Y이다.

ㄴ. X^+은 X 원자가 전자 1개를 잃고 형성된 양이온이므로 원자가 전자 수가 1인 1족 원소이다. Y^{2-}은 Y 원자가 전자 2개를 얻어 형성된 음이온이므로 원자가 전자 수가 6인 16족 원소이다.

바로알기 | ㄷ. X와 Y는 같은 주기 원소이고, X^+은 X에서 가장 바깥 전자 껍질의 전자를 잃는다. 또 Y^{2-}에서 전자가 가장 바깥 전자 껍질에 채워지므로 전자가 들어 있는 전자 껍질 수는 Y^{2-}이 X^+보다 1만큼 크다.

240 ㄱ. M은 알칼리 금속이므로 화학 결합을 할 때 전자 1개를 잃고 M^+을 형성하고, 산소(O)는 화학 결합을 할 때 전자 2개를 얻어 산화 이온(O^{2-})을 형성한다. 즉 M^+과 O^{2-}이 2 : 1의 개수비로 결합하여 M_2O를 생성한다. 화학 반응식에서 반응물과 생성물을 구성하는 원자의 종류와 수가 같으므로 화학 반응식은 $4M+O_2 \longrightarrow 2M_2O$이다. 따라서 $a=4$, $b=1$, $c=2$이므로 $a+b+c=7$이다.

ㄷ. 알칼리 금속은 전자를 잃고 양이온이 되고, 산소는 전자를 얻어 음이온이 되어 정전기적 인력으로 결합하여 화합물을 생성한다.

바로알기 | ㄴ. 생성물의 화학식은 M_2O이다.

241 A는 네온(Ne), B는 나트륨(Na), C는 염소(Cl), D는 아르곤(Ar)이다.

ㄴ. B는 전자 1개를 잃고 양이온이 되고, C는 전자 1개를 얻어 음이온이 되어 양이온과 음이온이 정전기적 인력에 의해 결합한다.

ㄷ. C는 원자가 전자 수가 7이므로 화학 결합을 형성할 때 전자 1개를 얻거나 전자쌍 1개를 공유하여 D와 같은 전자 배치를 이룬다.

바로알기 | ㄱ. A에서 가장 바깥 전자 껍질에 들어 있는 전자 수는 8이지만 화학 결합에 참여하는 전자가 없으므로 원자가 전자 수는 0이다.

242 A는 수소(H), B는 탄소(C), C는 산소(O), D는 나트륨(Na), E는 마그네슘(Mg), F는 염소(Cl)이다.

화학 결합 물질	(가)	(나)	(다)	(라)	(마)
구성 원소	A, C	D, F	C, E	A, B	E, F
화학 결합 종류	공유 결합	이온 결합	이온 결합	공유 결합	이온 결합

ㄱ. (가), (라)는 비금속 원소의 원자들로 이루어진 공유 결합 물질이고, (나), (다), (마)는 금속 원소의 원자와 비금속 원소의 원자로 이루어진 이온 결합 물질이다.

ㄷ. C는 옥텟 규칙을 만족하는 이온이 될 때 전자 2개를 얻어 2주기 비활성 기체와 같은 전자 배치를 갖는다. D와 E는 옥텟 규칙을 만족하는 이온이 될 때 각각 전자 1개, 전자 2개를 잃고 2주기 비활성 기체와 같은 전자 배치를 갖는다.

바로알기 | ㄴ. 화학식은 (나) DF, (마) EF_2이다. 따라서 화학식을 구성하는 원자 수는 (마)가 (나)보다 크다.

243 A와 C는 같은 족 원소이므로 모두 16족 원소이다. B와 C의 안정한 이온의 전자 배치가 같으므로 B와 C가 가능한 조합은 (2주기 16족, 3주기 2족), (3주기 16족, 4주기 1족)이다. C를 3주기 16족 원소라고 하면 B는 4주기 1족 원소가 되고, B보다 원자 번호가 큰 원소가 존재하지 않게 된다. 이에 따라 주기율표에 A~D를 표시하면 다음과 같다.

주기＼족	1	2	13	14	15	16	17	18
2						C(O)		
3		B(Mg)				A(S)		
4	D(K)							

ㄱ. A는 3주기 16족 원소이고, B는 3주기 2족 원소이므로 A는 B보다 원자 번호가 크다.

ㄴ. B는 금속 원소이고, C는 비금속 원소이므로 B와 C로 이루어진 화합물은 이온 결합 물질이다.

ㄷ. D는 전자 1개를 잃고 D^+을 형성하고, C는 전자 2개를 얻어 C^{2-}을 형성한다. 따라서 D^+과 C^{2-}은 2 : 1의 개수비로 결합하여 D_2C를 생성한다.

244 두 가지 원소로 이루어진 이온 결합 물질이므로 금속 원소인 Li이 비금속 원소인 O, F과 결합한 화합물과 금속 원소인 Mg이 비금속 원소인 O, F과 결합한 화합물이 가능하다.

245 • A와 C는 2주기 원소이고, B와 D는 3주기 원소이다.

➜ A와 C의 전자 수(=원자 번호)는 3~10이고, B와 D의 전자 수는 11~18이다.

• 원자가 전자 수가 3인 2주기 원자의 원자 번호는 5이므로 A는 원자가 전자 수가 6이고, 원자 번호는 8이다. ➜ A는 2주기 16족 원소인 산소(O)이다.

• B는 3주기 원소이므로 원자가 전자 수가 2이고, 원자 번호가 12인 마그네슘(Mg)이다.

• C는 2주기 원소이므로 원자가 전자 수가 1이고 원자 번호가 3인 리튬(Li)이다.

• D는 3주기 원소이므로 원자가 전자 수가 5이고 원자 번호가 15인 인(P)이다.

(1) 원자가 전자 수는 A가 6, B가 2, C가 1, D가 5이므로 원자가 전자 수의 합은 6+2+1+5=14이다.

(2) A는 2주기 16족 원소이고, B는 3주기 2족 원소이므로 A와 B가 결합할 때 B는 전자 2개를 잃고 네온(Ne)과 같은 전자 배치를 갖고, A는 전자 2개를 얻어 네온(Ne)과 같은 전자 배치를 갖는다.

모범 답안 (1) 14

(2)

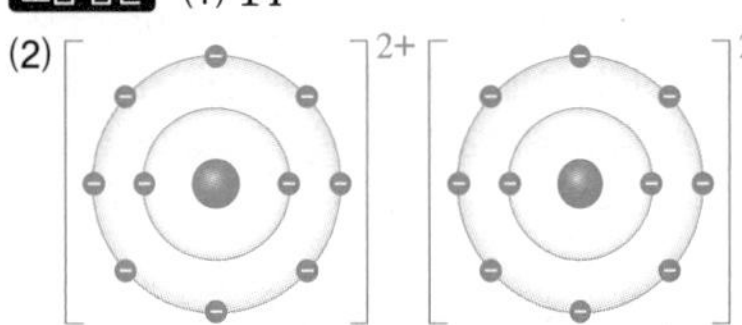

246 ㄱ. A^+은 A 원자가 전자 1개를 잃고 형성된 이온인데, 전자 수가 2이므로 A 원자는 2주기 1족 원소인 리튬(Li)이다. BC^-의 전자 배치로부터 B와 C는 전자쌍 1개를 공유하므로 C에는 전자가 1개 있다. 즉 C는 수소(H) 원자이고, B는 2주기 16족 원소인 산소(O) 원자이다. 따라서 A는 알칼리 금속이므로, 물과 반응할 때 C로 이루어진 수소 기체(H_2)를 발생시킨다.

ㄷ. A와 B가 결합할 때 A는 전자 1개를 잃고 A^+이 되고, B는 전자 2개를 얻어 B^{2-}이 되어 A^+과 B^{2-}이 2 : 1의 개수비로 결합하므로 화학식은 A_2B이다.

바로알기 | ㄴ. A와 C는 1족 원소이므로 원자가 전자 수는 각각 1이고, B는 16족 원소이므로 원자가 전자 수는 6이다. 따라서 A, B, C의 원자가 전자 수의 합은 8이다.

247 ㄱ. 공유 결합은 비금속 원소의 원자들이 전자쌍을 공유하여 형성되는 화학 결합이다.

ㄴ. 단일 결합은 결합하는 두 원자가 전자쌍 1개를 공유하는 결합이다.

바로알기 | ㄷ. 헬륨(He)은 비금속 원소이지만 가장 바깥 전자 껍질에 전자를 모두 채운 안정한 전자 배치를 가지므로 화학 결합을 하지 않고 원자 상태로 존재한다.

248 ⑤ CO_2와 NH_3는 비금속 원소의 원자들이 전자쌍을 공유하여 이루어진 공유 결합 물질이다.

바로알기 | ① NaCl은 이온 결합 물질, H_2O은 공유 결합 물질이다.

② HCl는 공유 결합 물질, K_2O은 이온 결합 물질이다.

③ LiF은 이온 결합 물질, SO_2은 공유 결합 물질이다.

④ KCl과 LiBr은 모두 이온 결합 물질이다.

249 ㄴ. A는 수소(H), B는 염소(Cl)이다. 따라서 비금속 원소인 A와 B는 서로 전자쌍을 공유하여 공유 결합을 형성한다.

바로알기 | ㄱ. A는 1주기 1족 원소인 수소로, 비금속 원소이다.

ㄷ. B는 전자 1개를 얻어 3주기 비활성 기체인 아르곤(Ar)과 같은 전자 배치를 가지면 안정해진다.

250 ㄷ. X_2는 비금속 원소의 원자인 X가 전자쌍을 공유하여 형성된 공유 결합 물질이다.

바로알기 | ㄱ, ㄴ. X^{2-}은 X 원자가 전자 2개를 얻어 형성된 이온이므로 X 원자에서 전자가 들어 있는 전자 껍질 수는 2이고, 가장 바깥 전자 껍질에 들어 있는 전자 수는 6이다. 따라서 X는 2주기 16족 원소인 산소(O)이다.

251 ㄱ. A는 1주기 1족 원소인 수소(H)이고, B는 2주기 15족 원소인 질소(N)이다. 따라서 BA_3는 공유 결합 물질로, 분자 상태로 존재한다.
ㄴ. 수소 원자에는 전자가 1개 있으므로 다른 원자와 결합할 때 단일 결합만을 형성한다. 즉 BA_3에서 A 원자 3개는 B 원자 1개와 각각 단일 결합을 형성한다.
바로알기 | ㄷ. BA_3를 생성할 때 원자 사이에 전자 이동이 일어나지 않으므로 구성 원자는 이온으로 존재하지 않는다.

252 **모범 답안** (1) 공유 결합, 수소(H)와 탄소(C)는 모두 비금속 원소이므로 화학 결합을 할 때 원자들이 전자쌍을 공유하여 결합을 형성한다.
(2) 4개, 탄소 원자의 원자가 전자 수는 4이므로 옥텟 규칙을 만족하는 전자 배치를 가지려면 전자 4개가 필요하다. 이때 수소 원자에는 전자가 1개 있으므로 탄소 원자 1개는 총 4개의 수소 원자와 전자쌍을 공유하여 화합물을 생성한다.

253 ①, ⑥ 물(H_2O) 분자 모형에서 수소(H) 원자와 산소(O) 원자는 전자쌍 1개를 공유하므로 단일 결합을 형성한다.
②, ④ 물 분자에서 산소 원자는 가장 바깥 전자 껍질에 전자 8개가 채워져 옥텟 규칙을 만족하며, 네온(Ne)과 같은 전자 배치를 갖는다.
③ 물 분자에서 수소 원자는 가장 바깥 전자 껍질에 전자 2개가 채워지므로 헬륨(He)과 같은 전자 배치를 갖는다.
바로알기 | ⑤ 물 분자의 공유 전자쌍 수는 2이다.

254 A는 수소(H), B는 탄소(C), C는 질소(N)이다.
ㄱ. ABC에서 B의 원자가 전자 4개가 모두 다른 원자와 결합하는 데 사용된다.
ㄴ. ABC에서 각 원자들이 전자쌍을 공유하여 결합한 물질이므로 A, B, C는 비금속 원소이다.
바로알기 | ㄷ. ABC의 B와 C는 전자쌍 3개를 공유하고, A와 B는 전자쌍 1개를 공유하므로 ABC에는 단일 결합과 3중 결합이 존재한다.

255 ㄱ. 물(H_2O)과 메테인(CH_4)은 각각 비금속 원소의 원자들이 전자쌍을 공유하여 형성된 공유 결합 물질이다.
ㄷ. 메테인의 공유 전자쌍 수는 4이고, 물의 공유 전자 쌍 수는 2이다. 따라서 메테인의 공유 전자쌍 수는 물의 공유 전자쌍 수의 2배이다.
바로알기 | ㄴ. 물과 메테인에서 수소(H) 원자는 다른 원자와 전자쌍 1개를 공유한다. 이 전자쌍은 결합하는 두 원자가 각각 전자 1개씩을 내놓아 만드는데, 이로부터 수소의 원자가 전자 수는 1임을 알 수 있다.

256 ㄴ. (가)는 수소 분자(H_2), (나)는 산소 분자(O_2), (다)는 질소 분자(N_2)의 전자 배치를 나타낸 것이다. 따라서 원자 번호는 (나)의 구성 원자가 가장 크다.
바로알기 | ㄱ. 공유 전자쌍 수는 (가)에서 1, (나)에서 2, (다)에서 3이다. 따라서 공유 결합에 참여한 전자쌍 수가 가장 큰 것은 (다)이다.
ㄷ. (다)에서 구성 원자의 원자가 전자 중 3개는 공유 결합하는 데 사용하고 2개는 결합하지 않으므로 원자가 전자 수는 5이다.

257 (1) 산소(O) 원자와 플루오린(F) 원자가 옥텟 규칙을 만족하려면 산소에는 전자 2개가 더 필요하고, 플루오린에는 전자 1개가 더 필요하다. 따라서 산소 원자는 플루오린 원자 2개와 각각 단일 결합을 형성하여 OF_2를 생성한다.
(2) 산소와 플루오린 사이의 결합은 단일 결합이고, 이러한 결합이 2개 있는 결합 모형으로 나타낸다.

모범 답안 (1) 2
(2)

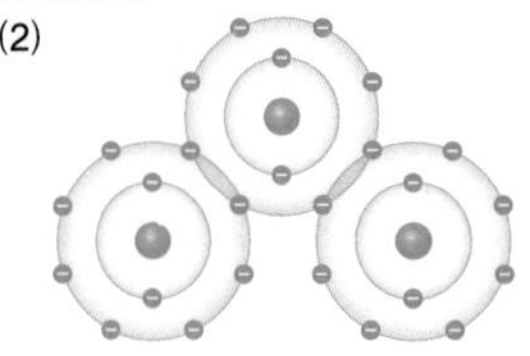

258 ㄱ. 공유 결합에 참여한 전자쌍 수는 (가) 2, (나) 2로 서로 같다.
ㄷ. 산소 분자(O_2)를 이루는 원자의 개수는 2개이고, 물 분자(H_2O)를 이루는 원자의 개수는 3개이므로 구성 원자의 개수는 (나)가 (가)보다 많다.
바로알기 | ㄴ. (가)는 한 종류의 원소로 이루어진 물질이고, (나)는 두 종류의 원소로 이루어진 물질이다.

259 A는 1주기 1족 원소인 수소(H), B는 2주기 1족 원소인 리튬(Li), C는 3주기 2족 원소인 마그네슘(Mg), D는 3주기 13족 원소인 알루미늄(Al), E는 3주기 17족 원소인 염소(Cl)이다. 따라서 A, E는 비금속 원소이고, B, C, D는 금속 원소이다.
①, ⑤ AE와 E_2는 비금속 원소의 원자들이 전자쌍을 공유하여 형성된 공유 결합 물질이다.
바로알기 | ②, ③, ④ BE, CE_2, DE_3는 금속 원소와 비금속 원소로 이루어진 이온 결합 물질이다.

260 ㄱ. (가)에서 탄소(C)의 원자가 전자 수는 4이고, 염소(Cl)의 원자가 전자 수는 7이다. 탄소 원자가 옥텟 규칙을 만족하려면 전자 4개가 필요하고, 염소 원자가 옥텟 규칙을 만족하려면 전자 1개가 필요하다. 따라서 탄소 원자 1개는 염소 원자 4개와 결합한다.
ㄴ. (나)에서 탄소의 원자가 전자 수는 4이고, 산소(O)의 원자가 전자 수는 6이다. 탄소 원자가 옥텟 규칙을 만족하려면 전자 4개가 필요하고, 산소 원자가 옥텟 규칙을 만족하려면 전자 2개가 필요하다. 따라서 탄소 원자 1개가 각각의 산소 원자와 전자쌍 2개를 공유하여 이산화 탄소(CO_2)를 생성한다. 이때 탄소 원자와 산소 원자 사이의 결합은 2중 결합이므로 공유 전자쌍 수는 (가)와 (나)가 4로 같다.
바로알기 | ㄷ. (가)에서 탄소의 전자 배치는 네온(Ne)과 같고, 염소의 전자 배치는 아르곤(Ar)과 같다. (나)에서 탄소와 산소의 전자 배치는 네온(Ne)과 같다.

261

물질	N_2	KF	NH_3	H_2O
원소의 종류 수	1	2	2	2
화학식의 구성 원자 수	2	2	4	3

이로부터 ㉠은 N_2, ㉡은 KF, ㉢은 H_2O, ㉣은 NH_3이다. 이 중 비금속 원소로만 이루어진 공유 결합 물질은 ㉠, ㉢, ㉣이고, ㉡은 이온 결합 물질이다.

262 A는 2주기 1족 원소인 리튬(Li), B는 2주기 16족 원소인 산소(O), C는 2주기 17족 원소인 플루오린(F)이다.
ㄴ. C는 원자가 전자 수가 7이므로 옥텟 규칙을 만족하기 위해 전자 1개가 필요하다. 따라서 C 원자 2개가 각각 전자 1개씩 내놓아 전자쌍 1개를 공유하여 C_2를 생성하므로 공유 전자쌍 수는 1이다.
바로알기 | ㄱ. 비금속 원소는 B, C 두 가지이다.
ㄷ. A는 금속 원소, C는 비금속 원소이므로 A와 C로 이루어진 화합물은 이온 결합 물질이다.

263 A는 산소(O), B는 플루오린(F), C는 나트륨(Na)이다.
ㄱ. A가 옥텟 규칙을 만족하려면 전자 2개가 필요하다. 이로부터 A_2에서 A 원자는 전자쌍 2개를 공유하여 결합을 형성한다.
ㄴ. C의 원자가 전자 수가 1이므로 옥텟 규칙을 만족하려면 전자 1개를 잃어야 한다.
ㄷ. A와 B는 비금속 원소이고, C는 금속 원소이다. 따라서 A와 B는 공유 결합을 형성하고, A와 C는 이온 결합을 형성한다.

264 A는 칼슘(Ca), B는 산소(O), C는 플루오린(F)이다.
① AB는 A^{2+}과 B^{2-}이 정전기적 인력으로 결합하고 있으므로 이온 결합 물질이다.
② BC_2는 B와 C 원자가 전자쌍을 공유하여 결합한 물질이다.
③ A는 4주기 2족 원소, B는 2주기 16족 원소, C는 2주기 17족 원소이다. 따라서 원자 번호는 B<C<A이다.
④ 원자가 전자 수는 B가 6이고, C가 7이므로 B가 C보다 작다.
⑥ A와 C가 결합할 때 A는 전자 2개를 잃고 A^{2+}이 되고, C는 전자 1개를 얻어 C^-이 되어 A^{2+}과 C^-이 1 : 2의 개수비로 결합하여 AC_2를 생성한다.
바로알기 | ⑤ A는 2족 원소이고, C는 할로젠이다.
⑦ B의 원자가 전자 수는 6이므로 B_2에서 B 원자는 전자쌍 2개를 공유하여 2중 결합을 형성한다. C의 원자가 전자 수는 7이므로 C_2에서 C 원자는 전자쌍 1개를 공유하여 단일 결합을 형성한다.

265 A는 수소(H), B는 리튬(Li), C는 질소(N), D는 산소(O), E는 플루오린(F)이다.
ㄱ. A와 D는 비금속 원소이므로 공유 결합을 형성한다.
ㄹ. CDE에서 구성 원자가 옥텟 규칙을 만족하기 위해 C와 D 사이에는 2중 결합이 있고, C와 E 사이에는 단일 결합이 있다.
바로알기 | ㄴ. 원자가 전자 수가 C는 5, A는 1이므로 C 원자 1개는 A 원자 3개와 결합하여 안정한 분자를 형성한다.
ㄷ. 화합물 B_2D는 B^+과 D^{2-}이 결합한 이온 결합 물질인데, B^+은 B 원자가 전자 1개를 잃고 헬륨(He)의 전자 배치와 같아지고, D^{2-}은 D 원자가 전자 2개를 얻어 네온(Ne)의 전자 배치와 같아진다.

266 A는 수소(H), B는 산소(O), C는 나트륨(Na), D는 염소(Cl)이다.
ㄱ. B의 원자가 전자 수는 6이므로 옥텟 규칙을 만족하기 위해 전자 2개가 필요하다. A의 원자가 전자 수가 1이므로 B 원자는 A 원자 2개와 결합한다. 따라서 공유하는 전자쌍 수는 2이다.
ㄴ. B와 C가 결합할 때 C는 C^+이 되고, B는 B^{2-}이 되어 C^+과 B^{2-}이 2 : 1의 개수비로 결합하여 C_2B를 생성한다.
바로알기 | ㄷ. AD는 공유 결합 물질, CD는 이온 결합 물질이다.

267 A~D의 전자가 들어 있는 전자 껍질 수는 주기와 같으므로 A는 나트륨(Na), B는 수소(H), C는 산소(O), D는 염소(Cl)이다.
ㄴ. A는 금속 원소이고, C와 D는 비금속 원소이므로 A와 C, A와 D로 이루어진 물질은 모두 이온 결합 물질이다.
ㄷ. C는 원자가 전자 수가 6이므로 옥텟 규칙을 만족하기 위해 전자 2개가 필요하다. 따라서 C 원자 사이에 공유하는 전자쌍 수는 2이다. D는 원자가 전자 수가 7이므로 옥텟 규칙을 만족하기 위해 전자 1개가 필요하다. 따라서 D 원자 사이에 공유하는 전자쌍 수는 1이다. 이로부터 C_2와 D_2에서 공유하는 전자쌍 수의 합은 3이다.
바로알기 | ㄱ. A는 알칼리 금속이고, B는 비금속 원소이다.

268 원자가 전자 수는 17족 원소가 가장 크므로 A는 17족 원소, D는 16족 원소, B는 2족 원소, C는 1족 원소이다. A~D는 2, 3주기 원소이고, 원자 번호가 D<C<B<A이므로 A는 염소(Cl), B는 마그네슘(Mg), C는 나트륨(Na), D는 산소(O)이다.
ㄴ. A_2는 공유 결합 물질로, 전자쌍 1개를 공유하여 아르곤(Ar)의 전자 배치와 같아진다.
ㄹ. C는 금속 원소이고, D는 비금속 원소이므로 C와 D로 이루어진 화합물은 이온 결합 물질이다.
바로알기 | ㄱ. 3주기 원소는 A, B, C 세 가지이다.
ㄷ. A와 B가 결합할 때 B는 전자 2개를 잃고 B^{2+}이 되고, A는 전자 1개를 얻어 A^-이 된다. 따라서 B^{2+}과 A^-은 1 : 2의 개수비로 결합하여 BA_2를 생성한다.

우리 주변의 다양한 물질

빈출 자료 보기 69쪽
269 (1) ○ (2) ○ (3) × (4) ○ (5) ×

269 **바로알기 |** (3) A는 공유 결합 물질인 설탕이고, B는 이온 결합 물질인 소금이다. 일반적으로 공유 결합 물질은 이온 결합 물질보다 입자 사이의 인력이 약하므로 녹는점이 낮다.
(5) 이 실험으로 수용액 상태에서 전기 전도성이 없는 A는 공유 결합 물질, 수용액 상태에서 전기 전도성이 있는 B는 이온 결합 물질임을 알 수 있다.

난이도별 필수 기출 70~75쪽

270 ②, ④ 271 ⑤ 272 해설 참조 273 ③
274 ② 275 ⑥ 276 ③ 277 ⑤ 278 ③
279 해설 참조 280 ② 281 이온 결합 물질: (나), (라), (바), 공유 결합 물질: (가), (다), (마) 282 ③ 283 ② 284 ③
285 ④ 286 ③ 287 ⑦ 288 ④ 289 ① 290 ⑤
291 ④ 292 ④ 293 ② 294 ①

270 ① 이온 결합 물질은 양이온의 양전하의 합과 음이온의 음전하의 합이 같으므로 전기적으로 중성이다.
③ 이온 결합 물질은 양이온과 음이온이 강한 정전기적 인력으로 결합하고 있어 녹는점과 끓는점이 비교적 높다.
⑤ 염화 칼슘($CaCl_2$), 수산화 나트륨(NaOH) 등은 양이온과 음이온이 결합한 이온 결합 물질이다.
바로알기 | ② 이온 결합 물질은 고체 상태에서 이온들이 강하게 결합하고 있어 자유롭게 이동할 수 없다. 따라서 고체 상태에서는 전류가 흐르지 않는다.
④ 이온 결합 물질에 힘을 가하면 이온층이 밀려 같은 전하를 띤 이온들이 인접하여 반발력이 작용하므로 쉽게 부스러진다.

271 ㄱ. 제시된 물질의 모형은 양이온과 음이온이 정전기적 인력에 의해 반복적으로 결합한 이온 결합 물질이다.

ㄴ, ㄷ. 이온 결합 물질은 녹는점이 비교적 높아 실온에서 대부분 고체 상태로 존재하며, 물에 녹으면 양이온과 음이온으로 나누어진다.

272 **모범 답안** 이온 결합 물질에 힘을 가하면 힘을 받은 이온층이 밀려 같은 전하를 띤 이온들이 만나 반발력이 작용하므로 쉽게 쪼개진다.

273 ㄱ. (가)에서 나트륨 이온(Na^+)과 염화 이온(Cl^-)은 서로 반대 전하를 띠고 있어 정전기적 인력으로 결합하고 있다.
ㄷ. (나)에서 각 이온들은 물(H_2O) 분자에 둘러싸여 자유롭게 이동하므로 전기 전도성이 있다.
바로알기 | ㄴ. 염화 나트륨(NaCl)은 수많은 나트륨 이온과 염화 이온이 연속적으로 결합하여 결정을 이룬다.

274 t °C보다 낮은 온도에서는 전기 전도성이 없다가 t °C보다 높은 온도에서 전기 전도성이 있으므로 고체인 화합물 X는 t °C에서 융해되어 액체로 된다.
ㄱ. t °C에서 고체가 액체로 상태가 변하므로 t °C가 물질 X의 녹는점이다.
ㄴ. X는 고체 상태에서 전기 전도성이 없다가 액체 상태에서 전기 전도성이 있는 것으로 보아 이온 결합 물질이다. 따라서 X는 수용액에서 이온 상태로 존재한다.
바로알기 | ㄷ. 설탕은 비금속 원소의 원자가 전자쌍을 공유하여 결합한 공유 결합 물질이므로 고체와 액체 상태 모두 전기 전도성이 없다.

275 A는 마그네슘(Mg), B는 염소(Cl)이다.
① 원자 번호는 A가 12이고, B가 17이다.
② 원자가 전자 수는 A가 2이고, B가 7이다.
③ A는 전자를 잃고 양이온이 되기 쉬운 금속 원소이고, B는 전자를 얻어 음이온이 되기 쉬운 비금속 원소이다.
④ A^{2+}과 B^-은 1 : 2의 개수비로 결합하므로 화학식은 AB_2이다.
⑤ 이온 결합 물질은 수많은 양이온과 음이온이 연속적으로 결합하여 결정을 이룬다.
바로알기 | ⑥ 이온 결합 물질은 액체 상태에서는 양이온과 음이온이 비교적 자유롭게 이동하면서 전하를 운반하므로 전기 전도성이 있다. 그러나 고체 상태에서는 이온들이 강한 정전기적 인력으로 결합하고 있어 자유롭게 이동할 수 없으므로 전기 전도성이 없다.

276 A는 수소(H), B는 네온(Ne), C는 나트륨(Na), D는 염소(Cl)이다.
ㄷ. C는 금속 원소이고, D는 비금속 원소이므로 C와 D로 이루어진 물질은 이온 결합 물질이다. 따라서 C와 D로 이루어진 물질은 수용액에서 양이온과 음이온이 자유롭게 이동하므로 전류가 흐른다.
바로알기 | ㄱ. B는 비활성 기체이므로 원자가 전자 수는 0이다. 따라서 A~D의 원자가 전자 수의 합은 1+0+1+7=9이다.
ㄴ. B는 비활성 기체로, 반응성이 거의 없으므로 다른 원자와 반응하지 않는다.

277 ① 염화 칼슘($CaCl_2$)은 칼슘 이온(Ca^{2+})과 염화 이온(Cl^-)이 정전기적 인력으로 결합한 이온 결합 물질이다.
② 염화 칼슘은 눈에 녹아 이온으로 나누어져 철의 부식 속도를 빠르게 한다.
③ 염화 칼슘은 공기 중의 수분을 흡수하여 스스로 녹는 성질이 있다.
④ 염화 칼슘이 녹아 있는 물은 혼합물이므로 어는점이 0 °C보다 낮아진다.
바로알기 | ⑤ 염화 칼슘은 물에 녹아 자동차의 부식 정도를 크게 할 뿐만 아니라 하천을 오염시키고, 도로의 나무를 말라 죽게 하는 등 환경에 피해를 준다.

278 ㄱ. 설탕($C_{12}H_{22}O_{11}$), 에탄올(C_2H_6O), 아스피린($C_9H_8O_4$)은 모두 비금속 원소의 원자가 전자쌍을 공유하여 형성된 공유 결합 물질이다.
ㄷ. 설탕, 에탄올, 아스피린은 모두 탄소(C), 수소(H), 산소(O)로 이루어져 있다.
바로알기 | ㄴ. 설탕, 에탄올, 아스피린은 물에 녹아 분자 상태로 존재하므로 수용액 상태에서 전류가 흐르지 않는다.

279 **모범 답안** 공유 결합 물질인 포도당은 물에 녹아 전기적으로 중성인 분자 상태로 존재하므로 전류가 흐르지 않는다.

280 ㄱ. 화학 결합 모형에서 A가 B와 결합하는 데 사용한 전자 수는 2이고, 결합하지 않은 전자 수는 4이므로 원자가 전자 수는 6이다. 또 전자가 들어 있는 전자 껍질 수가 2이므로 A는 2주기 16족 원소인 산소(O)이다. B가 A와 결합하는 데 사용한 전자 수는 1이고, 결합하지 않은 전자 수는 6이므로 원자가 전자 수는 7이다. 또 전자가 들어 있는 전자 껍질 수가 2이므로 B는 2주기 17족 원소인 플루오린(F)이다.
ㄷ. 이 화합물을 화학식으로 나타내면 AB_2이다.
바로알기 | ㄴ. A와 B는 화학 결합을 통해 네온(Ne)과 같은 전자 배치를 이룬다.
ㄹ. 이 화합물은 공유 결합 물질로, 전기적으로 중성인 분자이므로 액체 상태에서 전기 전도성이 없다.

281 이온 결합 물질은 양이온과 음이온이 정전기적 인력으로 결합한 물질이고, 공유 결합 물질은 비금속 원소의 원자가 전자쌍을 공유하여 결합한 물질이다. 따라서 이온 결합 물질은 (나), (라), (바)이고, 공유 결합 물질은 (가), (다), (마)이다.

282 ㄷ. 증류수(H_2O)와 염화 칼슘($CaCl_2$)은 고체 상태에서 모두 전기 전도성이 없다.
바로알기 | ㄱ. 증류수는 공유 결합 물질이고, 염화 칼슘은 이온 결합 물질이다. 따라서 화학 결합의 종류는 서로 다르다.
ㄴ. 증류수는 액체 상태에서 전기적으로 중성인 분자로 존재하므로 전기 전도성이 없고, 염화 칼슘은 액체 상태에서 칼슘 이온(Ca^{2+})과 염화 이온(Cl^-)이 자유롭게 이동하므로 전기 전도성이 있다.

283 ㄴ. (가)는 이온 결합 물질로, 금속 원소와 비금속 원소가 결합하여 형성된다.
바로알기 | ㄱ. (가)는 고체 상태에서 양이온과 음이온이 강한 정전기적 인력으로 결합하고 있어 자유롭게 이동하지 못하므로 전류가 흐르지 않는다.
ㄷ. (나)는 설탕으로, 설탕은 물에 녹아 분자 상태로 존재한다.

284 ① A는 고체와 액체 상태에서 모두 전기 전도성이 없으므로 공유 결합 물질이다. 따라서 A는 비금속 원소들로 이루어져 있다.
② B는 고체 상태에서는 전기 전도성이 없지만 액체 상태에서 전기 전도성이 있으므로 이온 결합 물질이다. 따라서 B에 힘을 가하면 쉽게 부스러진다.
④ 물질을 이루는 입자 사이의 인력이 강할수록 녹는점과 끓는점이 높다. 따라서 B를 이루는 입자 사이의 인력이 C를 이루는 입자 사이의 인력보다 강하다.

⑤ A와 C는 끓는점이 실온(25 ℃)보다 낮으므로 실온에서 기체 상태이고, B는 녹는점이 실온보다 높으므로 실온에서 고체 상태이다.

바로알기 | ③ C는 고체와 액체 상태에서 전기 전도성이 없으므로 공유 결합 물질이다.

285 A는 전자 1개를 잃고 형성된 양이온이고, 양이온의 전자 수가 10이므로 A 원자는 3주기 1족 원소인 나트륨(Na)이다. B는 전자 1개를 얻어 형성된 음이온이고, 음이온의 전자 수가 18이므로 B 원자는 3주기 17족 원소인 염소(Cl)이다. C는 2주기 15족 원소인 질소(N)이다.

ㄴ. AB는 이온 결합 물질로, 수용액에서 이온들이 자유롭게 이동할 수 있으므로 전기가 통한다.

ㄷ. C_2는 C 원자들이 전자쌍을 공유하여 형성된 공유 결합 물질이다.

바로알기 | ㄱ. A와 B는 모두 3주기 원소이다.

286 (가)는 HF, (나)는 CO_2, (다)는 Al_2O_3이다.

ㄱ. (가) AD와 (나) BC_2는 모두 비금속 원소로 이루어진 물질이므로 공유 결합 물질이다.

ㄷ. E와 C가 결합을 할 때 E는 전자 3개를 잃고 E^{3+}이 되고, C는 전자 2개를 얻어 C^{2-}이 되어 E^{3+}과 C^{2-}이 2 : 3의 개수비로 결합하여 E_2C_3를 형성한다. 따라서 $x=2$, $y=3$이다.

바로알기 | ㄴ. (나)는 공유 결합 물질이고, (다)는 이온 결합 물질이다. (나)는 분자로 이루어진 물질로, 이온들이 정전기적 인력으로 결합하여 형성된 (다)보다 끓는점이 낮다.

다른 해설 (나)는 이산화 탄소(CO_2)로 실온에서 기체 상태로 존재하고, (다)는 산화 알루미늄(Al_2O_3)으로 실온에서 고체 상태로 존재한다. 따라서 끓는점은 (다)가 (나)보다 높다.

287 ① A는 고체 상태와 수용액 상태에서 전기 전도성이 없으므로 공유 결합 물질인 포도당($C_6H_{12}O_6$)이다.

② B는 고체 상태에서는 전기 전도성이 없지만 수용액 상태에서 전기 전도성이 있으므로 이온 결합 물질인 염화 구리(Ⅱ)($CuCl_2$)이다. 이온 결합 물질은 금속 원소와 비금속 원소로 이루어진 물질이므로 B는 금속 원소를 포함한다.

③ A는 공유 결합 물질로, 수용액 상태에서 전기적으로 중성인 분자 상태로 존재하므로 전기 전도성이 없다.

④ B는 이온 결합 물질로, 외부에서 힘을 가하면 쉽게 쪼개진다.

⑤, ⑥ B 수용액에는 전하를 띠는 입자인 이온들이 이동할 수 있으므로 전기 전도성이 있다.

⑧ 공유 결합 물질은 고체 상태와 수용액 상태에서 전기 전도성이 없고, 이온 결합 물질은 고체 상태에서 전기 전도성이 없지만 수용액 상태에서 전기 전도성이 있다. 따라서 고체 상태와 수용액 상태의 전기 전도성으로 이온 결합 물질과 공유 결합 물질을 구별할 수 있다.

바로알기 | ⑦ 질산 칼륨(KNO_3)은 양이온과 음이온이 결합한 이온 결합 물질이므로 B와 같은 실험 결과를 나타내는 화합물이다.

288 ㄴ. 설탕과 녹말을 각각 물에 녹이면 전기적으로 중성인 분자로 존재하므로 전하를 띠는 입자가 존재하지 않는다.

ㄷ. 염화 구리(Ⅱ)($CuCl_2$) 수용액에서 음이온인 염화 이온(Cl^-)은 (+)극 쪽으로, 양이온인 구리 이온(Cu^{2+})은 (−)극 쪽으로 이동한다.

바로알기 | ㄱ. 설탕과 녹말은 전기적으로 중성인 분자로 이루어져 있어 고체 상태에서 전기 전도성이 없고, 수산화 나트륨(NaOH)과 염화 구리(Ⅱ)에서는 양이온과 음이온이 강한 정전기적 인력으로 결합하고 있어 이동하지 못하므로 고체 상태에서 전기 전도성이 없다.

289 ㄱ. A는 수용액 상태에서 전기적으로 중성인 상태로 존재하므로 설탕($C_{12}H_{22}O_{11}$)이고, B는 수용액 상태에서 양이온과 음이온으로 존재하므로 염화 나트륨(NaCl)이다. 따라서 A는 비금속 원소의 원자가 전자쌍을 공유하여 형성된 물질이다.

바로알기 | ㄴ. B는 고체 상태에서 양이온과 음이온이 강한 정전기적 인력으로 결합하고 있어 이동하지 못하므로 전기 전도성이 없다.

ㄷ. A와 B 수용액에 전원을 연결하면 A 수용액에서는 전하를 띤 입자가 존재하지 않으므로 전류가 흐르지 않고, B 수용액에서는 전하를 띤 이온들이 이동할 수 있으므로 전류가 흐른다.

290 (가)는 흑연(C), (나)는 염화 칼슘($CaCl_2$), (다)는 에탄올(C_2H_6O)이다.

ㄱ. (가)는 탄소(C) 원자들이 전자쌍을 공유하여 형성된 공유 결합 물질이고, (다)는 탄소, 수소(H), 산소(O)가 전자쌍을 공유하여 형성된 공유 결합 물질이다.

ㄴ. (나)는 염화 칼슘으로, 이온 결합 물질이다.

ㄷ. (다)는 에탄올로, 살균 효과가 있어 소독용 알코올로 사용된다.

291 ㄴ. (나), (라)는 독립적인 분자로 존재하는 공유 결합 물질이다.

ㄷ. (가), (다)는 이온 결합 물질로, 수용액에서 이온들이 이동할 수 있으므로 전기 전도성이 있다.

바로알기 | ㄱ. 양이온과 음이온이 연속적으로 결합하여 규칙적으로 배열되어 있는 이온 결합 물질은 (가), (다) 두 가지이다.

292 ㄱ, ㄴ. 규산염 광물은 지각을 구성하며, 이산화 탄소(CO_2)는 생명체의 호흡으로 생성되고 광합성의 재료로 이용된다.

ㄹ. 지구 대기의 약 78 %는 질소(N_2), 21 %는 산소(O_2)로 구성되어 있는데, 질소와 산소는 모두 공유 결합 물질이다.

바로알기 | ㄷ. 사람 몸의 약 70 %를 차지하는 물(H_2O)은 수소(H)와 산소(O)가 전자쌍을 공유하여 형성된 공유 결합 물질이다.

293 ㄱ. (가)는 산소(O) 원자가 전자쌍을 공유하여 형성된 산소 기체(O_2)이다. 산소 기체는 생명체의 호흡에 이용된다.

ㄴ. (나)는 질소(N) 원자가 전자쌍을 공유하여 형성된 질소 기체(N_2)이다. 질소 기체는 대기의 약 78 %를 차지한다.

바로알기 | ㄷ. (가)에서 공유 전자쌍 수는 2이고, (나)에서 공유 전자쌍 수는 3이다.

294 ① 물질의 연소에 필요한 X_2는 산소 기체(O_2)이므로, X는 산소(O) 원자이다. 산소의 원자 번호는 8번이고, 산소는 16족 원소이므로 원자가 전자 수는 6이며, 전자 2개를 얻어 안정한 이온이 된다. 이로부터 (가)는 8, (나)는 6, (다)는 2이므로, 큰 것부터 나열하면 (가) − (나) − (다)이다.

최고 수준 도전 기출(05~09강)

76~77쪽

295 ① 296 ⑤ 297 ⑤ 298 ③ 299 ④ 300 ②
301 ⑤ 302 ⑤

295 ② 되베라이너는 성질이 비슷한 세 쌍 원소가 존재하며, 이 원소들의 원자량 사이에 일정한 관계가 있다는 것을 발견하였다. 뉴랜즈는 성질이 비슷한 원소가 8번째마다 나타나는 것을 발견하고, 이를 옥타브설이라고 제안하였다.

③ 모즐리는 원소들의 양성자수에 따라 화학적 성질이 결정됨을 발견하고 원소들의 주기적 성질이 양성자수와 관계 있음을 알아내었다.
④ 멘델레예프는 원자량에 따라 원소들을 나열할 때 발견되지 않은 원소의 자리를 비워 두고 그 자리에 들어갈 원소의 성질을 예측하였다.
⑤ 원자 번호는 Ar이 K보다 작지만 원자량은 K이 Ar보다 작다. 따라서 멘델레예프는 원자량을 기준으로 원소들을 나열하였으므로 K이 Ar보다 앞선다.

바로알기 | ① 주기율의 발견 시기 순으로 나열하면 (가) – (나) – (라) – (다)이다.

개념 보충

원자량 순서와 주기율이 맞지 않는 원소

멘델레예프가 원자량을 기준으로 만든 주기율표를 제안한 이후 영국의 과학자인 레일리와 램지는 비활성 기체인 아르곤(Ar)을 발견하였는데, 아르곤의 원자량이 칼륨(K)보다 커서 원자량 순서로 배열할 때 원소의 주기적 성질에 맞지 않았다. 이에 멘델레예프는 까닭을 찾지 못했지만 이 부분은 예외적으로 원자량 순서에 맞지 않게 원소의 배열 순서를 바꾸어야 한다는 것을 인정하였다. 그러면 원자 번호와 원자량 순서는 왜 맞지 않았을까? 이는 자연계에는 양성자수가 같지만 중성자수가 다른 동위 원소가 존재하기 때문이다. 원소들의 원자량은 각 동위 원소의 존재 비율을 고려하여 구한 평균값을 사용하는데 아르곤과 칼륨의 각 동위 원소 중 자연계에서 안정하게 존재하는 비율과 평균 원자량은 다음과 같다.

원소	동위 원소	존재 비율(%)	평균 원자량
Ar	^{38}Ar	0.06	39.948
	^{40}Ar	99.6	
K	^{39}K	93.3	39.098
	^{41}K	6.7	

296 ⑤ H, Li, Mg, Si 중 전자가 들어 있는 전자 껍질 수가 3인 3주기 원소는 Mg, Si이고, 이 중 금속과 비금속의 성질을 모두 가진 준금속은 Si이므로 (가)는 Si, (나)는 Mg이다. 또 H와 Li 중 전류가 잘 흐르는 원소는 금속인 Li이므로 (다)는 Li이고, (라)는 H이다.

297 ㄱ. (나)의 전자 수가 3이고, 원자는 전기적으로 중성이므로 원자핵을 구성하는 양성자수는 3이어야 한다. 따라서 ●은 양성자이고, ○은 중성자이다.
ㄴ. 원자 번호는 양성자인 ●에 의해 결정된다.
ㄷ. (가)와 (나)의 양성자수가 같고, 중성자수가 다르므로 (가)와 (나)는 동위 원소 관계이다.

298 • Z^-은 Z 원자가 전자 1개를 얻어 형성된 음이온이므로 전자 수는 양성자수보다 1만큼 크다. 따라서 (나)는 양성자수이다. Z는 2주기 원소이므로 Z^-의 전자 배치는 2주기 비활성 기체인 네온(Ne)과 같다. ➡ $b+1=10$, $b=9$
• X와 Y는 원자이므로 양성자수와 전자 수가 같다. X의 양성자수가 5이고, (가)를 전자 수라고 하면 $a=5$, $b=9$이므로 Y에서 (나)의 값은 7이 되어 (가)가 전자 수라는 가정이 옳다. ➡ (다)는 중성자수이다.
ㄱ. (가)는 전자 수, (나)는 양성자수, (다)는 중성자수이다.
ㄷ. X의 양성자수는 5이고, 중성자수는 6이므로 양성자수와 중성자수의 합은 11이다.

바로알기 | ㄴ. (다)가 중성자수이므로 X~Z의 중성자수는 각각 6, 8, 10이다. 따라서 중성자수는 Z가 가장 크다.

299 A와 B는 3주기 원소이므로 두 번째 전자 껍질에 들어 있는 전자 수는 모두 8로 같다. 세 번째 전자 껍질에는 원자가 전자 수가 들어 있고 A는 $2<\frac{\text{두 번째 전자 껍질의 전자 수}}{\text{세 번째 전자 껍질의 전자 수}}<4$이므로 세 번째 껍질에 들어 있는 전자 수는 3이다. 따라서 A는 알루미늄(Al)이다. 리튬의 전체 전자 수는 3, 원자가 전자 수는 1이므로 B의 $\frac{\text{원자가 전자 수}}{\text{전체 전자 수}}=\frac{1}{3}$이다. 이때 B는 원자 번호가 11~18 중 하나이므로 전체 전자 수는 11~18 중 하나이며, $\frac{\text{원자가 전자 수}}{\text{전체 전자 수}}$가 $\frac{1}{3}$인 경우는 $\frac{4}{12}$, $\frac{5}{15}$, $\frac{6}{18}$이다. 전체 전자 수가 12인 경우 원자가 전자 수는 2이고, 전체 전자 수가 18인 경우 원자가 전자 수는 0이므로 B는 전체 전자 수가 15인 인(P)이다. 따라서 A와 B의 원자가 전자 수의 합은 3+5=8이다.

300 (가)는 산소(O)와 수소(H)로 이루어진 물(H_2O)이고, (나)는 탄소(C)와 산소로 이루어진 이산화 탄소(CO_2)이다.
ㄷ. (가)에서 산소 원자는 수소 원자와 전자쌍 1개를 공유하므로 단일 결합이 있다. (나)에서 탄소 원자는 산소 원자와 전자쌍 2개를 공유하므로 2중 결합이 있다.

바로알기 | ㄱ. (가)에서 산소 원자는 2개의 수소 원자와 각각 전자쌍 1개를 공유하므로 공유 전자쌍 수는 2이다. (나)에서 탄소 원자는 2개의 산소 원자와 각각 전자쌍 2개를 공유하므로 공유 전자쌍 수는 4이다.
ㄴ. (나)에서 산소 원자의 원자가 전자 6개 중 2개는 결합하는 데 사용하고, 결합하지 않는 전자 4개(전자쌍 2개)는 공유하지 않고 있다. 즉 산소 원자에는 비공유 전자쌍이 존재한다.

개념 보충

비공유 전자쌍

이산화 탄소에서 탄소 원자는 원자가 전자를 결합하는 데 모두 사용하지만 산소 원자는 원자가 전자 중 일부는 결합하는 데 사용하고 나머지 4개의 전자, 즉 전자쌍 2개는 공유 결합에 참여하지 않는다. 이와 같이 공유 결합에 참여하지 않는 전자쌍을 비공유 전자쌍이라고 한다.

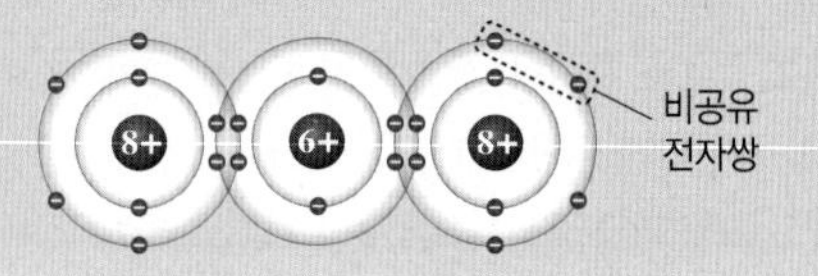

301 화학식의 구성 원자 수와 원자 수비로부터 (가)~(라)의 화학식을 구하면 (가)는 AB, (나)는 AC_2, (다)는 BC_2, (라)는 AD_2이다. (나)와 (라)에서 C와 D는 각각 나트륨(Na), 플루오린(F) 중 하나인 것을 알 수 있다. C가 나트륨이면 (나)와 (다)에서 A, B는 마그네슘(Mg), 산소(O) 중 하나여야 하는데, 마그네슘과 나트륨은 결합을 형성할 수 없으므로 C는 플루오린이고, D는 나트륨이다. (라)의 화학식은 D_2A이므로 A는 산소이고, B는 마그네슘이다.
ㄴ. (가), (다), (라)는 이온 결합 물질, (나)는 공유 결합 물질이다.
ㄷ. C와 D는 이온의 전하가 각각 −1, +1이므로 1 : 1의 개수비로 결합하여 DC를 생성한다.

바로알기 | ㄱ. B는 마그네슘이다.

302 우주를 구성하는 원소 중 가장 큰 비율을 차지하는 원소는 수소(H)이고, 그 다음이 헬륨(He)이다. 지구를 구성하는 원소 중 가장 큰 비율을 차지하는 원소는 철(Fe)이고, 산소(O), 규소(Si) 순으로 비율이 크다. 이로부터 (가)는 수소, (나)는 헬륨, (다)는 철, (라)는 산소, (마)는 규소이다.
⑤ (마)는 규소로, 3주기 14족 원소이므로 원자가 전자 수가 4이다.

바로알기 | ① (가)는 수소로, 비활성 기체가 아니다.
② (나)는 헬륨으로, 1주기 18족 원소이다.
③ (다)는 철로, 금속 원소이다.
④ (라)는 산소로, 지구 대기 성분 중 두 번째로 많은 비율을 차지한다.

10 지각과 생명체 구성 물질의 결합 규칙성

빈출 자료 보기 79쪽

303 (1) × (2) ○ (3) ○ (4) ○ (5) × (6) ○ (7) ○ (8) ○
304 (1) × (2) × (3) × (4) × (5) × (6) ○ (7) ○

303 **바로알기 |** (1) 지각을 구성하는 원소의 질량비는 산소>규소>알루미늄>철>칼슘 등 순이므로, A는 산소, B는 규소이다.
(5) 사람을 구성하는 원소의 질량비는 산소>탄소>수소>질소 등 순이므로, C는 산소이다. 우주에 가장 많이 분포하는 원소는 수소이다.

304 **바로알기 |** (1) (가)는 Si−O 사면체가 독립적으로 존재하는 독립형 구조이다.
(2) (나)는 휘석에서 볼 수 있는 단사슬 결합 구조이고, 감람석에서 볼 수 있는 결합 구조는 (가)이다.
(3) (가)에서 (마)로 갈수록 풍화에 강하므로 (다)는 (라)보다 풍화에 약하다.
(4) (가)에서 (마)로 갈수록 Si−O 사면체가 연결되면서 공유하는 산소 원자 수가 많아지므로, (라)는 (마)보다 규산염 사면체 간에 공유하는 산소의 수가 적다.
(5) (마)에서는 Si−O 사면체의 모든 산소가 공유되므로 규소와 산소의 개수비는 1 : 2이다.

난이도별 필수 기출 80~87쪽

305 ③ 306 ② 307 ③ 308 ②, ④, ⑤ 309 ④
310 ② 311 해설 참조 312 ③ 313 ② 314 ①
315 ③ 316 ③ 317 ③ 318 ④ 319 ③
320 ②, ⑤ 321 ① 322 ② 323 해설 참조
324 ② 325 해설 참조 326 ②, ⑤ 327 ⑤
328 해설 참조 329 ② 330 ③ 331 ③, ⑤
332 해설 참조 333 ④ 334 ③ 335 해설 참조
336 ⑤ 337 ④ 338 ① 339 ①, ⑤ 340 ⑤
341 해설 참조 342 해설 참조 343 ④ 344 ④
345 ② 346 ② 347 ③ 348 ④ 349 ①

305 지각을 구성하는 원소의 질량비는 산소>규소>알루미늄>철 순이고, 생명체를 구성하는 원소의 질량비는 산소>탄소>수소>질소 순이다.

306 ㄱ. 지각은 암석으로 이루어져 있고, 암석은 광물로 이루어져 있다.
ㄷ. 규산염 광물은 산소와 규소로 이루어진 음전하를 띤 규산염 사면체가 양이온인 금속과 결합하여 이루어진 화합물로 구성된다.
바로알기 | ㄴ. 지각을 구성하는 광물의 약 92 %는 산소와 규소로 이루어진 규산염 광물로 되어 있다.
ㄹ. 지각에 철의 함량이 적은 까닭은 마그마 바다 시기에 철과 같은 무거운 원소는 지구 중심 쪽으로 가라앉았기 때문이다.

307 ㄱ. 생명체는 물과 소량의 무기물을 제외하면 탄수화물, 단백질, 지질과 같은 유기물로 구성된다.
ㄴ. 유기물은 탄소를 기본 골격으로 하는 탄소 화합물이다.
바로알기 | ㄷ. 생명체를 구성하는 원소는 산소>탄소>수소>질소 등 순이므로 산소가 가장 많다.

308 ② 산소인 A는 다른 원소들과 쉽게 결합하는 특성이 있다.
④ 규소인 B는 14족 원소이므로 원자가 전자 수가 4이다. 따라서 최대 4개의 원자와 공유 결합을 형성할 수 있으며, 반도체의 주원료로 사용된다.
⑤ 규소인 B는 산소와 공유 결합을 하여 규산염 사면체를 이룬다.
바로알기 | ① 산소인 A는 16족 원소로 원자가 전자 수는 6이다.
③ B는 규소로, 4개의 원자가 전자를 갖는다.
⑥ 지각에는 철보다 무거운 구리, 우라늄과 같은 원소도 있으므로 별의 중심부에서 만들어진 원소 외에 초신성 폭발 등으로 만들어진 원소도 있다.
⑦ 지구 전체를 구성하는 원소의 질량비는 철>산소>규소>마그네슘>니켈>기타 순이다.

309 ㄴ. 산소인 C는 지각에서 규소와 결합하여 규산염 사면체를 이루고, 규산염 사면체는 결합 구조를 달리하면서 다양한 규산염 광물을 이룬다.
ㄷ. 탄소 화합물인 탄수화물은 탄소가 수소, 산소 등과 공유 결합하여 만들어진 화합물이다.
바로알기 | ㄱ. 원자가 전자 수가 4인 탄소(B)는 원자가 전자 수가 1인 수소(A)보다 다양한 방법으로 결합할 수 있다.

310 ② 산소는 반응성이 커서 다른 원소들과 쉽게 결합할 수 있으므로 지각과 생명체에 공통적으로 많이 들어 있다.
바로알기 | ① 지각과 생명체에는 공통적으로 산소가 가장 많은 질량비를 차지한다.
③ 지각은 산소와 규소로 이루어진 규산염 광물이 대부분을 차지한다.
④ 탄소는 14족 원소이며 원자가 전자 수는 4로 다양한 원소와 결합할 수 있다.
⑤ 우리 몸에서 가장 많은 비율을 차지하는 물질은 물이다.

311 모범 답안 (1) A: 규소, B: 탄소
(2) 산소는 반응성이 커서 다른 원소들과 쉽게 결합하기 때문이다.

312 ㄱ. (가)는 알루미늄과 철이 상당수 포함되어 있으므로 지각의 주요 구성 원소이고, (나)는 사람의 주요 구성 원소이다.
ㄴ. ㉠과 ㉢은 각각 지각과 사람을 구성하는 원소 중 가장 많은 양을 차지하는 산소이므로 동일한 원소이다.
바로알기 | ㄷ. 탄소인 ㉡은 수소와 공유 결합을 하여 고분자 물질인 탄소 화합물을 형성한다.

313 ㉠은 산소, ㉡은 탄소, ㉢은 규소이다.
ㄷ. 탄소와 규소는 14족 원소로 원자가 전자 수가 4이므로 최대 4개의 원자와 공유 결합이 가능하다.
바로알기 | ㄱ. 대기에서는 산소가 질소 다음으로 많은 원소이다.
ㄴ. 산소는 대부분 별 내부에서 핵융합 반응으로 만들어졌다. 빅뱅 직후에 만들어진 원소는 대부분 수소와 헬륨이다.

314 ㄱ. 우주에서 가장 많은 양을 차지하는 원소인 A는 수소이다.

바로알기 | ㄴ. 지각에서 가장 높은 비율을 차지하는 원소인 B는 산소이고, 지구 전체에서 가장 높은 비율을 차지하는 원소는 철이다.
ㄷ. 수소인 A는 빅뱅 우주 탄생 초기에 만들어졌으나, 산소인 B는 별 내부의 핵융합 반응으로 생성되었다.

315 ③ 철인 A는 무거운 원소로 지구 중심에 많이 존재한다.
바로알기 | ① 지구 전체에서 가장 높은 비율을 차지하는 원소인 A는 철로 금속 원소이나, 다음으로 많은 양을 차지하는 B는 산소로 비금속 원소이다.
② A는 철이고, C는 지각에 가장 풍부한 원소인 산소이다.
④ D는 규소로 질량이 태양의 약 10배 이상인 별의 내부에서 핵융합 반응으로 생성된다.
⑤ 지구와 지각을 구성하는 원소의 비율이 다른 까닭은 마그마 바다 시기에 무거운 물질은 가라앉고 가벼운 물질은 떠오르면서 물질의 이동이 일어났기 때문이다.

316 ㄴ. A는 사람을 구성하는 원소 중 두 번째로 많은 질량비를 차지하는 탄소이다.
ㄷ. B는 산소로 지각을 구성하는 원소 중 가장 높은 비율을 차지한다.
바로알기 | ㄱ. (가)는 탄소와 산소에 이어 수소가 세 번째로 많은 질량비를 차지하므로 사람을 구성하는 원소의 질량비이다.
ㄹ. C는 질소이며, 우주에서 수소 다음으로 많이 발견되는 원소는 헬륨이다.

317 ㄴ. 산소인 ㉠은 규소인 ㉢과 결합하여 규산염 사면체를 이룬다.
ㄹ. 산소, 규소, 탄소는 모두 별의 내부에서 핵융합 반응으로 생성된다.
바로알기 | ㄱ. ㉠은 지각을 구성하는 원소 중에서 가장 많은 양을 차지하는 산소이고, ㉡은 사람을 구성하는 원소 중에서 가장 많은 양을 차지하는 산소이다.
ㄷ. 규소인 ㉢과 탄소인 ㉣은 원자가 전자 수가 4로 동일한 14족의 원소이다.

318

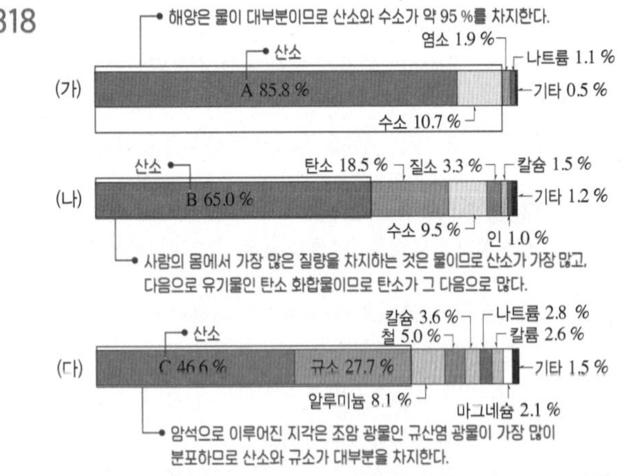

ㄱ. (가)는 수소 다음으로 염소와 나트륨의 질량비가 크므로 해양에 해당한다.
ㄴ. 해양에는 물이 가장 풍부하므로 A는 산소이다. (나)는 탄소가 두 번째로 질량비가 많으므로 사람의 몸에 해당하여 B는 산소이다. (다)는 지각에 해당하므로 C는 산소이다. 따라서 A, B, C는 모두 산소이다.
ㄹ. (다)에서 산소인 C는 규소와 결합하여 규산염이라는 화합물로 존재한다.
바로알기 | ㄷ. 생명체에서 가장 많이 차지하는 물질은 물이고, 다음으로 탄소 화합물이다. 따라서 (나)의 약 70 %를 구성하는 것은 물이다.

319 ① 규산염 광물은 지각을 이루는 광물의 대부분을 차지한다.
② 규산염 광물은 규소 1개에 산소 4개가 결합하여 이루어진 Si−O 사면체를 기본 골격으로 하여 구조를 이룬다.
④ Si−O 사면체에서 규소 1개와 산소 4개가 공유 결합으로 연결되어 있다.
⑤ Si−O 사면체끼리 결합할 때는 산소 원자를 공유하는 형태로 결합한다.
바로알기 | ③ Si−O 사면체는 1개의 규소와 4개의 산소로 이루어져 있다.

320 ② 규소는 14족 원소이므로 A는 원자가 전자 수가 4이다.
⑤ 규산염 사면체 간에 산소가 공유되어 다양한 규산염 광물이 만들어진다.
바로알기 | ① 규산염 사면체는 규소 1개와 산소 4개가 공유 결합으로 연결되어 있으므로 A는 규소이다.
③ A와 B는 서로 공유 결합하고 있다.
④ 지각에 가장 많은 원소는 산소(B)이다.
⑥ 규산염 사면체는 전기적으로 음전하를 띠므로 인접해 있는 양이온과 결합할 수 있다.

321 ㄱ. 원자 번호는 전자 수와 같고, 전자 수가 14이므로 원자 번호는 14이다.
바로알기 | ㄴ. 원자 번호 14는 규소이고, 지각을 이루는 원소 중 가장 많은 질량비를 차지하는 것은 산소이다.
ㄷ. 규소의 원자가 전자 수는 4이다.

322 ㄴ. (나)는 원자가 전자 수가 14이므로 규소인 B의 전자 배치이다.
바로알기 | ㄱ. A는 산소이고, B는 규소이다. 산소는 16족 원소로 원자가 전자 수는 6이고, 규소는 14족 원소로 원자가 전자 수는 4이다.
ㄷ. (나)는 규소로 지각을 구성하고 있는 규산염 광물의 구성 성분이다. 생명체를 구성하는 유기 화합물의 구성 성분은 탄소이다.

323 규산염 광물은 규소 1개와 산소 4개가 공유 결합하여 이루어진 규산염 사면체를 기본 구조로 하고 있다.
모범 답안 규소 1개와 산소 4개가 공유 결합하여 규산염 사면체를 이룬다.

324 (가)는 규산염 사면체가 독립적으로 존재하는 독립형 구조이고, (나)는 단사슬 구조 2개가 연결된 복사슬 구조이며, (다)는 규산염 사면체가 산소를 공유하면서 얇은 판 모양으로 결합한 판상 구조이다.

325 규산염 사면체 사이에 공유하는 산소 원자의 수가 많을수록 결합을 끊는 데 필요한 에너지가 크다. (가)에서 (마)로 갈수록 공유하는 산소 원자의 수가 많아지므로 결합을 끊는 데 필요한 에너지는 (마)가 가장 크다.
모범 답안 (마), 규산염 사면체 사이에 공유하는 산소 원자의 수가 많을수록 결합을 끊는 데 필요한 에너지가 크기 때문이다.

326 규산염 광물의 결합 구조는 휘석−단사슬 구조, 석영−망상 구조, 각섬석−복사슬 구조, 흑운모−판상 구조, 감람석−독립형 구조이다.

327 규산염 광물 중 흑운모는 규산염 사면체가 산소 3개를 공유하여 얇은 판 모양으로 결합하고 있다. 얇은 판이 쌓인 형태로 되어 있어 비늘처럼 얇게 1방향으로 쪼개지는 성질이 있다.

328 석영과 장석은 모두 규산염 사면체가 그물 모양인 망상 구조로 산소 4개를 모두 공유하며 결합하고 있으므로 안정하여 풍화에 강하다.

모범 답안 ㉠ 망상 구조, ㉡ 규산염 사면체의 규소 일부를 대신하여 알루미늄 등의 양이온이 결합되었기 때문이다.

329 (가)는 독립형 구조인 감람석, (나)는 단사슬 구조인 휘석, (다)는 복사슬 구조인 각섬석이다.

330 ㄱ. (가)는 독립형 구조이므로 음전하를 띤 사면체인 단위체 하나가 독립적으로 양이온과 결합한다.

ㄴ. (나)는 단사슬 구조로, 이에 해당하는 광물인 휘석은 2방향의 쪼개짐이 나타난다.

바로알기 | ㄷ. 단사슬 구조인 (나)는 규산염 사면체가 산소 2개를 공유하고 복사슬 구조인 (다)는 규산염 사면체가 산소 2~3개를 공유하므로, (나)는 (다)보다 사면체 사이에 공유하는 산소의 수가 적다.

331 ③ (다)와 같은 판상 구조를 나타내는 광물은 1방향으로 쪼개진다.

⑤ (가)~(다) 모두 규산염 광물로 Si-O 사면체를 단위체로 한다.

바로알기 | ① (가)는 단사슬 구조이고, 규산염 광물의 가장 간단한 결합 구조는 독립형 구조이다.

② (나)는 Si : O의 결합 비율이 4 : 11이다.

④ (가)에서 (다)로 갈수록 풍화에 강하다. 따라서 (나)는 (다)보다 풍화 작용에 약하다.

⑥ (다)에서 단위체는 산소 3개를 공유하며 판 모양으로 결합하고 있다.

332 (1) (가)는 독립형 구조이고, (나)는 망상 구조이다.

(2) (나)는 (가)보다 공유하는 산소의 수가 많아서 안정하여 풍화에 강하다.

모범 답안 (1) (가) 감람석 (나) 석영 또는 장석

(2) (가)<(나), 공유하는 산소의 수가 많아서 결합을 끊는 데 필요한 에너지가 크기 때문이다.

333 ① 석영과 장석은 4개의 산소가 모두 공유되는 망상 구조로 이루어져 있다.

③ 공유하는 산소의 수는 판상 구조인 흑운모가 단사슬 구조인 휘석보다 많다.

바로알기 | ④ 흑운모를 구성하는 규산염 사면체는 -4가인 음전하를 띠므로 양이온과의 결합으로만 전기적 중성이 된다.

334 ㄱ. 규소 원자 1개당 결합한 산소 원자의 수가 가장 많은 것은 산소의 공유가 일어나지 않는 감람석이다.

ㄴ. 규산염 사면체의 결합에서 공유된 산소 원자의 수가 가장 많은 것은 망상 구조를 이루고 있는 석영이다.

바로알기 | ㄷ. 감람석과 휘석은 풍화에 약하다. 모래의 주성분을 이루는 것은 풍화에 강한 석영이다.

335 **모범 답안** • 공통점: 규산염 사면체가 결합하여 만들어졌다.
• 차이점: 흑운모는 규산염 사면체가 판상 구조로 결합한 것이고, 석영은 규산염 사면체가 망상 구조로 결합한 것이다.

336 ㄴ. A는 감람석으로 깨지는 성질이 있고, B, C, D는 각각 휘석, 각섬석, 흑운모로 쪼개지는 성질이 있다.

ㄷ. 규산염 사면체 사이에서 산소를 공유하는 비율은 A에서 E로 갈수록 커진다. 따라서 $\frac{\text{Si 원자의 수}}{\text{O 원자의 수}}$는 A에서 E로 갈수록 크다.

ㄹ. A에서 E로 갈수록 공유 결합하는 산소의 수가 많아서 결합을 끊는 데 필요한 에너지가 크므로 풍화에 대한 안정도가 높다.

바로알기 | ㄱ. A는 규소와 산소로 이루어진 Si-O 사면체가 양이온과 결합하여 광물을 이룬다.

337 ④ (나)는 (가)가 산소인 A를 공유하며 결합한 단사슬 구조이다.

바로알기 | ① (가)는 규산염 사면체로, A는 산소, B는 규소이다.

② (가)는 산소(A) 4개와 규소(B) 1개가 결합한 사면체 구조이다.

③ (가)는 전기적으로 -4가인 음전하를 띤다.

⑤ (나)는 단사슬 구조이므로 Si : O의 결합 비율이 1 : 3이다.

338 탄소 화합물은 탄소로 이루어진 골격에 여러 원소가 결합하여 이루어진 물질로, 생명체를 구성하고 에너지원으로 사용된다. 물을 제외하고 녹말, 핵산, 단백질, 인지질은 모두 탄소 화합물이다.

339 ② 탄소는 14족 원소로 원자가 전자 수가 4이므로 탄소 1개당 최대 4개의 다른 원자와 공유 결합을 할 수 있다.

③ 탄소와 탄소 사이에 단일 결합뿐만 아니라 2중 결합이나 3중 결합을 만들기도 한다.

④ 탄소는 탄소끼리 연속적으로 결합할 수 있고, 탄소 결합 사이로 다른 종류의 원자를 받아들일 수 있어서 단백질, 지질 등 복잡하고 다양한 분자를 만들 수 있다.

⑥ 탄소 화합물은 생명체를 이루고 있는 유기물의 대부분을 차지한다.

⑦ 생명체를 구성할 뿐만 아니라 석탄, 석유와 같은 에너지원으로도 사용된다.

바로알기 | ① 탄소 화합물은 탄소를 기본 골격으로 수소, 산소, 질소 등 여러 원소가 결합한 화합물이다.

⑤ 탄소 결합 사이로 다른 종류의 원자를 받아들일 수 있다.

340 ㄴ. 그림의 원자는 원자가 전자 수가 4이므로 최대 4개의 다른 원소와 결합할 수 있다.

ㄷ. 질소는 3개, 산소는 2개, 탄소는 4개의 원자와 공유 결합을 할 수 있다.

ㄹ. 탄소는 같은 원자끼리 결합하여 사슬 모양, 가지 모양 등의 골격을 만들 수 있다.

바로알기 | ㄱ. 그림은 탄소로, 원자가 전자 수는 4이다.

341 **모범 답안** 탄소는 원자가 전자 수가 4이므로 최대 4개의 다른 원자와 결합할 수 있고, 탄소끼리 연속적으로 다양한 방식으로 결합할 수 있기 때문에 복잡하고 다양한 물질을 만들 수 있다.

342 (1) 규소와 탄소는 공통적으로 14족 원소로 원자가 전자 수가 4이므로 최대 4개의 원자와 결합할 수 있다.

모범 답안 (1) 원자가 전자 수가 4이다, 최대 4개의 원자와 결합할 수 있다, 같은 족 원소이다.

(2) 규소는 결합력의 세기가 강하고 다양한 원소와 결합할 수 없어서 생명체에 필요한 고분자 물질을 만드는 데 한계가 있다. 반면 탄소는 다양한 원소와 결합하여 복잡하고 다양한 물질을 만들 수 있으므로 생명체에는 탄소의 비율이 높다.

343 탄소는 같은 탄소끼리 공유 결합하여 ①과 같은 사슬 모양, ②와 같은 가지 모양, ③과 같은 고리 모양, ⑤와 같은 2중 결합 등 다양한 형태를 만들 수 있다.

바로알기 | ④와 같은 결합은 가능하지 않다.

344 ④ 탄소는 다른 탄소와 연속적으로 결합할 수 있다.
바로알기 | ① (가)는 가지 모양, (나)는 고리 모양이다.
② 탄소 원자는 14족 원소이므로 4개의 원자가 전자를 가지고 있다.
③ 탄소의 원자가 전자 수는 4로 결합 방식에 관계없이 원자가 전자 수는 변하지 않는다.
⑤ (다)에서 탄소는 2중 결합을 한다.

345 ㄱ. (가)는 사슬 모양의 탄소 결합 방식이고 탄소 원자 사이에 공유 결합을 한다.
ㄷ. 탄소는 사슬 모양뿐만 아니라 고리 모양, 2중 결합, 3중 결합 등 다양하게 결합할 수 있다.
바로알기 | ㄴ. 탄소는 원자가 전자 수가 4이므로 탄소 원자 1개가 최대로 결합할 수 있는 원자 수는 4개이다.
ㄹ. (나)에서는 탄소 원자 사이에 3개의 전자쌍을 공유하여 3중 결합을 형성하고 있다.

346 ㄴ. (나)와 같이 탄소는 탄소끼리 2개 또는 3개의 전자쌍을 공유하며 2중 결합과 3중 결합이 가능하다.
바로알기 | ㄱ. (가)와 같이 탄소는 원자가 전자 수가 4이므로 탄소 원자 1개는 수소 원자 4개와 결합할 수 있다.
ㄷ. 탄소는 사슬 모양, 고리 모양, 2중 결합 등 다양한 방법으로 연속적으로 결합할 수 있어서 복잡한 유기물을 만들 수 있다.

347 ㄱ. 생명체를 구성하고 있는 포도당과 단백질은 (가), (나)와 같이 모두 탄소 화합물이다.
ㄷ. 탄소는 수소, 산소, 질소 등과 공유 결합하여 다양한 탄소 화합물인 유기물을 만든다.
바로알기 | ㄴ. (가)에서 탄소는 고리 모양의 골격을 이루고 있고, (나)에서 탄소는 사슬 모양의 골격을 이루고 있다.

348 ㄴ. C_2H_4는 탄소끼리 2개의 전자쌍을 공유하면서 결합하고 있는 2중 결합 물질이다.
ㄷ. 이 분자는 탄소끼리 2개의 전자쌍을 공유하고 2개의 탄소가 4개의 수소와 전자를 1개씩 공유하므로 총 6개의 공유 전자쌍을 갖는다.
바로알기 | ㄱ. 메테인 분자는 CH_4이고, C_2H_4는 에틸렌이다.

349 ㄱ. 물질을 이루는 원자의 개수는 (가)가 탄소 3개+수소 8개=11개이고, (나)는 탄소 : 수소=1 : 2이므로 탄소 원자 3개+수소 원자 6개=9개이다. 따라서 물질을 이루는 원자의 개수는 (가)가 (나)보다 많다.
바로알기 | ㄴ. (가)는 탄소 3개가 사슬 모양으로 단일 결합한 물질이고, (나)는 탄소 2개가 2중 결합하고 다른 탄소는 단일 결합한 물질이다.

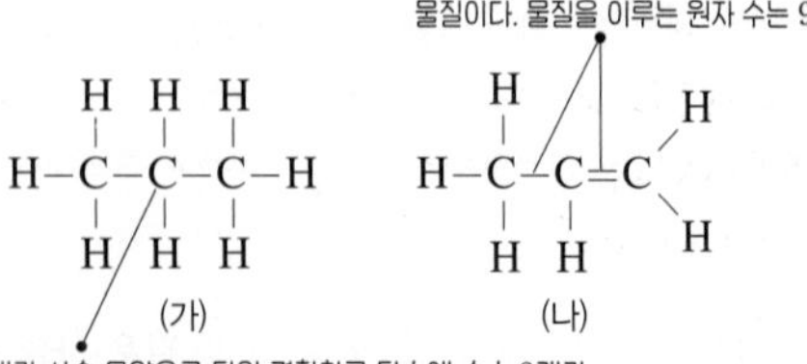
탄소 2개가 2중 결합하고 다른 탄소는 단일 결합한 물질이다. 물질을 이루는 원자 수는 9개이다.
H H H
H−C−C−C−H
H H H
(가)
H
H−C−C=C
H H
H
H
(나)
탄소 3개가 사슬 모양으로 단일 결합하고 탄소에 수소 8개가 결합한 물질이다. 물질을 이루는 원자 수는 11개이다.

ㄷ. (가)와 (나)는 결합 방식이 다르므로 서로 다른 물질이고 화학적 성질도 다르다.

11 생명체 구성 물질의 형성

빈출 자료 보기 89쪽

350 (1) ○ (2) × (3) × (4) × (5) ○ (6) × (7) ○ (8) ○

350 바로알기 | (2) (가)는 핵산의 단위체인 뉴클레오타이드이다.
(3) 이 핵산은 DNA이며, DNA를 구성하는 당은 디옥시리보스이다.
(4) 뉴클레오타이드는 인산, 당, 염기가 1 : 1 : 1로 결합되어 있다.
(6) DNA에서 염기 ㉠과 T, G과 ㉡ 사이의 결합은 수소 결합이다.

난이도별 필수 기출 90~95쪽

351 ④ 352 ⑤ 353 ②, ④ 354 ⑤ 355 ③
356 ④ 357 ② 358 ⑤ 359 ② 360 (가) 뉴클레오타이드, 4종류 (나) 아미노산, 20종류 361 ③ 362 ③ 363 ④
364 ⑤ 365 ③ 366 ② 367 ③ 368 해설 참조
369 ① 370 ② 371 ⑤ 372 ① 373 ⑤ 374 ④
375 ㉠ 디옥시리보스, ㉡ A, G, C, U, ㉢ 이중 나선, ㉣ 유전 정보 저장 376 해설 참조 377 ⑤ 378 ⑤ 379 ④
380 ④ 381 ④, ⑥, ⑦ 382 ① 383 해설 참조
384 ②

351 생명체는 물, 무기염류, 탄수화물, 단백질, 지질, 핵산 등으로 구성되어 있으며, 이 중 탄수화물, 단백질, 지질, 핵산은 탄소 화합물이다.

352 ⑤ 무기염류에는 인, 칼륨, 칼슘, 나트륨 등이 있으며, 생명체에서 다양한 생리 작용을 조절하는 데 관여한다.
바로알기 | ① 핵산은 에너지원으로 사용되지 않는다.
② 지질에는 중성 지방, 인지질, 스테로이드가 있다.
③ 탄수화물의 구성 원소는 탄소, 수소, 산소이다.
④ 물은 생명체에서 가장 많은 양을 차지하지만, 탄소 화합물은 아니다.

353 ③ 단백질은 단위체인 아미노산이 펩타이드 결합으로 연결되어 형성된다.
⑤ 헤모글로빈과 머리카락을 구성하는 케라틴은 모두 단백질에 속한다.
⑥ 단백질의 종류는 아미노산의 종류와 개수, 배열 순서에 의해 결정된다.
⑦ 단백질은 세포의 주성분으로, 생명체를 구성하는 탄소 화합물 중 가장 많은 양을 차지한다.
바로알기 | ② 단백질의 단위체는 아미노산이다.
④ 생명체에 존재하는 아미노산은 20종류이다.

354 ① 핵산은 탄소 화합물로, 핵산의 구성 원소는 탄소(C), 수소(H), 산소(O), 질소(N), 인(P)이다.
② 핵산은 유전 정보의 저장과 전달 및 단백질 합성에 관여한다.
③ DNA는 폴리뉴클레오타이드 두 가닥이 꼬여 있는 이중 나선 구조이고, RNA는 폴리뉴클레오타이드 한 가닥으로 된 단일 가닥 구조이다.
④ DNA를 구성하는 염기는 아데닌(A), 구아닌(G), 사이토신(C), 타이민(T)이고, RNA를 구성하는 염기는 아데닌(A), 구아닌(G), 사이토신(C), 유라실(U)이다.

바로알기 | ⑤ 핵산의 단위체는 뉴클레오타이드이며, 뉴클레오타이드는 인산, 당, 염기가 1 : 1 : 1로 결합한 물질이다.

355 A는 DNA, B는 단백질, C는 물이다.
ㄱ. DNA(A)의 단위체는 뉴클레오타이드이다.
ㄴ. 단백질(B)은 단위체인 아미노산의 배열 순서에 따라 입체 구조가 달라지고, 고유의 입체 구조에 따라 특정 기능을 수행한다.
바로알기 | ㄷ. 물(C)은 에너지원으로 사용되지 않는다.

356 ㄱ. A는 인체 구성 비율이 가장 높은 물이다. 물은 비열이 커서 외부 온도의 변화에도 체온이 크게 변하지 않아 체온 유지에 도움이 된다.
ㄷ. C는 지질이다. 지질 중 인지질은 세포막의 주성분이며, 중성 지방은 에너지원으로 사용된다.
바로알기 | ㄴ. B는 인체 구성 물질 중 물을 제외하고 가장 많은 양을 차지하는 단백질이다. 단백질은 효소, 호르몬, 항체의 주성분이다.

357 A는 단백질과 핵산의 공통적인 특징을 나타낸다.
ㄱ, ㄹ. 단백질과 핵산은 모두 탄소 화합물이며, 단위체가 결합하여 형성된다.
바로알기 | ㄴ, ㄷ. 단위체가 아미노산이며 펩타이드 결합이 있는 것은 단백질에만 해당되는 특징이다.

358 ㄱ. A는 탄소 화합물인 녹말이다. 녹말의 구성 원소는 탄소(C), 수소(H), 산소(O)이다.
ㄴ. B는 탄소 화합물이 아니므로 물이다.
ㄷ. (가)는 녹말에는 없고 단백질에만 있는 특성으로 '효소의 주성분인가?', '펩타이드 결합이 있는가?' 등이 될 수 있다.

359 (나)에서 '펩타이드 결합이 있다.'는 단백질에만 해당되는 특징이므로 ㉡, '에너지원으로 사용된다.'는 탄수화물, 단백질에 해당되는 특징이므로 ㉠, '탄소를 포함한다.'는 탄수화물, 단백질, 핵산에 해당되는 특징이므로 ㉢이다. 또한, (가)에서 A는 특징 ㉠, ㉢을 가지므로 탄수화물, B는 특징 ㉠~㉢을 모두 가지므로 단백질, C는 특징 ㉢만 가지므로 핵산이다.
ㄷ. 염색체는 핵산(C)인 DNA와 히스톤 단백질로 이루어져 있다.
바로알기 | ㄱ. 헤모글로빈의 구성 성분은 단백질(B)이다.
ㄴ. 단백질(B)의 구성 원소는 탄소(C), 수소(H), 산소(O), 질소(N)로, 인(P)은 없다.

360 (가)는 이중 나선 구조를 이루고 있으므로 DNA이다. DNA의 단위체는 뉴클레오타이드이며, DNA를 구성하는 뉴클레오타이드는 염기가 다른 4종류가 있다. (나)는 단백질로, 단백질의 단위체는 아미노산이며, 생명체에 존재하는 아미노산은 20종류이다.

361 ㄷ. 사람의 몸을 구성하는 비율은 단백질(나)이 DNA(가)를 포함한 핵산보다 높다.
바로알기 | ㄱ. 에너지원이며 효소의 주성분인 물질은 단백질(나)이다. DNA(가)는 유전 정보를 저장하는 유전 물질이다.
ㄴ. 단백질(나)은 단위체인 아미노산 여러 개가 결합하여 폴리펩타이드를 형성한다.

362 ㄱ. ㉠($-NH_2$)은 질소를 포함한 아미노기이다.
ㄴ. ㉡은 곁사슬(R)로, 곁사슬의 종류에 따라 아미노산의 종류가 결정된다.
바로알기 | ㄷ. ㉢($-COOH$)은 카복실기로, 모든 아미노산에 공통적이다.

363 ㄱ. 2개의 아미노산이 결합할 때 한 분자의 물(A)이 빠져나온다.
ㄴ. 아미노산 사이의 결합 B는 펩타이드 결합이다.
ㄹ. 단백질의 종류는 아미노산의 종류와 개수 및 결합 순서에 의해 결정된다.
바로알기 | ㄷ. 10개의 아미노산이 결합할 경우 펩타이드 결합(B)은 9개이다.

364 ㄷ. 펩타이드 결합(㉡)이 형성될 때 한 분자의 물이 빠져나온다.
ㄹ. 여러 개의 아미노산이 연결되어 폴리펩타이드를 형성하는 과정 (가)에서 아미노산 사이에 펩타이드 결합(㉡)이 형성된다.
바로알기 | ㄱ. 단백질의 기본 단위체 ㉠은 아미노산이다.
ㄴ. ㉡은 아미노산 사이의 펩타이드 결합이다.

365 ㄴ. ㉡은 아미노산 사이의 펩타이드 결합이다.
ㄷ. 소화 효소는 단백질로 이루어져 있다. 효소를 구성하는 아미노산의 종류와 개수 및 배열 순서(서열)에 따라 소화 효소의 종류가 달라진다.
바로알기 | ㄱ. 2개의 아미노산이 결합할 때 물(㉠) 분자 1개가 빠져나온다.
ㄹ. 펩타이드 결합의 수는 '아미노산의 수−1'이다. 따라서 120개의 아미노산으로 구성된 폴리펩타이드(㉢)에서 펩타이드 결합의 수는 $120-1=119$이다.

366 ㄷ. 단백질(다)은 폴리펩타이드(나)를 이루는 아미노산의 종류와 개수 및 배열 순서에 따라 입체 구조가 결정되고, 입체 구조에 따라 기능이 결정된다.
바로알기 | ㄱ. 단백질의 단위체는 아미노산이다. ㉠ 과정에서 두 아미노산 사이에 펩타이드 결합이 형성될 때 한 분자의 물이 빠져나온다.
ㄴ. (나)는 여러 개의 아미노산이 펩타이드 결합으로 형성된 긴 사슬 모양의 폴리펩타이드이다.

367 ㄱ. 헤모글로빈과 콜라젠은 모두 단백질이며, 단백질은 구성 원소로 탄소(C)를 갖는 탄소 화합물이다.
ㄴ. 단백질은 아미노산의 배열 순서에 따라 고유의 입체 구조를 가지며, 입체 구조에 따라 기능이 결정된다.
바로알기 | ㄷ. 헤모글로빈과 콜라젠은 서로 다른 종류의 단백질이므로 이를 구성하는 아미노산의 개수와 종류가 다르다.

368 **모범 답안** 헤모글로빈과 콜라젠을 구성하는 아미노산의 종류와 개수 및 배열 순서가 다르기 때문에 입체 구조와 기능이 서로 다르다.

369 ① 한 아미노산의 카복실기의 탄소(C)와 다른 아미노산의 아미노기의 질소(N)가 연결되면서 펩타이드 결합(가)이 형성된다.
바로알기 | ② 펩타이드 결합이 형성될 때 빠져나오는 (나)는 물(H_2O)이다. 물은 생명체에서 가장 많은 양을 차지하지만 에너지원은 아니다.
③ X는 아미노산이 결합하여 형성된 단백질로, 효소, 항체, 호르몬의 주성분이다. 유전 정보를 전달하는 역할을 하는 물질은 핵산이다.
④ 5개의 아미노산이 결합할 경우 펩타이드 결합은 $5-1=4$개 있다.
⑤ 제시된 그림 자료에서 펩타이드 결합(가)은 왼쪽 아미노산의 카복실기와 오른쪽 아미노산의 아미노기 사이에 일어난다.

370 ㄱ, ㄷ. 아미노산이 펩타이드 결합으로 연결되어 형성된 복잡한 유기물 X는 단백질이다. 단백질의 구조와 기능은 아미노산의 배열 순서에 따라 결정되며, 단백질은 뼈, 머리카락, 근육 등을 구성한다.

바로알기 | ㄴ. 20개의 아미노산이 연결될 때 19개의 펩타이드 결합이 형성되고, 19분자의 물이 빠져나온다.
ㄹ. 사람을 구성하는 물질 중 가장 많은 양을 차지하는 물질은 물이다.

371 ①, ②, ③ (가)는 핵산의 단위체인 뉴클레오타이드이며, 뉴클레오타이드는 인산(㉠), 당(㉡), 염기가 1 : 1 : 1로 결합되어 있다.
④ DNA를 구성하는 염기는 아데닌(A), 구아닌(G), 사이토신(C), 타이민(T)의 4종류이다.
바로알기 | ⑤ DNA를 구성하는 당(㉡)은 디옥시리보스이고, RNA를 구성하는 당(㉡)은 리보스이다.

372 ㄱ. 유라실(U)은 RNA에만 있으므로, 이 뉴클레오타이드는 RNA를 구성하는 단위체이다.
바로알기 | ㄴ. RNA를 구성하는 뉴클레오타이드의 당은 리보스이다.
ㄷ. RNA는 폴리뉴클레오타이드 한 가닥으로 이루어져 있다.

373 (가)는 DNA를 구성하는 단위체인 뉴클레오타이드, (나)는 단백질의 단위체인 아미노산이다.
① (가)는 인산, 당, 염기(㉠)로 이루어진 뉴클레오타이드이다.
② (가)와 (나) 모두 구성 원소로 탄소(C)를 갖는 탄소 화합물이다.
③ 아미노산(나)이 펩타이드 결합으로 연결되어 단백질이 만들어진다.
④ DNA를 구성하는 뉴클레오타이드의 염기(㉠)는 아데닌(A), 구아닌(G), 사이토신(C), 타이민(T)의 4종류가 있다.
바로알기 | ⑤ 아미노산(나)의 종류는 곁사슬(R)의 종류에 의해 결정된다. 생명체를 구성하는 아미노산이 20종류이므로 곁사슬(R)은 20종류가 있다.

374 ㄱ. (가)는 이중 나선 구조를 이루는 DNA이며, DNA는 유전 정보를 저장하는 유전 물질이다.
ㄴ. DNA를 구성하는 당(㉠)은 디옥시리보스이다.
ㄹ. DNA를 구성하는 염기는 아데닌(A), 구아닌(G), 사이토신(C), 타이민(T)의 4종류이므로, DNA를 구성하는 뉴클레오타이드의 종류는 4가지이다.
바로알기 | ㄷ. 유라실(U)은 DNA에는 없고 RNA에만 있는 염기이므로 DNA를 구성하는 단위체인 (나)에는 없다.

375

구분	DNA	RNA
당	㉠ 디옥시리보스	리보스
염기	A, G, C, T	㉡ A, G, C, U
구조	㉢ 이중 나선	단일 가닥
기능	㉣ 유전 정보 저장	유전 정보 전달

376 모범 답안 (1) DNA를 구성하는 당은 디옥시리보스이고, RNA를 구성하는 당은 리보스이다.
(2) DNA를 구성하는 염기는 아데닌(A), 구아닌(G), 사이토신(C), 타이민(T)의 4종류이고, RNA를 구성하는 염기는 아데닌(A), 구아닌(G), 사이토신(C), 유라실(U)의 4종류이다.
(3) DNA는 이중 나선 구조이고, RNA는 단일 가닥 구조이다.
(4) DNA는 유전 정보를 저장하고, RNA는 유전 정보의 전달과 단백질 합성에 관여한다.

377 ㄴ, ㄷ. 뉴클레오타이드는 인산(㉡), 당(㉢), 염기(㉣)가 1 : 1 : 1로 결합하여 이루어진다.
바로알기 | ㄱ. ㉠은 타이민(T)과 상보적으로 결합하는 아데닌(A)이고, ㉣은 사이토신(C)과 상보적으로 결합하는 구아닌(G)이다.

378 ㄱ. 염기에 유라실(U)이 있으므로 RNA이다. RNA를 구성하는 당 ㉠은 리보스이다.
ㄴ. 하나의 뉴클레오타이드를 구성하는 당과 인산 및 두 뉴클레오타이드를 연결하는 당과 인산의 결합은 모두 공유 결합이다.
ㄷ. RNA는 DNA의 유전 정보를 전달하고 단백질 합성에 관여한다.

379 두 가닥의 폴리뉴클레오타이드가 염기 사이의 수소 결합으로 연결되어 있으므로 DNA이다.
ㄴ. C, ㉠, A, ㉡은 모두 염기이며, 염기와 염기 사이의 결합은 수소 결합이다.
ㄷ. DNA는 염기가 다른 4종류의 뉴클레오타이드가 다양한 순서로 결합하며, DNA의 이중 나선 안쪽에 있는 염기 서열에는 다양한 유전 정보가 저장된다.
바로알기 | ㄱ. ㉠은 사이토신(C)과 상보적으로 결합하는 구아닌(G)이고, ㉡은 아데닌(A)과 상보적으로 결합하는 타이민(T)이다.

380 ㄱ. (가)는 이중 나선 구조인 DNA이고, (나)는 RNA이다.
ㄷ. DNA(가)는 유전 정보를 저장하고, RNA(나)는 유전 정보의 전달과 단백질 합성에 관여한다.
바로알기 | ㄴ. DNA에서 염기는 상보적으로 결합하므로 ㉠이 타이민(T)이면 ㉡은 아데닌(A)이고, ㉠이 사이토신(C)이면 ㉡은 구아닌(G)이다.

381 (가)는 이중 나선 구조인 DNA이고, (나)는 RNA이다.
④ RNA(나)를 구성하는 염기에는 아데닌(A), 구아닌(G), 사이토신(C), 유라실(U)이 있다.
⑥ 핵산의 기본 단위체는 뉴클레오타이드이다.
⑦ DNA(가)가 만들어질 때 염기가 다른 4종류의 뉴클레오타이드가 다양한 순서로 결합하게 되며, DNA의 염기 배열 순서에 따라 다양한 유전 정보가 저장된다.
바로알기 | ① DNA(가)를 구성하는 당은 디옥시리보스 1종류이다.
② 유라실(U)은 DNA(가)에는 없고 RNA(나)에만 있다.
③ RNA(나)를 구성하는 단위체는 4종류가 있다.
⑤ 핵산을 구성하는 단위체에서 DNA(가)의 당은 디옥시리보스이고, RNA(나)의 당은 리보스이다.

382 (가)는 이중 나선 구조인 DNA이고, (나)는 RNA이다.
ㄱ. DNA(가)에서 아데닌(A)과 상보적으로 결합하는 염기 ㉠은 타이민(T)이다.
바로알기 | ㄴ. DNA(가)를 구성하는 당인 ㉡은 디옥시리보스이고, RNA(나)를 구성하는 당인 ㉢은 리보스이다.
ㄷ. DNA(가)와 RNA(나)에서 공통적인 염기는 아데닌(A), 구아닌(G), 사이토신(C)이다. 타이민(T)은 DNA에만 있고, 유라실(U)은 RNA에만 있다.

383 모범 답안 TGGTTTGGCTGT

384 DNA에서 상보적으로 결합하는 염기의 수는 같다. 즉, 아데닌(A)과 타이민(T)의 수가 같고, 사이토신(C)과 구아닌(G)의 수가 같다. 따라서 이중 나선 DNA에서 아데닌(A)의 비율이 18 %라면 이와 상보적으로 결합하는 타이민(T)의 비율도 18 %이다. 염기 중 나머지 $100-(18+18)=64$ %는 사이토신(C)과 구아닌(G)인데, 사이토신(C)과 구아닌(G)의 비율은 서로 같으므로 각각 32 %이다.

12 신소재의 개발과 이용

빈출 자료 보기 97쪽

385 (1) × (2) ○ (3) ○ (4) × (5) ○ (6) ○
386 (1) × (2) ○ (3) ○ (4) ○ (5) × (6) ○

385 **바로알기 |** (1) (나)는 원자가 전자가 4개인 규소(Si)보다 원자가 전자가 1개 많은 비소(As)를 첨가하여 전자가 1개 남으므로 n형 반도체이다. (다)는 원자가 전자가 4개인 규소보다 원자가 전자가 1개 적은 인듐(In)을 첨가하여 전자가 1개 부족하므로 p형 반도체이다.
(4) 다이오드는 p형 반도체와 n형 반도체를 접합하여 만든다. 따라서 (나)와 (다)를 이용해서 만든다.

386 **바로알기 |** (1) 액정에 전압을 걸면 수직 편광판을 통과한 빛의 진동 방향이 뒤틀리지 못하여 수평 편광판을 통과할 수 없다. 따라서 빛이 통과된 (가)는 전압이 걸리지 않은 경우이고, 빛이 차단된 (나)는 전압이 걸린 경우이다.
(5) 두 편광판의 편광축이 서로 수직으로 되어 있어 액정에 전압을 걸어 주면 빛이 차단된다.

난이도별 필수 기출 98~101쪽

387 ③　388 ②, ④, ⑤　389 ③　390 ③　391 ④
392 해설 참조　393 ④　394 ③　395 해설 참조
396 ③　397 ①　398 해설 참조　399 ①
400 ④, ⑥　401 ④　402 ④　403 해설 참조
404 ④, ⑥　405 ④　406 ③　407 ④
408 해설 참조　409 ②

387 ① 고무, 유리, 플라스틱 등은 전기 저항이 커서 전류가 잘 흐르지 않는 절연체에 속한다.
② 철, 구리, 알루미늄과 같이 전기 저항이 작아 전류가 잘 흐르는 물질을 도체라고 한다.
④ 강자성체는 강한 자기장 속에 놓아두면 외부 자기장을 제거해도 오랫동안 자석의 성질을 유지할 수 있으므로 자석의 재료가 된다. 철, 니켈, 코발트 등이 강자성체에 속한다.
⑤ 상자성체는 자석에 약하게 끌려오는 성질이 있지만 외부 자기장을 제거하면 자석의 성질을 유지할 수 없기 때문에 자석의 재료가 될 수 없다. 종이, 알루미늄 등이 상자성체에 속한다.
바로알기 | ③ 반도체는 온도에 따라 전기 저항의 크기가 달라질 수 있다. 반도체는 온도가 높을수록 저항이 작아진다.

388 ② 순수 반도체는 규소(Si)와 저마늄(Ge)을 이용하여 만들 수 있다.
④, ⑤ 순수 반도체에 13족 원소를 첨가하면 양공이 생기고, 15족 원소를 첨가하면 남는 전자가 생긴다. 불순물을 첨가한 반도체는 양공 또는 남는 전자에 의해 전기 전도성이 증가하는데, 양공이 생긴 반도체를 p형 반도체, 남는 전자가 생긴 반도체를 n형 반도체라고 한다.
바로알기 | ① 도체가 반도체보다 전기 전도성이 더 크다.
③ 온도가 낮아지면 전기 저항이 감소하여 0이 되는 물질은 초전도체이다. 반도체는 온도가 낮아지면 전기 저항이 증가한다.
⑥ 발광 다이오드는 p형 반도체와 n형 반도체를 결합하여 만든 소자로, 전류가 흐르면 빛을 방출한다. 한편 p−n 접합 다이오드에 p형 또는 n형 반도체를 추가하여 만든 소자로, 증폭 작용과 스위칭 작용을 하는 것은 트랜지스터이다.

389 ㄱ. 규소(Si)는 원자가 전자가 4개인 14족 원소로서, 원자가 전자 4쌍이 공유 결합을 하여 안정적인 결정 구조를 이루고 있으므로 전류가 잘 흐르지 않는다.
ㄴ. 붕소(B), 알루미늄(Al)은 원자가 전자가 3개이므로 규소(Si)에 비해 원자가 전자가 1개 부족하다. 따라서 붕소나 알루미늄을 규소에 소량 첨가하면 양공이 만들어지며, 이를 p형 반도체라고 한다.
바로알기 | ㄷ. 인(P), 비소(As)는 원자가 전자가 5개이므로 규소(Si)에 비해 원자가 전자가 1개 많다. 따라서 인이나 비소를 소량 첨가하면 남는 전자가 생기며, 이를 n형 반도체라고 한다. 불순물을 첨가하여 만든 반도체는 양공과 남는 전자가 주요 전하 나르개 역할을 하여 순수한 반도체보다 전류가 잘 흐르게 된다.

390 ㄱ. (가)는 n형 반도체이고, (나)는 p형 반도체이다. 이 둘을 접합하여 p−n 접합 다이오드를 만들 수 있는데, 다이오드는 전류를 한쪽으로만 흐르게 하는 정류 작용을 할 수 있다.
ㄴ. 저마늄(Ge)과 규소(Si) 모두 원자가 전자가 4개인 14족 원소이다. 따라서 (가)와 (나)에서 저마늄 대신 규소를 사용해도 같은 성질을 나타낸다.
바로알기 | ㄷ. (나)의 인듐(In)은 원자가 전자가 3개인 13족 원소이다. 같은 13족 원소인 붕소(B), 알루미늄(Al)을 사용해서 p형 반도체를 만들 수 있다. 그러나 인(P)은 15족 원소이므로 인이 첨가되면 n형 반도체가 된다.

391 ㄱ. 스위치를 a에 연결하면 p형 반도체가 전원의 (−)극에, n형 반도체가 전원의 (+)극에 연결되므로 다이오드에 역방향의 전압이 걸려 회로에 전류가 흐르지 않는다.
ㄷ. 스위치를 b에 연결하면 p형 반도체가 전원의 (+)극에, n형 반도체가 전원의 (−)극에 연결되므로 다이오드에 순방향 전압이 걸리면서 회로에 전류가 흐른다. 이 경우 p형 반도체의 양공은 접합면을 넘어 n형 반도체 쪽으로 이동한다.
바로알기 | ㄴ. 스위치를 b에 연결하면 다이오드에 순방향의 전압이 걸린다.

392 모범 답안 이 장치의 이름은 (p−n 접합)다이오드이다. p형 반도체에 전원 장치의 (+)극을, n형 반도체에 전원 장치의 (−)극을 연결하면 양공과 전자가 접합면을 넘어 이동하여 전류가 계속 흐를 수 있지만 p형 반도체에 (−)극을, n형 반도체에 (+)극을 연결하면 양공과 전자가 접합면에서 멀어지며 전류가 흐르지 않는다. 이처럼 다이오드는 전원 장치의 연결 방식에 따라 전류가 흐르거나 흐르지 않게 하여 전류를 한쪽 방향으로만 흐르게 하는 특징이 있다.

393 ㄱ. LED에서 빛이 방출되고 있으므로 순방향 전압이 걸려 있음을 알 수 있다. 따라서 p형 반도체와 연결된 a는 (+)극이다.
ㄷ. LED는 전류가 흐르면 빛을 내는 반도체 소자이다. LED에서는 전기 에너지가 빛에너지로 전환된다.
바로알기 | ㄴ. 증폭 장치 및 스위치 역할을 하는 것은 트랜지스터이다.

394 ④ 임계 온도 이하의 초전도체는 내부 자기장이 0이 되도록 하는 성질이 있는데, 이를 자기장을 바깥으로 밀어낸다고 표현할 수 있다. 이러한 현상은 자기장의 방향과 관계없이 일어난다.
⑤ 전기 저항이 0이 되어 초전도 현상이 나타나기 시작하는 온도를 임계 온도라고 한다.

바로알기 | ③ 임계 온도 이하에서 초전도체의 전기 저항은 0이 된다. 즉, 특정 온도보다 낮은 온도에서 전류가 매우 잘 흐른다.

395 **모범 답안** 마이스너 효과와 같은 초전도 현상은 초전도체의 온도가 임계 온도 이하인 조건에서 일어난다. 이러한 조건에서 초전도체의 전기 저항은 0이 되어 매우 센 전류를 흐르게 할 수 있다.

396 ㄱ. 임계 온도가 4.2 K이므로 이보다 낮은 온도인 3 K에서 마이스너 효과가 나타난다.
ㄷ. 초전도체는 임계 온도 이하에서 전기 저항이 0이므로 4 K 이하의 온도에서 전류가 흐를 때는 열이 발생하지 않아 전기 에너지가 열에너지로 손실되지 않는다.
바로알기 | ㄴ. 20 °C는 293.15 K과 같으므로 임계 온도보다 높은 온도이다. 따라서 초전도 현상이 나타나지 않는다.

397 ㄱ. (가)에서 A는 T_0보다 낮은 온도에서 전기 저항이 0이 되므로 초전도체이다. (나)에서 액체 질소를 부은 A 위에 자석이 떠 있으므로 마이스너 효과가 나타난 것을 알 수 있다. 따라서 액체 질소의 온도는 임계 온도인 T_0보다 낮다.
ㄴ. 초전도체는 전기 저항이 0이 되어 많은 전류를 흐르게 할 수 있으므로 초전도 코일을 이용하면 매우 강한 자기장을 만들 수 있다.
바로알기 | ㄷ. 초전도 현상은 임계 온도보다 낮은 온도에서 나타난다.
ㄹ. 초전도체 내부의 자기장이 완전히 0이 되도록 하는 반자성과 관련이 있다.

398 **모범 답안** (1) 전기적 특성: 초전도체는 온도가 낮아질수록 전기 저항도 작아지다가 임계 온도보다 낮은 온도가 되면 전기 저항이 0이 되는 특성이 있다.
(2) 자기적 특성: 초전도체의 온도가 임계 온도보다 낮은 경우 초전도체에 외부 자기장을 걸어 주면 외부 자기장을 바깥으로 밀어내는 특성이 있다.

399 ㄴ. (나)와 같이 온도가 높아질수록 전기 저항이 작아지는 것은 반도체의 특성이다. 불순물 반도체인 p형 반도체와 n형 반도체를 접합하여 전류가 흐르면 빛을 내는 발광 다이오드를 만들 수 있다.
바로알기 | ㄱ. (가)는 특정한 온도보다 낮은 온도에서 전기 저항이 0이 되므로 초전도체이다.
ㄷ. 휘어지는 디스플레이는 초전도체의 활용 분야가 아니다.

400 ① 액정에 전압을 가하여 분자 배열을 조절하면 빛을 통과시키거나 통과시키지 않도록 할 수 있다.
⑤ 액정에 전압을 걸면 액정 분자가 나란하게 배열되므로 수직으로 편광된 빛의 진동 방향이 뒤틀리지 못하여 빛이 수평 편광판을 통과할 수 없다. 한편 액정에 전압이 걸리지 않으면 빛의 진동 방향이 액정 분자의 배열을 따라 뒤틀리므로 수직으로 편광된 빛도 수평 편광판을 통과할 수 있다.
바로알기 | ④ 최초 발견 후에는 실생활 적용에 대한 아이디어가 없었으나, 뒤늦게 디스플레이에 적용할 수 있다는 가능성이 발견되었다.
⑥ 액정은 스스로 빛을 내지 못하므로 광원이 아니다.

401 ㄴ. LED(발광 다이오드)는 p형 반도체와 n형 반도체를 붙여 만든 소자로, 전류가 흐르면 빛을 내는 성질이 있다. 즉, LED에서는 전기 에너지가 빛에너지로 전환된다.
ㄷ. LCD는 액정을 이용하여 얇게 만든 영상 표시 장치로, 액정은 스스로 빛을 낼 수 없기 때문에 LED와 같은 별도의 광원이 필요하다.
바로알기 | ㄱ. 다이오드는 불순물 반도체인 p형 반도체와 n형 반도체를 붙여 만든 소자이다.

402 ㄴ. 액정 디스플레이는 편광축이 수직인 두 장의 편광판 사이에 액정 분자들이 채워져 있는 구조로, 액정에 전압을 가하여 분자 배열을 조절하면 빛을 통과시키거나 통과시키지 않도록 할 수 있다.
ㄷ. 전면 편광판과 후면 편광판의 편광 방향은 서로 수직이다. 따라서 (나)에서는 전면 편광판을 통과한 빛의 진동 방향(편광 방향)이 변하지 않아 빛이 후면 편광판을 통과하지 못하고 차단된다.
바로알기 | ㄱ. (가)는 전압이 걸려 있지 않은 상태이다. 액정에 전압이 걸리면 (나)와 같이 액정 분자가 일정한 방향으로 배열한다.

403 **모범 답안** 액정 디스플레이(LCD)에서 편광판 두 개의 편광축은 수직이다. (가)에서는 액정 분자에 의해 전면 편광판을 통과한 빛의 진동 방향이 90° 회전하여 빛이 후면 편광판을 통과하는 반면, (나)에서는 전압을 걸어 주어 액정 분자가 배열한 결과 전면 편광판을 통과한 빛의 진동 방향이 변하지 못하고 그대로 후면 편광판으로 들어가 빛이 차단된다.

404 ① 탄소 원자가 육각형의 벌집 모양의 평면적인 구조를 이루고 있는 물질을 그래핀이라고 한다.
⑦ 그래핀은 투명하면서도 전기가 잘 통하고 유연성이 있어 휘어지는 디스플레이의 투명한 전극 소재로 주목받고 있다.
바로알기 | ④ 그래핀은 늘리거나 구부려도 전기적 성질이 변하지 않는다.
⑥ 전자의 이동 속도는 그래핀이 규소보다 100배 정도 빠르다.

405 ㄱ. (가)는 초전도 상태인 초전도체이다. 이러한 상태일 때 초전도체는 전기 저항이 0이므로 전류가 흘러도 열이 발생하지 않아 전력 손실이 생기지 않는다.
ㄷ. 초전도체는 강한 자기장을 만들 수 있어 MRI에 이용하고, 그래핀은 두께가 얇고 전기가 잘 통하는 성질이 있어 디스플레이의 소재로 활용할 수 있다.
바로알기 | ㄴ. 붕소, 알루미늄과 같은 불순물을 소량 첨가하면 전기 전도성이 좋아지는 것은 규소, 저마늄으로 만든 순수한 반도체이다.

406 ③ 게코도마뱀의 발바닥 구조를 모방하여 다양한 접착 물질을 개발하였는데, 의료용 패치도 그중 하나이다.

407 ㄴ. 모르포텍스 섬유는 염색 없이 빛에 의해 색이 나타나는 섬유로 모르포 나비 날개의 막이 가진 광학적 특성을 모방하였다.
ㄷ. 홍합의 분비물인 족사는 물에서도 접착력을 잃지 않는 특성이 있다. 이를 모방하여 수중 접착제를 만들었다.
바로알기 | ㄱ. 벨크로 테이프는 도꼬마리 열매의 갈고리 구조를 모방하여 만든 것이다.

408 **모범 답안** 도꼬마리 열매는 갈고리 형태로 된 가시가 있어 털에 붙으면 잘 떨어지지 않는다. 이를 모방하여 벨크로 테이프를 만들었다. 연잎이 표면은 미세한 돌기 구조가 있어 물방울이 닿아도 잎을 적시지 않고 흘러내린다. 이를 모방하여 방수가 되는 옷, 방수 코팅제를 만들었다. 홍합은 접착 단백질을 분비하여 젖은 표면에도 잘 붙어 있을 수 있다. 이를 모방하여 수중 접착제를 만들었다. 등

409 ① 신소재는 물질의 물리적 성질을 포함하여 다양한 특성을 변화시켜서 만든다.
③ 초전도체는 임계 온도 이하에서 전기 저항이 0이 되기 때문에 초전도체로 전력 손실이 없는 송전선을 만들어 이용할 수 있다.
⑥ 나노 기술은 10^{-9} m 크기의 물체를 다루는 기술로 이 기술의 발달로 작은 생명체나 생명체가 지닌 작은 구조를 모방할 수 있게 되었다.
바로알기 | ② 유리 코팅제는 연잎 표면의 미세한 돌기가 물을 밀어내서 물에 젖지 않는 특성을 이용한 신소재이다.

최고 수준 도전 기출 (10~12강)

102~103쪽

410 ⑤ 411 ③, ④ 412 ② 413 ③ 414 ④
415 (1) 구아닌 (2) 30 % 416 (1) 가닥 Ⅳ (2) 97 417 ②
418 ③

410 (가)에 들어갈 질문으로는 석영과 장석의 공통적인 특성이고 감람석과는 구별되는 특성이어야 하므로 '단위체가 망상 구조로 결합되어 있는가?'는 가능하다. (나)에 들어갈 질문으로는 석영과 장석을 구별하는 특성을 묻는 것이면서 석영에는 해당하고 장석에는 해당하지 않아야 하는데, 석영은 산소와 규소만으로 이루어져 있으므로 '산소와 규소만으로 이루어져 있는가?'는 가능한 질문이다.

411 ① (가)는 독립형 구조로 규산염 사면체 하나가 독립적으로 마그네슘이나 철 등의 양이온과 결합하여 이루어져 있다.
② (다)와 같은 망상 구조에서 규산염 사면체를 이루는 모든 산소는 다른 규산염 사면체와 공유 결합을 한다.
⑤ (가) → (나) → (다)로 갈수록 공유하는 산소 수가 많아지고 상대적으로 저온·저압 조건에서 정출되었으므로 화학적 풍화에 강하다.
바로알기 | ③ 규산염 광물은 마그마가 식는 과정에서 정출되는데, 공유 결합하는 수가 적을수록 고온에서 정출된 광물이다. 따라서 광물이 정출되는 온도는 (가)>(나)>(다)이다.
④ 공유하는 산소 수가 많을수록 $\frac{\text{Si 원자 수}}{\text{O 원자 수}}$ 값은 커진다. 따라서 $\frac{\text{Si 원자 수}}{\text{O 원자 수}}$는 (다)>(나)>(가)이다.

개념 보충

규산염 광물의 특성

구조	독립형	단사슬	복사슬	판상	망상
Si:O	1:4	1:3	4:11	2:5	1:2
광물	감람석	휘석	각섬석	흑운모	석영
생성 온도	높음 ←				→ 낮음
풍화 안정도	약함 ←				→ 강함

412 ㄴ. ㉡은 사람을 구성하는 물질에서 물을 제외하고 가장 많은 비율을 차지하는 단백질로 탈수 축합 반응으로 단위체가 연결되어 만들어진 중합체이다.
바로알기 | ㄱ. 지각을 구성하는 규산염 광물 중 가장 많은 비율을 차지하는 ㉠은 장석이다. 장석은 규소를 기본 골격으로 하는 물질로 망상 구조로 결합되어 있다.
ㄷ. 단백질의 기본 구조 단위는 아미노산이다.

413 ① (가)는 포도당 분자들이 결합하여 수많은 곁가지를 형성하므로 글리코젠이고, (나)는 곁가지가 거의 없이 여러 층의 선형 구조이므로 셀룰로스이며, (다)는 길다란 선형 구조에 일부 곁가지가 있으므로 녹말이다.
② 글리코젠(가)은 동물의 에너지 저장 물질이고, 셀룰로스(나)는 식물 세포의 세포벽을 구성하며, 녹말(다)은 식물의 에너지 저장 물질이다.
④, ⑤ (가)~(다) 모두 단위체인 포도당이 결합하여 이루어진 다당류이다.
바로알기 | ③ 폴리펩타이드는 단백질의 단위체인 아미노산이 펩타이드 결합으로 연결된 것이다.

414 DNA (가)와 (나)는 각각 200개의 뉴클레오타이드로 구성되어 있다. (가)에서 $\frac{A+T}{G+C}=3$이므로, A+T의 수는 $200\times\frac{3}{4}=150$이고, G+C의 수는 $200\times\frac{1}{4}=50$이다. 이때 A과 T의 수가 같으므로 각각 75이고, G과 C의 수가 같으므로 각각 25이다.
(나)에서 A의 수가 60이므로 T의 수도 60이다. G+C의 수는 $200-(60+60)=80$이고, G과 C의 수가 같으므로 각각 40이다.
ㄴ. (가)와 (나)는 각각 200개의 뉴클레오타이드로 구성되고, 뉴클레오타이드마다 1개의 염기가 있다. 즉, 뉴클레오타이드의 수와 염기의 수는 같으므로 (가)와 (나)를 구성하는 염기의 수를 합하면 400이다.
ㄷ. (가)의 아데닌(A) 수는 75이고, (나)의 구아닌(G) 수는 40이므로 이를 합하면 115이다.
바로알기 | ㄱ. (가)의 $\frac{A+T}{G+C}=3$이고, (나)의 $\frac{A+T}{G+C}=\frac{120}{80}=\frac{3}{2}$이다.

415 (1) 표에서 $\frac{\text{염기 (나)}}{\text{사이토신}}=1$이므로 염기 (나)는 사이토신과 상보적으로 결합하는 염기인 구아닌이다. 이때 나머지 염기 (가)와 염기 (다)는 각각 아데닌과 타이민 중 하나이다.
(2) 표에서 염기의 수는 (가)=(다), (나)=사이토신이고, 염기의 비율은 (가)+(나)+(다)+사이토신=100 %이다. 따라서 염기 (가)의 비율이 20 %라면 상보적으로 결합하는 염기 (다)의 비율도 20 %이므로, 염기 (나)와 사이토신의 비율 합은 100−(20+20)=60 %이다. 이때 염기 (나)와 사이토신의 비율은 같으므로 염기 (나)의 비율은 30 %이다.

416 (1) 가닥 Ⅰ의 A의 조성비는 18 %이므로 이와 상보적으로 결합하는 가닥의 T의 조성비도 18 %이다. 따라서 가닥 Ⅰ과 Ⅳ가 이중 나선을 이룬다. 같은 원리로, 가닥 Ⅱ의 G의 조성비와 가닥 Ⅲ의 C의 조성비가 18 %로 같으므로 가닥 Ⅱ와 Ⅲ이 이중 나선을 이룬다.
(2) 가닥 Ⅱ의 A의 조성비는 상보적으로 결합하는 가닥 Ⅲ의 T의 조성비와 같으므로 ㉠은 26이다. 가닥 Ⅲ의 G의 조성비는 상보적으로 결합하는 가닥 Ⅱ의 C의 조성비와 같으므로 ㉡은 40이다. 가닥 Ⅰ의 C의 조성비는 상보적으로 결합하는 가닥 Ⅳ의 G의 조성비와 같으므로 ㉢은 31이다. 따라서 ㉠+㉡+㉢=26+40+31=97이다.

417 ㄴ. B의 p형 반도체에 전지의 (−)극이 연결되었고, n형 반도체에 전지의 (+)극이 연결되었으므로 역방향 전압이 걸려 있는 상태이다. 따라서 B에는 전류가 흐르지 않는다.
바로알기 | ㄱ. A에서 빛이 방출되었으므로 A에는 순방향 전압이 걸린 것을 알 수 있다. 따라서 전지의 (−)극과 연결된 X는 n형 반도체, (+)극과 연결된 Y는 p형 반도체이다.
ㄷ. A에는 순방향 전압이 걸려 있다. 따라서 p형 반도체 속 양공과 n형 반도체 속 전자는 모두 p−n 접합면 쪽으로 이동한다.

418 ㄱ. 과정 (나)에서 액체 질소를 부은 후 A에서 초전도 현상(마이스너 효과)이 나타난 것을 알 수 있다. 따라서 액체 질소의 온도는 A의 임계 온도보다 낮다.
ㄴ. 과정 (가)에서 액체 질소를 붓기 전에는 전구에 불이 켜지지 않다가 액체 질소를 부은 후 전구에 불이 켜진 것으로 보아 A의 전기 저항은 액체 질소를 부은 후 작아졌음을 알 수 있다.
바로알기 | ㄷ. A가 자석 위로 내려앉은 것은 A의 온도가 임계 온도보다 높아져 더 이상 초전도 현상이 나타나지 않기 때문이다.

13 힘과 중력

빈출 자료 보기 105쪽

419 (1) ○ (2) × (3) ○ (4) ○ (5) ×

419 **바로알기 |** (2) 두 물체 사이에 상호 작용 하는 중력의 크기는 항상 같고, 물체의 질량이 클수록 중력이 크기 때문에 m_1이 커지면 F_1과 F_2가 모두 커진다.
(5) 두 물체 사이에 상호 작용 하는 중력의 크기는 물체 사이의 거리(r)가 멀수록 작아진다.

난이도별 필수 기출 106~109쪽

420 ⑤	421 ③	422 ④	423 ③	424 ⑤	425 ④
426 ⑤, ⑥		427 ③	428 ③	429 ④	430 ①
431 ①, ⑥		432 ②	433 ③	434 ④	
435 ③, ④		436 해설 참조		437 해설 참조	
438 해설 참조					

420 ㄱ. 힘은 물체의 운동 상태를 변화시키는 원인이다.
ㄴ. 한 물체에는 여러 힘이 동시에 작용할 수 있으며, 동시에 작용하는 여러 힘의 효과를 합한 것을 합력(알짜힘)이라고 한다.
ㄷ. 힘의 크기, 힘의 방향, 힘의 작용점을 힘의 3요소라고 하며, 이에 따라 힘의 효과가 달라진다.

421 ③ 전기력은 전기(전하)를 띤 물체 사이에 서로 밀거나(척력) 당기는(인력) 힘으로, 다른 종류의 전하 사이에는 인력이, 같은 종류의 전하 사이에는 척력이 작용한다.
바로알기 | ① 중력의 크기는 물체의 질량이 클수록 크다.
② 자기력은 접촉하지 않을 때도 작용한다.
④ 탄성력은 탄성체가 변형되었을 때 원래 상태로 되돌아가려는 힘이다.
⑤ 공기 저항력은 낙하하는 물체의 운동을 방해하는 힘이므로 물체의 운동 방향인 중력의 방향과 반대 방향으로 작용한다.

422 ① 힘을 작용하여 물체의 모양을 바꿀 수 있다.
②, ③ 힘을 작용하여 물체의 운동 상태(빠르기, 운동 방향)를 바꿀 수 있다.
⑤ 한 물체에 둘 이상의 힘이 동시에 작용할 수 있고, 한 물체에 작용하는 모든 힘의 합력을 알짜힘이라고 한다.
바로알기 | ④ 힘이 작용하지 않으면(알짜힘이 0이면) 물체의 운동 상태는 변하지 않는다. 따라서 운동하던 물체는 아무런 힘을 받지 않아도 원래의 운동 상태를 계속 유지한다.

423 • ㉠: 지구가 물체를 당기는 중력의 방향은 지구의 중심을 향한다.
• ㉡: 중력의 크기는 물체의 질량이 클수록 크다.
• ㉢: 중력의 크기는 물체와 지구 사이의 거리가 가까울수록 크다.

424 ㄴ. 무게는 물체에 작용하는 중력의 크기이다.
ㄷ. 무게는 측정하는 위치에 따라 달라지기 때문에 같은 물체라도 물체와 지구 중심 사이의 거리가 달라지면 무게가 달라진다.
바로알기 | ㄱ. 무게는 물체에 작용하는 중력의 크기를 뜻한다. 따라서 무게의 단위는 힘의 단위와 같은 N이다. kg은 질량의 단위이다.

425 ㄱ. 물체의 무게는 물체에 작용하는 중력의 크기이다. 지구에서 중력의 크기는 달에서의 6배 정도이므로 같은 물체라도 지구에서 측정한 무게는 달에서 측정한 무게의 6배이다.
ㄷ. 무게는 중력의 크기이므로 중력이 작용하지 않는 곳에서 물체의 무게는 0이다.
바로알기 | ㄴ. 질량은 물체의 고유한 양이고, '고유한 양'이라는 것은 '장소에 따라 달라지지 않는다.'는 의미이다. 측정 장소에 따라 달라지는 것은 무게이다.

426 ①, ③, ④ 중력의 크기는 물체의 질량이 클수록, 지구 중심에 가까울수록 크다. 따라서 적도에서 극지방 쪽으로 갈수록 커지고, 지표면에서 높은 곳으로 올라갈수록 작아진다.
⑦ 지표면 부근에서 물체에 작용하는 중력의 크기는 물체의 질량×중력 가속도 $9.8\ m/s^2$이므로 질량 10 kg인 물체에 작용하는 중력의 크기는 $10\ kg \times 9.8\ m/s^2 = 98\ N$이다.
바로알기 | ⑤ 중력의 크기는 물체의 질량과 물체 사이의 거리에 의해서 결정된다. 물체의 속력과 중력의 크기는 서로 관계없다.
⑥ 중력의 크기는 측정 장소에 따라 달라질 수 있다. 달에서 중력의 크기는 지구에서의 $\frac{1}{6}$배이다.

427 ㄱ. 무게는 질량에 비례하므로 질량이 큰 민수의 무게가 주희의 무게보다 크다.
ㄷ. 물체에 작용하는 지구의 중력은 항상 지구 중심 방향인 연직 아래 방향으로 작용한다.
바로알기 | ㄴ. 지표면 근처에서 질량이 있는 모든 물체에 지구의 중력이 작용하므로 나무에 매달려 정지해 있는 사과에도 지구의 중력이 작용한다. 사과에 중력이 작용하지만 사과가 정지해 있는 까닭은 나뭇가지가 사과에 지구의 중력과 같은 크기의 힘을 반대 방향으로 작용하여 사과에 작용하는 알짜힘이 0이기 때문이다. 물체에 작용하는 알짜힘이 0이면 물체의 운동 상태는 변하지 않는다.

428 ㄷ. 힘은 항상 두 물체 사이에 상호 작용 하며, 상호 작용 하는 두 힘은 크기가 같고 방향이 서로 반대이다.
바로알기 | ㄱ. 물체에 작용하는 지구 중력의 방향은 지구 중심 방향이다. 따라서 물체에 작용하는 중력의 방향은 B이다.
ㄴ. 물체에 작용하는 중력의 크기는 물체의 질량이 클수록 크다.

429 ㄴ. 힘은 항상 두 물체 사이에 상호 작용 하며, 상호 작용 하는 두 힘은 크기가 같고 방향이 서로 반대이다. 따라서 지구가 나를 당기는 중력과 내가 지구를 당기는 중력은 크기가 같고 방향이 반대이다.
ㄷ. 물체에 작용하는 지구 중력의 방향은 지구 중심 방향이다. 가속도의 방향은 힘의 방향과 같으므로 지구 중력은 물체를 지구 중심 방향으로 가속시키는 원인이다.
바로알기 | ㄱ. 지구 대기권 밖에서도 중력이 작용한다. 지표면 근처보다 지구 중심과의 거리가 멀기 때문에 중력의 크기가 지표면 근처보다 매우 작아 중력이 작용하지 않는 것처럼 느껴진다.

430 ① 중력은 질량이 있는 모든 물체 사이에 상호 작용 하는 힘이다. 두 물체 사이에 작용하는 중력의 크기는 두 물체의 질량의 곱에 비례하고, 두 물체 사이 거리의 제곱에 반비례한다. 중력의 방향은 두 물체가 서로 끌어당기는 방향이다.

개념 보충

중력의 크기
두 물체 사이에 작용하는 중력의 크기(F)는 질량의 곱(m_1m_2)에 비례하고, 두 물체 사이 거리의 제곱(r^2)에 반비례한다.

$$F=G\frac{m_1m_2}{r^2}\ (G\text{: 중력 상수})$$

431 ②, ③ 중력은 멀리 떨어져 있어도 작용한다. 두 물체 사이에 작용하는 중력의 크기는 두 물체의 질량의 곱에 비례하고, 두 물체 사이 거리의 제곱에 반비례한다.
④, ⑤ 중력은 서로 끌어당기는 방향으로 작용하므로 지구가 물체에 작용하는 중력의 방향은 지구 중심 방향인 연직 아래 방향이다.
바로알기 | ① 중력은 물체 사이에 상호 작용 하는 힘으로 측정 장소에 따라 측정값이 달라질 수 있다. 물체가 가진 고유한 양은 질량이다.
⑥ 중력의 크기는 물체 사이의 거리가 가까울수록, 물체의 질량이 클수록 크다.

432 ㄷ. 중력의 크기는 두 물체의 질량의 곱에 비례하고, 두 물체 사이 거리의 제곱에 반비례한다. 따라서 중력의 크기는 두 물체의 질량이 클수록, 두 물체 사이의 거리가 가까울수록 크다.
바로알기 | ㄱ, ㄴ. A가 B를 당기는 중력과 B가 A를 당기는 중력은 서로 상호 작용 하는 힘으로 두 힘의 방향은 서로 반대이고, 크기는 같다.

433 ㄱ, ㄴ. 새의 깃털과 지구는 질량이 있으므로 두 물체 사이에 중력이 작용한다. 중력은 서로 당기는 방향으로 작용한다.
바로알기 | ㄷ. 상호 작용 하는 두 힘은 항상 크기가 같다. 따라서 깃털이 지구를 당기는 힘과 지구가 깃털을 당기는 힘의 크기는 서로 같다.

434 ㄱ. 중력의 크기는 두 물체의 질량의 곱에 비례하므로 A의 질량이 클수록 A가 받는 중력의 크기는 커진다.
ㄷ. 중력의 크기는 두 물체 사이 거리의 제곱에 반비례한다. 따라서 A와 B 사이의 거리가 멀어지면 B가 받는 중력의 크기는 작아진다.
바로알기 | ㄴ. 상호 작용 하는 두 힘은 항상 크기가 같다. 따라서 A가 받는 중력의 크기와 B가 받는 중력의 크기는 서로 같다.

435 ① F_1의 작용점은 A에 있으므로 F_1은 B가 A를 당기는 힘이다. 한편 F_2의 작용점은 B에 있으므로 F_2는 A가 B를 당기는 힘이다.
②, ⑤ 상호 작용 하는 두 힘은 크기가 같고 방향이 반대이다. 두 물체 사이의 거리 r가 작아지면 A, B 사이에 작용하는 중력이 커진다. 상호 작용 하는 두 힘은 크기가 같으므로 F_1과 F_2가 모두 커진다.
바로알기 | ③ m_1이 커지면 A, B 사이에 작용하는 중력이 커지므로 F_1과 F_2가 모두 커진다.
④ 중력은 서로 당기는 방향으로 작용하므로 두 물체 사이에 작용하는 중력에 의해 두 물체 사이의 거리는 점점 가까워진다.

436 두 물체 사이에 작용하는 중력의 크기는 물체의 질량이 클수록, 물체 사이의 거리가 가까울수록 크다. 따라서 두 물체 사이의 거리를 가깝게 하면 중력의 크기를 크게 할 수 있다.
모범 답안 두 물체 사이의 거리를 가깝게 한다.

437 **모범 답안** (1) 중력
(2) 두 물체의 질량을 작게 한다. 물체 사이의 거리를 멀리 한다.
(3) 30 N, 두 물체 사이에 상호 작용 하는 힘은 크기가 같고 방향이 반대이기 때문에 F_1의 크기가 30 N이면 F_2의 크기도 30 N이다.

438 **모범 답안** 두 물체 사이에 작용하는 중력의 크기는 두 물체의 질량의 곱에 비례하고, 거리의 제곱에 반비례한다. (가)에서 중력의 크기를 F라고 하면, (나)에서는 두 물체의 질량의 곱이 (가)에서보다 12배이고, 거리의 제곱이 (가)에서보다 4배이므로 (나)에서 중력의 크기는 (가)에서의 $\frac{12}{4}=3$배이다. 따라서 (나)에서 중력의 크기는 $3F$이다.

14 물체의 운동

빈출 자료 보기 111쪽

439 (1) ○ (2) × (3) ○ (4) ○ (5) ○

439 **바로알기 |** (2) 물체에 작용하는 힘의 크기는 가속도의 크기에 비례한다. 속도-시간 그래프의 기울기는 가속도와 같고, 0~2초 동안 기울기, 즉 가속도가 일정하므로 물체에 작용하는 힘의 크기도 일정하다.

난이도별 필수 기출 112~117쪽

440 (1) 이동 거리: 150 m, 변위의 크기: 50 m (2) 15 m/s (3) 5 m/s
441 5 m/s² **442** 5 m/s² **443** 10 m/s²
444 34.4 m/s **445** 20 N **446** ②
447 (1) (가) 5 (나) 10 (2) 4 m/s² **448** 2 m/s²
449 ㉠ 등속 직선, ㉡ A, B, D
450 ㉠ 등가속도 직선, ㉡ C, E, F **451** ① **452** ④ **453** ②
454 ⑤ **455** (1) 11 m/s (2) 32 m **456** ① **457** ②
458 ⑤ **459** ③ **460** > **461** > **462** ④, ⑤
463 ④ **464** ⑤ **465** ① **466** ⑤ **467** ③
468 해설 참조

440 (1) 이동 거리는 민호가 실제로 움직인 총 거리이므로 150 m이고, 변위의 크기는 처음 위치(P)에서 나중 위치(Q)까지의 직선 거리이므로 50 m이다.
(2) 평균 속력$=\frac{\text{이동 거리}}{\text{걸린 시간}}$이므로 $\frac{150\text{ m}}{10\text{ s}}=15\text{ m/s}$이다.
(3) 평균 속도의 크기$=\frac{\text{변위의 크기}}{\text{걸린 시간}}$이므로 $\frac{50\text{ m}}{10\text{ s}}=5\text{ m/s}$이다.

441 가속도는 단위시간 동안의 속도 변화량으로,
가속도$=\frac{\text{속도 변화량}}{\text{걸린 시간}}=\frac{\text{나중 속도}-\text{처음 속도}}{\text{걸린 시간}}$이다.
따라서 가속도의 크기는 $\frac{15\text{ m/s}-10\text{ m/s}}{1\text{ s}}=\frac{20\text{ m/s}-15\text{ m/s}}{1\text{ s}}$
$=\frac{25\text{ m/s}-20\text{ m/s}}{1\text{ s}}=5\text{ m/s}^2$이다.

442 자동차가 터널을 통과하는 4초 동안 속력이 10 m/s에서 30 m/s로 일정하게 증가하였고 가속도는 단위시간 동안의 속도 변화량이므로 $\frac{\text{속도 변화량}}{\text{걸린 시간}}=\frac{30\text{ m/s}-10\text{ m/s}}{4\text{ s}}=5\text{ m/s}^2$이다.

다른 해설 자동차가 등가속도 직선 운동을 하고 있으므로 속력과 속도가 같다. 나중 속도 $v=30$ m/s, 처음 속도 $v_0=10$ m/s, $t=4$ s이므로 등가속도 직선 운동에서 속도를 나타내는 식 $v=v_0+at$에 대입하면 30 m/s=10 m/s+a×4 s이다. 따라서 가속도 $a=5$ m/s^{2}이다.

443 처음 0.1초 동안 10 cm를 운동하였으므로 속도의 크기는 $\frac{10\text{ cm}}{0.1\text{ s}}=\frac{0.1\text{ m}}{0.1\text{ s}}=1$ m/s이다. 같은 방법으로 다른 구간에서 자동차의 속도의 크기를 구하면, 2 m/s, 3 m/s, 4 m/s, 5 m/s이다. 가속도 $=\frac{\text{나중 속도}-\text{처음 속도}}{\text{걸린 시간}}$이므로, 가속도의 크기는 $\frac{2\text{ m/s}-1\text{ m/s}}{0.1\text{ s}}=\frac{3\text{ m/s}-2\text{ m/s}}{0.1\text{ s}}=\frac{4\text{ m/s}-3\text{ m/s}}{0.1\text{ s}}=10$ m/s^{2}이다.

444 물체는 중력 가속도에 따라 속력이 1초에 9.8 m/s씩 증가하고, p점을 지날 때 물체의 속력은 5 m/s이다. 따라서 p점을 지난 순간부터 3초 후 q점을 지날 때의 속력 $v=5$ m/s+(9.8 m/s^2)×3 s =34.4 m/s이다.

445 물체에 10초 동안 힘을 작용하여 속도가 0에서 20 m/s로 증가하였으므로 물체의 가속도$=\frac{\text{속도 변화량}}{\text{걸린 시간}}=\frac{20\text{ m/s}-0}{10\text{ s}}=2$ m/s^{2}이다. 물체에 작용하는 힘은 물체의 질량×가속도와 같으므로 $F=10$ kg×2 m/s^2=20 N이다.

446 ㄴ. 평균 속력은 $\frac{\text{전체 이동 거리}}{\text{걸린 시간}}$이므로 $\frac{2\pi\times10\text{ m}}{10\text{ s}}=2\pi$ m/s이다.

바로알기 | ㄱ. 10초 동안 선수가 원형 빙판을 한 바퀴 돌아 출발점 P로 되돌아왔으므로 처음 위치와 나중 위치가 같다. 따라서 변위는 0이다.
ㄷ. 선수는 일정한 빠르기로 운동하므로 5초 후 출발점 P의 반대편에 있다. 따라서 변위는 서쪽으로 20 m이고, 평균 속도의 크기 $=\frac{\text{전체 변위의 크기}}{\text{걸린 시간}}=\frac{20\text{ m}}{5\text{ s}}=4$ m/s이다. 따라서 평균 속도는 서쪽으로 4 m/s이다.

447 평균 속도는 $\frac{\text{구간 거리}}{\text{걸린 시간}}$이므로 표를 완성하면 다음과 같다.

걸린 시간(s)	0.5	0.5	0.5	0.5	0.5
시간(s)	0~0.5	0.5~1	1~1.5	1.5~2	2~2.5
구간 거리(m)	1	3−1=2	6−3=3	10−6=4	(가) 5
구간별 평균 속도 (m/s)	2	$\frac{2\text{ m}}{0.5\text{ s}}=4$	$\frac{3\text{ m}}{0.5\text{ s}}=6$	$\frac{4\text{ m}}{0.5\text{ s}}=8$	(나) 10

+2 m/s +2 m/s +2 m/s +2 m/s

(1) 자동차가 등가속도 직선 운동을 하므로 같은 시간 동안 속도 변화량은 일정해야 한다. 따라서 구간별 평균 속도의 차이는 매 구간 2 m/s로 일정해야 하므로 (나)는 10 m/s이다. 구간 거리=평균 속도×걸린 시간이므로 (가)는 10 m/s×0.5 s=5 m이다.

(2) 자동차의 가속도의 크기는 $\frac{4\text{ m/s}-2\text{ m/s}}{0.5\text{ s}}=\frac{6\text{ m/s}-4\text{ m/s}}{0.5\text{ s}}=\frac{8\text{ m/s}-6\text{ m/s}}{0.5\text{ s}}=\frac{10\text{ m/s}-8\text{ m/s}}{0.5\text{ s}}=4$ m/s^{2}이다.

448 물체에 작용하는 두 힘의 방향이 서로 반대 방향일 때 물체에 작용하는 알짜힘의 크기는 두 힘의 차와 같고, 방향은 큰 힘의 방향과 같다. 따라서 물체에 작용하는 알짜힘의 크기는 20 N−10 N=10 N이다. 물체에 작용하는 알짜힘은 질량×가속도이므로 가속도의 크기는 10 N=5 kg×a에서 $a=2$ m/s^{2}이다.

449 이 다중 섬광 사진의 물체는 같은 시간 동안 같은 거리를 이동하였으므로 매 구간 속력이 일정하고, 물체가 운동하는 방향이 변하지 않았으므로 물체는 등속 직선 운동(㉠)을 한다. 등속 직선 운동을 하는 물체의 가속도는 0이므로 물체에 작용하는 알짜힘이 0이다. 물체 A~F 중에서 알짜힘이 0인 물체는 A, B, D(㉡)이다.

450 이 다중 섬광 사진의 물체는 같은 시간 동안 이동하는 거리가 일정하게 증가하므로 매 구간 속력이 일정하게 증가하고, 운동하는 방향이 변하지 않았으므로 물체는 등가속도 직선 운동(㉠)을 한다. 등가속도 직선 운동을 하는 물체는 가속도의 크기가 일정하므로 물체에 일정한 크기의 힘이 작용한다. 물체 A~F 중에서 일정한 크기의 알짜힘이 작용하여 등가속도 직선 운동을 하는 물체는 C, E, F(㉡)이다.

451 구간별로 이동 거리를 구하고, 구간별 이동 거리를 0.1초 간격으로 나누어 구간 속력을 구하면 다음과 같다.

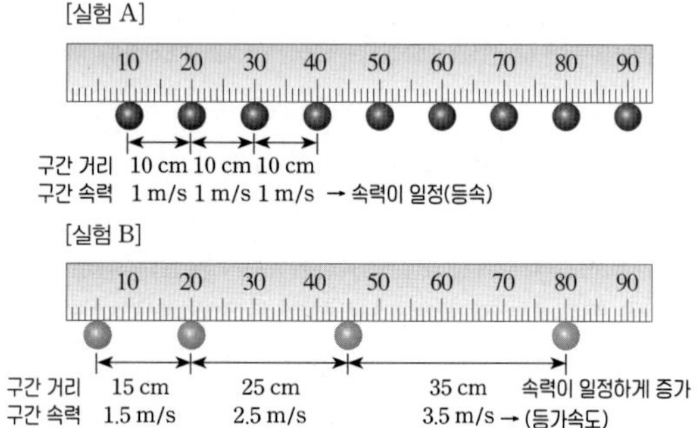

① 실험 A에서 공은 매 구간 10 cm의 일정한 거리를 운동하므로 공의 속도의 크기는 $\frac{10\text{ cm}}{0.1\text{ s}}=\frac{0.1\text{ m}}{0.1\text{ s}}=1$ m/s이다.

452 ④ 실험 B에서 물체의 속력은 0.1초마다 1 m/s씩 증가하므로 물체의 가속도의 크기는 $\frac{1\text{ m/s}}{0.1\text{ s}}=10$ m/s^{2}이다.

453 실험 A에서 공은 등속 직선 운동을 하므로 속도가 일정한 그래프 (가)와 같고, 실험 B에서 공은 등가속도 직선 운동을 하므로 속도가 일정하게 증가하는 그래프 (다)와 같다.

바로알기 | 속도−시간 그래프에서 기울기는 가속도와 같으므로 그래프 (나)는 가속도의 크기가 증가하는 운동을 나타낸다.

454 ㄴ. 이동 거리−시간 그래프의 기울기는 속력을 나타낸다. 기울기가 5 m/s로 일정하므로 0.5초일 때 물체의 속력은 5 m/s이다.
ㄷ. 2초일 때 이동 거리가 10 m이므로 0초부터 2초까지 이동한 거리가 10 m임을 알 수 있다.

바로알기 | ㄱ. 이동 거리−시간 그래프의 기울기가 일정하므로 물체는 속력이 일정한 등속 직선 운동을 한다.

455 가속도 $a=3$ m/s^{2}으로 일정하고, 처음 속도 $v_0=2$ m/s이다.
(1) 등가속도 직선 운동에서 속도를 구하는 식 $v=v_0+at$에 대입하면 $v=2$ m/s+3 m/s^2×3 s=11 m/s이다.
(2) 등가속도 직선 운동에서 이동 거리를 구하는 식 $s=v_0t+\frac{1}{2}at^2$에 대입하면 $s=2$ m/s×4 s+$\frac{1}{2}$×3 m/s^2×(4 s)^2=32 m이다.

456 0초일 때 물체의 운동 방향을 (+)라고 하면, 물체의 처음 속도 $v_0=10$ m/s이다. 물체의 속력은 매 초마다 2 m/s씩 작아지므로 물체는 가속도 $a=-2$ m/s^{2}인 등가속도 직선 운동을 한다. 등가속도

직선 운동에서 속도를 구하는 식 $v=v_0+at$에서 나중 속도가 0이므로 $0=10\ \text{m/s}-2\ \text{m/s}^2\times t$에서 물체가 정지하게 되는 시간 $t=5\ \text{s}$이다.

457 ㄱ. 속력－시간 그래프에서 기울기는 가속도의 크기와 같다. 기울기가 0이므로 물체의 가속도는 0이다.
ㄷ. 물체는 직선상에서 속력이 일정하므로 등속 직선 운동을 한다. 이때 물체의 이동 거리＝속력×시간이므로 이동 거리는 시간에 비례하여 증가한다.
바로알기 | ㄴ. 물체의 가속도가 0이므로 물체에 작용하는 알짜힘도 0이다.
ㄹ. 엘리베이터는 정지 상태에서 출발하여 속력이 증가하다가 감소하여 목적지에 정지한다. 따라서 엘리베이터의 운동은 속력이 계속 변하는 운동이므로 가속도가 0이 아니기 때문에 이 물체와 같은 종류의 운동이 아니다.

458 ㄱ. A는 속력이 10 m/s로 일정하고 직선상에서 운동하므로 등속 직선 운동을 한다.
ㄴ. 0초일 때 A의 위치를 0, B의 위치를 20 m라고 하면 위치를 나타내는 식 $s=s_0+vt$에 따라 각각 $s_A=10\ \text{m/s}\times t$, $s_B=20\ \text{m}+5\ \text{m/s}\times t$이다. 두 물체가 만나면 $s_A=s_B$이므로 $10\ \text{m/s}\times t=20\ \text{m}+5\ \text{m/s}\times t$에서 $t=4\ \text{s}$이다. 따라서 두 물체는 4초일 때 만난다. 두 물체의 위치－시간 그래프를 그리면, 4초일 때 두 그래프가 만나는 것을 알 수 있다.

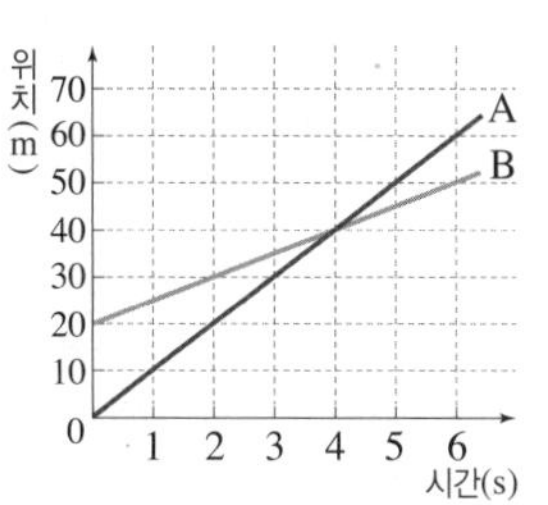

ㄷ. 물체의 위치를 나타내는 식에 대입하면 5초일 때 A와 B의 위치는 각각 $s_A=10\ \text{m/s}\times5\ \text{s}=50\ \text{m}$, $s_B=20\ \text{m}+5\ \text{m/s}\times5\ \text{s}=45\ \text{m}$이므로, 5초일 때 A는 B보다 5 m 앞서 있다.

459 ㄱ. 속도－시간 그래프의 기울기는 가속도와 같다. (나)에서 기울기가 일정하므로 물체는 등가속도 직선 운동을 한다.
ㄷ. 물체에 작용하는 힘은 질량×가속도로 나타내므로 $F=ma$에서 물체의 가속도 $a=\dfrac{F}{m}$이다.
바로알기 | ㄴ. 물체에 작용하는 알짜힘은 가속도에 비례하므로, 가속도가 일정하면 물체에 작용하는 알짜힘도 일정하다.

460 물체 A의 속도－시간 그래프 기울기가 물체 B의 속도－시간 그래프 기울기보다 크므로 가속도의 크기도 A＞B이다.

461 질량이 같은 두 물체에 작용하는 알짜힘(합력)은 각각의 가속도에 비례한다. 따라서 알짜힘(합력)의 크기도 A＞B이다.

462 직선상에서 운동하는 물체의 속도－시간 그래프에서 기울기는 가속도와 같고, 그래프 아랫부분의 넓이는 이동 거리와 같다.

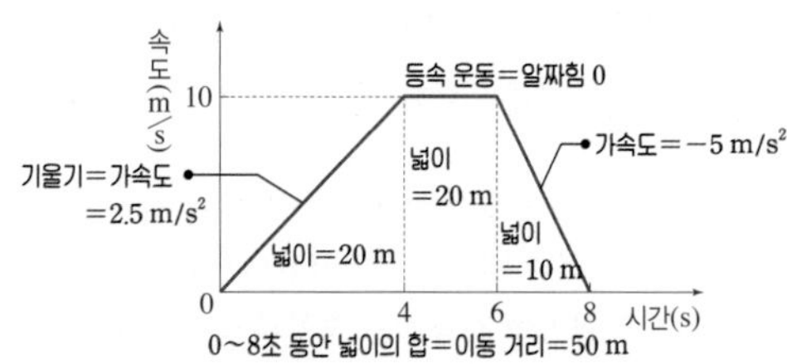

① 0～4초 동안 물체의 가속도의 크기는 $\dfrac{10\ \text{m/s}}{4\ \text{s}}=2.5\ \text{m/s}^2$이다.
② 물체가 직선상에서 운동 방향이 변하지 않았으므로 변위의 크기는 이동 거리와 같다. 따라서 0～8초 동안 물체의 이동 거리는 20 m＋20 m＋10 m＝50 m이다.
③ 4～6초 동안 그래프의 기울기가 0이므로 가속도도 0이다. 물체의 가속도와 알짜힘은 비례하므로 물체에 작용하는 알짜힘도 0이다.
⑥ 그래프에서 가속도의 크기(기울기의 크기)는 0～4초 동안이 $2.5\ \text{m/s}^2$이고, 6～8초 동안이 $5\ \text{m/s}^2$이다.
바로알기 | ④ 6～8초 동안 속도가 감소하므로 운동 방향과 가속도의 방향은 서로 반대이다.
⑤ 6～8초 동안 기울기가 일정하므로 물체의 가속도도 일정하고, 물체에 작용하는 알짜힘의 크기도 일정하다.

463 ㄱ, ㄴ. 자동차는 직선상에서 1초에 5 m/s씩 속도가 일정하게 증가하므로 등가속도 직선 운동을 하고, 가속도의 크기는 $\dfrac{5\ \text{m/s}}{1\ \text{s}}=5\ \text{m/s}^2$이다.
ㄹ. 5초일 때 자동차 속도는 $v_0+at=5\ \text{m/s}+5\ \text{m/s}^2\times5\ \text{s}=30\ \text{m/s}$이다.
바로알기 | ㄷ. 자동차의 가속도가 일정하므로 자동차에 작용하는 알짜힘의 크기도 일정하다.

464 철수는 속도가 일정하게 증가하였고 운동 방향이 바뀌지 않으므로 등가속도 직선 운동을 하였다. $v_0=2\ \text{m/s}$, $v=10\ \text{m/s}$, $t=4\ \text{s}$이므로 $v=v_0+at$에서 $10\ \text{m/s}=2\ \text{m/s}+a\times4\ \text{s}$이므로 $a=2\ \text{m/s}^2$이다. 이를 $s=v_0t+\dfrac{1}{2}at^2$에 대입하면 철수가 4초 동안 이동한 거리 $s=2\ \text{m/s}\times4\ \text{s}+\dfrac{1}{2}\times2\ \text{m/s}^2\times(4\ \text{s})^2=24\ \text{m}$이다.

465 중력 가속도는 연직 아래 방향으로 작용하고 처음 물체의 운동 방향은 연직 위 방향이므로 $v_0=10\ \text{m/s}$, $a=-10\ \text{m/s}^2$이다. 최고 높이에서 물체는 순간적으로 정지하므로 나중 속력을 0이라 놓고, 속력을 구하면 $v=v_0+at$에서 $0=10\ \text{m/s}-10\ \text{m/s}^2\times t$이므로 $t=1\ \text{s}$이다. 따라서 물체가 최고 높이까지 올라가는 데 걸린 시간은 1초이고, 최고 높이는 1초 동안 이동한 거리 $s=v_0t+\dfrac{1}{2}at^2$에 의해 $s=10\ \text{m/s}\times1\ \text{s}+\dfrac{1}{2}\times(-10\ \text{m/s}^2)\times(1\ \text{s})^2=5\ \text{m}$이다.

466 ㄴ. 위치－시간 그래프의 기울기는 속도와 같다. 0～2초 동안 물체의 속도＝기울기＝$\dfrac{6\ \text{m}}{2\ \text{s}}=3\ \text{m/s}$이고, 직선상에서 같은 방향으로 운동했으므로 속력은 속도의 크기와 같다. 따라서 속력은 3 m/s이다.
ㄷ. 4～6초 동안 물체의 속도(기울기)는 3 m/s로 일정하므로 가속도는 0이다. 따라서 물체에 작용하는 알짜힘도 0이다.
바로알기 | ㄱ. 2～4초 동안 물체의 위치는 6 m로 변하지 않으므로 물체는 정지해 있다.

467 ㄷ. 6～8초 동안 그래프의 기울기가 0이므로 물체의 가속도는 0이고, 물체에 작용하는 알짜힘도 0이다.
바로알기 | ㄱ. 속도－시간 그래프에서 기울기는 가속도와 같은데 0～2초 동안 그래프의 기울기가 점점 감소하고 있으므로 물체의 가속도는 감소하고 있다.
ㄴ. 4초에서 그래프의 기울기가 한 번 변하므로 물체의 가속도도 변한다. 물체에 작용하는 알짜힘은 가속도에 비례하므로 물체에 작용하는 알짜힘의 크기도 한 번 변한다.

468 0초, 2초, 4초일 때 자동차의 속도를 각각 v_0, v_2, v_4라고 하면, 0~2초 동안 자동차는 가속도 $a_2=4\ m/s^2$으로 등가속도 직선 운동을 한다. 따라서 $v=v_0+at$식에 $v_2=4\ m/s^2\times2\ s=8\ m/s$이다.
2~4초 동안 자동차는 가속도 $a_4=-6\ m/s^2$으로 등가속도 직선 운동을 하므로 $v_4=v_2+at=8\ m/s+(-6\ m/s^2)\times2\ s=-4\ m/s$이다.

모범 답안 2초일 때의 속도 $v_2=4\ m/s^2\times2\ s=8\ m/s$, 4초일 때의 속도 $v_4=8\ m/s+(-6\ m/s^2)\times2\ s=-4\ m/s$이므로 2초일 때와 4초일 때의 속력은 각각 8 m/s, 4 m/s이다. 따라서 2초일 때 속력이 4초일 때의 2배이다.

다른 해설 가속도－시간 그래프에서 그래프 아랫부분의 넓이는 속도 변화량과 같다. 0~2초 동안 그래프 아랫부분의 넓이는 8 m/s이고, 처음에 자동차는 정지해 있었으므로 2초일 때 자동차의 속도는 8 m/s이다. 0~4초 동안 그래프 아랫부분의 넓이는 8 m/s－12 m/s＝－4 m/s이므로 4초일 때 자동차의 속도는 －4 m/s이다. 직선 운동에서 속력은 속도의 크기와 같으므로 자동차의 속력은 2초일 때가 4초일 때의 2배이다.

15 중력과 역학적 시스템

빈출 자료 보기 119쪽

469 (1) ○ (2) ○ (3) × (4) ○ (5) ×

470 (1) × (2) ○ (3) ○ (4) × (5) ○

469 **바로알기** | (3) 중력은 연직 아래 방향으로 작용한다.
(5) 지표면 근처에서 물체의 중력 가속도는 질량과 관계없이 모두 같다.

470 **바로알기** | (1) 자유 낙하 하는 물체는 등가속도 직선 운동을 한다.
(4) 자를 세게 쳐서 B의 처음 속력이 더 빨라져도 연직 방향의 가속도와 물체의 높이가 같으므로 바닥에 닿는 시간은 같다.

난이도별 필수 기출 120~129쪽

471 ④ 472 29.4 m/s 473 ③ 474 ③, ⑥
475 ③ 476 (1) 30 N (2) 3초 477 ④ 478 ③ 479 ③
480 해설 참조 481 ④ 482 ③ 483 ⑤
484 15 m 485 40 m/s 486 ③, ⑤
487 ① 488 ② 489 ① 490 해설 참조
491 (1) 2초 (2) 10 m 492 ④ 493 ④
494 (1) 60 m/s (2) 180 m 495 해설 참조
496 ③, ⑦ 497 ② 498 ③ 499 ③ 500 ①
501 ① 502 ③ 503 해설 참조 504 ②, ⑤, ⑥
505 해설 참조 506 해설 참조 507 해설 참조
508 ⑤ 509 ④ 510 ③ 511 ③ 512 ③
513 ② 514 ③, ⑦ 515 ③ 516 ② 517 ①
518 해설 참조 519 해설 참조 520 해설 참조

471 ㄴ. 중력이 작용하는 방향은 연직 아래 방향으로 물체의 운동 방향과 같다.
ㄷ. 물체에 중력만 작용하는 자유 낙하 운동에서 물체의 가속도는 중력 가속도이다.
바로알기 | ㄱ. 자유 낙하 하는 물체는 등가속도 직선 운동을 한다.

472 자유 낙하 운동은 등가속도 직선 운동이고, 이때 속력을 나타내는 식은 $v=v_0+at$이다. 처음에 물체를 가만히 놓았으므로 $v_0=0$이고, $a=9.8\ m/s^2$이므로 물체가 낙하하기 시작한 뒤 3초 후의 속력 $v=9.8\ m/s^2\times3\ s=29.4\ m/s$이다.

473 ㄱ. 중력의 크기는 물체의 질량에 비례하므로 질량이 클수록 큰 중력을 받는다.
ㄷ. 자유 낙하 하는 물체의 가속도는 중력 가속도이며, 중력 가속도는 물체의 질량이나 속도와 관계없이 일정하다.
바로알기 | ㄴ. 자유 낙하 하는 물체의 가속도는 질량과 관계없이 일정하므로 A와 B는 바닥에 동시에 도달한다.

474 ① 공은 등가속도 직선 운동을 하고 있으므로 속력이 일정하게 증가한다.
②, ⑤ 자유 낙하 하는 공에 작용하는 알짜힘은 중력뿐이다. 공에 작용하는 중력은 속력과 관계없이 일정하다.
④ 일정한 시간 간격으로 공 사이 거리가 점점 멀어지고 있으므로 일정 시간 동안 움직인 거리가 증가한다.
바로알기 | ③ 자유 낙하 하는 공의 가속도의 크기는 $9.8\ m/s^2$이다.
⑥ 그림은 공의 운동을 일정한 시간 간격으로 나타낸 것이므로 구간별 공 사이 간격은 평균 속력에 비례한다. 공은 질량과 관계없이 같은 가속도로 낙하하므로 구간별 공 사이 간격은 공의 질량과 관계없다.

475 ㄱ. $v_0=0$, $a=10\ m/s^2$, $t=5\ s$일 때, 자유 낙하 운동에서 이동 거리를 구하는 식은 $s=v_0t+\frac{1}{2}at^2$이다. 자유 낙하 운동에서 물체가 지면에 떨어질 때까지 이동한 거리는 높이 H와 같으므로 높이 $H=\frac{1}{2}\times10\ m/s^2\times(5\ s)^2=125\ m$이다.
ㄷ. 2초일 때 물체의 속력 $v_1=v_0+at=10\ m/s^2\times2\ s=20\ m/s$이고, 2초~4초까지 물체의 이동 거리는 식 $s=v_1t+\frac{1}{2}at^2$으로 구할 수 있다. 따라서 $s=20\ m/s\times2\ s+\frac{1}{2}\times10\ m/s^2\times(2\ s)^2=60\ m$이다.
바로알기 | ㄴ. 중력 가속도는 물체의 질량과 관계없이 일정하다.

476 (1) 지면 근처에서 질량이 있는 물체에 작용하는 중력의 크기는 (질량)×(중력 가속도)이다. 따라서 곰인형에게 작용하는 중력의 크기는 $3\ kg\times10\ m/s^2=30\ N$이다.
(2) 실을 끊었을 때 곰인형은 자유 낙하 운동을 한다. $s=\frac{1}{2}at^2$에서 $s=45\ m$, $a=10\ m/s^2$이므로 $45\ m=\frac{1}{2}\times10\ m/s^2\times t^2$, $t=3\ s$이다. 따라서 곰인형이 지면에 도달할 때까지 걸린 시간은 3초이다.

477 ㄴ. 자유 낙하 하는 물체의 가속도는 중력 가속도이고, 그 크기가 $9.8\ m/s^2$이므로 B는 매초 속력이 9.8 m/s씩 빨라진다.
ㄷ. 지표면 근처에서 물체에 작용하는 중력의 크기＝질량×$9.8\ m/s^2$이다. A와 B의 질량이 같으므로 A와 B에 작용하는 중력의 크기도 같다.

바로알기 | ㄱ. 질량이 있는 모든 물체에는 중력이 작용하므로 A에도 중력이 작용한다. A가 정지해 있는 까닭은 A에 작용하는 중력과 나뭇가지가 A를 연직 위로 당기는 힘의 합력(알짜힘)이 0이기 때문이다.

478 ①, ④ 깃털과 쇠구슬의 가속도가 서로 같으므로 같은 시간 동안 낙하하는 거리와 바닥에 도달하는 시간이 같다.
② 속력이 증가하는 정도는 가속도의 크기를 의미한다. 깃털과 쇠구슬의 가속도가 중력 가속도로 같으므로 속력이 증가하는 정도도 같다.
⑤ 쇠구슬의 운동 방향과 쇠구슬에 작용하는 중력의 방향은 모두 연직 아래 방향이다.
바로알기 | ③ 중력의 크기는 질량에 비례하므로 쇠구슬에 작용하는 중력의 크기가 깃털에 작용하는 중력의 크기보다 크다.

479 ㄷ. 중력만 받아 낙하하는 물체의 가속도는 물체의 질량, 크기, 모양과 관계없이 중력 가속도로 일정하다.
바로알기 | ㄱ. 공기 중에서 낙하하는 쇠구슬과 깃털에는 중력과 공기 저항력이 함께 작용한다.
ㄴ. 진공 중에서 낙하하는 쇠구슬과 깃털의 속력은 중력에 의해 중력 가속도만큼 일정하게 증가한다.

480 모범 답안 (1) 1 : 1 : 1
(2) 중력 가속도는 질량과 관계없이 모두 같기 때문에 질량이 다른 세 물체 모두 같은 시간 동안 속력 변화가 같다.

481 ㄱ. 공기 저항을 무시하면 물체의 가속도는 질량, 크기, 모양과 관계없이 일정하므로 A와 B는 지면에 동시에 떨어진다.
ㄷ. 물체에 작용하는 중력의 크기는 질량에 비례하므로 작용하는 중력의 크기는 B가 A의 2배이다.
바로알기 | ㄴ. 단면적이 클수록 공기 저항을 많이 받으므로 B가 C보다 공기 저항을 더 많이 받는다. 따라서 공기 저항을 고려하면 C가 B보다 지면에 먼저 떨어진다.

482 평균 속도는 구간별 변위를 시간 간격으로 나눈 것이다.

시간(s)	0	0.1	0.2	0.3	0.4
위치(cm)	0	5	20	45	80
평균 속도 (m/s)	0.5	(가) 1.5	(나) 2.5	(다) 3.5	

$\frac{5\text{ cm}-0\text{ cm}}{0.1\text{ s}}=50\text{ cm/s}=0.5\text{ m/s}$

ㄱ. 0.1초마다 속도가 1 m/s씩 일정하게 증가하였다.
ㄷ. 가속도는 $\frac{1.5\text{ m/s}-0.5\text{ m/s}}{0.1\text{ s}}=10\text{ m/s}^2$이며, 모든 구간에서 같은 값을 얻을 수 있다. 따라서 가속도는 10 m/s^2으로 일정하다.
바로알기 | ㄴ. 구간별 평균 속도는 (가) $\frac{20\text{ cm}-5\text{ cm}}{0.1\text{ s}}=150\text{ cm/s}$ $=1.5\text{ m/s}$이고, (나) $\frac{45\text{ cm}-20\text{ cm}}{0.1\text{ s}}=250\text{ cm/s}=2.5\text{ m/s}$이다.

483 ㄱ. 단면적이 넓을수록 공기 저항을 많이 받으므로 펼친 A4 용지가 공기 저항을 가장 크게 받는다.
ㄴ. 달은 공기가 없는 진공 상태로, 낙하하는 물체에는 공기 저항 없이 달의 중력만 작용한다. 따라서 달에서 (가)의 실험을 하면 지우개와 A4 용지가 바닥에 동시에 떨어진다.
ㄷ. 단면적이 넓은 펼친 A4 용지가 뭉친 A4 용지보다 공기 저항을 많이 받으므로, 같은 높이에서 떨어뜨리면 A4 용지는 (나)에서가 (가)에서보다 빨리 바닥에 떨어진다.

484 수평 방향으로 던진 공은 수평 방향으로 등속 직선 운동을 하므로 3초 동안 이동한 거리 $R=5\text{ m/s}\times 3\text{ s}=15\text{ m}$이다.

485 수평 방향으로 던진 물체는 연직 방향으로 처음 속력 $v_0=0$인 등가속도 직선 운동을 하므로, 지면에 도달하는 순간 연직 방향의 속력 $v=at$이다. $a=10\text{ m/s}^2$이고 지면에 닿을 때까지 4초가 걸렸으므로 $t=4\text{ s}$일 때, $v=10\text{ m/s}^2\times 4\text{ s}=40\text{ m/s}$이다.

486 ① 물체가 운동하는 동안 물체에 수평 방향으로 작용하는 힘은 없으며, 연직 아래 방향으로는 중력이 작용한다.
②, ④ 수평 방향으로는 작용하는 힘이 없으므로 속도가 변하지 않고, 등속 직선 운동을 한다. 연직 방향으로는 일정한 크기의 중력이 작용하므로 속도가 일정하게 증가하며, 자유 낙하 운동을 한다.
바로알기 | ③ 수평 방향으로는 작용하는 힘이 없으므로 가속도가 0이고, 연직 방향으로는 일정한 크기의 중력이 작용하여 가속도가 일정하다.
⑤ 수평 방향으로는 등속 직선 운동을 하므로 구간별로 이동 거리가 일정하고, 연직 방향으로는 등가속도 직선 운동을 하므로 이동 거리가 구간마다 증가한다.

487 ㄱ. 물체는 연직 방향으로 등가속도 직선 운동을 하므로 속력이 빨라진다. 따라서 속력은 Q점에서가 P점에서보다 크다.
바로알기 | ㄴ. 물체가 운동하는 동안 물체의 가속도는 중력 가속도로 항상 일정하다.
ㄷ, ㄹ. P점과 Q점에서 모두 중력만 작용하므로 물체에 작용하는 힘은 두 지점에서 서로 같고, 물체에 수평 방향으로 작용하는 힘은 없다.

488 ② A에는 계속 중력이 작용한다.
바로알기 | ① A는 등가속도 직선 운동을 하므로 A의 속력은 증가한다.
③, ④ B는 수평 방향으로 등속 직선 운동을 하지만, 연직 방향으로 등가속도 직선 운동을 한다. 따라서 B는 포물선 궤도를 그리는 운동을 하고, 연직 방향 속력은 중력 가속도에 의해 증가한다.
⑤ B에는 연직 아래 방향으로 중력이 작용하며, 수평 방향으로는 힘이 작용하지 않는다.

489 ②, ③ 수평 방향으로 던진 물체에는 연직 아래 방향으로만 중력이 작용하고, 수평 방향으로는 등속 직선 운동을 하므로 수평 방향으로 단위시간 동안 이동 거리는 일정하다.
④, ⑤ 연직 방향으로는 자유 낙하 운동을 하므로 연직 방향의 속력은 증가하고, 가속도의 크기는 중력 가속도로 항상 일정하다.
바로알기 | ① 수평 방향으로는 힘이 작용하지 않으므로 등속 직선 운동을 한다.

490 수평 방향으로 던진 물체에 수평 방향으로는 힘이 작용하지 않고, 연직 아래 방향으로 중력만 작용한다. 따라서 수평 방향으로는 등속 직선 운동을 하며, 연직 방향으로는 속도가 아래 방향으로 일정하게 증가하는 자유 낙하 운동(등가속도 직선 운동)을 한다. 이 두 효과가 합쳐져서 물체는 포물선을 그리며 운동한다.
모범 답안 (1) • 수평 방향: 등속 직선 운동
• 연직 방향: 자유 낙하 운동(등가속도 직선 운동)
(2) 수평 방향의 등속 직선 운동과 연직 방향의 자유 낙하 운동(등가속도 직선 운동)이 합쳐졌기 때문에 공은 포물선을 그리며 운동한다.

491 (1) 쇠구슬이 수평면에 도달할 때까지 걸린 시간은 쇠구슬의 연직 방향 이동 거리를 구하는 식으로 구할 수 있다. 높이가 20 m이므로 연직 방향 이동 거리 $h=20$ m, 중력 가속도의 크기는 10 m/s^{2}일 때 $h=\frac{1}{2}gt^2$에 대입하면 $20\text{ m}=\frac{1}{2}\times10\text{ m/s}^2\times t^2$에서 $t=2$ s이다.
(2) 쇠구슬이 2초 만에 수평면에 도달하므로 수평 방향 속력이 5 m/s일 때, 수평 방향으로 이동한 거리는 5 m/s×2 s=10 m이다.

492 ㄱ. 수평 방향으로는 힘이 작용하지 않으므로 처음 속력 v로 등속 직선 운동을 한다.
ㄴ. 물체가 운동하는 동안 가속도의 방향은 중력의 방향과 같은 연직 아래 방향으로 일정하다.
바로알기 | ㄷ. 수평 방향으로 던진 물체의 가속도는 물체의 속력과 관계없이 항상 중력 가속도로 일정하다. 따라서 수평 방향의 속력이 달라져도 높이가 같으면 지면에 도달하는 시간$\left(t=\sqrt{\frac{2h}{g}}\right)$은 변하지 않는다.

493 (a) 연직 방향 이동 거리: 연직 방향으로 등가속도 직선 운동을 하므로 이동 거리가 일정하게 증가하는 것보다 더 빠르게 증가한다.
(b) 연직 방향 속력: 연직 방향으로 속력이 일정하게 증가한다.
(c) 수평 방향 속력: 수평 방향으로 등속 직선 운동을 한다.

494 (1) 공이 수평 방향으로는 등속 직선 운동을 하고, 이때 수평 방향 이동 거리 $s=v_0t$이다. 공을 던진 속력 $v_0=3$ m/s이고, 수평 방향 이동 거리 $s=18$ m이므로 지면에 도달할 때까지 걸린 시간 $t=\frac{s}{v_0}=\frac{18\text{ m}}{3\text{ m/s}}=6$ s이다. 연직 방향으로는 가속도의 크기가 10 m/s^{2}인 등가속도 직선 운동을 하므로 지면에 도달하는 순간 연직 방향의 속력은 $v=gt$ 식을 이용하여 구할 수 있다. $g=10$ m/s^2, $t=6$ s이므로 $v=10\text{ m/s}^2\times6\text{ s}=60$ m/s이다.
(2) 높이 H는 연직 방향의 이동 거리 h와 같다. $g=10$ m/s^2, $t=6$ s이므로, $h=\frac{1}{2}gt^2$에서 $h=\frac{1}{2}\times10\text{ m/s}^2\times(6\text{ s})^2=180$ m이다. 따라서 $H=180$ m이다.

495 (1), (2), (3) 각 쇠구슬의 방향별 속도$=\frac{\text{구간 거리}}{\text{걸린 시간}}$으로 구한다.
(4) A와 B의 연직 아래 방향의 구간 거리와 속도가 서로 같으므로 연직 방향의 가속도도 같다. 가속도의 크기는 $\frac{15\text{ m/s}-5\text{ m/s}}{1\text{ s}}=10$ m/s^{2}이고, 모든 구간에서 같은 값이 나온다.

모범 답안

(1)

시간(s)	0~1	1~2	2~3	3~4
연직 아래 방향 구간 거리(m)	5	15	25	35
연직 아래 방향의 속도(m/s)	5	15	25	35

15 m/s−5 m/s=10 m/s 35 m/s−25 m/s=10 m/s

(2)

시간(s)	0~1	1~2	2~3	3~4
연직 아래 방향 구간 거리(m)	5	15	25	35
연직 아래 방향의 속도(m/s)	5	15	25	35

25 m/s−15 m/s=10 m/s

(3)

시간(s)	0~1	1~2	2~3	3~4
수평 방향 구간 거리(m)	25	25	25	25
수평 오른쪽 방향의 속도(m/s)	25	25	25	25

(4) A: 10 m/s^2, B: 10 m/s^2

496 ① A는 자유 낙하 운동을 하므로 중력 방향인 연직 아래 방향으로 직선 운동을 한다.
② B에 수평 방향으로는 힘이 작용하지 않고 연직 아래 방향으로는 중력이 작용한다. 따라서 B는 수평 방향으로 등속 직선 운동을 하고, 연직 방향으로는 등가속도 직선 운동을 한다.
④, ⑤ A와 B의 가속도는 중력 가속도로 크기와 방향이 항상 같다. 따라서 연직 방향 속력도 항상 서로 같다.
⑥ A와 B의 질량이 같으므로 A와 B에 작용하는 중력의 크기도 같고, 방향도 연직 아래 방향으로 같다.
바로알기 | ③ A와 B는 연직 방향 가속도가 같으므로 바닥에 동시에 도달한다.
⑦ 연직 방향 가속도는 수평 방향 속력과 관계없으므로 B의 수평 방향 속력을 증가시켜도 A와 B는 바닥에 동시에 도달한다.

497 ㄱ. A와 B가 운동하는 동안 가속도는 중력 가속도로 같다.
ㄷ. A와 B는 연직 방향 가속도가 같고, 높이가 같으므로 바닥에 도달할 때까지 걸린 시간$\left(t=\sqrt{\frac{2h}{g}}\right)$도 같다.
바로알기 | ㄴ. A는 연직 방향으로만 낙하하고, B는 수평 방향으로 등속 직선 운동을 한다. A와 B의 연직 방향 속력은 같지만 수평 방향 속력은 B가 더 크므로 바닥에 도달하기 직전의 속력은 B가 A보다 크다.
ㄹ. A는 직선 운동을 하고, B는 포물선 궤도를 그리며 운동하므로 바닥에 도달할 때까지 운동한 거리는 B가 A보다 크다.

498 ㄱ, ㄴ. A와 B에는 동일하게 연직 방향으로 중력이 작용하고, 연직 방향 가속도가 중력 가속도로 같다. 따라서 A와 B는 바닥에 동시에 떨어진다.
바로알기 | ㄷ. 자를 더 휘어지게 하면 B의 수평 방향 속력이 커지지만, 연직 방향 가속도는 변함이 없으므로 바닥에 떨어질 때까지 걸린 시간도 변하지 않는다.

499 ㄷ. x 방향 처음 속력을 v_x라고 하면 x 방향으로 이동한 거리는 $x=v_xt$이므로 v_x가 클수록 같은 시간 동안 x 방향으로 이동한 거리가 커진다.
바로알기 | ㄱ. 두 공이 매 순간 y 방향으로 위치가 같은 까닭은 y 방향 가속도가 중력 가속도로 같기 때문이다. 중력 가속도는 질량과 관계없으므로 이 사실만으로는 질량이 같은지 판단할 수 없다.
ㄴ. 중력 가속도 $g=10$ m/s^{2}일 때 0~4초 동안 공 B가 자유 낙하 하는 거리 $y=\frac{1}{2}gt^2=\frac{1}{2}\times10\text{ m/s}^2\times(4\text{ s})^2=80$ m이고, 수평 방향으로 이동한 거리 $x=v_xt=10\text{ m/s}\times4\text{ s}=40$ m이다. 따라서 수평 방향으로 이동한 거리보다 자유 낙하 한 거리가 더 길다.

500 ㄱ. A와 B의 연직 방향 가속도는 질량, 속력에 관계없이 중력 가속도로 같다. 따라서 A와 B는 지면에 동시에 도달한다.
바로알기 | ㄴ. 두 물체의 연직 방향 가속도가 같으므로 지면에 닿는 순간 A의 속력은 B의 연직 방향 속력과 같다.
ㄷ. 물체에 작용하는 중력의 크기는 질량에 비례한다. 따라서 A에 작용하는 중력의 크기가 B에 작용하는 중력의 크기보다 2배 크다.

501 ㄱ. A에 작용하는 힘은 중력뿐이므로 알짜힘의 방향은 중력과 같은 방향인 아래쪽(↓)이다.
바로알기 | ㄴ. 단위시간당 속력의 변화량은 가속도의 크기와 같다.

B의 가속도는 중력 가속도로 일정하므로 단위시간당 속력의 변화량도 일정하다.
ㄷ. 낙하하는 시간은 연직 방향 가속도(중력 가속도)와 높이에 따라 결정되며, 중력 가속도는 수평 방향 속력과 관계없이 일정하므로 수평 방향으로 던진 속력이 커져도 지면에 도달하는 시간은 같다.

502 ㄴ. A와 B는 모든 순간 같은 높이에 있으므로 A가 볼 때 B는 수평 방향으로 등속 직선 운동을 한다.
ㄹ. 수평 방향으로 던진 순간부터 지면에 도달할 때까지 걸린 시간은 B와 C가 서로 같으므로 수평 방향 이동 거리는 속력에 비례한다. 따라서 B와 C의 수평 방향 이동 거리의 비는 $v : 2v = 1 : 2$이다.
바로알기 | ㄱ. 물체의 질량이나 속력과 관계없이 연직 방향 가속도의 크기는 같으므로 A, B, C는 지면에 동시에 떨어진다.
ㄷ. 물체에 작용하는 중력의 크기는 질량에 비례하므로 C에 작용하는 중력의 크기는 A에 작용하는 중력의 크기의 3배이다.

503 모범 답안 (1) A의 수평 방향 이동 거리는 $5\ \mathrm{m/s} \times t_A = 20\ \mathrm{m}$이므로 $t_A = 4\ \mathrm{s}$이고, 두 물체의 연직 방향 가속도가 같으므로 지면에 도달하는 시간도 같다. 따라서 $t_A = t_B = 4\ \mathrm{s}$이다.
(2) B의 수평 방향 이동 거리는 $v \times t_B = 40\ \mathrm{m}$이고, $t_B = 4\ \mathrm{s}$이므로 $v = 10\ \mathrm{m/s}$이다.

504 ② 포탄 B가 포탄 A보다 먼 곳까지 이동하였으므로 처음 속력은 포탄 B가 포탄 A보다 크다.
⑤ 포탄 C가 운동하는 동안 지표면과 수평한 방향으로 힘이 작용하지 않고, 일정한 원 궤도를 따라 계속 운동하므로 지표면과 수평한 방향의 속력은 일정하다.
⑥ 포탄 A~C에 작용하는 중력의 방향은 지구 중심 방향이다.
바로알기 | ①, ④ 질량이 있는 모든 물체에는 중력이 작용하고, 세 포탄의 질량이 모두 같으므로 작용하는 중력의 크기도 모두 같다.
③ 포탄 C에는 중력만 작용하는데 물체의 가속도는 물체에 작용하는 알짜힘에 비례하므로 포탄 C의 가속도는 0이 아니다.
⑦ 지표면 근처에서 물체의 가속도의 크기는 질량, 속도와 관계없이 모두 같으므로 포탄 A~C의 가속도의 크기는 모두 같다.

505 물체를 수평 방향으로 던진 속력은 ㉢>㉡>㉠이다. ㉠, ㉡은 포물선 운동을 하고, ㉢은 중력에 의해 지구 중심 방향으로 계속 떨어지지만 지구가 둥글기 때문에 지구 표면에 닿지 않고 지구 주위를 공전한다.
모범 답안 수평 방향으로 던진 물체의 속력이 다르기 때문이며, 이때 수평 방향 속력이 클수록 물체가 이동한 거리도 크다.

506 공은 수평 방향으로 등속 직선 운동을 하므로 수평 방향 속력 $v_x = 10\ \mathrm{m/s}$로 일정하다. 연직 방향으로는 등가속도 직선 운동을 하므로 연직 방향 속력 $v_y = gt = 10\ \mathrm{m/s^2} \times t$이다. 이 식에 시간 0~5초를 대입하면 그래프를 그릴 수 있다.

모범 답안

(1) 수평 방향

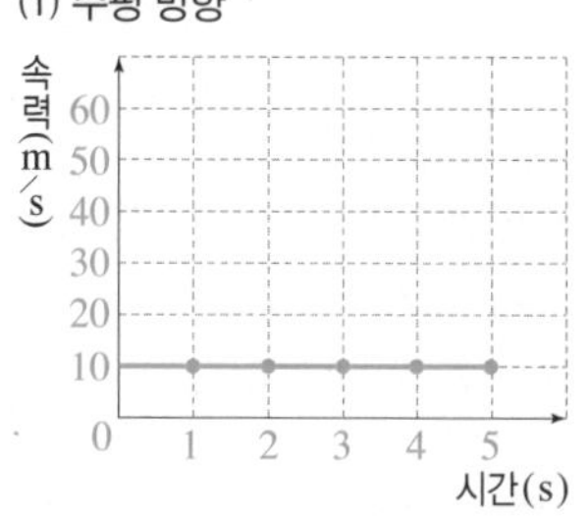

(2) 연직 방향

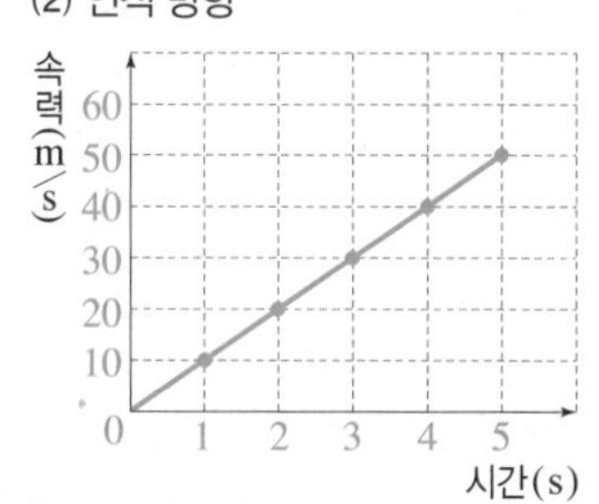

507 모범 답안 (1) (가) C (나) E
(2) ①

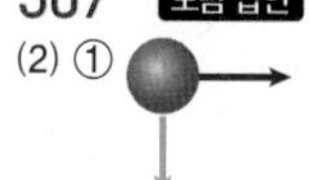

② 등속 직선 운동
③ 자유 낙하 운동(등가속도 직선 운동)
(3) 무중력 상태에서는 물체에 아무런 힘이 작용하지 않는다. 따라서 E 방향으로 계속 등속 직선 운동을 한다.

508 ㄱ. A는 자유 낙하 운동을 한다. 자유 낙하 운동은 가속도가 중력 가속도인 등가속도 직선 운동이다.
ㄴ, ㄷ. A와 B의 이동 거리는 같으므로 평균 속력$=\dfrac{\text{이동 거리}}{\text{걸린 시간}}$에서 평균 속력과 걸린 시간은 서로 반비례한다. 또 B가 A보다 낮은 위치에서 운동을 시작하였으므로 지면에 도달할 때까지 걸린 시간은 A가 B보다 길다. 따라서 평균 속력은 A가 B보다 작다.

509 ㄴ. A의 $v_0 = 20\ \mathrm{m/s}$이고 $t = 2\ \mathrm{s}$이므로, 수평면상에 떨어지기 전까지 A가 이동한 거리 $s = v_0 t = 20\ \mathrm{m/s} \times 2\ \mathrm{s} = 40\ \mathrm{m}$이다.
ㄷ. A와 B가 같은 지점에 떨어졌는데 $T < 2$이므로, B의 수평 방향 속도는 20 m/s보다 크다.
바로알기 | ㄱ. B는 A보다 낮은 높이에서 떨어졌으므로 떨어지는 데 걸린 시간$\left(t = \sqrt{\dfrac{2h}{g}}\right)$이 A보다 짧다. 따라서 T의 값은 2보다 작다.

510 ㄴ, ㄷ. B는 가속도 $10\ \mathrm{m/s^2}$으로 자유 낙하 하였으므로 2초 후 속력 $v = gt = 10\ \mathrm{m/s^2} \times 2\ \mathrm{s} = 20\ \mathrm{m/s}$이다. 또한 자유 낙하 운동에서 높이를 구하는 식 $h = \dfrac{1}{2}gt^2$에 대입하면 B의 처음 위치에서 P점까지 거리는 $h = \dfrac{1}{2} \times 10\ \mathrm{m/s^2} \times (2\ \mathrm{s})^2 = 20\ \mathrm{m}$이다.
바로알기 | ㄱ. A가 2초 동안 10 m/s로 운동하여 점 P에 도달하였으므로 두 탑 사이의 거리 $s = v_0 t = 10\ \mathrm{m/s} \times 2\ \mathrm{s} = 20\ \mathrm{m}$이다.
ㄹ. 두 물체의 지면으로부터의 높이는 매 순간 같으므로, 두 물체가 지면에 닿기 전에 A가 수평 방향으로 20 m만큼 이동한다면 두 물체는 충돌하게 된다. 따라서 A를 던지는 속력을 더 크게 하면 두 물체는 더 빨리 충돌하게 된다.

511 ①, ⑤ 자연계는 중력, 전기력, 자기력 등 여러 가지 힘에 의한 상호 작용으로 유지되는 역학적 시스템으로 구성된다.
② 여러 가지 힘이 물체들 사이에서 상호 작용 하면서 체계적으로 일정한 운동 체계를 유지하고 있는 것이 역학적 시스템이다.
④ 원자나 분자 사이에는 원자핵, 전자 등에 의한 전기력이 중요한 역할을 한다.
바로알기 | ③ 시스템의 각 요소들은 일정한 질서 또는 규칙에 따라 상호 작용 하면서 변하고 있으며, 시스템 전체적으로는 균형을 유지하고 있다.

512 ① 수평을 맞추려는 물체에 수직추를 매달면 중력에 의해 수직추가 연직 아래 방향을 향하므로 물체의 수평을 맞출 수 있다.
④ 인공위성은 지구 중력에 의해 지구를 벗어나지 못하고 지구 주위를 공전한다.
⑤ 기체의 대류 현상은 중력에 의해 밀도가 큰 기체가 아래로, 밀도가 작은 기체가 위로 올라가기 때문에 일어난다.
바로알기 | ③ 가속페달을 밟으면 자동차 바퀴가 지면을 미는 힘의 반작용에 의해 자동차가 점점 빨라진다.

513 ㉠은 구름이다. 밀물과 썰물은 달의 인력에 의한 현상으로 물과 대기의 순환과는 관련이 없다.
㉡은 대류이다. 대류 현상에 의해 상승 기류가 있는 곳은 저기압이, 하강 기류가 있는 곳은 고기압이 형성된다.
㉢은 중력이다. 대류 현상은 중력에 의해 밀도가 큰 기체가 아래로, 밀도가 작은 기체가 위로 올라가기 때문에 일어난다.

514 ① 달은 지구 중력에 의해 지구 주위를 공전한다.
② 유수는 흐르는 물을 뜻하며, 물은 중력에 의해 높은 곳에서 낮은 곳으로 흐른다. 물의 흐름은 지형을 변화시킬 수 있다. 빙하 역시 중력에 의해 아래로 미끄러져 움직이며, 움직이는 과정에서 바닥과 양옆의 지형을 깎아낼 수 있다.
④ 식물의 세포 안에는 중력 방향을 알려주는 물질이 있어서 뿌리를 중력 방향으로, 줄기를 중력과 반대 방향으로 뻗게 한다. 무중력 상태인 우주 공간에서는 식물의 줄기와 뿌리가 사방으로 뻗으며 자란다.
⑤ 다리에 있는 정맥에서 심장까지 혈액을 보내기에는 혈압이 너무 낮기 때문에 혈액이 역류하는 것을 방지하기 위한 판막이 존재한다. 반면, 머리에서 심장 쪽으로 연결된 정맥에서 중력 방향으로 혈액이 흐르므로 판막이 존재하지 않는다.
⑥ 사람 귀의 전정 기관은 중력을 감지하여 몸의 평형을 유지하는 데 도움을 준다.
바로알기 | ③ 지면으로부터 높이 올라갈수록 중력은 작아지고, 공기 밀도도 작아진다.
⑦ 큰 포유류는 중력을 견디기 위해 근육과 골격이 발달하였다. 또한 큰 몸의 여러 곳으로 혈액을 보내고 높은 위치에 있는 머리까지 혈액을 보내기 위해 심장에서 높은 압력으로 혈액을 밀어낸다.

515 ④ 무겁고 느린 기체 분자는 지구 중력에 의해 지표면 근처에 많이 존재하지만, 가볍고 빠른 수소, 헬륨 기체는 지구 중력을 벗어나 대기의 구성 성분에 포함되어 있지 않다.
바로알기 | ③ 민들레 씨앗은 질량이 작아 중력을 작게 받고 갓털 때문에 공기 저항력이 크게 작용한다. 따라서 지면에 늦게 떨어지므로 멀리 퍼질 수 있다.

516 • 수영: 식물의 세포벽은 중력을 견디기 위해 식물을 단단하게 만드는 요소이다. 무중력 상태에서는 중력을 견딜 필요가 없으므로 세포벽이 얇아진다.
• 길동: 양초의 불꽃은 고온의 기체가 내는 빛에 의해 생기는데, 이 기체가 중력에 의해 대류하면서 불꽃이 길쭉한 모양이 된다. 무중력 상태에서는 대류가 일어나지 않으므로 둥근 모양에 가까워지게 되며, 연소 지점으로 산소가 공급되지 않아 불꽃이 오래 지속되지 못한다.
바로알기 | • 민수: 코끼리와 같이 크고 무거운 포유류는 중력을 견디기 위해 근육과 골격이 발달한다. 따라서 무중력 상태에서는 골격이 더 약해진다.
• 철수: 식물의 뿌리는 중력 방향으로, 줄기는 중력과 반대 방향으로 자란다. 뿌리가 땅속 아래 방향으로 자라는 것은 그 방향이 중력의 방향이기 때문이다. 무중력 상태에서는 식물의 뿌리는 사방으로 뻗으며 자란다.

517 ㄱ. 높이 자란 나무는 뿌리에서 흡수한 물을 중력을 극복하여 높은 곳까지 보내야 하고, 무게(물체에 작용하는 중력의 크기)를 견딜 수 있어야 한다. 그러나 중력이 클수록 중력을 극복하고 무게를 견디기 어려우므로 나무는 지금보다 높이 자라지 못할 것이다.
바로알기 | ㄴ. 공기의 대류는 중력에 의해 밀도가 큰 기체가 아래로, 밀도가 작은 기체는 위로 올라가는 현상이다. 중력이 클수록 밀도가 큰 기체를 아래로 당기는 힘도 커지므로 공기의 대류는 더 빠르게 일어날 것이다.
ㄷ. 마찰이 없는 수평면에서는 질량이 큰 물체일수록 가속시키기가 더 어려운데, 이 현상은 중력과는 관계없다.

518 모범 답안 지구에서는 중력에 의해 대류 현상이 일어나 촛불 모양이 길게 나타난다. 반면 우주 정거장과 같이 무중력 상태에서는 대류 현상이 일어나지 않으므로 촛불 모양이 둥근 모양으로 나타난다.

519 모범 답안 가볍고 빠른 기체 분자는 대부분 지구 중력의 영향을 벗어나 우주로 날아갔으므로 지구의 대기 성분 중에는 가벼운 기체가 없다.

520 모범 답안 척추 사이 연골이 늘어나 키가 약간 커지게 된다. 다리의 정맥에 있는 판막이 약해진다. 근육과 뼈가 약해진다. 심장 박동이 느려지고 혈압이 낮아진다. 등

16 운동량과 충격량

빈출 자료 보기 131쪽

521 (1) × (2) ○ (3) ○ (4) ○ (5) × (6) ×

521 바로알기 | (1) 운동량(p)=질량(m)×속도(v)이므로 A의 운동량의 크기는 5 kg×5 m/s=25 kg·m/s이다.
(5) (가)에서 운동량의 총합은 25 kg·m/s+4 kg·m/s=29 kg·m/s이고, 운동량 보존 법칙에 따라 (나)에서 운동량의 총합도 20 kg·m/s+2 kg×v_B=29 kg·m/s이다. 따라서 2 kg×v_B=9 kg·m/s이다. 운동량의 변화량은 (나중 운동량)−(처음 운동량)이므로 B는 운동량의 변화량의 크기가 9 kg·m/s−4 kg·m/s=5 kg·m/s이다.
(6) 충돌 과정에서 A가 받은 충격량과 B가 받은 충격량은 크기가 같고 방향이 서로 반대이다.

난이도별 필수 기출 132~137쪽

522 관성 **523** ③ **524** ④ **525** ①, ②, ④ **526** ③
527 해설 참조 **528** ① **529** ③ **530** ⑤
531 4 kg·m/s **532** 해설 참조 **533** 6 m/s
534 (1) 20 N·s, 왼쪽 (2) 20 kg·m/s, 왼쪽 **535** 9 N·s
536 ③ **537** ④ **538** ② **539** ③, ⑥ **540** ③
541 22.5 m/s **542** ④ **543** (1) 7 m/s (2) 8 N·s
544 ⑤ **545** 해설 참조 **546** ⑤ **547** ③
548 해설 참조 **549** ③

523 ① 먼지는 옷과 함께 운동하는데 옷을 털 때 옷은 운동 방향을 갑자기 바꾸지만, 먼지는 관성에 의해 처음 운동 방향으로 계속 운동하므로 옷과 먼지가 분리된다.
② 달리던 자동차가 부딪혀 갑자기 정지하여도 운전자의 몸은 관성에 의해 계속 운동하려 하므로 핸들이나 운전석 앞쪽에 충돌하여 다칠 수 있다. 이를 방지하기 위해 안전띠를 맨다.
④ 돌부리에 다리가 걸려도 몸은 관성에 의해 계속 앞으로 나아가려고 하므로 넘어지게 된다.
⑤ 버스가 갑자기 출발하면 승객은 관성에 의해 계속 정지해 있으려고 하므로 뒤로 쏠리게 된다.
⑥ 칼자루를 바닥에 내리치면 칼자루는 바닥에 부딪혀 갑자기 멈추지만, 칼날은 관성에 의해 아래로 계속 운동하려고 하므로 칼자루에 칼날이 깊이 박히게 된다.
⑦ 종이를 튕기면 종이만 튕겨 나가고 동전은 관성에 의해 제자리에 정지해 있으려고 하므로 동전이 컵 속으로 떨어지게 된다.
바로알기 | ③ 힘의 작용 반작용과 관련 있는 현상이다. 로켓이 가스를 아래로 분사하면, 가스가 로켓을 위로 밀어서 로켓이 위로 나아갈 수 있다.

524 종이를 튕기면 종이만 날아가고 관성에 의해 제자리에 정지해 있으려고 하는 동전은 컵 속으로 떨어지게 된다.
ㄴ, ㄹ. 물체의 질량이 클수록 관성이 크다. 기차는 질량이 매우 커서 관성이 크기 때문에 갑자기 멈추기 어렵고, 작은 보트보다 질량이 큰 유람선의 운동 상태(운동 방향과 빠르기)를 변화시키기가 더 어렵다.
바로알기 | ㄱ. 노를 저어 물을 밀면 힘의 작용 반작용 때문에 물이 노를 밀어 배가 앞으로 나아간다.
ㄷ. 축구공을 세게 찰수록 축구공의 속력이 더 빨라지는 것은 힘의 작용이다. 물체에 작용하는 힘이 클수록 물체의 가속도도 크다.

525 ③, ⑥ 관성은 현재의 운동 상태(운동 방향과 빠르기)를 유지하려는 성질로, 관성이 클수록 운동 상태를 변화시키기 어렵다.
⑤ 물체에 작용하는 알짜힘이 0이면 물체는 관성으로 인해 운동 상태를 유지하려고 한다.
⑦ 관성의 크기는 질량에 따라 달라지는데, 질량은 외부에서 가해 주는 힘의 크기와 관계없이 일정하다. 따라서 관성의 크기도 일정하다.
바로알기 | ① 관성의 크기는 물체의 속력과 관련 없다.
② 정지해 있는 물체는 관성에 의해 계속 정지해 있으려고 한다.
④ 물체의 질량이 클수록 관성이 크다.

526 ㄱ. 물체의 질량이 클수록 관성이 크기 때문에 운동 상태를 변화시키기 어렵다.
ㄷ. 달리던 버스가 급정거할 때 버스에 탄 사람은 관성에 의해 계속 앞으로 운동하려고 하므로 몸이 앞으로 쏠리게 된다.
바로알기 | ㄴ. 관성과 관련 없이 힘과 가속도의 관계에 대한 설명이다.

527 모범 답안 (가) 달리던 자동차가 사고가 나서 갑자기 멈출 때, 자동차에 탄 사람은 관성에 의해 운동하던 상태를 유지하려 하므로 몸이 앞으로 쏠리게 된다.
(나) 몸이 갑자기 앞으로 쏠리게 되면 앞 좌석이나 운전대, 앞 유리 등에 충돌하여 다칠 수 있으므로 안전띠를 매어 충돌하는 것을 방지한다.

528 운동량의 크기(p)=질량(m)×속도의 크기(v)이다. 야구공의 질량 $m=150\text{ g}=0.15\text{ kg}$이고, 속력(속도의 크기)은 20 m/s이므로 이 야구공의 운동량의 크기는 $0.15\text{ kg}\times20\text{ m/s}=3\text{ kg}\cdot\text{m/s}$이다.

529 질량이 큰 물체일수록 관성이 크다. 따라서 관성이 큰 순서대로 나열하면 볼링공>야구공>골프공이다.

530 각 공의 운동량의 크기를 구하면 다음과 같다.
• 골프공의 운동량: $50\text{ g}\times70\text{ m/s}=0.05\text{ kg}\times70\text{ m/s}=3.5\text{ kg}\cdot\text{m/s}$
• 야구공의 운동량: $150\text{ g}\times10\text{ m/s}=0.15\text{ kg}\times10\text{ m/s}=1.5\text{ kg}\cdot\text{m/s}$
• 볼링공의 운동량: $5\text{ kg}\times2\text{ m/s}=10\text{ kg}\cdot\text{m/s}$
따라서 운동량이 큰 순서대로 나열하면 볼링공>골프공>야구공이다.

531 질량이 2 kg인 물체가 A 구간을 통과하기 전 속도가 3 m/s이므로 처음 운동량은 6 kg·m/s이다. 이 물체가 A 구간을 통과한 후 속도가 5 m/s이므로 나중 운동량은 10 kg·m/s이다. 운동량의 변화량=(나중 운동량)−(처음 운동량)이므로 A 구간에서 운동량의 변화량의 크기는 $10\text{ kg}\cdot\text{m/s}-6\text{ kg}\cdot\text{m/s}=4\text{ kg}\cdot\text{m/s}$이다.

532 모범 답안 $p=mv$이므로 A의 운동량의 크기는 $2\text{ kg}\times3\text{ m/s}=6\text{ kg}\cdot\text{m/s}$이고, B의 운동량의 크기는 $m\times4\text{ m/s}$이다. B의 운동량의 크기가 A의 운동량의 크기의 3배이므로 $3\times6\text{ kg}\cdot\text{m/s}=m\times4\text{ m/s}$이고, $m=4.5\text{ kg}$이다.

533 (가)에서 같은 방향으로 운동하는 A와 B의 운동량의 합은 $(60\text{ kg}\times6\text{ m/s})+(40\text{ kg}\times1.5\text{ m/s})=420\text{ kg}\cdot\text{m/s}$이다. 또, (나)에서 A와 B의 운동량의 합은 $(60\text{ kg}\times3\text{ m/s})+(40\text{ kg}\times v)=180\text{ kg}\cdot\text{m/s}+(40\text{ kg}\times v)$이다. 운동량 보존 법칙에 따라 (가)와 (나)에서 A와 B의 운동량의 합은 같다. 따라서 $420\text{ kg}\cdot\text{m/s}=180\text{ kg}\cdot\text{m/s}+(40\text{ kg}\times v)$가 되어 $v=6\text{ m/s}$가 된다.

534 (1) 충격량(I)=힘(F)×힘이 작용한 시간(Δt)이므로 작용한 힘 $F=10\text{ N}$, 힘이 작용한 시간 $\Delta t=2\text{ s}$를 대입하면 물체가 받은 충격량의 크기 $I=10\text{ N}\times2\text{ s}=20\text{ N}\cdot\text{s}$이다. 충격량의 방향은 힘의 방향과 같은 왼쪽이다.
(2) 운동량의 변화량과 충격량은 크기와 방향이 모두 같다.

535 충격량은 운동량의 변화량과 같다. $m=3\text{ kg}$, $v_0=2\text{ m/s}$, $v=5\text{ m/s}$일 때, 운동량의 변화량=나중 운동량−처음 운동량이므로 $(3\text{ kg}\times5\text{ m/s})-(3\text{ kg}\times2\text{ m/s})=9\text{ kg}\cdot\text{m/s}$이다. 따라서 이 물체가 2초 동안 받은 충격량의 크기는 9 N·s이다.

536 그림에서 이 물체의 운동량은 0에서 6 kg·m/s만큼 증가하였다. 운동량의 변화량과 충격량은 크기가 같으므로, 0~4초 동안 물체가 받은 충격량의 크기는 6 N·s이다.

537 정지한 물체의 처음 운동량은 0으로 같고 운동량의 변화량은 충격량과 같으므로 받은 충격량이 클수록 힘이 작용한 후 물체의 운동량이 크다. $I=F\Delta t$이므로 각 보기의 값을 대입하면 30 N의 힘이 2초 동안 작용하여 60 N·s의 충격량을 받은 ④의 운동량이 가장 크다. 충격량은 ① 50 N·s, ② 40 N·s, ③ 30 N·s, ⑤ 40 N·s이다.

538 물체가 처음에 정지해 있었으므로 충격량의 크기와 힘이 작용한 후의 운동량의 크기는 같다. 또, 운동량을 질량으로 나누면 힘이 작용한 후의 속력이 된다$\left(\frac{p}{m}=v\right)$. 각 물체의 충격량과 힘이 작용한 후의 속력을 구하면 다음과 같다.

물체	충격량	힘이 작용한 후의 속력
(가)	$200\ N \times 2\ s = 400\ N \cdot s$	$\frac{400\ kg \cdot m/s}{1\ kg} = 400\ m/s$
(나)	$70\ N \times 12\ s = 840\ N \cdot s$	$\frac{840\ kg \cdot m/s}{4\ kg} = 210\ m/s$
(다)	$25\ N \times 20\ s = 500\ N \cdot s$	$\frac{500\ kg \cdot m/s}{5\ kg} = 100\ m/s$
(라)	$150\ N \times 5\ s = 750\ N \cdot s$	$\frac{750\ kg \cdot m/s}{10\ kg} = 75\ m/s$

ㄷ. 힘이 작용한 후 (가)의 속력이 가장 크다.

바로알기 | ㄱ. 운동량의 변화량은 충격량과 크기가 같다. 따라서 (다)는 운동량의 변화량의 크기가 500 N·s=500 kg·m/s이다.

ㄴ. 물체가 받은 충격량의 크기가 가장 큰 것은 (나)이다.

539 ①, ④ 운동량의 단위는 kg·m/s이고, 충격량의 단위는 N·s이다. N·s에서 힘의 단위 N을 $kg \cdot m/s^2$으로 풀어서 써 보면 $N \cdot s = (kg \cdot m/s^2) \cdot s = kg \cdot m/s$이므로 운동량과 충격량의 단위는 같다.

② 운동량은 물체의 질량과 속도를 곱한 물리량으로, 운동량의 방향은 속도의 방향과 같다.

⑤, ⑦ 운동량의 변화량은 충격량과 같다. 따라서 물체의 속력이 빠를수록 정지할 때까지 운동량의 변화가 크므로 필요한 충격량도 크다.

바로알기 | ③ 운동량은 속도와 같이 크기와 방향이 있는 값이므로 크기가 같더라도 방향이 다르면 운동량이 서로 다르다.

⑥ 충격량의 방향은 물체에 작용한 힘의 방향과 같다. 힘이 물체의 운동 방향과 다른 방향으로 작용하면 충격량의 방향은 물체의 운동 방향과 다르다.

540 ㄱ. $I = F\Delta t$이므로 부는 힘이 클수록 면봉이 받는 충격량이 커진다.

ㄷ. 충격량이 클수록 나중 운동량이 크므로, 정지해 있던 면봉이 받은 충격량이 클수록 면봉이 날아가는 거리가 길어진다.

바로알기 | ㄴ. (나)에서 면봉을 같은 세기로 불었으므로 작용하는 힘의 크기는 같고, 빨대의 길이에 따라 면봉에 힘이 작용하는 시간이 달라진다. 따라서 (나)를 통해 힘이 작용한 시간에 따라 달라지는 충격량을 설명할 수 있다.

541 힘-시간 그래프에서 그래프 아랫부분의 넓이는 힘×시간에 해당하므로 충격량을 나타낸다. 따라서 0~10초 동안 물체가 받은 충격량의 크기는 45 N·s이고, 물체는 정지해 있었으므로 충격량은 물체의 나중 운동량과 같다. 물체의 질량이 2 kg이므로 $45\ N \cdot s = 2\ kg \times v$에서 10초일 때의 속력 $v = 22.5\ m/s$가 된다.

542 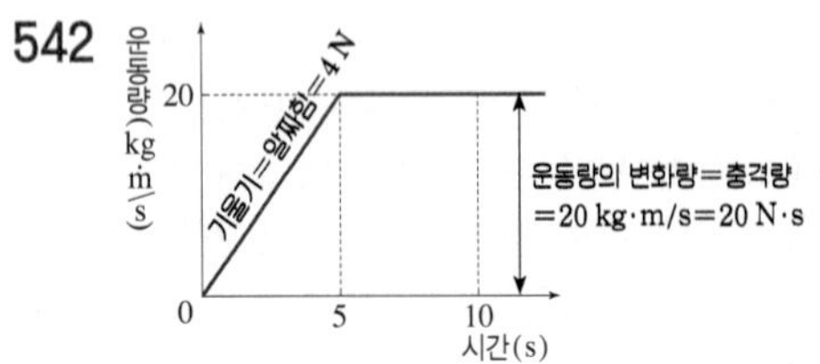

ㄴ. 운동량-시간 그래프에서 기울기는 알짜힘을 나타낸다. 따라서 0~5초 동안 물체에 작용한 힘은 4 N이다.

ㄷ. 충격량은 운동량의 변화량과 같으므로 0~10초 동안 물체가 받은 충격량은 운동량의 변화량인 20 N·s이다.

바로알기 | ㄱ. 5초일 때 물체의 운동량은 20 kg·m/s이다. $p = mv$이고 $m = 5\ kg$이므로 $v = 4\ m/s$이다.

543 (1) 충돌 과정 중에 외부에서 힘이 작용하지 않으므로 운동량 보존 법칙에 따라 충돌 전과 충돌 후 운동량의 총합은 같다. 따라서 $(4\ kg \times 6\ m/s) + (2\ kg \times 3\ m/s) = (4\ kg \times 4\ m/s) + (2\ kg \times v_B)$이고, $30\ kg \cdot m/s = 16\ kg \cdot m/s + (2\ kg \times v_B)$이므로 $v_B = 7\ m/s$이다.

(2) 충돌 후에 B의 운동량의 변화량은 14 kg·m/s−6 kg·m/s =8 kg·m/s이다. 따라서 충격량은 8 N·s이다.

544 ① 관성에 의해 정지해 있는 물체는 계속 정지해 있으려고 한다. 이를 정지 관성이라고 한다.

② 관성이 클수록 운동 상태를 변화시키기 어렵다. 따라서 영희보다 관성이 큰 철수의 속력을 변화시키기가 더 어려우므로 서로 밀어낸 후의 속력은 영희가 철수보다 크다.

③ 철수가 영희를 밀면 작용 반작용 때문에 영희도 철수를 밀게 되고, 서로 힘을 작용하면 운동 상태가 변한다.

④ 충격량의 방향은 힘의 방향과 같다. 서로 미는 힘은 작용 반작용으로 크기가 같고 방향이 반대이므로 철수와 영희가 서로에게 작용하는 충격량의 방향도 서로 반대 방향이다.

다른 해설 ② 운동량 보존 법칙에 따라 서로 밀어낸 후 철수와 영희의 운동량의 크기는 같다. $p = mv$이고 질량은 철수가 영희보다 크므로 서로 밀어낸 후 속도의 크기는 영희가 철수보다 크다.

바로알기 | ⑤ 작용 반작용으로 서로에게 작용하는 힘의 크기는 항상 같다. 따라서 철수가 영희를 더 세게 민다면 영희가 철수를 미는 힘도 같이 세진다.

개념 보충

뉴턴의 운동 법칙

- **뉴턴 운동 제1법칙(관성 법칙):** 물체에 작용하는 알짜힘이 0이면 정지해 있던 물체는 계속 정지해 있고, 운동하던 물체는 등속 직선 운동을 한다.
- **뉴턴 운동 제2법칙(가속도 법칙):** 물체의 가속도는 물체에 작용하는 알짜힘에 비례하고 물체의 질량에 반비례한다.
- **뉴턴 운동 제3법칙(작용 반작용 법칙):** 한 물체가 다른 물체에 힘을 작용하면, 힘을 받은 물체도 힘을 가한 물체에 크기가 같고 방향이 반대인 힘을 작용한다.

545 (1) 힘-시간 그래프에서 그래프 아랫부분의 넓이는 충격량($I = F\Delta t$)을 나타낸다. 따라서 0~6초 중 4초 동안 20 N의 힘을 받았으므로 물체가 받은 충격량의 크기는 20 N×4 s=80 N·s이다.

(2) 0~4초 동안 20 N으로 크기가 일정한 힘이 물체에 작용하므로 $0 \sim t$ 동안 물체에 작용한 충격량은 $I = 20\ N \times t$이다. $20\ N \times t$ =(나중 운동량)−(처음 운동량)에서 처음 운동량에 10 kg×3 m/s= 30 kg·m/s를 대입하면 $20\ N \times t$=(나중 운동량)−30 kg·m/s이므로, (나중 운동량)=$20\ N \times t$+30 kg·m/s이다. 4초~6초 동안에는 작용하는 힘이 0이므로 물체는 일정한 운동량으로 운동한다. 이를 그래프로 나타내면 다음과 같다.

모범 답안 (1) 80 N·s

(2) 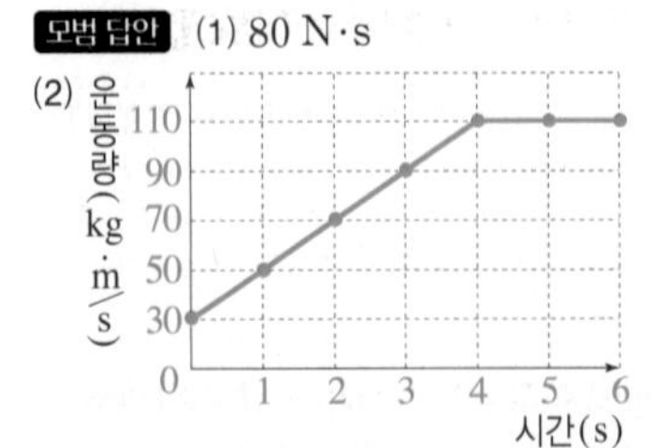

다른 해설 0~4초 동안 물체에 20 N으로 일정한 힘이 작용하고, 물체의 질량이 10 kg이므로 운동 법칙 $F = ma$에 따라 물체의 가속도는 $2\ m/s^2$이다. 등가속도 직선 운동에서 속도를 구하는 식 $v = v_0 + at$에 따라 0~4초 동안 물체의 속력 $v = 3\ m/s + 2\ m/s^2 \times t$이다. 물체의 속력에 질량 10 kg을 곱하면 물체의 운동량의 크기($p=mv$)는 $10\ \mathrm{kg}\times(2\ \mathrm{m/s^2}\times t+3\ \mathrm{m/s})=20\ \mathrm{kg\cdot m/s^2}\times t+30\ \mathrm{kg\cdot m/s}=20\ \mathrm{N}\times t+30\ \mathrm{kg\cdot m/s}$가 된다. 4초~6초 동안은 가속도가 0이므로 물체는 일정한 속력으로 운동하고, 운동량의 크기도 일정하다.

546 ㄱ. 힘-시간 그래프에서 그래프 아랫부분의 넓이는 충격량을 나타내므로 0~1초 동안 물체가 받은 충격량의 크기는 $10\ \mathrm{N}\times1\ \mathrm{s}=10\ \mathrm{N\cdot s}$이다.

ㄴ. 일정한 방향으로 힘이 작용했으므로 물체의 운동 방향도 일정하다. 물체가 처음에 정지해 있었으므로 물체의 운동량의 크기는 물체가 받은 충격량에 따라 1초일 때 10 kg·m/s이고, 2초일 때는 1초~2초 동안의 충격량 $20\ \mathrm{N}\times1\ \mathrm{s}=20\ \mathrm{N\cdot s}=20\ \mathrm{kg\cdot m/s}$가 더해져서 30 kg·m/s이다. 따라서 물체의 운동량은 2초일 때가 1초일 때의 3배이다.

ㄷ. 3초일 때 물체의 운동량은 2초~3초 동안의 충격량 $30\ \mathrm{N}\times1\ \mathrm{s}=30\ \mathrm{kg\cdot m/s}$가 더해져서 60 kg·m/s이고, 물체의 질량은 2 kg이므로 $p=mv$에서 $v=\dfrac{p}{m}=\dfrac{60\ \mathrm{kg\cdot m/s}}{2\ \mathrm{kg}}=30\ \mathrm{m/s}$이다.

547

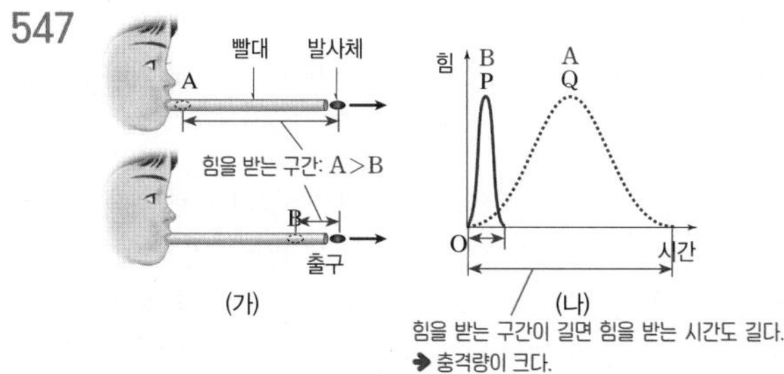

ㄱ. 발사체를 빨대의 입구에 넣고 불었을 때(A)가 발사체를 빨대의 출구에 넣고 불었을 때(B)보다 힘을 받는 구간이 길므로 빨대 안에서 힘을 받는 시간도 더 길다. 따라서 그래프 P는 B, 그래프 Q는 A에 해당한다.

ㄷ. 그래프 Q가 그래프 P에 비해 그래프 아랫부분의 넓이가 넓으므로 빨대를 통과하는 동안 받은 충격량은 A에서가 B에서보다 크다. 충격량은 운동량의 변화량($mv-0$)과 같기 때문에 발사체의 질량(m)이 동일할 때, 빨대를 빠져나온 순간 발사체의 속력(v)은 B에서가 A에서보다 작다.

바로알기 | ㄴ. 힘-시간 그래프에서 그래프 아랫부분의 넓이는 충격량과 같으므로 발사체가 빨대를 통과하는 동안 받은 충격량의 크기는 A에서가 B에서보다 크다.

548 모범 답안 배구공의 속력이 더 크다. 힘-시간 그래프에서 두 그래프 아랫부분의 넓이가 같으므로 축구공과 배구공이 받은 충격량과 운동량의 변화량은 서로 같다. 운동량=질량×속도이고, 축구공의 질량이 배구공의 질량보다 크므로 운동량이 같을 때 질량이 작은 배구공의 속력이 축구공의 속력보다 크다.

549 ㄱ. A의 질량은 1 kg이고, 충돌 전 A의 속도는 3 m/s이므로 충돌 전 A의 운동량의 크기는 $1\ \mathrm{kg}\times3\ \mathrm{m/s}=3\ \mathrm{kg\cdot m/s}$이다.

ㄴ. 질량이 2 kg인 B의 충돌 후 속도는 1 m/s이므로 충돌 후 B의 운동량의 크기는 $2\ \mathrm{kg}\times1\ \mathrm{m/s}=2\ \mathrm{kg\cdot m/s}$이다. 충돌 전 B의 운동량은 0이므로 B가 받은 충격량의 크기는 $2\ \mathrm{kg\cdot m/s}-0=2\ \mathrm{N\cdot s}$이다.

바로알기 | ㄷ. 충돌 과정에서 A가 받은 충격량은 B가 받은 충격량과 크기가 같고 방향이 반대이다. 따라서 A가 받은 충격량은 B의 운동량의 변화량과 방향이 반대이므로 같지 않다.

17 충돌과 안전

빈출 자료 보기 139쪽

550 (1) ○ (2) × (3) ○ (4) × (5) ○
551 (1) ○ (2) ○ (3) ○ (4) × (5) ×

550 **바로알기 |** (2) 충돌 후 공의 운동 방향을 (+)라고 하면 충돌 전 공의 운동량은 $5\ \mathrm{kg}\times(-7\ \mathrm{m/s})=-35\ \mathrm{kg\cdot m/s}$이고, 충돌 후 공의 운동량은 $5\ \mathrm{kg}\times3\ \mathrm{m/s}=15\ \mathrm{kg\cdot m/s}$이므로 충돌 전과 후 공의 운동량의 변화량은 $15\ \mathrm{kg\cdot m/s}-(-35\ \mathrm{kg\cdot m/s})=50\ \mathrm{kg\cdot m/s}$이다.

(4) 벽이 공으로부터 받은 충격량은 공이 벽으로부터 받은 충격량(공의 운동량의 변화량)과 크기가 같고 방향이 반대이다. 공이 벽으로부터 받은 충격량의 크기는 $50\ \mathrm{kg\cdot m/s}=50\ \mathrm{N\cdot s}$이다.

551 **바로알기 |** (4) 같은 높이에서 떨어져 바닥과 충돌한 후 정지하였으므로 두 유리컵의 충격량(운동량의 변화량)은 같다. 충돌하는 동안 컵이 받은 평균 힘 $F=\dfrac{I}{\Delta t}$이므로 충돌 시간이 짧은 A에서 유리컵이 받은 평균 힘이 더 크다.

(5) 마룻바닥에 떨어진 유리컵이 깨진 까닭은 물체에 작용한 평균 힘의 크기가 더 크기 때문이다. 따라서 A가 마룻바닥에 떨어진 유리컵이 받은 힘을 나타낸 것이다.

난이도별 필수 기출 140~143쪽

552 ④ 553 ③ 554 (1) 45 N·s, 왼쪽 (2) 2250 N
555 60 N 556 ② 557 ③, ④ 558 ③ 559 ⑤
560 ② 561 ① 562 ③ 563 ② 564 ④
565 ㉠ 충돌 시간, ㉡ 충격력 566 ① 567 ②
568 해설 참조 569 ④, ⑤ 570 해설 참조

552 ㄴ. 충격량은 운동량의 변화량과 같다. 충돌 전 B의 운동량은 $2mv$이고 충돌 후 0이므로 (운동량의 변화량)=(나중 운동량)-(처음 운동량)$=0-2mv=-2mv$이다. 따라서 B가 받은 충격량의 크기는 $2mv$이다.

ㄷ. 힘의 작용 반작용에 따라 두 물체가 충돌할 때 두 물체는 크기가 같고 방향이 반대인 충격량을 주고받는다. 따라서 'B가 받은 충격량의 크기'와 '원판이 B로부터 받은 충격량의 크기'는 같다.

바로알기 | ㄱ. 충돌 전 A의 운동량은 mv이고, 충돌 후에는 0이므로 (운동량의 변화량)$=0-mv=-mv$이다. 따라서 A의 운동량의 변화량은 0이 아니다.

553 ㄱ. 물체의 운동량의 크기는 충돌 전이 $2mv$, 충돌 후가 mv이므로 물체의 운동량의 크기는 충돌 후가 충돌 전보다 작다.

ㄷ. 물체가 벽에 충돌 후 정지하였다면 충격량의 크기는 처음 운동량과 같은 $2mv$이므로 (나)일 때보다 충격량의 크기는 더 작아진다.

바로알기 | ㄴ. 물체가 벽으로부터 받은 충격량은 물체의 운동량의 변화량과 같다. 오른쪽 방향을 (+)라고 하면 충돌 전과 후 물체의 운동량의 변화량=(나중 운동량)-(처음 운동량)$=(-mv)-(2mv)=-3mv$이다. 따라서 물체가 충돌 과정에서 받은 충격량은 왼쪽 방향 (-)으로 $3mv$이다.

554 (1) 총알이 받은 충격량은 총알의 운동량의 변화량과 같은데, 총알이 충돌한 후 완전히 정지하여 운동량이 0이 되었으므로 총알이 받은 충격량은 충돌 전 운동량의 크기와 같다. 따라서 충격량의 크기는 $0.05\ kg \times 900\ m/s = 45\ kg \cdot m/s = 45\ N \cdot s$이다. 총알이 벽으로부터 받은 충격량의 방향은 힘을 받은 방향과 같으므로 왼쪽이다.

(2) 총알이 벽으로부터 받은 평균 힘의 크기는 $\frac{\text{충격량의 크기}}{\text{충돌 시간}} = \frac{45\ N \cdot s}{0.02\ s} = 2250\ N$이다.

555 테니스공이 라켓으로부터 받은 충격량의 크기는 충돌 전과 후 테니스공의 운동량의 변화량과 같다. 충돌 전 테니스공의 운동량의 크기는 $0.05\ kg \times 40\ m/s = 2\ kg \cdot m/s$이고, 충돌 후 테니스공의 운동량의 크기는 $0.05\ kg \times 80\ m/s = 4\ kg \cdot m/s$이다. 충돌 후 테니스공이 운동하는 방향을 (+)라고 하면 테니스공의 운동량의 변화량은 $(+4\ kg \cdot m/s) - (-2\ kg \cdot m/s) = 6\ kg \cdot m/s = 6\ N \cdot s$이다. 따라서 테니스공이 라켓으로부터 받은 평균 힘의 크기는 $\frac{\text{충격량의 크기}}{\text{충돌 시간}} = \frac{6\ N \cdot s}{0.1\ s} = 60\ N$이다.

556 ㄴ. 야구공이 벽으로부터 받은 충격량의 크기는 야구공의 운동량의 변화량과 같다. 충돌 후 야구공의 운동 방향을 (+)라고 하면 충돌 전 운동량은 $0.15\ kg \times (-20\ m/s) = -3\ kg \cdot m/s$이고, 충돌 후 운동량은 $0.15\ kg \times 10\ m/s = 1.5\ kg \cdot m/s$이다. 따라서 야구공의 운동량의 변화량은 $1.5\ kg \cdot m/s - (-3\ kg \cdot m/s) = 4.5\ kg \cdot m/s$이고, 충격량의 크기는 $4.5\ kg \cdot m/s = 4.5\ N \cdot s$이다.

바로알기 | ㄱ. 벽과 충돌하기 직전 야구공의 운동량의 크기는 $0.15\ kg \times 20\ m/s = 3\ kg \cdot m/s$이다.

ㄷ. 야구공이 받은 평균 힘의 크기 $= \frac{4.5\ N \cdot s}{0.15\ s} = 30\ N$이다.

557 ① 그래프의 가로축을 보면 충돌 시간은 B가 A보다 길다.

②, ⑤ 두 달걀을 같은 높이에서 떨어뜨렸으므로 시멘트 바닥과 방석에 닿기 직전의 속력은 같다. 또한 두 달걀이 정지하였으므로 운동량의 변화량도 같고, 운동량의 변화량과 충격량은 크기가 같으므로 두 달걀의 충격량의 크기는 서로 같다.

⑥ 방석 위에 떨어진 경우가 시멘트 바닥에 떨어진 경우보다 충돌 시간이 길고 충격력(평균 힘)이 작다. 따라서 방석 위에 떨어진 달걀이 받은 힘을 나타내는 그래프는 B이다.

⑦ 번지점프할 때 탄성이 있는 줄을 이용하면 사람이 정지할 때까지 걸린 시간이 길어져서 충격력이 작아진다. 이는 B와 같은 원리이다.

바로알기 | ③ 두 달걀이 받은 충격량의 크기가 같으므로 그래프 아랫부분의 면적은 A와 B가 같다.

④ 평균 힘의 크기 $= \frac{\text{충격량의 크기}}{\text{충돌 시간}}$로 충돌 시간이 긴 B에서 받은 평균 힘의 크기가 A에서 받은 평균 힘의 크기보다 작다.

558 ㄱ. 손을 앞으로 내밀면서 공을 받을 때가 손을 뒤로 빼면서 받을 때보다 힘을 받는 시간이 짧으므로 손을 앞으로 내밀면서 받을 때는 A에 해당한다.

ㄴ. 힘-시간 그래프에서 그래프 아랫부분의 넓이는 충격량과 같다. $S_1 = S_2$이므로 손이 받은 충격량의 크기는 A에서와 B에서가 같다.

바로알기 | ㄷ. 충격량은 A와 B가 같고 충돌 시간은 B가 A보다 길다. 따라서 평균 힘의 크기$\left(\frac{\text{충격량의 크기}}{\text{충돌 시간}}\right)$는 A가 B보다 크다.

559 ㄴ, ㄷ. 충돌 시간은 자동차가 짚더미에 충돌할 때(가)가 콘크리트 벽에 충돌할 때(나)보다 길다. 이때 충격량은 (가)와 (나)에서 같으므로 자동차가 받은 평균 힘의 크기$\left(\frac{\text{충격량의 크기}}{\text{충돌 시간}}\right)$는 (가)에서가 (나)에서보다 작다.

바로알기 | ㄱ. (가)와 (나)에서 충돌 전 자동차의 운동량은 mv로 같고, 충돌 후 정지하므로 충돌 후 운동량도 0으로 같다. 자동차의 운동량의 변화량이 같으므로, 자동차가 받은 충격량의 크기도 같다.

560 ㄷ. A와 B의 충격량(운동량의 변화량)이 같고, 정지할 때까지 걸린 시간은 B(0.04초)가 A(0.05초)보다 작다. 따라서 자동차에 작용하는 평균 힘의 크기$\left(\frac{\text{충격량의 크기}}{\text{충돌 시간}}\right)$는 B가 A보다 크다.

바로알기 | ㄱ. 가속도는 $\frac{\text{속도 변화량}}{\text{시간}}$이므로 정지할 때까지 B의 구간별 가속도를 구하면 다음과 같다.

구간 시간(s)	0~0.01	0.01~0.02	0.02~0.03	0.03~0.04
가속도(m/s^2)	−200	−300	−200	−100

가속도가 일정하지 않으므로 B는 등가속도 직선 운동을 하지 않는다.

ㄴ. A와 B의 운동량의 변화량은 정지하는 시간과 관계없다. A와 B의 운동 방향이 같고, 처음 속력과 나중 속력이 같으므로 A와 B의 전체 운동량의 변화량이 같다.

561 ㄱ. 승용차와 트럭이 받은 충격량(운동량의 변화량)의 크기는 힘의 작용 반작용에 따라 같다. 운동량의 변화량=질량×속도 변화량일 때, 승용차의 질량이 트럭의 질량보다 작으므로 승용차의 속도 변화량이 트럭의 속도 변화량보다 크다.

다른 해설 ㄱ. 힘은 가속도와 질량에 비례한다($F=ma$). 두 자동차에 작용하는 힘의 크기는 같으므로 질량이 작은 승용차의 가속도가 더 크다. 따라서 승용차의 속도 변화량이 트럭의 속도 변화량보다 크다.

바로알기 | ㄴ, ㄷ. 두 자동차가 충돌할 때 작용 반작용 법칙에 따라 작용하는 힘의 크기가 같고, 충돌 시간도 같으므로 작용하는 충격량의 크기($I = F\Delta t$)도 서로 같다.

562 ㄱ. (가)에서는 충돌 후 공이 정지하여 나중 운동량이 0이다. 따라서 공의 운동량의 변화량=0−(처음 운동량)이므로 크기가 같다.

ㄷ. 충격량의 크기는 (나)에서가 (가)에서보다 크고, 충돌 시간은 (나)에서가 (가)에서보다 작으므로 공에 작용하는 평균 힘의 크기$\left(\frac{\text{충격량의 크기}}{\text{충돌 시간}}\right)$는 (나)에서가 (가)에서보다 크다.

바로알기 | ㄴ. (가)에서 공에 작용한 충격량은 공의 처음 운동량의 크기와 같지만, (나)에서는 충돌 후 공이 반대 방향으로 운동하므로 나중 운동량이 0이 아니다. 따라서 공에 작용한 충격량의 크기는 (가)에서보다 (나)에서 공의 나중 운동량의 크기만큼 더 크다.

563

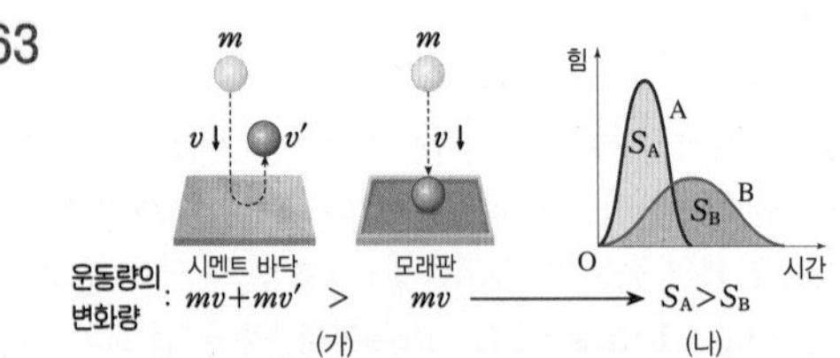

ㄱ. 공이 모래판에 떨어질 때는 시멘트 바닥에 떨어질 때보다 충돌 시간이 길다. 따라서 모래판에 공이 떨어진 경우는 B이다.

ㄷ. 동일한 공을 같은 높이에서 떨어뜨렸으므로 충돌하기 직전 공의 속력은 시멘트 바닥에서와 모래판에서가 같다.

바로알기 | ㄴ. 힘-시간 그래프에서 그래프 아랫부분의 넓이는 충격량을 나타낸다. 시멘트 바닥에 떨어진 공은 위로 튀어 올랐으므로 모래판에서 정지한 공보다 운동량의 변화량(충격량)이 더 크다. (나)에서 A는 시멘트 바닥에 떨어졌을 때, B는 모래판에 떨어졌을 때이므로 그래프 아랫부분의 넓이는 A가 B보다 넓다.
ㄹ. 충격량의 크기는 시멘트 바닥에서가 모래판에서보다 크고, 충돌 시간은 시멘트 바닥에서가 모래판에서보다 작으므로 공이 받은 평균 힘의 크기$\left(\frac{\text{충격량의 크기}}{\text{충돌 시간}}\right)$는 시멘트 바닥에서가 모래판에서보다 크다.

564 ㄴ. A와 B에서 공이 받은 충격량의 크기는 $5mv$로 서로 같다. 충돌 시간은 A와 B에서 각각 t와 $2t$이므로 공이 받은 평균 힘의 크기는 A에서 $\frac{5mv}{t}$이고, B에서 $\frac{5mv}{2t}$이다.
ㄷ. A와 B가 받은 충격량(운동량의 변화량)은 오른쪽으로 $5mv$로 같고, 운동량의 변화량=(나중 운동량)−(처음 운동량)이다. 오른쪽을 (+)로 할 때 A의 처음 운동량은 $-3mv$이므로 나중 운동량 =(운동량의 변화량)+(처음 운동량)$=5mv+(-3mv)=2mv$이다. 같은 방향을 기준으로 B의 처음 운동량은 $-mv$이므로, 나중 운동량 $=5mv+(-mv)=4mv$이다. 따라서 공이 발을 떠나는 순간 공의 속력은 A가 $2v$이고, B가 $4v$이다.
바로알기 | ㄱ. 힘-시간 그래프에서 그래프 아랫부분의 넓이는 충격량을 나타낸다. (나)에서 A와 B의 그래프 아랫부분의 넓이가 $5mv$로 서로 같으므로 공이 받은 충격량의 크기도 A와 B가 서로 같다.

565 충격량 $I=F\Delta t$이므로 충격량(I)이 같을 때 충돌 시간(Δt)을 길게 하면 충격력(F)을 줄일 수 있다. 이러한 원리는 생활 속 안전과 안전장치 제작에 많이 활용된다.

566 ②, ③, ④, ⑤ 모두 충돌 시간을 늘려 충격력을 줄여 주는 원리가 적용된다.
바로알기 | ① 자동차의 안전띠는 관성에 의해 몸이 쏠려 몸이 자동차 내부와 충돌하여 다치는 것을 막아 주는 역할을 한다.

567 ㄴ. 에어백과 같이 탄성이 있는 안전장치는 충돌 시간을 길게 하여 충격력을 줄여 주는 원리가 이용된다.
바로알기 | ㄱ. 충격량은 운동량의 변화량과 같으므로 충돌 시간의 변화가 충격량에 영향을 주지는 않는다.
ㄷ. 에어백은 충돌 시간을 길게 하여 충격량이 같더라도 충격력이 작아져 탑승자가 받는 평균 힘의 크기를 줄인다.

568 힘-시간 그래프에서 그래프 아랫부분의 넓이는 충격량과 같다.
모범 답안 (1) 충격량
(2) 충격력은 $\frac{\text{충격량}}{\text{충돌 시간}}$이다. 따라서 충격량이 같을 때, 에어백이 작용하면 에어백이 없는 경우보다 충돌 시간이 길어지므로 충격력이 작아져 안전하다.

569 야구 장갑 자체가 충돌 시간을 길게 하는 역할을 하고, 손을 뒤로 빼는 동작 또한 충돌 시간을 길게 한다. 이는 충격량이 같은 상황에서 충돌 시간을 길게 하여 충격력을 줄이는 원리이다.
① 바닥이 푹신한 신발은 발과 지면이 충돌할 때 충돌 시간을 길게 해 준다.
② 공기가 충전된 포장재는 상품이 다른 물체와 충돌할 때 충돌 시간을 길게 해 준다.
③ 안쪽에 스펀지가 있는 헬멧은 머리가 다른 물체와 충돌할 때 충돌 시간을 길게 해 준다.
⑥ 번지점프를 할 때 줄이 서서히 늘어나면 힘을 받는 시간이 길어져 충격력이 작아지기 때문에 더 안전하다.
⑦ 무릎을 구부리는 과정에서 충돌 시간이 길어져서 충격력이 작아진다.
바로알기 | ④ 같은 충격량을 가할 때 운동량의 변화량은 같지만, $p=mv$에서 질량(m)이 작을수록 날아가기 시작할 때의 속력(v)이 크므로 질량이 작은 야구공이 농구공보다 멀리 날아간다.
⑤ 공을 멀리 치기 위해서는 충격량(운동량의 변화량)을 크게 해야 한다. 배트를 끝까지 휘두르면 충돌 시간이 길어져서 충격량이 커진다.

570 **모범 답안** 충돌 사고가 발생하였을 때 범퍼가 찌그러지면 충돌 시간을 길게 하여 충격력이 작아진다. (나)와 같이 범퍼 앞부분에 단단한 철제 보호대를 설치하면 충돌 사고가 발생하였을 때 범퍼가 찌그러지는 것은 보호할 수 있지만 충돌 시간이 짧아 충격력이 커지므로 탑승자가 위험할 수 있다.

최고 수준 도전 기출 (13~17강)

144~145쪽

571 ② 572 해설 참조 573 ① 574 ① 575 ②
576 ⑤ 577 ② 578 ③ 579 ②

571 ㄴ. A~D의 그래프에서 기울기는 가속도의 크기와 같고, 물체에 작용하는 중력의 크기는 물체의 질량과 중력 가속도의 곱과 같다. 이를 표로 나타내면 다음과 같다.

행성	A	B	C	D
물체의 질량(kg)	10	20	50	100
가속도(m/s^2)	10	5	2	1
중력(N)	100	100	100	100

바로알기 | ㄱ. 속력-시간 그래프에서 그래프의 기울기는 가속도의 크기를 나타낸다. 행성 A~D에서 중력 가속도는 표에서와 같이 모두 다르다.
ㄷ. 자유 낙하 운동을 하는 물체의 가속도는 행성의 중력 가속도와 같으며, 질량과 관계없다. 따라서 행성 B에서 실험했던 물체를 행성 A로 가져가 떨어뜨리면 가속도는 5 m/s^{2}에서 10 m/s^{2}으로 커진다.

572 **모범 답안** 비례 상수로 중력 상수 G를 사용하면, 중력의 크기 $F=G\frac{Mm}{r^2}$이다. 중력의 크기는 두 물체의 질량의 곱에 비례하고, 두 물체의 중심 사이 거리의 제곱에 반비례하기 때문이다.

573 지구 질량을 M이라고 하면 행성의 질량은 $8M$이고, 지구 반지름을 R라고 하면 행성의 반지름은 $4R$이다. 지구 표면에서 질량이 m인 물체의 가속도는 중력 가속도와 같고, 물체가 지표면에 있으므로 지구의 중심과 물체 사이의 거리는 지구 반지름과 같다. 따라서 뉴턴

운동 제2법칙을 적용하면 $F=G\frac{Mm}{R^2}=ma$이므로, 지구 표면에서의 중력 가속도는 $a=G\frac{M}{R^2}$이다. 같은 방법으로 행성의 표면에서 중력 가속도는 $G\frac{8M}{(4R)^2}=G\frac{M}{2R^2}$이다. 따라서 행성의 표면에서의 중력 가속도는 지구 표면에서의 중력 가속도의 0.5배이다.

574

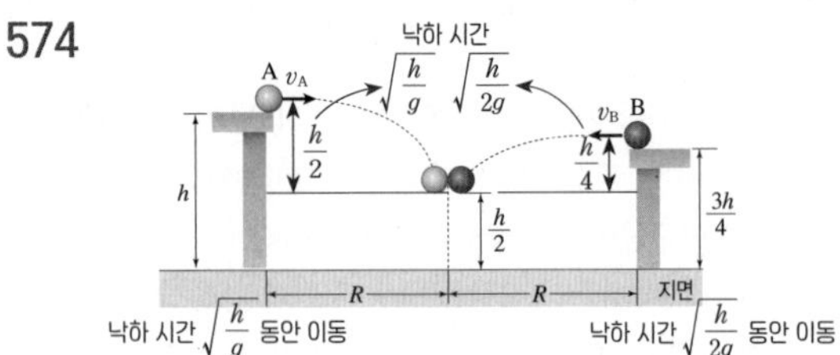

A는 연직 방향으로 거리 $\frac{h}{2}$만큼 자유 낙하 하는 동안 수평 방향으로 R만큼 이동하였고, B는 연직 방향으로 거리 $\frac{3h}{4}-\frac{h}{2}=\frac{h}{4}$만큼 자유 낙하 하는 동안 수평 방향으로 R만큼 이동하였다. 물체가 자유 낙하 할 때 이동 거리를 구하는 식 $s=\frac{1}{2}gt^2$에 따라 낙하할 때 걸린 시간은 $t=\sqrt{\frac{2s}{g}}$이다. 따라서 A의 낙하 시간은 $\sqrt{\frac{h}{g}}$이므로 수평 이동 거리 $R=v_At_A=v_A\times\sqrt{\frac{h}{g}}$가 성립되고, B의 낙하 시간은 $\sqrt{\frac{h}{2g}}$이므로 $R=v_Bt_B=v_B\times\sqrt{\frac{h}{2g}}$가 성립된다. 식을 정리하면, $v_A=\sqrt{\frac{g}{h}}R$이고, $v_B=\sqrt{\frac{2g}{h}}R$이므로, $v_A : v_B=\sqrt{\frac{g}{h}} : \sqrt{\frac{2g}{h}}=1 : \sqrt{2}$이다.

575 발사 속력이 v_A보다 크면 포탄은 B와 같이 타원 궤도를 따라 운동하고, 발사 속력이 v_A보다 작으면 포탄은 지면에 떨어진다. 포탄의 발사 속력을 v_B보다 크게 하면 더 큰 타원 궤도로 운동하다가 충분히 빠른 속력에서는 지구에서 멀리 날아가게 된다.

ㄴ. 포탄을 v_B보다 충분히 빠른 속력으로 발사하게 되면 원운동하지 않고 지구에서 멀리 날아갈 수 있다.

바로알기 | ㄱ. 발사 속력이 v_A보다 작으면 포탄은 지면에 도달한다.

ㄷ. 포탄 B는 P 지점에서 발사되어 타원 궤도를 따라 운동하다가 지구에서 가장 멀리 떨어진 점을 지나 다시 P 지점으로 돌아온다. 중력은 거리의 제곱에 반비례하므로, 포탄 B가 지구에서 가장 멀리 떨어진 점에서 작용하는 중력의 크기가 최솟값이고, 지구에서 가장 가까운 P 지점에서 작용하는 중력의 크기가 최댓값이다. 포탄 A는 P 지점에서 발사되어 원 궤도를 따라 운동하므로 지구에서 거리가 모두 같고 B와 질량이 같으므로, 포탄 A에 작용하는 중력의 크기는 포탄 B가 P 점에서 받는 중력의 최댓값과 크기가 같다. 따라서 포탄 B에 작용하는 중력의 최솟값은 포탄 A에 작용하는 중력의 크기보다 작다.

576 ㄱ, ㄷ. 두 수레는 서로 반대 방향으로 튀어나간 후부터 등속 직선 운동을 한다. 수레를 놓기 전에는 수레가 정지해 있었으므로 운동량의 총합이 0이고, 수레를 놓은 후에도 운동량 보존 법칙에 따라 운동량의 총합이 0이다. 따라서 반대 방향으로 운동하는 두 수레의 운동량의 크기는 서로 같으므로 두 수레의 질량을 각각 m_A, m_B라고 하고 속력을 각각 v_A, v_B라고 하면 $m_Av_A=m_Bv_B$이다. A와 B는 수레 멈춤대에 동시에 도착하고 이동 거리는 A가 B의 2배이므로 속력 $v_A=2v_B$이다. $m_Av_A=m_Bv_B$에 대입하면 $2m_A=m_B$이므로 질량은 B가 A의 2배이다.

ㄴ. 작용 반작용 법칙에 따라 두 수레가 용수철에 의해 받는 힘의 크기는 서로 같다.

577 공이 20 m의 높이에서 자유 낙하 운동을 하므로 2초 후 충돌 직전 속력 $v_1=10\ \text{m/s}^2\times2\ \text{s}=20\ \text{m/s}$이다. 연직 위 방향을 (+)로 하면 지면에 충돌하기 직전 공의 운동량은 $2\ \text{kg}\times(-20\ \text{m/s})=-40\ \text{kg}\cdot\text{m/s}$이고, 충돌한 후 공의 운동량은 $2\ \text{kg}\times10\ \text{m/s}=20\ \text{kg}\cdot\text{m/s}$이다.

ㄴ. 충돌하는 동안 공이 받은 충격량은 공의 운동량의 변화량과 같으므로 (나중 운동량)−(처음 운동량)$=20\ \text{kg}\cdot\text{m/s}-(-40\ \text{kg}\cdot\text{m/s})=60\ \text{kg}\cdot\text{m/s}=60\ \text{N}\cdot\text{s}$이다.

바로알기 | ㄱ. 지면에 충돌하기 직전 공의 운동량의 크기는 $mv_1=2\ \text{kg}\times\ 20\ \text{m/s}=40\ \text{kg}\cdot\text{m/s}$이다.

ㄷ. 충돌하는 동안 공이 받은 충격량의 크기는 공의 운동량의 변화량과 같다.

578

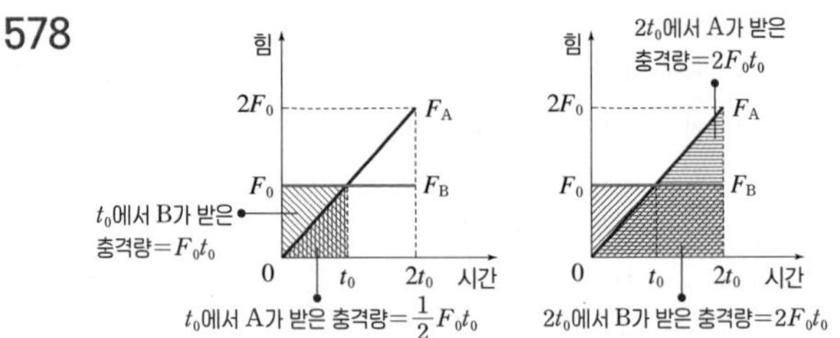

ㄱ. 힘−시간 그래프에서 그래프 아랫부분의 넓이는 충격량과 같다. (나)에서 0부터 t_0까지 A와 B의 그래프 아랫부분의 넓이는 A가 $\frac{1}{2}F_0t_0$이고, B가 F_0t_0이므로 물체가 받은 충격량의 크기는 B가 A의 2배이다.

ㄷ. (나)에서 0부터 $2t_0$까지 A와 B의 그래프 아랫부분의 넓이는 $2F_0t_0$으로 서로 같으므로 물체가 받은 충격량의 크기도 A와 B가 서로 같다. 처음 운동량이 0일 때 나중 운동량의 크기는 충격량의 크기와 같으므로, $2t_0$일 때 물체의 운동량의 크기는 A와 B가 같다.

바로알기 | ㄴ. 두 물체는 모두 정지 상태에서 힘을 받았으므로 t_0일 때 물체의 운동량은 물체가 받은 충격량과 같고, 0부터 t_0까지 물체가 받은 충격량의 크기는 A가 $\frac{1}{2}F_0t_0$, B가 F_0t_0이다. 물체의 속력 $=\frac{\text{운동량의 크기}}{\text{질량}}$이므로 t_0일 때 질량이 m인 A의 속력은 $\frac{F_0t_0}{2m}$이고, 질량이 $2m$인 B의 속력도 $\frac{F_0t_0}{2m}$으로 같다.

579 ㄷ. 평균 힘의 크기는 충격량의 크기를 충돌 시간으로 나눈 것과 같고, 충격량은 힘−시간 그래프에서 그래프 아랫부분의 넓이와 같다. 그래프 아랫부분의 넓이는 B가 A의 1.5배이고, 충돌 시간은 B가 A의 3배이므로 벽으로부터 받은 평균 힘의 크기$\left(\frac{\text{충격량의 크기}}{\text{충돌 시간}}\right)$는 A가 B의 2배이다.

바로알기 | ㄱ. 벽으로부터 받은 충격량의 크기는 힘−시간 그래프에서 그래프 아랫부분의 넓이와 같다. 그래프 아랫부분의 넓이는 B가 A의 1.5배이므로 벽으로부터 받은 충격량의 크기는 B가 A의 1.5배이다.

ㄴ. 충돌 직전 두 물체의 속력은 같고, 벽에 충돌한 후 반대 방향으로 운동하므로 벽으로부터 받은 충격량의 크기가 클수록 충돌 후 속력도 크다. 따라서 벽에 충돌한 후 속력은 B가 A보다 크다.

18 지구 시스템의 구성 요소

빈출 자료 보기 147쪽

580 (1) × (2) ○ (3) × (4) × (5) × (6) × (7) ○ (8) ○
581 (1) ○ (2) × (3) ○ (4) ○ (5) × (6) × (7) ○

580 **바로알기 |** (1) A(대류권)는 대류가 일어나고, 수증기가 많이 포함되어 있어서 구름이 발생하여 기상 현상이 나타난다.
(3) B(성층권)는 높이 올라갈수록 기온이 높아지는 안정한 층이다.
(4) 오존층은 높이 20 km~30 km 구간에 존재한다.
(5) C(중간권)는 대류가 일어나지만 수증기가 거의 없어서 구름이 형성되지 않으므로 기상 현상은 나타나지 않는다.
(6) D(열권)는 공기의 밀도가 희박하여 낮과 밤의 기온 차인 일교차가 가장 큰 구간이다.

581 **바로알기 |** (2) 바람에 깎여 버섯바위가 형성되는 것은 기권과 지권의 상호 작용에 해당하는 A이다.
(5) 빙하가 흐르면서 지표가 깎여 U자곡이 형성되는 것은 수권과 지권의 상호 작용에 해당하는 B이다.
(6) 무역풍의 약화로 동태평양 적도 부근 해수의 온도가 상승하는 엘니뇨 현상은 기권과 수권의 상호 작용에 해당하는 C이다.

난이도별 필수 기출 148~153쪽

582 ④ 583 지권, 수권, 기권, 생물권, 외권 584 ⑤
585 ③, ④ 586 ② 587 ① 588 ① 589 ④
590 ④ 591 혼합층 592 ② 593 해설 참조
594 ④, ⑥ 595 ② 596 ③ 597 ②, ④
598 ㄴ, ㄷ, ㄹ 599 ② 600 ④, ⑦
601 해설 참조 602 해설 참조 603 ① 604 ④
605 ④ 606 ⑤ 607 해설 참조 608 ⑤ 609 ②
610 B 611 ③ 612 태풍 발생, 구름 형성, 증발, 용존 이산화탄소 방출 613 ③, ⑤ 614 ④ 615 ③ 616 ②

582 ① 지구 시스템은 지구를 구성하는 요소들(지권, 기권, 수권, 생물권, 외권)이 서로 영향을 주고받으며 이루어진 시스템이다.
② 지구 시스템을 구성하는 각 권역의 물질은 중력의 영향을 받으므로, 지구 시스템이 형성되어 유지되는 데 중력의 영향이 크게 작용하였다.
③ 지구 시스템을 구성하는 각 권역들은 상호 작용하며 균형을 이루고 있기 때문에 지구 시스템이 유지될 수 있다.
바로알기 | ④ 지구 시스템은 태양계의 역학적 시스템 안에 존재한다.

583 지구 시스템은 지구를 구성하는 지권, 기권, 수권, 생물권, 외권이 서로 영향을 주고받으며 이루어진 시스템이다.

584 ① 지권인 A는 생물에게 서식 공간을 제공한다.
② 수권인 B는 바다에서는 해수가 대부분을 차지하지만 육지에서는 대부분 빙하의 형태로 분포한다.
③ 기권인 C에서 대기 질량의 약 99 %는 높이 30 km 이내에 분포하므로 대류권과 성층권에 분포한다.
④ 생물권인 D는 호흡과 광합성, 풍화 작용 등을 통하여 기권, 수권, 지권에 영향을 주면서 A, B, C의 성분을 변화시킨다.
바로알기 | ⑤ A~D 영역과 외권인 E 영역 사이에서는 태양 복사 에너지와 지구 복사 에너지 형태로 에너지 이동이 일어난다.

585 ① 수권, 기권, 지권 중 주로 암석으로 이루어진 지권의 질량이 가장 크고, 변화 속도가 느리다.
⑤ 기권에서 가장 많은 양을 차지하는 것은 질소이고, 그 다음으로는 산소가 많다.
⑦ 외핵에서 대류가 일어나 지구 자기장이 형성되고, 지구 자기장은 외권까지 분포하고 있다.
바로알기 | ③ 수권은 지구에 분포하는 액체 상태의 물뿐만 아니라 고체 상태의 빙하(얼음)도 포함한다.
④ 수권은 깊이에 따른 수온 분포에 따라 혼합층, 수온 약층, 심해층으로 구분한다.

586 ① 지권은 중력의 영향으로 마그마 바다 상태에서 물질의 이동이 일어나 중심부로 갈수록 밀도가 커지는 층상 구조를 이루고 있다.
④ 지구 중심부로 갈수록 밀도가 커지므로 핵은 맨틀보다 밀도가 크다.
바로알기 | ② 지각은 주로 암석으로 되어 있고, 암석을 이루는 광물은 대부분 규산염 광물이다.

587 ㄱ. A는 지각, B는 맨틀, C는 외핵, D는 내핵이다.
ㄷ. 맨틀인 B는 지구 전체 부피의 약 80 %를 차지하므로 C나 D보다 큰 부피를 차지한다.
바로알기 | ㄴ. A는 단단한 암석으로 되어 있지만 가장 바깥층에 해당하므로 밀도는 가장 작다.
ㄹ. 외핵인 C는 지구 내부 온도가 구성 물질의 용융점보다 높아서 액체 상태로, 유동성이 있어 대류가 일어난다.

588 ㄱ. A층과 B층이 산소와 규소가 주성분인 것은 규산염 물질로 이루어진 암석으로 되어 있기 때문이다.
ㄴ. 깊이 약 2900 km에서 주요 구성 성분이 바뀌고, 고체 상태인 맨틀 B와 다르게 외핵 C에서는 액체 상태로 바뀌므로 맨틀과 외핵의 경계인 약 2900 km에서 밀도 변화가 가장 크다.
바로알기 | ㄷ. 지구 중심으로 갈수록 온도가 높아지므로 A~D 중 온도가 가장 높은 층은 D이다.
ㄹ. 액체 상태의 외핵인 C층에서 대류가 일어나 지구 자기장이 형성된다.

589 ④ 맨틀은 고체 상태이지만 부분 용융이 일어나서 유동성이 있어 매우 천천히 대류가 일어난다.
바로알기 | ① 대륙 지각은 해양 지각에 비해 두께는 두꺼우나 화강암질 암석으로 되어 있어서 평균 밀도가 작다.
② 암석권은 지각+상부 맨틀 일부이고, 연약권은 맨틀 물질로 되어 있어서 구성 물질의 평균 밀도는 연약권이 암석권보다 크다.
③ 연약권은 맨틀에 해당한다.
⑤ 내핵과 외핵은 구성 성분은 같으나, 외핵은 액체 상태, 내핵은 고체 상태로 물질의 상태가 다르다.

590 ① 수권에서는 해수가 약 97 %로 대부분을 차지한다.
② 육수에서는 빙하가 약 77 %로 대부분을 차지한다.

③ 혼합층은 바람의 혼합 작용으로 깊이에 따른 수온이 거의 일정한 층이므로 바람이 강할수록 두께가 두꺼워진다.
⑤ 심해층은 태양 복사 에너지가 도달하지 않으므로 심해층의 수온 변화는 위도나 계절의 영향을 거의 받지 않는다.
바로알기 | ④ 수온 약층은 깊이에 따라 수온이 급격히 낮아지는 층이다.

591 혼합층은 해수가 바람에 의해 잘 섞이는 층으로 깊이에 따른 수온이 거의 일정하다. 또한 태양 에너지의 영향을 가장 많이 받는 층이므로 위도에 따른 수온 차이가 크다.

592 ㄱ. 육수의 대부분은 빙하가 차지하므로 육지에서 물은 고체 상태로 가장 많이 분포한다.
ㄷ. 생명체는 산소인 A를 이용하여 호흡을 한다.
바로알기 | ㄴ. A는 산소이고, B는 질소이다.
ㄹ. 식물은 이산화 탄소를 이용하여 광합성을 한다.

593 육수에서는 빙하가 약 77 %로 가장 많은 비율을 차지하며, 빙하는 주로 극지방이나 고산 지대에 분포한다.
모범 답안 빙하의 형태로 가장 많이 분포하며, 빙하는 극지방이나 고산 지대에 분포한다.

594 ① A층은 혼합층으로 바람에 의한 혼합 작용이 활발하다.
②, ③ B층은 수온 약층으로 안정한 상태여서 해수의 연직 운동이 억제되어 A층과 C층 사이의 물질 교환을 차단한다.
⑤ C층은 심해층으로 수심이 깊어서 태양 복사 에너지가 거의 도달하지 않으므로 계절이나 위도에 따라 수온이 거의 변하지 않는다.
⑦ 수온 약층인 B층은 혼합층과 심해층 사이에 위치하므로 혼합층의 수온이 높을수록 뚜렷하게 발달한다. 따라서 저위도일수록 B층은 뚜렷하게 발달한다.
바로알기 | ④ C층은 계절이나 깊이에 따른 수온 변화가 거의 없다.
⑥ 태양 복사 에너지의 영향을 많이 받는 A층(혼합층)은 입사되는 태양 복사 에너지양이 적어지는 고위도로 갈수록 수온이 낮아진다.

595 ㄱ. A 해역은 깊이에 따른 수온 변화가 없으므로 혼합층과 수온 약층이 발달하지 않았다.
ㄷ. A~C 중 바람이 가장 강한 해역은 상대적으로 혼합층의 두께가 더 두꺼운 B 해역이다.
바로알기 | ㄴ. 수온 약층의 수온 변화가 가장 큰 해역은 깊이에 따른 수온 변화율이 가장 큰 C이다.
ㄹ. 저위도일수록 표층 수온이 높으므로 A는 고위도, C는 저위도 해역의 수온 분포이다.

596 ㄱ. 바람이 가장 강한 해역은 상대적으로 혼합층의 두께가 더 두꺼우므로 바람은 중위도 해역에서 가장 강하게 분다.
ㄴ. 수온 약층은 안정하여 해수의 연직 운동이 일어나기 어려우므로 혼합층과 심해층의 물질 교환을 차단한다.
바로알기 | ㄷ. 고위도 해역에서는 깊이에 따른 수온 변화가 없으므로 층상 구조가 나타나지 않는다. 따라서 층상 구조는 고위도 해역보다 중위도 해역에서 더 뚜렷하게 나타난다.

개념 보충

고위도 해역에 층상 구조가 발달하지 않는 까닭
해수의 층상 구조는 위도 60° 이내의 해역에서만 발달하고 고위도의 한대 해역에는 나타나지 않는다. 이는 고위도 해역에는 입사되는 태양 복사 에너지양이 적어서 표층 수온이 낮고 표층의 해수가 가라앉아 심해층을 이루면서 표층과 심해층의 수온 차가 거의 없기 때문이다.

597

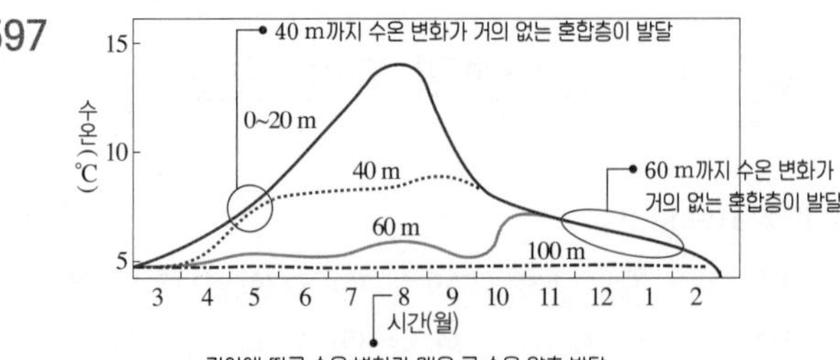

① 5월에는 수심 약 40 m까지 수온 변화가 거의 없으므로 이 구간에 혼합층이 나타난다.
③ 수심 20 m에서 100 m까지의 수온 변화량은 8월에 가장 크므로 수온 약층의 깊이에 따른 수온 변화는 8월에 가장 크다.
⑤ 수온 약층이 뚜렷하게 발달한 8월은 2월보다 해수의 연직 운동이 약하다.
바로알기 | ② 8월에는 혼합층의 두께가 약 20 m까지이고 5월에는 혼합층의 두께가 약 40 m로, 혼합층의 두께는 5월이 8월보다 두껍다.
④ 1년 중 수온 약층은 깊이에 따른 수온 변화가 가장 큰 8월경에 가장 안정하다.

598 기권에서는 높이 올라갈수록 기온은 낮아지거나 높아지고, 기압과 중력은 낮아지며, 공기의 밀도는 작아진다.

599 ② 성층권은 높이 올라갈수록 기온이 높아지므로 상대적으로 밀도가 작은 따뜻한 공기가 위에 있고 밀도가 큰 차가운 공기가 아래에 있어 대류가 일어나지 않는 안정한 층이다.
바로알기 | ① 대류권의 두께는 극지방으로 갈수록 지표 온도가 낮아지므로 얇아진다. 대류권의 높이는 극지방에서는 평균 6 km로 매우 낮고, 적도 지방에서는 16~18 km 정도이다.
③ 오존층은 유해 광선인 태양의 자외선을 흡수하여 생명체를 보호한다.
④ 중간권에서는 대류가 일어나지만 수증기가 희박하여 구름이 형성되지 않으므로 기상 현상은 나타나지 않는다.
⑤ 열권에서 높이 올라갈수록 기온이 높아지는 까닭은 공기의 밀도가 매우 작고 태양 복사 에너지를 직접 흡수하기 때문이다.

600 ④ 태양 복사 에너지의 자외선이 주로 흡수되는 층은 오존층이 존재하는 B이다.
⑦ 중간권인 C층에서는 유성이, 열권인 D층에서는 오로라가 나타난다.
바로알기 | ① 대류권인 A는 지표 복사 에너지의 대부분이 흡수되는 층으로 높이 올라갈수록 지표에서 방출되는 복사 에너지가 적게 도달하기 때문에 기온이 낮아진다.
② 낮과 밤의 기온 차는 밀도가 가장 희박한 D층에서 가장 크다.
③ 수증기가 가장 많이 분포하는 곳은 지표면과 접하고 있는 A층이다.
⑤ 기상 현상은 수증기를 많이 포함하면서 대류가 일어나는 A층에서만 나타난다. C층인 중간권에서는 수증기가 거의 없기 때문에 기상 현상이 나타나지 않는다.
⑥ 높이 올라갈수록 기온이 낮아지는 C층은 B층보다 불안정하다.

601 (4) 대류권은 대부분의 지표 복사 에너지가 흡수되는 층으로 지표에 가까울수록 지표에서 방출되는 복사 에너지가 많이 도달하므로 기온이 높고, 높이 올라갈수록 지표에서 방출되는 복사 에너지가 적게 도달하므로 기온이 낮아진다.
모범 답안 (1) 기온
(2) a: 대류권, b: 성층권, c: 중간권, d: 열권
(3) a와 c, 높이 올라갈수록 기온이 낮아지기 때문이다.

(4) 지표에서 방출되는 복사 에너지가 적게 도달하기 때문이다.
(5) b: 오존층이 태양 복사 에너지의 자외선을 흡수하기 때문이다. d: 공기의 밀도가 매우 작고 태양 복사 에너지를 직접 흡수하기 때문이다.

602 대류권과 중간권에서는 공통적으로 대류가 일어난다. 그러나 수증기가 희박하여 구름이 형성되지 않는 중간권에서는 기상 현상이 나타나지 않는다.

모범 답안 • 공통점: 대류가 일어난다.
• 차이점: 기상 현상은 대류권에서만 나타난다.

603 ㄱ. 생물은 대부분 지표 가까이에 분포하므로 (가)에서 생물이 가장 많이 분포하는 구간은 대류권인 A층이다.
ㄴ. (나)에서 a층은 태양 복사 에너지의 영향을 가장 많이 받으므로 여름철과 겨울철의 수온 차이가 크다.
바로알기 | ㄷ. 대류권인 A층의 두께는 저위도 지역일수록 두껍고, 혼합층인 a층의 두께는 일반적으로 중위도 지역에서 더 두껍다.
ㄹ. 성층권(B층)과 수온 약층(b층)은 안정한 층으로 연직 운동이 억제되어 거의 일어나지 않는다.

604 ㄴ. 성층권인 A층과 유사한 안정도를 가진 층은 수온 약층인 D층이다.
ㄷ. 혼합층인 C층의 두께는 바람이 강할수록 두꺼워진다.
바로알기 | ㄱ. (가)와 (나)는 각각 높이와 깊이에 따른 온도 변화를 기준으로 층을 구분한 것이다.

605 ㄱ. 태양으로부터 안정적으로 에너지를 공급받고 있으므로 일정 온도 이상을 유지할 수 있다.
ㄴ. 액체 상태의 물이 존재하여 생명체의 탄생과 생명 유지에 유리하다.
ㄹ. 지구 자기장이 태양풍과 우주선이 지표면에 도달하는 것을 막아주면서 생명체를 보호해 준다.
바로알기 | ㄷ. 적절한 두께의 대기가 온실 효과를 일으켜 생명체가 살기 적합한 환경을 만든다.

606 지구 시스템의 구성 요소 중 수많은 천체가 존재하며 태양 에너지나 유성 등이 지구로 들어오면서 다른 구성 요소와 상호 작용하는 것은 외권이다.

607 액체 상태인 외핵의 대류에 의해 지구 자기장이 형성되고, 지구 자기장은 우주 공간에서 오는 태양풍과 우주선을 차단하여 지구의 생명체를 보호해 준다.

모범 답안 외핵에서 대류가 일어나기 때문에 지구 자기장이 형성되고, 지구 자기장은 태양풍과 우주선으로부터 생명체를 보호해 준다.

608 A는 기권, B는 수권, C는 지권이다.
ㄱ. 생물권이 분포하는 범위는 수권 → 수권, 지권 → 수권, 지권, 기권으로 점점 확대되었다.
ㄷ. 생물권이 수권인 B에서 지권인 C로 변화한 주요 원인은 오존층이 형성되어 자외선이 차단되면서 지구에 육상 생물이 출현할 수 있었기 때문이다.
ㄹ. 현재 생물권은 A, B, C 영역과 상호 작용하면서 모두 영향을 미친다.
바로알기 | ㄴ. 최초의 생명체는 바다에서 탄생하였으므로 생물권이 가장 먼저 형성된 B는 수권이다.

609 ㄷ. A와 B는 우주선과 자외선을 차단하여 지표에 거의 도달하지 못하게 하여 지상의 생명체를 보호한다.
바로알기 | ㄱ. 우주선은 자기권에 의해 차단되므로 A는 자기권으로 외권에 포함되고, 자외선은 기권의 오존층에 의해 차단되므로 B는 기권에 포함된다.
ㄴ. A는 우주선을 차단하는 자기권, B는 자외선을 차단하는 오존층이다.

610 지속적으로 부는 바람의 영향을 받아 해류가 형성되는 현상은 기권과 수권의 상호 작용에 해당하므로 B이다.

611 ① 광합성은 기권과 생물권의 상호 작용, ② 태풍 발생은 수권과 기권의 상호 작용, ④ 지진 해일 발생은 지권과 수권의 상호 작용, ⑤ 구름 형성은 수권과 기권의 상호 작용에 해당한다.
바로알기 | ③ 황사는 지권과 기권의 상호 작용에 해당한다.

612 태풍은 열대 해상에서 열과 수증기를 공급받은 공기가 상승하면서 구름이 발달하여 만들어진다. 증발은 수권의 물이 기화하여 기권으로 이동하는 현상이다.

613 ① 모래 먼지가 바람에 날려 황사를 일으키는 것은 지권과 기권의 상호 작용(A)이다.
② 지하수가 석회암 지대를 용해하여 동굴이 형성되는 것은 수권과 지권의 상호 작용(B)이다.
④ 생물이 호흡을 통해 기체를 흡수하거나 방출하는 것은 생물권과 기권의 상호 작용(D)이다.
바로알기 | ③ 증산 작용으로 식물체에서 물이 수증기가 되어 빠져나가는 것은 생물권과 기권의 상호 작용(D)이다.
⑤ 파도에 의한 침식 작용으로 해안 지형이 변하는 것은 수권과 지권의 상호 작용(B)이다.

614 화석 연료 생성은 생물권과 지권의 상호 작용이므로 A는 생물권이고, 화산 가스 분출은 지권과 기권의 상호 작용이므로 B는 기권이며, 해안 침식은 수권과 지권의 상호 작용이므로 C는 수권이다.

615 ① 폭풍 해일이 발생하는 과정은 기권과 수권의 상호 작용인 A에 해당한다.
② 버섯바위가 형성되는 과정은 기권과 지권의 상호 작용인 B에 해당한다.
④ 빙하의 침식 작용으로 U자곡이 형성되는 과정은 수권과 지권의 상호 작용인 D에 해당한다.
⑤ 식물 뿌리에 의한 풍화 작용은 생물권과 지권의 상호 작용인 E에 해당한다.
바로알기 | ③ 엘니뇨는 무역풍이 약해져 적도 부근 동태평양의 표층 수온이 높아지는 현상이므로, 엘니뇨가 발생하는 현상은 기권과 수권의 상호 작용인 A에 해당한다.

616 ㉠ 화산 폭발로 분출된 화산재에 의해 지구의 기온이 변하는 것은 지권과 기권의 상호 작용에 해당한다.
㉡ 수온이 상승하여 태풍의 세기가 강해지는 것은 수권과 기권의 상호 작용에 해당한다.
㉢ 식물이 호흡과 광합성을 하여 기체를 방출하는 것은 생물권과 기권의 상호 작용에 해당한다.
이를 종합하면 A는 기권, B는 지권, C는 수권, D는 생물권이다.
ㄴ. 석회 동굴의 형성은 수권(C)과 지권(B)의 상호 작용에 해당한다.

II

바로알기 | ㄱ. A는 기권에 해당한다.
ㄷ. 화석 연료의 연소는 지하에 있는 석탄이나 석유를 연소시키는 것이므로 이로 인한 대기 성분의 변화는 지권(B)과 기권(A)의 상호 작용에 해당한다.

19 지구 시스템의 에너지와 물질 순환

빈출 자료 보기 155쪽

617 (1) ○ (2) ○ (3) × (4) ○ (5) ○ (6) × (7) ○ (8) × (9) ○

617 **바로알기 |** (3) 수온이 상승하면 해수 중에 용해되는 이산화 탄소량은 감소한다.
(6) 탄소는 지구 시스템 안에서 순환하므로 지구 시스템 전체의 탄소의 양은 일정하게 유지된다.
(8) 지구상의 탄소는 대부분 지권에 존재하며, 기권에는 가장 적게 분포한다. 기권에서 탄소는 주로 이산화 탄소 형태로 존재한다.

난이도별 필수 기출 156~159쪽

618 태양 에너지, 지구 내부 에너지, 조력 에너지 619 ④
620 ② 621 ⑤ 622 ④ 623 해설 참조 624 ⑤
625 ② 626 ① 627 ① 628 ① 629 해설 참조
630 해설 참조 631 ① 632 ④ 633 ③
634 해설 참조 635 ⑤ 636 ② 637 ①
638 해설 참조 639 ④ 640 ③

618 지구 시스템의 에너지원으로는 태양 에너지, 지구 내부 에너지, 조력 에너지가 있다.

619 지구 내부 에너지에 의해 나타나는 자연 현상으로는 지진 해일, 맨틀 대류, 지구 자기장 형성, 판의 이동 등이 있다.
바로알기 | ㅁ. 밀물과 썰물은 조력 에너지에 의해 나타나는 현상으로, 밀물과 썰물을 일으켜 해안 지역의 생태계와 지형 변화에 영향을 준다.
ㅂ. 대기와 해수의 순환은 태양 에너지에 의해 나타나는 자연 현상이다.

620 지구 시스템의 에너지원 중에서 가장 많은 양을 차지하는 것은 태양 에너지이고, 달과 태양의 인력이 지구에 작용하여 생기는 에너지는 조력 에너지이다.

621 ① 지구 시스템의 에너지원이 차지하는 비율을 비교해 보면 태양 에너지>지구 내부 에너지>조력 에너지 순이다.
② 지구에 도달하는 태양 에너지의 약 30 %가 대기와 지표에서 우주로 반사된다.
③ 표층 해류를 일으키는 주요 원인은 바람으로 태양 에너지가 근원 에너지원이다.
④ 지구 내부 에너지는 맨틀 대류를 일으켜 지진이나 화산 활동, 판의 운동을 일으킨다.
바로알기 | ⑤ 지구 시스템의 에너지원은 서로 전환되지 않는다.

622 ㄴ. B는 지구 내부 에너지로 맨틀의 대류를 일으켜 대륙을 이동시킨다.
ㄷ. C는 태양 에너지로 물의 순환을 일으켜서 암석의 풍화와 침식 작용을 일으킨다.
바로알기 | ㄱ. 밀물과 썰물을 일으키는 A는 조력 에너지이다.

623 지구 시스템의 에너지원 중 태양 에너지가 가장 많다. 태양 에너지는 지구상에 자연 현상을 일으키고 생명 활동을 유지하게 하는 데 가장 큰 역할을 하며, 태양의 중심에서 수소 핵융합 반응으로 생성된다.
모범 답안 태양 에너지, 태양의 수소 핵융합 반응으로 에너지가 생성된다.

624 ㄴ. A에 의해 밀물과 썰물이 일어나므로 해수면의 높이가 주기적으로 변한다.
ㄷ. B는 에너지의 근원이 수소 핵융합 반응이므로 태양 에너지에 해당하고, 에너지양의 상대적 비율이 가장 크다. 따라서 ㉡은 5.4×10^{12}보다 크다.
ㄹ. C는 에너지의 양이 두 번째로 많으므로 지구 내부 에너지이고, 지구 내부 에너지의 근원은 방사성 원소가 붕괴하면서 방출하는 열과 지구 중심부에 남아 있는 열이다.
바로알기 | ㄱ. A는 에너지의 양이 가장 적은 조력 에너지이다.

625 ㄴ. 적도인 A에서는 입사하는 태양 복사 에너지양이 방출하는 지구 복사 에너지양보다 많으므로 에너지가 남고, C에서는 반대로 태양 복사 에너지양이 지구 복사 에너지양보다 적으므로 에너지가 부족하다.
바로알기 | ㄱ. 단위 면적당 태양 복사 에너지의 입사량은 태양 고도가 높을수록 많으므로 A에서 가장 많고, C에서 가장 적다.
ㄷ. 대기와 해수의 순환에 의해 에너지가 남는 A에서 에너지가 부족한 C로 에너지가 이동한다.

626 ② 물의 순환 과정 중 물이 지표를 따라 흐르면서 풍화와 침식 작용을 일으켜 지표를 변화시킨다.
③ 물은 응결 과정에서 응결 잠열을 방출한다.
④ 물은 증발과 응결을 통해 구름을 형성하고, 비나 눈으로 내려 순환을 하므로 물의 순환을 일으키는 에너지원은 태양 에너지이다.
⑤ 물의 순환 과정에서 각 권에 분포하는 물의 양은 변하지만 지구 시스템 전체 물의 양은 변하지 않는다.
바로알기 | ① 바다에서 증발량은 강수량보다 많다.

627 ㄱ. 물의 순환을 일으키는 에너지원은 태양 에너지이다.
ㄴ. 대기 중의 수증기 380 단위 중 바다에서 증발된 양이 320 단위이므로 대부분 바다에서 증발한 것이다.
바로알기 | ㄷ. 바다에서는 증발량이 강수량보다 많으나 그 차이만큼 육지에서 유입되므로 해수의 양은 일정하게 유지된다.
ㄹ. 육지에서 지표로 유출되는 양 A의 값은 육지에서 (강수량−증발량)에 해당하는 36 단위이다.

628 ㄱ. A는 증발 과정이므로 물이 수증기로 되면서 에너지를 흡수하여 나타난다.
바로알기 | ㄴ. B의 이동량은 바다에서 (증발량−강수량)에 해당하는 36 단위이고, A의 이동량은 96−36=60 단위이므로 B의 이동량은 A의 이동량보다 적다.
ㄷ. 지구 시스템 안에서 일어나는 물의 순환에서 총 증발량은 항상 총 강수량과 같다.

629 물의 순환 과정에서 물이 평형 상태에 있다면 각 권에 유입하는 물의 양과 유출되는 물의 양이 같아 물의 양은 일정하게 유지된다.

모범 답안 바다에서 잃은 물의 양(증발량−강수량)만큼 육지에서 바다로 물이 유입되기 때문이다.

630 (1) 지구 전체에서 총 증발량과 총 강수량은 같으므로 총 증발량(A+84)=총 강수량(25+75)에서 A=100−84=16이다.
(2) '육지에서의 유입량=육지에서의 방출량'이다. '육지에서의 유입량=강수량 25'이고, '육지에서의 방출량=증발량 16+바다로 이동량'이므로 '25=16+바다로 이동량'에서 육지에서 바다로 이동하는 물의 양은 9이다.

모범 답안 (1) 총 증발량=총 강수량이므로, (A+84)=25+75이다. 따라서 A=100−84=16이다.
(2) '육지에서의 유입량(강수량 25)=육지에서의 방출량(증발량 16+바다로 이동량)'에서 육지에서 바다로 이동하는 물의 상대적인 양은 9이다.

631

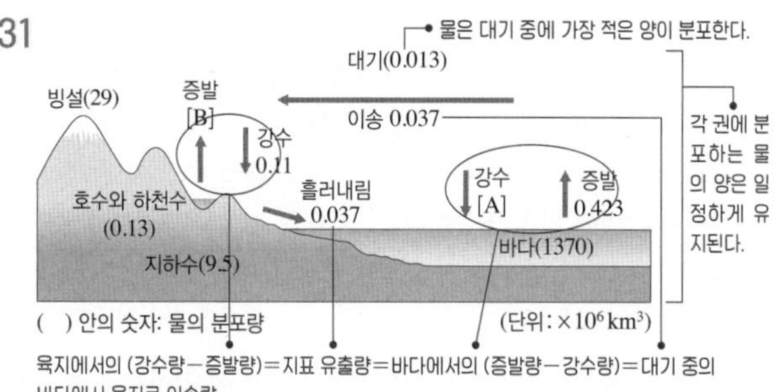

ㄱ. 바다에서 '유입량(A+0.037)=유출량(0.423)'에서 A는 0.386이고, 육지에서 '유입량(0.11)=유출량(B+0.037)'에서 B는 0.073이므로 A는 B보다 크다.

바로알기 | ㄴ. 육지에서는 0.11=B+0.037에서 (0.11−B)는 0.037 단위이다.
ㄷ. 빙설은 육수의 총량(29+0.13+9.5=38.63)에서 29를 차지하므로 약 75 %를 차지한다.

632 ④ 화석 연료의 연소로 이산화 탄소가 발생하므로 탄소는 지권 → 기권으로 이동한다.

바로알기 | ① 생물의 호흡으로 이산화 탄소가 발생하므로 탄소는 생물권 → 기권으로 이동한다.
② 식물은 이산화 탄소를 흡수하여 광합성을 통해 유기물인 포도당을 생성하므로 탄소는 기권 → 생물권으로 이동한다.
③ 식물체가 매몰되고 탄화되어 석탄을 형성하므로 화석 연료의 생성에서 탄소는 생물권 → 지권으로 이동한다.
⑤ 해수에 녹아 있던 탄산염이 퇴적되어 석회암을 생성하거나 석회질 생물체의 유해가 퇴적되어 석회암을 생성하므로 탄소는 수권 → 지권이나 생물권 → 지권으로 이동한다.

633 ① 화석 연료의 연소인 A가 증가하면 대기 중의 이산화 탄소 농도가 증가하므로 지구 온난화가 발생한다.
② 식물은 이산화 탄소를 흡수하여 광합성을 통해 유기물인 포도당을 생성한다.
④ 해수에서 탄산 칼슘이 침전 및 퇴적되어 생성되는 암석은 대부분 석회암이다.
⑤ 지구상에 존재하는 탄소는 대부분 지권에 석회암 형태로 존재한다.

바로알기 | ③ 대기 중 이산화 탄소가 해수에 용해되면 탄소는 수권에 탄산 이온 형태로 존재한다.

개념 보충

지구 온난화와 탄소 순환
화석 연료 연소 증가 → 기권의 이산화 탄소 증가 → 온실 효과 증대 → 기온 상승 → 수권의 수온 상승 → 이산화 탄소의 용해도 감소 → 해수에서 대기로 이산화 탄소 방출 → 기권의 이산화 탄소 증가 → 지구 온난화 가속

634 (2) 생물권의 탄소가 기권으로 이동하는 요인에는 생물의 호흡 등이 있으며 이 경우 탄소 화합물인 유기물이 연소되는 과정에서 이산화 탄소가 발생하여 생물의 몸속에 있는 탄소가 기권으로 이동한다.

모범 답안 (1) • 증가 요인: 화석 연료의 연소, 호흡, 해수에서 방출, 화산 분출
• 감소 요인: 광합성, 해수에 용해
(2) 호흡, 유기물(탄소 화합물)에서 이산화 탄소로 바뀐다.

635 ㄱ. 지권에서 화산 활동이 일어나면 대기 중으로 이산화 탄소가 방출되므로 A 과정이 나타난다.
ㄴ. 기권에서 생물권으로 탄소가 이동하는 B 과정의 예로는 광합성이 있는데 광합성은 태양의 빛에너지를 이용한다.
ㄷ. 해수의 온도가 상승하면 해수 중의 이산화 탄소 용해도가 감소하면서 대기 중으로 이산화 탄소가 방출되므로 C 과정이 활발해진다.

636 ㄴ. 표층 수온이 상승하면 기체의 용해도가 감소하므로 D가 C보다 활발해진다.
ㄷ. E 과정이 증가하면 대기 중 이산화 탄소의 양을 증가시켜 지구 온난화를 가속시키므로 평균 기온이 높아져 빙하 면적을 줄일 수 있다.

바로알기 | ㄱ. 광합성에 의해 탄소는 기권 → 생물권으로 이동하므로 B에 해당하고, 호흡에 의해 탄소는 생물권 → 기권으로 이동하므로 A에 해당한다.
ㄹ. 지권에서 탄소는 주로 탄산염(석회암) 형태로 저장되며, 수권에서 탄소는 탄산 이온 형태로 저장된다.

637 ㄱ. A 과정은 화석 연료의 연소 과정으로 이 과정에서 탄소는 지권에서 기권으로 이동한다.

바로알기 | ㄴ. 지권에서 탄소는 대부분 탄산염으로 이루어진 석회암 형태로 가장 많이 분포한다.
ㄷ. 지구상의 각 권역에 존재하는 탄소량은 지권>수권>생물권>기권 순으로 많이 분포한다.

638 지구 구성 요소의 각 권에 분포하는 탄소는 다양한 형태로 존재하며, 지구 시스템 각 권을 순환하면서 상호 작용을 일으킨다. 지권에서는 주로 탄산염(석회암) 형태로 존재하고, 수권에서는 탄산 이온 형태로 녹아 있으며, 기권에서는 기체인 이산화 탄소와 메테인 형태로, 생물권에서는 유기물(탄소 화합물) 형태로 존재한다.

모범 답안 수권은 탄산 이온, 기권은 이산화 탄소와 메테인, 생물권은 유기물(탄소 화합물) 형태로 존재한다.

639 ④ (가) 과정이 증가하면 대기 중 이산화 탄소 농도가 높아지면서 지구 온난화로 평균 기온이 상승한다.

바로알기 | ① A는 탄소가 이산화 탄소 형태로 존재하는 기권이고, B는 수권, C는 지권이다.
② (가)는 화석 연료 연소뿐만 아니라 메탄 수화물의 증발 과정을 통해서도 일어나므로 인간 활동에 의해서만 일어나는 것은 아니다.
③ (가) 과정을 통해 대기 중 이산화 탄소 농도가 높아지면서 기권의 탄소량은 증가한다.

⑤ 광합성 과정에서 태양 에너지를 이용하여 탄소 화합물인 포도당이 생성된다. 유기물인 포도당이 생물체의 몸속에 저장되므로 태양 에너지가 화학 에너지로 저장된다.

640 ㄴ. c는 기권에서 생물권으로 탄소가 이동하는 예이므로 광합성은 ㉠에 해당한다.
ㄹ. 화석 연료를 연소하면 지구 내부에 저장된 화학 에너지가 열에너지나 빛에너지로 방출된다.
바로알기 | ㄱ. 화산 가스의 분출에 의해 탄소는 지권에서 기권으로 이동하므로 (가)는 기권이고, (나)는 지권이다. 탄산염의 침전에 의해 탄소는 수권에서 지권으로 이동하므로 (다)는 수권이다.
ㄷ. 화석 연료의 사용량이 증가하면 지권에서 탄소량은 감소하지만 기권에서는 증가하므로 지구 전체의 탄소량은 일정하다.

20 지각 변동과 판 구조론

빈출 자료 보기 161쪽

641 (1) ○ (2) ○ (3) ○ (4) × (5) ○ (6) ×

641 **바로알기 |** (4) (가)에 물이 섞여 지표를 따라 흐르면서 산사태가 발생하는 것은 지권에 영향을 미친 예이다.
(6) 지열 발전인 (다)는 화산 지대에서 지구 내부의 지열을 이용하여 전기를 생산하는 방식이다.

난이도별 필수 기출 162~165쪽

642 ④, ⑥ | 643 화산 가스, 화산 쇄설물, 용암 | 644 ③
645 해설 참조 | 646 ⑤ | 647 ② | 648 ③
649 해설 참조 | 650 해설 참조 | 651 ④ | 652 ③
653 ① | 654 ③ | 655 ④ | 656 ③, ⑤
657 해설 참조 | 658 ⑤ | 659 ① | 660 해설 참조
661 ⑤, ⑥ | 662 ②, ④ | 663 해설 참조
664 해설 참조

642 ① 화산 활동과 지진은 지구 내부의 열이 발산하는 과정에서 일어나므로 지구 내부 에너지에 의해 일어난다.
② 대기 중으로 방출된 다량의 화산재는 햇빛을 산란시켜 우주 공간으로 되돌려 보내므로 일시적으로 지구의 평균 기온을 낮춘다.
③ 화산 활동으로 화산재가 공기 중에 많이 있게 되면 항공기 엔진에 고장을 일으킬 수 있으므로 항공기 운항이 중단되어 물류 수송에 차질이 생길 수 있다.
⑤ 지진파를 분석하여 지하 내부 물질의 분포를 알 수 있으므로 지하 자원을 탐사하기도 한다.
바로알기 | ④ 해저에서 발생한 지진이 해안 지역에 다가오면 파고가 높아지면서 많은 피해를 준다.
⑥ 지진이 자주 발생하는 지역은 지반이 불안정하므로 주변에 댐과 수로를 건설하지 않는 것이 좋으며, 건설할 경우 내진 설계 등을 하여 철저히 대비해야 한다.

643 화산 폭발 시 분출하는 물질에는 고체 상태인 화산 쇄설물, 기체 상태인 화산 가스, 액체 상태인 용암이 있다.

644 ① 화산 가스의 함량이 많을수록 폭발성 화산이 되어 화산이 격렬하게 분출한다.
② 화산 쇄설물은 입자의 크기에 따라 구분하며, 크기가 작은 것부터 큰 것 순으로 화산진, 화산재, 화산력, 화산암괴 등으로 구분한다.
④ 마그마가 식는 과정에서 유용한 광물이 모여서 광상을 형성하며 여러 가지 광물 자원이 생성될 수 있다.
⑤ 화산 활동으로 생성된 독특한 지형이나 온천 등은 관광 자원으로 활용된다.
바로알기 | ③ 퇴적된 화산재는 시간이 지나면서 화산재 속에 포함된 인, 칼륨 등으로 인해 비옥한 토양을 형성한다.

645 모범 답안 토양이 비옥해진다. 유용한 광물 자원을 얻을 수 있다. 화산 지형을 관광 자원으로 활용할 수 있다. 지열을 이용해 전기를 생산할 수 있다.

646 ㄴ. 해저 화산 분출로 바다에 화산섬과 같은 새로운 지형이 생기면 이 지형과 환경에 적합한 새로운 생물이 서식할 수 있다.
ㄷ. 해저에서 생긴 지진(지권)에 의해 지진 해일(수권)이 발생하는 것은 지권이 수권에 미친 영향이다.
바로알기 | ㄱ. 화산 활동은 지진을 발생시킬 수는 있으나 지진이 태풍을 일으키지는 않는다.

647 ① 화산 활동 시 분출된 화산 가스인 A에서 이산화 황이 빗물에 녹아내리면 산성비가 될 수 있다.
③ 화산재인 B와 함께 분출된 인, 칼륨은 비료와 같은 역할을 하여서 토양을 비옥하게 한다.
④ C는 화산 폭발로 생성된 액체 상태의 물질로 용암이다.
⑤ 화산 가스의 주성분은 수증기이므로, (나)의 ㉠은 수증기이다.
바로알기 | ② 화산 쇄설물 중 화산재인 B는 공기 중에 떠 있으면 빛을 산란시키므로 햇빛의 반사율을 증가시킨다.

648 ㄱ. 화산체의 경사가 급할수록 용암의 점성이 크고, 용암의 점성은 용암의 SiO_2 함량비가 높을수록 크다. 따라서 경사가 급한 (가)가 (나)보다 SiO_2 함량비가 높다.
ㄷ. 점성이 클수록 용암이 폭발적으로 분출하므로 (가)는 (나)보다 폭발적으로 분출하였다.
바로알기 | ㄴ. 용암의 온도가 높을수록 점성이 작다. 따라서 화산 분출 시 용암의 온도는 (가)가 (나)보다 낮다.

649 용암 A는 SiO_2 함량이 52 % 이하이며 화산체의 경사가 완만하므로 현무암질 용암에 해당하고, 용암 B는 SiO_2 함량이 66 % 이상이며 화산체의 경사가 급하므로 유문암질 용암에 해당한다. 따라서 용암 A는 B보다 온도가 높고, 점성이 작아 유동성이 크다.
모범 답안 용암 A는 B보다 온도가 높고, 점성이 작아 유동성이 크다.

650 (2) 화산 활동은 지권에서 일어나는 변화이고 화산재에 의한 기온 변화는 기권에서 일어나는 변화이므로 지권과 기권의 상호 작용에 해당하는 예이다.
(3) 화산 활동은 지구 내부의 열이 방출하는 과정에서 일어나는 현상이므로 지구 내부 에너지에 의해 발생한다.
모범 답안 (1) 대기로 방출된 다량의 화산재가 햇빛을 반사(차단)하여 지구의 평균 기온이 낮아졌다.
(2) 지권과 기권의 상호 작용
(3) 지구 내부 에너지

651 ㄴ. 아이티는 상대적으로 칠레보다 진앙으로부터의 거리가 더 가깝기 때문에 지진의 진도가 강해서 피해가 클 수 있다.
ㄷ. 지진의 진도가 크더라도 내진 설계 등 지진에 대한 대비가 잘 되어 있으면 지진 피해가 적다.
바로알기 | ㄱ. 발생한 지진의 에너지는 규모가 더 큰 칠레에서의 지진이 더 크다.

652 ㄷ. 쓰나미(지진 해일)는 지권에서 일어나는 지진에 의해 형성된 해파이므로 지권과 수권의 상호 작용으로 발생한다.
바로알기 | ㄱ. 지진은 지구 내부 에너지가 지표로 전달되면서 발생하는 현상으로 지권에 누적된 지구 내부 에너지가 갑자기 방출되면서 일어난다.
ㄴ. 지진의 규모는 지진으로부터 방출된 에너지의 크기로 진원으로부터의 거리에 관계없이 일정하다.

653 ㄱ. 관측소가 위치한 지역의 땅이 흔들리는 정도는 지진파의 진폭(진도)이 클수록 크다. 따라서 A 지역이 가장 작고, C 지역이 가장 크다.
바로알기 | ㄴ. 같은 지진에 대해 지진의 규모는 관측소에 관계없이 같다.
ㄷ. 진원까지의 거리는 P파와 S파가 도달한 시간 차이인 PS시에 비례한다. 지진 기록에서 PS시의 크기는 A>B>C이므로 진원으로부터의 거리는 B 지역이 C 지역보다 멀다.

654 B 지역이 A 지역보다 진앙으로부터 더 먼 거리에 위치하므로 PS시가 길다.
또한, B 지역은 A 지역보다 진도가 크므로 지진파의 최대 진폭이 크고 피해가 크다.

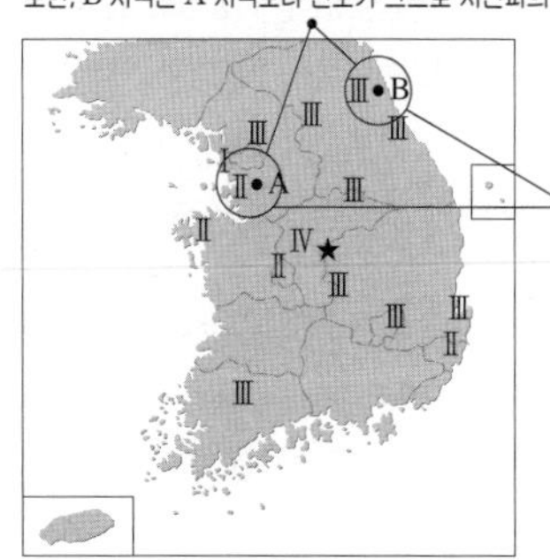

같은 지진을 관측한 것이므로 A와 B 지역에서 측정된 지진의 규모는 같다. 일반적으로 진앙까지의 거리가 멀면 진도가 작아지지만 지반이 지진에 약하면 B 지역처럼 거리가 멀더라도 진도가 크게 나타날 수 있다.

ㄷ. 지진에 의한 피해는 진도가 클수록 크므로 B 지역이 A 지역보다 크다.
ㄹ. 지진의 규모가 6.0이었다면 B 지역에서 관측된 진도는 더 커질 것이므로 지진파의 진폭은 더 크게 관측되었을 것이다.
바로알기 | ㄱ. 지진의 규모는 지진으로부터 방출된 에너지의 크기로 나타내고, 진도는 지진에 의한 진동과 피해 정도를 나타낸다.
ㄴ. 지진의 규모는 지진으로부터 방출된 에너지의 크기로 진원으로부터의 거리에 관계없이 일정하므로 A 지역과 B 지역에서 같다.

655 ① 지각 변동은 주로 판의 운동에 의해 일어나고 판의 운동은 지구 내부 에너지에 의해 일어나므로 지각 변동의 에너지원은 지구 내부 에너지이다.
② 변동대는 주로 판 경계를 따라 분포하므로 대륙 주변부에서 띠 모양으로 나타난다.
③ 화산 활동이나 지진과 같은 지각 변동은 대부분 판 경계에서 발생한다.
⑤ 화산 활동과 지진은 판 경계가 없는 대서양 연안보다 판 경계가 발달한 태평양 연안에서 주로 발생한다.
바로알기 | ④ 화산대보다는 지진대가 더 광범위한 지역에서 나타난다.

656 ③ 태평양 연안을 따라 판 경계가 발달해 있으며 이곳에서 환태평양 지진대와 화산대가 거의 일치한다.
⑤ 지진과 화산 활동은 주로 판의 상호 작용으로 일어나므로 판 경계에서 주로 발생한다.
바로알기 | ① 지진이 발생하는 모든 지역에서 화산 활동이 일어나지는 않는다. 반대로 화산 폭발이 일어나는 지역에서는 대체로 화산 활동과 관련된 지진이 일어난다.
② 판 경계가 발달한 태평양 연안이 판 경계가 발달하지 않은 대서양 연안보다 지진이 활발하다.
④ 태평양 중심 부근은 판의 내부에 해당하므로 판 경계가 발달해 있지 않다.
⑥ 태양 활동이 지구 내부 에너지에 의해 일어나는 지진과 화산 활동에 영향을 주지는 않는다.
⑦ 지진과 화산 활동은 지구 시스템에 부정적인 영향도 주지만, 지구 내부 조사, 비옥한 토양 형성 등 긍정적인 영향도 준다.

657 화산 활동과 지진은 주로 판이 서로 충돌하거나, 갈라지거나, 서로 스쳐 지나가는 상호 작용으로 일어나므로 화산 활동과 지진은 판 경계에서 주로 발생한다.
모범 답안 화산 활동과 지진은 주로 판 경계에서 발생하기 때문이다.

658 ㄱ. 화산 활동이 일어날 때 지하에서 생성된 마그마가 지각을 뚫고 상승하는 과정에서 지진이 발생한다.
ㄴ. 화산 활동이 일어나면 화산재나 용암이 쌓이거나 폭발이 일어나면서 지형이 변화한다.
ㄷ. (가)에서 화산 폭발 후 발생한 지진은 대부분 진원의 깊이가 70 km 미만인 천발 지진이다.

659 ① 암석권은 여러 조각으로 나뉘어져 있는데, 각각의 암석권 조각을 판이라고 한다.
바로알기 | ②, ③, ⑤ 판은 지각과 상부 맨틀의 일부를 포함하고 있으므로 대륙 지각이나 해양 지각에만 해당하지는 않는다.
④ 단단한 암석으로 이루어진 암석권이 판에 해당하고, 연약권은 암석권 아래에 있는 부분으로 고체 상태이지만 맨틀 물질이 부분적으로 용융되어 있어 대류가 일어난다.

660 **모범 답안** (1) A: 암석권, B: 연약권
(2) 대륙판은 해양판보다 두께가 두껍고, 대륙판은 화강암질 암석으로 이루어진 대륙 지각을 포함하고 있으며 해양판은 현무암질 암석으로 이루어진 해양 지각을 포함하고 있으므로 대륙판은 해양판보다 밀도가 작다.

661 A는 해양 지각, B는 대륙 지각, C는 상부 맨틀의 일부이다.
① 판은 지각+상부 맨틀 일부로 구성되어 있으므로 해양판은 A+C, 대륙판은 B+C에 해당한다.
② C는 상부 맨틀의 일부에 해당한다.
③ (가)는 지각+상부 맨틀 일부로 이루어져 있는 암석권이다.
④ (나)는 연약권에 해당하는 부분으로 맨틀이 부분적으로 용융되어 대류가 일어난다.
⑦ 암석권은 여러 조각으로 나누어져 있는데, 각각의 암석권 조각을 판이라고 한다.
바로알기 | ⑤ 지각과 맨틀은 모두 고체 상태이다.
⑥ 대륙판은 대륙 지각+상부 맨틀 일부, 해양판은 해양 지각+상부 맨틀 일부로 되어 있는데, 대륙 지각이 해양 지각보다 밀도가 작으므로 대륙판이 해양판보다 밀도가 작다.

662 ① 판은 지각+상부 맨틀 일부로 구성되어 있는 단단한 암석층이다.
③ 암석권인 판은 연약권 위에 떠 있으므로 연약권에서 일어나는 맨틀의 대류를 따라 이동한다.
⑤ 서로 인접한 판의 운동으로 화산 활동이나 지진이 발생하면서 지권의 변화가 일어난다.
⑥ 판 경계는 판의 상대적인 이동 방향에 따라 발산형 경계, 수렴형 경계, 보존형 경계로 구분한다.
바로알기 | ② 지구 표면은 여러 개의 크고 작은 판으로 이루어져 있다.
④ 판은 이동 방향과 이동 속력이 같지 않으므로 충돌하거나 갈라지기도 한다.

663 (1) 코코아 가루가 우유 위에 떠 있으면서 코코아로 이루어진 층의 조각이 이동하므로 코코아 가루는 판에 해당하고, 우유는 대류가 일어나므로 맨틀에 해당한다.

모범 답안 (1) 코코아 가루: 판, 우유: 맨틀
(2) **지구 내부 에너지**가 발산하는 과정에서 **맨틀** 내에 균일하게 열 분포가 이루어지지 않으므로 온도 차가 발생한다. 온도 차가 발생하면 **밀도** 차가 생기면서 맨틀의 **대류**가 일어나고 이러한 대류를 따라 **판**이 이동한다.

664 • 정민: 판 경계에서 일어나는 여러 가지 지각 변동은 지구 내부 에너지에 의해 일어나는 판의 이동으로 발생한다.
• 수민: 해양판과 대륙판이 만나면 상대적으로 밀도가 더 큰 해양판이 대륙판 아래로 들어가면서 화산 활동이나 지진이 발생한다.

모범 답안 • 희민: 액체 상태인 외핵이 대류하면서 → 고체 상태이지만 부분 용융이 일어나 유동성이 있는 맨틀이 대류하면서
• 유민: 같은 속력으로 → 다른 속력으로, 시간이 지나도 태평양과 대서양의 크기는 변하지 않아. → 시간이 지나면 태평양과 대서양의 크기는 변해.

21 판 경계의 지각 변동

빈출 자료 보기 167쪽

665 (1) ○ (2) ○ (3) × (4) × (5) × (6) ○ (7) ○
666 (1) ○ (2) ○ (3) × (4) × (5) ○ (6) × (7) ○

665 **바로알기 |** (3) B는 보존형 경계인 변환 단층으로 화산 활동이 일어나지 않는다.
(4) C는 해구로 맨틀 대류의 하강부에서 나타난다.
(5) C는 수렴형 경계로 판 경계의 대륙 쪽에서 화산 활동이 일어날 수는 있지만 판이 소멸되는 경계이다.

666 **바로알기 |** (3) C는 판의 내부에 위치하며 판 경계와 관계없는 화산 활동으로 생성된 화산섬이다.
(4) D는 변환 단층인 산안드레아스 단층으로 천발 지진이 발생한다. 심발 지진은 주로 수렴형(섭입형) 경계 부근에서 발생한다.
(6) F에서는 해양판이 대륙판 아래로 섭입하면서 해구가 형성되며, 습곡 산맥인 안데스산맥이 형성되어 있다.

난이도별 필수 기출 168~173쪽

667 (1) 판의 상대적인 이동 방향 (2) ㉠ 지진, ㉡ 해구, ㉢ 해령
668 A: 발산형 경계, B: 보존형 경계, C: 수렴형 경계
669 ④, ⑥ 670 ② 671 ⑤ 672 해설 참조
673 ③ 674 ② 675 ④ 676 해설 참조
677 (1) 발산형 경계, 보존형 경계 (2) C 678 ①
679 해설 참조 680 ①, ③ 681 ② 682 ③
683 해설 참조 684 ① 685 ①, ④ 686 ①
687 ② 688 ①, ③ 689 ① 690 ②
691 ①, ④ 692 해설 참조 693 ② 694 ⑤
695 ① 696 해설 참조 697 ④ 698 ② 699 ②
700 ②

667 (1) 판 경계는 판의 상대적인 이동 방향에 따라 판과 판이 서로 모여드는 수렴형 경계, 판과 판이 서로 멀어지는 발산형 경계, 판과 판이 서로 어긋나는 보존형 경계로 구분한다.
(2) 수렴형 경계에는 해구, 호상 열도, 습곡 산맥 등이 발달해 있고, 발산형 경계에는 해령, 열곡대 등이 발달해 있다. 보존형 경계에서는 천발 지진이 발생하고 화산 활동은 일어나지 않는다.

668 동아프리카 열곡대는 판이 생성되고 확장되는 발산형 경계에, 변환 단층인 산안드레아스 단층은 보존형 경계에, 일본 해구는 수렴형 경계에 해당한다.

669 ④ 히말라야산맥은 두 대륙판이 충돌하여 형성된 습곡 산맥이다.
⑥ 수렴형 경계 부근에서는 횡압력(양쪽에서 미는 힘)이 작용하여 역단층이 주로 발달한다.
바로알기 | ① 수렴형 경계는 판과 판이 서로 모여드는 경계로 맨틀 대류가 하강하는 곳에서 형성된다.
② 두 판이 서로 어긋나며 스쳐 지나가는 경계는 보존형 경계이다.
③ 새로운 판이 생성되어 양쪽으로 멀어지는 경계는 발산형 경계이다.
⑤ 산안드레아스 단층은 보존형 경계에 발달하는 변환 단층이다.
⑦ 장력(양쪽에서 당기는 힘)이 작용하여 정단층이 발달하는 곳은 발산형 경계 부근이다.

670 ② 천발 지진은 모든 판의 경계에서 공통적으로 발생하므로 (가), (나), (다)에서 모두 나타난다.
바로알기 | ① 수렴형 경계는 두 판이 서로 마주보는 방향으로 이동하는 (나)이다.
③ 새로운 해양 지각이 생성되는 경계는 발산형 경계로 두 판이 서로 멀어지는 방향으로 이동하는 (가)이다.
④ 맨틀 대류의 하강부에서 형성되는 판 경계는 수렴형 경계이므로 (나)이다.
⑤ 두 판이 서로 가까워져 충돌하면 상대적으로 밀도가 큰 판이 밀도가 작은 판 아래로 섭입하므로, (나)가 해양판과 대륙판의 경계일 경우 밀도가 큰 해양판이 밀도가 작은 대륙판 아래로 섭입한다.

671 ⑤ A의 질문에 '아니요'인 경우는 해구에 해당하고, '예'인 경우는 해령과 변환 단층의 공통적인 특성에 해당해야 한다. 해구에서는 천발~심발 지진이 발생하고, 해령과 변환 단층에서는 천발 지진만 발생하므로 A의 질문에 '지진 중 천발 지진만 발생하는가?'는 적합하다. 해령과 변환 단층 중 '화산 활동이 일어나는가?'에서 '아니요'는 변환 단층이고, '예'는 해령이다.

바로알기 | ①, ② '판이 생성되는가?'에서 '아니요'에는 해구와 변환 단층이 해당한다.
③, ④ '지진이 발생하는가?'에서는 해령, 해구, 변환 단층이 모두 '예'에 해당한다.

672 (1) '화산 활동이 활발한가?'에서 '아니요'는 보존형과 수렴형(충돌형)이다. 이 중 맨틀 대류가 하강하는 곳에서 형성되는 판 경계는 수렴형(충돌형)이므로 C는 수렴형(충돌형), D는 보존형이다.
'화산 활동이 활발한가?'에서 '예'는 발산형과 수렴형(섭입형)이다. 이 중 심발 지진이 발생하는 판 경계는 수렴형(섭입형)이므로 A는 수렴형(섭입형), B는 발산형이다.

모범 답안 (1) A: 수렴형(섭입형), B: 발산형, C: 수렴형(충돌형), D: 보존형 (2) A는 해구, 호상 열도, 습곡 산맥, B는 해령, 열곡대, C는 습곡 산맥, D는 변환 단층이 발달한다.

673 ㄱ. 해령에서 멀어지고 해구에 가까울수록 해양 지각의 나이는 많아진다. A는 해령에 가깝고 B는 해구에 가까우므로 A에서 B로 갈수록 해양 지각의 나이가 많아진다.
ㄷ. D는 해구로 맨틀 대류의 하강부에 위치하여 판이 소멸하는 경계이다.
바로알기 | ㄴ. C는 판과 판이 서로 어긋나면서 이동하는 변환 단층으로 마그마가 생성되지 않아 화산 활동이 일어나지 않는다.

674 ㄷ. 지진은 섭입대를 따라 발생하며 섭입대는 밀도가 작은 판 쪽으로 기울어져 있으므로 진원의 깊이는 두 판의 경계에서 밀도가 작은 판 Ⅰ 쪽으로 갈수록 깊어진다.
바로알기 | ㄱ. (나)에서 판 Ⅱ가 판 Ⅰ보다 밀도가 크므로 판 Ⅱ는 판 Ⅰ 아래로 섭입한다.
ㄴ. 섭입형 수렴형 경계에서 마그마는 밀도가 작은 판 아래에 위치한 섭입대에서 발생하여 분출하므로 화산 활동은 밀도가 작은 판 위에서 활발하게 일어난다. 따라서 화산 활동은 판 Ⅱ보다 판 Ⅰ에서 더 활발하다.

675

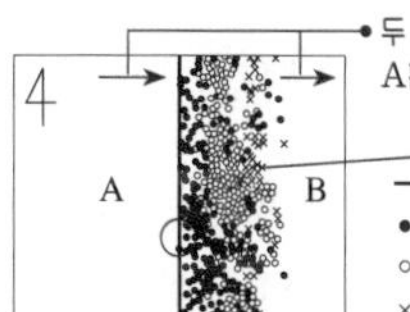
4
A
B
두 판이 모두 동쪽으로 이동하면서 수렴형 경계가 되려면 A판보다 B판의 이동 속력이 더 느려야 한다.
B 쪽으로 갈수록 진원의 깊이가 깊어진다. → A판이 B판 아래로 섭입 → A판이 B판보다 밀도가 크다. → 화산 활동도 B판에서 활발하게 일어남
— 판의 경계
• 천발 지진
◦ 중발 지진
× 심발 지진
섭입형 수렴형 경계가 발달하고 해구가 형성되어 있다.

ㄴ. A와 B의 경계는 섭입형 수렴형 경계이므로 해구가 발달한다.
ㄹ. A와 B 두 판의 이동 방향이 같으면서 두 판의 경계에 수렴형 경계가 발달하려면 상대적으로 더 동쪽에 있는 B의 이동 속력이 A보다 작아야 한다. 따라서 ㉠은 6보다 작다.
바로알기 | ㄱ. 판의 경계 부근에서 천발 지진뿐만 아니라 심발 지진도 발생하면서 B 쪽으로 갈수록 진원의 깊이가 깊어지므로 섭입형 수렴형 경계이다.
ㄷ. 섭입형 수렴형 경계 부근에서 진원의 깊이는 밀도가 작은 판 쪽으로 갈수록 깊어진다. 따라서 B는 A보다 밀도가 작다.

676 • 질문 카드 1: '화산 활동이 활발한가?'가 되면 화산 활동이 활발하지 않은 A는 산안드레아스 단층이 된다. 질문 카드 2: '맨틀 대류의 상승부인가?'가 되면 발산형 경계가 발달한 C는 동아프리카 열곡대가 되고, B는 안데스산맥이 된다.
• 질문 카드 1: '화산 활동이 활발한가?'가 되면 A는 산안드레아스 단층이 된다. 질문 카드 2: '맨틀 대류의 하강부인가?'가 되면 B는 동아프리카 열곡대, C는 안데스산맥이 된다.
• 질문 카드 1: '지진 중 천발 지진만 발생하는가?'가 되면, '아니요'에 해당하는 A는 안데스산맥이 된다. 질문 카드 2: '맨틀 대류의 상승부인가?' 또는 '화산 활동이 활발한가?'가 되면 C는 동아프리카 열곡대가 되고, B는 산안드레아스 단층이 된다.

모범 답안 • 질문 카드 1: 화산 활동이 활발한가?, 질문 카드 2: 맨틀 대류의 상승부인가?, A: 산안드레아스 단층, B: 안데스산맥, C: 동아프리카 열곡대
• 질문 카드 1: 화산 활동이 활발한가?, 질문 카드 2: 맨틀 대류의 하강부인가?, A: 산안드레아스 단층, B: 동아프리카 열곡대, C: 안데스산맥
• 질문 카드 1: 지진 중 천발 지진만 발생하는가?, 질문 카드 2: 맨틀 대류의 상승부인가? 또는 화산 활동이 활발한가?, A: 안데스산맥, B: 산안드레아스 단층, C: 동아프리카 열곡대

677 (1) 해령이 발달하므로 발산형 경계가 나타나고, 해령과 해령 사이에 두 판이 서로 어긋나면서 이동하는 보존형 경계가 나타난다.
(2) 지진은 활발하지만 화산 활동이 일어나지 않는 구간은 변환 단층인 C에 해당한다.

678 ① 히말라야산맥과 안데스산맥은 모두 습곡 산맥으로 두 판이 충돌하거나 섭입하여 생기는 수렴형 경계에서 형성되므로 맨틀 대류의 하강부에 위치한다.

679 **모범 답안** ㉠ 발산형 경계, ㉡ 보존형 경계, ㉢ 수렴형 경계, ㉣ 해령, ㉤ 변환 단층, ㉥ 해구, ㉦ 천발 지진, 화산 활동, ㉧ 천발 지진, ㉨ 천발 지진, 중발 지진, 심발 지진, 화산 활동

개념 보충

판 경계의 종류와 특징

판 경계	경계부의 판	발달 지형	지각 변동	예
발산형 경계	해양판, 해양판	해령, V자 열곡	화산 활동, 천발 지진	대서양 중앙 해령
	대륙판, 대륙판	열곡대		동아프리카 열곡대
수렴형 경계	해양판, 대륙판	해구, 호상 열도, 습곡 산맥	화산 활동, 천발~심발 지진	일본 해구, 안데스산맥
	해양판, 해양판	해구, 호상 열도		마리아나 해구
	대륙판, 대륙판	습곡 산맥	천발~중발 지진	히말라야산맥
보존형 경계	해양판, 대륙판	변환 단층	천발 지진	산안드레아스 단층
	해양판, 해양판			케인 단층

680 ② 해령과 해령 사이에 위치한 B는 보존형 경계로 변환 단층이 발달한다.
④ C는 해령으로 맨틀 대류가 상승하는 곳이다.
⑤ 해령인 C에서는 마그마가 분출하여 식으면서 새로운 판이 생성된다.
⑥ A와 D는 해령을 중심으로 반대 방향에 있으므로 서로 다른 판에 위치한다.
⑦ 해양 지각의 나이는 해령에서 멀어질수록 많아지므로 D가 C보다 많다.
바로알기 | ① A는 판 경계가 아니다.
③ B에서는 천발 지진이 발생하지만 화산 활동은 일어나지 않는다.

681 ① 안데스산맥은 (가)와 같이 해양판과 대륙판이 만나는 경계에서 형성된 것이다.
③ 화산 활동은 충돌형 수렴형 경계인 (나)보다 섭입형 수렴형 경계인 (가)에서 활발하게 일어난다.
④ 섭입대가 발달한 (가)에서는 천발~심발 지진이 발생하고, (나)의 충돌형 수렴형 경계에서는 지층이 휘어지거나 끊어지면서 지진이 발생하므로 천발~중발 지진이 발생한다.
⑤ (가)와 (나)는 모두 판과 판이 모여드는 수렴형 경계이다.

바로알기 | ② (나)는 대륙판끼리 충돌하는 경계로 히말라야산맥과 같은 습곡 산맥이 형성되지만 새로운 대륙 지각이 생성되지는 않는다.

682 ㄷ. (나)는 판 경계에서 판이 생성되어 양쪽으로 확장되어 가므로 판 경계에서 멀어질수록 지각의 나이가 많다.

바로알기 | ㄱ. (가)는 대륙판끼리 충돌하는 충돌형 수렴형 경계이다.
ㄴ. (나)는 판이 생성되는 발산형 경계로 맨틀 물질이 상승한다.

683 (가)는 대륙판끼리 충돌하는 충돌형 수렴형 경계로 히말라야산맥과 같은 습곡 산맥이 형성된다. (나)는 해양판이 대륙판 아래로 섭입하는 섭입형 수렴형 경계로 해구가 발달하며 안데스산맥과 같은 습곡 산맥이 형성된다. (다)는 해양판이 해양판 아래로 섭입하는 섭입형 수렴형 경계로 해구가 발달하며 호상 열도가 형성된다.

모범 답안 (가)는 습곡 산맥, (나)는 해구, 습곡 산맥, (다)는 해구, 호상 열도가 형성된다.

684 (가)는 발산형 경계, (나)는 보존형 경계, (다)는 수렴형(섭입형) 경계이다.
ㄱ. 발산형 경계인 (가)에서는 장력에 의해 정단층이 주로 나타난다.

바로알기 | ㄴ. (가)~(다) 중 화산 활동이 활발하게 일어나는 경계는 발산형 경계인 (가)와 수렴형(섭입형) 경계인 (다)이다.
ㄷ. (다)에서 섭입되어 소멸하는 지각은 밀도가 상대적으로 더 큰 해양 지각이다.

685 ② B에서 A 쪽으로 섭입대가 기울어져 있고 섭입대를 따라 지진이 발생하므로 B에서 A로 갈수록 진원의 깊이가 깊어진다.
③ C 경계는 변환 단층으로 판과 판이 서로 어긋나면서 이동한다.
⑤ D 경계는 발산형 경계인 해령으로 새로운 해양 지각이 생성된다.
⑥ 모든 판의 경계에서는 천발 지진이 발생하므로 B, C, D 경계에서는 모두 천발 지진이 발생한다.

바로알기 | ① A는 수렴형(섭입형) 경계 부근에서 형성되므로 안데스산맥과 같은 습곡 산맥이 생성된다.
④ 변환 단층인 C 경계에서는 지하에서 마그마가 생성되지 않으므로 화산 활동이 일어나지 않는다.

686 ㄱ. 심해 퇴적물의 두께는 해양 지각의 나이가 많을수록 두껍고, 해양 지각의 나이는 해령에서 멀어질수록 많아진다. 따라서 심해 퇴적물의 두께는 A 지점이 해령인 B 지점보다 두껍다.

바로알기 | ㄴ. B 지점은 해령으로 두 해양판이 인접해 있고, C 지점은 해구로 대륙판과 해양판이 인접해 있으므로 이웃한 판의 밀도 차이는 C 지점이 B 지점보다 크다.
ㄷ. 판 경계가 발달한 태평양 연안이 판 경계가 발달하지 않은 내서양 연안보다 지진이 자주 발생한다.

687 A는 수렴형(충돌형) 경계, B는 판의 내부, C는 수렴형(섭입형) 경계, D는 보존형 경계, E는 발산형 경계, F는 판의 내부이다. 화산 활동이 활발한 지역은 C, E이다.

688 ① 수렴형(충돌형) 경계인 A에는 히말라야산맥이 형성되어 있다.
③ 보존형 경계인 D에는 변환 단층인 산안드레아스 단층이 형성되어 있다.

바로알기 | ② 수렴형(섭입형) 경계인 C에는 알류샨 해구가 형성되어 있다.
④, ⑤ 발산형 경계인 E에는 동태평양 해령이 형성되어 있다.

689 ① A는 발산형 경계로 열곡대가 형성되어 있다.

바로알기 | ②, ③, ④, ⑤ B는 수렴형(충돌형) 경계로 습곡 산맥이, C는 보존형 경계인 변환 단층이, D는 수렴형(섭입형) 경계로 해구와 습곡 산맥이, E는 수렴형(섭입형) 경계로 해구와 호상 열도가 형성되어 있다.

690 그림은 대륙판끼리 충돌하는 수렴형(충돌형) 경계로 B에 해당한다.

691 ② B는 수렴형(섭입형) 경계인 일본 해구로 해구와 나란하게 호상 열도가 생긴다.
③ C는 변환 단층으로 천발 지진이 발생한다.
⑤ 인접한 두 판의 밀도 차이는 대륙판과 해양판이 인접해 있는 D가 두 해양판이 인접해 있는 E보다 크다.
⑥ 횡압력이 작용하는 수렴형(충돌형) 경계인 A에는 역단층이, 장력이 작용하는 발산형 경계인 E에는 정단층이 주로 나타난다.
⑦ D는 수렴형(섭입형) 경계로 판이 소멸하는 경계이다.

바로알기 | ① A는 수렴형(충돌형) 경계로 천발 지진은 발생하나 화산 활동은 거의 일어나지 않는다.
④ 판이 생성되는 경계는 발산형 경계인 E이다. C에서는 판이 생성되지 않는다.

692 **모범 답안** B와 D 경계에서 모두 해구가 발달하며, B 경계 부근에서는 호상 열도가 발달하고, D 경계 부근에서는 습곡 산맥이 발달한다.

693 ㄱ. A와 B는 발산형 경계를 사이에 두고 양쪽에 위치한 지점이므로 판이 생성되고 확장되면 두 지점 사이의 거리는 점점 멀어질 것이다.
ㄹ. C는 대륙판이 양쪽으로 갈라지는 발산형 경계이므로 천발 지진과 화산 활동이 일어난다.

바로알기 | ㄴ. A와 B 사이에 발산형 경계인 해령이 발달한다.
ㄷ. C는 육지에 발달한 발산형 경계로 열곡대가 발달하고 장력이 작용하므로 정단층이 나타날 것이다.

694 ㄴ. C는 두 판이 서로 어긋나면서 이동하는 보존형 경계로 변환 단층이 발달한다.
ㄷ. 변환 단층을 사이에 두고 서로 다른 판에 위치한 샌프란시스코와 로스앤젤레스는 판의 이동에 의해 점점 가까워질 것이다.
ㄹ. 변환 단층 부근에 위치한 로스앤젤레스에는 천발 지진이 자주 발생할 것이다.

바로알기 | ㄱ. 해양 지각의 나이는 해령에서 멀어질수록 많아지므로 A가 B보다 많다.

695 ㄱ. 수렴형(섭입형) 경계인 A에서 밀도가 큰 태평양판이 밀도가 상대적으로 작은 인도-오스트레일리아판 아래로 섭입한다.

바로알기 | ㄴ. 변환 단층인 B에서는 천발 지진이 주로 발생한다.
ㄷ. A를 경계로 지진은 주로 상대적으로 밀도가 작은 판 위에서 발생하므로 인도-오스트레일리아판 쪽에서 더 자주 발생한다.

696 (1) A는 호 모양으로 줄지어 형성되어 있는 호상 열도로 수렴형(섭입형) 경계를 따라 나란히 발달하므로 B는 수렴형 경계이다.
(2) 수렴형(섭입형) 경계에서는 (나) 판이 (가) 판 아래로 섭입하면서 섭입대가 만들어지고 섭입대에서 생성된 마그마가 판 경계를 따라 분출하면서 섬을 형성하는데, 이것이 호상 열도이다.

모범 답안 (1) 호상 열도, 수렴형 경계
(2) (가)보다 밀도가 큰 (나)가 (가)의 아래로 섭입하면서 (가)의 아래에서 마그마가 생성되어 분출하기 때문이다.

697 ① 유라시아판 아래로 태평양판이 섭입하므로 유라시아판은 태평양판보다 밀도가 작다.
② 일본 열도는 호상 열도로 판의 경계를 따라 형성된 해구에 나란하게 생성된다.
③ 진앙은 밀도가 작은 판 위쪽에 주로 나타나므로 유라시아판 위쪽에 나타난다.
⑤ 해구에서는 밀도가 큰 해양판이 섭입하여 소멸된다.
바로알기 | ④ 화산 활동은 밀도가 작은 판 위에서 활발하므로 해구의 서쪽에서 더 활발하게 일어난다.

698 ㄷ. B가 A 아래로 섭입되므로 판의 평균 밀도는 B>A이고, B가 C 아래로 섭입되므로 판의 평균 밀도는 B>C이다. 또한, C가 A 아래로 섭입되므로 판의 평균 밀도는 C>A이다.
ㄹ. 섭입대를 따라 지진이 발생하므로 (나)에서 (가)로 갈수록 진원의 깊이가 깊다.
바로알기 | ㄱ, ㄴ. A는 유라시아판으로 대륙판이고, B, C는 각각 태평양판과 필리핀판으로 해양판이다.
ㅁ. A와 B의 경계, A와 C의 경계는 수렴형(섭입형) 경계이고, B와 C의 경계도 수렴형(섭입형) 경계이다.

699 ㄱ. 자료에서 지진의 분포를 보면 A에서 B로 갈수록 지진의 발생 깊이가 깊어진다.
ㄷ. 진원의 깊이 분포로 보아 유라시아판 아래로 인도−오스트레일리아판이 섭입하는 지역이다.
바로알기 | ㄴ. 진앙은 북서−남동 방향의 띠 모양으로 분포하므로 판의 경계인 해구가 이 방향으로 형성되어 있다.
ㄹ. A와 B 사이에 해구가 발달하므로 맨틀 대류를 따라 물질이 하강하여 화산 활동이 활발하다.

700 ㄷ. 진원의 깊이가 우리나라 쪽으로 오면서 깊어지는 것으로 보아 판의 수렴형(섭입형) 경계 부근이다.
바로알기 | ㄱ. 우리나라와 일본은 모두 대륙판인 유라시아판에 속한다.
ㄴ. 우리나라 동해에는 판 경계가 없고, 일본의 동쪽 해양에 판 경계가 있어서 해구가 발달한다.

최고 수준 도전 기출 (18~21강)

174~175쪽

701 ② 702 ⑤ 703 ① 704 ① 705 ② 706 ②
707 ③ 708 ③

701 ㄷ. 금성이나 화성보다 지구의 층상 구조가 복잡한 까닭은 지구에 오존층이 존재하여 높이 올라갈수록 기온이 높아지는 성층권이 형성되었기 때문이다.
바로알기 | ㄱ. A층은 대류권으로 지표에서 방출되는 복사 에너지를 흡수하여 가열되므로 높이 올라갈수록 기온이 낮아진다.
ㄴ. B층인 중간권은 불안정한 층으로 공기의 대류가 일어난다.

702 ①, ② (가)는 기권의 층상 구조이고, (나)는 지권의 층상 구조이다.
③ 태양으로부터 오는 자외선은 A층(성층권)에 있는 오존층에서 대부분 흡수된다.
④ 대류권인 B층은 높이 올라갈수록 지표에서 방출되는 복사 에너지가 적게 도달하기 때문에 기온이 낮아진다.
바로알기 | ⑤ C층은 외핵으로 지진파 중 S파는 통과하지 못하고 P파만 통과한다.

703 ㄱ. ㉠은 유해한 우주선과 태양풍을 차단시키므로 지구 자기권이다.
바로알기 | ㄴ. A 시기에는 지구 자기권이 존재하였지만 오존층은 형성되지 않았다. 따라서 유해한 자외선이 지표에 도달하여 생물권이 육상으로 확장될 수 없었다.
ㄷ. ㉡은 오존층이므로 생물의 광합성에 의해 대기로 방출된 산소가 증가하여 형성되었다. 외핵의 운동에 의해 형성된 것은 지구 자기권이다.

704 ㄱ. 온실 효과는 온실 기체인 이산화 탄소 농도가 훨씬 높았던 40억 년 전이 현재보다 컸을 것이다.
바로알기 | ㄴ. 원시 대기 중의 이산화 탄소가 감소한 주요 원인은 해수 중에 용해되었기 때문이므로 기권과 수권의 상호 작용인 B에 속한다.
ㄷ. 20억 년 전에 생물은 바다 속에만 분포하고 있었으므로 대기 중의 산소는 바다 생물에 의해 생성되었다.

705 ㄴ. 화석 연료의 연소 과정에서 이산화 탄소가 배출되므로 지권의 탄소가 기권으로 이동하는 ㉠ 과정에 해당한다.
바로알기 | ㄱ. 광합성에 의해 기권의 탄소가 생물권으로 이동하므로 A는 기권, B는 생물권이다. 해수 중 탄산 이온은 칼슘 이온과 결합하여 석회암을 형성하는데, 이때 탄소가 수권에서 지권으로 이동하므로 D는 수권, C는 지권이다.
ㄷ. 탄소의 양은 대부분 지권에 분포하므로 A~D 중 C에 가장 많다.

706 ① A는 증발, B는 강수 과정으로 바다에서는 A의 양이 B보다 많다.
⑤ 화산 폭발로 분출된 화산재 등이 퇴적되어 퇴적암인 응회암이 된다.
바로알기 | ② C는 풍화·침식 과정으로 태양 에너지에 의해 일어나고, D는 암석의 변성 과정으로 지구 내부 에너지에 의해서 일어난다.

707 ㄷ. A 지점이 속한 판이 C 지점이 속한 판 아래로 섭입한 것이므로 A 지점이 속한 판이 C 지점이 속한 판보다 밀도가 크다.
ㄹ. 화산 활동은 상대적으로 밀도가 작은 판 위에서 활발하므로 A−B 구간보다 B−C 구간에서 활발하게 일어난다.
바로알기 | ㄱ. (나)에서 진원의 깊이 분포를 보면 섭입대가 C 쪽으로 기울어져 있으므로 A 지점이 속한 판이 C 지점이 속한 판 아래로 섭입한 것이다. 따라서 A 지점은 상대적으로 밀도가 큰 해양판에, C 지점은 밀도가 작은 대륙판에 속해 있다.
ㄴ. 수렴형(섭입형) 경계인 B 지점에 해구가 발달한다.

708 ㄱ. 같은 연령인 해양 지각이 열곡으로부터 더 멀리 있을수록 판의 이동 속력은 빠르다. 따라서 판의 이동 속력은 A 해양보다 B 해양에서 더 빠르다.
ㄷ. 이 지형 부근의 온도가 상승하여 맨틀 대류 속도가 빨라지면 판의 이동 속력은 빨라질 것이다.
바로알기 | ㄴ. 나이가 많아서 오래된 해양 지각일수록 냉각·수축이 많이 되어 수심이 깊다. 따라서 열곡 정상으로부터 같은 거리에 위치한 지점에서 나이가 더 많은 A 해양이 B 해양보다 수심이 깊다.

22 세포와 생명 시스템

빈출 자료 보기 177쪽

709 (1) ○ (2) × (3) ○ (4) ○ (5) ○ (6) ○ (7) ×

710 (1) ○ (2) × (3) × (4) ○ (5) × (6) × (7) ×

709 **바로알기 |** (2) (라)는 식물체에 없는 기관계 단계이다. 동물체와 식물체의 공통 구성 단계는 세포(가) → 조직(나) → 기관(다) → 개체(마)이다.

(7) 식물의 뿌리, 줄기, 잎은 기관(다) 단계에 해당한다.

710 **바로알기 |** (2) 엽록체(A)에서는 광합성이 일어난다. 세포 호흡이 일어나는 장소는 미토콘드리아(B)이다.

(3) 미토콘드리아(B)는 식물 세포와 동물 세포에 모두 있다. 엽록체(A)와 세포벽(G)이 식물 세포에는 있고, 동물 세포에는 없는 구조이다.

(5) 리보솜(E)은 막으로 둘러싸여 있지 않은 구조이고, 골지체(F)는 단일막 구조이다.

(6) 리보솜(E)에서 만들어진 단백질은 소포체(C)를 통해 골지체(F)로 운반된 후 세포 밖으로 분비된다.

(7) 식물 세포의 세포벽(G) 안쪽에 세포막이 있다.

난이도별 필수 기출 178~183쪽

711 ②	712 ②	713 ④	714 ④	715 ②	716 ⑤
717 ③	718 ②	719 ③	720 ⑥	721 해설 참조	
722 ④	723 ①	724 C	725 해설 참조		726 ③
727 ②	728 ③	729 ③	730 ⑤, ⑦		731 ⑤
732 ④	733 ②	734 리보솜(B) → 소포체(C) → 골지체(A)			
735 ⑤	736 ①	737 ②, ⑤		738 해설 참조	
739 ①	740 ③				

711 세포는 생명 시스템을 구성하는 구조적 단위이자 생명 활동이 일어나는 기능적 단위이다.

712 생명 시스템의 기본 단위는 세포이며, 모양과 기능이 비슷한 세포가 모여 조직을 이루고, 여러 조직이 모여 고유한 형태와 기능을 가진 기관을 이룬다. 그리고 여러 기관이 모여 독립적으로 생명 활동을 할 수 있는 개체가 된다.

713 ㄱ, ㄷ. (가)는 생명 시스템의 기본 단위인 세포이고, (나)는 여러 조직이 모여 고유한 형태와 기능을 가진 기관이다.

ㄴ. 위, 폐, 심장은 기관(나)이다.

바로알기 | ㄹ. 조직은 모양과 기능이 비슷한 세포가 모여 이루어진다.

714 (가)는 세포(근육 세포), (나)는 조직(근육 조직), (다)는 기관(위), (라)는 기관계(소화계)이다.

ㄱ. 세포(가)는 생명 시스템의 구조적·기능적 단위이다.

ㄴ. 조직(나)은 모양과 기능이 비슷한 세포가 모여 이루어진다.

ㄹ. (라)는 연관된 기능을 하는 여러 기관이 모인 기관계이다. 기관계(라)는 동물체에는 있지만, 식물체에는 없는 구성 단계이다.

바로알기 | ㄷ. (다)는 여러 조직이 모여 고유한 형태와 기능을 가진 기관이다. 즉, 기관(다)은 여러 종류의 조직으로 구성된다.

715 (가) 동물체의 구성 단계: 세포(근육 세포) → 조직(근육 조직, A) → 기관(소장) → 기관계(소화계) → 개체(사람)

(나) 식물체의 구성 단계: 세포(체관 세포) → 조직(통도 조직) → 조직계(관다발 조직계, B) → 기관(줄기, C) → 개체(참나무)

ㄴ. B는 식물체의 구성 단계 중 조직계 단계이다. 물관 조직, 체관 조직과 같은 통도 조직은 관다발 조직계(B)를 구성한다.

바로알기 | ㄱ. 간은 동물의 기관으로, 소장과 같은 단계이다.

ㄷ. C는 기관 단계이다. 식물의 기관에는 영양 기관에 속하는 잎, 줄기(C), 뿌리와 생식 기관에 속하는 꽃과 열매가 있다. 생장점은 식물의 분열 조직이다.

개념 보충

식물의 조직계

- 표피 조직계: 식물체의 바깥 표면을 덮어 식물을 보호한다.
- 관다발 조직계: 물과 양분의 이동 통로가 된다.
- 기본 조직계: 광합성, 양분 저장, 지지 작용 등을 한다.

716 ①, ④ 세포에는 핵, 미토콘드리아, 리보솜, 소포체, 엽록체 등 구조와 기능이 다양한 세포 소기관이 있다. 생물을 구성하는 기본 단위인 세포도 하나의 생명 시스템이며, 여러 세포 소기관이 상호 작용하여 생명 활동이 일어나 생명 시스템을 유지한다.

② 아메바, 짚신벌레와 같은 단세포 생물은 세포 하나가 곧 개체이다.

③ 식물체에는 조직계가 있고, 기관계가 없다.

바로알기 | ⑤ 다세포 생물의 몸은 모양과 크기가 다양한 여러 세포로 이루어져 있다.

717 기관과 조직은 동물체와 식물체에 모두 있고, 조직계는 식물체에만 있으므로 (가)에 없는 단계인 B는 조직계이고, (가)는 동물체이다. ➜ (가)는 개, (나)는 소나무이고, A와 C는 각각 기관과 조직 중 하나이다.

ㄱ. 동물인 개(가)의 구성 단계에는 기관계가 있다.

ㄷ. A와 C는 각각 기관과 조직 중 하나로, 동물체와 식물체에 공통적으로 있는 구성 단계이다. 따라서 ㉠과 ㉢은 '있음'이다. 식물인 소나무(나)에는 조직계(B)가 있다(㉡).

바로알기 | ㄴ. 잎은 조직계(B)가 아니라 기관이다.

718 ㄱ. 세포막은 세포를 둘러싸서 세포 안을 주변 환경과 분리하고, 세포 안팎으로 물질이 출입하는 것을 조절한다.

ㄴ. 세포에는 핵, 미토콘드리아, 리보솜, 소포체, 엽록체 등 구조와 기능이 다양한 세포 소기관이 있다.

바로알기 | ㄷ. 세포는 생명 활동을 유지하기 위해 세포막을 통해 끊임없이 외부와 상호 작용 한다.

719 ㄷ, ㄹ. 세포벽과 엽록체는 동물 세포에는 없고 식물 세포에만 있다.

바로알기 | ㄱ, ㄴ, ㅁ. 리보솜, 세포막, 미토콘드리아는 동물 세포와 식물 세포에 모두 있다.

720 ① 엽록체에서는 빛에너지를 이용하여 물과 이산화 탄소를 포도당과 같은 유기물로 합성하는 광합성이 일어난다.

③ 핵은 유전 물질인 DNA가 있어 세포의 구조와 기능을 결정하며, 생명 활동을 조절한다.

905 두 염기 수용액에서 공통으로 들어 있는 ◎은 OH^-이다.
① 두 수용액의 액성은 모두 염기성이다.
② 두 수용액은 염기이므로 모두 금속과 반응하지 않는다.
③ 두 수용액에는 이온이 존재하므로 모두 전기 전도성이 있다.
⑤ 두 수용액은 염기이므로 페놀프탈레인 용액을 떨어뜨리면 모두 붉은색이 나타난다.

바로알기 | ④ AOH는 물에 녹아 모두 이온화하여 넣어 준 개수만큼 A^+과 OH^-을 내놓는다. 반면 BOH는 물에 녹은 것 중 일부만 이온화하여 B^+과 OH^-을 내놓으므로 수용액에 들어 있는 양이온 수는 AOH가 BOH보다 크다.

906 (1) 같은 개수의 염기를 물에 녹일 때 NaOH은 물에 녹아 모두 이온화하여 넣어 준 개수만큼 OH^-을 내놓는다. 반면 NH_3는 물에 녹은 것 중 일부만 이온화하여 OH^-을 내놓으므로 염기의 세기는 NaOH이 NH_3보다 세다.

모범 답안 (1) (가)
(2) 수용액의 전기 전도율을 비교하면 전기 전도율이 더 큰 물질이 염기의 세기가 세고, 수용액의 pH를 측정하면 pH가 클수록 염기의 세기가 세다.

907 묽은 염산(HCl)은 물에 녹아 모두 이온화하였고, 아세트산(CH_3COOH) 수용액은 물에 녹은 것 중 일부만 이온화하였으므로 묽은 염산은 아세트산 수용액보다 산의 세기가 세다.
ㄱ. 묽은 염산과 아세트산 수용액은 모두 산 수용액이므로 수용액에 공통으로 존재하는 ●은 수소 이온(H^+)이다. 따라서 산의 공통적인 성질은 ● 때문에 나타난다.
ㄴ. 산 수용액에 몇 가지 금속을 넣으면 수소 기체가 발생한다. 수소 이온의 농도가 클수록 반응 초기에 수소 기체가 활발하게 발생하므로 마그네슘을 넣은 직후 발생하는 수소 기체의 부피는 아세트산 수용액 < 묽은 염산이다.
ㄷ. 수소 이온의 농도가 클수록 pH가 작으므로 수용액의 pH는 묽은 염산 < 아세트산 수용액이다.

908 A는 BTB 용액을 파란색으로 변화시키므로 염기성 용액인 수산화 나트륨(NaOH) 수용액이고, B는 푸른색 리트머스 종이의 색깔을 붉게 변화시키므로 산성 용액인 묽은 염산(HCl)이고, C는 중성 용액인 증류수(H_2O)이다.
① A는 염기성 용액이므로 푸른색 리트머스 종이의 색깔을 변화시키지 못한다. 따라서 ㉠은 '변화 없음'이 적절하다.
③ C는 중성 용액이므로 BTB 용액을 떨어뜨리면 초록색이 나타난다. 따라서 ㉢은 '초록색'이 적절하다.

바로알기 | ② B는 산성 용액이므로 마그네슘(Mg) 리본을 넣으면 수소 기체(H_2)가 발생한다. 따라서 ㉡은 '수소 기체 발생'이 적절하다.
④ A는 염기성 용액이므로 철(Fe) 조각을 넣어도 수소 기체가 발생하지 않는다.
⑤ B는 산성 용액이므로 페놀프탈레인 용액을 떨어뜨려도 색 변화가 없다.
⑥ C는 중성 용액이므로 달걀 껍데기를 넣어도 이산화 탄소 기체(CO_2)가 발생하지 않는다.

909 HNO_3과 H_2CO_3은 물에 녹아 H^+을 내놓는 산이므로 (가) 수용액에 전류를 흘려 주면 전류가 흐르고, (나) $CaCO_3$과 반응하여 CO_2가 발생한다. NH_3는 물에 녹아 OH^-을 내놓는 염기이므로 (가) 수용액에 전류를 흘려 주면 전류가 흐르고, (다) 페놀프탈레인 용액을 떨어뜨리면 붉은색으로 변한다. CH_3OH은 물에 녹지만 이온화하지 않으므로 중성 물질이다.
② (가)의 결과가 나타나는 물질은 NH_3, HNO_3, H_2CO_3으로 세 가지, (나)의 결과가 나타나는 물질은 HNO_3, H_2CO_3으로 두 가지, (다)의 결과가 나타나는 물질은 NH_3로 한 가지이다.

910 네 가지 수용액 중 물에 녹아 이온화하여 전기 전도성이 있는 물질은 산인 H_2SO_4, CH_3COOH과 염기인 NaOH이므로 (가)는 C_2H_5OH이다. H_2SO_4, CH_3COOH, NaOH 수용액 중 BTB 용액의 색을 파란색으로 변화시키는 것은 염기이므로 (나)는 NaOH이다. 나머지 H_2SO_4과 CH_3COOH 수용액 중 식초에 들어 있는 물질은 CH_3COOH이므로 (다)는 CH_3COOH이고, (라)는 H_2SO_4이다.
ㄱ. (가)는 전기 전도성이 없는 물질이므로 C_2H_5OH이다.
ㄷ. (다) CH_3COOH 분자 1개는 물에 녹아 H^+을 1개 내놓고, (라) H_2SO_4 분자 1개는 물에 녹아 H^+을 2개 내놓는다.

바로알기 | ㄴ. (나) NaOH은 물에 녹아 Na^+과 OH^-을 내놓고, (다) CH_3COOH은 물에 녹아 H^+과 CH_3COO^-을 내놓는다.

911 ㄱ. 묽은 황산(H_2SO_4)에 아연(Zn)판을 넣으면 $Zn + 2H^+ \longrightarrow Zn^{2+} + H_2$의 반응이 일어나므로 X_2는 수소 기체(H_2)이다.
ㄴ. (나)에서 수용액 속 수소 이온(H^+)은 전자를 얻어 수소 기체로 날아가므로 수용액 속 수소 이온의 농도가 감소한다. 따라서 pH는 (가) < (나)이다.
ㄹ. 반응이 끝난 후 (나)에는 이온이 존재하므로 수용액에 전원 장치를 연결하면 전류가 흐른다.

바로알기 | ㄷ. 황산 이온(SO_4^{2-})은 반응에 참여하지 않으므로 기체가 발생하는 동안 황산 이온 수는 일정하다.

912 ① 질산 칼륨(KNO_3) 수용액에는 칼륨 이온(K^+)과 질산 이온(NO_3^-)이 존재하므로 전기 전도성이 있다.
③ 전류를 흘려 주면 수소 이온(H^+)은 (−)극 쪽으로 이동하면서 푸른색 리트머스 종이를 붉게 변화시키므로 리트머스 종이의 색 변화가 (−)극 쪽으로 일어난다.
④ 염화 이온(Cl^-)은 (−)전하를 띠므로 (+)극 쪽으로 이동한다.
⑤ 묽은 황산(H_2SO_4)도 물에 녹아 수소 이온을 내놓으므로 같은 실험 결과가 나타난다.
⑥ 전극의 방향을 반대로 하면 (−)극이 오른쪽에 위치하므로 수소 이온이 오른쪽으로 이동한다. 따라서 색 변화도 오른쪽으로 일어난다.
⑦ 다른 산 수용액으로 실험해도 같은 결과가 나타나므로 산성은 수소 이온 때문임을 알 수 있다.

바로알기 | ② 산의 공통적인 성질을 알아보기 위한 실험이므로 푸른색 리트머스 종이를 사용해야 한다.

913 (1) (−)전하를 띠는 이온은 모두 (+)극 쪽으로 이동하므로 HCl의 Cl^-과 KNO_3 수용액의 NO_3^-은 (+)극 쪽으로 이동한다.
(2) (+)전하를 띠는 이온은 모두 (−)극 쪽으로 이동하므로 HCl의 H^+과 KNO_3 수용액의 K^+은 (−)극 쪽으로 이동한다.
(3) 푸른색 리트머스 종이를 붉게 변화시키는 이온은 산의 H^+이다.

914 ㄱ. 수산화 이온(OH^-)은 붉은색 리트머스 종이를 푸르게 변화시킨다.

바로알기 | ㄴ. 수산화 이온이 A극 쪽으로 이동하였으므로 A극은 (+)극이고, B극은 (−)극이다. 따라서 칼륨 이온(K^+)은 B극 쪽으로 이동한다.
ㄷ. 묽은 염산(HCl)으로 실험하면 수소 이온(H^+)이 B극((−)극) 쪽으로 이동하지만 푸른색 리트머스 종이는 산에 의해 색 변화가 나타나지 않으므로 아무 변화가 없다.

915 ㄱ. 페놀프탈레인 용액을 붉게 변화시키는 것은 수산화 이온(OH^-)이다.

ㄴ. 수산화 이온은 (+)극 쪽으로 이동하고, 붉은색이 거름종이 가운데 쪽으로 이동하였으므로 B는 염기성 물질이고 A는 산성 물질이다. 따라서 A 수용액의 액성은 산성이다.

바로알기 | ㄷ. 전극의 방향을 서로 바꾸면 (−)극은 왼쪽에, (+)극은 오른쪽에 위치하므로 수산화 이온은 오른쪽으로 이동한다. 따라서 붉은색은 오른쪽으로 이동한다.

916 ㄱ. 자주색 양배추 지시약과 메틸 오렌지 용액의 색을 붉은색으로 변화시키므로 A의 액성은 산성이다.

ㄷ. 자주색 양배추 지시약의 색을 푸른색으로 변화시키고, 메틸 오렌지 용액을 떨어뜨리면 노란색이 나타나는 C의 액성은 염기성이므로 pH는 7보다 크다.

바로알기 | ㄴ. B의 액성은 염기성이므로 메틸 오렌지 용액을 떨어뜨리면 노란색(㉠)이 나타난다.

ㄹ. A는 산이고, B는 염기이므로 양이온의 종류가 서로 다르다.

917 ㄱ. (가)는 BTB 용액을 노란색으로 변화시키므로 수소 이온(H^+)이 들어 있다. 따라서 양이온인 ◯은 수소 이온이다.

ㄴ. (나)는 BTB 용액을 파란색으로 변화시키므로 수산화 이온(OH^-)이 들어 있다. 따라서 음이온인 ●은 수산화 이온이다.

바로알기 | ㄷ. (가)는 산성 용액, (나)는 염기성 용액이므로 메틸 오렌지 용액을 떨어뜨리면 (가)는 붉은색으로, (나)는 노란색으로 변한다.

918 ㄷ, ㄹ, ㅁ. 제산제, 소다 수용액, 하수구 세정제는 염기성 물질이므로 알루미늄(Al)과 반응하지 않고, BTB 용액을 떨어뜨리면 파란색이 나타난다.

바로알기 | ㄱ, ㄴ. 우유와 사이다는 산성 물질이다.

919 HCl에 Mg 조각을 넣으면 Mg은 전자를 잃고 Mg^{2+}이 되고, H^+은 전자를 얻어 H_2가 된다. HCl 속 H^+이 모두 반응하면 Mg은 더 이상 반응하지 않으므로 수용액 속 Mg^{2+} 수는 증가하지 않는다. 따라서 (나) 이후 반응이 완결되어 수용액 속에는 H^+이 존재하지 않는다.

ㄱ. (가)에는 H^+이 존재하므로 용액의 액성은 산성이다.

바로알기 | ㄴ. H^+ 2개가 반응하여 Mg^{2+} 1개를 생성하므로 반응이 일어날 때 전체 양이온 수는 감소한다. (가)는 반응이 완결되기 전이고, (나)는 반응이 완결된 순간이므로 수용액 속 전체 양이온 수는 (나)<(가)이다.

ㄷ. (다)는 반응이 완결된 이후이므로 수용액 속에 H^+이 존재하지 않는다. 따라서 용액의 액성은 중성이므로 페놀프탈레인 용액을 떨어뜨려도 붉은색으로 변하지 않는다.

920 ① 반응이 일어날 때 용액 속 H^+ 수가 감소하므로 용액의 pH는 증가한다.

⑤ 반응이 일어날 때 음이온인 Cl^-은 구경꾼 이온이므로 그 수가 일정하고, H^+ 2개가 반응하여 Mg^{2+} 1개가 생성되므로 전체 양이온 수는 감소한다. 따라서 $\frac{\text{전체 음이온 수}}{\text{전체 양이온 수}}$는 증가한다.

바로알기 | ②, ④ 반응이 일어날 때 전체 양이온 수가 감소하고, 음이온 수는 일정하므로 수용액 속 전체 이온 수는 감소한다. 용액의 부피는 일정하므로 전기 전도율도 감소한다.

③ 수용액은 항상 전기적으로 중성 용액이므로 전체 전하량의 합은 0으로 일정하다.

921 H_2O, H_2CO_3, $Ca(OH)_2$을 기준에 해당하는 물질과 해당하지 않는 물질로 분류하면 표와 같다.

기준	예	아니요
(가) 수용액에 전류가 흐르는가?	H_2CO_3, $Ca(OH)_2$	H_2O
(나) 단백질을 녹이는 성질이 있는가?	$Ca(OH)_2$	H_2CO_3, H_2O
(다) 붉은색 리트머스 종이를 푸르게 변화시키는가?	$Ca(OH)_2$	H_2CO_3, H_2O
(라) 마그네슘(Mg)과 반응하여 수소 기체(H_2)를 발생시키는가?	H_2CO_3	H_2O, $Ca(OH)_2$
(마) 페놀프탈레인 용액을 떨어뜨려도 색 변화가 없는가?	H_2CO_3, H_2O	$Ca(OH)_2$

③ H_2CO_3은 기준 B에 해당하는 물질이고 기준 A에 해당하는 물질은 ㉠ 한 가지이므로 기준 A로 가능한 것은 (나), (다)이다. 따라서 ㉠은 $Ca(OH)_2$이므로 ㉡은 H_2O이다. 기준 B에 H_2CO_3은 해당하고 H_2O은 해당하지 않으므로 기준 B로 가능한 것은 (가), (라)이다.

922 ㄱ. (가)와 (나)는 모두 페놀프탈레인 용액을 붉은색으로 변화시키는 염기성 용액이므로 (가)와 (나)에 공통으로 들어 있는 ■은 수산화 이온(OH^-)이다.

ㄷ. (나)에서 △은 염기의 양이온이다. 수산화 이온이 4개일 때 양이온 수가 2개이므로 양이온 1개의 전하량은 음이온 1개의 전하량 크기의 2배이다. 따라서 △ 1개의 전하량은 +2이다.

바로알기 | ㄴ. (가)에서 ●은 염기의 양이온이다.

29 중화 반응

빈출 자료 보기 235쪽

923 (1) ○ (2) ○ (3) ○ (4) ○ (5) × (6) × (7) ○

923 **바로알기 |** (5) (다)는 중화점 이후이므로 반응하지 않은 OH^-이 남아 있는 염기성 용액이다. 따라서 BTB 용액을 떨어뜨리면 파란색으로 변한다.

(6) HCl에 NaOH 수용액을 넣어 주면 H^+과 OH^-이 1 : 1의 개수비로 중화 반응을 하고, 반응하여 소모된 H^+ 수만큼 Na^+이 들어오므로 중화점까지 전체 이온 수는 일정하다. 중화점 이후에는 NaOH 수용액을 넣는 만큼 이온 수가 증가하므로 전체 이온 수는 (가)=(나)<(다)이다.

난이도별 필수 기출 236~243쪽

924 ③ 925 ③ 926 ③ 927 ① 928 해설 참조
929 ② 930 ② 931 ⑤ 932 ⑤ 933 ② 934 ④
935 ④ 936 ① 937 ⑤ 938 해설 참조 939 ⑤
940 ① 941 해설 참조 942 ② 943 ⑤ 944 ①
945 ⑤ 946 ②, ⑤ 947 ③ 948 ④ 949 ④
950 (1) 1 : 1 (2) 4 : 3 951 ⑤ 952 ③ 953 ⑤ 954 ⑤
955 ④ 956 ③ 957 ⑤ 958 ① 959 ③

924 ③ 중화점에서 혼합 용액의 액성이 변할 때 지시약의 색이 변하므로 지시약의 색 변화로 중화점을 확인할 수 있다.

바로알기 | ① 중화점에는 반응에 참여하지 않는 구경꾼 이온이 존재하므로 전류가 흐른다.

② 중화점에서 H^+과 OH^-이 모두 반응하여 중화열이 가장 많이 발생하므로 혼합 용액의 온도가 가장 높다.

④ 중화 반응에서 산의 양이온인 H^+과 염기의 음이온인 OH^-이 반응하여 물이 생성된다.

⑤ 산과 염기의 부피가 같더라도 같은 부피에 들어 있는 이온 수가 다르면, 즉 농도가 다르면 H^+이나 OH^-이 모두 반응하지 않으므로 반응하지 않은 H^+이나 OH^-이 남을 수 있다.

925 ③ 중화 반응에서 H^+과 OH^-은 1 : 1의 개수비로 반응하여 물을 생성한다. H^+ 30개와 OH^- 60개가 반응하면 물 분자 30개가 생성되고, 반응하지 않은 OH^- 30개는 혼합 용액에 남아 있으므로 혼합 용액의 액성은 염기성이다.

926 중화 반응에서 H^+과 OH^-은 1 : 1의 개수비로 반응하므로 같은 농도의 HCl과 NaOH 수용액은 같은 부피비로 반응한다. (가)와 (마)에서는 HCl과 NaOH 수용액이 각각 10 mL씩 반응하여 물을 생성하고, (나)와 (라)에서는 HCl과 NaOH 수용액이 각각 20 mL씩 반응하여 물을 생성하며, (다)에서는 HCl과 NaOH 수용액이 각각 30 mL씩 반응하여 물을 생성한다.

혼합 용액	(가)	(나)	(다)	(라)	(마)
HCl(mL)	10	20	30	40	50
NaOH 수용액(mL)	50	40	30	20	10
생성된 물 분자 수	10개	20개	30개	20개	10개

(가)에서 생성된 물 분자 수를 10개라고 하면, (나)~(마)에서 생성된 물 분자 수는 각각 20개, 30개, 20개, 10개이다.

③ 중화 반응이 일어날 때 열이 발생하므로 생성된 물 분자 수가 가장 많은 (다)의 온도가 가장 높다.

927 ㄱ. NaOH 수용액과 HCl을 혼합하면 중화 반응이 일어나 H_2O과 염인 NaCl을 생성한다. 따라서 ㉠은 H_2O이다.

바로알기 | ㄴ. 페놀프탈레인 용액은 염기성 용액에서는 붉은색, 중성과 산성 용액에서는 무색을 나타낸다. NaOH 수용액에 HCl을 넣어 주면 혼합 용액의 액성은 염기성, 중성, 산성 순으로 변하므로 혼합 용액의 붉은색은 중성 용액이 될 때 무색이 된다.

ㄷ. 중화 반응에 참여한 이온만으로 나타낸 알짜 이온 반응식은 $H^+ + OH^- \longrightarrow H_2O$이다. Na^+과 Cl^-은 실제 반응에 참여하지 않는 구경꾼 이온이다.

928 모범 답안 드라이아이스(CO_2)는 물에 녹아 탄산(H_2CO_3)을 생성한다. BTB 용액을 떨어뜨린 수산화 나트륨 수용액에 드라이아이스 조각을 충분히 넣어 반응시키면 혼합 용액의 액성은 염기성, 중성, 산성 순으로 변한다. 따라서 혼합 용액의 색 변화는 파란색, 초록색, 노란색 순으로 나타난다.

929 (가)에는 H^+ 2개, (나)에는 OH^- 1개가 들어 있으므로 (다)에는 반응하지 않은 H^+ 1개가 남아 있다.

ㄴ. H^+ 1개가 들어 있는 (다)에 OH^- 1개가 들어 있는 (나) 10 mL를 넣으면 혼합 용액의 액성은 중성이 되므로 혼합 용액의 pH는 7이다.

바로알기 | ㄱ. (다)의 액성은 산성이므로 페놀프탈레인 용액을 떨어뜨려도 색이 변하지 않는다.

ㄷ. 산의 음이온인 SO_4^{2-}과 염기의 양이온인 Na^+이 만나 생성된 염은 Na_2SO_4이다.

930 (가)에는 Cl^- 2개와 Na^+ 1개가 들어 있으므로 반응 전 HCl의 H^+ 1개와 NaOH 수용액의 OH^- 1개가 반응하여 물 분자 1개를 생성한다. (나)에는 Cl^- 1개와 Na^+ 2개가 들어 있으므로 반응 전 HCl의 H^+ 1개와 NaOH 수용액의 OH^- 1개가 반응하여 물 분자 1개를 생성한다. (다)에는 Cl^- 2개와 Na^+ 2개가 들어 있으므로 반응 전 HCl의 H^+ 2개와 NaOH 수용액의 OH^- 2개가 반응하여 물 분자 2개를 생성한다.

ㄷ. (가)와 (나)는 생성된 물 분자 수가 각각 1개로 같다.

바로알기 | ㄱ. (가)에는 H^+이 존재하므로 산성 용액, (나)에는 OH^-이 존재하므로 염기성 용액, (다)에는 H^+이나 OH^-이 존재하지 않으므로 중성 용액이다. 따라서 수용액의 pH는 (가)<(다)<(나)이다.

ㄴ. 중화열은 생성된 물 분자 수가 많을수록 많이 발생하므로 혼합 용액의 온도는 (다)가 (가)보다 높다.

931 ㄱ. (라)에는 OH^-이 존재하므로 염기성 용액이다. 따라서 pH는 7보다 크다.

ㄴ. (나)에는 H^+이 존재하므로 산성 용액이고, (다)에는 H^+이나 OH^-이 존재하지 않으므로 중성 용액이다. 따라서 (나)와 (다)에 페놀프탈레인 용액을 떨어뜨려도 색 변화는 없다.

ㄷ. (가)~(다)에서 전체 이온 수는 같고 부피는 (가)<(나)<(다)이므로 같은 부피에 들어 있는 전체 이온 수는 (다)가 가장 작다.

932 (다)에 Cl^-이 존재하므로 산 수용액 (가)는 HCl이다. (다)에 Cl^- 2개가 들어 있으므로 (가)에는 H^+ 2개, Cl^- 2개가 들어 있다. (다)에 A^{2+}이 존재하므로 염기 수용액 (나)는 $A(OH)_2$이다. (다)에 A^{2+} 1개가 들어 있으므로 (나)에는 A^{2+} 1개, OH^- 2개가 들어 있다.

ㄴ. (다)에서 중화열이 발생하므로 반응 직후 (다)의 온도는 (가)와 (나)보다 높다.

ㄷ. (가)에는 H^+ 2개, Cl^- 2개가 들어 있고, (나)에는 A^{2+} 1개, OH^- 2개가 들어 있으므로 용액 속 전체 이온 수는 (나)<(가)이다.

바로알기 | ㄱ. (나)의 화학식은 $A(OH)_2$이다.

933 HCl의 양이온 ○은 H^+이고, 음이온 ■은 Cl^-이다. NaOH의 양이온 □은 Na^+이고, 음이온 ▲은 OH^-이다. HCl 10 mL에는 H^+ 2개, Cl^- 2개가 들어 있으므로 HCl 15 mL에는 H^+ 3개, Cl^- 3개가 들어 있다. HCl 15 mL와 NaOH 수용액 10 mL를 혼합하면 H^+ 3개와 OH^- 3개가 반응하여 물을 생성하고 혼합 용액에는 Cl^- 3개와 Na^+ 3개가 존재한다.

ㄴ. H^+과 OH^-은 모두 반응하므로 혼합 용액 속에는 반응에 참여하지 않는 구경꾼 이온만 존재한다.

바로알기 | ㄱ. 혼합 용액 속에 들어 있는 이온은 ■(Cl^-)과 □(Na^+)뿐이다.

ㄷ. 혼합 용액의 액성은 중성이므로 BTB 용액을 떨어뜨리면 초록색이 나타난다.

934 (가)와 (나)에는 ☆이 공통으로 들어 있으므로 ☆은 H^+이고, (가)와 (나)는 산 수용액이다. 따라서 (다)는 염기 수용액이다.

ㄱ. 산 수용액 (나)에 마그네슘(Mg)을 넣으면 수소 기체(H_2)가 발생한다.

ㄷ. (가) 15 mL에는 H^+ 1개, (나) 15 mL에는 H^+ 3개가 들어 있다. (다) 15 mL에는 OH^- 2개가 들어 있으므로 (다) 30 mL에는 OH^- 4개가 들어 있다. 따라서 (가) 15 mL, (나) 15 mL, (다) 30 mL를 혼합하면 H^+ 4개와 OH^- 4개가 모두 반응하므로 혼합 용액의 액성은 중성이다.

바로알기 | ㄴ. (가)에는 H^+ 1개가 들어 있고, (다)에는 OH^- 2개가 들어 있다. 따라서 (가)와 (다)를 혼합하면 H^+은 모두 반응하므로 혼합 용액에는 ☆이 남아 있지 않다.

935 (다)에 존재하는 이온의 종류가 2가지이므로 중화 반응이 완전히 일어났다는 것을 알 수 있다. 따라서 (다)에 들어 있는 ●은 산의 음이온이고, □은 염기의 양이온이므로 (가)는 산 수용액, (나)는 염기 수용액이다.

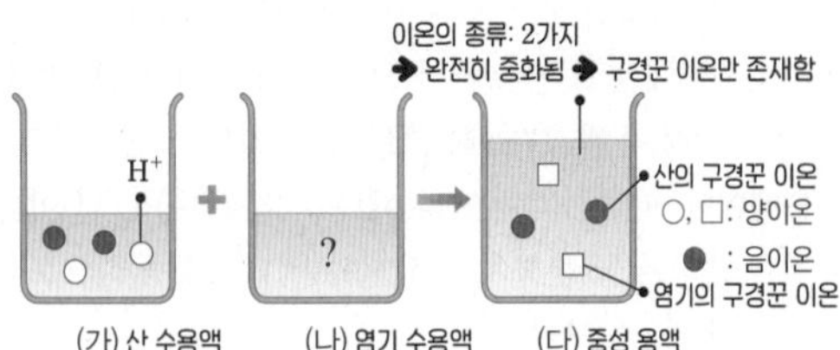

ㄴ. (다)에서 산의 음이온과 염기의 양이온의 개수비가 1 : 1이므로 각 이온 1개의 전하량의 크기는 같다. (가)에서 H^+ 수와 음이온 수가 같으므로 ● 1개의 전하량은 −1이다. 따라서 □ 1개의 전하량은 +1이므로 (나)에서 □과 OH^-의 개수비는 1 : 1이다.

ㄷ. (다)에는 구경꾼 이온만 존재하므로 (다)는 중성 용액이다.

바로알기 | ㄱ. (가)는 산 수용액이므로 메틸 오렌지 용액을 떨어뜨리면 붉은색이 나타난다.

936 Na^+과 Cl^-은 구경꾼 이온이므로 혼합 전 각 수용액에 들어 있는 이온 수와 혼합 용액에 들어 있는 이온 수가 같다. 따라서 HCl 20 mL에는 H^+ 3개, Cl^- 3개가 들어 있고, NaOH 수용액 10 mL에는 Na^+ 1개, OH^- 1개가 들어 있다.

ㄱ. HCl 20 mL에 들어 있는 H^+ 3개와 NaOH 수용액 10 mL에 들어 있는 OH^- 1개가 반응하여 생성된 물 분자 수는 1개이다.

바로알기 | ㄴ. HCl 20 mL에는 H^+ 3개, Cl^- 3개가 들어 있고, NaOH 수용액 20 mL에는 Na^+ 2개, OH^- 2개가 들어 있으므로 같은 부피 속에 들어 있는 전체 이온 수는 HCl이 NaOH 수용액보다 크다.

ㄷ. NaOH 수용액 20 mL를 더 넣으면 남아 있는 H^+ 2개와 넣어 준 OH^- 2개가 모두 반응하므로 혼합 용액의 액성은 중성이 된다.

937 산 수용액에 염기 수용액을 넣었을 때 그 개수가 감소하는 ●은 H^+이고, 개수 변화가 없는 ■은 A^-이다. 반응에 참여하지 않고 넣는 만큼 그 개수가 증가하는 △는 B^+이고, 처음에 존재하지 않다가 (다)에 존재하는 ★은 OH^-이다.

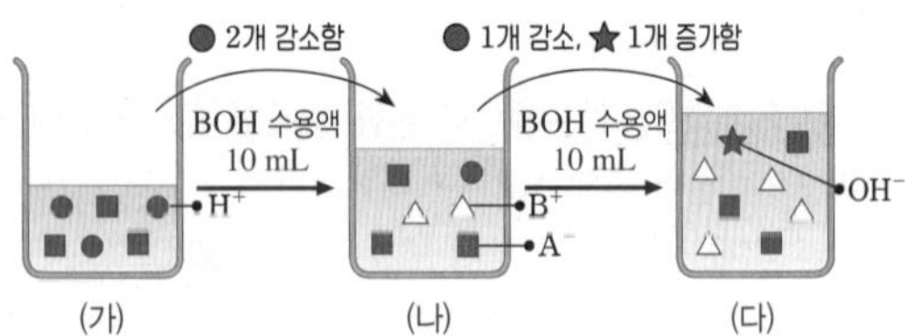

• (가)와 (다)에 같은 모양의 모형이 존재한다.
➔ ■는 구경꾼 이온인 A^-이며, ●은 H^+이다.
• (가)에 BOH 수용액 10 mL를 넣었을 때 ●(H^+) 2개가 감소한다.
➔ BOH 수용액 10 mL에는 B^+ 2개, OH^- 2개가 들어 있다.

따라서 산 HA 수용액 20 mL에는 H^+ 3개, A^- 3개가 들어 있고, 염기 BOH 수용액 10 mL에는 B^+ 2개, OH^- 2개가 들어 있다.

ㄴ. (가)에서 (나)로 될 때 생성된 물 분자 수는 2개, (나)에서 (다)로 될 때 생성된 물 분자 수는 1개이다.

ㄷ. (나)에는 ●(H^+) 1개가 들어 있고, (다)에는 ★(OH^-) 1개가 들어 있다. 따라서 (나)와 (다)를 혼합하면 H^+과 OH^-이 모두 반응하므로 혼합 용액의 액성은 중성이다.

바로알기 | ㄱ. BOH 수용액의 ★(OH^-)은 중화 반응에 참여하는 이온이다.

938 모범 답안 (1) $H^+ + OH^- \longrightarrow H_2O$
(2) 넣어 준 HCl 속의 H^+과 반응하여 점점 감소하는 A는 OH^-이다. Na^+과 Cl^-은 구경꾼 이온이므로 그 수가 일정한 B는 Na^+이고, 넣어 준 HCl의 부피만큼 그 수가 증가하는 C는 Cl^-이다. 처음에는 존재하지 않다가 중화 반응이 완결된 이후부터 증가하는 D는 H^+이다.

939

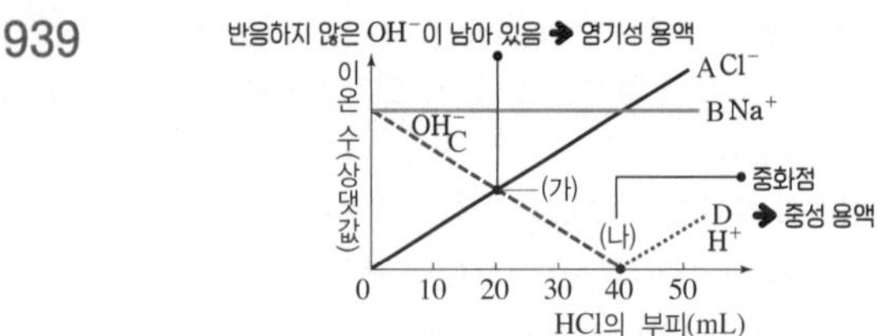

Na^+과 Cl^-은 구경꾼 이온이므로 넣어 준 HCl의 부피만큼 그 수가 증가하는 A는 Cl^-이고, 그 수가 일정한 B는 Na^+이다. 넣어 준 HCl 속의 H^+과 반응하여 점점 감소하는 C는 OH^-이다. 처음에는 존재하지 않다가 중화 반응이 완결된 이후부터 증가하는 D는 H^+이다.

① A는 Cl^-이고 B는 Na^+이므로 A와 B는 구경꾼 이온이다.
② C는 OH^-, D는 H^+이므로 C와 D는 반응하여 물을 생성한다.
③ NaOH 수용액 40 mL를 완전히 중화시키는 데 HCl 40 mL가 사용되므로 NaOH 수용액과 HCl은 같은 부피비로 반응한다. (가)에서 넣어 준 HCl의 부피는 NaOH 수용액의 절반이므로 혼합 용액 속 Na^+ 수는 Cl^- 수의 2배이다.
④ OH^- 수가 0이 되는 (나)에서 반응이 완결된다.
⑥ NaOH 수용액과 HCl은 같은 부피비로 반응하므로 같은 부피의 HCl과 NaOH 수용액에 각각 들어 있는 전체 이온 수는 같다.

바로알기 | ⑤ (가)는 반응이 완결되기 전이므로 염기성 용액이고, (나)는 중화점이므로 중성 용액이다. 따라서 혼합 용액의 pH는 (가)>(나)이다.

940 넣어 준 NaOH 수용액의 OH^-과 반응하여 그 수가 감소하다가 0이 되는 X 이온은 H^+이다.
① (가)는 중화점 이전이므로 H^+이 모두 반응하기 전이다. 따라서 (가)에는 Cl^-, H^+, Na^+ 세 종류의 이온이 존재한다.

바로알기 | ② (다)는 중화점 이후이므로 염기성 용액이다. 따라서 (다)에는 NaOH 수용액의 구경꾼 이온인 Na^+이 가장 많이 존재한다.
③ (나)는 중화점이므로 (가)~(다) 중 (나)의 온도가 가장 높다.
④ X 이온은 중화 반응에 참여하는 H^+이다.
⑤ HCl 10 mL를 모두 반응시키는 데 사용된 NaOH 수용액의 부피는 20 mL이므로 수용액의 농도는 HCl이 NaOH 수용액의 2배이다.

941 모범 답안 혼합 용액의 온도가 최고인 지점, 지시약을 넣었을 때 혼합 용액의 색깔이 변하는 지점, 전기 전도율이 최저인 지점을 조사하면 중화점을 알 수 있다.

942 ㄴ. (가)는 중화점 이전이므로 산성 용액이다. 따라서 푸른색 리트머스 종이를 대면 붉은색으로 변한다.

바로알기 | ㄱ. 일정량의 HCl에 NaOH 수용액을 조금씩 넣을 때 중화 반응에 의해 생성된 물의 양이 점점 증가하다가 (나) 이후 일정해지므로 (나)는 중화점이다. 중화점일 때 혼합 용액의 온도가 가장 높으므로 혼합 용액의 온도는 (나)가 (다)보다 높다.
ㄷ. Cl^-은 구경꾼 이온이므로 그 수가 일정하다. 따라서 혼합 용액에 들어 있는 Cl^- 수는 (가)=(나)=(다)이다.

943 일정량의 수산화 칼륨(KOH) 수용액에 묽은 염산(HCl)을 조금씩 넣을 때 중화 반응에 의해 생성된 물의 양이 점점 증가하다가 (다) 이후 일정해지므로 (다)에서 반응이 완결된다.

ㄴ. (나)는 중화점 이전이므로 염기성 용액이고, (라)는 중화점 이후이므로 산성 용액이다. 따라서 (나)와 (라)를 혼합하면 중화 반응이 일어난다.

ㄷ. (다)가 중화점이므로 혼합 용액의 온도가 가장 높다.

바로알기 | ㄱ. (가)는 중화점 이전이므로 염기성 용액이다. 따라서 (가)에 아연(Zn) 조각을 넣어도 반응이 일어나지 않는다.

944 (가)는 혼합 용액에 존재하는 비율이 Na^+보다 크므로 HCl의 구경꾼 이온인 Cl^-이고, (나)는 NaOH 수용액의 OH^-과 반응하고 남은 H^+이다.

ㄱ. 혼합 용액 속에 H^+이 존재하므로 혼합 용액의 액성은 산성이다.

바로알기 | ㄴ. (나)는 중화 반응에 참여하는 H^+이다.

ㄷ. NaOH 10 mL에 들어 있는 Na^+의 수를 1개라고 하면 HCl 10 mL에 들어 있는 Cl^-의 수는 2개이다. 혼합 용액에 NaOH 수용액 20 mL를 더 넣어 주면 Na^+의 수는 3개로 Cl^-의 수보다 많아진다.

945 ㄱ. A와 B에는 OH^-이 존재하므로 염기성 용액, C에는 H^+이나 OH^-이 존재하지 않으므로 중성 용액, D에는 H^+이 존재하므로 산성 용액이다. 따라서 pH는 D가 가장 작다.

ㄷ. 반응 전 NaOH 수용액 속 Na^+과 OH^- 수를 각각 2개라고 하면 Na^+ 수는 A～D에서 같고, B에 존재하는 이온의 이온 수비가 $Na^+ : Cl^- = 2 : 1$이므로 B에서 Cl^- 수는 1개이다. D에 존재하는 이온의 이온 수비가 $Na^+ : Cl^- = 2 : 3$이므로 D에서 Cl^- 수는 3개이다. 따라서 Cl^- 수는 D가 B의 3배이다.

ㄹ. C에는 구경꾼 이온만 존재하므로 중화점이다. 따라서 혼합 용액에 전류를 흘려 주었을 때 전류의 세기는 C가 가장 약하다.

바로알기 | ㄴ. Na^+은 반응에 참여하지 않는 구경꾼 이온이므로 A～D에서 그 수는 모두 같다.

946 혼합 용액의 최고 온도가 가장 높은 C는 중화점이다.

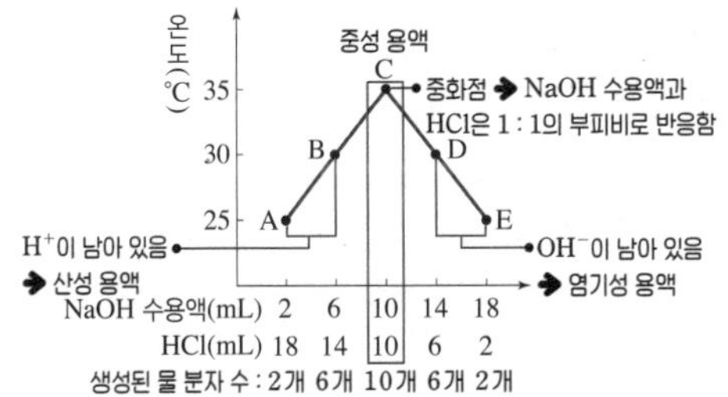

A에서 생성된 물 분자 수를 2개라고 하면, B～E에서 생성된 물 분자 수는 각각 6개, 10개, 6개, 2개이다.

① A에는 반응하지 않고 남은 HCl 16 mL가 존재하므로 A는 산성 용액이다. 따라서 A에 액성이 염기성인 소다 용액을 넣으면 중화 반응이 일어난다.

③ D는 염기성 용액이므로 혼합 용액에는 Na^+, OH^-, Cl^-이 존재한다.

④ D는 염기성 용액이므로 페놀프탈레인 용액을 떨어뜨리면 붉은색이 나타난다.

⑥ A, B, D, E에는 세 종류의 이온이 존재하고, C는 중화점이므로 혼합 용액 속에는 구경꾼 이온 두 종류만 존재한다.

⑦ A에는 반응하지 않고 남은 HCl 16 mL가 존재하고, E에는 반응하지 않고 남은 NaOH 수용액 16 mL가 존재한다. 따라서 A와 E를 혼합한 용액은 중성 용액이므로 Na^+과 Cl^- 두 종류의 이온이 존재한다.

바로알기 | ② B에는 반응하지 않고 남은 HCl 8 mL가 존재하므로 산성 용액이다. 따라서 B에서 H^+ 수는 Na^+수의 $\frac{8}{6}$배이다.

⑤ C가 중화점이므로 생성된 물의 양은 C가 가장 많다.

947 ③ 혼합 용액의 최고 온도가 가장 높은 HCl 20 mL와 NaOH 수용액 40 mL가 반응한 지점이 중화점이므로 HCl과 NaOH 수용액은 1 : 2의 부피비로 반응한다. HCl 20 mL에 들어 있는 H^+과 Cl^- 수를 각각 4개라고 하면 NaOH 수용액 40 mL에 들어 있는 Na^+과 OH^- 수 또한 각각 4개이므로 HCl 30 mL에 들어 있는 H^+과 Cl^- 수는 각각 6개이고, NaOH 수용액 30 mL에 들어 있는 Na^+과 OH^- 수는 각각 3개이다. 따라서 A에는 H^+ 3개, Cl^- 6개, Na^+ 3개가 존재한다. 즉, A에는 서로 다른 이온 3개가 1 : 1 : 2의 개수비로 존재한다.

948 (나)에서 혼합 용액에 존재하는 이온의 종류 수가 2개이므로 중화 반응이 완전히 일어났으며, HCl과 NaOH 수용액은 같은 부피비로 반응한다는 것을 알 수 있다.

반응한 HCl과 NaOH 수용액의 부피는 각각 40 mL

혼합 용액		(가)	(나)	(다)
혼합 전 부피(mL)	HCl	40	60	80
	NaOH 수용액	80	60	40
최고 온도(°C)		29	t_1	29
혼합 용액에 존재하는 이온의 종류 수 (개)		㉠3	2	㉡3

반응한 HCl과 NaOH 수용액의 부피는 각각 60 mL

ㄴ. (가)에는 반응하지 않고 남은 NaOH 수용액 40 mL가 존재하므로 혼합 용액 속에는 Na^+, OH^-, Cl^-이 들어 있고, (다)에는 반응하지 않고 남은 HCl 40 mL가 존재하므로 혼합 용액 속에는 Na^+, H^+, Cl^-이 들어 있다. 따라서 ㉠과 ㉡은 3이다.

ㄷ. HCl과 NaOH 수용액은 1 : 1의 부피비로 반응하므로 HCl 10 mL에 들어 있는 H^+ 수와 NaOH 수용액 10 mL에 들어 있는 Na^+ 수는 같다.

바로알기 | ㄱ. (나)는 중화점이므로 중화열이 가장 많이 발생한다. 따라서 t_1은 29보다 높다.

949 HCl 10 mL에 들어 있는 H^+과 Cl^- 수가 각각 2개이므로 (다)에서 그 수가 2개로 일정한 ○은 구경꾼 이온인 Cl^-이고, ▲은 H^+이다. (다)에서 그 수가 가장 많은 ■은 구경꾼 이온인 Na^+이므로 NaOH 수용액 20 mL에 들어 있는 Na^+과 OH^- 수는 각각 4개이다. △는 OH^-이다.

ㄱ. ▲은 H^+이고, ■은 Na^+이므로 모두 양이온이다.

ㄷ. HCl과 NaOH 수용액은 같은 부피에 들어 있는 전체 이온 수가 같으므로 두 수용액의 농도는 같다.

바로알기 | ㄴ. HCl 10 mL와 NaOH 수용액 10 mL가 반응한 (나)는 Na^+과 Cl^-이 2개씩 들어 있는 중성 용액이므로 HCl을 넣어 주어도 중화 반응이 일어나지 않는다.

950 (1) 혼합 용액에 OH^-이 존재하므로 반응 전 HNO_3 수용액에 들어 있는 H^+은 모두 반응한다. 이때 생성된 물 분자 수는 3개이므로 반응 전 HNO_3 수용액에 H^+과 NO_3^-은 각각 3개가 들어 있다. 혼합 용액에 OH^- 1개가 들어 있으므로 반응 전 $Ba(OH)_2$ 수용액에 OH^- 4개, Ba^{2+} 2개가 들어 있다. 따라서 혼합 전 같은 부피의 HNO_3 수용액과 $Ba(OH)_2$ 수용액에 들어 있는 전체 이온 수비는 HNO_3 수용액 : $Ba(OH)_2$ 수용액 $= 6 : 6 = 1 : 1$이다.

(2) HNO_3 수용액에 들어 있는 H^+ 수를 3개라고 하면 같은 부피의 $Ba(OH)_2$ 수용액에 들어 있는 OH^- 수는 4개이므로 완전 중화시켜 혼합 용액의 액성이 중성이 되기 위해서는 HNO_3 수용액과 $Ba(OH)_2$ 수용액이 4 : 3의 부피비로 반응해야 한다.

951 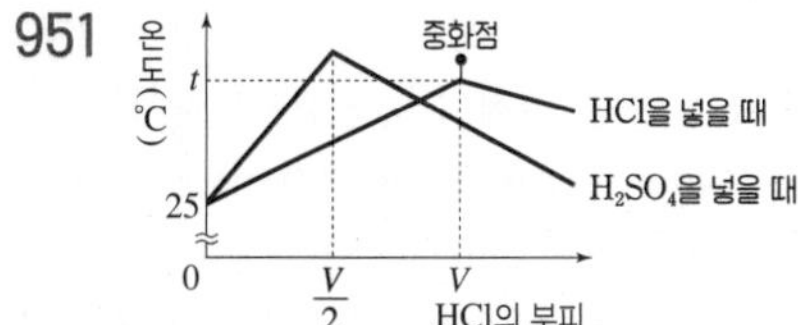

• 분자 1개가 내놓는 H^+ 수는 H_2SO_4이 HCl의 2배이다.

➔ 중화점까지 넣어 준 수용액의 부피는 H_2SO_4이 HCl의 $\frac{1}{2}$배이다.

ㄱ. NaOH 수용액 100 mL에 들어 있는 OH^-과 모두 반응하는 데 사용한 HCl의 부피는 V이다. 부피가 V인 HCl에 들어 있는 H^+과 Cl^- 수를 각각 N이라고 하면 HCl 대신 H_2SO_4을 넣을 때 부피가 V인 H_2SO_4에 들어 있는 H^+ 수는 $2N$, SO_4^{2-} 수는 N이다. 따라서 NaOH 수용액 100 mL에 들어 있는 OH^-을 모두 반응시키는 데 필요한 H_2SO_4의 부피는 $\frac{V}{2}$이다.

ㄴ. 반응에 사용한 NaOH 수용액의 부피가 일정하므로 중화점에서 생성된 물의 양은 같다.

ㄷ. 중화점에 존재하는 NaOH 수용액의 구경꾼 이온인 Na^+의 수는 일정하다. 중화점까지 사용한 H_2SO_4의 부피가 사용한 HCl의 절반이므로 중화점에서 혼합 용액 속 음이온 수는 H_2SO_4을 넣었을 때가 HCl을 넣었을 때의 절반이다. 따라서 중화점에서 혼합 용액 속 전체 이온 수는 H_2SO_4을 넣었을 때가 HCl을 넣었을 때보다 작다.

952 ㄱ. 일정량의 HCl에 NaOH 수용액을 넣을 때 그 수가 감소하는 (나)는 H^+이다. 넣어 준 NaOH 수용액의 부피에 비례하여 그 수가 증가하는 (가)는 Na^+이다.

ㄴ. NaOH 수용액 40 mL를 넣은 지점은 H^+ 수가 0이므로 중화점이다. 일정량의 HCl에 들어 있는 H^+ 수가 $2N$일 때 NaOH 수용액 40 mL에 들어 있는 Na^+과 OH^- 수는 각각 $2N$이다. 따라서 일정량의 HCl에 NaOH 수용액 20 mL를 넣었을 때 혼합 용액에는 H^+ N, Cl^- $2N$, Na^+ N이 들어 있다.

바로알기 | ㄷ. 중화점까지 수용액 속 H^+ 1개가 소모될 때, Na^+ 1개가 들어오므로 전체 이온 수는 일정하다. 즉, 혼합 용액 속 전체 이온 수는 NaOH 수용액 40 mL를 넣었을 때와 20 mL를 넣었을 때가 같다.

953 HCl 10 mL에 NaOH 수용액을 넣을 때 Cl^-은 그 수가 일정하고, Na^+은 NaOH 수용액을 넣어 주는 대로 증가한다. 중화점에서 반응한 H^+과 OH^- 수가 같으므로 Cl^-과 Na^+ 수가 같은 B는 중화점이다.

ㄱ. HCl 10 mL에 들어 있는 H^+과 넣어 준 NaOH 수용액에 들어 있는 OH^-이 반응하여 소모된 H^+ 수만큼 Na^+이 들어오므로 중화점까지 양이온 수는 일정하다. 따라서 A는 중화점 이전이고, B가 중화점이므로 A와 B에서 전체 양이온 수는 같다.

ㄴ. B는 중화점이므로 혼합 용액의 온도는 B가 가장 높다.

ㄷ. C는 중화점 이후 NaOH 수용액을 더 넣어 준 염기성 용액이므로 NaOH 수용액의 구경꾼 이온인 Na^+이 가장 많이 존재한다.

954 ○과 ▲은 각각 H^+과 Na^+ 중 하나이다. Na^+은 반응에 참여하지 않는 구경꾼 이온이므로 넣어 준 NaOH 수용액의 부피에 비례하여 그 수가 증가한다. 넣어 준 NaOH 수용액의 부피는 (가)에서가 (나)에서의 3배이므로 ○은 Na^+이다. NaOH 수용액 b mL에 들어 있는 Na^+과 OH^- 수를 각각 1개라고 하면 (나)에서 HCl $2a$ mL에 들어 있는 H^+ 중 OH^- 1개와 반응하고 남은 H^+ 수가 3개이므로 HCl $2a$ mL에 들어 있는 H^+과 Cl^- 수는 각각 4개이다.

ㄴ. NaOH $2b$ mL에 들어 있는 Na^+과 OH^- 수는 각각 2개이고, HCl a mL에 들어 있는 H^+과 Cl^- 수는 각각 2개이다. 따라서 NaOH 수용액 $2b$ mL를 완전 중화시켜 혼합 용액의 온도가 가장 높아지게 하는 HCl의 부피는 a mL이다.

ㄷ. (가)에서는 HCl이 모두 반응하므로 생성된 물 분자 수는 HCl a mL에 들어 있는 H^+ 수와 같은 2개이다. (나)에서는 NaOH 수용액이 모두 반응하므로 생성된 물 분자 수는 NaOH 수용액 b mL에 들어 있는 OH^- 수와 같은 1개이다.

바로알기 | ㄱ. HCl a mL에 들어 있는 H^+과 Cl^- 수는 각각 2개이고, NaOH 수용액 $3b$ mL에 들어 있는 Na^+과 OH^- 수는 각각 3개이므로 (가)에는 OH^- 1개가 존재한다. 따라서 (가)의 액성은 염기성이다.

955 (가)가 산성 용액이면 HCl의 부피가 더 큰 (나)도 산성 용액이어야 한다. 그리고 혼합 용액의 액성이 산성일 때 혼합 용액에 들어 있는 전체 양이온 수는 혼합 전 HCl에 들어 있는 H^+ 수와 같아야 하므로 전체 양이온 수도 (나)가 (가)의 4배가 되어야 한다. 따라서 조건에 부합하지 않으므로 (가)는 염기성 용액이다. (가)는 염기성 용액이므로 (가)에 존재하는 양이온은 Na^+이다. Na^+은 구경꾼 이온이므로 NaOH 수용액 100 mL에 들어 있는 Na^+과 OH^- 수는 각각 $5N$이다. (나)는 산성 용액이므로 (나)에 존재하는 양이온은 Na^+과 H^+이다. NaOH 수용액 40 mL에 들어 있는 Na^+과 OH^- 수는 각각 $2N$이므로 (나)에 들어 있는 H^+ 수는 $10N$이다. 즉, HCl 80 mL에 들어 있는 H^+ 중 NaOH 수용액의 부피 40 mL에 들어 있는 OH^- $2N$과 반응하고 남은 H^+ 수가 $10N$이므로 HCl 80 mL에 들어 있는 H^+과 Cl^- 수는 각각 $12N$이다.

ㄴ. (가)의 액성은 염기성이므로 HCl 20 mL에 들어 있는 H^+ $3N$이 모두 반응하여 물 $3N$을 생성한다. (나)의 액성은 산성이므로 NaOH 수용액 40 mL에 들어 있는 OH^- $2N$이 모두 반응하여 물 $2N$을 생성한다. 따라서 (가)와 (나)에서 생성된 물 분자 수비는 3 : 2이다.

ㄷ. HCl 20 mL에 들어 있는 H^+과 Cl^- 수는 각각 $3N$이고, NaOH 수용액 100 mL에 들어 있는 Na^+과 OH^- 수는 각각 $5N$이다. 따라서 (가)에는 Na^+ $5N$, Cl^- $3N$, OH^- $2N$이 들어 있다.

바로알기 | ㄱ. HCl 80 mL에 들어 있는 H^+과 Cl^- 수는 각각 $12N$이고, NaOH 수용액 40 mL에 들어 있는 Na^+과 OH^- 수는 각각 $2N$이므로 같은 부피에 들어 있는 음이온 수의 비는 HCl : NaOH 수용액=3 : 1이다.

956 (가)와 (나)에서 HCl의 부피는 (가)<(나)이고, KOH 수용액의 부피는 (가)>(나)이다. 생성된 물 분자 수는 (가)와 (나)에서 같으므로 (가)에서는 HCl 5 mL가 모두 반응하였고, (나)에서는 KOH 수용액 10 mL가 모두 반응하였다. 이로부터 HCl 5 mL에 들어 있는 H^+과 Cl^- 수는 각각 N이고, KOH 수용액 10 mL에 들어 있는 K^+과 OH^- 수도 각각 N이다.

ㄱ. HCl 10 mL에 들어 있는 H^+과 Cl^- 수는 각각 $2N$이고, KOH 수용액 20 mL에 들어 있는 K^+과 OH^- 수도 각각 $2N$이므로 (라)에서 생성된 물 분자 수는 $2N$이다. 따라서 $z=2N$이다.

ㄷ. HCl 10 mL에 들어 있는 H^+과 Cl^- 수는 각각 $2N$이고, KOH 수용액 10 mL에 들어 있는 K^+과 OH^- 수는 각각 N이다. (가)에는 반응하지 않고 남은 OH^- $0.5N$이 있고, (나)에는 반응하지 않고 남은 H^+ N이 있으므로 (가)와 (나)를 혼합한 용액에는 H^+ N과 OH^- $0.5N$이 반응하고 남은 H^+ $0.5N$이 있으므로 혼합 용액의 액성은 산성이다.

바로알기 | ㄴ. HCl 5 mL에 들어 있는 H^+과 Cl^- 수는 각각 N이고, KOH 수용액 15 mL에 들어 있는 K^+과 OH^- 수는 각각 $1.5N$이다. (가)에는 K^+ $1.5N$, Cl^- N, OH^- $0.5N$이 들어 있으므로 전체 음이온 수 $x=1.5N$이다. HCl 15 mL에 들어 있는 H^+과 Cl^- 수는 각각 $3N$이고, KOH 수용액 5 mL에 들어 있는 K^+과 OH^- 수는 각각 $0.5N$이므로 (다)에서 생성된 물 분자 수 $y=0.5N$이다. 따라서 x는 y의 3배이다.

957 ① 산성화된 토양에 염기성 물질인 석회 가루를 뿌려 중화시킨다.
② 김치의 신맛은 산성 물질인 젖산 때문인데 여기에 염기성 물질인 소다를 넣으면 중화되어 신맛을 줄일 수 있다.
③ 위산이 과다하게 분비될 때 염기성 물질인 제산제를 복용하면 속 쓰림을 완화할 수 있다.
④ 이산화 황은 물에 녹아 황산이 되는 산성 물질이다. 이산화 황에 염기성 물질인 산화 칼슘을 넣어 주면 중화 반응에 의해 아황산 칼슘이 생성된다.
바로알기 | ⑤ 하수구가 막혔을 때 염기성 물질인 하수구 세정제를 사용하면 염기가 머리카락의 성분인 단백질을 녹이므로 막힌 하수구가 뚫린다. 이는 염기의 성질을 이용한 예이다.

958 ① 위액(㉠), 김치의 신맛(㉢), 악취(㉤)는 산성 물질이고 제산제(㉡), 소다(㉣), 수산화 나트륨(㉥)은 염기성 물질이다.

959 • 벌레의 침 속에는 산성 물질이 포함되어 있다. 벌레에 물려 가려울 때 염기성 물질인 암모니아수를 발라 중화시킨다.
• 충치는 산성 물질에 의해 치아의 에나멜 성분이 분해되어 발생한다. 치약에는 염기 성분이 포함되어 있으므로 치약으로 양치질을 하면 충치를 예방할 수 있다.
• 생선의 비린내는 트리메틸아민이라는 염기성 물질 때문인데 시트르산이 포함된 레몬즙을 뿌리면 비린내를 중화시킬 수 있다.
ㄱ. ㉠~㉢ 중 염기성 물질은 ㉠과 ㉡ 두 가지이다.
ㄴ. ㉠은 염기성 물질이고, ㉢은 산성 물질이므로 ㉠과 ㉢을 혼합하면 중화 반응이 일어난다.
바로알기 | ㄷ. ㉡은 염기성 물질이므로 BTB 용액을 떨어뜨리면 파란색이 나타난다.

최고 수준 도전 기출 (26~29강)

244~245쪽

960 해설 참조	961 ④	962 ①	963 ②	964 ⑤
965 ③	966 ⑤	967 ④		

960 아연(Zn)은 전자를 잃고 아연 이온(Zn^{2+})으로 산화되고, 묽은 염산 속 수소 이온(H^+)은 전자를 얻어 수소(H_2)로 환원된다.

모범 답안 (1) $Zn + 2HCl \longrightarrow ZnCl_2 + H_2$ (산화: Zn → $ZnCl_2$, 환원: HCl → H_2)

(2) 아연은 수소보다 산화되기 쉽지만 구리는 수소보다 산화되기 어렵기 때문에 아연판 대신 구리판을 사용하면 아무 변화가 없다.

개념 보충

금속의 반응성
• **금속의 이온화 경향:** 금속이 수용액 속에서 전자를 잃고 양이온이 되려는 성질 → 이온화 경향이 큰 금속일수록 산화되기 쉽다.
K > Ca > Na > Mg > Al > Zn > Fe > Ni > Sn > Pb > (H) > Cu > Hg > Ag > Pt > Au
• **금속의 반응성 순서:** 금속과 금속 이온을 반응시킬 때 수용액에 이온 상태로 녹아 있는 금속보다 이온화 경향이 큰 금속을 넣을 때만 반응이 일어난다.

961 (가)에서 A 이온 $6N$이 들어 있는 수용액에 B $2N$을 넣어 모두 반응시켰을 때, (가)에 들어 있는 B 이온 수는 $2N$이고, 이때 A 이온 수와 B 이온 수가 같다고 하였으므로 수용액 속 A 이온 수도 $2N$이다. 따라서 B $2N$이 반응하여 A $4N$이 생성된다.
ㄴ. A 이온 $4N$이 얻은 전자 수와 B $2N$이 잃은 전자 수가 같아야 하므로 이온 1개의 전하량은 A 이온 : B 이온=1 : 2이다.
ㄷ. A 이온과 B는 2 : 1의 개수비로 반응하고, 반응 전 수용액에 들어 있는 A 이온 수는 $6N$이므로 B 원자 $3N$을 넣어 주면 A 이온이 모두 반응하여 수용액 속에는 A 이온이 존재하지 않는다.
바로알기 | ㄱ. B는 전자를 잃고 산화되고, A 이온은 전자를 얻어 환원되므로 B는 A보다 산화되기 쉽다.

962 A 이온 $4N$이 들어 있는 수용액에 B $3N$을 넣어 모두 반응시켰을 때, 수용액에 들어 있는 B 이온 수는 $3N$이고, 이때 수용액 속 전체 양이온 수가 $5N$이므로 수용액 속 A 이온 수는 $2N$이다. 따라서 B $3N$이 반응하여 A $2N$이 생성된다.
ㄱ. 수용액 속 전체 양이온 수가 변하였으므로 B는 전자를 잃고 산화되고, A 이온은 전자를 얻어 환원된다.
바로알기 | ㄴ. A 이온 $2N$과 B $3N$이 반응하므로 A 이온과 B는 2 : 3의 개수비로 반응한다.
ㄷ. 반응 후 수용액 속에는 A 이온 $2N$, B 이온 $3N$이 존재한다. 이 수용액에 B $6N$을 추가로 넣으면 A 이온과 B는 2 : 3의 개수비로 반응하므로 수용액 속 A 이온 $2N$과 B $6N$ 중 $3N$이 반응하여 B 이온 $3N$을 생성하고 반응할 수 있는 A 이온이 존재하지 않으므로 나머지 B $3N$은 반응하지 않는다. 따라서 반응 전 수용액에는 B 이온 $3N$이 존재하고 B 이온 $3N$이 생성되었으므로 수용액 속 전체 양이온 수는 $6N$이다.

963

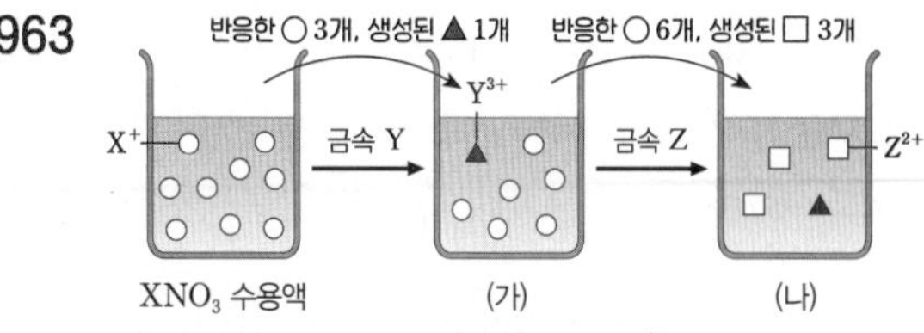

• (가)에서 반응한 ○(X^+)는 3개, 생성된 ▲는 1개이므로 ▲는 Y^{3+}이다.
• (나)에서 반응한 ○(X^+)는 6개, 생성된 □는 3개이므로 □는 Z^{2+}이다.

X^+(○) 9개가 들어 있는 수용액에 금속 Y를 넣었을 때 반응한 X^+은 3개이고, 생성된 Y 이온(▲)은 1개이다. Y 원자 1개가 잃은 전자 수와 X^+ 3개가 얻은 전자 수가 같아야 하므로 이온 1개의 전하량 비는 X^+ : Y 이온=1 : 3이다. X^+ 6개가 반응하여 Z 이온(□) 3개가 생성되므로 이온 1개의 전하량 비는 X^+ : Z 이온=1 : 2이다. (가)에 충분한 양의 Z를 넣었을 때 X^+은 환원되고 Z는 산화되며, Y 이온은 변화가 없으므로 산화되려는 경향은 X<Z<Y 순이다.
ㄷ. X~Z 중 Y가 가장 산화되기 쉬우므로 Z 이온이 들어 있는 (나)에 Y를 넣으면 Y는 산화되고, Z 이온은 전자를 얻어 환원된다.

바로알기 | ㄱ. Z 이온 1개의 전하량은 +2이다.

ㄴ. 금속이 산화되려는 경향은 X<Z<Y 순이다. X^+(◎)과 Y 이온(△)이 들어 있는 (가)에 Z를 넣으면 Z는 전자를 잃고 산화되면서 X^+을 환원시킨다. 즉, X^+은 자신은 전자를 얻어 환원되면서 금속 Z를 산화시킨다. 따라서 X^+(◎)은 다른 물질을 산화시키는 산화제로 작용한다.

개념 보충

산화제와 환원제

- **산화제:** 자신은 환원되면서 다른 물질을 산화시키는 물질
- **환원제:** 자신은 산화되면서 다른 물질을 환원시키는 물질

964 (가)~(다)의 반응식을 완성하면 각각 다음과 같다.

(가) $C_6H_{12}O_6+6O_2 \longrightarrow 6CO_2$(㉠)$+6H_2O$

(나) $CH_4+2O_2 \longrightarrow CO_2$(㉡)$+2H_2O$

(다) $Fe_2O_3+3CO \longrightarrow 2Fe+3CO_2$(㉢)

① ㉠~㉢은 모두 CO_2이다.

② ㉠의 반응 계수는 6, ㉡의 반응 계수는 1, ㉢의 반응 계수는 3이므로 ㉠~㉢ 중 반응 계수는 ㉠이 가장 크다.

③ (가)의 반응물인 $C_6H_{12}O_6$, (나)의 반응물인 CH_4, (다)의 반응물인 CO는 모두 산소를 얻어 CO_2로 산화된다.

④ (가)~(다)는 모두 산소가 관여하는 산화 환원 반응으로, 지구와 생명의 역사에 큰 변화를 가져온 화학 반응이다.

바로알기 | ⑤ (가)~(다) 중 에너지를 방출하는 반응은 (가)와 (나)이고, (다)는 에너지를 흡수하는 반응이다.

965 ㄱ. A에서 K^+과 OH^- 수를 각각 N이라고 하면 A에서 전체 이온 수는 $2N$이다. C는 중화점이므로 혼합 전 H_2SO_4에는 H^+ N, SO_4^{2-} $\frac{N}{2}$이 들어 있다. 따라서 A에서 전체 이온 수가 $2N$일 때 C에서 전체 이온 수는 $\frac{3N}{2}$이므로 A와 C에서 전체 이온 수비는 4 : 3이다.

ㄴ. D에서 SO_4^{2-} 수는 혼합 전 KOH 수용액에 들어 있는 OH^- 수와 같은 N이므로 혼합 전 H_2SO_4에는 H^+ $2N$이 들어 있다. 따라서 D에서 H^+과 K^+ 수는 N으로 같다.

바로알기 | ㄷ. 혼합 전 KOH 수용액에 들어 있는 K^+과 OH^- 수를 각각 N이라고 하고, B에 들어 있는 SO_4^{2-}수를 x라고 하면 B에 혼합 전 H_2SO_4에 들어 있는 H^+ 수는 $2x$이다. H^+과 OH^-은 1 : 1의 개수비로 반응하므로 B에 들어 있는 OH^- 수는 $N-2x$이다. B에 들어 있는 OH^-과 SO_4^{2-}의 수가 같으므로 $N-2x=x$가 성립한다. $x=\frac{N}{3}$이므로 B에는 K^+ N, OH^- $\frac{N}{3}$, SO_4^{2-} $\frac{N}{3}$이 들어 있다. 따라서 B에서 전체 양이온 수와 전체 음이온 수비는 $N:\frac{2N}{3}=3:2$이다.

966 (가)와 (나)에서 HCl의 부피는 50 mL로 같고, 생성된 물 분자 수의 상댓값이 (가)에서는 2, (나)에서는 5이므로 (가)에서 NaOH 수용액 10 mL가 모두 반응하였음을 알 수 있다. (가)에서 생성된 물 분자 수는 반응한 OH^- 수와 같으므로 NaOH 수용액 10 mL에 들어 있는 OH^- 수를 2개라고 하면 (나)에서 NaOH 수용액 30 mL에 들어 있는 OH^- 수는 6개이고, 생성된 물 분자 수의 상댓값이 5이므로 HCl 50 mL에 들어 있는 H^+이 모두 반응하였음을 알 수 있다. 따라서 HCl 50 mL에 들어 있는 H^+ 수는 5개이다.

ㄱ. HCl 50 mL에 들어 있는 H^+ 수는 5개이고, NaOH 수용액 30 mL에 들어 있는 OH^- 수는 6개이므로 (나)에는 반응하고 남은 OH^-이 존재한다. 따라서 (나)의 액성은 염기성이다.

ㄴ. HCl 50 mL에 들어 있는 H^+과 Cl^- 수는 각각 5개이고, NaOH 수용액 10 mL에 들어 있는 Na^+과 OH^- 수는 각각 2개이므로 (가)에는 양이온 5개(H^+ 3개, Na^+ 2개)가 존재한다. HCl 10 mL에 들어 있는 H^+과 Cl^- 수는 각각 1개이고, NaOH 수용액 50 mL에 들어 있는 Na^+과 OH^-수는 각각 10개이므로 (다)에는 양이온 10개(Na^+ 10개)가 존재한다. 따라서 전체 양이온 수비는 (가) : (다) =1 : 2이다.

ㄷ. HCl 50 mL에 들어 있는 H^+과 Cl^- 수는 각각 5개이고, NaOH 수용액 30 mL에 들어 있는 Na^+과 OH^- 수는 각각 6개이므로 (나)에는 Cl^- 5개, Na^+ 6개, OH^- 1개가 존재한다. HCl 30 mL에 들어 있는 H^+과 Cl^- 수는 각각 3개이고, NaOH 수용액 50 mL에 들어 있는 Na^+과 OH^-수는 각각 10개이므로 (라)에는 Cl^- 3개, Na^+ 10개, OH^- 7개가 존재한다. (나)와 (라)의 전체 부피는 같고, 혼합 용액에 들어 있는 전체 이온 수는 (라)가 (나)보다 크므로 용액의 전기 전도율은 (라)가 (나)보다 크다.

다른 해설 ㄷ. (나)와 (라)는 모두 염기성 용액이고 반응하지 않고 남은 NaOH 수용액의 부피는 (라)에서가 (나)에서보다 크다. 두 혼합 용액의 전체 부피는 같으므로 용액 속 전체 이온 수는 (라)가 (나)보다 크다. 따라서 용액의 전기 전도율은 (라)가 (나)보다 크다.

967 중화점에서 생성된 물 분자 수가 가장 많으므로 (가)에서 HA 수용액 20 mL와 BOH 수용액 40 mL가 반응할 때 중화 반응이 완결된다. 이때 생성된 물 분자 수의 상댓값이 2이므로 HA 수용액 20 mL에 들어 있는 H^+과 A^- 수를 각각 4개라고 하면 BOH 수용액 40 mL에 들어 있는 B^+과 OH^- 수도 각각 4개이다. 이때 사용한 BOH 수용액의 농도는 (가)와 (나)에서 같으므로 (나)의 중화점에서 사용된 BOH 수용액 20 mL에 들어 있는 B^+과 OH^- 수는 각각 2개이고, HA 수용액 40 mL에 들어 있는 H^+과 A^-수도 각각 2개이다.

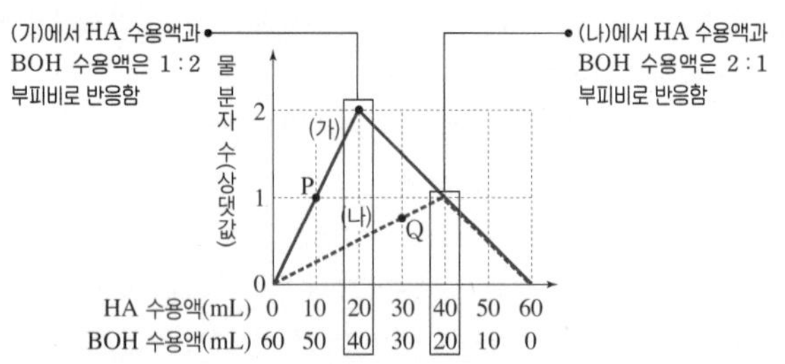

- P 지점: (가)는 산과 염기가 1 : 2의 부피비로 반응하므로 P의 혼합 용액에는 BOH 수용액 30 mL가 남아 있다. ➔ 염기성 용액
- Q 지점: (나)는 산과 염기가 2 : 1의 부피비로 반응하므로 Q의 혼합 용액에는 BOH 수용액 15 mL가 남아 있다. ➔ 염기성 용액

ㄴ. P의 혼합 용액에는 반응하지 않은 BOH 수용액이 30 mL 남아 있으므로 혼합 용액의 액성은 염기성이다.

ㄷ. (나)에서 BOH 수용액 30 mL에 들어 있는 B^+과 OH^- 수는 각각 3개이고, HA 수용액 30 mL에 들어 있는 H^+과 A^- 수는 각각 1.5개이다. 따라서 (나)의 Q에는 A^- 1.5개, H^+와 반응하고 남은 OH^- 1.5개가 존재한다.

바로알기 | ㄱ. (가)에서 HA 수용액 20 mL에 들어 있는 H^+과 A^- 수가 각각 4개일 때 (나)에서 HA 수용액 20 mL에 들어 있는 H^+과 A^- 수는 각각 1개이다. 따라서 (가)와 (나)에서 사용한 HA 수용액의 같은 부피에 들어 있는 전체 이온 수 비는 (가) : (나)=8 : 2=4 : 1이다.

지질 시대의 환경과 생물

빈출 자료 보기 247쪽

968 (1) ○ (2) × (3) × (4) ○ (5) × (6) ○

968 **바로알기 |** (2) 선캄브리아 시대의 화석은 드물게 발견된다.
(3) 고생대인 B 시대에 바다에서는 무척추동물이, 육지에서는 양서류가 번성하였다.
(5) 신생대인 D 시대에는 단풍나무와 같은 속씨식물이 번성하였고, 속씨식물이 최초로 출현한 시기는 중생대인 C 시대이다.

난이도별 필수 기출 248~253쪽

969 ④	970 ㄴ, ㄷ, ㄹ, ㅂ	971 ④	972 ②, ④
973 해설 참조	974 ③	975 ⑤	
976 해설 참조	977 ④	978 ③	979 ④, ⑥
980 ㉠ 융기, ㉡ 침식, ㉢ 침강		981 해설 참조	
982 해설 참조	983 ②	984 ①	985 ③
986 해설 참조	987 남세균		
988 남세균 → 삼엽충 → 공룡 → 화폐석			989 ④
990 ④	991 ⑤	992 ①, ⑤	993 ④
994 해설 참조	995 ④	996 ⑤	997 ②
998 ④	999 해설 참조	1000 ③	1001 ②, ⑤
1002 ②	1003 ②	1004 ⑤	1005 ②, ⑤
1006 해설 참조	1007 ③	1008 ⑤	

969 화석이 잘 생성되려면 생물체에 단단한 부분이 있을수록, 지각 변동을 적게 받을수록, 개체 수가 많을수록, 생물의 유해나 흔적이 빨리 매몰될수록 유리하며, 화석화 작용을 받아야 한다.
바로알기 | ④ 생물의 유해가 지표에 오래 노출되면 쉽게 부패하거나 훼손되므로 빨리 매몰될수록 유리하다.

970 **바로알기 |** 화석으로 지구 내부 구조나 암석의 생성 원인을 알아내기는 어렵다.

971 중생대의 표준 화석으로는 공룡, 암모나이트, 시조새 등이 있다.
바로알기 | 삼엽충, 방추충은 고생대 표준 화석이고, 화폐석, 매머드는 신생대 표준 화석이다.

972 ② 고사리는 시상 화석인 A에 해당한다.
④ 표준 화석은 특정한 지질 시대를 알려주므로 B를 이용하여 지층의 생성 시대를 알 수 있다.
바로알기 | ① A는 생존 기간이 길고 분포 면적이 좁으므로 시상 화석으로 적합하다.
③ B는 생존 기간이 짧고 분포 면적이 넓으므로 표준 화석으로 적합하며, 표준 화석의 생물은 현재 생존하고 있지 않아야 한다.
⑤ 환경 변화에 민감한 것은 시상 화석이다.
⑥ 지층의 퇴적 환경을 추정하는 데에는 시상 화석인 A가 표준 화석인 B보다 유용하다.

973 (1) 지층의 생성 시대를 알려주는 표준 화석의 조건으로는 생존 기간이 짧고 분포 면적이 넓어야 하므로 D 조건에 해당한다.
(2) 산호 화석은 시상 화석이다. 시상 화석의 조건으로는 생존 기간이 길고 분포 면적이 좁아야 하므로 A 조건에 해당한다. 산호 화석은 따뜻하고 수심이 얕은 바다 환경임을 알려준다.
모범 답안 (1) D, 삼엽충, 방추충, 갑주어
(2) A, 따뜻하고 수심이 얕은 바다

974 ③ 지질 시대 구분에는 표준 화석인 (라)가 시상 화석인 (가)보다 유용하다.
바로알기 | ① (가)는 시상 화석이고 (나)는 표준 화석으로, (가)는 (나)보다 분포 면적이 좁고 생존 기간이 길다.
② (다)는 고생대, (나)는 중생대 표준 화석이므로, (다)는 (나)보다 먼저 번성하였다.
④ (라)는 신생대 바다 생물이므로 (라)는 신생대 바다에서 번성했던 생물이다.
⑤ 속씨식물인 단풍나무가 번성한 시기는 신생대이므로 (라)가 살았던 시대에 번성하였다.

975 ㄴ. B층은 암모나이트 화석이 산출되는 중생대 지층이므로 A층과 같은 시대에 생성되었다.
ㄷ. B층과 C층은 각각 바다 생물인 암모나이트와 삼엽충 화석이 산출되므로 바다에서 퇴적된 지층이다.
ㄹ. D층은 고사리 화석이 산출되므로 따뜻하고 습도가 높은 육지에서 퇴적되었다.
바로알기 | ㄱ. A층은 공룡 화석이 산출되는 중생대 지층이다. 중생대에는 겉씨식물이 번성하였다.

976 공룡 발자국이 발견되는 지층은 중생대에, 삼엽충이 발견되는 지층은 고생대에 퇴적되었다. 삼엽충 화석이 육지에서 발견되는 것은 퇴적 당시에는 바다 환경이었으나 퇴적 후 융기하여 육지 환경이 되었기 때문이다.
모범 답안 삼엽충: 고생대, 공룡 발자국: 중생대, 삼엽충을 포함한 지층이 바다 밑에서 만들어진 후 수면 위로 융기했기 때문이다.

977 ④ 고생대 지층 B 위에 신생대 지층 A가 퇴적되어 있으므로 인접한 상하 두 지층 간에 시간 간격이 크다. 따라서 지층 A와 B는 부정합 관계일 가능성이 크므로, (가) 지역은 지층 B가 퇴적된 후 융기한 적이 있다.
바로알기 | ① 지층 B는 삼엽충 화석이 산출되므로 고생대, 지층 A는 매머드 화석이 산출되므로 신생대, 지층 D는 암모나이트 화석이 산출되므로 중생대이고, 지층 C는 지층 D 위에 있으므로 지층 D보다 나이가 젊다. 따라서 가장 오래된 지층은 B이다.
② 지층 B는 고생대에, 지층 C는 중생대 이후에 퇴적되었다.
③ 지층 A는 육지 환경에서, 지층 B는 바다 환경에서 퇴적되었다.
⑤ (나) 지역은 암모나이트 화석이 산출되므로 평균 기온이 높았던 중생대에 퇴적되었고, 또한 산호 화석이 산출되는 것으로 보아 따뜻한 기후였다.

III

978 산호는 현재와 마찬가지로 과거에도 따뜻한 바다에서 서식하고 있다는 전제가 있어야 산호 화석을 이용하여 과거 기후를 해석할 수 있다.

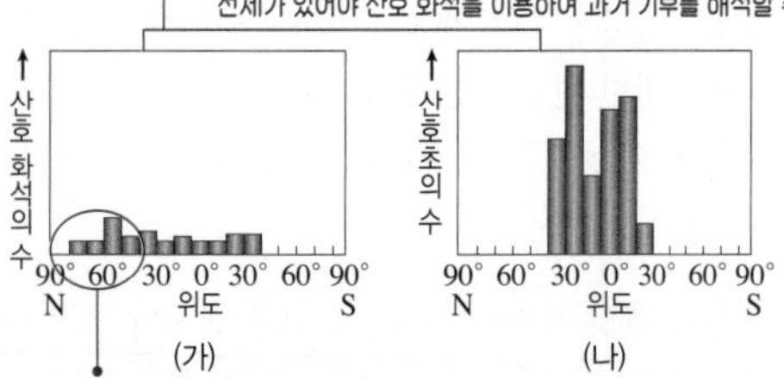

고생대에도 고위도 해역은 수온이 낮았을 것이다. 그런데 고위도에서도 산호 화석이 발견되는 것은 대륙이 저위도에 위치할 때 산호가 서식하였고 이후 대륙이 고위도로 이동한 결과이다.

ㄴ. 오늘날에도 산호는 따뜻한 바다에서 서식한다.

ㄹ. (가)의 자료를 보면 고생대에 산호가 고위도에서 서식한 것처럼 보이는데, 이는 저위도에서 생성된 산호 화석이 대륙이 고위도로 이동한 후에 발견되었기 때문이다.

바로알기 | ㄱ. 산호는 현재와 마찬가지로 과거에도 따뜻한 바다에 서식하였다는 것은 지사 해석의 전제가 된다.

ㄷ. 고생대 이후 산호의 서식 환경이 바뀌지 않고 여전히 따뜻한 바다에서 서식하였다.

979 ② 화석은 생물의 유해가 지층에 매몰되어 형성되므로 주로 퇴적암에서 발견된다.

③ 화석은 유수의 변화가 큰 강바닥보다 유수의 흐름이 안정되어 있어 퇴적물이 잘 퇴적되는 호수 바닥이나 해저에서 더 잘 생성된다.

⑤ 지질 시대는 급격한 지각 변동으로 인한 화석의 급격한 변화를 기준으로 구분한다.

⑦ 선캄브리아 시대의 길이는 약 40억 년으로, 길이가 약 3억 년인 고생대보다 기간이 길다.

바로알기 | ④ 지질 시대는 지구가 탄생한 약 46억 년 전부터 현재까지의 시간이다.

⑥ 선캄브리아 시대의 길이가 긴 까닭은 지질 시대 구분의 기준이 되는 화석과 지층에 대한 정보가 불확실하거나 부족하기 때문이다. 따라서 지질 시대의 기간이 길수록 산출되는 화석이 많은 것은 아니다.

980 부정합은 퇴적 → 융기 → 침식 → 침강 → 퇴적 과정을 거치면서 상하 인접한 두 지층의 생성 시기에 긴 시간 간격이 나타나는 것이다.

981 지질 시대 구분의 기준이 되는 것은 화석의 급변과 부정합의 존재 등이다. 그런데 선캄브리아 시대는 지층에 대한 정보가 불확실하거나 부족하기 때문에 자세하게 구분할 수 없어서 지질 시대의 길이가 길다.

모범 답안 지질 시대 구분의 기준이 되는 화석과 지층에 대한 정보가 불확실하거나 부족하기 때문에 지질 시대의 길이가 길다.

982 **모범 답안** 생물체의 개체 수가 적었고, 생물에 대부분 단단한 골격이 없었으며, 지각 변동을 많이 받아 화석이 지층 속에 보존되기 어려웠기 때문이다.

983 최근으로 올수록 지질 시대의 길이는 짧아지므로 A는 선캄브리아 시대, B는 고생대, C는 중생대, D는 신생대이다.

② 고생대인 B 시대 말에 모든 대륙이 한 덩어리로 모였는데, 이를 판게아라고 한다.

바로알기 | ① 지질 시대 중 최근으로 올수록 화석이 많이 발견되므로 A 시대의 화석이 가장 적게 발견된다.

③ 최초의 육상 생물은 고생대(B)에 출현하였다.

④ 빙하기가 없이 온난한 기후가 지속된 지질 시대는 중생대(C)이다.

⑤ 중생대인 C 시대에 생존하던 거대 파충류인 공룡은 중생대 말에 멸종하였다.

984 최근으로 올수록 지질 시대의 길이는 짧아지므로 A는 중생대, B는 신생대, C는 고생대, D는 선캄브리아 시대이다.

ㄱ. 중생대인 A 시대는 대체로 온난하였으며 빙하기가 없었다.

ㄷ. 겉씨식물은 고생대인 C 시대에 출현하였고 중생대에 번성하였다.

바로알기 | ㄴ. 오존층이 형성되어 생물이 바다에서 육지로 진출한 것은 고생대인 C 시대이다.

ㄹ. 최근으로 올수록 생물종이 많아지므로 B 시대에 가장 많은 종의 동물이 지구상에 존재했다.

985 ㄱ. 최근으로 올수록 지질 시대의 길이는 짧아지므로 오래된 지질 시대부터 나열하면 A → B → C → D이다.

ㄷ. (다)는 암모나이트로 중생대인 C 시대의 지층에서 발견된다.

바로알기 | ㄴ. (나)는 방추충으로 고생대인 B 시대의 표준 화석이다.

986 (1) 지구의 나이 46억 년을 12시간이라고 하면 신생대의 길이 0.66억 년은 약 10분이다.

(2) 지구의 탄생은 1월 1일, 현재는 12월 31일 24시로 하면 신생대는 현재로부터 5일 5시간 41분 전에 시작되었다. 따라서 12월 31일 24시 $-\dfrac{0.66\text{억 년}}{46\text{억 년}}\times 365$일=12월 31일 24시−5일 5시간 41분=12월 26일 18시 19분에 시작되었다.

모범 답안 (1) $\dfrac{0.66\text{억 년}}{46\text{억 년}}\times 12$시간(720분)=약 10분

(2) 12월 31일 24시$-\dfrac{0.66\text{억 년}}{46\text{억 년}}\times 365$일

=12월 31일 24시−5일 5시간 41분=12월 26일 18시 19분에 신생대는 시작되었다.

987 선캄브리아 시대에 출현하여 최초로 광합성을 통해 산소를 방출하기 시작한 생물은 남세균(사이아노박테리아)로 알려져 있다.

988 남세균은 선캄브리아 시대에, 삼엽충은 고생대에, 공룡은 중생대에, 화폐석은 신생대에 출현하였다.

989 (가) 속씨식물이 출현한 시대는 중생대이고, (나) 인류의 조상이 출현한 시대는 신생대이며, (다) 최초로 다세포 생물이 출현한 시대는 선캄브리아 시대이고, (라) 양치식물이 거대한 삼림을 이룬 시대는 고생대이다. 따라서 각각의 특징을 지질 시대가 빠른 것부터 순서대로 나열하면 (다) → (라) → (가) → (나)이다.

990 ① 지구상에서 최초의 생명체는 오존층이 형성되지 않은 상태에서 자외선이 차단되는 바다에서 탄생하였다.

② 스트로마톨라이트는 남세균의 유해와 퇴적물이 교대로 쌓여 생성된 퇴적 구조이다.

③ 오존층의 형성으로 지표에 도달하는 자외선이 차단되었기 때문에 육상에 생물이 진출하기 시작하였다.

⑤ 신생대 후기에는 4번의 빙하기와 3번의 간빙기가 교대로 나타났다.

바로알기 | ④ 알프스산맥과 히말라야산맥은 신생대에 각각 아프리카 대륙과 인도 대륙이 유라시아 대륙과 충돌하여 형성되었다.

991 ㄱ. 스트로마톨라이트는 선캄브리아 시대에 출현한 남세균의 유해와 퇴적물이 교대로 쌓여 생성되었다.

ㄷ. 남세균은 이산화 탄소를 흡수하여 산소를 배출하는 최초의 광합성 생물이다.

바로알기 | ㄴ. 오존층의 형성으로 육상에서 처음으로 출현한 식물은 고생대의 솔잎란류이다.

992 ② 화폐석인 (나)가 번성한 신생대에는 4번의 빙하기가 있었다.
③ 히말라야산맥은 화폐석인 (나)가 번성한 신생대에 형성되었다.
④ 갑주어인 (다)가 번성한 시대는 고생대로, 이 시대에는 양치식물이 번성하여 대규모 석탄층이 형성되었다.
⑥ 암모나이트인 (라)는 중생대 바다에서 번성했던 생물이다.
바로알기 | ① (가)는 고생대 말에 판게아가 형성되면서 멸종하였다.
⑤ 암모나이트인 (라)가 번성한 중생대에는 고생대에 이미 존재하였던 오존층이 있었다.

993 그림은 중생대의 환경을 나타낸 것이다.
ㄱ. 중생대에는 겉씨식물이 번성하였다.
ㄷ. 중생대에는 빙하기 없이 온난한 기후가 계속되었다.
바로알기 | ㄴ. 대륙이 하나로 모여 판게아가 형성된 시기는 고생대 말이다.

994 (1) 그림의 환경을 보면 매머드가 번성한 신생대이다. 신생대에는 속씨식물이 번성하였다.
(2) 신생대는 중생대 이후로 대륙이 계속 이동하여 현재와 비슷한 수륙 분포를 이루었다. 신생대 때 인도 대륙이 유라시아 대륙과 충돌하면서 히말라야산맥이 형성되었다.
(3) 신생대 전기에는 온난하여 넓은 초원이 형성되었고, 후기에는 빙하기와 간빙기가 반복되었다.
모범 답안 (1) 신생대, 속씨식물이 번성하였다.
(2) 현재와 비슷한 수륙 분포를 이루었다. 히말라야산맥이 형성되었다.
(3) 전기에는 대체로 온난하였고, 후기에는 빙하기와 간빙기가 반복되었다.

995 ㄴ. 중생대인 (가)는 대체로 온난하였고, 신생대인 (나)의 전기에는 대체로 온난하였지만 후기에는 빙하기와 간빙기가 반복되었다.
ㄷ. (다) 시기인 고생대 말에는 가장 큰 규모의 대멸종이 일어나 바다 생물종의 90 % 이상, 육상에 살았던 척추동물의 70 % 이상이 멸종하였다.
바로알기 | ㄱ. (가)는 공룡이 번성하였던 중생대, (나)는 매머드가 번성하였던 신생대, (다)는 삼엽충이 번성하였던 고생대이다. 따라서 지질 시대의 순서는 (다) → (가) → (나)이다.

개념 보충

지질 시대 생물의 대멸종

생물 과의 수
600
400
200
0
고생대 | 중생대 | 신생대
6 5 4 3 2 1 0
시간(억 년 전)
대멸종
대멸종
대멸종
대멸종
대멸종
해양의 무산소화, 기온 하강, 운석 충돌 등
빙하의 확장으로 인한 해수면 하강, 기온 하강 등
운석 충돌이 주요 원인
판게아 분리에 따른 화산 활동 등
판게아 형성, 빙하기 등의 복합적인 원인

• 과거 지구상에 모습을 드러내었던 생물들이 크게 사라진 멸종은 10여 차례 있었던 것으로 알려져 있다. 그 중에서도 특히 넓은 범위에 걸쳐 짧은 기간 동안 원생생물을 제외한 전 생명 영역에서 70 % 이상의 생물종이 한꺼번에 사라진 것을 대멸종이라고 한다.
• 지구 역사에서 대멸종은 다섯 번 발생했던 것으로 알려져 있다.
• 고생대 말에는 가장 큰 규모의 대멸종이 일어났다.
➡ 바다 생물종의 90 % 이상이 멸종하였고, 육상에 살았던 척추동물의 70 % 이상이 멸종하였다.
• 공룡의 멸종으로 잘 알려진 다섯 번째 대멸종은 중생대 말에 발생하였다.
• 다섯 번의 대멸종 후 새로운 환경에 적응한 생물이 다양한 종으로 진화하면서 생물 다양성이 이루어졌다.

996 ① 식물의 번성 순서는 (나) 고생대 양치식물 → (가) 중생대 겉씨식물 → (다) 신생대 속씨식물이다.
② (가)가 번성한 중생대에 몸집이 큰 파충류가 번성하였다.
③ (나)가 번성한 고생대에 오존층이 형성되면서 육상 생물이 출현하였다.
④ (나)가 번성한 시대인 고생대 말기에 큰 빙하기가 있었다.
바로알기 | ⑤ 최초의 포유류가 출현한 시대는 중생대이고, 신생대에는 포유류가 번성하였다.

997 ㄷ. 중생대인 (다) 시대에 바다에서는 암모나이트가 번성하였다.
바로알기 | ㄱ. (가)는 신생대, (나)는 선캄브리아 시대, (다)는 중생대, (라)는 고생대이다. 따라서 오래된 시대부터 나열하면 (나) → (라) → (다) → (가)이다.
ㄴ. 최근으로 올수록 지질 시대의 지속 시간은 짧아지므로 (가) 시대는 (나) 시대보다 상대적 길이가 짧다.

998 최초의 광합성 생물이 출현하여 대기 중의 산소 농도가 점점 증가하다가 오존층이 형성되면서 태양의 자외선이 차단되어 육상 생물이 등장하였다.

999 **모범 답안** (1) 남세균이 광합성을 하여 산소를 방출하였기 때문이다.
(2) C, 대기 중 산소 농도가 증가하여 오존층이 형성되면서 자외선이 차단되어 육지에 생물이 출현할 수 있었다.

1000 ③ (가) 시대 말에 판게아가 형성되면서 대륙 충돌 등 대규모 지각 변동이 일어났고, 천해 환경이 축소되면서 해양 무척추동물이 대량으로 멸종하였다.
바로알기 | ① (가)는 판게아가 형성된 고생대 말기, (다)는 판게아가 갈라져 이동하는 중생대, (나)는 현재의 수륙 분포와 비슷한 신생대이다. 따라서 수륙 분포는 (가) → (다) → (나) 순으로 변하였다.
② 현재와 수륙 분포가 가장 비슷한 모습은 (나)이다.
④ 신생대인 (나) 시대에는 속씨식물이 번성하였다.
⑤ 신생대인 (나) 시대에 아프리카 대륙이 유라시아 대륙과 충돌하면서 알프스산맥이 형성되었고, 인도 대륙이 유라시아 대륙과 충돌하면서 히말라야산맥이 형성되었다.

1001 ② 고생대인 A 시대 말기에는 큰 빙하기가 있었다.
⑤ 신생대인 C 시대에는 4번의 빙하기가 있었다.
바로알기 | ① 고생대인 A 시대 초기에는 온난한 기후와 산소 농도 증가 등으로 생물이 서식하기 좋은 환경이 형성되면서 해양 생물의 수가 급격히 증가하였다.
③ 중생대인 B 시대는 빙하기가 없어 전반적으로 온난하였다.
④ 신생대인 C 시대는 후기에 기온이 하강하여 4번의 빙하기가 있었다.
⑥ 빙하기에는 해수면이 낮아진다. 따라서 C 시대에 평균 해수면은 빙하기가 있는 후기가 빙하기 없는 전기보다 낮았을 것이다.
⑦ 지질 시대의 평균 기온 변화는 생물의 번성과 쇠퇴에 큰 영향을 주었다.

1002 ㄴ. B 시대는 A 시대보다 한랭하여 빙하의 분포 면적이 넓었을 것이다.
바로알기 | ㄱ. A와 B는 고생대(약 5.41～2.52억 년 전), C는 중생대(약 2.52～0.66억 년 전)이다.
ㄷ. C 시대에는 빙하기가 없어 기후는 전반적으로 온난하였다. 빙하기와 간빙기가 반복되어 나타났던 시대는 신생대이다.

1003 지질 시대에 일어난 생물 대멸종의 원인으로 판게아 형성과 같은 대륙 분포의 변화, 해수면의 변화, 대규모 화산 폭발, 운석 충돌, 급격한 기후 변화 등이 있다.

바로알기 | ② 초신성 폭발은 지구의 생물 서식 환경에 큰 영향을 주지 않는다.

1004 ①, ② 지질 시대 동안 대멸종이 일어난 횟수는 다섯 번이며, 그중 가장 큰 규모의 멸종은 고생대 말기에 있었다.

③ 운석 충돌은 기후 변화와 급격한 환경 변화를 일으켜 생물 대멸종의 원인이 된다.

④ 표준 화석인 삼엽충, 방추충, 암모나이트, 화폐석 등은 특정 지질 시대만 산출되고 현재는 멸종된 생물들의 화석이다.

바로알기 | ⑤ 대멸종 이후 새로운 환경에 적응한 생물은 다양한 종으로 진화하여 생물 다양성이 증가하였다.

1005 ① 고생대인 A 시대 초기에 온난한 기후와 산소 농도 증가 등으로 생물이 서식하기 좋은 환경이 형성되면서 해양 생물의 수가 폭발적으로 증가하였다.

③ 고생대인 A 시대 말에 가장 규모가 큰 대멸종이 일어나 바다 생물 종의 90 % 이상, 육상에 살았던 척추동물의 70 % 이상이 멸종하였다.

④ 중생대인 B 시대에 암모나이트, 익룡 등이 번성하였다.

⑥ 신생대인 C 시대에는 속씨식물이 번성하였고, 인류가 출현하였다.

⑦ 최근으로 올수록 생물 다양성이 높아지므로 생물 다양성이 가장 높은 시기는 신생대인 C 시대이다.

⑧ 대멸종은 급격한 지구 환경 변화 때문에 일어났으므로 대멸종은 지질 시대를 구분하는 주요 기준이다.

바로알기 | ② A 시대 말에는 대륙이 모여 판게아가 형성되었다.

⑤ A 시대 말에 판게아가 형성되어 지각 변동의 증가와 천해 환경 감소 등으로 인해 해양 생물의 대멸종이 일어났다.

1006 (1) 삼엽충은 고생대 말인 C 시기에, 공룡은 중생대 말인 E 시기에 멸종하였다.

모범 답안 (1) 삼엽충: C, 공룡: E

(2) 대멸종 이후 새로운 환경에 적응한 생물은 멸종한 생물들의 빈자리를 채워가며 새롭게 형성된 생태계에서 다양한 종으로 진화해 왔기 때문이다.

1007 ㄴ. ㉠ 시기는 고생대 말의 대멸종이 일어난 시기로 고생대 표준 화석인 방추충이 멸종하였다.

ㄹ. 해양 동물은 육상 식물보다 환경 변화에 따른 생물종의 수 변화가 뚜렷하므로 지질 시대 구분에 유용하다.

바로알기 | ㄱ. A 시대는 고생대이고, 최초의 광합성 생물이 등장한 시기는 선캄브리아 시대이다.

ㄷ. ㉡ 시기는 중생대 말의 대멸종이 일어난 시기로 공룡은 멸종하였으나 포유류는 멸종하지 않고 신생대에 번성하였다.

1008 ②, ③ 중생대 말의 공룡을 비롯한 생물의 대멸종의 원인에 대한 가설이다.

④ 유카탄 반도에서 발견된 지질 시대에 생성된 운석 구덩이는 가설을 뒷받침하는 증거가 된다.

바로알기 | ⑤ 지질 시대의 경계 지층에서 지구 표면에는 거의 없지만 소행성 속에 많이 들어 있는 이리듐 농도가 높게 나타나는 것은 이 가설을 뒷받침하는 증거가 된다.

31 자연 선택과 생물의 진화

빈출 자료 보기 255쪽

1009 (1) × (2) ○ (3) × (4) × (5) ○

1009 **바로알기 |** (1) 항생제 사용 이전에 유전적으로 다른 변이가 있었다.

(3) 항생제 사용을 중단하더라도 유전자가 바뀌는 것이 아니므로 항생제 내성 세균은 사라지지 않는다.

(4) 항생제에 내성이 없는 세균은 항생제에 의해 생장이 억제되므로 항생제가 작용하는 환경에서는 생존에 불리하다.

난이도별 필수 기출 256~261쪽

1010 ③	1011 ②	1012 ④	1013 ⑤	1014 ②
1015 ⑤	1016 ④	1017 ①	1018 ④	1019 ②, ⑥
1020 ①	1021 ⑤	1022 ③	1023 ②	1024 ⑤, ⑥
1025 ⑤	1026 해설 참조		1027 ④	1028 ⑤
1029 ⑤	1030 ②	1031 ②	1032 ④	1033 ④
1034 ⑤	1035 ②	1036 ④		

1010 ㄱ, ㄴ. 오랜 시간에 걸친 생물의 변화를 진화라고 한다. 오늘날 지구에 다양한 생물이 살게 된 것은 수억 년 동안 이루어진 진화의 결과이다.

바로알기 | ㄷ. 같은 종이라도 개체 간에 변이가 있어 자연 선택이 일어나 진화가 일어나므로, 변이가 없는 집단은 진화가 일어나지 않는다.

1011 ④ 돌연변이는 유전적 변이의 원인 중 하나이다.

⑤ 유성 생식 과정에서 유전자 조합이 다양한 생식세포를 형성하므로, 유성 생식을 하는 생물이 개체들 사이의 변이가 다양하게 나타난다.

바로알기 | ② 핀치와 독수리는 서로 다른 종이므로 이들 사이에 부리 모양이 다른 것은 변이가 아니라 종간 차이이다.

1012 ④ 유성 생식 과정에서 암수 배우자의 생식세포가 무작위로 결합하기 때문에 유전자 조합이 다양한 자손이 생긴다. 그 결과 (나)와 같이 개체마다 다양한 형질이 나타나게 된다.

바로알기 | ① (가)는 환경의 영향으로 나타난 비유전적 변이이다.

② (나)는 유전적 변이에 의한 것이므로 자손에게 유전된다.

③ (가)와 같은 비유전적 변이는 자손에게 유전되지 않으므로 진화에 영향을 주지 않는다. (나)와 같은 유전적 변이가 진화의 원동력이 된다.

⑤ 앵무가 개체마다 깃털 색의 차이를 보이는 현상은 유전적 변이에 해당하므로 (나)와 관련된 사례이다.

1013 ①, ② (가)는 돌연변이, (나)는 생식세포의 다양한 조합에 관한 설명이다. 돌연변이는 개체군에 없던 새로운 유전자를 제공해 주므로 돌연변이에 의해 유전적 다양성이 증가한다.

③, ④ (가)와 (나)는 유전적 변이의 원인으로, 이를 통해 개체 사이에 유전자 차이가 나타나며, 형질이 자손에게 전달된다.

바로알기 | ⑤ 항생제 내성 세균의 출현은 돌연변이에 의한 유전적 변이이므로 (가)와 관계가 있다.

1015 다윈의 자연 선택설에 따른 진화 과정은 과잉 생산 → 변이(A) → 생존 경쟁(B) → 자연 선택(C) → 진화이다.

1016 자연 선택설에 따른 진화가 일어나는 과정은 (라) 과잉 생산 → (가) 변이 → (마) 생존 경쟁 → (나) 자연 선택 → (다) 진화이다.

1017 제시된 자료에서 자연 선택에 의한 진화 과정은 (가) 변이 → (다) 환경 변화 → (마) 생존 경쟁 및 환경에 대한 적응 → (라) 자연 선택 → (나) 진화이다.

1018 ③ 생존 경쟁에서 살아남은 개체가 자손을 남겨 자연 선택된다.
⑤ 자연 상태에서 생물은 주어진 환경에서 살아남을 수 있는 것보다 많은 수의 자손을 낳고, 과잉 생산된 개체들은 한정된 자원을 두고 생존 경쟁을 한다.
바로알기 | ④ 자연 선택된 개체는 자신의 유전자를 자손에게 전달하는데, 이때 생존에 유리한 형질도 함께 유전되는 것이지 특정 형질만이 유전되는 것은 아니다.

1019 ① (가)는 과잉 생산과 변이로, 기린 집단에서 목 길이가 다양한 변이가 있는 것을 나타낸다.
③, ④ (나)에서 과잉 생산된 개체 사이에 생존 경쟁이 일어났으며, 그 결과 목이 긴 기린이 살아남았다.
⑤ (다)에서 목이 긴 기린만 있는 것은 목이 긴 기린이 자연 선택되어 목이 짧은 기린보다 더 많은 자손을 남기는 과정이 반복되었기 때문이다.
바로알기 | ② 목 길이에 대한 변이는 유전적 변이로, 자손에게 유전된다.
⑥ 다윈은 개체들 사이에 변이가 나타나는 원인과 부모의 형질이 자손에게 유전되는 원리를 명확하게 설명하지 못하였다.

1020 다윈은 환경에 적합한 개체들이 살아남아 자연 선택된다는 이론을 제시하였다. ②, ③, ④, ⑤는 환경의 변화에 적응하여 자연 선택된 예이다.
바로알기 | ① 도도나무는 도도새에 의해 수분이 이루어져 씨가 맺혀 번식하는데, 인간에 의해 도도새가 멸종하자 도도나무도 번식을 하지 못하여 개체 수가 급격히 감소하였다. 이것은 환경 변화에 적응하지 못하여 자연 도태된 예이다.

1021 ① 당시에는 유전의 원리가 밝혀져 있지 않았기 때문에 다윈은 변이가 나타나는 원인을 명확하게 설명하지 못하였다.
바로알기 | ⑤ 자연 선택설을 사회에 적용하여 사회적인 경쟁과 불평등 구조를 자연스러운 일이라고 설명하는 사회진화론이 대두되었다.

1022 ㄱ. 갈라파고스 군도의 각 섬에서 부리 모양이 다른 핀치가 살고 있는 것은 오랜 시간에 걸친 자연 선택의 결과이다.
ㄷ. 갈라파고스 군도의 각 섬마다 먹이 환경이 달라 그 섬에서 얻을 수 있는 먹이를 얻는 데 적합한 부리를 가진 개체들이 생존에 유리하여 더 많은 자손을 남겼고, 여러 세대에 걸쳐 이 과정이 반복되어 오늘날 각 섬에 살고 있는 핀치의 부리 모양이 다양해졌다.
바로알기 | ㄴ. 갈라파고스 군도의 각 섬에 처음 정착한 핀치는 남아메리카 대륙에서 건너온 같은 종의 핀치였을 것으로 추정한다.

1023 ㄴ. 대륙에서 건너온 같은 종의 핀치가 갈라파고스 군도의 먹이 환경이 다른 각각의 섬에 적응하면서 특정 형질을 가진 핀치가 자연 선택되었고, 여러 세대를 거치며 부리의 모양이 서로 다른 종으로 진화하였다.
바로알기 | ㄱ. 곤충을 먹는 핀치와 열매를 먹는 핀치는 부리 모양이 다른 서로 다른 종이므로 부리 모양을 결정하는 유전자는 서로 다르다.
ㄷ. 단단한 씨앗이 많은 환경에서는 크고 튼튼한 부리를 가진 핀치가 길고 가느다란 부리를 가진 핀치보다 생존에 유리하여 자연 선택되었다.

1024 ⑤ 갈라파고스 군도의 각 섬에 부리 모양이 다른 여러 종의 핀치가 살고 있는 것은 핀치들이 대륙과 격리되어 살아가면서 각 섬의 환경에 적응한 결과이다.
⑥ 각 섬에 풍부한 먹이의 종류에 따라 부리 모양이 가장 유리한 개체가 살아남아 여러 세대에 걸쳐 형질이 축적되어 진화가 일어난 결과로 설명할 수 있다.
바로알기 | ① 핀치 조상 집단의 개체들은 같은 종이기는 하지만 변이가 있었을 것이므로 유전적으로 모두 동일한 것은 아니다.
② 갈라파고스 군도의 핀치는 먹이의 종류에 따라 부리 모양이 다르게 진화한 것이다.
③ 부리 모양이 다른 4종류의 핀치는 부리 모양에 대한 유전자 구성이 서로 다르다.
④ 변이는 같은 종의 개체들 사이에서 나타나는 형질의 차이이다.

1025 ㄴ. 말라리아 병원충은 낫 모양 적혈구에서는 증식하기 어렵기 때문에 낫 모양 적혈구를 가진 사람은 말라리아에 저항성이 있어 말라리아에 걸릴 확률이 낮다.
ㄷ. 말라리아가 자주 발생하는 지역에서는 낫 모양 적혈구 유전자를 가진 사람들이 생존에 유리하여 자연 선택되었다.
바로알기 | ㄱ. 낫 모양 적혈구는 산소를 운반하는 능력이 떨어지고 모세 혈관을 막아 혈액 순환을 방해하므로 일반적으로 생존에 불리한 형질이다.

1026 모범 답안 말라리아가 자주 발생하는 지역에서는 낫 모양 적혈구 유전자를 가진 사람들이 말라리아에 저항성이 있어서 생존에 유리하여 높은 비율로 살아남아 자손을 남기는 자연 선택이 일어났기 때문이다.

1027 ㄱ. 낫 모양 적혈구는 헤모글로빈 유전자에 돌연변이가 일어나 비정상 헤모글로빈이 만들어지고 그 결과 적혈구의 모양이 바뀐 것이다.
ㄷ. 낫 모양 적혈구는 일반적인 환경에서는 생존에 불리한 형질이지만, 말라리아가 자주 발생하는 환경에서는 생존에 유리한 형질이다.
바로알기 | ㄴ. 말라리아가 자주 발생하는 지역에서 낫 모양 적혈구를 가진 사람의 비율이 높은 것은 낫 모양 적혈구를 가진 사람은 말라리아에 저항성이 있어 정상 적혈구를 가진 사람보다 생존에 유리하기 때문이다.

1028 유전자형이 Hb^SHb^S인 사람은 악성 빈혈로 어떤 환경에서나 생존에 불리하다. 유전자형이 Hb^AHb^A인 사람은 일반적으로는 생존에 유리하지만, 말라리아에 저항성이 없어서 말라리아가 자주 발생하는 지역에서는 생존에 불리하다. 유전자형이 Hb^AHb^S인 사람은 일반적으로는 생존에 불리하지만, 말라리아에 저항성이 있어서 말라리아가 자주 발생하는 지역에서는 자연 선택되어 상대적인 인구 수 비율이 높다.
ㄱ. 낫 모양 적혈구는 헤모글로빈 유전자(Hb^A)에 돌연변이(Hb^S)가 생겨 나타나는 형질로, 자손에게 전달되는 유전적 변이이다.
ㄴ. 말라리아가 자주 발생하는 지역에서 유전자형이 Hb^AHb^S인 사람의 비율이 가장 높은 것은 낫 모양 적혈구 유전자를 가진 사람이 생존에 유리하여 자연 선택되었기 때문이다.
ㄷ. 말라리아가 자주 발생하는 지역 (나)에서 Hb^AHb^A의 출현 빈도가 낮은 것은 말라리아 감염으로 유전자형이 Hb^AHb^A인 사람이 자연 도태되었기 때문이다.

1029 ㄱ. (가) 과정에서 돌연변이가 일어나 형질 B를 가진 개체가 나타났으므로 유전적 변이가 일어났다.
ㄴ, ㄷ. (나) 과정에서 형질 B를 가진 개체들이 생존에 유리하여 자연 선택되어 형질 B를 가진 개체들의 비율이 높아졌다.

1030 ㄴ. 항생제를 사용하는 환경에서는 항생제 내성 세균이 생존에 유리하여 자연 선택되었다.
ㄹ. 항생제 내성은 유전적 변이이므로 세균이 번식하는 과정에서 자손에게 유전된다.
바로알기 | ㄱ. 항생제 내성 유전자는 돌연변이에 의해 나타났으며, 항생제를 사용하기 전부터 존재했다.
ㄷ. 항생제 사용을 멈추더라도 개체가 가진 유전자가 사라지거나 변하는 것은 아니므로 항생제 내성 세균은 존재한다.

1031 ② (가) 과정에서 돌연변이가 일어나 항생제 A 내성 유전자를 갖는 세균이 나타났다.
바로알기 | ① 항생제 사용은 그 항생제에 내성을 가진 세균의 생존에 유리하게 작용하여 자연 선택이 일어나도록 한다.
③, ④ (나) 과정에서 항생제 A를 사용하는 환경에서 항생제 A에 내성이 있는 세균이 생존에 유리하여 자연 선택되어 집단 내 비율이 높아졌다. 이때 항생제 A에 내성이 없는 세균은 자연 도태되었다.
⑤ 항생제 A를 지속적으로 사용하면 항생제 A에 내성이 있는 세균의 비율이 크게 증가하여 항생제 A 내성 세균 집단이 형성될 수 있다.

1032 ㄴ. ㉠ 과정에서 세균 A만 있던 집단에 돌연변이가 일어나 세균 B가 나타났으므로 유전적 다양성이 증가하였다.
ㄷ. 세균 A는 항생제에 내성이 없고 세균 B는 항생제에 내성이 있다. 이러한 형질 차이는 유전자의 차이로 나타난다.
바로알기 | ㄱ. 항생제를 사용하는 ㉡ 과정에서 세균 A는 사라지고 세균 B만 살아남은 것으로 보아 세균 B가 항생제 내성 세균이다.
ㄹ. 항생제를 사용하는 환경에서는 세균 B가 생존에 유리하여 자연 선택되었다.

1033 ㄱ. 벨크로 테이프가 항생제 모형이므로 벨크로 테이프에 붙지 않아 집단에서 제거되지 않는 B가 항생제 내성 세균 모형이다.
ㄷ. 세대가 거듭될수록 항생제 내성 세균 모형인 B의 비율이 증가하는 것을 알 수 있다.
바로알기 | ㄴ. 한 세대를 넘어갈 때마다 벨크로 테이프로 세균 모형을 찍어 냈으므로 4세대까지 항생제를 처리하는 과정은 총 3번 진행되었다.

1034 ㄴ. (나) 과정에서 살충제를 살포하였고 살충제에 내성이 있는 모기가 생존에 유리하여 자연 선택된 결과 살충제 내성 모기의 비율이 크게 증가하였다.
ㄷ. (나) 이후 결과로 보아 환경 변화에 따라 생존에 유리한 형질을 가진 개체가 살아남아 더 많은 자손을 남겨 진화한다는 것을 알 수 있다.
바로알기 | ㄱ. (가) 과정에서 돌연변이가 일어나 살충제에 내성이 있는 모기가 출현하였고, (나) 과정에서 살충제를 살포하였다.

1035 ㄷ. 2세대 이후 살충제 살포를 중지하여 ㉡의 생존에 불리한 조건이 사라지고, 색이 진한 개체의 천적이 나타나 ㉠이 생존에 불리하게 된다면 ㉡의 비율이 증가할 것이다.
바로알기 | ㄱ. 살충제 내성 여부와 몸 색깔 형질은 세대를 거듭하면서 자손에게 유전되므로 ㉠과 ㉡은 유전적으로 다른 개체이다.
ㄴ. 살충제를 살포하는 환경에서 ㉡은 개체 수가 줄어들다가 집단에서 사라졌다. 따라서 살충제 살포는 ㉡에게 생존에 매우 불리한 환경으로 작용하여 ㉡은 환경 변화에 적응하지 못하고 자연 도태되었다.

1036 산업 혁명 이전에는 대기 오염이 없어 밝은 환경에서 흰색 나방이 검은색 나방보다 천적의 눈에 잘 띄지 않아 생존에 유리하였고, 산업 혁명 이후에는 대기 오염으로 어두운 환경에서 검은색 나방이 흰색 나방보다 천적의 눈에 잘 띄지 않아 생존에 유리하였다. 대기 오염 규제 후에는 대기 오염이 완화되어 다시 흰색 나방이 생존에 유리하였다.
ㄱ. 산업 혁명 이전에 흰색 나방의 빈도가 높은 것은 흰색 나방이 검은색 나방보다 생존에 유리하였기 때문이다.
ㄷ. 흰색 나방과 검은색 나방의 빈도 변화는 대기 오염 등과 같은 환경 변화에 따라 생존에 유리한 형질이 달라지는 자연 선택의 결과로 설명할 수 있다.
바로알기 | ㄴ. 대기 오염 규제로 대기의 질이 좋아지면 검은색 나방이 생존에 불리해지므로 검은색 나방의 빈도가 감소한다.

32 생물 다양성과 보전

빈출 자료 보기 263쪽

1037 (1) × (2) × (3) ○ (4) × (5) ○ (6) ○

1037 **바로알기 |** (1) (가)는 유전적 다양성, (나)는 종 다양성, (다)는 생태계 다양성을 의미한다.
(2) 유전적 다양성(가)은 같은 종에서 하나의 형질을 결정하는 유전자에 차이가 있어 형질이 다양하게 나타나는 것을 의미한다.
(4) 유전적 다양성(가)이 높아 변이가 다양할수록 환경 변화에 의한 멸종 가능성이 낮다.

난이도별 필수 기출 264~267쪽

1038 유전적 다양성 1039 ④ 1040 ⑤ 1041 ①
1042 ③ 1043 ② 1044 ② 1045 ④
1046 해설 참조 1047 ③ 1048 해설 참조
1049 ③ 1050 ④ 1051 ⑤ 1052 ① 1053 ⑤
1054 ② 1055 ① 1056 ㉠ 서식지 단편화, ㉡ 생태 통로
1057 ③ 1058 ⑤ 1059 (가) 런던 협약 (나) 람사르 협약 (다) 생물 다양성 협약 1060 ③

1039 (가)는 같은 종이라도 개체마다 유전자가 다양하여 변이가 나타나는 유전적 다양성을 의미하고, (나)는 한 생태계에 서식하는 생물종의 다양성을 나타내며, (다)는 생태계 다양성이다.

1040 ㄱ. 생태계 다양성이 높아지면 서식하는 생물종이 풍부해지고 다양한 환경에 적응한 개체들이 있어 유전적 다양성(가)과 종 다양성(나)이 모두 높아진다.
ㄴ. 유전적 다양성(가)이 높으면 변이가 다양하여 환경이 급격히 변화했을 때 적응하여 살아남는 개체가 있을 가능성이 높다.
ㄷ. 종 다양성(나)이 높아지면 생태계의 먹이 사슬이 복잡하게 형성되어 생태계가 안정적으로 유지된다.

1041 ㄱ. (가)는 생태계 다양성, (나)는 종 다양성, (다)는 유전적 다양성이다.

바로알기 | ㄴ. 같은 종에서 개체마다 모양, 크기, 색 등이 다른 것은 유전자의 차이 때문이므로 유전적 다양성(다)에 해당한다.

ㄷ. 종의 수가 많고, 종의 분포 비율이 고를수록 종 다양성(나)이 높다.

1042 **바로알기 |** • A: 종의 수가 많고, 종의 분포 비율이 균등할수록 종 다양성이 높다.

• B: 한 생태계에 존재하는 생물종의 다양한 정도는 종 다양성이다.

1043 ③ 두 생태계의 경계 지역인 갯벌은 바다와 육지의 생물들이 공존하여 생물 다양성이 높다.

④ 생물 자원은 의식주의 재료와 의약품의 원료가 되므로 생물 다양성을 유지하는 것이 중요하다.

⑤ 생물종 집단에서 유전적 다양성이 낮으면 급격한 환경 변화에 적응할 수 있는 개체가 없어 멸종할 가능성이 높아진다.

바로알기 | ② 종 다양성이 높으면 먹이 그물이 복잡하게 형성되어 생태계가 안정적으로 유지된다.

1044 ① (가)는 같은 생물종이라도 각 개체 간의 유전자 차이 때문에 형질이 다르게 나타나는 것을 의미하는 유전적 다양성이다.

③, ④ 유전적 다양성(가)이 낮을수록 개체들의 변이가 적어서 급격한 환경 변화가 일어났을 때 멸종할 가능성이 높고, 종 다양성(나)이 높을수록 먹이 사슬이 복잡해져 생태계의 안정성이 높아진다.

⑤ 생태계 다양성(다)이 높을수록 서식하는 생물종이 다양해지므로 종 다양성(나)이 높게 나타난다.

바로알기 | ② (나)는 한 생태계 내에 서식하는 생물종의 다양한 정도를 의미하는 종 다양성이다.

1045 ㄱ, ㄴ, ㄷ. 종 다양성은 생물종의 수가 많을수록, 각 생물종의 분포 비율이 균등할수록 높다. (가)와 (나)에서 식물 개체 수는 20개체로 같고, 식물종 수도 A~D 4종으로 같다. 그러나 (가) 지역은 A의 분포 비율이 매우 높고 B~D의 분포 비율은 매우 낮은 데 비해 (나) 지역은 A~D 4종의 분포 비율이 균등하므로 종 다양성은 (나)가 (가)보다 높다.

바로알기 | ㄹ. 식물종 A의 분포 비율은 (가)에서는 $\frac{16}{20} \times 100 = 80$ %이고, (나)에서는 $\frac{6}{20} \times 100 = 30$ %이므로 (가)가 (나)보다 높다.

1046 (가)와 (나)에서 식물종 ㉠~㉣의 개체 수는 다음과 같다.

구분	㉠종	㉡종	㉢종	㉣종
(가)	12	1	1	1
(나)	5	3	3	4

모범 답안 (나), 생물종의 수가 많을수록, 각 생물종의 분포 비율이 균등할수록 종 다양성이 높다. (가)와 (나)에 서식하는 식물종 수는 4종으로 같지만, (가)보다 (나)에서 각 식물종의 분포 비율이 균등하므로 (가)보다 (나)가 종 다양성이 높은 지역이다.

1047 ㄱ. 씨가 있는 야생 바나나(가)는 씨로 번식하므로 유성 생식 과정에서 유전자 조합이 다양하게 형성되어 다양한 변이가 나타난다.

ㄴ. 뿌리로 번식하는 씨 없는 바나나(나)는 유전적으로 모두 동일하므로 씨가 있는 야생 바나나(가)보다 유전적 다양성이 낮다.

바로알기 | ㄷ. 유전적으로 동일한 씨 없는 바나나(나)는 급격한 환경 변화가 일어났을 때 멸종할 가능성이 높다.

1048 **모범 답안** 씨가 없는 바나나는 무성 생식으로 번식하여 유전적으로 모두 동일하므로 유전적 다양성이 매우 낮다. 이 때문에 파나마병과 같은 전염병에 대해 모든 개체들이 취약하여 멸종 위기에 처하게 된다.

1049 **바로알기 |** ③ 주목 열매에서 항암제의 원료를 얻는다. 페니실린의 원료는 푸른곰팡이에서 얻는다.

1050 ㄱ. 생물 다양성이 높을수록 생물종이 풍부하고 개체들의 형질이 다양하여 생물 자원이 풍부해진다.

ㄷ. 울창한 숲에서 휴식을 하는 것도 생물 자원의 이용에 해당한다.

바로알기 | ㄴ. 생물 자원은 인간의 생활과 생산 활동에 이용될 가치가 있는 유전자, 생물, 생태계 등의 모든 생물적 자원을 말한다.

1051 (나)는 같은 종의 집단에서 형질이 다양한 것을 나타내므로 유전적 다양성의 예이다. (나)는 B와 관련이 깊으므로 B가 유전적 다양성, A가 생태계 다양성이다.

ㄴ, ㄹ. 생물종 내에서 변이가 많은 것은 하나의 형질을 결정하는 유전자가 다양한 것을 의미하므로, 변이가 많을수록 유전적 다양성(B)이 높아진다.

ㄷ. 유전적 다양성(B)이 높은 종은 변이가 다양하므로 전염병과 같은 급격한 환경 변화에도 살아남는 개체가 있을 가능성이 높다.

바로알기 | ㄱ. 일정 지역에 서식하는 생물종의 다양한 정도는 종 다양성이다.

1052 **바로알기 |** ㄷ, ㄹ. 국립 공원 지정과 종자 은행 운영은 생물 다양성을 보전하기 위한 방법이다.

1053 **바로알기 |** ⑤ 국립 공원의 자연휴식년제는 파괴된 생태계를 복원시켜 생물 다양성을 증가시키기 위한 정책이다.

1054 ① 서식지 파괴는 생물의 삶의 터전을 없애버리므로 생물 다양성 감소에 가장 큰 영향을 준다.

③ 깨끗한 환경에서만 사는 생물들은 환경 오염에 의해 치명적인 영향을 받는다.

⑤ 유전적 다양성이 낮은 종은 전염병에 의해 멸종될 가능성이 높다.

바로알기 | ② 환경 오염보다 외래종 유입으로 위협받는 종이 더 많으므로 환경 오염보다 외래종 유입이 생물 다양성 감소에 더 큰 영향을 준다.

1055 ㄱ. 제시된 외래종은 토종 생물의 서식지를 차지하고 생존을 위협하여 토종 생물의 멸종 원인이 되므로 생물 다양성을 감소시킨다.

바로알기 | ㄴ. 제시된 외래종은 우리나라의 새로운 환경에 적응하여 생태계를 교란한다.

ㄷ. 제시된 외래종은 토종 생물의 생존을 위협하며 기존의 먹이 사슬에 변화를 일으켜 생태계 평형을 깨뜨린다.

1056 도로나 철도 건설 등으로 하나의 서식지가 여러 개로 분리되는 것을 서식지 단편화라고 한다. 단편화된 서식지에서는 생물종의 이동이 제한되므로 생물의 안전한 이동을 위하여 생태 통로를 설치해야 한다.

1057 ③ 도로와 철도 등으로 생물종의 이동이 제한되어 생물 다양성이 감소한다.

바로알기 | ① 서식지가 분리되기 전(가) 서식지 면적은 64 ha인데, 서식지가 분리된 후(나) 서식지 면적은 8.7 ha×4=34.8 ha이므로, 서식지의 총 면적이 감소한다.

②, ④ 서식지가 단편화되면 서식지의 총 면적이 줄어들고 처음에

서식지 중심부에 살던 생물들이 생존하기 어려워져 생물의 개체 수와 종 수가 줄어들어 생물 다양성이 낮아진다.
⑤ 생태 통로를 설치하면 생물들이 도로를 건너다 차에 치여 죽는 로드킬이 발생할 확률이 낮아진다.

1058 **바로알기 |** ⑤ 숲을 개간하여 농경지로 만드는 것은 서식지를 파괴하는 것으로, 생물 다양성을 보전하는 것과는 거리가 멀다.

1059 (가)는 산업 폐기물로 인한 해양 오염 방지를 위한 런던 협약, (나)는 습지 보전을 위한 람사르 협약, (다)는 생물종 보호를 위해 유엔 환경 개발 회의에서 체결한 생물 다양성 협약이다.

1060 ㄱ. 사라진 소형 동물의 종 수가 많을수록 생물 다양성이 낮아진 것이다. 6개월 후 소형 동물의 종 수는 (나)는 14 %가 사라졌지만 (다)는 41 %가 사라졌으므로 생물 다양성은 (나)가 (다)보다 높다.
ㄴ. (나)는 (다)와 달리 단편화된 서식지를 연결하여 소형 동물들이 이동할 수 있는 통로를 둔 결과 사라진 소형 동물의 종 수가 더 적다. 이와 같이 생물들이 이동할 수 있는 생태 통로를 설치하면 서식지 단편화로 인한 종 다양성의 감소를 줄일 수 있다.
바로알기 | ㄷ. 산에 터널을 만들면 생물들은 터널 위로 이동할 수 있지만, 산을 절개하여 도로를 만들면 생물들의 이동이 제한된다. 따라서 절개 방식보다는 터널 방식이 종 다양성 보전에 도움이 된다.

최고 수준 도전 기출 (30~32강)

268~269쪽

1061 ④	1062 ①	1063 ③	1064 ②	1065 ③
1066 ②, ④		1067 ③	1068 ②	

1061 ㄱ. 지층의 단면도를 해석하면 C가 퇴적되고 융기 → 침식 → 침강 작용이 일어난 후 B가 퇴적되어 부정합이 형성되었고, 이후에 D가 관입하였다. D 관입 후 융기 → 침식 → 침강 작용이 일어나고 A가 퇴적되면서 부정합이 형성되었다. 따라서 지층의 생성 순서는 C → B → D → A 순이다.
ㄴ. B는 공룡 화석이 산출되므로 중생대에, C는 삼엽충 화석이 산출되므로 고생대에 퇴적되었다.
ㄹ. 이 지역은 부정합이 2회 있었고 A가 퇴적된 후 융기하여 지표가 드러나 있으므로 적어도 3번의 융기와 2번의 침강이 있었다.
바로알기 | ㄷ. B와 C가 퇴적되는 동안 해양 생물인 삼엽충 화석이 산출되다가 육상 생물인 공룡 화석이 산출되므로 이 지역은 바다 환경에서 육지 환경으로 변하였다.

1062 ㄱ. 삼엽충은 고생대의 대표적인 표준 화석이므로 ㉠의 화석에 포함된다.
ㄷ. ㉢은 공룡 발자국이 발견되는 중생대 지층이므로 신생대 지층인 ㉡보다 먼저 생성되었다.
바로알기 | ㄴ. ㉡의 지층은 신생대에 퇴적된 지층이므로 고생대 화석인 방추충 화석이 발견될 수 없다.
ㄹ. 현재와 비슷한 수륙 분포는 중생대가 아닌 ㉡이 생성된 지질 시대인 신생대이다.

1063 ㄱ. 극심한 가뭄으로 먹이가 부족한 상황에서 식물의 씨를 먹고 사는 핀치의 개체 수가 크게 줄었으므로 가뭄 시에 핀치 개체들 사이에 생존 경쟁이 치열하게 일어났다는 것을 알 수 있다.
ㄴ. 극심한 가뭄과 같은 환경의 변화는 크고 딱딱한 씨가 많아지는 쪽으로 핀치의 먹이 환경을 변화시켰고, 그에 따라 큰 부리를 가진 개체들이 생존에 유리하여 자연 선택되었다.
바로알기 | ㄷ. 크고 딱딱한 씨를 계속 먹은 결과 핀치 부리가 크게 발달한 것이 아니라, 크고 딱딱한 씨가 많아지는 먹이 환경의 변화로 큰 부리를 가진 핀치가 생존에 유리하여 자손을 많이 남기게 됨으로써 핀치 부리의 평균 크기가 커진 것이다.

1064 ㄷ. 미맹이 아닌 사람은 물질 X의 쓴맛 때문에 이 물질이 들어 있는 채소를 먹지 않으므로 물질 X를 섭취할 가능성이 낮다. 따라서 미맹이 아닌 사람은 물질 X에 의해 유발되는 질병 ㉠에 걸릴 확률이 낮아 생존에 유리하여 자연 선택되었고 미맹인 사람은 자연 도태되어, 안데스산맥 원주민의 미맹 빈도가 인류 전체의 미맹 빈도보다 훨씬 낮다.
바로알기 | ㄱ. 안데스산맥 원주민 집단에는 미각이 정상인 사람과 미맹인 사람이 있으므로 변이가 존재한다.
ㄴ. 미맹과 정상은 유전자에 의해 결정되는 형질이므로 미맹인 사람이 안데스산맥에 간다고 해서 정상으로 되는 것이 아니다.

1065 ㄱ, ㄷ. 날개 형질이 A만 있던 나비 집단에 돌연변이(가)가 일어나 날개 형질이 B와 C인 나비가 생겼으므로 나비의 날개 형질이 다양해졌다.
바로알기 | ㄴ. 날개 형질이 A인 나비들이 바다의 형성으로 지역적으로 분리되었고, 격리된 지역에서 각각 돌연변이(가)가 일어나 새로운 날개 형질을 가진 B와 C가 출현하였다. 이후 환경 변화에 따라 각 지역에서 B와 C가 각각 자연 선택(나)되었다.

1066 ① (가)는 생태계 다양성이며, 생태계는 생물적 요인과 비생물적 요인을 모두 포함한다.
③ (다)는 유전적 다양성이며, 같은 종에 속하는 개체들 간의 형질 차이는 일반적으로 유성 생식 과정에서 생식세포의 다양한 조합으로 발생한다.
⑤ 갈라파고스 군도의 핀치는 먹이 환경에 따라 여러 종으로 진화하였으며 그 결과 종 다양성(나)이 증가하였다.
바로알기 | ② (나)는 종 다양성이며, 일정 지역에 분포하는 생물종의 수가 많음을 의미한다. 생물의 개체 수가 많더라도 종이 다양하지 않으면 종 다양성이 낮다.
④ 호랑이, 치타, 표범은 서로 다른 종이므로 종 다양성(나)의 사례이다.

1067 ㄱ. 구간 Ⅰ에서 종 수는 유지되고 있지만 전체 개체 수가 증가하고 있으므로 개체 수가 증가하는 종이 있다.
ㄴ. 종 수가 일정하므로 각 종이 차지하는 비율이 균등할수록 종 다양성이 높아진다. 따라서 전체 개체 수에서 각 종이 차지하는 비율은 종 다양성이 높은 구간 Ⅱ에서가 구간 Ⅰ에서보다 균등하다.
바로알기 | ㄷ. 같은 생물종에서 형질이 각 개체 간에 다르게 나타나는 것은 유전적 다양성과 관련이 있다.

1068 ㄴ. 피식자인 개미의 종 수가 증가할수록 포식자인 새의 종 수도 증가한다. 따라서 피식자의 종 수 증가는 포식자의 종 다양성을 증가시킨다고 추론할 수 있다.
바로알기 | ㄱ. (나)와 (다)에서 위도 0의 적도로 갈수록 개미의 종 수와 개미를 먹는 새의 종 수가 증가하므로 생물 다양성은 적도 지방으로 갈수록 높아진다.
ㄷ. (다)는 개미를 먹는 새의 종 수를 나타내므로 종 다양성과 관련이 있다.

생태계 구성 요소와 환경

빈출 자료 보기 271쪽

1069 (1) ○ (2) ○ (3) × (4) × (5) ○ (6) × (7) ×

1069 **바로알기 |** (3) 분해자는 생물적 요인에 속한다.
(4) 개체군은 같은 종의 개체들이 모여 사는 무리이므로, 개체군 A는 한 종으로만 구성된다.
(6) 낙엽(생물적 요인)이 토양(비생물적 요인)에 영향을 주는 것이므로 반작용인 ㉡에 해당한다.
(7) 늑대와 사슴의 상호 작용은 생물들 간의 상호 작용인 ㉢에 해당한다.

난이도별 필수 기출 272~277쪽

1070 (가) 분해자 (나) 소비자 (다) 생산자			1071 ①	1072 ⑥
1073 ④	1074 ③	1075 ④	1076 ⑤	1077 ②
1078 ⑤	1079 ②	1080 ②, ④	1081 ⑤	1082 ①
1083 ④	1084 ③	1085 ③	1086 ④	1087 ⑤
1088 ④	1089 ④	1090 ⑤	1091 ②, ④	
1092 해설 참조		1093 ③	1094 ④	1095 ③

1070 (가)는 생물의 사체나 배설물을 분해하여 양분을 얻는 분해자, (나)는 다른 생물을 먹이로 하여 양분을 얻는 소비자, (다)는 광합성을 하여 스스로 양분을 만드는 생산자이다.

1071 ㄱ. 세균은 생물의 사체나 배설물을 분해하는 분해자이다.
바로알기 | ㄴ, ㄷ. 식물 플랑크톤은 생산자이고, 물벼룩과 송사리는 소비자이다. 이 생태계에는 생물적 요인인 생산자, 소비자, 분해자는 모두 있지만 비생물적 요인이 포함되어 있지 않다.

1072 **바로알기 |** ① 생태계는 생산자, 소비자, 분해자 및 비생물적 요인으로 구성된다.
② 같은 종의 개체들이 모여 개체군을 형성한다.
③ 미생물은 생물적 요인에 속한다.
④ 빛과 온도 같은 비생물적 요인도 생태계 구성 요소이다.
⑤ 같은 종의 개체들이 모여 개체군을 이루고, 여러 개체군이 모여 군집을 형성한다. 따라서 생태계는 개체<개체군<군집의 위계를 가지고 있다.

1073 ㄱ. 그림에서 ㉠은 A만 갖는 특징이고, ㉡은 A와 B가 공통으로 갖는 특징이다. 표에서 '광합성을 할 수 없다.'는 소비자와 분해자의 공통적인 특징(㉡)이고, '생물의 사체나 배설물을 분해한다.'는 분해자만 갖는 특징(㉠)이다. 따라서 A는 분해자, B는 소비자, C는 생산자이다.
ㄷ. 분해자(A), 소비자(B), 생산자(C)는 모두 생물적 요인에 해당한다.
바로알기 | ㄴ. 소비자(B)는 광합성을 할 수 없으므로 무기물로부터 유기물을 합성할 수 없다.

1074 ㄱ, ㄴ. 식물성 조류(㉠)는 광합성으로 양분을 만드는 생산자이고, 수온은 비생물적 요인이다.
바로알기 | ㄷ. 식물성 조류(㉠)가 물고기(㉡)에 영향을 주는 것은 생물들 간에 서로 영향을 주고받는 것이다. 반작용은 생물이 비생물적 요인에 영향을 주는 것이다.

1075 ㄴ. (나)는 비생물적 요인(온도)이 생물(토끼)에 영향을 주는 작용에 해당한다. 가을에 은행나무의 잎이 노랗게 변하는 것도 작용에 해당한다.
ㄷ. (다)는 생물(지렁이)이 비생물적 요인(토양)에 영향을 주는 반작용에 해당한다. 식물의 광합성이 활발하게 일어나 공기 중의 산소 농도가 높아지는 것도 반작용에 해당한다.
바로알기 | ㄱ. (가)는 족제비와 토끼, 즉 생물 간의 상호 작용이다.

1076 ㄹ. 지렁이(생물)에 의해 토양(비생물적 요인)의 통기성이 높아지는 것은 반작용(㉡)에 해당한다.
바로알기 | ㄱ. ㉠은 비생물적 요인이 생물에 영향을 주는 작용이다.

1077 ㄴ. 추운 겨울에 개구리가 겨울잠을 자는 것은 비생물적 요인(온도)이 생물(개구리)에 영향을 주는 작용(㉠)에 해당한다.
바로알기 | ㄱ. 소비자는 다른 생물을 먹이로 하여 양분을 얻는 생물로, 다양한 종의 생물들로 구성된다. 동물은 모두 소비자이다.
ㄷ. 늑대가 토끼를 잡아먹는 것은 소비자 내에서 일어나는 상호 작용에 해당한다. ㉢과 ㉣은 생산자와 소비자 사이의 상호 작용이다.

1078 ㄱ. 하나의 개체군은 한 종의 개체들로만 구성된다. 따라서 개체군 A, B, C는 서로 다른 종으로 이루어져 있다.
ㄴ. 위도에 따라 식물 군집의 분포가 달라지는 현상은 온도와 강수량 같은 비생물적 요인이 생물에 영향을 주는 작용(㉠)에 해당한다.
ㄷ. 지렁이(생물)가 영양 물질이 많은 배설물을 생성하여 토양(비생물적 요인)이 비옥해지는 것은 반작용(㉡)에 해당한다.

1079 ㄱ. 하나의 개체군은 한 종의 개체들로만 구성된다. 따라서 개체군 A와 개체군 B는 각각 한 종의 생물로만 구성되어 있다.
ㄹ. 황소개구리와 토종 어류는 서로 다른 개체군에 해당하므로 이들의 상호 작용은 ㉣에 해당한다.
바로알기 | ㄴ. 가뭄(비생물적 요인)으로 벼(생물)의 수확량이 감소하는 것은 작용(㉠)에 해당한다.
ㄷ. ㉢은 같은 종의 개체군 내에서 일어나는 상호 작용이다. 스라소니와 눈신토끼 같이 서로 다른 종의 생물들 사이에서 일어나는 상호 작용은 ㉣에 해당한다.

1080 ① (가)는 다른 생물로부터 유기물을 얻지 않고 다른 생물에게 유기물을 제공하므로 생산자이다. 생산자는 광합성을 하여 무기물인 이산화 탄소와 물로부터 유기물인 포도당을 합성할 수 있다.
③ 버섯, 곰팡이는 생물의 사체나 배설물을 분해하여 살아가는 분해자이므로 (가), (나), (라)로부터 유기물이 이동하는 (다)에 속한다.
⑤ 낙엽(생물)이 쌓여 분해되면 토양(비생물적 요인)이 비옥해지는 것은 반작용(㉡)의 예가 될 수 있다.
바로알기 | ② (나)는 생산자인 (가)를 먹으므로 1차 소비자인 초식 동물이다. 육식 동물은 2차 소비자인 (라)이다.
④ (나)는 초식 동물, (라)는 육식 동물로 서로 다른 먹이를 먹고 사는 다른 종이므로 (나)와 (라)는 같은 개체군에 속하지 않는다.

1081 ①, ④ (가)는 울타리 조직이 발달하여 잎이 두꺼운 양엽이고, (나)는 잎이 얇은 음엽이다.
② 양엽(가)에서 울타리 조직이 발달한 것은 강한 빛을 받기 때문이다.
③ 울타리 조직의 세포에 엽록체가 많이 있으므로 울타리 조직이

Ⅳ

발달한 (가)에서는 (나)에서보다 광합성이 더 활발하게 일어난다.
바로알기 | ⑤ (가)와 (나)의 잎의 구조 차이에 가장 큰 영향을 준 환경 요인은 빛의 세기이다.

1082 • A: 숲의 아래쪽은 키 큰 나무가 빛을 가려서 도달하는 빛의 세기가 약하므로 소나무보다 서어나무가 잘 자랄 수 있다.
바로알기 | • B: 소나무는 잎이 가느다란 침처럼 생겨 강한 빛을 고루 받고, 서어나무는 잎이 넓어 약한 빛을 받는 면적이 넓다.
• C: 서어나무는 약한 빛에서도 잘 자라므로 그늘진 곳에서도 생장할 수 있는 음지 식물이다.

1083 ㄱ. 빛의 파장이 짧은 청색광이 수심이 깊은 곳까지 도달한다.
ㄷ. 광합성에 적색광을 주로 이용하는 녹조류는 얕은 바다에 많이 분포하고, 청색광을 주로 이용하는 홍조류는 깊은 바다에 많이 분포한다. 이는 바다의 깊이에 따라 도달하는 빛의 파장이 다르기 때문이다.
바로알기 | ㄴ. 홍조류는 수심이 깊은 곳에 많이 분포하는 것으로 보아 광합성에 청색광을 주로 이용한다고 추론할 수 있다.

1084 바다 깊은 곳까지 도달하는 ㉠이 파장이 짧은 청색광이고, ㉡은 파장이 긴 적색광이다. 깊은 바다에 많이 분포하는 A는 청색광을 주로 이용하는 홍조류이고, B는 적색광을 주로 이용하는 녹조류이다.
ㄷ. 바다의 깊이에 따라 도달하는 빛의 파장이 달라서 바다의 깊이에 따라 해조류의 분포가 다르다.
바로알기 | ㄱ. 홍조류(A)에는 김, 우뭇가사리 등이 있다.
ㄴ. 녹조류(B)는 적색광(㉡)을 주로 광합성에 이용한다.

1085 식물 A는 일조 시간이 짧을 때 개화하는 단일 식물이고, 식물 B는 일조 시간이 길 때 개화하는 장일 식물이다.
ㄷ. 가을에 꽃이 피는 코스모스는 단일 식물(A)에, 봄에 꽃이 피는 시금치는 장일 식물(B)에 속한다.
바로알기 | ㄱ. 단일 식물인 A는 가을에, 장일 식물인 B는 봄이나 초여름에 꽃이 핀다.
ㄴ. A와 B의 개화는 일조 시간의 영향을 받는다.

1086 ㄴ. A는 낮의 길이가 길어질 때, 즉 일조 시간이 길어질 때 개화한다.
ㄷ. B는 낮의 길이가 짧아질 때, 즉 일조 시간이 짧아질 때 개화하는 단일 식물로, 주로 가을에 꽃이 피는 코스모스, 나팔꽃, 국화 등이 있다.
바로알기 | ㄱ. A는 일조 시간이 길어질 때 개화하는 장일 식물이고, B는 일조 시간이 짧아질 때 개화하는 단일 식물이다.

1087 ㄴ. 식물 B는 낮의 길이가 짧고 밤의 길이가 길 때 꽃이 피는 단일 식물이고, 식물 C는 낮의 길이가 길고 밤의 길이가 짧을 때 꽃이 피는 장일 식물이다.
ㄷ. 식물 A는 장일 식물이므로 봄이나 초여름에 꽃이 피고, 식물 B는 단일 식물이므로 가을에 꽃이 필 것이다.
ㄹ. (가)에서 밤의 길이가 길더라도 중간에 빛을 비추면 꽃이 핀 것으로 보아 식물의 개화는 지속적인 암기의 길이에 영향을 받는다. 즉, 장일 식물은 지속적인 암기의 길이가 짧을 때 꽃이 핀다.
바로알기 | ㄱ. 식물 A는 낮의 길이가 길 때 꽃이 피는 장일 식물이다.

1088 개구리의 겨울잠과 온대 활엽수의 낙엽은 온도에 적응한 예이다.
④ 아열대 지방보다 극지방에 서식하는 곰이 몸집이 더 큰 것은 열 방출을 막아 추운 곳에서 체온을 효과적으로 유지하기 위한 것으로, 온도에 적응한 예이다.

바로알기 | ①, ② 국화가 가을에 꽃이 피는 것, 사슴과 노루가 가을에 주로 번식하는 것은 일조 시간의 영향이다.
③, ⑤ 선인장의 잎이 가시 형태로 된 것은 물이 부족한 환경에 적응한 예이고, 고산 지대에 사는 사람이 적혈구 수가 많은 것은 공기 중의 산소가 부족한 환경에 적응한 예이다.

1089 사는 지역에 따라 여우의 몸집 크기와 말단부의 크기가 다른 것은 온도에 영향을 받은 것이다. 철새의 이동, 곰의 겨울잠, 단풍과 낙엽, 털송이풀의 털은 모두 온도에 영향을 받은 것이다.
바로알기 | ④ 양엽이 음엽에 비해 울타리 조직이 두껍게 발달한 것은 강한 빛을 받기 때문으로, 빛의 세기에 영향을 받은 것이다.

1090 ㄴ, ㄷ. (가)는 귀와 같은 몸의 말단부가 커서 열을 몸 밖으로 방출하는 데 유리하고, (나)는 몸집이 크고 몸의 말단부가 작아 몸 밖으로 방출되는 열이 적다.
ㄹ. (가)와 (나)의 몸집과 말단부의 크기가 다른 것은 서식하는 지역의 온도에 적응한 결과이다.
바로알기 | ㄱ. (가)는 열 방출이 잘 되도록 적응하였고, (나)는 열 방출을 줄이도록 적응한 것으로 보아 (가)는 (나)보다 더운 지역에 서식한다.

1091 사막에 사는 도마뱀은 물이 부족한 환경에 적응하였다.
② 매미는 몸 표면이 키틴질로 되어 있어 체내 수분이 증발하는 것을 막고, ④ 선인장은 저수 조직이 발달하여 물이 부족한 환경에 적응하였다. 이는 모두 물에 대한 적응 현상이다.
바로알기 | ① 단풍은 온도, ③ 수심에 따른 해조류의 분포는 빛의 파장, ⑤ 식물의 개화 시기는 일조 시간에 대한 적응 현상이다.

1092 모범 답안 (1) 선인장은 잎이 가시로 변하여 수분 증발을 막고, 줄기에 물을 저장하는 저수 조직이 발달하였다.
(2) 수련은 뿌리가 잘 발달하지 않았으며, 줄기와 뿌리에 공기가 통하는 통기 조직이 발달하였다.

1093 ㄱ. (가)는 온도에 대한 적응이다.
ㄷ. (다)는 분해자인 토양 미생물이 비생물적 요인인 토양에 영향을 주는 반작용이다.
바로알기 | ㄴ. (나)는 공기 중의 산소 농도에 대한 적응이다.

1094 ④ 낙타가 진한 오줌을 소량 배설하는 것은 물이 부족한 사막에서 수분 손실을 최소화하기 위한 것으로, 물에 대한 적응이다.
바로알기 | ① 파충류와 조류의 알 껍질은 수분 증발을 막기 위한 것으로, 물에 대한 적응이다.
② 국화, 코스모스, 나팔꽃 같은 단일 식물이 일조 시간이 짧아지는 가을에 꽃이 피는 것은 일조 시간에 대한 적응이다.
③ 한 식물에서도 강한 빛을 받는 곳은 양엽, 약한 빛을 받는 곳은 음엽이 존재하는 것은 빛의 세기에 대한 적응이다.
⑤ 철새가 계절에 따라 적합한 온도의 지역으로 이동하는 것은 온도에 대한 적응이다.

1095 ㄱ. 건조한 지역에 사는 건생 식물은 물을 잘 흡수하고 물을 저장하기 위해 뿌리와 저수 조직이 발달해 있다.
ㄷ. 공기를 많이 포함한 토양 표면에는 산소를 이용하는 호기성 세균이, 공기를 적게 포함한 토양 깊은 곳에는 산소를 이용하지 않는 혐기성 세균이 분포한다.
바로알기 | ㄴ. 북극에 사는 여우는 사막에 사는 여우보다 몸집이 크고 귀가 작다. 이러한 특징은 추운 곳에서 체온을 유지하는 데 유리하다.

생태계 평형

빈출 자료 보기 279쪽

1096 (1) × (2) ○ (3) ○ (4) ○ (5) × (6) ×

1096 **바로알기 |** (1) 각 영양 단계에서 사용하고 남은 에너지가 다음 영양 단계로 전달되므로 상위 영양 단계로 갈수록 에너지양이 감소한다.
(5) C(2차 소비자)의 개체 수가 일시적으로 증가하면 C를 먹고 사는 D(3차 소비자)의 개체 수도 증가한다.
(6) D의 에너지 효율은 $\frac{\text{현 영양 단계의 에너지양}}{\text{전 영양 단계의 에너지양}} \times 100 = \frac{6}{30} \times 100$ $= 20\ \%$이다.

난이도별 필수 기출 280~283쪽

1097 ②	1098 ②	1099 해설 참조		1100 ④
1101 해설 참조		1102 ③	1103 ④	1104 ⑤
1105 ②	1106 ②	1107 ③	1108 ③	1109 ①
1110 ③	1111 ③	1112 해설 참조		1113 ③
1114 ⑤	1115 ④	1116 ④		

1097 ㄱ. 풀은 광합성을 하여 스스로 양분을 합성하는 생산자이다.
ㄹ. 올빼미의 개체 수가 감소하면 올빼미의 먹이가 되는 참새는 개체 수가 일시적으로 증가한다.
바로알기 | ㄴ. 생산자인 풀을 먹는 토끼는 1차 소비자이다.
ㄷ. 들쥐가 사라지면 매의 개체 수가 감소할 수는 있지만, 매는 토끼와 참새를 먹고 살아갈 수 있어 사라지지 않는다.

1098 ㄴ. 식물 플랑크톤인 A와 B는 생산자이며, 생산자는 광합성을 통해 유기물을 생산한다.
바로알기 | ㄱ. A와 B는 생산자이고, 다른 생물을 먹이로 하는 C~J는 소비자이다.
ㄷ. A가 멸종되면 A만을 먹이로 하는 C, D, E가 사라지며, 그에 따라 C만을 먹이로 하는 F도 사라지게 된다.

1099 모범 답안 개구리를 남획하여 개구리의 개체 수가 크게 감소하면 개구리의 먹이가 되는 지렁이는 개체 수가 증가하고, 개구리를 먹고 사는 뱀은 먹이 부족으로 개체 수가 감소할 것이다.

1100 ㄱ. (가)는 생산자로부터 에너지를 전달받는 1차 소비자, (나)는 생물의 사체나 배설물에서 에너지를 얻는 분해자이다.
ㄷ. 생태계에서 에너지는 한 방향으로 흐르다가 생태계 밖으로 빠져나가므로 생태계가 유지되려면 태양으로부터 빛에너지가 계속 공급되어야 한다.
바로알기 | ㄴ. 2차 소비자로 이동한 에너지 중 일부는 생명 활동을 통해 열에너지로 방출되고, 일부는 분해자로 전달된다.

1101 모범 답안 먹이 사슬을 따라 에너지가 이동할 때 각 영양 단계에서 생명 활동을 통해 열에너지로 방출되고 남은 에너지가 상위 영양 단계로 전달되기 때문에 상위 영양 단계로 갈수록 전달되는 에너지양이 감소한다.

1102 A는 생산자, B는 1차 소비자, C는 2차 소비자이다.
ㄱ. 안정된 생태계에서 생물량은 상위 영양 단계로 갈수록 감소하므로 생물량은 A가 C보다 많다.
ㄴ. 에너지는 먹이 사슬을 따라 A → B → C 방향으로 흐른다.
바로알기 | ㄷ. B가 가지고 있는 에너지 중 일부는 B의 생명 활동을 통해 열에너지로 방출되고, 일부는 C와 분해자로 전달된다.

1103 ㄱ. 개체 수는 생산자가 가장 많고 상위 영양 단계로 갈수록 감소한다.
ㄷ. 안정된 생태계에서 개체 수, 에너지양, 생물량은 피라미드 형태를 나타낸다.
바로알기 | ㄴ. 미생물과 버섯은 분해자에 해당한다.

1104 ㄱ. 에너지양이 가장 많은 A는 생산자이다.
ㄴ. 에너지양은 상위 영양 단계로 갈수록 감소하므로, 생산자부터 차례대로 쌓아올리면 위로 갈수록 줄어드는 피라미드 형태를 나타낸다.
ㄷ. 2차 소비자의 에너지양은 20이고, 1차 소비자의 에너지양은 100이므로 2차 소비자의 에너지양은 1차 소비자의 20 %($= \frac{20}{100} \times 100$)이다.

1105 ㄴ. 안정된 생태계에서는 상위 영양 단계로 갈수록 에너지양과 생물량이 감소한다. 따라서 에너지양이 큰 것부터 나열하면 B → D → A → C가 먹이 사슬이 되어 B는 생산자, D는 1차 소비자, A는 2차 소비자, C는 3차 소비자가 된다.
바로알기 | ㄱ. C는 3차 소비자이다.
ㄷ. A(2차 소비자)의 개체 수가 증가하면 A의 먹이가 되는 D(1차 소비자)는 개체 수가 일시적으로 감소한다.

1106 ② D는 광합성으로 유기물을 합성하는 생산자이다.
바로알기 | ① C는 생산자를 먹고 사는 초식 동물이다.
③, ④ A의 에너지 효율은 $\frac{2}{10} \times 100 = 20\ \%$, B의 에너지 효율은 $\frac{10}{100} \times 100 = 10\ \%$, C의 에너지 효율은 $\frac{100}{1500} \times 100 ≒ 6.7\ \%$이다. 따라서 A의 에너지 효율이 가장 높다.
⑤ 상위 영양 단계인 C → B → A로 갈수록 에너지 효율이 6.7 % → 10 % → 20 %로 높아진다.

1107 ㄷ. 안정된 생태계에서는 에너지양뿐만 아니라 생물량과 개체 수도 (나)와 같은 피라미드 형태를 나타낸다.
ㄹ. (가)에서 메뚜기의 개체 수가 감소하면 메뚜기를 먹고 사는 개구리는 먹이 부족으로 개체 수가 일시적으로 감소한다.
바로알기 | ㄱ. ㉠은 이 생태계의 최종 소비자, ㉡은 2차 소비자, ㉢은 1차 소비자, ㉣은 생산자이다. (가)에서 매는 최종 소비자이지만, 뱀은 매에게 잡아먹히므로 최종 소비자가 아니다.
ㄴ. 에너지 효율(%)은 $\frac{\text{현 영양 단계의 에너지양}}{\text{전 영양 단계의 에너지양}} \times 100$이므로 (나)에서 1차 소비자(㉢)의 에너지 효율은 $\frac{441}{8833} \times 100 ≒ 5\ \%$이고, 2차 소비자(㉡)의 에너지 효율은 $\frac{39}{441} \times 100 ≒ 8.8\ \%$이다. 따라서 에너지 효율은 1차 소비자가 2차 소비자보다 낮다.

1108 1차 소비자의 개체 수가 일시적으로 감소하면 1차 소비자의 먹이가 되는 생산자는 개체 수가 증가하고, 1차 소비자를 먹고 사는 2차 소비자는 개체 수가 감소한다.

Ⅳ

1109 ㄱ. 생태계에 서식하는 생물종이 많을수록 먹이 그물이 복잡하게 형성된다. 따라서 종 다양성은 (나)보다 (가)에서 높다.
바로알기 | ㄴ. 종 다양성이 높고 먹이 그물이 복잡할수록 안정된 생태계이므로, (나)보다 (가)에서 생태계 평형이 더 안정적으로 유지된다.
ㄷ. 토끼가 사라지면 (가)에서는 뱀이 쥐를 먹고 살아갈 수 있지만, (나)에서는 뱀이 다른 먹이가 없어 사라진다.

1110 ㄱ. (가)는 (나)보다 생태계에 서식하는 생물종이 적으므로 종 다양성이 낮다. 종 다양성이 낮은 (가)는 (나)보다 생물 다양성이 낮다.
ㄹ. 개구리를 남획하여 개구리의 개체 수가 크게 감소하면 (가)에서는 뱀이 다른 먹이가 없어 멸종될 확률이 높지만, (나)에서는 뱀이 쥐를 먹고 살아갈 수 있어 멸종될 확률이 낮다.
바로알기 | ㄴ. 종 다양성이 낮아서 먹이 사슬이 단순한 (가)는 먹이 사슬이 복잡한 (나)보다 생태계 평형이 깨지기 쉽다.
ㄷ. (가)는 뱀을 잡아먹는 다른 생물이 없으므로 뱀이 최종 소비자이지만, (나)는 매가 뱀을 잡아먹으므로 최종 소비자는 매와 여우이다.

1111 1차 소비자의 개체 수가 일시적으로 증가하면(나), 2차 소비자의 개체 수는 증가하고 생산자의 개체 수는 감소한다(가). 2차 소비자의 개체 수 증가로 다시 1차 소비자의 개체 수가 감소하면(다), 생산자의 개체 수는 증가하고 2차 소비자의 개체 수는 감소하여 다시 생태계 평형이 회복된다.

1112 **모범 답안** B의 개체 수가 증가하면, A의 개체 수는 감소하고 C의 개체 수는 증가한다. 이로 인해 B의 개체 수가 감소하면, A의 개체 수는 증가하고 C의 개체 수는 감소하여 생태계 평형이 회복된다.

1113 ㄱ. 생산자의 개체 수가 감소하면 먹이가 부족해져 1차 소비자의 개체 수도 감소한다.
ㄴ. 생태계 평형은 기본적으로 먹이 사슬에 의해 유지되며, 파괴된 생태계의 회복도 먹이 사슬의 영향을 받는다.
바로알기 | ㄷ. 2차 소비자의 개체 수는 먹이가 되는 1차 소비자의 개체 수 증감에 직접적인 영향을 받는다.

1114 ㄱ, ㄴ. 2차 소비자의 개체 수가 증가하면 1차 소비자의 개체 수는 감소하고 생산자의 개체 수는 증가한다(나). 먹이 부족으로 2차 소비자의 개체 수가 감소하면(가) 다시 1차 소비자의 개체 수가 증가하고 생산자의 개체 수는 감소한다(다). 따라서 생태계 평형의 회복은 (나) → (가) → (다)의 순서로 일어나며, (다)의 ㉠은 '증가'이다.
ㄷ. (나)에서 생산자의 개체 수가 증가한 것은 1차 소비자의 개체 수가 감소하여 피식량이 줄었기 때문이다.

1115 옥상 정원 조성, 천연기념물 지정 및 보호, 생태 하천 복원 사업, 생태 통로 설치 등은 생태계 보전을 위한 방안이다.
바로알기 | ④ 숲이나 대평원을 경작지로 개발하면 생물들의 서식지가 파괴되고 생태계가 단순해져 생태계 평형을 깨뜨린다.

1116 ㄱ. 사슴의 개체 수가 급격히 증가하면서 초원의 생산량이 크게 감소하여 먹이 부족으로 사슴의 개체 수가 급격히 감소하였다.
ㄴ. 사슴의 천적인 늑대의 개체 수가 감소하면 사슴의 개체 수가 증가하고, 그에 따라 피식되는 풀이 많아져 초원의 생산량이 감소한다.
바로알기 | ㄷ. 인위적으로 포식자(늑대)를 제거한 결과 일시적으로 사슴의 개체 수를 증가시켰으나 생태계의 평형을 파괴하여 사슴의 개체 수는 다시 감소하였다.

35 지구 환경 변화와 인간 생활

빈출 자료 보기 286쪽

1117 (1) ○ (2) ○ (3) × (4) ○ (5) × (6) × (7) ○
1118 (1) × (2) ○ (3) ○ (4) × (5) ○ (6) × (7) ○

1117 **바로알기 |** (3) A는 태양 복사 에너지 입사량이 지구 복사 에너지 방출량보다 많아 남는 에너지의 양이고, B는 태양 복사 에너지 입사량이 지구 복사 에너지 방출량보다 적어 부족한 에너지의 양이다.
(5) a는 극순환, b는 페렐 순환, c는 해들리 순환이다.
(6) 가열과 냉각에 의한 직접 순환은 a와 c 순환이고, b는 a와 c 순환 사이에서 역학적으로 일어나는 간접 순환이다.

1118 **바로알기 |** (1) 동태평양 적도 부근 해역의 표층 수온이 (나)가 (가)보다 높으므로 (가)는 평상시, (나)는 엘니뇨 시기이다.
(4) 무역풍은 동에서 서로 분다. (나)에서 적도 부근의 따뜻한 해수가 동쪽으로 이동하므로 (나)는 (가)보다 무역풍의 세기가 약하다.
(6) (나)는 무역풍이 약화되어 따뜻한 해수가 동쪽으로 이동하므로 (가)보다 서태평양 해역의 따뜻한 해수층의 두께가 얇고, 해수면이 낮다.

난이도별 필수 기출 287~295쪽

1119 ② 1120 해설 참조 1121 ④ 1122 ①
1123 ⑤ 1124 ② 1125 ④ 1126 ⑤ 1127 ①
1128 ① 1129 ㉠ 상승, ㉡ 감소, ㉢ 상승 1130 ④
1131 ④ 1132 ④ 1133 ① 1134 ④
1135 해설 참조 1136 ② 1137 ③ 1138 ③
1139 ③ 1140 ③ 1141 ⑤ 1142 해설 참조
1143 ② 1144 해설 참조 1145 ④ 1146 ④
1147 해설 참조 1148 ② 1149 ③ 1150 ②
1151 ③ 1152 ⑤ 1153 ② 1154 ③ 1155 ③
1156 ② 1157 ③ 1158 ④ 1159 ④
1160 해설 참조 1161 ⑤ 1162 ③, ④, ⑦
1163 ㉠ 서, ㉡ 높, ㉢ 많, ㉣ 높아, ㉤ 동
1164 (가) 엘니뇨 (나) 라니냐 1165 ②, ⑤ 1166 ⑤
1167 ④ 1168 ⑤ 1169 해설 참조 1170 ①
1171 해설 참조 1172 ① 1173 해설 참조
1174 ①

1119 ⑤ 빙하가 만들어지는 과정에서 공기 방울이 빙하 속에 갇히므로 빙하 속에 있는 기포를 연구하면 과거의 대기 성분을 알 수 있다.
바로알기 | ② 기후 변화는 자연적인 원인으로 나타나는 경우가 더 많다.

1120 **모범 답안** 대기 투과율 변화, 지표의 반사율 변화, 대기 조성 변화, 삼림 면적 변화, 수륙 분포 변화로 인한 해류 변화 등이 있다.

1121 ㄱ. 삼림 파괴로 광합성량이 감소하면, 대기 중의 이산화 탄소 농도가 증가하므로 온실 효과 증대로 기온이 상승할 수 있다.
ㄷ. 이산화 탄소가 방출되면 온실 효과 증대로 기온이 상승할 수 있다.
ㄹ. 극지방의 빙하 면적이 감소하면 지표의 반사율이 감소한다. 이에 따라 태양 복사 에너지 흡수율이 증가하므로 기온이 상승할 수 있다.

바로알기 | ㄴ. 대기 중으로 방출된 화산재가 햇빛을 산란시키면 태양 복사 에너지의 대기 투과율이 낮아지므로 기온이 하강할 수 있다.

1122 ㄱ. 세차 운동은 지구의 자전축이 약 26000년을 주기로 회전하면서 기울기 방향이 변하는 현상이다.
바로알기 | ㄴ. 세차 운동은 기후 변화의 지구 외적 원인에 해당한다.
ㄷ. 화산 분출에 의한 기후 변화는 수개월 내에 일어나지만, 주기가 약 26000년인 세차 운동에 의한 기후 변화는 이보다 느리게 일어난다.

1123 ㄱ. 지표면에서 반사하는 태양 복사 에너지양이 증가하면 흡수되는 양이 적어지면서 지구의 기온은 하강한다.
ㄴ. 기온의 연교차는 1년 중 기온이 가장 높은 날과 낮은 날의 차이이다. 북반구(우리나라) 여름철 태양 복사 에너지의 입사량이 증가하고 겨울철 태양 복사 에너지의 입사량이 감소하면, 여름철 평균 기온은 상승하고 겨울철 평균 기온은 하강하여 기온의 연교차가 커진다.
ㄷ. (가)는 기후 변화의 지구 내적 원인에, (나)는 기후 변화의 지구 외적 원인(천문학적 원인)에 해당한다.

1124 ⑤ 빙하 코어를 연구하면 수십만 년 전의 기후를 유추할 수 있고, 나무의 나이테를 연구하면 수천 년 전의 기후를 유추할 수 있다.
바로알기 | ② 빙하 코어의 산소 동위 원소비 $^{18}O/^{16}O$가 높은 시기는 기온이 높았던 시기이므로 대륙 빙하의 면적이 좁았다.

1125 ① 과거 40만 년 동안의 기온 편차(=당시 기온−현재 기온)가 대부분 (−)이므로 과거 당시의 기온이 현재 기온보다 대체로 낮았다.
② 기온 편차의 값이 클수록 지구 기온이 높으며, 그래프에서 지구 기온이 높을 때 대기 중의 CO_2 농도가 높게 나타난다.
③ 기온이 높은 A 시기가 B 시기보다 빙하 면적이 좁았을 것이므로 극지방의 지표 반사율이 더 작았을 것이다.
⑤ 깊은 곳을 시추할수록 더 오래된 빙하 코어를 채취할 수 있으므로 더 오래 전의 대기 성분을 알 수 있다.
바로알기 | ④ 화석 연료의 사용으로 CO_2가 배출되고 대기 중 CO_2 농도가 높을 때 지구 기온이 높았으므로, 지구 기온은 상승할 것이다.

1126

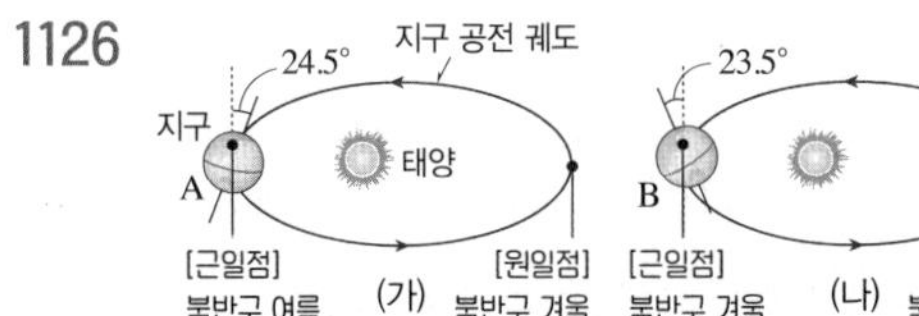

ㄱ. 북반구에 위치한 우리나라는 A일 때 햇빛의 입사각이 크므로 여름철이고, B일 때 햇빛의 입사각이 작으므로 겨울철이다.
ㄴ. 우리나라는 (가)일 때 근일점에서, (나)일 때 원일점에서 여름철이므로 (나)보다 (가)일 때 태양과의 거리가 가깝고 자전축의 기울기가 커서 태양의 남중 고도가 높으므로 평균 기온이 더 높다.
ㄷ. 우리나라는 (나)보다 (가)일 때 여름철은 기온이 더 높고, 겨울철은 기온이 더 낮으므로 기온의 연교차가 더 크다.

여름철 북반구 기온	겨울철 북반구 기온
(가)는 근일점에서 여름, (나)는 원일점에서 여름이므로 여름철 태양과의 거리는 (가)가 (나)보다 가깝다. 자전축의 기울기가 (가)가 (나)보다 크므로 여름철 남중 고도는 (가)가 (나)보다 높다. ➜ 여름철 기온은 (가)가 (나)보다 높다.	(가)는 원일점에서 겨울, (나)는 근일점에서 겨울이므로 겨울철 태양과의 거리는 (가)가 (나)보다 멀다. 자전축의 기울기가 (가)가 (나)보다 크므로 겨울철 남중 고도가 (가)가 (나)보다 낮다. ➜ 겨울철 기온은 (가)가 (나)보다 낮다.

1127 ㄱ. 신생대에는 후기에 4번의 빙하기가 있었다.
바로알기 | ㄴ. 기온이 높을 때 고위도에서 $^{18}O/^{16}O$가 높은 수증기가 눈으로 내려 빙하를 이루므로 빙하의 $^{18}O/^{16}O$가 높다. 따라서 빙하 속 물 분자의 $^{18}O/^{16}O$는 빙하기보다 간빙기에 더 높을 것이다.
ㄷ. 기온이 낮을수록 해수 중에 ^{18}O이 풍부하므로 해양 생물 속의 $^{18}O/^{16}O$는 높다. 따라서 평균 기온이 높은 중생대가 신생대 후기보다 해양 생물 화석의 $^{18}O/^{16}O$는 낮을 것이다.

1128 온실 기체로는 수증기, 이산화 탄소, 메테인, 오존, 산화 이질소, 클로로플루오로탄소(CFC) 등이 있다.

1129 대기 중에 이산화 탄소의 농도가 증가하면 온실 효과가 커지면서 지구의 평균 기온이 상승하여 해수의 부피가 팽창하고, 극지방의 빙하가 녹아 빙하 면적이 감소한다. 이에 따라 해수면이 상승한다.

1130 ①, ② 지구 온난화가 일어나면 극지방이나 고산 지대의 빙하가 녹아 감소하여, 생물들이 서식처를 잃을 수 있다.
바로알기 | ④ 지구 온난화로 빙하 면적이 줄고 해수가 팽창하여 해수면이 높아지면서 섬의 면적이 좁아진다.

1131 ① 에너지 효율이 높은 전기 기기를 사용하여 에너지를 절약함으로써 화석 연료의 사용량을 줄일 수 있다.
바로알기 | ④ 기후 변화에 약한 동물을 제거하면 전체 생태계가 교란되어 오히려 생태계가 약화될 수 있다.

1132 ㄴ. ㉠은 온실 기체이다.
ㄷ. 지나친 삼림 벌채는 식물의 광합성을 줄이므로 대기 중의 이산화 탄소 농도를 증가시킬 수 있고, 가축 사육은 동물의 호흡이나 소화 작용을 통해 대기 중의 이산화 탄소나 메테인의 농도를 증가시킬 수 있다.
바로알기 | ㄱ. 지구 기온이 상승하는 지구 온난화에 대한 설명이다.

1133 ㄱ. 지구 평균 기온과 대기 중 이산화 탄소 평균 농도는 모두 관측 기간 동안 대체로 상승하고 있으며 최근에 급격히 상승하고 있는 경향이 비슷하므로 서로 밀접한 관련이 있다.
바로알기 | ㄴ. 최근 대기 중 이산화 탄소 평균 농도의 급격한 증가는 대부분 화석 연료 사용량의 증가와 같은 인위적인 원인 때문에 일어났다.
ㄷ. 그림에서 1880년 이후 100년 동안보다 최근 30년 동안 기온이 더 가파르게 상승하였으므로 기온 상승률은 1880년 이후 100년 동안이 최근 30년 동안보다 작았다.

1134 ③ 화석 연료 연소 과정에서 이산화 탄소가 배출되며, 최근 산업화로 인해 화석 연료 사용이 증가하여 대기 중 이산화 탄소 농도가 급증하였다.
⑤ 대기 중 이산화 탄소 농도가 높아지면 평균 기온이 상승하면서 해수면은 상승한다.
바로알기 | ④ 대기 중 메테인의 농도 변화는 인간 활동 외에도 영구 동토층(일 년 내내 얼어 있는 토양층)이 녹아서 방출되거나 해저에 있는 가스 수화물(메테인 등이 물과 함께 얼어 있는 것)이 기화하여 방출되는 등 자연적인 영향도 받는다.

1135 모범 답안 • ㉠이 일어나는 까닭: 빙하의 융해와 해수의 열팽창으로 해수면이 상승한다.
• 개인적 노력: 대중교통을 이용하거나, 에너지 절약을 실천하거나, 자원을 재활용하는 등의 노력을 할 수 있다.

1136 ㄴ. 빙하는 반사율이 높다. 지구 온난화로 빙하 면적인 C가 감소하면 지표 반사율인 D도 감소한다.

바로알기 | ㄱ. 수온이 낮을수록 기체의 용해도가 증가하여 기체가 해수에 잘 녹아들어 간다. 지구 온난화가 발생하면 해수 온도인 A는 상승하고 그에 따라 이산화 탄소의 용해도인 B는 감소한다.

ㄷ. 식물은 이산화 탄소를 흡수하여 광합성을 한다. 따라서 식물의 광합성량 증가는 대기 중의 이산화 탄소 농도를 감소시킨다. (가)에는 식물의 광합성량 감소, 생물의 호흡량 증가 등이 해당한다.

1137 ①, ② 북극해 얼음 면적 감소의 주요 원인은 화석 연료의 사용 급증으로 인한 지구 평균 기온의 상승이다.

④, ⑤ 얼음 면적 감소로 서식처를 잃은 북극곰과 같은 멸종 위기 생물이 증가할 수 있고, 새로운 항로를 개척할 수 있다.

바로알기 | ③ 북극해는 수온 상승으로 평균 해수면 높이가 상승하였을 것이다.

1138 ㄱ. 겨울철 북극의 기온은 B 시기가 약 -21 ℃, A 시기가 약 -25 ℃로, B 시기가 A 시기보다 높다.

ㄷ. 북극해의 해수면 높이는 기온이 높고 얼음 면적이 좁은 B 시기가 A 시기보다 높았을 것이다.

바로알기 | ㄴ. B 시기가 A 시기보다 북극해의 얼음 면적이 좁으므로 반사율이 더 낮다.

1139 ㄱ. (가)에서 지구 전체의 이산화 탄소 농도가 높아짐에 따라 (나)에서 지구 전체의 기온이 상승하고 있다.

바로알기 | ㄷ. (나)에서 지구 전체보다 우리나라 기온 편차는 더 크게 상승하고 있으므로 우리나라의 기온이 더 빠르게 상승하고 있다.

1140 ㄱ. (가)와 (나)에서는 모두 대기 중 이산화 탄소의 농도가 증가하여 지구 온난화가 계속될 것으로 예측하였다.

ㄴ. 2090년에는 봄이 1월 중에 시작되므로 봄꽃의 개화시키는 더욱 빨라질 것이다.

바로알기 | ㄷ. 겨울이 사라지고 여름이 길어지므로 사계절의 구분은 점점 약해질 것이다.

1141 ① 기온 상승으로 우리나라 주변 해역의 수온이 높아지면 수증기 공급량이 늘어날 수 있으므로 태풍의 강도가 증가할 수 있다.

바로알기 | ⑤ 수온이 상승하므로 우리나라 주변 해역의 용존 산소량은 감소할 것이다.

1142 • 지구에 입사하는 태양 복사 에너지양을 100이라고 할 때, 100=지표 흡수 47+대기 흡수 23+대기와 지표에서 반사되고 산란 A이다. 따라서 A=100−(47+23)=30이다.

• 태양 복사 에너지양 중 지구가 흡수한 양=지표 흡수 47+대기 흡수 23=70이므로 지구 복사로 70을 우주로 방출해야 복사 평형이 이루어진다. 따라서 B=100−30=70 또는 B=65+5=70이다.

• 대기가 흡수하는 양=태양 복사 23+지표 복사 109+숨은열과 현열 29이고, 대기가 방출하는 양=우주로 65+지표로 C이다. 흡수하는 양과 방출하는 양은 같아야 하므로 23+109+29=65+C에서 C=96이다.

모범 답안 • A=100−(47+23)=30

• B=100−30=70 또는 B=65+5=70

• C=(23+109+29)−65=96

1143 ① 이산화 탄소 농도가 2배가 되면 그림과 같이 평균 기온이 상승할 것이므로 지구의 평균 해수면은 상승할 것이다.

③ 북반구가 남반구보다 기온 상승률이 더 크므로 온실 효과의 영향이 대체로 크다.

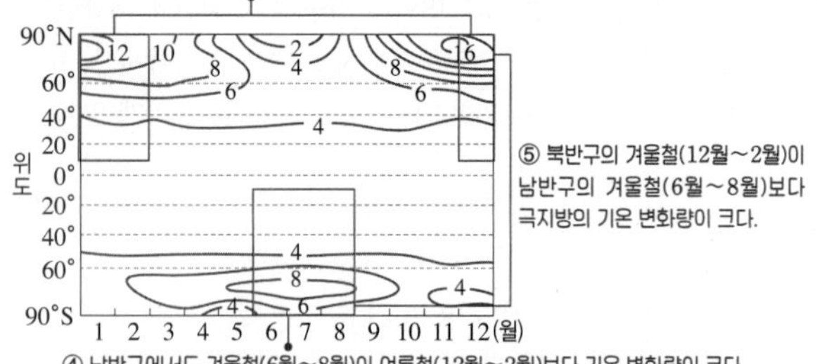

바로알기 | ② 60°N에서 기온이 여름철(6월~8월)에는 약 4 ℃가 상승하였고, 겨울철(12월~2월)에는 약 8 ℃가 상승하였다. 여름철에는 조금 상승하고 겨울철에는 많이 상승하였으므로 기온의 연교차는 작아질 것이다.

1144 지구가 둥글기 때문에 위도에 따라 단위 면적당 입사하는 태양 복사 에너지양이 달라지고 지표 온도가 달라지면서 지구 복사 에너지양도 달라지지만, 위도별 차이는 태양 복사 에너지양이 더 크다.

모범 답안 지구가 둥글기 때문에 고위도로 갈수록 단위 면적당 지표면이 받는 태양 복사 에너지양이 적어져 위도별 에너지 불균형이 일어난다.

1145 ④ 열에너지는 에너지가 남는 저위도에서 고위도로 운반된다.

바로알기 | ① 위도에 따라 태양 복사 에너지 입사량이 차이 나는 까닭은 지구가 둥글기 때문이다.

② 지구 복사 에너지 방출량은 고위도보다 지표의 온도가 높은 저위도에서 더 많다.

③ 저위도와 고위도에서 에너지양의 차이는 지구 복사 에너지 방출량이 태양 복사 에너지 입사량보다 작다.

⑤ 남북 방향의 에너지 이동량은 에너지가 남는 지역과 부족한 지역의 경계인 38° 부근에서 가장 많다.

1146 ④ 지구는 부족한 에너지의 양인 ㉠과 남는 에너지의 양인 ㉡이 같아 전체적으로 에너지 균형을 이룬다.

바로알기 | ① (가)에서 고위도로 갈수록 대체로 햇빛의 입사각이 작아져 태양의 남중 고도가 낮아지므로 단위 면적당 지표면이 받는 태양 복사 에너지양이 감소한다.

② (나)에서 저위도 지역에서 상대적으로 양이 많은 B는 태양 복사 에너지이고, 상대적으로 양이 적은 A가 지구 복사 에너지이다.

③ 위도 38° 지역은 에너지가 남는 지역과 부족한 지역의 경계로, 남북 간의 기온 차가 가장 커서 에너지 수송이 가장 활발하다.

⑤ 태풍은 저위도에서 고위도로 이동하면서 열과 에너지를 이동시킨다.

1147 **모범 답안** (1) A: 극순환, B: 페렐 순환, C: 해들리 순환

(2) 지구가 자전하기 때문이다. 지구가 자전하지 않는다면, 적도에서 상승한 공기가 극에서 하강하여 적도에서 극 사이에 하나의 순환 세포만 형성될 것이다.

(3)

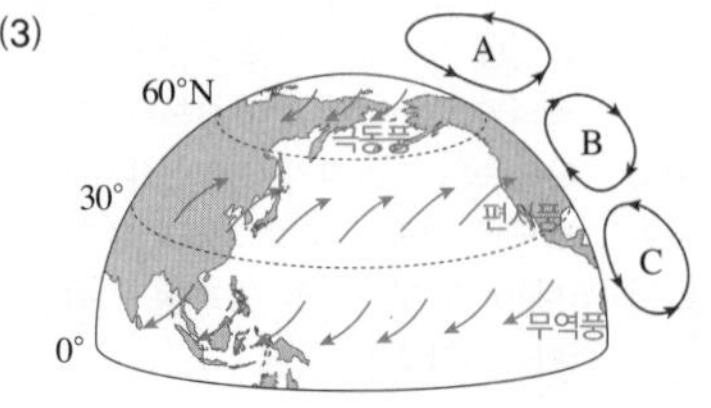

1148 ① A는 저위도에 발달한 해들리 순환으로, 위도 30° 부근에서 하강한 공기가 지상에서 저위도로 이동하면서 무역풍이 분다.
③ B와 C 순환 사이에서 상승 기류가 존재하므로 지상에 저압대가 발달한다.
④ 위도 30° 지역은 하강 기류가 존재하므로 고압대가 발달한다. 따라서 강수량이 적고 증발량이 많으므로 (증발량－강수량) 값이 적도 지역보다 크다.
⑤ 위도 60° 지역은 극순환과 페렐 순환의 사이로, 각 순환의 지상을 따라 북쪽에서 오는 찬 공기와 남쪽에서 오는 따뜻한 공기가 만나 전선이 형성되는 한대 전선대이다.
바로알기 | ② B 순환은 A와 C 사이에 위치하여 역학적으로 순환하는 간접 순환이다. 가열과 냉각에 의한 직접 순환은 A와 C 순환이다.

1149 ㄷ. 지구가 자전하지 않는다면 적도에서 상승한 공기가 극에서 하강하여 지표 부근에서 저위도로 이동하면서 적도에서 극 사이에 하나의 순환 세포를 형성한다. 따라서 북반구에서는 북풍이 분다.
바로알기 | ㄱ. 북태평양 해류는 B 순환의 지표에서 부는 편서풍에 의해 발생한다.
ㄴ. 엘니뇨는 A 순환의 지표에서 부는 무역풍이 약화되어 발생한다.

1150 해들리 순환에서는 적도 부근에서 가열되어 상승한 공기가 위도 30° 부근에서 하강하여 순환하므로 B는 적도이고, A와 C는 위도 30° 부근이다.
ㄴ. B에서는 상승 기류가 발달하므로 저압대가 형성된다.
바로알기 | ㄱ. B는 상승 기류가 발달한 열대 저압대이고, A와 C는 하강 기류가 발달한 아열대 고압대이다. 따라서 지상에서 바람은 A에서 B 방향으로, C에서 B 방향으로 부는데 이를 무역풍이라고 한다.
ㄷ. A와 B 사이, B와 C 사이에서 따뜻한 공기가 상승하고 찬 공기가 하강하는 열적 순환이 형성되므로 직접 순환이 형성된다.

1151 적도에서 가열된 공기가 상승하고 극에서 냉각된 공기가 하강하므로 (가)는 적도 부근, (나)는 위도 30° 부근, (다)는 위도 60° 부근이다.
ㄷ. 지구가 자전하지 않는다면 적도에서 상승한 공기가 극에서 하강하여 적도와 극 사이에 하나의 순환 세포를 형성할 것이므로 간접 순환인 B는 형성되지 않을 것이다.
ㄹ. (가)에는 열대 저압대가 형성되므로 이 지역에서는 따뜻하고 강수량이 많아 열대 우림이 발달한다.
바로알기 | ㄱ. A는 해들리 순환, B는 페렐 순환, C는 극순환이다.
ㄴ. 지상에서 극동풍을 형성하는 순환은 고위도에 형성되는 극순환인 C이다. 지상에서 B는 편서풍을, A는 무역풍을 형성한다.

1152 ㄱ. 대기 대순환에 의해 해수면에서 지속적으로 부는 바람의 에너지가 표층의 해수를 이동시키므로 표층 해류가 형성된다.
ㄴ. 해수의 표층 순환 과정에서 저위도에서 고위도로 흐르는 해류를 따라 저위도의 남는 에너지가 고위도로 수송된다.
ㄷ. 북반구 아열대 해역에서는 무역풍의 영향으로 동에서 서로 해류가 흐르고, 편서풍의 영향으로 서에서 동으로 해류가 흐르면서 시계 방향으로 해수의 순환이 형성된다.

1153 **바로알기 |** ① 무역풍의 영향으로 형성된 북적도 해류는 동 → 서로, ③, ④ 편서풍의 영향으로 형성된 남극 순환 해류와 북대서양 해류는 서 → 동으로, ⑤ 쿠로시오 해류는 남 → 북으로 흐른다.

1154 A는 쿠로시오 해류, B는 북태평양 해류, C는 캘리포니아 해류로 북태평양의 아열대 순환을 이루는 해류이고, D는 멕시코만류, E는 카나리아 해류, F는 남극 순환 해류이다.
① 태평양의 아열대 순환은 북반구에서는 시계 방향으로, 남반구에서는 시계 반대 방향으로 형성되어 서로 대칭을 이룬다.
④ C는 한류로, 난류인 A보다 수온이 낮으므로 용존 산소량이 많다.
⑤ 고위도로의 열 수송량은 고위도로 흐르는 D가 E보다 많다.
바로알기 | ③ A와 D는 저위도에서 고위도로 흐르는 난류이다.

1155 A는 쿠로시오 해류, B는 북태평양 해류, C는 캘리포니아 해류, D는 적도 반류이다.
ㄱ. A는 난류이고, C는 한류이다. 난류는 한류보다 수온과 염분은 높지만, 영양 염류는 적다.
ㄷ. 해류는 주변 지역의 기후에 영향을 미친다. 한류인 C가 흐르는 해역은 같은 위도에서 난류인 A가 흐르는 해역보다 연평균 기온이 낮다.
바로알기 | ㄴ. B는 중위도에서 서에서 동으로 흐르고 있으므로 서에서 동으로 부는 편서풍을 따라 형성된 해류이다. D는 적도 부근에서 서에서 동으로 흐르며, 동에서 서로 부는 무역풍과 반대 방향으로 흐르고 있으므로 무역풍을 따라 형성된 해류가 아니다. 무역풍을 따라 형성된 해류는 D의 바로 북쪽에서 동에서 서로 흐르는 북적도 해류이다.

1156 ② A는 남적도 해류로, 무역풍에 의해 동에서 서로 흐른다.
바로알기 | ① 남태평양에서 아열대 순환은 시계 반대 방향으로 나타난다.
③ C는 편서풍에 의해 형성된 남극 순환 해류이다.
④ 표층 해수의 수온과 염분은 난류인 B가 한류인 D보다 높다.
⑤ 표층 해류의 순환은 지속적인 바람에 의해 발생한다.

1157

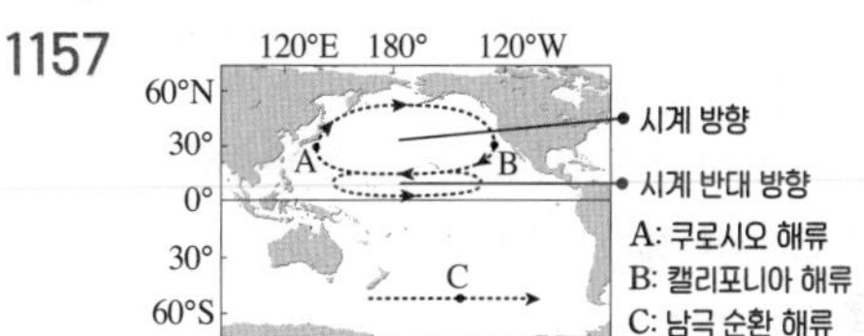

ㄴ. B 지점에는 고위도에서 저위도로 한류가 흐른다. 한류는 수온이 낮으므로 주위로부터 열을 흡수한다.
ㄹ. 북반구 저위도에서 북적도 해류와 적도 반류로 이루어진 표층 순환은 약하지만 시계 반대 방향으로 순환한다.
바로알기 | ㄱ. A 지점에는 저위도에서 고위도로 난류가 흐른다.
ㄷ. C 지점에는 편서풍의 영향을 받아 남극 순환 해류가 흐른다.

1158 ㄴ. 위도 30°S 부근의 아열대 고압대에 위치한 B 지역에서는 해들리 순환의 하강 기류에 의해 고기압이 형성된다.
ㄷ. 대기 대순환에 의해 열과 에너지가 고위도로 이동하여 위도별 에너지 불균형이 해소된다.
바로알기 | ㄱ. 위도 30°S～60°S 사이에 위치한 A 해역에는 편서풍의 영향으로 형성된 표층 해류가 서에서 동으로 흐른다.

1159 사막화의 원인은 화석 연료 사용 증가로 나타나는 지구 온난화에 의한 가뭄 지속, 과도한 방목과 경작, 무분별한 삼림 파괴, 대기 대순환의 변화에 따른 하강 기류의 발달에 의한 가뭄 지속 등에 의한 토양 황폐화이다.

1160 모범 답안 기권과 지권의 상호 작용이다.

1161 **바로알기 |** ⑤ 중국 지역의 사막화는 황사 발생 빈도를 증가시키며, 황사가 편서풍을 따라 이동하여 우리나라에 영향을 미친다.

1162 ①, ② 대부분의 사막은 강수량은 적고 증발량이 많은 아열대 고압대(위도 30° 부근)에 분포한다.

바로알기 | ③ A 사막이 확장되면 황사 발생 빈도가 증가하여 편서풍의 영향으로 우리나라의 황사 피해가 증가할 것이다.

④ 사막화는 '대기 대순환의 변화에 따른 하강 기류의 발달로 일어나는 가뭄 지속'과 같은 자연적인 원인으로도 발생한다.

⑦ 사막이 확대되면 지표의 반사율이 증가하여 지표면 냉각에 의해 하강 기류가 발달하면서 사막화가 가속화될 것이다.

1163 평상시 적도 부근 태평양에서는 남동 무역풍이 불어 표층의 따뜻한 해수가 서쪽으로 이동한다. 그 결과 서태평양은 표층 수온이 동태평양에 비해 높고, 저기압이 분포하여 강수량이 많다. 몇 년에 한 번씩 남동 무역풍이 약해지면, 적도 부근 따뜻한 해수의 이동이 약해져 동태평양의 수온이 평상시에 비해 높아지는데, 이러한 현상을 엘니뇨라고 한다. 이때 동태평양에 저기압이 발달한다.

1164 (가) 엘니뇨가 발생하면 서태평양 해역은 표층 수온이 낮아져 상승 기류가 약해지므로 가뭄으로 인해 산불이 발생하기도 한다.

(나) 라니냐가 발생하면 동태평양 해역의 용승이 강해지면서 표층 수온이 낮아져 페루 연안에서 냉해나 가뭄이 발생하기도 한다.

1165 ① 무역풍이 약하고 동태평양의 표층 수온이 더 높은 (나)가 엘니뇨 발생 시이고, (가)는 평상시이다.

③ 동태평양 적도 해역의 표층 수온은 따뜻한 해수가 서쪽으로 이동한 (가)보다 따뜻한 해수가 동쪽으로 이동한 (나)일 때 높다.

④ (나)와 같이 무역풍이 약화되면 동태평양에서 찬 해수가 올라오는 용승 현상이 약해진다.

⑥ 서태평양에서는 (나)일 때 하강 기류가 발달하여 강수량이 적어지므로 가뭄 피해가 발생할 수 있다.

⑦ 엘니뇨는 무역풍(기권)이 약해져서 수온(수권)이 변하는 현상이다.

바로알기 | ② 무역풍은 (가)보다 (나)일 때 약하다.

⑤ 동태평양의 기압은 (가)보다 상승 기류의 영향을 받는 (나)일 때 낮다.

1166 ㄱ. A 부근에서 하강 기류가 발달하면 건조해지므로 산불이 자주 발생한다. B 해역에서 상승 기류가 발달하면 구름이 잘 형성된다.

ㄴ. B 해역에서는 평상시보다 용승이 약해져 영양 염류와 용존 산소량이 적어지므로 어획량이 줄어든다.

ㄷ. 엘니뇨가 발생하면 적도 부근의 따뜻한 해수가 동쪽으로 이동하여 B 해역의 따뜻한 해수층의 두께가 평상시보다 두꺼워진다.

개념 보충

엘니뇨 발생 시 기압과 수온

- **기압:** 서태평양에 고기압, 중앙 또는 동태평양에 저기압이 발달함
- **따뜻한 해수층의 두께:** 동태평양에서 용승이 약화되고 따뜻한 해수층이 두꺼워짐 → 동태평양의 수온 약층의 깊이가 깊어짐
- **표층 수온:** 동태평양의 표층 수온은 서태평양에 비해 낮은데, 엘니뇨가 발생하면 평상시보다 높아짐 → 동태평양과 서태평양의 수온 차이가 작아짐, 동태평양의 수온 편차(관측값 − 평년값)가 (+)로 크게 나타남

1167 ㄴ. A 시기에 동태평양 해역은 수온이 상승함에 따라 상승 기류가 우세해지므로 구름이 잘 생성되어 강수량이 많아졌다.

ㄷ. 엘니뇨 시기에는 동태평양 해역의 용승이 약해져 용존 산소량과 영양 염류가 감소하여 어획량이 줄어든다.

바로알기 | ㄱ. A 시기에 동태평양 적도 부근 해역의 관측 수온이 평년 수온보다 높아졌으므로 엘니뇨가 발생한 시기이다. 따라서 평상시에 비해 무역풍이 약해졌다.

1168 ① 동태평양 적도 부근 해역의 수온 편차가 (+)로 평년보다 수온이 높으므로 남동 무역풍이 약해져 엘니뇨가 발생한 시기이다.

② 엘니뇨 시기에는 따뜻한 해수가 동쪽으로 이동하여 서태평양의 따뜻한 해수층의 두께가 평상시보다 얇아진다.

③ 인도네시아 부근에서는 수온 편차가 (−)로 평년보다 수온이 낮아져 하강 기류가 우세하므로 증발량이 많아져 가뭄이 자주 발생한다.

④ 페루 연안에서는 상승 기류가 발달하여 구름이 잘 형성된다.

바로알기 | ⑤ 평상시 동태평양의 표층 수온은 서태평양에 비해 낮은데, 그림에서 서태평양의 수온은 평년보다 낮아졌고 동태평양의 수온은 평년보다 높아졌으므로 서태평양과 동태평양의 수온 차이는 작아졌다.

1169 (가)가 (나)보다 동태평양의 표층 수온이 높은 엘니뇨 시기이다.

모범 답안 (1) (가), 서태평양은 수온 하강으로 고기압이 발달하여 강수량이 감소하고, 동태평양은 수온 상승으로 저기압이 발달하여 강수량이 증가한다.
(2) 무역풍의 세기가 약해짐에 따라 적도 부근 태평양에서 서쪽으로 이동하는 따뜻한 해수의 흐름이 약해지거나 동쪽으로 이동하여 동태평양 해역의 용승이 약해진다. 이에 따라 서태평양의 표층 수온이 낮아지고 동태평양의 표층 수온이 높아지면서 동태평양과 서태평양의 표층 수온 차이가 감소한다.

1170 ㄱ. (가)는 (나)보다 동태평양의 수온이 높으므로 엘니뇨 시기이다.

바로알기 | ㄴ. A 해역의 강수량은 저압대가 발달한 (나)가 (가)보다 많다.

ㄷ. A와 B 해역의 수온 차이는 엘니뇨 시기인 (가)가 (나)보다 작다.

1171 **모범 답안** 평상시보다 무역풍이 강하므로 적도 부근 동태평양 해역은 용승이 강하게 일어나 따뜻한 해수층의 두께가 얇아진다.

개념 보충

라니냐 발생 시 기압과 수온

- **기압:** 서태평양에 저기압, 동태평양에 고기압이 강화됨
- **따뜻한 해수층의 두께:** 동태평양에서 용승이 강화되고 따뜻한 해수층이 얇아짐 → 동태평양의 수온 약층의 깊이가 얕아짐
- **표층 수온:** 동태평양의 표층 수온은 서태평양에 비해 낮은데, 라니냐가 발생하면 평상시보다 더 낮아짐 → 동태평양과 서태평양의 수온 차이가 커짐, 동태평양의 수온 편차(관측값 − 평년값)가 (−)로 크게 나타남

1172 ㄱ. 동태평양 적도 부근 해역의 표층 수온 편차(관측값−평년값)가 (+)인 A가 엘니뇨 시기이고, (−)인 B가 라니냐 시기이다.

ㄷ. 라니냐 시기인 B 시기에 적도 부근 동태평양은 수온이 하강하므로 강한 하강 기류가 발달하여 건조한 기후가 나타난다.

바로알기 | ㄴ. 무역풍의 세기는 엘니뇨 시기인 A가 B보다 약했다.

ㄹ. 평상시에 적도 부근 서태평양 해역의 기압은 낮고, 동태평양 해역의 기압은 높다. A 시기에 서태평양 해역의 기압이 높아지고, 동태평양 해역의 기압이 낮아지므로 기압 차이가 평상시보다 감소한다.

1173 평상시보다 해수가 서쪽으로 많이 이동하였으므로 무역풍이 강하게 불어 라니냐가 발생한 시기이다.

모범 답안 라니냐, A 지역은 수온 상승으로 평년보다 기압이 낮아져 기압 편차가 (−)로 나타난다. B 지역은 수온 하강으로 평년보다 기압이 높아져 기압 편차가 (+)로 나타난다.

1174 평년에 비해 A 시기는 동태평양 해역의 수온이 낮은 라니냐 시기이고, B 시기는 동태평양 해역의 수온이 높은 엘니뇨 시기이다.

ㄴ. 엘니뇨 시기인 B 시기에 서태평양 해역인 ㉠ 해역은 평상시보다 수온이 하강하여 기압이 높아지므로 기압 편차는 (+)이다.

바로알기 | ㄱ. 라니냐 시기인 A 시기에 동태평양 해역인 ㉡ 해역은 평상시보다 수온이 하강하여 기압이 높았다.

ㄷ. 남적도 해류는 B 시기보다 무역풍이 강한 A 시기에 강했을 것이다.

에너지 전환과 효율적 이용

빈출 자료 보기 297쪽

1175 (1) ○ (2) × (3) ○ (4) ○ (5) × (6) × (7) ○

1175 **바로알기 |** (2) 열기관에 공급된 에너지는 고열원에서 열기관으로 이동한 400 J이다.
(5) A는 열기관이 한 일에 해당하며, 400 J−320 J=80 J이다. 따라서 열효율은 $\frac{80\ \text{J}}{400\ \text{J}}=\frac{1}{5}$이다. 열효율이 같은 열기관에 500 J의 에너지를 공급하면, 한 일의 양은 $500\ \text{J}\times\frac{1}{5}=100\ \text{J}$이므로 저열원으로 방출되는 에너지는 500 J−100 J=400 J이다.
(6) 고열원에서 공급한 에너지를 Q_1, 저열원으로 방출된 에너지를 Q_2라고 하면 열효율$=\frac{Q_1-Q_2}{Q_1}$이므로 Q_1-Q_2가 클수록 열효율이 높은 열기관이다.

난이도별 필수 기출 298~301쪽

1176 ③	1177 ⑤	1178 ④	1179 ②	
1180 해설 참조		1181 ③, ④	1182 ④	1183 ③
1184 해설 참조		1185 ③	1186 ①	1187 ③
1188 ②	1189 ③	1190 ③	1191 ⑤	1192 ④
1193 ④	1194 해설 참조			

1176 ① 형광등과 같은 조명 기구에서는 전기 에너지가 빛에너지로 전환된다.
② 식물의 잎에서는 빛에너지를 영양소의 화학 에너지로 전환하는 광합성이 일어난다.
④ 선풍기의 모터에서는 전기 에너지가 운동 에너지로 전환된다.
⑤ 자동차 엔진에서는 연료를 연소시켜 연료의 화학 에너지를 열에너지로 전환하고, 열에너지가 운동 에너지로 전환된다.
바로알기 | ③ 전열기에서는 전기 에너지가 열에너지로 전환된다.

1177 ①, ③ 에너지는 새로 생기거나 소멸하지 않는다. 이를 에너지 보존 법칙이라고 한다.
② 에너지가 한 형태에서 다른 형태로 변하는 것을 에너지 전환이라고 한다.
④ 소리나 파도와 같은 파동이 가지는 에너지를 파동 에너지라고 한다.
바로알기 | ⑤ 빛에너지는 가시광선이나 자외선과 같이 빛의 형태로 전달되는 에너지이므로 분자의 운동에 의한 에너지와 관련이 없다.

1178 ④ 열기관은 열에너지를 역학적 에너지로 전환시키는 장치이다.
바로알기 | ① 태양 전지에서는 빛에너지가 전기 에너지로 전환된다.
② 빛에너지가 화학 에너지로 전환되는 과정은 식물의 광합성이다.
③ 건전지의 충전은 전기 에너지가 화학 에너지로 전환되는 과정이다.
⑤ 수력 발전에서는 역학적 에너지가 전기 에너지로 전환된다.

1179 ㄱ. 열에너지는 온도가 높은 곳에서 낮은 곳으로 이동하므로 휴대 전화의 사용 중 발생한 열에너지는 주변으로 흩어져 다시 이용하기 어렵다.
ㄷ. 휴대 전화에서 소모되는 전기 에너지는 배경 화면에서는 빛에너지로, 스피커에서는 소리 에너지로, 진동 모터에서는 운동 에너지로 전환된다.
바로알기 | ㄴ. 배터리는 화학 에너지의 형태로 에너지를 저장하는 장치이다. 휴대 전화의 배터리를 충전할 때 전기 에너지가 화학 에너지로 전환된다.
ㄹ. 에너지 보존 법칙에 따라 에너지의 형태가 전환되더라도 에너지의 총량은 항상 보존된다.

1180 모범 답안 에너지 보존 법칙에 따라 에너지의 총량은 항상 보존되지만 유용하게 쓸 수 있는 에너지의 양은 점점 줄어들기 때문이다. 에너지 전환 과정에서는 항상 열에너지가 발생하는데, 이 에너지는 유용하게 쓸 수 없다. 따라서 우리가 유용하게 쓸 수 있는 에너지가 점점 줄어들기 때문에 에너지를 절약해야 한다.

1181 ① 열은 고열원에서 열기관을 거쳐 저열원으로 이동한다.
② Q_1은 고열원으로부터 열기관에 공급되는 열에너지, Q_2는 열기관에서 저열원으로 방출되는 열에너지이다.
⑤ 열기관의 열효율은 열기관에 공급한 열에너지 중 열기관이 한 일의 비율이므로 열효율$=\frac{W}{Q_1}=\frac{Q_1-Q_2}{Q_1}$이다.
⑥ 저열원으로 방출하는 열이 적을수록 일로 전환된 에너지가 많으므로 열기관의 열효율이 높다.
⑦ 고온에서 저온으로 열이 이동하는 것은 막을 수 없으므로 열효율이 1인 열기관은 만들 수 없다.
바로알기 | ③ 에너지 보존 법칙에 따라 $Q_1=W+Q_2$이므로 $W=Q_1-Q_2$이다.
④ Q_2는 열기관에서 유용하게 쓰이지 못하고 저열원으로 버려진 에너지이다. Q_1의 일부가 W만큼의 역학적 에너지로 전환된다.

1182 ㄴ. 외부에 한 일의 양은 1000 J−650 J=350 J이다.
ㄷ. 에너지 보존 법칙에 따라 에너지 전환 과정에서 에너지의 총량은 항상 보존된다.
바로알기 | ㄱ. 열효율$=\frac{W}{Q_1}=\frac{Q_1-Q_2}{Q_1}$이므로 이 열기관의 열효율은 $\frac{1000\ \text{J}-650\ \text{J}}{1000\ \text{J}}=0.35$이다.

1183 ㄱ. 열효율$=\frac{W}{Q_1}=\frac{Q_1-Q_2}{Q_1}$이므로 ㉠은 $\frac{30\ \text{J}}{100\ \text{J}}=0.3$이다.
ㄹ. A에서 방출한 열에너지는 100 J−30 J=70 J이다. B가 한 일은 30 J이므로 B에서 방출한 열에너지는 150 J−30 J=120 J이다. 따라서 방출한 열에너지는 B가 A보다 많다.
바로알기 | ㄴ. A의 열효율은 0.3이고 B의 열효율은 0.2이므로 열효율은 A가 B보다 크다.
ㄷ. B의 열효율은 0.2이므로 한 일의 양은 150 J×0.2=30 J이다. 따라서 A와 B가 한 일의 양은 서로 같다.

1184 (1) 에너지 보존 법칙에 따라 $Q_1=W+Q_2$이므로 열기관이 저열원으로 방출한 열에너지는 $Q_2=500\ \text{J}-260\ \text{J}=240\ \text{J}$이다.
모범 답안 (1) 240 J
(2) 열기관의 열효율은 $\frac{\text{열기관이 한 일}}{\text{공급한 열에너지}}$이므로 $\frac{260\ \text{J}}{500\ \text{J}}=0.52$이다.

1185 열효율$=\frac{\text{공급한 열에너지}-\text{방출된 열에너지}}{\text{공급한 열에너지}}$이므로 각 열기관의 열효율을 계산하면 다음과 같다.

• A : $\frac{4Q-2Q}{4Q}=\frac{1}{2}$ • B : $\frac{6Q-2Q}{6Q}=\frac{2}{3}$

• C : $\frac{8Q-4Q}{8Q}=\frac{1}{2}$ • D : $\frac{10Q-6Q}{10Q}=\frac{2}{5}$

따라서 B>A=C>D이다.

1186 ㄱ. 열효율$=\frac{\text{열기관이 한 일}}{\text{공급한 열에너지}}$이므로 열기관이 한 일=열효율×공급한 열에너지이다. 따라서 열기관이 한 일의 양은 0.2×50 kJ=10 kJ이다.

바로알기 | ㄴ. 저열원으로 방출한 열 Q는 Q=50 kJ−10 kJ=40 kJ이다.

ㄷ. 열효율이 0.2이므로 이 열기관에 100 kJ의 열을 공급하면 열기관이 한 일의 양은 0.2×100 kJ=20 kJ이고, 저열원으로 방출하는 열 Q는 100 kJ−20 kJ=80 kJ이 된다.

1187 ㄷ. 에너지 효율 등급의 숫자가 작을수록 열효율이 높은 것을 의미한다. 따라서 W의 양이 커질수록 열효율이 높고 에너지 효율 등급의 숫자가 작아진다.

바로알기 | ㄱ. 열기관의 열효율은 열기관에 공급한 열에너지 중 열기관이 한 일의 비율이므로 열효율$=\frac{W}{Q_1}=\frac{Q_1-Q_2}{Q_1}=1-\frac{Q_2}{Q_1}$이다.

ㄴ. $Q_1=W$인 열기관은 열효율이 1인 열기관으로, 저열원으로 빠져나가는 에너지가 하나도 없다는 의미이다. 그러나 고온에서 저온으로 열이 이동하는 것은 막을 수 없으므로 열효율이 1인 열기관은 만들 수 없다.

1188 ㄴ. B는 가전제품이 한 달간 소비하는 전기 에너지의 양을 나타내므로 성능이 비슷하다면 B의 값이 작을수록 전기가 절약된다.

바로알기 | ㄱ. A는 에너지 소비 효율 등급으로 숫자가 작을수록 에너지 효율이 높은 것을 의미한다.

ㄷ. C의 단위는 g/시간으로, 이는 1시간에 배출하는 이산화 탄소의 양을 g 단위로 나타낸 것이다. 따라서 C의 값이 35라면 이 가전제품은 1시간에 35 g의 이산화 탄소를 배출한다.

1189 ㄱ. 에너지 소비 효율 등급이 1등급에 가까울수록 에너지 효율이 높은 제품이므로 에너지 효율은 (나)가 (가)보다 더 높다.

ㄴ. 월간 소비 전력량은 (나)가 11.9 kWh/월이고, (가)가 22.5 kWh/월이므로 (나)가 더 적다.

바로알기 | ㄷ. 1시간에 배출하는 이산화 탄소의 양은 (가)가 13 g, (나)가 7 g으로 (가)가 더 많다. 따라서 같은 시간 동안 사용하면 (나)가 (가)보다 지구 온난화를 예방하는 데 더 도움이 된다.

1190 ㄱ. 에너지 효율은 공급한 에너지 중에서 유용하게 사용된 에너지의 비율을 의미한다. 따라서 전구의 에너지 효율은 전기 에너지가 빛에너지로 전환되는 비율이고, 열에너지는 버려지는 에너지이다. 따라서 같은 양의 전기 에너지를 공급한다면 에너지 효율이 높은 A가 B보다 빛에너지가 많이 방출되어 더 밝다.

ㄷ. 빛에너지로 전환되고 남은 에너지가 열에너지로 방출된다. 같은 양의 전기 에너지를 공급한다면 에너지 효율이 낮을수록 버려지는 에너지의 양이 많으므로 B의 열에너지 방출량이 A보다 많다.

바로알기 | ㄴ. 전구에 공급되는 전기 에너지의 양을 E_1, 전구에서 전환되는 빛에너지의 양을 E_2라고 하면 E_2=에너지 효율×E_1이고, $E_1=\frac{E_2}{\text{에너지 효율}}$이다. 따라서 전구 A와 B에서 방출되는 빛에너지의 양이 서로 같다면 공급한 전기 에너지와 에너지 효율은 반비례 관계이다. B의 에너지 효율이 A의 $\frac{1}{5}$배이므로 B에 공급하는 전기 에너지는 A의 5배이다.

1191 ㄱ. 자동차의 엔진은 연료가 연소할 때 발생하는 기체가 팽창하는 힘을 이용하여 피스톤을 움직여 동력을 얻는다. 즉, 연료의 화학 에너지가 열에너지로 전환되고, 열에너지가 운동 에너지로 전환된다.

ㄴ. 자동차에서 유용하게 사용되는 에너지는 운동 에너지이므로 자동차의 에너지 효율은 25 %이다.

ㄷ. 자동차에 공급된 에너지 중 25 %만 운동에 이용되고, 나머지는 다시 쓸 수 없는 열에너지로 전환된다.

1192 ㄱ. 에너지 제로 하우스는 신재생 에너지를 활용하여 에너지를 자체 생산하는 액티브 기술과, 단열과 같이 에너지 손실을 막고 에너지 효율을 높이는 패시브 기술이 적용되어 외부에서 추가적인 에너지를 공급하지 않아도 되는 건물을 의미한다.

ㄷ. 태양 전지와 같은 신재생 에너지 기술을 사용한다.

ㄹ. 단열 시스템을 이용하여 열의 이동을 차단하면 냉난방에 들어가는 에너지를 줄여 주어 에너지 효율을 높일 수 있다.

바로알기 | ㄴ. 에너지 제로 하우스는 탄소를 배출하는 화석 연료 사용량을 최소화하여 탄소 배출량을 감소시키는 장점이 있다.

1193 ㄴ. 각 조명 기구의 에너지 효율을 구하면 다음과 같다.

• 백열등: $\frac{1.5\ \text{J}}{30\ \text{J}}\times100=5\ \%$ • 형광등: $\frac{5\ \text{J}}{25\ \text{J}}\times100=20\ \%$

• LED 전등: $\frac{10.2\ \text{J}}{17\ \text{J}}\times100=60\ \%$

따라서 에너지 효율을 비교하면 LED 전등>형광등>백열등이다.

ㄷ. 에너지 효율은 형광등이 백열등의 4배이므로 같은 양의 전기 에너지를 사용했을 때 발생한 빛에너지의 양은 형광등이 백열등의 4배이다.

바로알기 | ㄱ. 조명 기구의 에너지 효율은 사용한 전기 에너지에 대한 빛에너지의 비율이고, 형광등의 에너지 효율은 20 %이다.

1194 (1) 에너지 효율은 공급한 에너지 중에서 유용하게 사용된 에너지의 비율이므로 가솔린 자동차의 에너지 효율은 $\frac{75\ \text{J}}{300\ \text{J}}\times100=25\ \%$이다.

(2) 화력 발전의 에너지 효율은 $\frac{80\ \text{J}}{200\ \text{J}}=0.4$, 송전의 에너지 효율은 $\frac{95\ \text{J}}{100\ \text{J}}=0.95$, 전기 자동차의 에너지 효율은 $\frac{200\ \text{J}}{250\ \text{J}}=0.8$이므로 이 모든 과정을 고려한 전기 자동차의 실제 에너지 효율은 각 단계의 에너지 효율을 모두 곱한 0.4×0.95×0.8=0.304이다. 이를 백분율로 나타내면 30.4 %이다.

모범 답안 (1) 25 %

(2) 30.4 %

(3) 전기 자동차가 더 유리하다. 전기 자동차의 실제 에너지 효율이 가솔린 자동차의 에너지 효율보다 높으므로 전기 자동차를 사용하는 것이 불필요하게 발생하는 에너지 소비를 줄여 주어 더 효율적이기 때문이다.

최고 수준 도전 기출 (33~36강)

302~303쪽

1195 ③	1196 ①	1197 ①	1198 ①	1199 ⑤
1200 ①	1201 ④	1202 해설 참조		

1195 광합성은 식물 세포의 엽록체에서 일어나며, 광합성에는 CO_2가 필요하고 광합성 결과 O_2가 생성된다.

ㄱ. 빛의 세기가 A일 때 엽록체에서 광합성을 통해 생성된 O_2는 엽록체 막(㉡)을 통해 세포질 쪽인 Ⅲ 방향으로 이동한다.

ㄷ. 빛의 세기가 C일 때 광합성 속도가 호흡 속도보다 빨라서 엽록체에서 생성되는 O_2의 양이 미토콘드리아에서 호흡으로 소모되는 O_2의 양보다 많기 때문에 식물체 밖으로 O_2가 방출된다. 따라서 빛의 세기가 C일 때 세포막(㉠)을 통해 이동하는 O_2의 양은 Ⅱ 방향보다 Ⅰ 방향에서 더 많다.

바로알기 | ㄴ. 빛의 세기가 B일 때 광합성 속도와 호흡 속도가 같다. 즉, 엽록체 막(㉡)을 통해 Ⅳ 방향으로 이동하는 CO_2가 있어 엽록체에서 광합성이 일어나고 있다.

개념 보충

식물의 호흡량과 광합성량

- **식물의 호흡량:** 온도가 일정하면 식물의 호흡량은 일정하다. 식물의 호흡량은 빛이 없을 때 식물이 흡수하는 이산화 탄소의 양으로 계산할 수 있다.
- **빛의 세기와 광합성량**
  - 보상점(B): 광합성 속도와 호흡 속도가 같을 때의 빛의 세기로, '광합성량=호흡량'이다. ➡ 외관상 기체의 이동이 없다.
  - 보상점 미만의 빛의 세기(A): 광합성 속도가 호흡 속도보다 느려서 '광합성량<호흡량'이다. ➡ 외관상 이산화 탄소를 방출한다.
  - 보상점 초과의 빛의 세기(C) : 광합성 속도가 호흡 속도보다 빨라서 '광합성량>호흡량'이다. ➡ 외관상 이산화 탄소를 흡수한다.

1196 ㄱ. 겨울인 12월~2월에는 사철나무 잎 세포에서 녹말 함량이 낮고 포도당 함량이 높다. 기온이 내려가면 사철나무는 잎 세포에 저장해 두었던 녹말을 포도당으로 분해하여 세포액의 농도를 높임으로써 삼투압을 증가시킨다.

바로알기 | ㄴ. 사철나무는 겨울에 잎 세포의 포도당 함량을 높여 삼투압을 높인다. 잎 세포액의 삼투압이 높아지면 어는점이 낮아져 겨울에 사철나무의 잎 세포가 어는 것을 막는다.

ㄷ. 사철나무 잎 세포의 삼투압 변화는 온도에 대한 적응 현상이다.

1197 ㄱ. 안정된 생태계에서 에너지양은 상위 영양 단계로 갈수록 감소한다. 따라서 가장 많은 에너지가 유입되는 ㉠은 생산자, 생산자로부터 에너지를 전달받는 ㉡은 소비자, 생물의 사체나 배설물로부터 에너지를 얻는 ㉢은 분해자이다.

바로알기 | ㄴ. 에너지는 형태는 바뀌지만 중간에 소멸되거나 새로 생성되지 않는다. 따라서 ㉠에 유입된 에너지양과 ㉠에서 유출된 에너지의 총량은 같으므로 100=A+20+30이 되어 A는 50이다. ㉡을 기준으로 하면 30=B+10이므로 B는 20이다. ㉢을 기준으로 하면 C=20+10=30이고, 30=D+10이므로 D는 20이다. 따라서 에너지양의 크기는 A+C=50+30=80, B+D=20+20=40이다.

ㄷ. 분해자에게 전달된 에너지양은 30으로, 생산자의 에너지양 100보다 작다.

1198 ㄱ. 먹이 사슬을 따라 에너지가 이동할 때 각 영양 단계에서 생명 활동에 이용하고 남은 에너지가 다음 영양 단계로 전달되기 때문에 상위 영양 단계로 갈수록 전달되는 에너지양은 감소한다.

바로알기 | ㄴ. 영양 단계를 많이 거칠수록 사람에게 전달되는 에너지양이 감소한다. 따라서 (나)보다 (가)에서 사람이 획득할 수 있는 에너지양이 더 많다.

ㄷ. 식량 문제를 해결하기 위해서는 영양 단계를 적게 거치는 것이 필요하므로, 식량난을 겪는 나라는 육식보다 초식을 주식으로 하는 것이 에너지 이용 측면에서 유리하다.

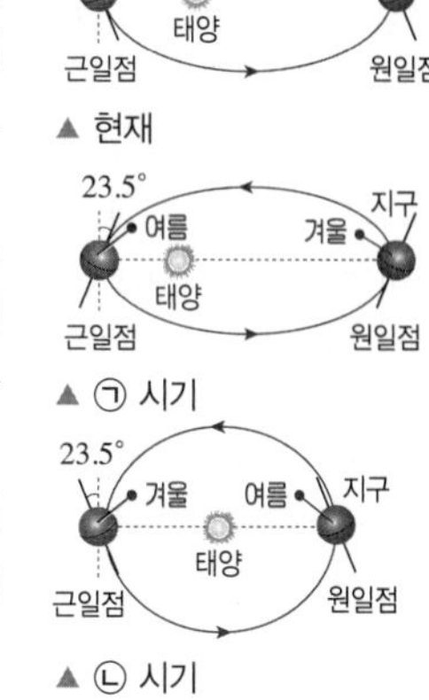

1199 ① 현재 북반구는 근일점일 때 지표에 입사하는 태양 복사 에너지양이 적으므로 겨울이고, 원일점일 때 지표에 입사하는 태양 복사 에너지양이 많으므로 여름이다.

② 세차 운동은 약 26000년을 주기로 지구 자전축이 회전하는 현상으로, ㉠ 시기(13000년 전)에는 세차 운동으로 지구 자전축 방향이 현재와 반대이다.

③ ㉠ 시기에는 지구 자전축 방향이 현재와 반대이므로 북반구는 근일점일 때 여름이 된다.

④ ㉠ 시기에 북반구는 근일점에서 여름이 되고 이심률이 현재보다 크므로 태양과의 거리가 더 가까워서 여름철 기온이 더 높아진다. 반대로 원일점에서 겨울이 되고 태양과의 거리가 더 멀어져 겨울철 기온이 더 낮아진다. 따라서 기온의 연교차는 현재보다 커진다.

바로알기 | ⑤ ㉡ 시기에 자전축의 방향은 현재와 같으므로 북반구 계절은 현재와 같이 근일점에서 겨울이다. 이심률이 작아지면서 근일점일 때 태양과의 거리가 멀어지므로 겨울철 기온은 현재보다 하강한다.

1200 ㄴ. 강한 무역풍에 의해 따뜻한 해수가 서쪽으로 이동하여 서태평양은 평상시보다 수온이 높아지므로 상승 기류가 강하여 강수량이 많아진다.

바로알기 | ㄱ. 서태평양에서는 해수면 높이 편차(관측값−평년값)가 (+)이므로 해수면의 높이가 평상시보다 높고, 동태평양에서는 해수면의 높이 편차가 (−)이므로 평상시보다 해수면의 높이가 낮다. 따라서 평상시보다 무역풍이 강한 라니냐 시기이다.

ㄷ. 동태평양 해역은 서태평양 쪽으로 이동한 따뜻한 해수층을 채우기 위해 용승이 강해지면서 표층 수온이 평상시보다 낮아진다.

1201 고열원에서 공급받은 열은 에너지 보존 법칙에 따라 열기관이 한 일과 저열원으로 방출한 열의 합과 같다.

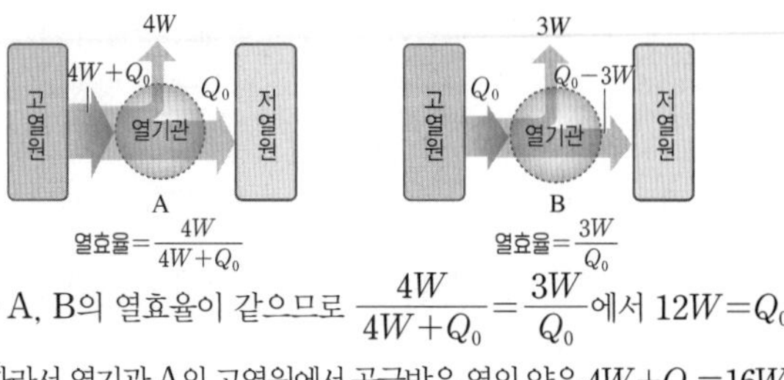

열기관 A, B의 열효율이 같으므로 $\frac{4W}{4W+Q_0}=\frac{3W}{Q_0}$에서 $12W=Q_0$이다. 따라서 열기관 A의 고열원에서 공급받은 열의 양은 $4W+Q_0=16W$이고 열효율은 $\frac{3W}{Q_0}=\frac{1}{4}=0.25$이다.

1202 모범 답안 (가) 정속 주행 구간에서는 엔진만으로 주행하므로 화석 연료의 화학 에너지가 운동 에너지로 전환된다.

(나) 감속/내리막 구간에서는 배터리가 충전되므로, 자동차의 운동 에너지가 전기 에너지로 전환된다.

전기 에너지의 생산과 수송

빈출 자료 보기 306쪽

1203 (1) × (2) ○ (3) × (4) ○

1204 (1) ○ (2) × (3) × (4) ○

1203 **바로알기 |** (1) 자석의 N극이 코일로부터 멀어지면 코일을 통과하는 자기장의 세기는 점점 감소한다.
(3) 코일 내부에는 오른쪽 방향의 자기장이 점점 감소하므로 이를 방해하기 위해 오른쪽 방향의 자기장이 증가하도록, 즉 코일의 왼쪽이 S극이 되도록 유도 전류가 흐른다. 따라서 자석과 코일 사이에는 서로 끌어당기는 인력이 작용한다.

1204 **바로알기 |** (2) 변압기에서 손실되는 에너지가 없으므로 1차 코일에 공급되는 전력과 2차 코일에 유도되는 전력은 같다. 따라서 1차 코일과 2차 코일의 전력의 비는 1:1이다.
(3) 전압은 코일의 감은 수에 비례하고, 전류의 세기는 코일의 감은 수에 반비례한다. 따라서 1차 코일과 2차 코일의 감은 수의 비가 1 : 5이면 1차 코일과 2차 코일에 흐르는 전류의 비는 5 : 1이다.

난이도별 필수 기출 307~311쪽

1205 ③ 1206 ① 1207 ④, ⑥ 1208 ③
1209 해설 참조 1210 해설 참조 1211 ④
1212 ⑤ 1213 ③ 1214 ① 1215 ③ 1216 ②
1217 ⑥, ⑦ 1218 ④ 1219 ③ 1220 3 A 1221 ④
1222 ⑤ 1223 (1) 2000 V (2) 25 A (3) 50 kW
1224 3 : 1 1225 (1) 4 : 1 (2) 1 : 4 1226 ③, ⑦ 1227 ①
1228 ③ 1229 ③ 1230 해설 참조
1231 ②, ④, ⑦ 1232 ①

1205 ㄱ. 자석의 극 주위에서 자기장의 세기가 가장 세고 자석에서 멀어질수록 자기장의 세기가 약해진다. (가)에서 자석의 N극이 코일에 가까이 다가가므로 코일을 통과하는 자기장의 세기가 증가한다.
ㄴ. (나)에서 자석의 N극이 코일에서 멀어지므로 코일을 통과하는 아래쪽 방향의 자기장이 감소하여 코일의 위쪽이 S극이 되도록 유도 전류가 흐른다. 따라서 (나)에서는 A → 검류계 → B로 전류가 흐른다.
바로알기 | ㄷ. (가)에서는 코일을 통과하는 아래쪽 방향의 자기장의 세기가 증가하고, (나)에서는 코일을 통과하는 아래쪽 방향의 자기장의 세기가 감소한다. 유도 전류는 자기장의 변화를 방해하는 방향으로 흐르므로 (가)와 (나)에서 검류계에 흐르는 전류의 방향은 서로 반대이다.

1206 **바로알기 |** ① 전자석은 전류가 흐르는 장치 주변에 자기장이 생기는 원리를 이용한다.

1207 **바로알기 |** ④ 코일에 자석을 넣을 때(b 방향)와 뺄 때(a 방향) 코일 내부의 자기장 변화가 반대로 일어나므로 유도 전류의 방향도 반대가 된다.
⑥ 패러데이 전자기 유도 법칙에 따르면 유도 전류의 세기는 코일의 감은 수에 비례한다. 따라서 코일의 감은 수가 많을수록 유도 전류의 세기가 세지므로 검류계의 바늘이 크게 움직인다.

1208 **바로알기 |** ③ 자석의 S극을 코일에 가까이 할 때는 N극을 가까이 할 때와 비교해서 코일을 통과하는 자기장의 변화가 반대로 일어나므로 유도 전류의 방향도 반대가 된다.

1209 **모범 답안** 코일에 전류가 흐르지 않는다. 자석이 정지한 경우에는 코일을 통과하는 자기장이 변하지 않기 때문에 유도 전류가 흐르지 않는다.

1210 **모범 답안** 코일의 감은 수를 늘린다, 자석의 세기가 센 자석을 사용한다, 자석을 더 빠르게 움직인다.

1211 ㄴ. B의 왼쪽에서 자석의 N극이 다가오므로 이를 밀어내기 위해 코일의 왼쪽이 N극이 되도록 유도 전류가 흐른다. 유도 전류의 방향은 오른손 엄지손가락을 코일에 유도된 N극을 가리키도록 코일을 감아쥘 때 네 손가락이 감아쥐는 방향이므로 저항에는 오른쪽 방향으로 전류가 흐른다.
ㄷ. 동일한 자석이 같은 속도로 다가가고 있으므로 단위시간당 코일을 통과하는 자기장의 변화는 같다. 따라서 유도 전류의 세기는 코일의 감은 수에만 비례하므로 B에 더 센 전류가 흐른다.
바로알기 | ㄱ. 자석의 N극이 다가가고 있으므로 코일을 통과하는 오른쪽 방향의 자기장이 점점 증가한다. 따라서 A, B 모두 코일의 왼쪽이 N극이 되도록 유도 전류가 흐르므로 유도 전류에 의한 자기장의 방향은 왼쪽으로 서로 같다.

1212 ㄱ. 자석의 극 주위에서 자기장의 세기가 가장 세고 자석에서 멀어질수록 자기장의 세기가 약해진다. 자석이 p점을 지날 때 자석의 N극이 코일에 가까이 다가가므로 코일 내부를 통과하는 자기장의 세기는 증가한다.
ㄴ. h보다 높은 곳에서 자석을 떨어뜨리면 코일을 통과할 때의 자석의 속력이 더 커지므로 검류계에 더 센 전류가 흐른다.
ㄹ. 자석이 p점을 지날 때는 다가오는 자석을 밀어내기 위해 위쪽으로 자기력이 작용하고, q점을 지날 때는 멀어지는 자석을 끌어당기기 위해 위쪽으로 자기력이 작용한다. 따라서 p점과 q점을 지날 때 자석이 받는 자기력의 방향은 같다.
바로알기 | ㄷ. 자석이 p점을 지날 때와 q점을 지날 때의 자기장의 변화가 반대이므로 유도 전류의 방향도 반대이다. 따라서 검류계 바늘은 반대 방향으로 움직인다.

1213 $0 \sim 2t$ 동안 코일과 자석 사이 간격이 점점 커지고 있으므로 자석은 코일에서 멀어지고 $2t \sim 4t$ 동안 코일과 자석 사이 간격이 일정하므로 자석은 정지해 있다. $4t$ 이후에는 코일과 자석 사이 간격이 점점 작아지므로 자석은 코일에 가까워진다.
ㄱ. t일 때 자석의 S극이 점점 멀어지고 있고, $6t$일 때는 자석의 S극이 점점 가까워지고 있다. 코일 내부의 자기장 변화가 서로 반대이므로 t일 때와 $6t$일 때 검류계에 흐르는 전류의 방향도 서로 반대이다.
ㄷ. 그래프 기울기의 크기는 자석의 속력과 같으므로 자석과 코일 사이의 거리가 같을 때 기울기가 클수록 유도 전류의 세기가 세다. t일 때와 $6t$일 때 자석과 코일 사이의 거리가 같고, 자석의 속력(그래프의 기울기)은 t일 때가 $6t$일 때보다 크므로 t일 때가 $6t$일 때보다 검류계에 흐르는 전류의 세기가 세다.
바로알기 | ㄴ. $3t$일 때 자석은 정지해 있으므로 코일을 통과하는 자기장이 변하지 않는다. 따라서 검류계에 흐르는 전류는 0이다.

1214 ㄱ. 자석이 A → B로 움직일 때 코일에 점점 가까워지므로 코일 내부를 통과하는 자기장의 세기가 증가한다.

바로알기 | ㄴ. 자석이 B점에 있을 때 코일 내부에는 아래 방향의 자기장이 형성되고, C점으로 움직이면서 아래 방향의 자기장 세기가 점점 감소한다. 따라서 자석이 B → C로 움직일 때 코일의 위쪽이 S극이 되도록 유도 전류가 흐르므로 (가) 방향이다.
ㄷ. 자석이 A → B로 움직일 때는 코일을 통과하는 아래 방향의 자기장이 점점 증가하고, B → C로 움직일 때는 코일을 통과하는 아래 방향의 자기장이 점점 감소한다. 이처럼 코일을 통과하는 자기장의 변화가 서로 반대이므로 유도 전류의 방향도 반대가 된다. 따라서 자석이 B를 지나는 순간 유도 전류의 방향이 바뀌게 된다.

1215 ㄱ. (가)에서 도선이 자기장 영역 안으로 들어갈수록 도선 내부에는 종이 면에 수직으로 들어가는 방향의 자기장의 세기가 증가한다. 따라서 유도 전류에 의한 자기장 방향은 종이 면에서 수직으로 나오는 방향이어야 하므로 시계 반대 방향으로 유도 전류가 흐른다.
ㄴ. 도선이 같은 속력으로 이동하므로 단위시간 동안 도선 내부를 통과하는 자기장의 세기 증가량은 (나)에서가 (가)에서보다 크다. 따라서 (가)보다 (나)에 더 센 유도 전류가 흐른다.
바로알기 | ㄷ. (나)에서 도선이 오른쪽 그림과 같이 균일한 자기장 영역 내부를 지나는 동안에는 도선 내부를 통과하는 자기장의 세기가 변하지 않으므로 유도 전류가 흐르지 않는다.

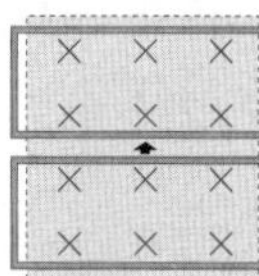

1216 ㄷ. 발전기는 코일 주변에서 자석을 움직여 코일 내부의 자기장이 변하는 것을 이용하여 전기 에너지를 만들어 낸다.
바로알기 | ㄱ. 화력 발전에서는 화석 연료를 연소시켜 얻은 열에너지를, 핵발전에서는 핵분열시 발생하는 열에너지를 각각 이용하며, 물을 가열하여 고온, 고압의 증기로 만들어 터빈을 돌린다. 이 과정에서 물은 액체에서 기체로 상태가 변화한다. 반면 수력 발전에서는 물의 상태 변화 없이 높은 곳의 물이 떨어지며 터빈을 돌리게 된다.
ㄴ. 열에너지로 터빈을 돌리는 것은 화력 발전과 핵발전이다. 수력 발전은 물의 역학적 에너지를 이용하여 터빈을 돌린다.

1217 ② 자기장이 통과하는 코일의 단면적이 증가하여 코일 내부를 오른쪽으로 통과하는 자기장의 세기가 증가하므로 유도 전류에 의한 자기장의 방향은 왼쪽을 향해야 한다. 따라서 유도 전류는 b 방향으로 흐른다.
바로알기 | ⑥ 코일이 1회전 하는 동안 자기장이 통과하는 코일의 면적이 증가하다가 감소하는 것을 반복하므로 코일에 흐르는 유도 전류의 방향은 계속 변한다.
⑦ 코일을 반대 방향으로 회전시키면 유도 전류가 반대 방향으로 흐른다. 전구는 전류의 방향과 관계없이 전류가 흐르기만 하면 불이 켜지므로 코일을 반대 방향으로 회전시켜도 전구에는 불이 들어온다.

1218 **바로알기 |** ④ 바퀴가 반대 방향으로 회전해도 코일을 통과하는 자기장의 세기가 변하므로 유도 전류가 흘러 전조등에 불이 켜진다.

1219 ㄱ. (가)에서는 자기장과 코일 면이 서로 나란하므로 자기장이 통과하는 면적이 0이다. (다)처럼 자기장과 코일 면이 수직일 때 자기장이 통과하는 면적은 최대가 되고, (나)는 그 중간 정도의 상황이라고 생각할 수 있다. 따라서 (가)에서 (나)까지 회전할 때 자기장이 통과하는 코일 내부의 면적은 증가한다.
ㄴ. 자기장이 오는 방향(S극의 위치)에서 자기력선과 코일 면을 본다고 생각해 보자. 코일이 회전하면서 정면에서 바라보는 면적이 점점 증가하므로 코일 면을 통과하는 자기력선의 수도 많아진다.

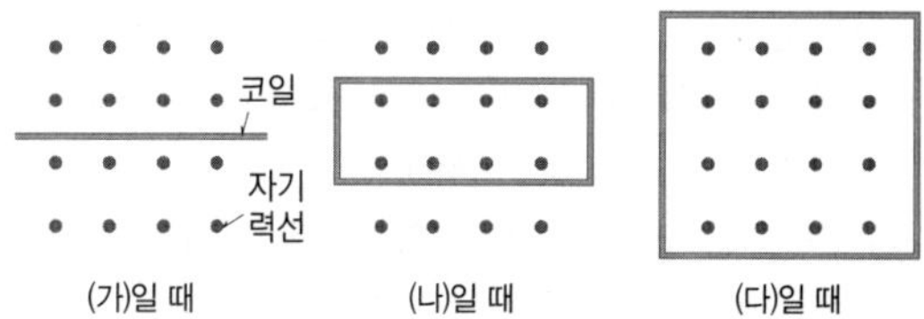

바로알기 | ㄷ. 자기장이 통과하는 코일의 단면적이 증가하여 코일 내부를 오른쪽으로 통과하는 자기장의 세기가 증가하므로 유도 전류에 의한 자기장의 방향은 왼쪽을 향해야 한다. 따라서 유도 전류는 a 방향으로 흐른다.

1220 1차 코일과 2차 코일의 감은 수의 비가 $N : 4N = 1 : 4$이면 1차 코일과 2차 코일에 흐르는 전류의 비는 4 : 1이다. 따라서 2차 코일에 흐르는 전류의 세기는 3 A이다.

1221 ⑤ 1차 코일에서 500 W의 전력을 공급하면 2차 코일에 유도되는 전력도 500 W이다. 500 W는 1초 동안 소비하는 전기 에너지가 500 J이라는 의미이므로 5초 동안 소비하는 전기 에너지는 $500\text{ W} \times 5\text{ s} = 2500\text{ J}$이다.
바로알기 | ④ 변압기에서 전력 손실이 없으므로 1차 코일의 전력과 2차 코일의 전력은 서로 같다.

1222 ㄱ. $V_1 : V_2 = 1 : 2$이므로 $\frac{1}{2} = \frac{N}{500}$, $N = 250$이다.
ㄴ, ㄷ. $V_1 = 100$ V이면 $V_2 = 200$ V이므로 옴의 법칙 $V_2 = I_2R$에 따라 $I_2 = \frac{200\text{ V}}{50\ \Omega} = 4$ A이고 소비 전력은 $200\text{ V} \times 4\text{ A} = 800$ W이다.

1223 (1) $\frac{V_1}{V_2} = \frac{N_1}{N_2} = \frac{1}{5}$이고, $V_1 = 400$ V이므로 $V_2 = 2000$ V이다.
(2) $V_2 = 2000$ V이고 $R = 80\ \Omega$이므로 옴의 법칙 $V_2 = I_2R$에 따라 $I_2 = \frac{2000\text{ V}}{80\ \Omega} = 25$ A이다.
(3) 2차 코일의 소비 전력은 $P_2 = 2000\text{ V} \times 25\text{ A} = 50000\text{ W} = 50$ kW이다. 변압기에서 전력 손실이 없으므로 1차 코일과 2차 코일의 전력은 같다. 따라서 1차 코일에 공급한 전력은 50 kW이다.

1224 (가)의 저항에서 소비되는 전력은 $P_{가} = \frac{V^2}{R}$이다. (나)에서 2차 코일의 전압을 V_2라 하면 $\frac{3V}{V_2} = \frac{N_1}{N_2}$에서 $V_2 = \frac{N_2}{N_1} \times 3V$이므로 (나)의 저항에서 소비되는 전력은 $P_{나} = \frac{N_2^2 \times 9V^2}{N_1^2 \times 4R}$이다. $P_{가} = 4P_{나}$이므로 $\frac{V^2}{R} = \frac{V^2}{R} \times \frac{9N_2^2}{N_1^2}$에서 $\frac{9N_2^2}{N_1^2} = 1$이고, $N_1 : N_2 = 3 : 1$이다.

1225 각 송전선에서 전류의 세기와 손실 전력을 구하면 다음과 같다.

송전선	송전 전력	전압	송전 전류	손실 전력
A	$2P$	V	$\frac{2P}{V}$	$\left(\frac{2P}{V}\right)^2 \times R_A$
B	P	$2V$	$\frac{P}{2V}$	$\left(\frac{P}{2V}\right)^2 \times R_B$

(1) $I_A : I_B = \frac{2P}{V} : \frac{P}{2V} = 4 : 1$
(2) $P_{A,손실} = 4P_{B,손실}$이므로 $\frac{4P^2}{V^2} \times R_A = 4 \times \frac{P^2}{4V^2} \times R_B$에서 $R_A : R_B = 1 : 4$이다.

1226 **바로알기 |** ③ 전력 수송 과정에서 손실 전력을 줄이기 위해 발전소 근처의 변전소에서는 전압을 높여 송전하고, 나머지 변전소에서는 송전된 높은 전압을 소비지에서 안전하게 사용할 수 있는 전압으로 낮추어 공급한다. 즉, 송전 과정에서 전압은 일정하지 않고 필요에 따라 변한다.
⑦ 전압을 높여 송전하면 송전선의 전류는 감소하므로 손실 전력이 감소하게 된다.

1227 **바로알기 |** ① 전력 수송을 교류 방식으로 할 경우 송전선에서는 세기와 방향이 계속 변하는 교류 전류가 흐른다.

1228 ㄷ. $P=VI$에서 송전 전압을 10배로 증가시키면 송전 전류가 $\frac{1}{10}$배로 감소한다. 송전선에서의 손실 전력은 송전 전류의 제곱에 비례하므로 손실 전력은 $\frac{1}{100}$배로 감소한다.
바로알기 | ㄱ. 송전선의 저항은 송전 전압과 관계없이 일정하다. 송전선의 저항을 달라지게 하는 것은 송전선의 굵기와 재질이다.
ㄴ. $P=VI$이므로 송전 전압을 10배로 증가시키면 송전선에 흐르는 전류는 $\frac{1}{10}$배로 감소한다.

1229 ㄱ. 변전소 X의 송전 전류는 $\frac{30P}{V}$이고 변전소 Y의 송전 전류는 $\frac{30P}{2V}=\frac{15P}{V}$이다. 따라서 전류의 세기는 A에서가 B에서의 2배이다.
ㄷ. A와 B의 저항이 같으므로 손실되는 전력은 전류의 제곱에만 비례한다. 전류의 세기는 A에서가 B에서의 2배이므로 손실되는 전력은 A에서가 B에서의 4배이다.
바로알기 | ㄴ. 주상 변압기는 높은 송전 전압을 가정에서 사용하는 전압으로 낮추는 역할을 한다.

1230 모범 답안 송전선에 흐르는 전류의 세기를 작게 하기 위해 송전 전압을 높인다. 송전선의 저항을 작게 하기 위해 전기 저항이 작은 재질의 송전선을 이용한다. 송전선의 저항을 작게 하기 위해 송전선의 굵기를 굵게 한다.

1231 **바로알기 |** ② 거미줄 같은 송전 전력망은 전력 생산지와 소비지를 최적의 거리로 이어주어 효율적이다.
④ 직류 방식은 교류 방식에 비해 전자파 발생이 적다.
⑦ 송전선을 지하에 묻는 방식은 건설 비용이 많이 들고 문제 발생 시 관리가 어려운 단점이 있다.

1232 ㄱ. (나)의 그래프에서 보면 송전 전력이 일정한 경우 송전선에 흐르는 전류의 세기가 작을수록 송전선에서 손실되는 전력이 작으므로 도시에 공급되는 전력은 커지는 것을 알 수 있다.
바로알기 | ㄴ. 전류의 세기가 같을 때 송전선의 저항이 큰 A가 B보다 송전선에서 손실되는 전력이 크다. (나)에서 A, B에 같은 세기의 전류가 흐를 때 손실되는 전력은 X가 Y의 2배이므로 A의 그래프는 X이다.
ㄷ. $P=VI$이므로 동일한 전압으로 송전할 때 송전선에 흐르는 전류의 세기는 B가 A의 2배이다. 손실 전력은 송전 전류의 제곱과 송전선의 저항에 각각 비례하므로 B에 흐르는 전류가 A의 2배, B의 저항값이 A의 $\frac{1}{2}$배이면 손실 전력은 B가 A의 $2^2\times\frac{1}{2}=2$배이다.

38 현재와 미래의 에너지

빈출 자료 보기 314쪽

1233 (1) ○ (2) × (3) × (4) ○

1233 **바로알기 |** (2) (나)는 풍력 발전기의 모습으로 바람의 힘으로 날개를 돌려 전기 에너지를 생산한다.
(3) (다)에서 전선을 타고 이동하는 것은 전자이다.

난이도별 필수 기출 315~319쪽

1234 ②	1235 ②, ⑦	1236 ③	1237 ⑤	
1238 해설 참조		1239 ②	1240 ④	1241 ②
1242 ②	1243 ④	1244 ③	1245 ⑤	1246 ⑤
1247 ④	1248 ①	1249 ④	1250 ③	1251 ③, ⑤
1252 ⑤	1253 ③, ④	1254 ③	1255 ①	1256 ④
1257 해설 참조		1258 ④	1259 ②	1260 ④
1261 ⑤	1262 ②			

1234 ㄱ. 바람이 부는 것은 태양 에너지에 의해 가열된 공기가 상승하면서 기압의 변화를 일으키기 때문이다.
ㄷ. 태풍의 발생과 같은 기상 현상은 태양 에너지와 밀접한 관계가 있다.
바로알기 | ㄴ. 마그마는 지구 내부에서 암석이 녹아 형성된 것이며, 태양 에너지와는 관계가 없다.
ㄹ. 지진은 지구 내부 에너지에 의해서 발생한다.

1235 **바로알기 |** ② 태양의 핵에서는 수소 원자핵이 헬륨 원자핵이 되는 핵융합 반응이 일어난다.
⑦ 핵반응에서 나타나는 질량 결손이 에너지로 방출되므로 태양의 질량은 시간이 지날수록 감소한다.

1236 ㄱ. 바람은 태양 에너지로 인해 발생하는 공기의 흐름으로, 태양 에너지가 공기의 역학적 에너지로 전환된 것이다.
ㄴ. 화석 연료는 생명체의 유해가 땅속에 오랫동안 묻힌 후 높은 열과 압력을 받아 생성된 것이다. 생명체는 태양 에너지를 화학 에너지로 저장하였고, 화석 연료는 이 생명체의 유해가 화학적으로 변형되었으므로 화석 연료는 태양 에너지에서 비롯되었다고 볼 수 있다.
바로알기 | ㄷ. 태양광 발전은 반도체를 이용하여 태양에서 온 빛에너지를 전기 에너지로 전환시키는 발전 방식이다.

1237 ㄱ. 태양에서는 수소 원자핵 4개가 헬륨 원자핵 1개가 되는 핵융합 반응이 일어난다.
ㄴ. A는 수소 원자핵이고, B는 헬륨 원자핵이다.
ㄷ. 핵융합 과정에서 질량 결손이 일어나므로 A 4개의 질량은 B 1개의 질량보다 크다.

1238 (1) A는 핵, B는 복사층, C는 대류층으로 태양 에너지는 태양 중심부인 핵에서 핵융합 반응에 의해 생성된다.
모범 답안 (1) A, 핵

(2) 태양의 핵은 약 1500만 K의 초고온 상태로, 이러한 환경에서는 수소 원자핵 4개가 반응하여 헬륨 원자핵 1개가 되는 핵융합 반응이 일어난다. 핵융합 과정에서는 질량 결손이 일어나는데, 이때 감소한 질량만큼 에너지가 방출되며 이 에너지가 태양 에너지의 근원이 된다.

1239 ㄱ. A~C 중에서 온도가 가장 낮은 곳은 표면인 C이다. 태양의 표면 온도는 약 6000 K 정도이다.
ㄷ. 수소 핵융합 반응이 일어날 때 질량이 감소하는데, 이 감소한 질량만큼 에너지가 발생한다.
바로알기 | ㄴ. 핵융합 반응은 태양의 핵인 A에서 일어난다.
ㄹ. 질량은 에너지로, 에너지도 질량으로 서로 전환될 수 있다.

1240 **바로알기 |** ④ 화석 연료는 환경오염의 주 원인이다. 특히 연소 과정에서 배출되는 이산화 탄소는 지구 온난화에 많은 영향을 준다.

1241 **바로알기 |** ② 원료가 되는 핵물질은 아주 작은 양으로도 큰 에너지를 내므로 에너지 효율이 높다고 할 수 있으나, 소모된 자원은 다시 쓸 수 없으며 매장량이 한정되어 있어 고갈 우려가 있다.

1242 ㄴ. 제어봉은 연쇄 반응에서 기하급수적으로 증가하는 중성자를 흡수하여 연쇄 반응 속도를 조절하는 역할을 한다. 연쇄 반응 속도를 줄이면 에너지 방출량을 조절할 수 있다.
바로알기 | ㄱ. 우라늄 원자핵에 느린 중성자를 충돌시켜야 핵분열이 일어난다.
ㄷ. 감속재는 핵분열 과정에서 방출되는 중성자의 속도를 느리게 하여 연쇄 반응이 계속 일어나게 하기 위해 사용한다.

1243 ㄴ. 핵분열 과정에서 방출된 중성자가 주변의 다른 원자핵과 충돌하면서 연쇄적으로 핵분열 반응이 일어난다. 따라서 방출되는 중성자를 흡수하면 연쇄 반응 속도를 조절할 수 있다.
ㄷ. 핵분열 과정에서 질량 결손이 일어나는데, 결손된 질량만큼 에너지가 방출된다.
바로알기 | ㄱ. 우라늄 원자핵에 느린 중성자가 충돌하면 핵분열이 일어난다. 즉, ㉠은 중성자이다.

1244 ㄷ. 화력 발전에서는 화석 연료의 연소 과정에서 나오는 열에너지를, 핵발전에서는 핵분열 반응에서 방출되는 열에너지를 이용하여 물을 끓이고 물을 끓여 얻은 증기를 이용해 터빈을 돌려 전기 에너지를 생산한다.
ㄹ. 화석 연료의 연소 과정에서는 이산화 탄소가 배출되지만 핵분열 과정에서는 이산화 탄소가 배출되지 않는다.
바로알기 | ㄱ. 핵발전에 사용되는 에너지원은 우라늄이다.
ㄴ. 화력 발전은 화석 연료의 화학 에너지를 에너지원으로 하여 전기 에너지를 생산하는 방식이다.

1245 **바로알기 |** ⑤ 우라늄 원자핵은 핵발전의 연료로, 우라늄의 핵에너지는 신재생 에너지에 속하지 않는다.

1246 **바로알기 |** ⑤ 태양광 발전은 반도체를 이용하여 태양의 빛에너지를 직류 전류로 전환한다.

1247 **바로알기 |** ④ 현재 전 세계적으로 가장 많이 사용하고 있는 에너지는 화석 연료의 에너지이다.

1248 **바로알기 |** ① 태양 전지는 빛에너지를 직접 전기 에너지로 전환한다. 전자기 유도 현상과는 관계없다.

1249 ㄴ. 태양열 발전은 태양열을 이용하여 물을 끓여 고온, 고압의 증기를 만들고, 증기의 운동 에너지를 이용하여 발전기를 돌린다.
ㄷ. 흐린 날씨에는 발전 시설에 도달하는 태양 에너지가 작아서 발전량이 작아지는 등 날씨의 영향을 많이 받는다.
바로알기 | ㄱ. 태양광 발전은 태양 전지를 이용하여 태양의 빛에너지를 직접 전기 에너지로 전환하여 사용한다.

1250 **바로알기 |** ③ 바람의 방향과 세기를 정확히 예측하기 어렵기 때문에 풍력 발전만으로는 원활한 전력 공급이 어렵다.

1251 **바로알기 |** ① 파도의 움직임을 이용하여 전기를 생산하는 발전 방식은 파력 발전에 해당한다. 그림은 조수 간만의 차이를 이용한 조력 발전이다.
② 밀물과 썰물 때 해수면 높이 차는 태양 에너지와 관계 없다.
④ 밀물과 썰물 때 해수면의 높이 차가 큰 시간대는 한정적이므로 24시간 내내 발전기를 돌릴 수는 없다.

1252 ㄱ. 조력 발전은 조수 간만의 차이를 이용한다. 썰물일 때는 바다의 해수면 높이가 낮아지므로 호수에 가두어 둔 바닷물을 바다로 내보내 터빈을 돌리고 밀물일 때는 바다의 해수면 높이가 높아지므로 바닷물을 호수 쪽으로 받아들이면서 터빈을 돌린다.
ㄴ. 파력 발전은 해수면의 움직임을 이용하여 전기를 생산하는데, 파도의 세기와 지속 시간 등을 예측하기 어렵기 때문에 발전량도 예측하기 어렵다.
ㄷ. 파력 발전은 파도에 따라 움직이는 물을 이용하여 전기를 생산하므로 파도의 역학적 에너지를 전기 에너지로 전환한다.

1253 ② 수소와 분리된 전자가 전극 A를 통해 회로로 이동하므로 전극 A는 (−)극이다.
⑤ 전류가 흐르는 방향은 전자가 이동하는 방향과 반대이므로 전류는 B → 전구 → A 방향으로 흐른다.
바로알기 | ③, ④ 전극 B에서는 산소가 수소 이온, 전자와 결합하여 물(H_2O)이 생성되므로 산소는 환원된다.

1254 ㄷ. (−)극에서 수소가 내놓은 전자가 전선을 따라 (+)극으로 이동하여 전류가 흐르게 되므로 발광 다이오드에 불이 켜진다.
ㄹ. (가)에서는 물이 수소와 산소로 분해되는 반응이 일어나고 (나)에서는 수소와 산소가 반응하여 물이 생성되는 반응이 일어난다. 따라서 (가)와 (나)에서 일어나는 반응은 서로 반대 과정의 반응이다.
바로알기 | ㄱ. (가)에서는 물을 전기 분해한다. 물에 수산화 나트륨을 넣는 까닭은 순수한 물은 전기 분해를 할 수 없기 때문이다.
ㄴ. 물을 전기 분해할 때 (+)극에서는 산소 기체가, (−)극에서는 수소 기체가 발생한다.

1255 ㄱ. 조력 발전과 연료 전지는 신재생 에너지를 이용한다.
바로알기 | ㄴ. 조력 발전은 터빈을 통해 발전기를 돌리므로 발전기에서 전자기 유도를 이용하지만, 연료 전지는 화학 에너지를 직접 전기 에너지로 전환하므로 전자기 유도와 관련이 없다.
ㄷ. 연료 전지는 화학 에너지를 전기 에너지로 전환하지만, 조력 발전은 물의 역학적 에너지를 전기 에너지로 전환한다.

1256 • A: 에너지원이 직접 터빈을 돌리는 방식으로 조력 발전, 파력 발전, 풍력 발전이 여기에 해당한다.
• B: 에너지원에서 열에너지를 얻고, 열에너지를 이용하여 터빈을 돌리는 방식으로 핵발전, 화력 발전이 여기에 해당한다.

• C: 에너지원에서 바로 전기 에너지를 얻는 방식으로 태양광 발전, 연료 전지가 여기에 해당한다.

1257 **모범 답안** (1) • A극: $2H_2 \longrightarrow 4H^+ + 4e^-$
• B극: $O_2 + 4H^+ + 4e^- \longrightarrow 2H_2O$
(2) 연료 전지는 최종 생성물로 물만 생성되므로 환경 오염 물질이 거의 배출되지 않는다, 연료 전지에서는 연료의 화학 에너지가 전기 에너지로 직접 전환되므로 에너지 효율이 높다. 등

1258 ㄱ. 파력 발전은 발전 과정에서 파도의 에너지를 사용하므로 파도에 의한 피해를 줄일 수 있어 방파제로도 활용할 수 있다.
ㄷ. 조력 발전은 밀물과 썰물 때 해수면의 높이차를 이용하여 터빈을 돌려 전기 에너지를 생산한다.
ㄹ. 지열 발전은 환경에 따라 지하에 있는 고온의 지하수나 수증기를 직접 끌어 올려서 터빈을 돌리는 방식과 지하의 열로 물을 끓여 전기 에너지를 생산하는 방식을 사용한다.
바로알기 | ㄴ. 수력 발전은 물의 역학적 에너지로 터빈을 돌려 발전기에서 전기 에너지를 생산하므로 전자기 유도 현상을 이용한다.

1259 ㄱ. (가)는 태양광 발전으로, 태양 전지는 반도체로 구성되어 있고 태양광을 받으면 전류가 흐르는 특성이 있다.
ㄷ. (다)는 풍력 발전으로, 풍력 발전기는 바람의 운동 에너지를 이용하여 날개를 돌려 전기 에너지를 생산한다. 따라서 풍력 발전은 바람이 많이 부는 지역에 설치해야 하며, 날개가 회전하면서 소음이 많이 발생하므로 소음 피해 우려가 없는 지역에 설치해야 한다.
바로알기 | ㄴ. (나)는 핵발전으로, 현재 핵발전은 무거운 원자핵의 핵분열 반응에서 발생하는 에너지를 이용하여 전기 에너지를 생산한다. 핵융합 반응을 이용하는 발전 방식은 아직까지 연구 중에 있다.
ㄹ. 핵발전은 전력 생산량을 일정하게 조절할 수 있으나, 태양광 발전, 풍력 발전은 날씨의 영향을 많이 받아 전력 생산량이 일정하지 않다.

1260
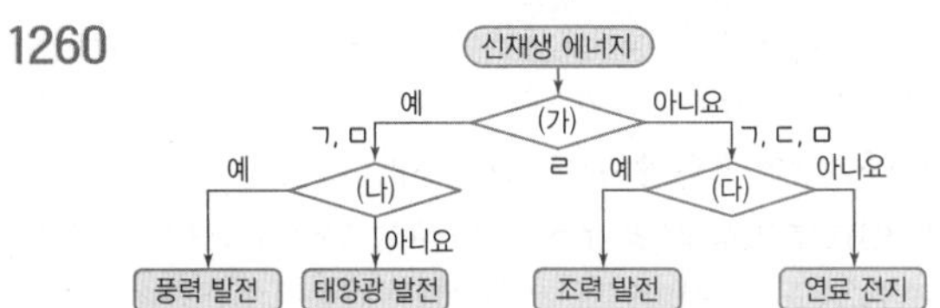

분류 기준 (가)를 통해 [풍력 발전과 태양광 발전], [조력 발전과 연료 전지]로 구분하였으므로 분류 기준은 ㄹ이다.
분류 기준 (나)를 통해 풍력 발전과 태양광 발전을 구분하였으므로 분류 기준은 ㄱ, ㅁ이 가능하다.
분류 기준 (다)를 통해 조력 발전과 연료 전지를 구분하였으므로 분류 기준은 ㄱ, ㄷ, ㅁ이 가능하다.

1261 **바로알기 |** ⑤ 열병합 발전소에서는 폐기물을 소각하여 에너지를 생산한다.

1262 ㄷ. 적정 기술은 사용하는 지역에서 지속적인 생산과 소비를 할 수 있어야 한다.
바로알기 | ㄱ. 적정 기술은 사용하는 지역에 대규모의 사회 기반 시설이 필요하지 않은 기술을 말한다.
ㄴ. 재료가 비싸서 전문가만이 이용할 수 있는 것은 적정 기술에 적합하지 않다.

최고 수준 도전 기출 (37 ~ 38강)

320쪽

1263 ④ 1264 ① 1265 ④ 1266 ②

1263 ㄴ. 자석이 q점을 지날 때 코일 내부를 통과하는 오른쪽 방향의 자기장 세기가 점점 작아지므로 코일의 오른쪽이 N극이 되도록 유도 전류는 b → 저항 → a 방향으로 흐른다.
ㄷ. 자석을 레일의 더 높은 곳에서 출발시키면 코일을 지날 때 자석의 속력이 더 커지고, 그에 따라 코일 내부의 시간에 따른 자기장 변화가 더 크게 나타나므로 유도 전류의 세기가 더 세진다.
바로알기 | ㄱ, ㄹ. 자석이 코일을 통과하는 과정에서 전자기 유도 현상에 의해 자석의 역학적 에너지가 전기 에너지로 전환되므로 자석의 속력은 p점에서가 q점에서보다 크고 자석이 코일을 통과하는 동안 역학적 에너지는 보존되지 않는다.

1264 ㄱ. 발전소에서 교류 전류의 형태로 전력이 생산되면 변전소에서 전자기 유도 현상을 이용하여 전압을 바꾼다. 따라서 송전선 A, B에는 모두 교류 전류가 흐른다.
바로알기 | ㄴ. (나)에서 송전선에서 손실되는 전력이 $5P$로 같을 때 A의 송전 전류의 제곱은 I^2이고, B의 송전 전류의 제곱은 $9I^2$이다. 송전선에서 손실되는 전력은 $P_{손실}=I^2R$로 나타낼 수 있으므로 송전선의 저항은 A가 B의 9배이다.
ㄷ. 송전 전력은 송전 전압과 송전 전류의 곱과 같다. 송전 전력은 B가 A의 2배이므로 송전 전압이 A와 B에서 같을 때 송전 전류도 B가 A의 2배이다. 손실 전력의 크기는 송전 전류의 제곱과 송전선의 저항의 곱으로 나타내므로 송전 전류가 A가 B의 $\frac{1}{2}$배, 송전선의 저항이 A가 B의 9배이면, 손실 전력의 크기는 A가 B의 $\frac{9}{4}$배이다.

1265 ㄱ. A는 핵융합 반응이며, 태양 에너지가 생성되는 반응이다.
ㄴ. ㉠은 핵분열 반응에서 방출되는 중성자이다. 중성자는 전하를 띠지 않는다.
ㄹ. 핵반응 과정에서 질량 결손(Δm)이 일어나며, 이 질량 결손에 해당하는 만큼의 에너지(E)가 방출된다. 빛의 속력을 c라고 하면, $E=\Delta m \times c^2$의 관계식을 만족한다.
바로알기 | ㄷ. B는 핵분열 반응이며, ㉠은 고속의 중성자이다. 핵분열 반응을 이용하여 발전을 하려면 연쇄 반응이 일어나야 하고, 핵분열 반응은 느린 중성자가 필요하므로 감속재를 이용하여 속력을 감소시킨다.

1266 ㄷ. 태양 전지는 내부에서 전자의 이동 방향이 항상 같으며, 각 전극의 극성이 변하지 않고 항상 같은 상태를 유지하므로 직류 전류를 생산한다.
바로알기 | ㄱ, ㄴ. 태양 전지가 빛을 받으면 내부에 자유 전자가 발생하는데, 이 자유 전자가 n형 반도체 쪽으로 이동하여 기전력을 생성하고 이때 외부에 전기 장치를 연결하면 전자가 외부 회로를 통해 이동하면서 전류가 흐른다. 따라서 n형 반도체 쪽이 (−)극, p형 반도체 쪽이 (+)극이 되므로 전류는 b → 전구 → a 방향으로 흐른다.

완자 기출 PICK 완자가 pick한 내신 기출의 모든 것, 1등급 필수템!

대표전화 1544-0554
주소 경기도 과천시 과천대로2길 54